ADMINISTRACIÓN ESTRATÉGICA
UN ENFOQUE INTEGRADO
Tercera edición

D1496776

CHARLES W. L. HILL
University of Washington

GARETH R. JONES
Texas A & M University

Traducción
MAGALY BERNAL OSORIO
Licenciada en Lenguas
Universidad Pedagógica Nacional
Especialista en traducción
Universidad de los Andes

Revisión técnica
GUILLERMO RODRÍGUEZ VILLEGAS
Ingeniero industrial
Consultor de empresas

McGRAW-HILL
Santafé de Bogotá • Buenos Aires • Caracas • Guatemala • Lisboa • Madrid • México • Nueva York
Panamá • San Juan • Santiago de Chile • Sao Paulo
Auckland • Hamburgo • Londres • Milán • Montreal • Nueva Delhi • París • San Francisco • San Luis
Sidney • Singapur • Tokio • Toronto

Derechos reservados. Copyright © 1996,
por McGRAW-HILL INTERAMERICANA, S. A.
Avenida de las Américas No. 46-41
Santafé de Bogotá, Colombia

Traducido de la tercera edición en inglés de
STRATEGIC MANAGEMENT. An Integrated Approach
Copyright © MCMXCV, por Houghton Mifflin Company
All rights reserved

Editora: Martha Edna Suárez Ríos

2134567890   9012346785

ISBN: 958-600-450-3

Se imprimieron 5000 ejemplares en el mes de junio de 2000
Impreso por Quebecor Impreandes
Impreso en Colombia - Printed in Colombia

Contenido abreviado

Contenido

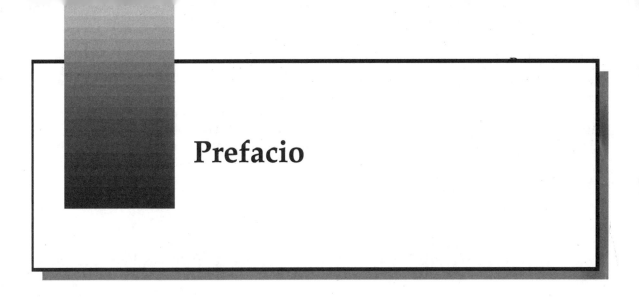

Prefacio

El creciente apoyo y aceptación de un enfoque integrado hacia la administración estratégica, del que fuimos pioneros en las dos primeras ediciones del libro *Administración estratégica*, nos ha llevado a consolidar y ampliar este enfoque para la tercera edición. Con el fin de aumentar su valor, hemos continuado utilizando retroalimentación por parte de los usuarios de las dos primeras ediciones. Suministramos una amplia y actualizada cobertura de la abundante literatura sobre administración estratégica, mientras el texto sigue siendo interesante. Hemos seleccionado un nuevo conjunto de casos de administración estratégica y desarrollado un nuevo enfoque interactivo de enseñanza con el propósito de aumentar la experiencia de aprendizaje de los estudiantes*. También ampliamos y mejoramos las características de enseñanza presentadas en el texto.

COBERTURA AMPLIA Y ACTUALIZADA

Ventaja competitiva

Al reconocer la continua investigación impulsada a explorar las fuentes de ventaja competitiva tanto a nivel doméstico como global, dentro del texto hemos integrado reciente investigación sobre los bloques de formación de la ventaja competitiva. La tercera edición contiene dos nuevos capítulos (4 y 5) que se concentran en estos cuatro bloques (eficiencia, calidad, innovación y capacidad de satisfacer al cliente) y exploramos cómo una organización construye las fortalezas en esas áreas mediante sus estrategias a nivel funcional, de negocios y corporativo. Además, reorganizamos los capítulos sobre implementación de estrategias con el fin de demostrar cómo se puede utilizar el diseño organizacional para solidificar la ventaja competitiva. Este nuevo enfoque nos ha permitido proporcionar una imagen más amplia e integrada del proceso de administración estratégica.

Dimensión global de la estrategia

También hemos hecho mayor énfasis en la dimensión global de estrategias. El capítulo sobre asuntos globales ha sido desplazado y ahora aparece directamente después de la estrategia a nivel de

---

* *N. de R. T.* Dada la objetividad y la manera de abordar el tema, se considera que esta obra se puede utilizar no sólo como guía de un curso específico sino también como material de consulta para todas aquellas personas involucradas profesionalmente en la administración de las empresas.

negocios. Este cambio nos ha permitido relacionar mejor el proceso de creación de valor. Además, casi todos los capítulos contienen nuevo material sobre la dimensión global de las estrategias. Por ejemplo, en el capítulo acerca del análisis del ambiente se encuentra un nuevo estudio sobre el ambiente global, mientras que el capítulo sobre la adecuación de la estrategia a la estructura escudriña la relación estrategia-estructura en un contexto global. El capítulo sobre estrategia global se revisó ampliamente y se actualizó con el propósito de incorporar toda la reciente investigación y reflexión.

Otros cambios en la tercera edición

Con el fin de actualizar la materia y responder a las inquietudes y sugerencias de los usuarios de la edición anterior hemos realizado otras ediciones o cambios en el contenido. Éstas incluyen las siguientes:

- Un estudio sobre el liderazgo estratégico, el intento estratégico, las predisposiciones del conocimiento y su impacto en la toma de decisiones (capítulo 1)
- Amplia cobertura de la ética y la responsabilidad social (capítulo 2)
- Cobertura del marco teórico de Porter «ventaja competitiva de las naciones» (capítulo 3)
- Amplia cobertura de los cuatro bloques de formación de la ventaja competitiva: eficiencia, calidad, innovación y capacidad de satisfacer al cliente (capítulos 4 y 5)
- Cobertura integrada de la administración de la calidad total y competencia con base en el tiempo (capítulo 5)
- Un análisis sobre cómo seguir en forma simultánea una estrategia de bajo costo y una estrategia de diferenciación (capítulo 6)
- Nuevo y amplio tratamiento de las adquisiciones, las nuevas operaciones y la reestructuración (capítulo 10)
- Nueva organización de los capítulos sobre la implementación de estrategias, con un énfasis más profundo en el diseño global organizacional (capítulos 11, 12 y 13)

Aunque cada capítulo ha sido completamente revisado y actualizado, hemos sido cuidadosos en mantener por nuestra propia cuenta el equilibrio e integración en la naturaleza del proceso de administración estratégica. Además, agregamos nuevo material, suprimimos los conceptos e información de menor actualización o importancia con el fin de asegurar que los estudiantes se concentren en los conceptos y aspectos principales de esta materia. Nuestro interés permanente ha sido mantener actualizado el libro.

CASOS DE ADMINISTRACIÓN ESTRATÉGICA

Para la edición en español se han seleccionado cuatro estudios de caso, tomados del inglés, y un original redactado en México. Estamos plenamente convencidos del interés generado para las personas involucradas en el mundo académico o profesional de este material. Estos casos ilustran la incertidumbre y el desafío del proceso de administración estratégica. De otra parte, deseamos agradecer a los autores de los casos que contribuyeron a esta edición:

- Tim Craig
  University of Victoria
- John Dunkelberg
  Wake Forest University
- Tom Goho
  Wake Forest University

- M. Edgar Barrett
  American Graduate School of
  International Management

- Carlos Alcerreca
  Instituto Tecnológico
  Autónomo de México

- Howard Feldman
  University of Portland
- Pochara Theerathorn
  Memphis State University

NUEVO ENFOQUE INTERACTIVO DE ENSEÑANZA

Además de integrar reciente investigación e intereses globales a nuestro estudio, en la tercera edición, hemos tratado de incrementar el valor del libro para los estudiantes de dos maneras importantes. Hemos aumentado la utilización de ejemplos reales y desarrollamos nuevas características de aprendizaje interactivo diseñadas para ampliar la comprensión de los conceptos sobre administración estratégica por parte de los estudiantes.

Cada capítulo comienza con un **caso inicial completamente nuevo**, seguido por preguntas y temas de análisis, que se pueden utilizar para estimular la discusión en clase. Cada capítulo también contiene variadas y detalladas **estrategias en acción**, que proporcionan ejemplos concretos de las implicaciones reales de la teoría de la administración estratégica.

Al final de cada capítulo, después del resumen, hemos agregado dos nuevos ejercicios que consideramos útiles para estimular el interés de los estudiantes en el material del curso. El primero es una **aplicación**, con el cual se exige buscar el ejemplo de una compañía que tenga relación con los temas estudiados en los capítulos. Por ejemplo, se pide localizar e investigar una empresa que siga una estrategia de bajo costo o una de diferenciación, luego elaborar su descripción, y determinar sus ventajas y desventajas junto con las principales habilidades necesarias para seguir la estrategia. Las exposiciones de los estudiantes sobre sus investigaciones generarán activas discusiones en clase.

El segundo ejercicio es el **proyecto sobre administración estratégica**. Los interesados, en pequeños grupos, escogen una organización para estudiar durante todo el semestre y la analizan mediante una serie de planteamientos proporcionados al final de cada capítulo. Por ejemplo, se podría seleccionar a Ford Motor Co. o cualquier otra importante compañía local y, mediante una serie de preguntas relacionadas con el capítulo, reunir información sobre los altos gerentes, la misión, la posición ética, la estrategia y estructura domésticas y globales, y otros datos. Al final, se redactará un estudio de caso de la compañía escogida, material que puede exponerse en clase al final del semestre. Por lo general, hay estudiantes que presentan uno o más casos a comienzo del semestre, pero en nuestras clases se consideran sus propios proyectos como el principal trabajo de curso y sus exposiciones de casos como la culminación de la experiencia de aprendizaje.

Hemos hallado que nuestro enfoque interactivo para la enseñanza de la administración estratégica despierta el interés de los estudiantes. De igual manera, mejora ostensiblemente la calidad de su experiencia de aprendizaje. Hay material disponible únicamente en la edición en inglés sobre este nuevo enfoque en el Instructor's Resource Manual, junto con otras ayudas didácticas para el estudiante.

AYUDAS DIDÁCTICAS*

En conjunto, las metodologías de enseñanza y aprendizaje de *Administración Estratégica* proporcionan un paquete que no es superado en su cobertura y que apoya el enfoque integrado, el cual se ha

---

* Este material está disponible únicamente en la edición en inglés. Los interesados pueden dirigirse a Houghton Mifflin Company, 222 Berkeley Street, Boston, MA 02116-3764.

adoptado en todo el libro. En el manual del profesor se pueden hallar mayores detalles para utilizar los materiales complementarios.

Para el profesor

- El **manual del profesor**, que gustó bastante en las primeras dos ediciones de *Administración Estratégica*, ha sido mejorado y ampliado. Como es usual, para cada caso se proporciona una *sugerencia pedagógica general*, la cual presenta un análisis completo sobre diversos aspectos de los casos. Además, en cada capítulo aparece una *sinopsis*, una lista de *objetivos pedagógicos, un bosquejo general del contenido* y las respectivas *respuestas a las preguntas y temas de análisis*. De igual manera, cada nuevo caso inicial tiene *sugerencias pedagógicas* que ayudan a orientar la discusión en clase. De otra parte, los bosquejos de los contenidos incluyen resúmenes del material que aparece en las secciones de *estrategia en acción*.
- El nuevo **banco de preguntas** (en el manual del profesor), creado en la tercera edición, ofrece un conjunto de preguntas generales de respuesta Falso/Verdadero y de selección múltiple, y las correspondientes respuestas para cada capítulo del libro. Una *versión electrónica* del banco de preguntas permite que los profesores preparen y cambien las evaluaciones fácilmente en el computador.
- Un paquete de **diapositivas** acompaña el libro. Éstas incluyen casi todas las artes que se hallan en el texto.
- Se encuentra disponible para los profesores una **videocinta** perteneciente a varios de los casos y algunos de los conceptos que aparecen en el libro. Ésta ayuda a destacar muchos aspectos de interés y puede utilizarse para motivar la discusión en clase.

Para el estudiante

- Como complemento se encuentra disponible un *juego de disquetes Moody's Company Data*. Los disquetes contienen datos financieros completos sobre la mayor parte de las grandes y más conocidas compañías que son abordadas en los casos en *Administración Estratégica*. Con esta información, los estudiantes o profesores pueden desarrollar análisis estratégicos y financieros.
- **Micromatic**, segunda edición, constituye una simulación con base en el computador que introduce a los estudiantes a las herramientas y conceptos del actual mundo de los negocios, como cálculos en hoja electrónica, escenarios «¿Qué hacer si...?», análisis financiero y análisis competitivo.
- **Policy Expert** incluye cuatro herramientas computacionales -calculadora, análisis de índices, modelos de portafolio y exploración ambiental- que ayudan a los estudiantes en el análisis de negocios o casos reales en un texto sobre administración estratégica.

RECONOCIMIENTOS

Este libro es el producto de más de dos autores. Nuestros agradecimientos de nuevo para los autores de los casos que nos permitieron utilizar sus materiales, e igualmente para Susan Peters por redactar el nuevo banco de preguntas. También deseamos agradecer a los departamentos de administración de las universidades de Washington y Texas A&M por proporcionarnos el escenario y el ambiente donde se materializó el libro, y a sus estudiantes que reaccionaron positivamente y proporcionaron las observaciones pertinentes para muchas de nuestras ideas. Además, los siguientes revisores nos suministraron valiosas sugerencias para mejorar el manuscrito desde su versión original hasta la actual:

Ken Armstrong
Anderson University
Kunal Banerji
West Virginia University
Glenn Bassett
University of Bridgeport
Thomas H. Berliner
The University of Texas at Dallas
Geoffrey Brooks
Western Oregon State College
Gene R. Conaster
Golden State University
Steven W. Congden
Ithaca College
Catherine M. Daily
Ohio State University
Helen Deresky
SUNY - Plattsburgh
Mark Fiegener
Oregon State University
Isaac Fox
Washington State University
Eliezer Geisler
Northeastern Illinois University
Gretchen Gemeinhardt
University of Houston
Lynn Godkin
Lamar University

Robert L. Goldberg
Northeastern University
Graham L. Hubbard
University of Minnessota
Tammy G. Hunt
University of North Carolina at Wilmington
W. Grahm Irwin
Miami University
Marios Katsioloudes
University of South Carolina Coastal Carolina College
Geoffrey King
California State University Fullerton
Rico Lam
University of Oregon
Robert J. Litschert
Virginia Polytechnic Institute and State University
Franz T. Lohrke
Louisiana State University
Lance A. Masters
California State University San Bernãdino
Charles Mercer
Drury College
Van Miller
University of Dayton

Joanna Mulholland
West Chester University of Pennsylvania
Paul R. Reed
Sam Houston State University
Rhonda K. Reger
Arizona State University
Malika Richards
Indiana University
Ronald Sánchez
University of Illinois
Joseph A. Schenk
University of Dayton
Brian Shaffer
University of Kentucky
Barbara Spencer
Clemson University
Lawrence Steenberg
University of Evansville
Ted Takamura
Warner Pacific College
Bobby Vaught
Southwest Missouri State
Robert P. Vichas
Florida Atlantic University
Daniel White
Drexel University

Finalmente, agradecemos a nuestras familias por su paciencia y apoyo durante el proceso de revisión. Estamos agradecidos con nuestras esposas, Alexandra Hill y Jennifer George, por su perdurable y creciente apoyo y afecto.

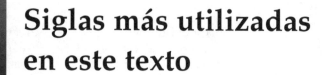

Siglas más utilizadas en este texto

ABP	American Business Products.
ACT	Administración de la calidad total
AM-LCD	Active Matriz Liquid Crystal Displays
ARCO	Atlantic Richfield Company.
AT&T	American Telephone and Telegraph Co.
BCG	Boston Consulting Group (Grupo Consultor de Boston)
CAD	(Computer-Aided Development.
CAT	Computerized Axial Tomography.
CEO	Chief executive officer -Máxima autoridad individual de una organización.
CFC	Clorofluorocarbonos.
CITGO	Cities Service Refining Marketing, and Transportation.
CNB	Comisión Nacional Bancaria.
CT	Costos totales.
DCC	Digital Compact Cassette.
DEC	Digital Equipment Corp.
DOFA	Debilidades, oportunidades, fortalezas y amenazas.
DRAM	Dynamic Random-Access Memory.
EDS	Electronic Data Systems Corp.
EME	Escala mínima eficiente.
EAN	European Article Number.
EANA	EAN Association
ESOP	Employee stock option systems.
FDA	Food and Drug Administration - Dirección de alimentos y medicamentos
FDR	First Data Resources
FEMSA	Fomento Económico Mexicano S.A.
FICA	Federal Insurance Contributions Act.
FOBAPROA	Fondo Bancario de Protección al Ahorro.
GATT	General Agreement on Tariffs and Trade.
GE	General Electric
GFB	Grupo Financiero Bancomer.
GM	General Motors.
GTE	Global Telecommunications Enterprises.
HMO	Health Maintenance Organization.
HP	Way Estilo Hewlett-Packard
IBM	International Business Machines.
ICI	Imperial Chemical Industries P.
INPC	Indice Nacional de Precios al Consumidor.
Input	Sugerencias, consejos, información formal e informal.

IT	Ingresos totales.
I&D	Investigación y Desarrollo
JAN	Japanese Article Numbering
JAT	Justo a tiempo (sistemas de inventario).
Joint venture	Contrato de asociación, operación conjunta.
LBO	Leverage buyout compra apalancada.
MBB	Messerschmitt-Boelkow-Blohm.
MBO	Management Buyout Venta de una unidad de negocios a la gerencia.
MIN	Margen de interés neto.
MKE	Matsushita Kotobuk Electronics.
MS-DOS	Microsoft-Disquete Operating System.
MUB	Margen de utilidad bruta.
NBC	Nations Bank Corporation.
NCR	National Cash Register.
ND	No disponible.
N$	Nuevo peso mexicano.
PDVSA	Petróleos de Venezuela S.A.
PIB	Producto Interno Bruto.
P&G	Procter & Gamble.
PROCAPTE	Programa de Capitalización Temporal.
Q-DOS	Quick and Dirty Operating System.
ROA	Return on Assets.
ROE	Rentabilidad del capital.
ROI	Return on Investment.
ROS	Return on Sales.
RSA	Rendimiento sobre los activos.
RSI	Rendimiento sobre la inversión.
RSV	Rendimiento sobre las ventas.
SAPE	Sistemas accionarios para empleados.
SAR	Sistema de ahorro para el retiro.
SPV	Sistemas de punto de venta.
TLC	Tratado de Libre Comercio
TQM	Total Quality Management.
UAL	United Air Lines.
UDI	Unidad de inversión.
UEN	Unidad estratégica de negocios
UPC	Universal Product Code.
US$	Dólares estadounidenses.
VAMSA	Valores Monterrey S.A.
VAN	Valve Added Network
VISA	Valores Industriales S.A.
VPD	Ventas pendientes en días.

I

INTRODUCCIÓN A LA ADMINISTRACIÓN ESTRATÉGICA

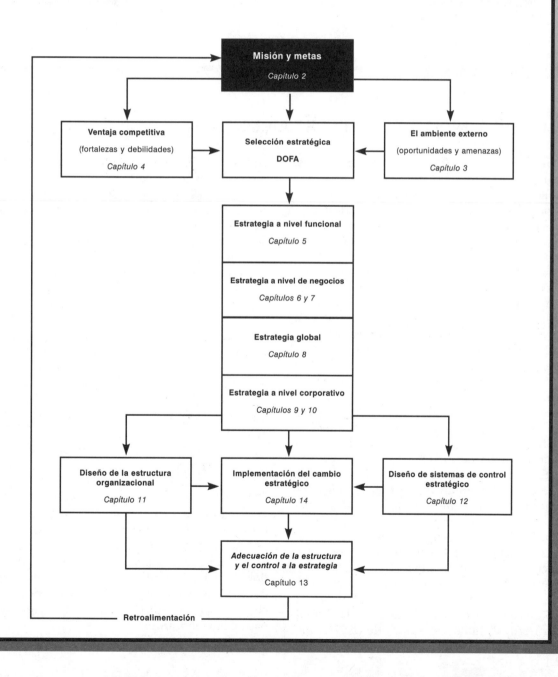

1 El proceso de administración estratégica

1.1 CASO INICIAL: SOUTHWEST AIRLINES

Durante la mayor parte de los últimos 15 años, la industria estadounidense de transporte aéreo ha sido, como inversión, una de las menos atractivas. Entre 1978 y 1993, cuando funcionó desregulada ingresaron 29 aerolíneas nuevas y este rápido incremento en capacidad de transporte la llevó a una situación de capacidad excesiva. A medida que más aerolíneas perseguían a los pasajeros, las tarifas bajaban para atraerlos y los precios de los tiquetes descendieron a niveles apenas suficientes para hacer rentables a las empresas. Desde 1978 la industria había estado comprometida en dos ocasiones en una intensa guerra de precios: de 1981 a 1983 y de 1990 a 1993. La competencia creció considerablemente durante estos dos periodos, hasta que en 1982 toda la industria perdió US$700 millones, y entre 1990 y 1992 perdió la asombrosa cantidad de US$7,100 millones (más de lo que obtuvo durante sus anteriores 15 años).

Sin embargo, a pesar de este ambiente hostil, una compañía, Southwest Airlines, no sólo se mantuvo rentable sino que mejoró su desempeño mientras sus competidores se ahogaban en deudas. Southwest es una aerolínea regional con una presencia importante en Texas. En 1992, mientras otras importantes aerolíneas estadounidenses perdieron dinero, Southwest reportó un marcado aumento en su utilidad neta (de US$105.5 millones con base en entradas brutas por US$1,680 millones, a partir de US$26.9 mi-

llones en 1991 con base en las entradas brutas por US$1,310 millones).

Dos factores han posibilitado que Southwest sea rentable: sus bajos costos y la lealtad de sus clientes. Sus bajos costos se deben a varias razones: Southwest ofrece sólo lo que el cliente necesita; no se sirven comidas a bordo y no existen asientos de primera clase; la empresa no se afilia a los grandes sistemas de reservación que utilizan las agencias de viajes debido a que considera que las tarifas por este concepto son demasiado costosas; la aerolínea utiliza un solo tipo de avión, el Boeing 737 que se caracteriza por su bajo consumo de combustible, así garantiza bajos costos de entrenamiento y mantenimiento. Asimismo, un importante activo es su muy productiva fuerza laboral. Los empleados de Southwest manifiestan que están dispuestos a trabajar arduamente ya que se sienten apreciados por parte de la alta gerencia. Como lo expresaba un auxiliar de vuelo, "Uno no quiere decepcionar a Herb". Herb Kelleher, el CEO, ha llegado a colaborar con los auxiliares de vuelo para servir bebidas y con los ingenieros para prestar el servicio de mantenimiento en los aviones. Además, Southwest maneja un generoso plan accionario que se extiende a todos sus empleados, el cual ha permitido que ellos posean cerca del 10% de las acciones de la aerolínea; este hecho ha proporcionado un gran incentivo para trabajar de manera ardua.

La lealtad de los clientes de Southwest también se debe a varias razones. Su estructura de bajo costo le permite ofrecer precios cómodos a sus clientes. Esto genera lealtad, la cual adicionalmente es fortalecida por su reputación como la empresa de transporte aéreo más confiable en la industria. Esta compañía posee la mínima duración de inmovilización de sus aparatos; su tripulación necesita tan sólo 15 minutos para recibir un avión y prepararlo para la partida, a fin de que los vuelos continúen siendo puntuales. La compañía también posee una buena reputación por atender las inquietudes de sus clientes. Por ejemplo, cuando cinco estudiantes de Texas, que viajaban semanalmente a una escuela de medicina fuera del estado, se quejaron porque el vuelo los había retrasado 15 minutos para llegar a su clase, Southwest adelantó 15 minutos el horario de partida. Además, la estructura de la ruta central de la aerolínea (ésta funciona sólo en 15 estados, principalmente en el sur) le ha ayudado a generar una importante presencia regional y a evitar alguna parte de la competencia implacable que las aerolíneas han tenido que afrontar en toda la nación[1].

Preguntas y temas de análisis

1. ¿Qué indica el éxito de Southwest Airlines con respecto a la importancia relativa de factores específicos para la industria y para la compañía al explicar el desempeño de una empresa?

2. ¿Cuál es la base de la ventaja competitiva de Southwest? ¿Cómo podría perder esa ventaja?

1.2 INTRODUCCIÓN

Un objetivo central de la administración estratégica consiste en investigar por qué algunas organizaciones tienen éxito mientras otras fracasan. Por ejemplo, en la industria del transporte aéreo, ¿qué distingue a las compañías exitosas como Southwest de las fracasadas como Continental? ¿Por qué Southwest ha superado firmemente el desempeño en la industria, mientras Continental se ha hallado en bancarrota en dos ocasiones durante una década? En forma similar, en la industria de la computación, ¿por qué Digital Equipment e IBM, antes consideradas las dos compañías de computadores más exitosas en el mundo, ahora muestran fallas mientras otras compañías como Dell Computer y Compaq Computer se consideran exitosas? O en la industria minorista, ¿por qué antiguos gigantes como Sears y J.C. Penney viven tiempos difíciles, y compañías relativamente nuevas como The Gap, Toys Я Us. y The Limited, se convierten en estrellas de la industria? El contenido de este libro le permite al lector resolver estas preguntas. Éste le puede ayudar a entender por qué algunas organizaciones tienen éxitos y otras fracasan, por qué el éxito se puede tornar en fracaso (como parece haberle sucedido a IBM y Digital), y cómo una organización fracasada puede alcanzar de nuevo el éxito (como en el caso de Chrysler que lo ha logrado dos veces en los últimos quince años).

Este texto explica cómo tres grandes factores determinan el éxito de una compañía: la industria en la cual está ubicada, el país o países donde se localiza y sus propios recursos, capacidades y estrategias (*véase* figura 1.1). El lector aprenderá por qué algunas industrias son más rentables que otras, y observará cómo el hecho de ubicarse en una industria atractiva puede ayudar a que una compañía tenga éxito. Por ejemplo, durante las dos décadas anteriores las compañías en la industria de transporte aéreo fueron menos rentables que aquellas ubicadas en la industria farmacéutica.

Figura 1.1
Determinantes del
desempeño de
una compañía

Aquí se analizará también cómo el contexto nacional de un país influye en la competitividad de compañías localizadas dentro de esa nación. El contexto nacional es importante debido a que en muchas industrias el mercado se ha convertido en un espacio global, donde empresas de diversos países compiten de igual a igual en todo el mundo. En tales mercados globales, para algunas firmas es muy fácil obtener el éxito debido a que están localizadas en países que poseen ventaja competitiva en ciertas industrias. Por ejemplo, un buen número de las más exitosas compañías automotrices y de electrodomésticos del mundo están localizadas en el Japón, muchas de las empresas farmacéuticas de éxito están localizadas en EE.UU. y Suiza, y muchas de las firmas más exitosas de servicios financieros se encuentran en EE.UU. y Gran Bretaña. Se examinan las razones por las cuales surgen tales modelos de ventaja competitiva nacional y se exploran sus implicaciones para el éxito o el fracaso de empresas individuales.

Sin embargo, el tercer factor (recursos, capacidades y estrategias de una compañía) se constituye por un amplio margen, en el determinante más fuerte del éxito o del fracaso[2]. De esta manera, algunas empresas se las ingenian para prosperar aun en medios muy hostiles, en los cuales el nivel promedio de utilidad es bajo. Southwest Airlines, perfilada en el caso inicial, ejemplifica este tipo de compañía. El éxito de Southwest se debe al hecho de que sus recursos, capacidades y estrategias le han permitido lograr una posición de bajo costo y generar lealtad en el cliente. Estos logros la han protegido de las guerras de precios que han asolado la industria del transporte aéreo durante la mayor parte de la década pasada. En forma similar, existen pequeñas firmas en algunas industrias muy rentables. Aunque la industria farmacéutica en general ha sido muy lucrativa durante los últimos 20 años, la utilidad de compañías individuales dentro de este ámbito varía ampliamente. Algunas compañías como Merck, firmemente han superado por un amplio margen, el desempeño de otras firmas como Squibb Corp. y Warner-Lambert. Este texto explica por qué existe tanta variedad de rendimiento entre compañías que operan dentro del mismo ámbito industrial e igual contexto nacional.

Entender las raíces del éxito y el fracaso no es un vacuo ejercicio académico. Tal entendimiento proporciona una mejor apreciación de las estrategias que pueden aumentar la posibilidad de éxito y reducir la probabilidad de fracaso. En consecuencia, buena parte de este libro se dedica a describir los pros y los contras de varias estrategias. La mayoría de estas estrategias son genéricas; es decir, se aplican a todas las organizaciones, grandes o pequeñas, de productos o servicios, con o sin ánimo de lucro. Una pequeña organización sin ánimo de lucro, como un teatro de barrio o las obras de caridad de la parroquia, debe tomar decisiones sobre cómo generar ingresos de la mejor manera, de acuerdo con el ambiente donde esté basada y sus propias fortalezas y debilidades. Estas decisiones estratégicas involucran factores como analizar la competencia. En estos términos, la obra de caridad orientada por la parroquia local debe competir con otras obras de caridad por los limitados recursos que los individuos están dispuestos a donar para causas benéficas. Es un problema estratégico identificar cómo hacerlo mejor.

El propósito de este libro consiste en proporcionar al lector una detallada interpretación de las técnicas y habilidades analíticas necesarias para identificar y explotar estrategias en forma exitosa. El primer paso hacia el logro de este objetivo involucra una visión general de los principales elementos del proceso de administración estratégica, un examen de la manera como se integran y un análisis de los factores que afectan la calidad de las decisiones estratégicas generadas por el proceso de administración estratégica. Tal es la función de este capítulo. En capítulos posteriores, se consideran en detalle los elementos individuales del proceso de administración estratégica.

1.3 ¿QUÉ ES ESTRATEGIA?

El enfoque tradicional

Al reflexionar acerca de los principios militares de estrategia, el diccionario *The American Heritage* define **estrategia** como "la ciencia y el arte de comandancia militar aplicados a la planeación y conducción general de operaciones de combate en gran escala"[3]. El tema de la *planeación* sigue siendo un componente importante para la mayoría de las definiciones sobre estrategia en el área de la administración. Por ejemplo, Alfred Chandler de Harvard definió estrategia como "la determinación de las metas y objetivos básicos a largo plazo en una empresa, junto con la adopción de cursos de acción y la distribución de recursos necesarios para lograr estos propósitos"[4]. En la definición de Chandler está implícita la idea de que estrategia involucra planeación *racional*. La organización se describe según se escojan sus metas, se identifiquen los cursos de acción (o estrategias) que mejor le permitan cumplir sus metas y se distribuyan los recursos en la debida forma. De manera similar, James B. Quinn del Dartmouth College ha definido la estrategia como "el modelo o plan que integra las principales metas, políticas y cadenas de acciones de una organización dentro de una totalidad coherente"[5]. De igual manera, William F. Glueck definió estrategia como "un plan unificado, amplio e integrado, diseñado para asegurar que se logren los objetivos básicos de la empresa"[6].

El caso de Royal Dutch/Shell Group, analizado en la estrategia en acción 1.1, es un buen ejemplo de la forma como funciona la planeación estratégica y la manera como la planeación superior puede generar una ventaja competitiva. La planeación con base en escenarios utilizada en Shell está diseñada para educar a los gerentes generales acerca de la naturaleza compleja y dinámica del ambiente de la compañía. Como resultado del uso de ese proceso de planeación, a comienzos de la década de 1980, los gerentes de Shell se anticiparon al colapso de los precios del petróleo ocurrido en 1986. Para ese año Shell había tomado medidas para asegurar que seguiría siendo rentable si caían los precios del petróleo. En contraste, la mayoría de sus competidores operaron con la ilusión de que los precios del petróleo continuarían estables durante esa década.

Un nuevo enfoque

Por todo su atractivo, las definiciones de estrategia basadas en la planeación han generado críticas. Como ha señalado Henry Mintzberg de McGill University, el enfoque de planeación supone en forma incorrecta que la estrategia de una organización siempre es el producto de la planeación racional[8]. De acuerdo con Mintzberg, las definiciones de estrategia que hacen hincapié en el rol de la planeación ignoran el hecho de que las estrategias pueden provenir del interior de una organización sin ningún plan formal. Es decir, aun ante la falta de un intento, las estrategias pueden surgir de la raíz de una organización. En verdad, las estrategias son a menudo la respuesta emergente a circunstancias no previstas. El criterio de Mintzberg se refiere a que la estrategia es más de lo que una

Planeación estratégica en Royal Dutch/Shell

Royal Dutch/Shell Group, la compañía petrolera más grande del mundo, es bien conocida por su fuerte tendencia hacia la planeación estratégica. A pesar de que en la actualidad muchos gurúes y funcionarios CEO de la administración consideran la planeación estratégica como un anacronismo, Shell está convencida de que la planeación estratégica a largo plazo definitivamente ha servido a la compañía. El éxito, en parte, se debe a que en esta empresa la planeación no adopta la forma de planes complejos e inflexibles a diez años, generados por un equipo de estrategas corporativos apartados de las realidades operativas. Más bien, la planeación involucra la generación de una serie de escenarios "Qué pasaría si...", cuya función consiste en tratar de contar con gerentes generales en todos los niveles de la corporación que reflexionen en forma estratégica acerca del ambiente donde realizan los negocios.

La fortaleza del sistema de planeación de Shell con base en escenarios quizá fue más perceptible durante los primeros años de la década de 1980. En ese entonces, el precio de un barril de petróleo fluctuaba entre las cifras aproximadas a los US$30. Al haber costos de exploración y de desarrollo que avanzaban a un promedio industrial de casi US$11 por barril, la mayor parte de las compañías petroleras registraron récords de utilidades. Además, los analistas industriales por lo general estaban optimistas; gran cantidad de ellos pronosticaban que los precios del petróleo se incrementarían aproximadamente a US$50 por barril en 1990. Sin embargo, Shell reflexionó acerca de unos cuantos escenarios futuros, uno que incluyera la posibilidad de ruptura del acuerdo del cartel petrolero de la OPEP a fin de restringir el suministro, la saturación de petróleo y la caída de sus precios hasta US$15 por barril. En 1984, Shell ordenó a los gerentes de sus compañías operativas que indicaran cómo responderían a un precio mundial de US$15 por barril. Este "juego" generó cierta misión delicada en Shell al explorar el cuestionamiento: "¿Qué hacer si llegara a suceder?"

A comienzos de 1986 las consecuencias de este "juego" incluyeron esfuerzos para disminuir los costos de exploración generados por avanzadas tecnologías pioneras en este campo, grandes inversiones en instalaciones de refinería eficientes en costos y un proceso de cierre de las estaciones de servicio menos rentables. Toda esta planeación ocurría cuando la mayoría de las compañías petroleras se ocupaban en diversificar fuera de los negocios petroleros en lugar de tratar de mejorar la eficacia de sus principales operaciones. Como sucedió, el precio del petróleo todavía estaba en US$27 por barril a comienzos de enero de 1986. No obstante, el fracaso del cartel de la OPEP por establecer nuevos topes de producción en 1985, la nueva producción del Mar del Norte y Alaska y la caída en la demanda debido a crecientes esfuerzos de conservación habían creado una creciente saturación de petróleo. A finales de enero la situación sobrepasó los límites. Para febrero 1 el petróleo estaba a US$17 por barril y en abril llegó a US$10.

Debido a que Shell ya había previsto los US$15 por barril a nivel mundial, logró llegar a un lugar importante sobre sus rivales en su esfuerzo por reducir costos. Como resultado, hacia 1989 el promedio en los costos de exploración de petróleo y gas de la compañía fue inferior a los US$2 por barril, en comparación con el promedio industrial de US$4 por barril. Además, en el importante sector de refinamiento y marketing, Shell obtuvo un rendimiento neto sobre los activos del 8.4% en 1988, más del doble del promedio de 3.8% de otras importantes compañías petroleras: Exxon, BP, Chevron, Mobil y Texaco[7].

Figura 1.2
Estrategias
emergentes y
deliberadas

compañía intenta o planea hacer; también es lo que realmente lleva a cabo. Con base en este principio, Mintzberg ha definido estrategia como *"un modelo en una corriente de decisiones o acciones"*[9]; es decir, el modelo se constituye en un producto de cualquier **estrategia intentada** (planeada), en realidad llevada a cabo, y de cualquier **estrategia emergente** (no planeada). En la figura 1.2 se ilustra el esquema propuesto por Mintzberg.

El argumento de Mintzberg consiste en que las estrategias emergentes con frecuencia son exitosas y pueden ser más apropiadas que las estrategias intentadas. Richard Pascale ha descrito cómo fue éste el caso para el ingreso de Honda Motor Co. en el mercado estadounidense de motocicletas[10]. Cuando varios ejecutivos de Honda procedentes de Japón, llegaron a Los Ángeles en 1959 con el fin de establecer una subsidiaria norteamericana, su propósito original (estrategia intentada) era concentrarse en la venta de máquinas de 250 cm³ y 350 cm³ a los entusiastas de la motocicleta, en vez de vender la Honda Cubs, de 50 cm³ que tenía gran éxito en el Japón. Su instinto les sugería que la Honda de 50 cm³ no se ajustaba al mercado estadounidense donde todas las cosas eran más grandes y más lujosas que en el país nipón.

Sin embargo, las ventas de motos de 250 cm³ y 350 cm³ eran bajas, además estos aparatos sufrían muchas fallas mecánicas. Parecía como si la estrategia de Honda fuera a fracasar. Al mismo tiempo, los ejecutivos japoneses se transportaban en la Honda de 50 cm³ para hacer diligencias en Los Ángeles y atraían bastante la atención. Un día recibieron una llamada de un comprador de Sears Roebuck quien deseaba vender este modelo a un amplio mercado de norteamericanos que no necesariamente eran fanáticos de las motos. Los ejecutivos de Honda estaban indecisos en cuanto a la venta de las pequeñas motos por temor a comprometerse con tradicionales quienes podrían luego asociarse a Honda con unas máquinas "inútiles". Al final estos ejecutivos vivieron la situación anterior debido al fracaso de los modelos de 250 cm³ y 350 cm³. Lo demás es historia. Honda tropezó con un segmento de mercado intacto que probó ser enorme: el promedio de norteamericanos que nunca había poseído una motocicleta. Honda también encontró un canal de distribución no utilizado: los minoristas generales en vez de los almacenes especializados en motocicletas. En 1964 aproximadamente una de cada dos motocicletas vendidas en EE.UU. era una Honda.

La explicación convencional del éxito de Honda consiste en que la compañía redefinió la industria norteamericana de motocicletas con una estrategia *intentada*, brillantemente concebida. En realidad la estrategia intentada de Honda fue casi un desastre. La estrategia *surgió* no mediante planeación, sino mediante acción no planeada llevada a cabo en respuesta a circunstancias no previstas. Aun así, debe darse el crédito a la administración japonesa por el reconocimiento de la fortaleza de la estrategia emergente y por seguirla con vigor.

El punto crítico del ejemplo de Honda demuestra que, en contraste con la perspectiva en que todas las estrategias son planeadas, dentro de una organización pueden surgir estrategias exitosas sin una planeación previa como frecuente respuesta a circunstancias no previstas. Como anota

---

Fuente: Reimpresión de «Strategy Formation in an Adhocracy", de Henry Mintzberg y Alexandra McHugh, publicada en *Administrative Science Quarterly*, Vol, 30, No. 2, June 1985, con autorización de *Administrative Science Quarterly*.

Mintzberg, las estrategias se pueden arraigar en todo tipo de lugares extraños, virtualmente donde quiera que las personas tengan la capacidad de aprender y los recursos para apoyar dicha capacidad. En la práctica, las estrategias de la mayoría de las organizaciones con probabilidad son una combinación de lo intentado y lo emergente. El mensaje para la administración es que ésta necesita reconocer el proceso de surgimiento e intervenir cuando sea apropiado, desechando las malas estrategias emergentes pero cultivando aquellas potencialmente buenas. Sin embargo, para tomar tales decisiones los gerentes deben ser capaces de juzgar el valor de las estrategias emergentes. Deben estar en capacidad de pensar de manera estratégica.

1.4   MODELO DEL PROCESO DE ADMINISTRACIÓN ESTRATÉGICA

El proceso de administración estratégica se puede dividir en cinco componentes diferentes, ilustrados en la figura 1.3. El lector podría considerar la figura 1.3 como el plan del libro, pues también muestra cómo los capítulos se relacionan con los diferentes componentes del proceso de administración estratégica. Los cinco componentes son: (1) la selección de la misión y las principales metas corporativas; (2) el análisis del ambiente competitivo externo de la organización para identificar las **oportunidades** y **amenazas**; (3) el análisis del ambiente operativo interno de la organización para identificar las **fortalezas** y **debilidades** de la organización; (4) la selección de estrategias fundamentadas en las fortalezas de la organización y que corrijan sus debilidades con el fin de tomar ventaja de oportunidades externas y contrarrestar las amenazas externas; y (5) la implementación de la estrategia. La tarea de analizar el ambiente interno y externo de la organización para luego seleccionar una estrategia apropiada, por lo general, se llama **formulación de estrategias**. En contraste, la **implementación de estrategias** en forma típica involucra el diseño de estructuras organizacionales apropiadas y sistemas de control a fin de poner en acción la estrategia escogida por una organización.

El enfoque tradicional ha consistido en destacar cómo cada componente ilustrado en la figura 1.3 constituye un paso *secuencial* en la administración estratégica. Desde la perspectiva tradicional, cada *ciclo* del proceso comienza con una exposición de la misión corporativa y sus principales metas. A la exposición de la misión le siguen el análisis externo, el análisis interno y la selección de estrategias. La creación de la estrategia finaliza con el diseño de la estructura y los sistemas de control necesarios para implementar la estrategia seleccionada por la organización. Sin embargo, en la práctica tal secuencia probablemente tenga validez sólo para la formulación e implementación de estrategias *intentadas*.

Como se anotó anteriormente, las estrategias emergentes surgen del interior de la organización sin planeación previa; es decir, sin seguir en forma secuencial los pasos ilustrados en la figura 1.3. Sin embargo, la alta gerencia todavía debe evaluar las estrategias emergentes. Tal evaluación involucra la comparación de cada estrategia emergente con las metas, las oportunidades y amenazas ambientales externas de la organización, además de sus fortalezas y debilidades internas. El objetivo consiste en evaluar si la estrategia emergente se adecua a las necesidades y capacidades de la organización. Además, Mintzberg subraya que la capacidad de una organización para producir estrategias emergentes depende del tipo de cultura corporativa fomentada por su estructura y sistemas de control.

En otras palabras, los diferentes componentes del proceso de administración estratégica son importantes tanto desde la perspectiva de las estrategias emergentes como desde el punto de vista de las estrategias intentadas. En la figura 1.4 se ilustran las diferencias esenciales entre el proceso

Figura 1.3
Componentes
del proceso de
administración
estratégica

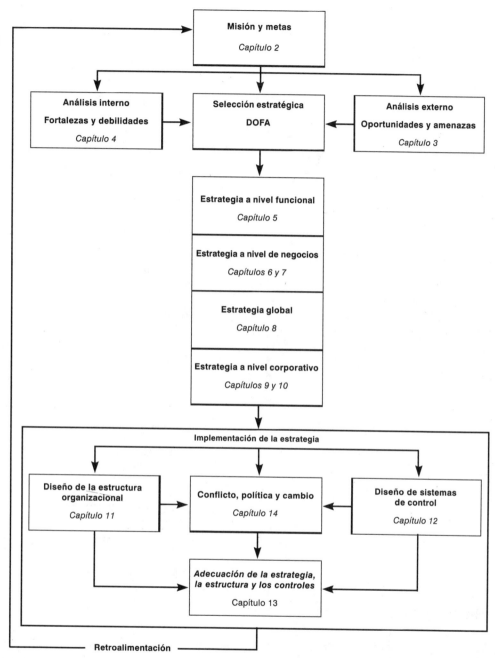

de administración estratégica para las estrategias intentadas y para las emergentes. La formulación de estrategias intentadas básicamente es un proceso hacia abajo, mientras que la formulación de estrategias emergentes es un proceso hacia arriba.

Figura 1.4
El proceso de administración
estratégica para las estrategias
intentadas y emergentes

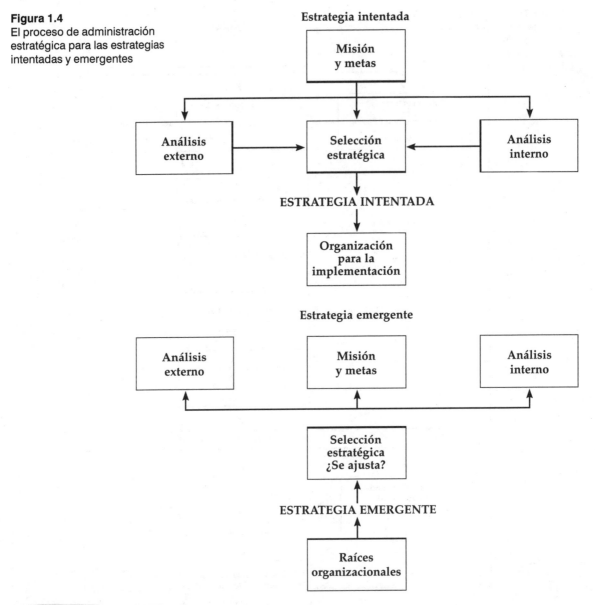

Estrategia intentada

Misión
y metas

Análisis
externo

Selección
estratégica

Análisis
interno

ESTRATEGIA INTENTADA

Organización
para la
implementación

Estrategia emergente

Análisis
externo

Misión
y metas

Análisis
interno

Selección
estratégica
¿Se ajusta?

ESTRATEGIA EMERGENTE

Raíces
organizacionales

Misión y metas principales

El primer componente del proceso de administración estratégica es la definición de la **misión** y las **metas principales** de la organización. Este tema se analiza en profundidad en el capítulo 2. La misión y las metas principales de una organización proveen el contexto dentro del cual se formulan las estrategias intentadas y los criterios frente a los cuales se evalúan las estrategias emergentes.

La misión expone el por qué de la existencia de la organización y el qué debe hacer. Por ejemplo, la misión de una aerolínea nacional podría definirse como satisfacer las necesidades de individuos y viajeros de negocios en cuanto a transporte rápido, a un precio razonable y hacia los principales centros de población del país.

Las metas principales especifican lo que la organización espera cumplir de mediano a largo plazo. La mayoría de las organizaciones con ánimo de lucro operan con base en una jerarquía de metas en cuya cima se encuentra la maximización de la ganancia del accionista. Las metas secundarias son objetivos que la compañía juzga necesarios si pretende maximizar la ganancia del accionista. Por ejemplo, General Electric opera con la meta secundaria de ocupar el primer o segundo lugar en cada mercado importante donde compite. Esta meta secundaria refleja su convicción de que construir participación en el mercado es la mejor manera de lograr la primera meta de maximización de ganancias del accionista. En forma similar, una meta importante para Coca-Cola ha sido colocar su producto al alcance de cualquier consumidor en el mundo. Si logra su meta, probablemente resulten rendimientos superiores para los accionistas. Las organizaciones sin ánimo de lucro de manera típica poseen un conjunto más diverso de metas.

Análisis externo

El segundo componente del proceso de administración estratégica es el análisis del ambiente operativo externo de la organización. Este tema se estudia en detalle en el capítulo 3. Su objetivo consiste en identificar las *oportunidades* y *amenazas* estratégicas en el ambiente operativo de la organización. En esta etapa se deben examinar tres ambientes interrelacionados: el inmediato, o de la industria, (donde opera la organización), el ambiente nacional y el macroambiente más amplio.

Analizar el ambiente inmediato involucra una evaluación de la estructura competitiva industrial de la organización, que incluye la posición competitiva de la organización central y sus mayores rivales, como también la etapa de desarrollo industrial. Debido a que muchos mercados ahora son mundiales, examinar este ambiente también significa evaluar el impacto de la globalización en la competencia dentro de una industria. Estudiar el ambiente nacional requiere evaluar si el contexto nacional dentro del cual opera una compañía facilita el logro de una ventaja competitiva en el mercado mundial. En caso contrario, entonces la compañía podría considerar el desplazamiento de una parte significativa de sus operaciones a países donde el contexto nacional facilite el logro de una ventaja competitiva. Analizar el macroambiente consiste en examinar factores macroeconómicos, sociales, gubernamentales, legales, internacionales y tecnológicos que puedan afectar la organización.

Análisis interno

El análisis interno, tercer componente del proceso de administración estratégica, posibilita fijar con exactitud las *fortalezas* y *debilidades* de la organización. Tal análisis comprende la identificación de la cantidad y calidad de recursos disponibles para la organización. Estos aspectos se consideran en el capítulo 4; allí se sondean las fuentes de la ventaja competitiva. En esta parte se observa cómo las compañías logran una ventaja competitiva, además se analiza el rol de las habilidades distintivas (únicas fortalezas de una empresa), los recursos y capacidades en la formación y sostenimiento de la ventaja competitiva de una firma. En el capítulo 4 se concluye que para una compañía la generación y mantenimiento de una ventaja competitiva requiere lograr superior eficiencia, calidad, innovación y capacidad de conformidad por parte del cliente. Las fortalezas posibilitan obtener superioridad en estas áreas, mientras que las debilidades se traducen en desempeño inferior.

Selección estratégica

El siguiente componente involucra la generación de una serie de alternativas estratégicas, dadas las fortalezas y debilidades internas de la compañía junto con sus oportunidades y amenazas externas.

La comparación de **d**ebilidades, **o**portunidades, **f**ortalezas y **a**menazas normalmente se conoce como análisis **DOFA** (SWOT*)[11]. El propósito de las alternativas estratégicas, generadas por un análisis DOFA, debe fundamentarse en las fortalezas de una compañía con el fin de explotar oportunidades, contrarrestar amenazas y corregir debilidades. Con el fin de escoger entre las alternativas generadas por un análisis DOFA, la organización debe evaluarlas confrontándolas entre sí con respecto a su capacidad para lograr metas importantes. Las alternativas estratégicas generadas pueden contener estrategias a nivel funcional, de negocios, corporativo y global. El proceso de selección estratégica requiere identificar el conjunto respectivo de estrategias que mejor le permitan a una organización sobrevivir y prosperar en el ambiente competitivo mundial y de rápido cambio, típico de la mayoría de las industrias modernas.

Estrategia a nivel funcional   La ventaja competitiva proviene de la capacidad de una compañía para lograr un nivel superior en eficiencia, calidad, innovación y capacidad de conformidad del cliente, tema analizado en el capítulo 4. En el capítulo 5 se examinan las diferentes estrategias a nivel funcional que se pueden emplear para lograr estos cuatro objetivos esenciales. Las estrategias a nivel funcional son aquellas tendientes a mejorar la efectividad de operaciones funcionales dentro de una compañía como fabricación, marketing, manejo de materiales, investigación y desarrollo, y recursos humanos.

Por ejemplo, en el caso inicial se destaca la magnitud de la eficiencia de Southwest Airlines, resultado de una fuerza de trabajo productiva. A su vez, esta alta productividad se debe en parte a la estrategia de relaciones humanas de la empresa, que incluye la decisión de dar a los empleados una propiedad en la compañía mediante alternativas para la adquisición de acciones. El capítulo 5 considera un buen número de las modernas estrategias de manejo de operaciones dirigidas básicamente al nivel funcional, por ejemplo, la administración de calidad total (ACT), sistemas flexibles de fabricación, sistemas de inventario "justo a tiempo" (JAT) y técnicas para reducir el tiempo de desarrollo de un nuevo producto.

Estrategia a nivel de negocios   Esta estrategia comprende el tema competitivo general seleccionado por una compañía para hacerle énfasis a la forma como ésta se posiciona en el mercado para ganar una ventaja competitiva y las diferentes estrategias de posicionamiento que se pueden utilizar en los distintos ambientes industriales. En el capítulo 6 se analizan las diversas opciones estratégicas disponibles. Se revisan los pros y los contras de tres estrategias genéricas a nivel de negocios: la primera de **liderazgo en costos**, la segunda de **diferenciación** y una tercera **enfocada** en un nicho particular de mercado. Southwest Airlines claramente sigue una estrategia de bajo costo: ese es el tema competitivo general que la compañía ha escogido preferencialmente.

El capítulo 7 se basa en el capítulo 6 a fin de considerar la relación entre la estrategia a nivel de negocios y la estructura de la industria. Éste se concentra en las diversas opciones estratégicas que confrontan las compañías en ambientes industriales radicalmente diferentes, como los beneficios y las desventajas de establecer una ventaja de primer impulsador en una industria recientemente formada o en etapa embrionaria. También se examina el rol de la señalización de mercado, el liderazgo en precios y la diferenciación de producto para sostener una ventaja competitiva en industrias maduras, además se exploran las distintas opciones estratégicas entre las cuales una compañía puede escoger en una industria en decadencia.

---

* N. de R.T.: **SWOT** corresponde a la reconocida sigla en inglés tomada de las iniciales de strengths, weaknesses, oportunities y threats, pero para efectos de este libro se utilizará en adelante la sigla española **DOFA** que corresponde a las iniciales ya mencionadas.

Estrategias globales   En el mundo actual de mercados y competencia globales, lograr una ventaja competitiva y maximizar el desempeño exige cada vez más que una compañía expanda sus operaciones más allá de su país. En consecuencia, una firma debe considerar las diversas estrategias globales que pueda seguir. En el capítulo 8 se evalúan los beneficios y costos de la expansión global, y se examinan cuatro estrategias diferentes (multidoméstica, internacional, global y transnacional) que una firma puede adoptar para competir en el mercado mundial. Además, dicho capítulo explora los beneficios y costos de las alianzas estratégicas entre competidores mundiales, los diversos modos de ingreso que se pueden utilizar con el fin de penetrar en un mercado extranjero y el rol de las políticas de gobiernos anfitriones al influir en la selección de la estrategia global de una compañía.

Estrategia a nivel corporativo   En los capítulos 9 y 10 se aborda el tema de la estrategia a nivel corporativo. Este tipo de estrategia en una organización debe resolver esta pregunta: ¿en qué negocios debemos ubicarnos para maximizar la utilidad a largo plazo de la organización? Para la mayoría de organizaciones competir en forma exitosa con frecuencia involucra **integración vertical**, bien sea hacia atrás en la producción de insumos para la principal operación de la compañía o hacia adelante dentro de la distribución de productos de la operación. Más allá de este planteamiento, las compañías que tienen éxito al establecer una ventaja competitiva sostenible pueden encontrar que están generando recursos *en exceso* con relación a sus necesidades de inversión dentro de su industria primaria. Para tales organizaciones maximizar la utilidad a largo plazo puede ocasionar **diversificación** dentro de las nuevas áreas de negocios. Por tanto, en el capítulo 9 se examinan minuciosamente los costos y beneficios de diferentes estrategias de diversificación. Además, se estudia el rol de las **alianzas estratégicas** como alternativas para la diversificación y la integración vertical. En el capítulo 10 se repasan los diferentes instrumentos utilizados por las compañías para lograr la integración vertical y la diversificación; aquí se incluyen **adquisiciones** y **nuevas operaciones**. También se considera cómo las compañías diversificadas pueden **reestructurar** su portafolio de negocios con el fin de mejorar su desempeño.

Implementación de la estrategia

En este libro se divide el tema de la implementación estratégica en 4 componentes principales: (1) diseño de estructuras organizacionales apropiadas, (2) diseño de sistemas de control, (3) adecuación de la estrategia, la estructura y los controles, y (4) manejo del conflicto, la política y el cambio.

Diseño de una estructura organizacional   Para lograr el funcionamiento de una estrategia, independientemente de si ésta es intentada o emergente, la organización necesita adoptar la estructura correcta. En el capítulo 11 se analizan las principales opciones. Diseñar una estructura implica asignar responsabilidad de tareas y autoridad para la toma de decisiones dentro de una organización. Los aspectos contemplados incluyen cómo dividir mejor a una organización en subunidades, cómo distribuir la autoridad entre los diferentes niveles jerárquicos de una organización y cómo lograr la integración entre subunidades. Las opciones analizadas cuestionan si una organización debe funcionar con una estructura alta o plana, el grado de centralización o descentralización de la autoridad en la toma de decisiones, el punto máximo para dividir la organización en subunidades semiautónomas (es decir, divisiones o departamentos) y los diferentes mecanismos disponibles para integrar esas subunidades.

Diseño de sistemas de control   Además de seleccionar una estructura, una empresa también debe establecer sistemas apropiados de control organizacional. Ésta debe decidir cómo evaluar de la mejor manera el desempeño y controlar las acciones de las subunidades. Las opciones se clasifican desde los controles de mercado y de producción hasta las alternativas burocráticas y de control a través de la cultura organizacional, aspectos que se abordan en el capítulo 12. Una organización también necesita decidir qué tipo de sistemas de remuneración e incentivos debe establecer para sus empleados. En el capítulo 12 también se repasan esas opciones.

Adecuación de la estrategia, la estructura y los controles   Si la compañía desea tener éxito, debe lograr un *ajuste* entre su estrategia, estructura y controles. El capítulo 13 se concentra en los diversos medios para lograr tal fin. Debido a que diferentes estrategias y ambientes establecen diversas exigencias en una organización, exigen distintas respuestas y sistemas de control estructurales. Por ejemplo, una estrategia de liderazgo en costos exige que una organización se mantenga sencilla (de manera que reduzca costos) y que los controles hagan énfasis en la eficiencia productiva. Por otro lado, una estrategia de diferenciación del producto de una compañía por sus características tecnológicas únicas genera la necesidad de integrar las actividades alrededor de su núcleo tecnológico y de establecer sistemas de control que premien la creatividad técnica.

Manejo del conflicto, las políticas y el cambio   Aunque en teoría el proceso de administración estratégica se caracteriza por una toma de decisiones *racional*, en la práctica la política organizacional desempeña un rol clave. La política es endémica para las organizaciones. Los diferentes subgrupos (departamentos o divisiones) dentro de una organización tienen sus propias agendas y típicamente, estos conflictos. Por tanto, los departamentos pueden competir entre sí por una mayor participación en los recursos finitos de la organización. Tales conflictos se pueden resolver mediante la distribución relativa del poder entre las subunidades o bien a través de una evaluación racional de la necesidad relativa. De manera similar, los gerentes individuales con frecuencia participan en discusiones entre sí acerca de las decisiones políticas correctas. Las luchas por el poder y la formación de coaliciones se constituyen en las mayores consecuencias de estos conflictos y forman, en realidad, parte en la administración estratégica. El cambio estratégico tiende a destacar tales luchas, pues por definición toda modificación ocasiona la alteración de la distribución de poder dentro de una organización. En el capítulo 14 se analizan las fuentes del poder y conflicto organizacional, y se estudia cómo estos factores pueden causar inercia organizacional, la cual puede inhibir el cambio estratégico. Además, se examina cómo puede una organización manejar sus conflictos para cumplir su misión estratégica e implementar el cambio.

El ciclo de la retroalimentación

El ciclo de retroalimentación de la figura 1.3 indica que la administración estratégica es un proceso permanente. Una vez implementada la estrategia, debe hacerse monitoreo de su ejecución con el fin de determinar hasta qué punto se logran realmente los objetivos estratégicos. Esta información se devuelve al nivel corporativo a través de ciclos de retroalimentación. En este nivel se suministra la siguiente fase de la implementación y formulación de estrategias. Ésta sirve bien sea para reafirmar las metas y estrategias corporativas existentes o para sugerir cambios. Por ejemplo, cuando se pone en práctica, un objetivo estratégico puede ser demasiado optimista, y por tanto, en la siguiente ocasión se establecen objetivos más conservadores. De manera alternativa, la retroalimentación puede revelar que los objetivos estratégicos eran alcanzables; pero la implementación, deficiente. En este caso, la siguiente fase en la administración estratégica puede concentrarse más en la implementación. Debido a que la retroalimentación es un aspecto del control organizacional, éste se analiza en detalle en el capítulo 12.

1.5   CRÍTICAS A LOS SISTEMAS FORMALES DE PLANEACIÓN

El modelo del proceso de administración estratégica descrito en la sección anterior podría llamarse **modelo de ajuste** de formulación e implementación de una estrategia. Su propósito principal consiste en identificar estrategias que *alineen, adecuen* o *acoplen* los recursos y capacidades de una compañía con las demandas del ambiente donde opera. En otras palabras, su objetivo pretende adecuar las fortalezas y debilidades de la compañía a sus oportunidades y amenazas ambientales. De acuerdo con este modelo, la estrategia de bajo costo seguida por Southwest Airlines y las diferentes acciones que apoyan esa estrategia son apropiadas, pues se ajustan a su ambiente operativo, en extremo competitivo en costos.

Desarrollado originalmente en Harvard Business School durante la década de 1960, el modelo de ajuste de la estrategia está mucho más asociado con el nombre de Kenneth Andrews[12]. Desde esa época, éste se ha aceptado en forma amplia como el modelo por medio del cual las compañías deben formular e implementar estrategias. Por consiguiente, es pertinente preguntarse si el modelo funciona en realidad, y si el proceso esbozado en la sección anterior ayuda a las compañías a establecer una ventaja competitiva. En resumen, la evidencia de la investigación parece indicar que tales sistemas de planeación sí ayudan a las compañías a tomar mejores decisiones estratégicas. Sin embargo, tal evidencia está lejos de ser aceptada por muchas personas. Por ejemplo, de 14 estudios revisados en un análisis hecho por Lawrence Rhyne, ocho presentaron diferentes grados de apoyo a la hipótesis de la planeación estratégica como camino para mejorar el desempeño de la compañía, cinco no expresaron apoyo a la hipótesis y en uno se informó sobre una relación negativa entre la planeación y el desempeño[13].

Además, en años recientes observadores informados han cuestionado cada vez más el uso de sistemas formales de planeación como ayuda para la toma de decisiones estratégicas. Thomas J. Peters y Robert H. Waterman, autores del bestseller *En búsqueda de la excelencia*, se encuentran entre quienes han generado dudas sobre la utilidad de los sistemas formales de planeación[14]. En forma similar, la revisión de Mintzberg del concepto de estrategia sugiere que las estrategias *emergentes* pueden ser tan exitosas como las estrategias *intentadas*, producto de la planeación formal. Recientemente, Mintzberg criticó de manera categórica a los defensores del modelo de ajuste por no reconocer este planteamiento. Así mismo, el historial de negocios está lleno de ejemplos de compañías que han tomado decisiones erróneas con base en una supuesta planeación estratégica amplia[16]. Por ejemplo, las decisiones de Exxon de diversificar en equipos eléctricos y automatización de oficinas, y de compensar la reducción de reservas petrolíferas en EE.UU. mediante la inversión en petróleo crudo y combustibles sintéticos, se generaron a partir de una actividad de planeación realizada en la década de 1970 que fue demasiado pesimista en cuanto a la demanda de sus productos derivados. Exxon siempre previó altos precios para el petróleo y como resultado pronosticó abruptas caídas en la demanda. Sin embargo, los precios se desplomaron en realidad durante la década de 1980, invalidando una de las presunciones básicas del plan de Exxon. Además, su diversificación fracasó debido a las inadecuadas adquisiciones y por problemas administrativos en la automatización de oficinas.

Se pueden ofrecer cinco explicaciones en cuanto al porqué los sistemas formales de planeación estratégica basados en el modelo de ajuste no producen mejores resultados. En esta sección se consideran cuatro de ellas, y en la siguiente se trata la quinta explicación, que se concentra en las predisposiciones para la toma de decisiones entre los gerentes. Las cuatro explicaciones son las siguientes: (1) equilibrio en la planeación, (2) planeación bajo la incertidumbre, (3) planeación tipo "torre de marfil", y (4) el intento estratégico *versus* el ajuste estratégico.

Equilibrio en la planeación

Para que una valiosa técnica de administración como la planeación formal sea fuente de ventaja competitiva, algunas compañías deben contar con la técnica en tanto que otras no. En tales circunstancias, se esperaría que las empresas donde exista la técnica superen el desempeño de las que carecen de ésta. Sin embargo, una vez que todos poseen la técnica, ésta nivela el campo de acción. Una técnica utilizada por todas las compañías no siempre puede representar una fuente de ventaja competitiva. En tal situación, se afirma que la técnica está en equilibrio. Puesto que en general todas las grandes compañías tienen algún tipo de proceso formal de planeación estratégica, existe una condición de equilibrio en la planeación. Sería sorprendente, entonces, el hecho de encontrar que la planeación es una fuente de ventaja competitiva. Sin embargo, se deduce a partir de la misma lógica que si una compañía *no* planea puede ponerse a sí misma en desventaja competitiva. Por tanto, la planeación puede ser necesaria para obtener utilidades promedio, pero por sí misma no permitiría lograr promedios superiores de utilidad asociados a una ventaja competitiva.

Planeación bajo la incertidumbre

Una razón para la desfavorable reputación de la planeación estratégica se debe a que un buen número de ejecutivos, en su entusiasmo inicial por adoptar técnicas de planeación durante las décadas de 1960 y 1970, olvidaron que el futuro es indefectiblemente impredecible. Como en el caso de Exxon, un problema común para los ejecutivos consistía en suponer con frecuencia la posibilidad de pronosticar el futuro en forma precisa. Pero en la realidad, la única constante es el cambio. Aun los planes mejor expuestos pueden derrumbarse si ocurren contingencias no previstas. Reconocer que en un mundo incierto el futuro no se puede pronosticar con la suficiente precisión condujo a Royal Dutch/Shell a convertirse en la empresa pionera del enfoque de escenarios para la planeación, caso analizado en la estrategia en acción 1.1. En vez de tratar de pronosticar el futuro, quienes planean en Shell intentaron modelar el ambiente de la compañía y luego utilizaron un modelo para predecir una variedad de posibles escenarios. Entonces, se solicitó a los ejecutivos que diseñaran estrategias para confrontar diferentes escenarios. El objetivo consiste en hacer que los gerentes entiendan la naturaleza dinámica y compleja de su ambiente y analicen los problemas en forma estratégica.

Al parecer este enfoque de escenarios para la planeación se ha difundido muy rápido entre las grandes compañías. De acuerdo con un estudio realizado a mediados de la década de 1980, más del 50% de las 500 firmas presentadas en la revista *Fortune* utilizaron métodos de planeación de escenarios[17]. Aunque todavía no ha aparecido una detallada evaluación de los pros y los contras frente a esta planeación, el trabajo reciente de Paul Schoemaker de la Universidad de Chicago parece sugerir que dicha planeación sí amplía el pensamiento de las personas, y como tal puede generar mejores planes, como parece haber ocurrido con Royal Dutch/Shell. Sin embargo, las advertencias de Schoemaker con relación al hecho de forzar a quienes planean para considerar escenarios extremos, a la postre inverosímiles, puede desacreditar el enfoque y causar resistencia por parte de quienes realizan el trabajo de planeación.

Planeación tipo "torre de marfil"

Un grave error, cometido por varias compañías en su entusiasmo inicial para la planeación, ha consistido en considerarla una función exclusiva de la alta gerencia. Este enfoque tipo *torre de marfil* puede generar planes estratégicos formulados al vacío por parte de los ejecutivos de planeación, quienes tienen una comprensión o apreciación limitada de las realidades operativas.

Como consecuencia, formulan estrategias más nocivas comparadas con el beneficio que pueden proporcionar. Por ejemplo, cuando los datos demográficos indicaron que las casas y las familias se estaban reduciendo, el grupo de General Electric encargado de la planeación de productos para el hogar concluyó que los electrodomésticos pequeños serían la moda del futuro. Debido a que quienes realizaban el trabajo de planeación tenían poco contacto con los constructores y minoristas, no se dieron cuenta de que las cocinas y los baños serían iguales a dos cuartos que no se reducirían. Tampoco consideraron que las mujeres trabajadoras deseaban grandes refrigeradores para reducir su viajes al supermercado. El resultado fue que General Electric perdió mucho tiempo diseñando pequeños electrodomésticos tan sólo destinados a una demanda limitada.

El concepto de torre de marfil de la planeación también puede generar tensiones entre el personal de planeación y el operativo. La experiencia del grupo de electrodomésticos de General Electric es de nuevo esclarecedora. Muchos integrantes de planeación en este grupo fueron reclutados de firmas consultoras o de escuelas de negocios de alto perfil. Bastantes gerentes operativos tomaron este modelo de reclutamiento como prueba de desconfianza: los ejecutivos corporativos no los consideraban suficientemente inteligentes para analizar problemas estratégicos por sí mismos. Fuera de esta impresión surgió una actitud mental de nosotros *versus* ellos, la cual en forma rápida se convirtió en hostilidad. Como resultado, aunque el personal de planeación tuviera la razón, los gerentes operativos no los escuchaban. En la década de 1970 aquellos reconocieron de manera acertada la importancia de la globalización del mercado de electrodomésticos y la emergente amenaza japonesa. Sin embargo, los gerentes operativos, quienes entonces percibieron a Sears Roebuck & Company como la competencia, les prestaron poca atención.

Corregir el enfoque tipo torre de marfil para la planeación involucra reconocer que, para tener éxito, la planeación estratégica debe incluir a los gerentes en todos los niveles de la corporación. Es importante comprender que gran parte de la mejor planeación puede y debe realizarse por gerentes operativos. Ellos son quienes en verdad, se encuentran más cerca de los hechos. Quienes realizan planeación a nivel corporativo deben cumplir el rol de facilitadores, para ayudar a los gerentes operativos en el proceso de planeación.

Intento estratégico *versus* ajuste estratégico

El modelo de ajuste estratégico de planeación ha sido criticado por C. K. Prahalad de la Universidad de Michigan y Gary Hamel del London Business School. En una serie de importantes artículos, Prahalad y Hamel han atacado el modelo de ajuste por considerarlo demasiado estático y limitante[18]. Ellos argumentan que adoptar un modelo de ajuste para la formulación de estrategias genera un hábito en el cual la administración se concentra demasiado en el nivel de ajuste entre los recursos *existentes* de una compañía y las oportunidades ambientales *actuales*, no lo suficiente en la generación de *nuevos* recursos y capacidades para crear y explotar oportunidades *futuras*. Las estrategias formuladas por medio del modelo de ajuste, manifiestan Prahalad y Hamel, tienden a interesarse más en los problemas actuales que en las oportunidades *futuras*. Como consecuencia, es probable que las empresas con un enfoque exclusivo de ajuste para la formulación de estrategias no sean capaces de generar y mantener una ventaja competitiva. Esta afirmación es particularmente cierta en un dinámico ambiente competitivo, en cuyo interior en forma continua surgen nuevos competidores y de manera constante se inventan nuevas formas para llevar a cabo los negocios.

Como anotan Prahalad y Hamel, en repetidas ocasiones, las firmas estadounidenses que utilizan el enfoque de ajuste han sido sorprendidas por el surgimiento de competidores extranjeros que, en un principio, parecían carecer de los recursos y capacidades necesarios para convertirse en una amenaza concreta. Así le sucedió a Xerox, compañía que ignoró el surgimiento de Canon y Ricoh en el mercado de fotocopiadoras hasta cuando éstas se convirtieron en serios competidores mundiales; a General Motors, firma que inicialmente desconoció la amenaza que representaban Toyota y Honda en la década de 1970; y a Caterpillar Inc., por no prever la amenaza de Komatsu y su importante negocio de remoción de tierras, hasta que fue casi demasiado tarde para responder.

El secreto del éxito de empresas como Toyota, Canon y Komatsu, de acuerdo con Prahalad y Hamel, consiste en su tendencia hacia ambiciones destacadas, que superaron sus recursos y capacidades existentes. Todas querían alcanzar el liderazgo mundial, y empezaron a generar los recursos y capacidades que les permitiría lograr esta meta. Por consiguiente, la alta gerencia de estas compañías generó una obsesión de triunfar en todos los niveles de la organización, y luego mantuvo ese propósito mediante una búsqueda de liderazgo mundial que duró 10 a 20 años. Ésta es la obsesión que Prahalad y Hamel llaman *intento estratégico*. Del mismo modo, ellos destacan que el intento estratégico es más que una simple ambición libre de obstáculos; argumentan que éste también contiene un activo proceso administrativo que incluye: "enfocar la atención de la organización en la esencia de la victoria; motivar al personal mediante la comunicación del valor del propósito; generar espacios para las contribuciones individuales y de equipo; sostener el entusiasmo mediante el suministro de nuevas definiciones operativas a medida que cambien las circunstancias; y empeñarse firmemente en orientar la distribución de recursos"[19].

Por consiguiente, inherente al concepto de intento estratégico se encuentra que la noción de formulación de estrategias debe involucrar el establecimiento de metas ambiciosas, las cuales amplían una compañía, y luego hallar formas de generar los recursos y capacidades necesarios para lograr esas metas.

Aunque Prahalad y Hamel critican de manera apropiada el modelo de ajuste, observan que en la práctica los dos enfoques para la formulación de estrategias no se excluyen mutuamente. Todos los componentes del proceso de administración estratégica estudiados en la sección anterior son importantes. Los gerentes deben analizar el ambiente externo con el fin de identificar las oportunidades y amenazas; los recursos y capacidades de la compañía con el fin de determinar las fortalezas y debilidades; necesitan familiarizarse con el rango de estrategias al nivel funcional, de negocios, corporativo y global disponibles para ellos; necesitan tener una apreciación de las estructuras requeridas para implementar diferentes estrategias. Prahalad y Hamel parecen asegurar que el proceso de administración estratégica debe comenzar con metas de desafío, por ejemplo lograr el liderazgo mundial. Luego, durante todo el proceso hacer énfasis en la búsqueda de formas (estrategias) para desarrollar los recursos y capacidades necesarios con el fin de lograr esas metas, en vez de explotar fortalezas existentes para tomar ventaja de las oportunidades existentes. La diferencia entre el ajuste estratégico y el intento estratégico, por tanto, puede estar en el énfasis. El intento estratégico se enfoca más internamente y se refiere a la generación de nuevos recursos y capacidades; el ajuste estratégico, más en la adecuación del ambiente externo con los recursos y capacidades existentes.

La estrategia en acción 1.2 describe cómo el grupo encargado de revelar imágenes de Eastman Kodak trata de aplicar el concepto de intento estratégico a su administración estratégica de tecnología. El ejemplo de Kodak parece sugerir que el concepto de intento estratégico está enfocado de manera interna. Aunque no hay nada cuestionable con relación a lo anterior (en verdad, se desearía un enfoque interno), algunos críticos del enfoque de Prahalad y Hamel, como Michael Porter, se preguntan si el resultado no sería un fracaso para analizar el ambiente externo con suficiente profundidad[20].

1.6 PELIGROS EN LA TOMA DE DECISIONES ESTRATÉGICAS

Aun los sistemas de planeación estratégica mejor diseñados fallarán en producir los resultados deseados si las personas encargadas de tomar las decisiones estratégicas no utilizan en forma efectiva la

ESTRATEGIA EN ACCIÓN 1.2

Eastman Kodak aplica el intento estratégico a la administración de la tecnología

En primera instancia Kodak comenzó a hacer funcional el concepto de intento estratégico a finales de 1989, luego de la publicación del artículo de Hamel y Prahalad en la revista *Harvard Business Review* acerca de esta materia[21]. Hasta la fecha, este concepto se ha utilizado en gran medida por el grupo encargado de revelar imágenes en Kodak. El sector de negocios más amplio y antiguo de la compañía en 1990 representó para la empresa el 59% del total de US$19,000 millones en ingresos y el 57% producto de las ganancias por las operaciones.

Kodak considera el concepto de intento estratégico como la condición deseada para la compañía. Para la empresa, ser el líder mundial en las imágenes define esta condición. Su cuestionamiento estratégico consiste en cómo llegar a esa instancia. Para este propósito ha identificado las habilidades competitivas con las cuales debe contar sólo para sobrevivir en los mercados mundiales futuros y las habilidades principales necesarias para tener una ventaja competitiva en aquellos mercados.

Las habilidades competitivas identificadas por Kodak incluyen las siguientes:

1. *Enfoque en el cliente*: la habilidad para identificar y satisfacer las necesidades del cliente
2. *Duración del ciclo*: la habilidad para desarrollar en forma rápida nuevos productos que satisfagan las necesidades del cliente
3. *Fabricación*: la habilidad para aumentar la calidad y disminuir los costos de fabricación
4. *Alianzas*: la habilidad para obtener acceso a tecnología decisiva mediante alianzas estratégicas
5. *Benchmarking*: la habilidad para medir las destrezas de Kodak frente a las de otros competidores

En la actualidad Kodak formula estrategias que le permitirán formar este tipo de habilidades competitivas. Por ejemplo, la compañía ha introducido un programa de administración de la calidad total (ACT) en un intento por mejorar la calidad y reducir los costos de fabricación.

En cuanto a las habilidades principales, se refieren a las destrezas de una compañía que suministra las bases para su ventaja competitiva. Kodak se ha concentrado en sus principales habilidades técnicas y ha identificado dos tipos de tecnología inherentes: tecnologías *estratégicas* y tecnologías *facilitadoras*. Las tecnologías estratégicas posibilitan que Kodak sea líder mundial pues son la fuente de ventaja competitiva. Las tecnologías facilitadoras son necesarias para lograr el éxito pero no requieren control en forma interna. Una tecnología estratégica para Kodak es la tecnología de materiales de plata haloidea. La plata haloidea es el elemento esencial en la fotografía, el poderoso catalizador de sensibilidad de la luz en el proceso de revelado. Kodak ha sido pionera en el desarrollo de un proceso para producir nuevos tipos de cristales de plata haloidea, los cuales aumentan en forma significativa la nitidez del color de las fotografías. Este proceso, propiedad de Kodak, proporciona a la compañía una ventaja competitiva potencial en el mercado mundial. Una tecnología facilitadora de Kodak es la utilizada para medir pequeñas cantidades de tinte en las partículas de plata haloidea. Esta tecnología es esencial para fabricar emulsiones de plata haloidea reproducibles utilizadas en el proceso fotográfico, pero la tecnología en sí no constituye una fuente de ventaja competitiva. Con la diferenciación evidente entre tecnologías estratégicas y facilitadoras, Kodak ahora distribuye recursos para mejorar sus tecnologías estratégicas, como la tecnología de materiales de plata haloidea, con el fin de asegurar que sean las mejores en el mundo. En forma simultánea, la compañía pretende que sus tecnologías facilitadoras sean tan buenas como cualquier otra utilizada por los competidores[22].

información disponible. De hecho, existe gran evidencia acerca de muchos gerentes que toman decisiones estratégicas en forma errónea[23]. Las razones tienen que ver con dos fenómenos psicológicos relacionados: las predisposiciones del conocimiento y el pensamiento de grupo. Más adelante se examinarán cada una de ellas y se considerarán las técnicas para mejorar el proceso de toma de decisiones.

Predisposiciones del conocimiento

La racionalidad de los seres humanos que toman decisiones está limitada por nuestras propias capacidades cognoscitivas. No somos supercomputadores, y para nosotros es difícil absorber y procesar grandes cantidades de información en forma efectiva. Como resultado, se tiende a recurrir a ciertos métodos prácticos o heurísticos cuando tomamos decisiones. En su mayoría, estos métodos prácticos son en realidad bastante útiles, ya que nos ayudan a dar sentido a un mundo complejo e incierto. Sin embargo, algunas veces éstos también conducen a **errores sistemáticos** y graves en el proceso de toma de decisiones[24]. (Los errores sistemáticos son aquellos que aparecen en repetidas ocasiones). Estos errores parecen surgir de una serie de **predisposiciones del conocimiento** en la forma como las personas que toman determinaciones, procesan la información y toman decisiones. Debido a estas predisposiciones, muchos gerentes terminan por tomar decisiones estratégicas erróneas.

La figura 1.5 representa cinco reconocidas predisposiciones del conocimiento. Estas predisposiciones han sido verificadas varias veces en ambientes de laboratorio, de manera que se puede estar razonablemente seguro de su existencia y de la tendencia de todas las personas hacia ellas[25]. La **predisposición a las hipótesis** se refiere al hecho de que quienes toman decisiones y poseen firmes creencias previas sobre la relación entre dos variables tienden a tomar decisiones con base en sus propias convicciones, aunque se les presente la evidencia de que sus creencias son erróneas. Además tienden a buscar y utilizar información que sea consistente con sus creencias previas, mientras ignoran la información que las contradiga. Tal predisposición, en un contexto estratégico, sugiere que un CEO cuando posee una firme creencia previa con relación a que cierta estrategia tiene sentido, podría continuar tras esa estrategia a pesar de la evidencia de que es inapropiada o que fracasará.

La **intensificación del compromiso** es otra reconocida predisposición del conocimiento[26]. Esta predisposición ocurre cuando las personas que toman decisiones, habiendo ya comprometido recursos significativos en un proyecto, comprometen aún más recursos aunque la retroalimentación recibida les indique que el proyecto está fracasando. Esta actitud puede ser calificada de irracional; una respuesta más lógica sería abandonar el proyecto y seguir (es decir, "zafarse y continuar"), en vez de intensificar el compromiso. El sentido de responsabilidad personal por un proyecto, apa-

Figura 1.5
Cinco reconocidas
predisposiciones
del conocimiento

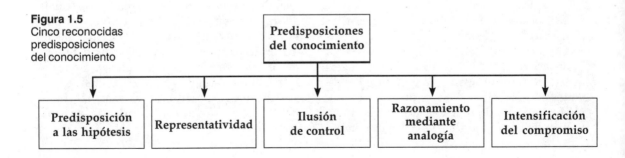

rentemente, induce a las personas que toman las decisiones a adherirse a un proyecto, a pesar de la evidencia de fracaso. Uno de los más famosos ejemplos de intensificación del compromiso se relaciona con la política estadounidense hacia la guerra del Vietnam. La reacción del presidente Lyndon B. Johnson, frente a la información de que la política estadounidense en Vietnam estaba fracasando, fue la de comprometer aún más recursos para la guerra[27]. Para tomar un ejemplo de negocios, durante las décadas de 1960 y 1970, la respuesta de las grandes acerías estadounidenses a la competencia eficiente en costos de miniplantas y fabricantes extranjeros consistió en aumentar sus inversiones en las instalaciones tecnológicamente obsoletas para la explotación del acero, en vez de invertir en nueva tecnología efectiva[28]. Esto era irracional; las inversiones en tal tecnología nunca les facilitaría hacerse eficientes en costos.

La predisposición de **razonamiento mediante analogías** involucra el uso de analogías simples con el fin de hallarle sentido a los problemas complejos. Por ejemplo, la política estadounidense hacia Vietnam en la década de 1960 estuvo orientada por la analogía de la caída de los dominós. Los diseñadores norteamericanos de políticas creyeron que si Vietnam caía ante los comunistas, la otra parte del suroriente asiático también se derrumbaría. El peligro de utilizar tales analogías consiste en que, al simplificar excesivamente un problema complejo, éstas pueden engañar. A manera de ilustración, muchas compañías han dependido de la analogía de un taburete de tres patas con el objeto de justificar la diversificación en áreas de negocios sobre las cuales tienen poco conocimiento previo. La analogía sugiere que un taburete con menos de tres patas (y, por extensión, una compañía que es activa en menos de tres negocios diferentes) no está equilibrada. A mediados de la década de 1980 Chrysler aplicó esta analogía para justificar su decisión de diversificarse hacia la industria aeroespacial mediante la adquisición de Gulfstream, compañía fabricante de jets ejecutivos. Cinco años más tarde Chrysler admitió que el desplazamiento hacia la diversificación había sido un error y abandonó por sí misma esta actividad.

La **representatividad** es una predisposición fundamentada en la tendencia a generalizar a partir de un pequeño ejemplo, o incluso de una simple anécdota vivida. Sin embargo, generalizar a partir de ejemplos pequeños viola la ley estadística de las grandes cantidades, la cual plantea lo inapropiado de generalizar a partir de un ejemplo pequeño, y aun más si cuando se parte de un caso único. Un ejemplo interesante de representatividad ocurrió después de la Segunda Guerra Mundial, cuando el CEO de Montgomery Ward, Seawell Avery, descartó los proyectos para que la expansión nacional afrontara la competencia de Sears, pues creyó que seguiría una depresión después de la guerra. Basó su creencia en el hecho de que después de la Primera Guerra Mundial se presentó una depresión. Como se recuerda, no hubo depresión, y Sears se convirtió en un minorista a nivel nacional, en tanto que Montgomery Ward no lo hizo. El error de Avery fue generalizar a partir de una experiencia de posguerra y suponer que a toda guerra le sigue una depresión.

La última predisposición del conocimiento se llama **ilusión de control**. Ésta es la tendencia a estimar excesivamente la capacidad de alguien para controlar los sucesos. Los gerentes de alto nivel, en particular, parecen tener una fuerte tendencia hacia esta predisposición. Después de llegar a la parte más alta de una organización, tienden a confiar demasiado en su capacidad para tener éxito. Según Richard Roll, tal exceso de confianza lleva a lo que él denomina **hipótesis de presunción** en las adquisiciones[29]. Roll argumenta que los gerentes senior por lo general se confían demasiado en sus capacidades para crear valor al adquirir otra compañía. Por tanto, terminan por tomar decisiones erróneas sobre adquisiciones, pagando con frecuencia demasiado por tales compañías. En consecuencia, cubrir la deuda asumida para financiar una adquisición hace casi imposible generar dinero por dicha compra.

Pensamiento de grupo

Las predisposiciones analizadas anteriormente son individuales. Sin embargo, la mayoría de las decisiones estratégicas son tomadas por grupos, no por individuos. Por tanto, el contexto del grupo dentro del cual se toman las decisiones de manera obvia es una variable importante para determinar si las predisposiciones del conocimiento afectan en forma adversa los procesos de toma de decisiones estratégicas. El psicólogo Irvin Janis argumenta que muchos grupos se caracterizan por un proceso conocido como **pensamiento de grupo**, y que como resultado gran cantidad de éstos toman decisiones estratégicas erróneas[30]. El pensamiento de grupo ocurre cuando un conjunto encargado de tomar decisiones se aventura en un curso de acción sin cuestionar los presupuestos inherentes. Por lo general, un grupo se une alrededor de una persona o política. Éste ignora o filtra la información que se puede utilizar para cuestionar la política y desarrolla racionalizaciones después de los hechos de acuerdo con su decisión. Por tanto, el compromiso se basa en una evaluación emocional, no objetiva, del correcto curso de acción. Las consecuencias pueden ser decisiones erróneas.

Este fenómeno puede explicar, al menos en forma parcial, por qué compañías con frecuencia toman decisiones estratégicas erróneas a pesar de la sofisticada administración estratégica. Janis señaló muchos fracasos históricos debidos al erróneo diseño de políticas por parte de líderes gubernamentales que recibieron apoyo social de su grupo interior de consejeros. Por ejemplo, sugirió que el grupo asesor del presidente John F. Kennedy se perjudicó con el pensamiento de grupo cuando sus miembros apoyaron la decisión de emprender la invasión a Bahía de Cochinos en Cuba, aunque la información disponible demostraba que sería una empresa infructuosa que, además, deterioraría las relaciones estadounidenses con los demás países.

Janis manifiesta que los grupos dominados por el pensamiento de grupo se caracterizan por fuertes presiones hacia la uniformidad, la cual hace que sus miembros eviten el surgimiento de asuntos controvertidos, cuestionando argumentos débiles o dudando de criterios carentes de juicio. La estrategia en acción 1.3. destaca un ejemplo interesante de pensamiento de grupo en un contexto de negocios, la adquisición de Howard Johnson por parte de Imperial Group. Obsérvese que en este caso el pensamiento de grupo parecía exacerbar varias predisposiciones del conocimiento, incluyendo la ilusión de control y la predisposición a las hipótesis.

Técnicas para mejorar la toma de decisiones

La existencia de predisposiciones del conocimiento y de pensamiento de grupo genera el problema de cómo llevar información esencial que tenga efecto en el mecanismo de toma de decisiones, de tal manera que las decisiones estratégicas hechas por la compañía sean realistas y se basen en una evaluación. Existen dos técnicas conocidas para contrarrestar el pensamiento de grupo y las predisposiciones del conocimiento: el abogado del diablo y el estudio dialéctico.

El abogado del diablo y **el estudio dialéctico** han sido propuestas como instrumentos para protegerse de las debilidades del enfoque experto[32]. *El abogado del diablo* involucra la generación tanto de un plan como el análisis crítico del mismo. Un miembro perteneciente al grupo de toma de decisiones actúa como abogado del diablo, éste presenta todos los argumentos que podrían hacer inaceptable la propuesta. De esta forma, quienes toman las decisiones pueden concientizarse de los posibles riesgos de la acción recomendada. *El estudio dialéctico* es más complejo, éste involucra la generación de un plan (tesis) y un plan opuesto (antítesis). Según R. O. Mason, uno de los primeros proponentes de este método en la administración estratégica, el plan y el plan opuesto deben reflejar acciones plausibles pero en conflicto[33]. Quienes toman las decisiones corporativas desarrollan un debate entre los defensores del plan y sus opositores. El propósito del debate con-

ESTRATEGIA EN ACCIÓN 1.3

La adquisición de Howard Johnson por parte de Imperial: un caso de pensamiento de grupo

En 1979, cuando adquirió a Howard Johnson, Imperial Group de Gran Bretaña era la tercera compañía de tabaco más grande del mundo, después de British American Tobaccos y Philip Morris Companies, Inc. En la década de 1970, aquella comenzó a implementar un programa de diversificación diseñado para reducir su dependencia del mercado tabacalero en decadencia. Parte de este programa incluyó un plan para adquirir una importante compañía estadounidense. Imperial dedicó dos años explorando EE.UU. para hallar una apropiada oportunidad de adquisición; buscaba una empresa en una industria de alto crecimiento que tuviera alta participación en el mercado, un buen registro de trayectoria, buenas perspectivas de crecimiento y que pudiera ser adquirida a un precio razonable. La firma exploró más de 30 industrias y 200 compañías diferentes antes de decidirse por Howard Johnson.

Cuando Imperial anunció planes para comprar Howard Johnson por cerca de US$500 millones en 1979, sus accionistas amenazaron con una rebelión. Rápidamente señalaron que al precio de US$26 por acción su empresa pagaría el doble de lo que Howard Johnson había costado sólo seis meses antes, cuando las acciones estuvieron en US$13. Difícilmente podría calificarse como un precio razonable para dicha adquisición. Además, la industria hotelera estaba ingresando en una fase de bajo crecimiento en lugar de alto, y las perspectivas de reactivación eran bastante remotas. De otra parte, Howard Johnson no tenía un buen registro de trayectoria; la compañía ignoró las protestas de los accionistas y compró la cadena de hoteles. Cinco años más tarde, después de persistentes pérdidas, Imperial trataba de deshacerse de Howard Johnson. La adquisición había sido un completo fracaso.

¿Qué falló? ¿Por qué, después de un ejercicio de planeación de dos años, Imperial compró una compañía que en forma evidente no se ajustaba a sus propios criterios? La respuesta parecería estar no en la planeación, sino en la calidad de la toma de decisiones estratégicas. Imperial compró Howard Johnson a pesar de su planeación, no fue producto de ésta. Su CEO en particular decidió en forma independiente que Howard Johnson representaba una buena compra. El CEO, figura más bien autoritaria, que confiaba de manera excesiva en su capacidad (caso de presunción), se rodeó de los subordinados que estuvieron de acuerdo con él. Una vez realizada la selección, bajo la señal evidente de que el pensamiento de grupo estaba en juego, sus consejeros coincidieron con su criterio y participaron en el desarrollo de racionalizaciones para su propósito. Ninguno cuestionó la decisión en sí misma, aunque había información disponible que demostraba que la decisión era incorrecta. Por el contrario, se utilizó la planeación estratégica para justificar una decisión que en la práctica no se ajustaba a los objetivos estratégicos[31].

siste en revelar problemas definidos, acciones recomendadas y suposiciones. Como resultado, quienes toman las decisiones corporativas y llevan a cabo la planeación son capaces de formar una conceptualización nueva y más completa del problema, la cual se convierte en el plan final (síntesis).

En la figura 1.6 se ilustra cada uno de los procesos de toma de decisiones. Si se hubiese utilizado cualquiera de estos procesos en el caso de Imperial, con mucha probabilidad hubiera tomado una decisión diferente (y posiblemente la mejor). Sin embargo, existe gran controversia sobre cuál de los dos métodos es el mejor[34]. Los investigadores han llegado a conclusiones conflictivas, y el árbitro aún no ha llegado. Desde el punto de vista práctico, no obstante, el abogado del diablo proba-

Figura 1.6
Dos procesos para la
toma de decisiones

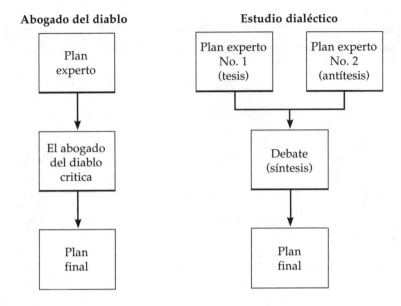

blemente es el método más fácil de implementar, pues involucra menos compromiso en términos de tiempo que el estudio dialéctico.

1.7   LOS GERENTES ESTRATÉGICOS Y EL LIDERAZGO ESTRATÉGICO

Hasta este punto no se ha analizado el rol que desempeñan los gerentes en la formulación e implementación de estrategias. La primera mitad de esta sección examina el rol estratégico de los gerentes en diferentes niveles dentro de una organización; la segunda mitad se concentra en el liderazgo.

Niveles de administración estratégica

En la mayoría de las organizaciones modernas se encuentran dos tipos de gerentes: **gerentes generales** y **gerentes funcionales**. Los gerentes generales son individuos que asumen la responsabilidad por el desempeño general de la organización o por una de sus principales divisiones autónomas. Su interés predominante se concentra en el bienestar de la organización *total* bajo su dirección. Los gerentes funcionales, por otro lado, asumen la responsabilidad de funciones específicas de los negocios como personal, compras, producción, ventas, servicio al cliente y cuentas. Por tanto, su esfera de autoridad generalmente está confinada a una actividad organizacional, mientras que los gerentes estratégicos vigilan las operaciones de toda la organización. Esta responsabilidad ubica a los gerentes generales en la posición exclusiva de estar en capacidad de dirigir la organización total en un sentido estratégico.

Una típica compañía diversificada tiene tres importantes niveles administrativos: el nivel corporativo, el nivel de negocios y el nivel funcional (*véase* figura 1.7). Los gerentes generales se encuentran en los dos primeros niveles, pero sus roles estratégicos difieren, pues dependen de su esfera de responsabilidad. Los gerentes funcionales también tienen un rol estratégico, aunque de un tipo diferente. Ahora se estudiarán estos niveles y los roles estratégicos asignados a los gerentes dentro de cada uno.

Figura 1.7
Niveles de
administración
estratégica

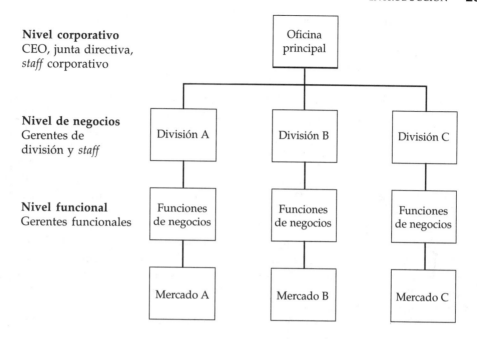

Nivel corporativo
CEO, junta directiva,
staff corporativo

Nivel de negocios
Gerentes de
división y *staff*

Nivel funcional
Gerentes funcionales

Nivel corporativo

El nivel corporativo de la administración está conformado por el CEO, otros ejecutivos senior, la junta directiva y *staff* corporativo. Estos individuos ocupan la cima de la toma de decisiones dentro de la organización. El CEO es el principal gerente general en este nivel. Su función estratégica consiste en *vigilar* el desarrollo de estrategias para toda la organización. Este rol involucra en forma típica la definición de la misión y metas de la organización, mediante la determinación de los negocios donde debe estar, la distribución de recursos entre las diferentes áreas de negocios, la formulación e implementación de estrategias que cubran actividades individuales y el aporte de liderazgo para los demás de la organización.

Por ejemplo, analícese el caso de General Electric. La compañía está involucrada en un amplio rango de negocios, que incluyen equipos de iluminación, principales electrodomésticos, motores y equipo de transporte, generadores de turbina, servicios de construcción e ingeniería, electrónica industrial, sistemas médicos, industria aeroespacial y motores de aviación. Las principales responsabilidades estratégicas de su CEO, Jack Welch, incluyen establecer objetivos estratégicos generales, distribuir recursos entre las diferentes áreas de negocios, decidir si la firma debe desistir por sí misma de alguna de las actividades, y determinar si debe adquirir otras nuevas. En otras palabras, le corresponde desarrollar estrategias que cubran negocios individuales; se ocupa de crear y administrar el portafolio corporativo de negocios. Sin embargo, su responsabilidad específica no es desarrollar estrategias para competir en las áreas individuales de negocios, como la aeronáutica o los electrodomésticos. El desarrollo de tales estrategias compete a los gerentes estratégicos a nivel de negocios.

Además de supervisar la distribución de recursos y administrar los procesos de desestimiento y de adquisición, los gerentes generales a nivel corporativo también suministran un vínculo entre las personas que supervisan el desarrollo estratégico de una firma y aquellos que la poseen (accionistas). Los gerentes estratégicos a nivel corporativo, y particularmente el CEO, pueden percibirse como los guardianes del capital del accionista. Su responsabilidad consiste en asegurar que las estrategias corporativas seguidas por la compañía sean consistentes con la maximización de la ganancia del accionista. Si no es así, entonces, a la postre es muy probable que el CEO sea llamado a rendir cuentas por parte de los accionistas.

Nivel de negocios   En una compañía diversificada, el nivel de negocios está formado por los jefes de las unidades individuales de negocios dentro de la organización y su *staff* de apoyo. En una compañía especializada, el nivel de negocios y el nivel corporativo son iguales. Una unidad de negocios es una entidad organizacional que opera en un área de negocios distinta. Por lo general, es autónoma y tiene sus propios departamentos funcionales (por ejemplo, su propio departamento financiero, de compras, de producción y de marketing). Dentro de la mayoría de las compañías, las unidades de negocios se denominan **divisiones**. Por ejemplo, General Electric tiene más de cien divisiones, una por cada área de negocios en la que la empresa está activa.

Los principales gerentes estratégicos en el nivel de negocios son los jefes de las divisiones. Su función estratégica consiste en interpretar los planteamientos generales de dirección del nivel corporativo para convertirlos en estrategias concretas de negocios específicos. Así, mientras los gerentes generales a nivel corporativo están interesados en estrategias que cubran negocios específicos, los gerentes a nivel de negocios se ocupan de estrategias que sean específicas para un negocio en particular. Como se anotó anteriormente, el nivel corporativo de General Electric está comprometido con el objetivo de ser el primero o segundo en todas las actividades donde compite la corporación. Sin embargo, a los gerentes generales que dirigen cada división les corresponde desarrollar los detalles de una estrategia que sea consistente con este objetivo en su negocio.

Nivel funcional   Los gerentes funcionales asumen la responsabilidad de funciones específicas de los negocios, como recursos humanos, fabricación, manejo de materiales, marketing e investigación y desarrollo (I&D). No están en disposición de observar el panorama general. Sin embargo, tienen una función estratégica importante, pues su responsabilidad consiste en desarrollar estrategias funcionales en fabricación, marketing, I&D, etc. que ayuden a lograr los objetivos estratégicos establecidos por los gerentes generales de los niveles corporativo y de negocios. Por ejemplo, en el caso del negocio de electrodomésticos de General Electric, los gerentes de fabricación son responsables de desarrollar estrategias de fabricación consistentes con el objetivo corporativo de convertirse en los primeros o segundos en esta industria. Además, los gerentes funcionales suministran la mayor parte de la información que posibilita la formulación de estrategias realistas y alcanzables por parte de los gerentes generales de los niveles de negocios y corporativo. En verdad, ya que están más cerca del cliente que el típico gerente general, los gerentes funcionales pueden generar sustanciales ideas estratégicas, las cuales, en consecuencia, se convertirán en estrategias valiosas para la compañía. Por consiguiente, es importante que los gerentes generales escuchen con suma atención las ideas de sus gerentes funcionales. Una responsabilidad igualmente fundamental para los gerentes en el nivel funcional involucra la implementación de estrategias: llevar a cabo las decisiones a nivel corporativo y a nivel de negocios.

Liderazgo estratégico

Uno de los roles estratégicos claves de los gerentes, bien sea generales o funcionales, consiste en suministrar liderazgo estratégico a sus subordinados. El *liderazgo estratégico* se refiere a la capacidad de articular una visión estratégica de la compañía y la habilidad de motivar a los demás a participar de esa visión. Sobre el liderazgo se ha escrito bastante, y revisar en detalle este complejo tema va más allá del alcance de este libro. Sin embargo, muchos autores identifican varias características claves de los buenos líderes, analizadas aquí[35]. Estas características son (1) visión, elocuencia y consistencia, (2) compromiso, (3) mantenerse bien informado, (4) disponibilidad para delegar y dar poder y (5) astucia política.

Visión, elocuencia y consistencia Una de las tareas claves del liderazgo consiste en dar a la organización sentido de dirección. Los líderes fuertes parecen tener una visión hacia dónde debe ir ésta. Además, son suficientemente elocuentes para poder comunicar su visión a los demás en términos que puedan influenciar a las personas y articulen en forma consistente su visión hasta que haga parte de la cultura de la organización[36]. John F. Kennedy y Martin Luther King, Jr. son ejemplos de líderes visionarios. Ambos tuvieron la visión de una sociedad más justa y fueron capaces de comunicarlo elocuentemente a las personas, utilizando un lenguaje convincente que influenciaba al auditorio. Recuérdese el impacto de la frase de Kennedy "No preguntes qué puede hacer el país por ti, pregunta qué puedes hacer por él", y de la reflexión de King "Tengo un sueño". Ambos, de igual manera, hicieron énfasis en forma consistente de su visión discurso tras discurso. Ejemplos de fuertes líderes de negocios incluyen a Jack Welch de General Electric, Lee Iacocca exlíder de Chrysler, Herb Kelleher de Southwest Airlines (*véase* caso inicial 1.1) y Steve Jobs uno de los primeros líderes de Apple Computer, cuyo perfil aparece en la estrategia en acción 1.4. Como se demuestra en esta estrategia en acción, Jobs suministró a Apple Computer una clara visión estratégica, la cual se constituyó en la base para la mayor parte del éxito de la compañía.

Compromiso Un fuerte líder es alguien que demuestra compromiso con su visión particular. Con frecuencia esta condición involucra liderazgo mediante la ejemplificación. Como ilustración, considérese el caso del CEO de Nucor, Ken Iverson. Nucor es una acería muy eficiente quizá con la estructura más baja en costos en su industria. La compañía ha tenido los últimos 20 años un desempeño rentable dentro de una industria donde la mayoría de las firmas han perdido dinero. Lo ha realizado mediante la inexorable concentración en la minimización de costos, la cual comienza con el mismo Iverson. Él responde su propio teléfono, emplea sólo una secretaria, conduce un carro viejo, viaja en segunda clase y se enorgullece de ser uno de los CEO peor pagos que aparece en la revista *Fortune 500*. Este tipo de compromiso es una poderosa señal para los empleados de la firma que Iverson es serio y hace todo lo posible para minimizar costos. Con esta actitud Iverson gana el respeto de sus empleados, lo cual a su vez hace que estén más dispuestos a trabajar arduamente. En forma similar como se señaló en el caso inicial, Herb Kelleher, el CEO de Southwest Airlines tiene la reputación de colaborar a sus auxiliares de vuelo y a los equipos de mantenimiento en su trabajo. Este compromiso hace que Kelleher gane el respeto de los empleados de la compañía quienes por consiguiente están dispuestos a trabajar con dinamismo.

Mantenerse bien informado Los buenos líderes no operan en el vacío. Por el contrario, desarrollan una red de fuentes formales o informales que los mantienen bien informados acerca de lo que está sucediendo dentro de la compañía. Ellos desarrollan formas de canales alternos para investigar lo que ocurre dentro de la organización, de tal manera que no tienen que depender de los canales formales de información. Esto es prudente debido a que los canales formales pueden ser distorsionados por intereses especiales dentro de la organización o por otras personas, quienes pueden presentar al líder en forma errónea la verdadera condición de los asuntos dentro de la compañía. Personas como Kelleher en Southwest, quienes se encuentran en constante interacción con sus empleados en todos los niveles de la organización, tienen mayor capacidad de construir redes informales de información que los líderes que se aislan en remotas oficinas principales de la corporación y nunca interactúan con empleados de los niveles inferiores.

ESTRATEGIA EN ACCIÓN 1.4

Steve Jobs considerado como líder visionario

Junto con Steve Wozniak, Steve Jobs fue el cofundador de Apple Computer, el pionero en el mercado de computadores personales. Se sabe que Jobs no entendía el funcionamiento interno de los computadores personales, el diseño real de los primeros computadores personales de Apple se debe a Wozniak. Pero como él también manifestó, «nunca me pasó por la mente vender computadores. Steve fue quien dijo...`mantengámoslos en el aire y vendamos unos pocos'". Jobs insistió en que el computador sería «liviano y pulido, bien diseñado con colores discretos". Él también impulsó a sus ingenieros a «fabricar máquinas que no ahuyentaran a la asustadiza clientela".

Lo visionario en el liderazgo de Jobs fue su evangélica perseverancia para mostrarle a las personas el futuro potencial del producto. Jobs previó un mundo donde debe haber un computador personal en cada escritorio. Comparó este aparato con el teléfono en cuanto a su importancia para las personas comunes. Jobs comenzó a crear y a conquistar un mercado muy amplio antes de que otro líder se diera cuenta de ese potencial. Actuó como misionero, tanto para los consumidores potenciales (se le atribuye el mérito de cientos de miles, posible-

mente millones, en ventas de nueva tecnología para los norteamericanos) como para los empleados de Apple. Bajo su liderazgo, Apple en sus primeros años fue más una cofradía que una compañía, dedicada a transformar el mundo mediante la fabricación de nueva tecnología disponible para todos. Los empleados que se adhirieron a la visión de Jobs, en su gran mayoría, trabajaron con mucha energía con el propósito de ayudar a producir esta tecnología. El resultado fue uno de los más exitosos inicios en la historia de negocios de Norteamérica.

Sin embargo, a medida que Apple se posicionaba mejor y la industria ganaba respetabilidad, las debilidades de Jobs comenzaron a oscurecer su liderazgo visionario. Se le consideraba un visionario, pero también ganó reputación por su ambición hasta el punto de ganarse la megalomanía y la intolerancia de quienes no permanecieron fieles a sus frecuentes e irracionales altas expectativas. Como resultado, con el tiempo Jobs alienó cada vez más personal de la empresa. Cuando finalmente la junta directiva en 1985 lo despidió de su diaria labor administrativa, pocas personas quedaron para apoyarle en la compañía. Poco después Jobs abandonó Apple e intentó de nuevo su visión en NeXT, Inc[38].

Disponibilidad para delegar y dar poder   Los buenos líderes son delegadores habilidosos. Ellos son conscientes de que si no delegan rápidamente se pueden ver sobrecargados de responsabilidades. También reconocen que dar poder a los subordinados para que tomen decisiones es una buena herramienta de motivación. Delegar también tiene sentido cuando esta tarea genera decisiones tomadas por quienes deben implementarlas. Al mismo tiempo, los buenos líderes aceptan que necesitan mantener control sobre ciertas decisiones claves. Por tanto, aunque delegarán muchas decisiones a empleados de niveles inferiores, no lo harán con aquellos que juzguen de vital importancia para el futuro éxito de la organización bajo su liderazgo.

Astucia política   Edward Wrapp observa que los buenos gerentes generales tienden a ser astutos políticamente[37]. Esta condición implica tres aspectos: Primero, los buenos gerentes generales manejan el juego de poder con habilidad, pues prefieren lograr consenso para sus ideas en vez de utilizar su autoridad para forzar las ideas a través de ésta. Actúan como miembros o líderes de una coalición en lugar de ser dictadores. Segundo, los buenos gerentes generales con frecuencia vacilan comprometerse públicamente en planes estratégicos detallados u objetivos precisos, debido a que con toda probabilidad el surgimiento de contingencias inesperadas requerirá adaptación. Por consiguiente, un gerente general exitoso podría comprometer la organización a una visión particular, como minimizar costos o incrementar de manera sustancial la calidad de un producto, sin establecer en forma precisa cómo o cuándo se logrará este propósito. Es importante anotar que los buenos gerentes generales, con frecuencia, tienen objetivos y estrategias de carácter privado y preciso aconsejables desde su punto de vista para la organización. Sin embargo, reconocen la futilidad del compromiso público, dada la probabilidad de cambio y las dificultades de implementación.

Tercero, Wrapp sostiene que los buenos gerentes generales poseen la habilidad de impulsar programas en forma gradual. Ellos son conscientes de la futilidad de intentar impulsar paquetes totales o programas estratégicos en toda la organización, debido a la probabilidad de que surjan objeciones significativas por lo menos en una parte de dichos programas. Más bien, el gerente general exitoso está dispuesto a asumir menos de la aceptación total con el fin de lograr un progreso modesto tendiente a una meta; él trata de impulsar sus ideas de manera gradual, de tal modo que parezcan incidentales de otras ideas, aunque de hecho formen parte de un programa mayor o agenda escondida que mueva a la organización en la dirección de los objetivos establecidos por el gerente.

1.8 RESUMEN DEL CAPÍTULO

El capítulo suministra una visión general del proceso de administración estratégica y examina algunos de los factores que influyen en la calidad de las decisiones estratégicas generadas por ese proceso. Además de identificar los principales componentes del proceso de administración estratégica, señala varias imperfecciones en los sistemas tradicionales de planeación y el efecto nocivo que las predisposiciones del conocimiento y el pensamiento de grupo pueden tener en la calidad de la toma de decisiones estratégicas. Se analiza la función desempeñada por los líderes estratégicos en el proceso de toma de decisiones estratégicas y se identifican las características de los líderes fuertes.

Los puntos claves en este capítulo son los siguientes:

1. Un objetivo importante de la administración estratégica consiste en identificar por qué algunas organizaciones tienen éxito mientras otras fracasan.
2. El éxito de una compañía depende de tres grandes factores: la industria en la cual está ubicada, el país o países donde está localizada, junto con sus propios recursos, capacidades y estrategias.
3. Las definiciones tradicionales de *estrategia* hacen énfasis en que la estrategia de una organización es el producto de un proceso racional de *planeación*. La revisión de Mintzberg del concepto sugiere que la estrategia puede *emerger* del interior de una organización en ausencia de cualquier intención previa.
4. Los componentes importantes del proceso de administración estratégica incluyen: definir la misión y las principales metas de la organización; analizar los ambientes interno y externo de la organización; escoger estrategias que alineen, o *adecuen*, las fortalezas y debilidades de la organización a las oportunidades y amenazas ambientales externas; y adoptar estructuras y sistemas de control organizacional con el fin de implementar la estrategia escogida por la organización.

5. La planeación estratégica con frecuencia fracasa debido a que los ejecutivos no planean para la incertidumbre y porque quienes utilizan la planeación tipo torre de marfil pierden contacto con las realidades operativas.
6. Prahalad y Hemal han criticado el modelo de ajuste estratégico con base en que éste se concentra demasiado en el grado de ajuste entre los recursos existentes y las oportunidades corrientes, y no lo suficiente en la formación de nuevos recursos y capacidades para crear y aprovechar oportunidades futuras.
7. El *intento estratégico* se refiere a la obsesión de lograr un objetivo que amplíe la compañía, además este objetivo exige que la empresa forme nuevos recursos y capacidades.
8. A pesar de la planeación sistemática, las compañías pueden adoptar estrategias erróneas si sus procesos de toma de decisiones son vulnerables al pensamiento de grupo y si se permite que las predisposiciones individuales del conocimiento penetren en el proceso de toma de decisiones.
9. Las técnicas para incrementar la efectividad de la toma de decisiones estratégicas incluyen "el abogado del diablo" y el estudio dialéctico.
10. Los gerentes generales son individuos que asumen la responsabilidad por el desempeño general de la organización o de una de sus principales divisiones autónomas. Su predominante interés estratégico se concentra en la salud de toda la organización bajo su dirección.
11. Los gerentes funcionales son individuos que tienen la responsabilidad de una función de negocios en particular. Aunque no están en posición de observar el panorama general asumen varias responsabilidades estratégicas importantes.
12. Las características claves de los buenos líderes incluyen visión, elocuencia y consistencia; compromiso; mantenerse bien informados; la disponibilidad de delegar y dar poder; y astucia política.

Preguntas y temas de análisis

1. ¿Qué es *estrategia*?
2. ¿Cuáles son las fortalezas de la planeación estratégica formal? ¿Cuáles son sus debilidades?
3. Evalúese la guerra Irán-Contras de 1987 desde la perspectiva de toma de decisiones estratégicas. ¿Se hubieran generado diferentes decisiones si la administración de Reagan hubiese utilizado un enfoque de estudio dialéctico o uno de "abogado del diablo" cuando tomó las decisiones estratégicas? ¿La venta de armas a Irán fue el resultado de una estrategia intentada o emergente?
4. Evalúese al presidente Bill Clinton de acuerdo con las características de liderazgo analizadas en el texto. Con base en esta comparación, ¿se puede considerar al presidente Clinton como un buen líder?

Aplicación 1

Al final de cada capítulo de este libro el lector encontrará una labor de aplicación. Con esta tarea se desea que el lector busque en periódicos o revistas de la biblioteca el ejemplo de una compañía concreta que resuelva el ejercicio o problema en cuestión. La primera aplicación es la siguiente: Tómese el ejemplo de una empresa que recientemente haya cambiado su estrategia. Identifíquese si este cambio fue producto de un proceso de planeación formal o de una respuesta emergente a acontecimientos no previstos ocurridos en el ambiente de la firma.

Proyecto sobre administración estratégica: Módulo 1

Con el fin de proporcionar al lector un discernimiento práctico dentro del proceso de administración estratégica, en este libro se suministra una serie de módulos estratégicos, uno al final de cada capítulo. En cada módulo se solicita que reúna y analice información relacionada con el material visto en ese capítulo. Al completar estos módulos estratégicos tendrá una idea más clara del proceso general de administración estratégica. El primer paso en este proyecto consiste en seleccionar una compañía objeto de estudio. Se recomienda que el lector se concentre en la misma firma en todo el libro. Recuérdese también que se solicitará información sobre la estrategia corporativa e internacional de esa empresa, al igual que sobre su estructura. También se sugiere, de manera muy especial, la selección de una compañía de la cual haya información disponible.

Existen dos enfoques que se pueden utilizar para seleccionar una compañía objeto de estudio, y el profesor orientará al respecto. El primer enfoque consiste en tomar una compañía reconocida, sobre la cual haya bastante información escrita. Por ejemplo, empresas ampliamente publicitadas como IBM, Microsoft y Southwest Airlines que aparecen con regularidad en las publicaciones o secciones de los diarios especializados en negocios y asuntos financieros. En la biblioteca de la universidad, el lector podrá consultar gran cantidad de información sobre esas firmas. Muchas bibliotecas ahora poseen instalaciones electrónicas de búsqueda de datos como *ABI/Inform, The Wall Street Journal Index, F&S Index* y *Nexis*. Esto permite que el estudiante identifique cualquier artículo que se haya escrito en las publicaciones de negocios durante los últimos años sobre la compañía escogida. Si no existen instalaciones electrónicas para la búsqueda de datos en la universidad, se sugiere solicitar fuentes de información al bibliotecario. Hay disponibles varias fuentes no electrónicas de información; por ejemplo, *F&S Predicasts* imprime una lista anual de artículos relacionados con las principales compañías publicadas que aparecieron en la prensa de negocios a nivel nacional e internacional. El lector también deseará compilar completa información financiera sobre la firma seleccionada. De igual manera, se puede tener acceso mediante bases de datos electrónicas como *Compact Disclosure*. En forma alternativa, la biblioteca puede contar con los informes anuales financieros, archivos 10-K o material intercambiable pertenecientes a la compañía que el lector elija. También se pueden solicitar a los bibliotecólogos, son la mejor fuente de información.

Un segundo enfoque consiste en seleccionar una compañía más pequeña, objeto de estudio, cercana al interesado. Aunque las empresas pequeñas no aparecen a diario en las publicaciones nacionales de negocios, pueden salir informes en la prensa local. Aún más importante, este enfoque puede funcionar bien si la gerencia de la organización está de acuerdo en dialogar con el interesado *detalladamente* sobre la estrategia y estructura de la misma. Si el lector conoce a alguien que pertenezca a esa firma o si ha trabajado allí, este enfoque puede ser muy valioso. Sin embargo, *no* se recomienda este enfoque a no ser que se pueda obtener una cantidad *considerable* de acceso garantizado a la compañía seleccionada. Si hay dudas debe preguntarse al profesor antes de tomar la decisión. El problema clave consiste en asegurarse de que hay acceso a la información pertinente para completar los módulos de diseño organizacional.

Asignación

La tarea para el proyecto sobre administración estratégica del módulo 1 consiste en escoger una compañía objeto de estudio y obtener suficiente información a fin de desarrollar las siguientes instrucciones y resolver las preguntas planteadas.

1. Elabórese un breve historial de la compañía y regístrese la evolución de su estrategia con el paso del tiempo. Determínese si la evolución estratégica de esta empresa es producto de estrategias intentadas, emergentes o una combinación de las dos.

2. Identifíquese la misión y las metas principales de la compañía.
3. Elabórese un análisis preliminar de sus fortalezas y debilidades internas, además de las oportunidades y amenazas que enfrenta en su ambiente. Con base en este análisis, identifíquense las estrategias que debería seguir la firma. (Nota: posteriormente será necesario realizar un análisis más detallado en este libro).
4. ¿Quién es el CEO de la compañía? Evalúense las capacidades de liderazgo del CEO.

Notas

1. B. O'Brien "Flying on the Cheap", *Wall Street Journal*, October 26, 1992, A1. B. O'Reilly "Where Service Flies Right", *Fortune*, August 24, 1992, pp. 116-117. A. Salpukas "Hurt in Expansion, Airlines Cut Back and May Sell Hubs", *Wall Street Journal*, April 1, 1992, pp. A1, C8.

2. *La evidencia de la investigación sugiere que los efectos al nivel de la firma justifican la mayor parte de la variación en las tasas de utilidad a través de las industrias y que los efectos industriales relativamente no son importantes. Véase R. P. Rumelt "How Much Does Industry Matter?" Strategic Management Journal*, 12 (1991), 167-186.

3. *The American Heritage Dictionary of the English Language* 3rd ed. (Boston: Houghton-Mifflin, 1992).

4. Alfred Chandler, *Strategy and Structure: Chapters in the History of the American Enterprise* (Cambridge, Mass.: MIT Press, 1962).

5. James B. Quinn, *Strategies for Change: Logical Incrementalism* (Homewood, Ill.: Irwin, 1980).

6. William F, Glueck, *Business Policy and Strategic Management* (New York: McGraw-Hill, 1980).

7. "According to Plan", *Economist*, July 22, 1989, pp. 60-63. Arie P. de Geus, "Planning as Learning", *Harvard Business Review* (March-April 1988), 70-74. Pierre Wack, "Scenarios: Uncharted Waters Ahead", *Harvard Business Review* (September-October 1985), 73-89. Toni Mack, "It's Time to Take Risks", *Forbes* October 6, 1986, pp. 125-133.

8. Henry Mintzberg, "Patterns in Strategy Formulation", *Management Science*, 24 (1978), 934-948.

9. *Ibíd*. Las itálicas son nuestras.

10. Richard T. Pascale, "Perspectives on Strategy: The Real Story Behind Honda's Success", *California Management Review*, 26, (1984), 47-72.

11. K. R. Andrews, *The Concept of Corporate Strategy* (Homewood, Ill.: Dow Jones Irwin, 1971). H. I. Ansoff, *Corporate Strategy* (New York: McGraw-Hill, 1965). C. W. Hofer y D. Schendel, *Strategy Formulation: Analytical Concepts* (St. Paul, Minn: West, 1978).

12. Andrews, *The Concept of Corporate Strategy*.

13. Lawrence C. Rhyne, "The Relationship of Strategic Planning to Financial Performance", *Strategic Management Journal*, 7 (1986), 423-436.

14. Thomas J. Peters y Robert H. Waterman, *In Search of Excellence* (New York: Harper & Row, 1982).

15. Henry Mitnzberg, "The Design School: Reconsidering the Basic Premises of Strategic Management", *Strategic Management Journal*, 11, (1990), 171-196.

16. *Para consultar más ejemplos, véase* S. Tilles, "How to Evaluate Corporate Strategy", *Harvard Business Review*, 41 (1963), 111-121. *Véase también* "The New Breed of Strategic Planner", *Business Week*, September 17, 1984, pp. 62-68.

17. P. J. H. Schoemaker, "Multiple Scenario Development: Its Conceptual and Behavioral Foundation", *Strategic Management Journal*, 14, 1993, 193-213.

18. *Véase* G. Hamel y C. K. Prahalad, "Strategic Intent", *Harvard Business Review*, (May-June 1989), 63-76; *y* C. K. Prahalad y G. Hamel, "The Core Competence of the Organization", *Harvard Business Review*, (May-June 1990) 79-91.

19. Hamel y Prahalad, "Strategic Intent", p. 64.

20. M. E. Porter, "Towards a Dynamic Theory of Strategy", *Strategic Management Journal*, 12 (1991), pp. 95-118.

21. Hamel y Prahalad, "Strategic Intent", p. 64.

22. E.P. Przybyowicz y T. W. Faulkner, "Kodak Applies Strategic Intent to the Management of Technology", *Research Technology Management*, (January-February 1993), 31-38.

23. *Si se desea profundizar en el tema, véase* C. R. Schwenk, "Cognitive Simplification Processes in Strategic Decision Making", *Strategic Management Journal*, 5 (1984), 111-128; *y* K. M. Eisenhardt and M. Zbaracki, "Strategic Decision Making", *Strategic Management Journal*, Special Issue, 13 (1992), 17-37.

24. *El primer planteamiento acerca de este fenómeno fue realizado por* A. Tversky y D. Kahneman, "Judgment Under Uncertainty: Heuristics and Biases", *Science*, 185 (1974), 1124-1131.

25. Schwenk, "Cognitive Simplification Processes", pp. 111-128.

26. B. M. Staw, "The Escalation of Commitment to a Course of Action", *Academy of Management Review*, 6 (1981), 577-587.

27. *Ibíd*.

28. M. J. Tang, "An Economic Perspective on Escalating Commitment", *Strategic Management Journal*, 9, 1988, 79-92.

29. R. Roll, "The Hubris Hypotheses of Corporate Takeovers", *Journal of Business*, 59(1986), 197-216.

30. Irvin L. Janis, *Victims of Groupthink*, 2nd ed. (Boston: Houghton Mifflin, 1982).

31. La historia continuó presentándose casi a diario en el *Financial Times* de Londres durante el otoño de 1979.

32. *Véase* R. O. Mason, "A Dialectic Approach to Strategic Planning", *Management Science*, 13 (1969), 403-414; R. A. Cosier y J. C. Aplin, "A Critical View of Dialectic Inquiry in Strategic Planning", *Strategic Management Journal*, 1 (1980), 343-356; and I. I. Mintroff y R. O. Mason, "Structuring III - Structured Policy Issues: Further Explorations in a Methodology for Messy Problems", *Strategic Management Journal*, 1 (1980), 331-342.

33. Mason, "A Dialectic Approach", pp. 403-414.

34. D. M. Schweiger and P. A. Finger, "The Comparative Effectiveness of Dialectic Inquiry and Devil's Advocacy", *Strategic Management Journal* 5 (1984), 335-350.

35. *Para consultar un resumen de la reciente investigación sobre el liderazgo estratégico, véase* D. C. Hambrick, "Putting Top Managers Back into the Picture", *Strategic Management Journal*, Special Issue, 10 (1989), 5-15.

36. N. M. Tichy and D. O. Ulrich, "The Leadership Challenge: A Call for the Transformational Leader", *Sloan Management Review*, (Fall 1984), 59-68. F. Westley and H. Mintzberg, "Visionary Leadership and Strategic Management", *Strategic Management Journal*, Special Issue, 10 (1989), 17-32.

37. W. Wrapp, "Good Managers Don't Make Policy Decisions", *Harvard Business Review*, (September-October 1967), 91-99.

38. *Fuentes*: Westley and Mintzberg, "Visionary Leadership", pp. 17-32. J. Cocks, "The Updated Book of Jobs", *Time*, January 3 1983, pp. 25-27. B. Utta, "Behind the Fall", *Fortune*, October 14, 1985, pp. 20-24.

Misión y metas

2.1   CASO INICIAL: ALLEGIS CORPORATION

A comienzos de la década de 1980, Dick Ferris, CEO de United Air Lines, tuvo una visión del futuro en la cual su empresa sería uno de los integrantes de un "servicio mundial de viajes puerta a puerta". Ferris creía que una compañía que suministrara servicios de vuelos, de alquiler de automóviles y hoteleros, podría realizar sinergias significativas. Hablaba enfáticamente sobre un futuro en el cual los agentes de viajes en todo el mundo se sentarían frente a las pantallas de sus computadores y coordinarían las reservaciones para sus aerolíneas, hoteles y alquiler de vehículos.

Se reunieron los activos para este imperio de viajes que comenzó en 1970 con la compra de Westin Hotel Company. Bajo el liderazgo de Ferris, United Airlines compró The Hertz Corp. a RCA en 1985 por valor de US$587 millones. En marzo de 1987 compró Hilton International por US$980 millones. Al mismo tiempo cambió oficialmente su nombre por Allegis Corporation en un simbólico intento de hacer énfasis en el renacimiento de la compañía como una operación integrada de viajes.

El problema con esta estrategia radicó en que no contó con el apoyo de dos importantes grupos de interés: los pilotos de la compañía y los accionistas. Los problemas de Ferris con los pilotos comenzaron a mediados de 1985 cuando solicitó concesiones salariales y de productividad a su sindicato, la Air Line Pilots Association

of United Airlines (ALPA), con el fin de competir con aquellas compañías de transporte más económicas como People Express y Continental. Ferris logró que los pilotos aceptaran sus solicitudes, pero sólo después de una huelga de 29 días que deterioró las relaciones laborales con la gerencia y produjo una pérdida trimestral de US$92 millones. Luego, en abril de 1985, ALPA ofreció comprar la aerolínea por US$4,500 millones. De acuerdo con F. C. Dubinsky, presidente de ALPA en United, el ofrecimiento fue motivado por el temor de los pilotos que expresaban: "La aerolínea ya no es la parte central de la compañía. La gerencia está conformada por un equipo de administración hotelera. Deseamos volver a nuestro negocio principal". El liderazgo corporativo rechazó el ofrecimiento.

Mientras se desarrollaban estos acontecimientos, varios compradores de empresas comenzaron a interesarse en la compañía. En marzo de 1987, una acción de Allegis se comercializaba en un intervalo de US$55 a US$60. Según analistas y diversos inversionistas institucionales, a ese precio las acciones estaban excesivamente devaluadas. Varios expertos en inversión consideraron que la compañía se valorizaría por lo menos en US$100 por unidad si vendían sus operaciones por separado. Animado por tales estimativos, el magnate de bienes raíces Donald Trump fue el primer comprador que apareció; adquirió el 5% de las acciones de Allegis. Después de hacer varias declaraciones críticas acerca de Ferris, Trump vendió sus acciones, pero no antes de haber "sobrestimado" su valor, y obtener una utilidad de US$50 millones en la transacción. Luego, en mayo de 1987, Coniston Partners, fondo de inversiones, reveló que había comprado el 13% de las acciones de la compañía. La intención de Coniston era cambiar la junta directiva y liquidar los negocios que conformaban la empresa.

La reacción de Ferris contra las ofertas públicas de adquisición por parte de Coniston y ALPA fue iniciar dos defensas. Primero, como parte de una orden de compra de jets por valor de US$15,000 millones, Allegis suministró a The Boeing Company una nueva emisión de pagarés convertibles avaluados en US$700 millones. Si una sola entidad inversionista comprara más del 40% de las acciones de Allegis, las tasas de interés de los pagarés aumentarían en forma sustancial, incrementando por consiguiente en forma severa los costos de cualquier intento hostil de toma de la empresa. Sin embargo, esta táctica no logró tranquilizar a la mayoría de los accionistas de Allegis, quienes cada vez más se sentían insatisfechos con Ferris. En respuesta, la junta directiva sugirió un plan masivo de recapitalización que inmediatamente reembolsaría a los accionistas US$60 en efectivo por unidad y les dejaría con un valor accionario estimado en US$28. No obstante, el inconveniente consistió en que este plan agregaría más de US$3,000 millones a los US$2,400 millones, correspondientes a la deuda adquirida a largo plazo registrada en el balance general de la compañía. Esta carga sobre la deuda sería arriesgada en la competitiva industria de aerolíneas, y los consecuentes pagos de intereses podrían absorber las utilidades.

Finalmente, la junta directiva no pudo tolerar la acumulación de onerosas deudas para salvar un plan maestro que no satisfacía a los accionistas. Tampoco pudo apoyar a un CEO que en forma evidente había alienado a los inversionistas de Wall Street y a muchos empleados de la firma. En consecuencia, en junio de 1987 la junta directiva expulsó a Dick Ferris; repudió su estrategia de supermercado de viajes; anunció que venderían Hertz, Westin y Hilton International; decidió considerar la venta a sus empleados de una cantidad importante de acciones en United Air Lines y anunció planes para tomar de nuevo el antiguo nombre de la compañía. En efecto, después de apoyar a Dick Ferris durante dos años difíciles, la junta directiva dio marcha atrás bajo la presión de los empleados y los accionistas. La respuesta de Coniston y ALPA fue renunciar a sus ofertas públicas de adquisición. De acuerdo con el punto de vista de ambas partes, la junta directiva propuso entonces hacer lo que ellos habían querido desde el principio[1].

Preguntas y temas de análisis

1. ¿Qué indica la historia de Dick Ferris y Allegis con relación al vínculo existente entre la formulación de la estrategia y las exigencias de los grupos de interés?
2. ¿Por qué los pilotos y los accionistas de Allegis no apoyaron la estrategia de diversificación implementada por Ferris?

2.2 VISIÓN GENERAL

Allegis no logró satisfacer los intereses de dos de sus más importantes constituyentes, o grupos de interés: accionistas y empleados. Como consecuencia, el CEO Dick Ferris, arquitecto de la estrategia de la empresa, perdió su empleo. Para evitar este tipo de problemas, las compañías pueden y deben identificar e incorporar las exigencias de varios grupos de interés dentro de la toma estratégica de decisiones. Este capítulo trata la manera de determinar cómo se puede llevar a cabo este propósito.

La exposición de la misión corporativa es el primer indicador clave de cómo una organización visualiza las exigencias de sus grupos de interés. Su propósito consiste en establecer el contexto organizacional dentro del cual se realizarán las decisiones estratégicas; en otras palabras, proporcionar a una organización el enfoque y dirección estratégica. Todas las decisiones estratégicas surgen de la exposición de la misión. Por lo general, la **exposición de la misión** define el negocio de la organización, establece su visión y metas, y articula sus principales valores filosóficos[2]. Examinar cómo formulan las organizaciones tales exposiciones posibilitará que el lector se concentre en estos tres importantes componentes.

La figura 2.1 proporciona el ejemplo de exposición de una misión, la de Weyerhaeuser Co., la mayor firma estadounidense de productos forestales. Aunque esta exposición no define su negocio, claramente articula la visión y principios filosóficos de la compañía. La mayoría de los puntos que aparecen bajo el título de "Nuestras estrategias" son, en realidad, las principales metas de la compañía.

Luego de estudiar cómo construir una exposición de la misión, se consideran los diversos **grupos de interés** de la compañía: individuos o grupos, bien sea dentro o fuera de la organización, que posean algún derecho sobre ella (*véase* figura 2.2). Sus intereses deben tenerse en cuenta cuando se formula la exposición de la misión. (Nótese que en la exposición de la misión de Weyerhaeuser, figura 2.1, se reconocen en forma explícita diversos grupos de interés). En seguida se examinará minuciosamente en particular un importante grupo de interés, los *accionistas*, y se observará cómo ellos pueden en verdad ejercer influencia en la misión corporativa, y por tanto, en las estrategias corporativas. El capítulo termina con una somera revisión acerca de la *dimensión ética* de las decisiones estratégicas y sobre la relación entre la ética y el bienestar del grupo de interés.

Figura 2.1
Exposición de la misión de Weyerhaeuser

Nuestra visión
La mejor compañía de productos forestales en el mundo.

Nuestras estrategias
Lograremos nuestra visión mediante: la aplicación de calidad total a la manera como Weyerhaeuser realiza sus negocios. > Búsqueda rigurosa de la completa satisfacción del cliente. > Otorgamiento de poder al personal de Weyerhaeuser. > Dirección de la industria hacia la excelencia en la fabricación y administración de productos forestales. Generación de rendimientos superiores para nuestros accionistas.

Nuestros valores

Clientes. Escuchamos a nuestros clientes y mejoramos nuestros productos para satisfacer sus necesidades actuales y futuras.

Personal. Nuestro éxito depende de personal altamente competente que trabaje unido en un lugar seguro y saludable donde se valoren y se reconozcan la diversidad, el desarrollo y el trabajo en grupo.

Responsabilidad. Esperamos desempeño superior y somos responsables de nuestras propias acciones y resultados. Nuestros líderes establecen metas y expectativas claras, apoyan, suministran y buscan retroalimentación constante.

Ciudadanía. Apoyamos a las comunidades donde desarrollamos actividades, mantenemos los mayores estándares de conducta ética y responsabilidad ambiental, nos comunicamos en forma abierta con el personal de Weyerhaeuser y el público.

Responsabilidad financiera. Somos prudentes y efectivos en el uso de los recursos encomendados[3].

Figura 2.2
La relación entre la
misión, los grupos
de interés y las
estrategias

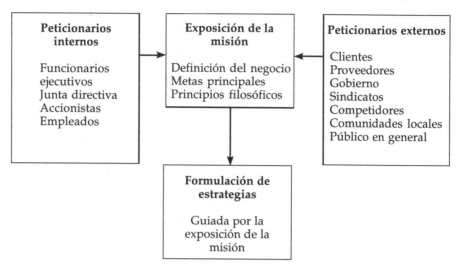

Fuente: Reimpresión de "The Company Mission as a Strategic Tool", de John Pearce III, *Sloan Management Review*, Spring 1982, p. 22, con autorización del editor. Copyright © 1982 de Sloan Management Review Association. Todos los derechos reservados.

2.3 DEFINICIÓN DEL NEGOCIO

El primer componente de la exposición de una misión es definir con claridad el negocio de la organización. Definir su actividad involucra esencialmente responder estas preguntas: "¿Cuál es nuestro negocio? ¿Cuál será? ¿Cuál debería ser?"[4]. Las respuestas varían, dependiendo de si la organización es una empresa especializada o diversificada. Una empresa **especializada** es activa justamente en un área principal de actividad. Por ejemplo, en la década de 1950, U.S. Steel estaba dedicada sólo a la producción de acero. Sin embargo, en la década de 1980, ésta se convirtió en USX Corporation, una compañía diversificada con intereses en el acero, petróleo y gas, químicos, bienes raíces, transporte y la producción de equipos generadores de energía. Para USX, el proceso de definirse es complicado pues en gran parte el interés de una empresa diversificada consiste en *administrar negocios*. Por tanto, la definición de la actividad por parte de USX involucra aspectos distintos de los que implicó la definición de U.S. Steel. En esta sección, en primera instancia, se trata el problema de cómo definir el negocio de una compañía especializada. En seguida se aborda el análisis del problema acerca de cómo definir mejor las actividades de una empresa diversificada.

Compañía especializada

Para responder la pregunta "¿Cuál es nuestro negocio?", Derek F. Abell sugiere que una compañía debe definir su negocio en términos de tres dimensiones: ¿A quién se satisface (cuáles grupos de clientes)?, ¿qué se satisface (cuáles necesidades del cliente)?, ¿cómo se satisfacen las necesidades del cliente (mediante qué destrezas o habilidades distintivas)?[5]. La figura 2.3 ilustra estas tres dimensiones.

El enfoque de Abell hace énfasis en la necesidad de una definición del negocio **orientada al consumidor** en vez de establecer una definición **orientada al producto**. Una definición de la actividad orientada al producto se concentra sólo en la venta de productos y en los mercados atendidos. Abell

Figura 2.3
Marco teórico de Abell
para definir el negocio

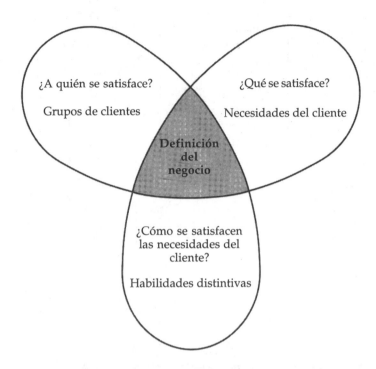

Fuente: Derek F. Abell, *Defining the Business: The Starting Point of Strategic Planning* (Englewood Cliffs, N.J.: Prentice-Hall, 1980), p. 17.

sostiene que este enfoque opaca la función de la compañía, que consiste en satisfacer las necesidades del consumidor. Un producto es sólo la manifestación física de aplicar una habilidad particular a fin de satisfacer la necesidad específica de determinado grupo de consumidores. En la práctica, existen maneras diferentes de atender la necesidad específica de un grupo particular de consumidores. Identificar estas formas mediante una definición del negocio, amplia y orientada al consumidor, puede proteger a las empresas de ser sorprendidas por grandes cambios en la demanda. En verdad, al anticipar los cambios en la demanda, el marco teórico de Abell puede auxiliar a las firmas en la capitalización de los cambios registrados en su ambiente. Este enfoque puede ayudar a dar respuesta a la pregunta ¿Cuál será nuestro negocio?

Sin embargo, a menudo se ha ignorado la necesidad de adoptar una perspectiva orientada al cliente en el negocio de una compañía. Como consecuencia, la historia está saturada de restos de corporaciones, alguna vez importantes, que no definieron su actividad o la definieron de manera incorrecta. Estas empresas no lograron proyectar lo que sería su negocio, y finalmente entraron en decadencia. Theodore Levitt describió la caída de los ferrocarriles estadounidenses anteriormente poderosos, en términos del fracaso para definir en forma correcta su actividad:

Los ferrocarriles no detuvieron su crecimiento porque hayan declinado las necesidades de transporte de pasajeros y de carga. Éstas aumentaron. En la actualidad los ferrocarriles se encuentran en dificultades no porque la necesidad haya sido suplida por otros medios (automóviles, camiones, aviones, incluso teléfonos), sino debido a que ya no la atendían. Permitieron que otros se apoderaran de sus clientes ya que dieron por sentado que su negocio era de ferrocarriles y no una actividad de transporte. La razón por la cual definieron su industria de manera equívoca fue porque se orientaron en los ferrocarriles, en lugar de proyectarse en el transporte; se orientaron en el producto en vez de concentrarse en el cliente[6].

Si los ferrocarriles hubiesen utilizado el marco teórico de Abell, se hubieran anticipado al impacto del cambio tecnológico y habrían decidido que su negocio era el transporte. En ese caso, hubiesen transferido su fortaleza inicial en el dominio ferroviario a la actual industria diversificada del transporte. Sin embargo, la mayoría de los ferrocarriles se estancaron en una definición de su negocio orientado al producto y se declararon en quiebra.

En contraste, IBM por mucho tiempo previó en forma acertada lo que sería su actividad. Al comienzo, IBM era líder en la fabricación de máquinas de escribir y equipos mecánicos de tabulación que utilizaban tecnología de tarjetas perforadas. Sin embargo, IBM definió su negocio como proveedor de medios de procesamiento y almacenamiento de la información, en vez de suministrar sólo los equipos que la dieron a conocer desde el principio. Dada esta definición, parecieron lógicos los siguientes movimientos de la compañía hacia los computadores, *software*, sistemas de oficina e impresoras. También se puede argumentar que los problemas actuales de IBM surgieron porque en la década de 1980 la compañía perdió proyección con respecto a las necesidades de procesamiento y almacenamiento de información por parte del cliente que cada vez más eran satisfechas por computadores personales de bajo costo y no por los *mainframes*, producto de su actividad principal.

Mediante el marco teórico de Abell también se puede responder la pregunta, ¿cuál debe ser nuestro negocio? IBM decidió que su negocio debería ser el de computadores, procesadores de palabra y sistemas de oficina: todos son extensiones naturales de su actividad inicial. Otras compañías no perciben mucho futuro en sus negocios originales, quizá debido a los cambios negativos e irreversibles en las necesidades del consumidor y a las transformaciones tecnológicas. Estas empresas deciden desplazarse hacia algo diferente y se diversifican bastante de su actividad inicial. En la década de 1960, muchas firmas redujeron la dependencia en su negocio original movilizándose hacia áreas no relacionadas. Conglomerados como ITT Corporation, Gulf & Western, Inc. y Textron son el resultado de este movimiento de diversificación[7].

Compañía diversificada

Una compañía diversificada enfrenta problemas especiales cuando trata de definir su negocio debido a que en realidad maneja varias actividades. En esencia, el negocio corporativo a menudo consiste en *administrar un conjunto de actividades*. Por ejemplo, USX, anteriormente U.S. Steel, todavía se conoce básicamente por sus intereses en el acero. Para USX, una definición orientada al consumidor con base en intereses en el acero podría ser: "USX busca satisfacer las necesidades del cliente en cuanto a material de alta resistencia para construcción y fabricación". Sin embargo, en efecto, USX es una compañía diversificada que en 1986 generó sólo el 33% de sus ingresos del acero. El resto provino de petróleo y gas, químicos, bienes raíces, transporte y equipo generador de energía. Es claro que la definición orientada al consumidor, presentada anteriormente, se aplica sólo a las operaciones de acero de la firma; ésta no es suficiente como determinación de sus negocios *corporativos*.

En una empresa diversificada, la pregunta ¿Cuál es nuestro negocio? debe formularse en dos niveles: en el de negocios y en el corporativo. En el nivel de negocios, como en el caso de las operaciones de acero de USX, el enfoque debe concentrarse en una definición orientada al consumidor. Pero en el nivel corporativo, la gerencia sencillamente no puede acumular las diversas definiciones de actividades, puesto que esta situación generaría una exposición imprecisa y confusa. Más bien, la definición del negocio corporativo debe concentrarse en la manera como el nivel corporativo *agrega valor* a las actividades que constituyen la compañía. Es decir, la exposición de la misión debe identificar la contribución que el nivel corporativo hace al funcionamiento eficiente de las unidades de negocios. Debe indicar por qué estas unidades son sustancialmente mejores como parte de la corporación que como entidades independientes.

En el capítulo 9, cuando se revisen las estrategias a nivel corporativo, se analizará en profundidad el tema acerca de cómo el nivel corporativo podría agregar valor a las unidades de negocios constituyentes de una compañía diversificada. Por el momento es suficiente asegurar que si las principales oficinas corporativas de una compañía diversificada no pueden identificar la manera de mejorar la eficiencia de las unidades de negocios dentro de ésta, estas unidades pueden ser sustancialmente mejores bajo su propia cuenta. En verdad, la conscientización de que en la mayoría de casos el nivel corporativo *no* agrega valor a las unidades de negocios constituyentes de la compañía estuvo detrás de la tendencia de los desestimientos en la década de 1980 y comienzos de la de 1990. Durante ese periodo se confirmó la separación y disminución de muchos de los antiguos conglomerados (como Gulf & Western, ITT y Textron) que se habían constituido mediante adquisiciones diversificadas en las décadas de 1960 y 1970[8].

2.4   VISIÓN Y METAS PRINCIPALES

El segundo componente en la exposición de la misión de una compañía, es decir, la explicación detallada de su visión y principales metas corporativas, consiste en una declaración formal de lo que la empresa trata de lograr. La descripción minuciosa de estos elementos proporciona orientación a la exposición de la misión corporativa y ayuda a guiar la formulación de estrategias.

Intento estratégico, visión y metas

En el capítulo 1 se introdujo el concepto de **intento estratégico**, recientemente popularizado por Gary Hamel y C. K. Prahalad. Como se puede recordar, inherente a este concepto se encuentra la noción de que los gerentes deben establecer metas ambiciosas que amplíen una organización. Con frecuencia, la visión presentada en la exposición de la misión articula el intento estratégico de una compañía. Por consiguiente, la visión de Weyerhaeuser, proclamada en su exposición, consiste en ser "la mejor empresa de productos forestales en el mundo". Éste es el intento estratégico de Weyerhaeuser. En la figura 2.4 aparece otro ejemplo, la exposición de la misión de Philip Morris Companies, Inc. La visión de esta firma, o su intento estratégico, consiste en ser "la compañía más exitosa del mundo en generar productos empacados para el consumidor". Tanto Philip Morris como Weyerhaeuser han adoptado visiones ambiciosas, que probablemente ampliarán sus respectivas organizaciones.

Además de articular su visión, muchas firmas también establecen otras metas importantes en la exposición de su misión. Estas metas especifican cómo una compañía intenta emprender el logro de su intento estratégico. Así, por ejemplo, en la exposición de la misión de Weyerhaeuser se afirma que ésta intenta lograr su visión mediante la concentración en la calidad total, la delegación de poder a sus empleados y el esfuerzo por satisfacer a los clientes. La exposición de Philip Morris establece con claridad el intento de la empresa para lograr su visión mediante la maximización de la productividad y la sinergia, y a través del énfasis en la administración de la calidad total. Las dos compañías enumeran otras metas específicas. Todos estos propósitos dan forma a la selección de estrategias. La meta de maximizar la productividad, por ejemplo, indica que cuando Philip Morris revisa sus opciones estratégicas, favorecerá aquellas que aumenten su productividad.

Maximización de la ganancia del accionista

Aunque la mayoría de las organizaciones con ánimo de lucro operan con una variedad de importantes metas corporativas, dentro de una corporación *pública* -al menos en teoría- todas estas metas

Figura 2.4   Exposición de la misión en Philip Morris

Nuestra misión consiste en ser la compañía de productos empacados para el consumidor más exitosa en el mundo. Seguimos nuestra misión al:

1. Mantener la mayor calidad de personal.
2. Proteger y crear nuestras franquicias de marca.
3. Desarrollar nuevos negocios rentables con extensiones de líneas, nuevos productos, expansión geográfica, adquisiciones, *joint ventures** y alianzas estratégicas.
4. Maximizar la productividad y la sinergia en todas las actividades en todo momento.
5. Hacer realidad la administración de la calidad total en todos los aspectos de nuestras operaciones cotidianas.
6. Administrar con una perspectiva global[9].

Fuente: Copyright © 1992, The Economist Newspaper Group, Inc. Reimpreso con autorización. Prohibida su reproducción.

deben dirigirse a un propósito: maximizar la ganancia del accionista. Los accionistas suministran el capital a la compañía y a cambio esperan un apropiado rendimiento sobre su inversión. Los accionistas de una empresa son sus propietarios legales. Como consecuencia, la meta predominante de la mayoría de las corporaciones consiste en maximizar el capital del accionista, lo cual implica aumentar los rendimientos obtenidos a largo plazo por los accionistas al poseer acciones en la corporación. Esta condición se expresa en forma explícita en la exposición de la misión de Weyerhaeuser, en la cual aparece una meta importante de la compañía que consiste en "generar rendimientos superiores para nuestros accionistas".

Los accionistas reciben rendimientos de dos maneras: por pagos de dividendos y por la valorización de capital de una acción en el mercado de valores (es decir, por incrementos en los precios del mercado accionario). La mejor manera para que una compañía maximice la ganancia del accionista es seguir estrategias que incrementen al tope su propio Rendimiento Sobre la Inversión (RSI), el cual es un buen indicador general de la eficiencia de una empresa. Cuanto más eficaz sea una firma, mejores serán sus perspectivas futuras para los accionistas y mayor su capacidad para pagar dividendos. Además, un alto RSI genera mayor demanda de las acciones de una compañía. La demanda aumenta el precio de las acciones y genera una valorización de capital.

El problema a corto plazo

Como han señalado, por una parte, el teórico de la administración Peter F. Drucker y muchos otros especialistas, existe peligro cuando se hace énfasis exclusivamennte en el RSI. Una búsqueda muy obsesiva del RSI puede dirigir en forma errónea la atención de la gerencia y estimular algunas de las peores prácticas administrativas, como maximizar un RSI a corto plazo en vez de incrementarlo al tope a largo plazo. Una orientación a corto plazo favorece actividades como el recorte de gastos considerados no esenciales en ese lapso; por ejemplo, gastos destinados a investigación y desarrollo, marketing y nuevas inversiones de capital. Aunque disminuir los gastos corrientes aumenta el RSI corriente, la inversión insuficiente, la falta de innovación y la deficiente conscientización de mercado resultantes ponen en peligro el RSI a largo plazo. Sin embargo, a pesar de estas consecuencias negativas, los gerentes sí toman este tipo de decisiones, debido a que los efectos adversos de una orientación a corto plazo pueden no materializarse y volverse aparentes para los accionistas durante varios

---

* **N. de R. T.** *Joint Ventures:* Contratos de asociación para operaciones conjuntas.

años. En ese momento, el equipo de gerencia responsable puede haberse marchado, dejando que otros recojan las ruinas.

En un ahora famoso artículo de *Harvard Business Review*, Robert H. Hayes y William J. Abernathy argumentan que el difundido enfoque en el RSI a corto plazo ha sido un factor importante en la pérdida a largo plazo de la competitividad internacional por parte de las compañías estadounidenses[10]. El economista del MIT Lester Thurow también responsabiliza de algunos de sus problemas a la orientación a corto plazo que poseen muchos negocios norteamericanos. Thurow manifiesta que muchas empresas estadounidenses se muestran renuentes a realizar inversiones a largo plazo por temor a la depresión de su RSI a corto plazo. Como evidencia de esta orientación menciona los declinantes gastos en investigación y desarrollo (I&D) y la reducción de la actividad innovadora dentro de las firmas norteamericanas[11]. En forma similar, luego de un detallado estudio de problemas de productividad en la industria de ese país, la MIT Comission on Industrial Productivity concluyó que las perspectivas a corto plazo de muchas corporaciones norteamericanas las ubicaron en desventaja competitiva con relación a sus rivales extranjeras[12]. Una de las consecuencias de las perspectivas a corto plazo en Norteamérica, según la comisión, fue la pérdida del liderazgo estadounidense en la industria de videograbadoras frente a las compañías japonesas. Ampex Corporation, con sede en EE.UU., fue pionera de la grabadora de videocasete en la década de 1950, básicamente para utilizar en la industria de radiodifusión. Ampex trató de producir una variante del producto de consumo para un mercado masivo pero salió de éste en 1970, cuando decidió que no podría asumir la inversión de I&D. En forma similar, RCA, que también trataba de desarrollar una grabadora de videocasete, salió en 1975 ante los altos costos de desarrollo y los problemas de fabricación. Estos acontecimientos le dejaron el campo abierto a Sony y Matsushita, ambos habían invertido bastante durante la década de 1970 para desarrollar su propia tecnología. En la actualidad, el mercado de videocasete genera miles de millones de dólares y es dominado por Matsushita. Ninguna compañía norteamericana compite en este mercado.

Como se señala en la estrategia en acción 2.1, una historia similar de comportamiento a corto plazo parece surgir en el mercado de pantallas de cristal líquido (AM-LCD). La tecnología AM-LCD también se desarrolló al comienzo en EE.UU., pero ahora las compañías japonesas dominan el mercado.

Metas secundarias

Para protegerse del comportamiento a corto plazo, Drucker sugiere que las compañías adopten varias metas secundarias además del RSI. Estas metas deben diseñarse para equilibrar las consideraciones a corto y largo plazo. La lista de Drucker incluye metas secundarias relacionadas con estas áreas: (1) participación en el mercado, (2) innovación, (3) productividad, (4) recursos físicos y financieros, (5) desempeño y desarrollo del gerente, (6) desempeño y actitud del trabajador, y (7) responsabilidad social. Aunque tales metas secundarias no necesariamente forman parte de una exposición de la misión, gran cantidad de las más importantes sí constituyen parte de ésta.

Aunque una empresa no reconozca las metas secundarias de manera explícita, debe hacerlo implícitamente mediante un compromiso con la rentabilidad a largo plazo. Tómese el caso de Hewlett-Packard, una de las firmas que Thomas J. Peters y Robert H. Waterman califican de "excelente"[14]. La siguiente cita, tomada de la exposición de la misión de Hewlett-Packard, expresa con claridad la importancia de una orientación hacia la maximización de la utilidad a largo plazo, que además puede servir como modelo:

En nuestro sistema económico, la utilidad que generamos de nuestras operaciones es la fuente principal de fondos que necesitamos para prosperar y crecer. Es la única medida absolutamente esencial de nuestro

Por qué una orientación a corto plazo pudo costarle el liderazgo a EE.UU. en el mercado de pantallas de cristal líquido (AM-LCD)

Las pantallas de cristal líquido (AM-LCD) son pantallas planas de color utilizadas en los computadores personales portátiles *laptop* y *notebook*. Además de servir en los computadores, también son importantes componentes en cámaras de video, instrumentos médicos, televisores de alta definición, tableros de instrumentos de automóviles, instrumentos aeroespaciales, dispositivos de control en fábricas e instrumentos militares. Aunque la producción apenas comenzaba en 1990, con ventas por US$250 millones a nivel internacional, los pronósticos sugerían ventas mundiales de US$1,000 millones para 1994 y US$10,000 millones más hacia el año 2000.

Durante la década de 1960, dos compañías estadounidenses, RCA y Westinghouse, fueron pioneras en la tecnología AM-LCD pero ninguna tuvo éxito en su comercialización. Una razón fue la reducción de fondos por parte de la gerencia corporativa en ambas firmas que se opuso a los costos de desarrollo y a los largos plazos de reembolso de la inversión. Por consiguiente, el principal investigador de Westinghouse, Jim Fergason, abandonó la empresa y emprendió una operación para fabricar las pantallas AM-LCD. Sin embargo, pocas compañías estadounidenses estuvieron dispuestas a utilizar su tecnología, y a Fergason se le dificultó reunir el capital suficiente. Finalmente, fracasó su operación.

Sin una gran compañía estadounidense que emprendiera la investigación básica de las AM-LCD, los japoneses surgieron como los principales productores de estas pantallas. En 1990, Sharp, NEC y Toshiba dominaban entonces el mercado, que constituía el 95% de la producción mundial. A diferencia de sus principales competidores norteamericanos, estas firmas japonesas realizaron enormes inversiones en investigación e instalaciones de producción durante la década de 1980. Según se afirma, Sharp sólo gastó más de US$1,000 millones en desarrollar la tecnología durante la década de 1980 y planea invertir US$640 millones más durante el periodo 1991-1995.

Aunque varias compañías estadounidenses pequeñas están involucradas en este negocio, tienden a concentrarse en nichos altamente especializados (por ejemplo, como proveedores del Departamento de Defensa), y han realizado inversiones únicamente para apoyar una producción limitada. Excepto IBM, la cual posee una *joint venture* con Toshiba en el Japón para fabricar las AM-LCD, ninguna firma estadounidense importante tiene presencia en esta industria y ninguna empresa estadounidense está en capacidad de producir en serie. La razón principal parece ser que los gastos masivos de capital necesarios para producir pantallas de este tipo han disuadido a las organizaciones estadounidenses de ingresar en el negocio, pues implica grandes riesgos. Los riesgos se han hecho mucho mayores, debido al liderazgo japonés en la tecnología y los amplios periodos de retorno para cualquier inversión. (Los ejecutivos japoneses hablan aproximadamente de 5 ó 6 años en pérdidas como el "costo" de ingresar en este negocio). Pocas compañías norteamericanas están dispuestas a invertir en una industria en la cual las japonesas ya tomaron la delantera. Además, el proceso de producción es particularmente difícil de manejar, porque incluso el contaminante más pequeño en el proceso de producción, como el polvo, puede dañar una pantalla. Se estima que el 60% de las AM-LCD que salen de las líneas japonesas de producción son defectuosas y deben ser desechadas. Por tanto, la combinación de altos costos de capital, grandes riesgos y difíciles procesos de producción han disuadido a muchas compañías estadounidenses importantes de ingresar en el mercado[13].

desempeño corporativo a **largo plazo**. Sólo si continuamos cumpliendo con nuestro objetivo de utilidad podemos lograr nuestros objetivos corporativos[15].

2.5   FILOSOFÍA CORPORATIVA

El tercer componente de la exposición de la misión consiste en elaborar una síntesis de la filosofía corporativa: los principios, valores, aspiraciones y prioridades filosóficas fundamentales, ideales con los cuales se comprometen quienes toman las decisiones estratégicas que, además, orientan la administración de su compañía. La filosofía plantea la manera como la empresa intenta desarrollar sus negocios y, a menudo, refleja el reconocimiento de su responsabilidad social y ética por parte de la firma (la ética se analiza en una sección posterior de este capítulo). Por tanto, una exposición de la filosofía corporativa puede tener un impacto importante en la forma como una compañía se dirige a sí misma.

Muchas organizaciones establecen un credo filosófico para hacer énfasis en su propia perspectiva distintiva de los negocios. El credo de una compañía constituye la base para establecer su cultura corporativa (tema analizado en el capítulo 12). Por ejemplo, el credo de Lincoln Electric Co. manifiesta que los aumentos en la productividad se deben compartir básicamente entre clientes y empleados mediante precios más bajos y mayores salarios. Este principio diferencia a Lincoln Electric de muchas otras empresas y, en todo respecto, influye en la organización en términos de sus estrategias, objetivos y políticas operativas de carácter específico[16].

Otra compañía, cuya filosofía es famosa, es el gigante dedicado al cuidado de la salud Johnson & Johnson. Su credo, reproducido en la figura 2.5, expresa su convicción en cuanto a que la primera responsabilidad de la compañía está al lado de los médicos, enfermeras y pacientes que utilizan productos J&J. En seguida se encuentran sus empleados, las comunidades en las cuales viven y trabajan ellos, y finalmente sus accionistas. El credo se exhibe de tal manera que se destaca en la oficina de cada gerente; y de acuerdo con los gerentes de Johnson & Johnson, la doctrina guía todas sus decisiones importantes.

Una fuerte evidencia de la influencia del credo se manifestó en la respuesta de la compañía a la crisis generada por el Tylenol. En 1982 murieron siete personas en el área de Chicago después de ingerir cápsulas de Tylenol que habían sido tratadas con cianuro. Johnson & Johnson inmediatamente sacó del mercado estadounidense todas las cápsulas de Tylenol, lo que representó para la empresa un costo estimado de US$100 millones. Al mismo tiempo, se aventuró en un amplio esfuerzo de comunicación que involucró a 2,500 empleados y se dirigió a las comunidades farmacéuticas y médicas. Por tales medios, Johnson & Johnson se presentó de manera exitosa al público como una organización que estaba dispuesta a hacer lo correcto, independientemente del costo. Como consecuencia, la crisis del Tylenol realzó en vez de empañar su imagen. En verdad, debido a su actitud, en cuestión de meses la firma fue capaz de mantener su estatus como líder en el mercado de analgésicos[17].

2.6   GRUPOS DE INTERÉS DE LA CORPORACIÓN

Los grupos de interés y la exposición de la misión

Recuérdese que los grupos de interés son individuos o conjuntos de personas que tienen algún derecho sobre la compañía. Éstos se pueden dividir en **peticionarios internos** y **peticionarios externos**[18].

Figura 2.5
El credo de Johnson & Johnson

Nuestro credo

Creemos que nuestra primera responsabilidad está al lado de los médicos, enfermeras y pacientes,
junto a las madres, padres y todos aquellos que utilizan nuestros productos y servicios.
Todo lo que hacemos para satisfacer sus necesidades debe ser de óptima calidad.
Constantemente debemos procurar reducir nuestros costos
con el fin de mantener precios razonables.
Los pedidos de los clientes deben atenderse de manera rápida y precisa.
Nuestros proveedores y distribuidores deben tener la oportunidad
de lograr una utilidad justa.

Somos responsables de nuestros empleados,
los hombres y mujeres que trabajan con nosotros en todo el mundo.
Cada uno de ellos se debe considerar como un individuo.
Debemos respetar su dignidad y reconocer sus méritos.
Deben sentirse seguros en sus puestos.
La remuneración debe ser justa y adecuada;
y las condiciones de trabajo, claras, ordenadas y seguras.
Los empleados deben tener la libertad para expresar sus sugerencias y reclamos.
Debe existir igual oportunidad de empleo, desarrollo
y progreso para aquellas personas competentes.
Debemos suministrar una gerencia competente
y sus acciones deben ser justas y éticas.

Somos responsables de las comunidades en las cuales vivimos y trabajamos,
al igual que del mundo entero.
Debemos ser buenos ciudadanos: apoyar las buenas obras y las de caridad
y asumir el pago justo de los impuestos.
Debemos estimular los mejoramientos cívicos y mejorar la salud y la educación.
Debemos mantener en orden
la propiedad de la cual tenemos el privilegio de utilizar,
protegiendo el ambiente y los recursos naturales.

Nuestra responsabilidad final está al lado de los accionistas.
Los negocios deben generar una justa utilidad.
Debemos experimentar nuevas ideas.
La empresa debe dar prioridad a la investigación, desarrollar programas innovadores
y asumir los errores que se cometan.
La compañía debe comprar maquinaria nueva, suministrar nuevas instalaciones
y lanzar nuevos productos.
La organización debe crear reservas para las épocas difíciles.
Si operamos de acuerdo con estos principios,
los accionistas tendrán una utilidad justa.

Johnson & Johnson

Fuente: Cortesía de Johnson & Johnson.

Los peticionarios internos son accionistas y empleados, que incluyen funcionarios ejecutivos y miembros de la junta directiva. Los peticionarios externos son los demás individuos y grupos afectados por las actuaciones de la empresa; comprenden clientes, proveedores, gobiernos, sindicatos, competidores, comunidades locales y el público en general.

Todos los grupos de interés pueden esperar, de manera justificada, que la firma intente satisfacer sus exigencias particulares. Los accionistas proveen a la empresa el capital y esperan a cambio un apropiado rendimiento sobre su inversión. Los empleados suministran mano de obra y habilidades a cambio del esperado ingreso proporcional y satisfacción laboral. Los clientes desean valorizar el dinero. Los proveedores buscan compradores dependientes. Los gobiernos insisten en la adhesión a las regulaciones legislativas. Los sindicatos exigen beneficios para sus miembros en proporción a sus contribuciones a la compañía. Los rivales buscan una competencia equitativa. Las comunidades locales desean organizaciones que tengan el carácter de ciudadanos responsables. El público en general busca la seguridad de mejorar la calidad de vida como resultado de la existencia de una empresa.

Una compañía debe tener en cuenta estos derechos cuando formule sus estrategias, o de lo contrario los grupos de interés pueden retirar su apoyo. Los accionistas pueden vender sus acciones, los empleados abandonar sus puestos y los clientes comprar en otro lugar. Los proveedores probablemente busquen compradores más dependientes, en tanto que los gobiernos pueden enjuiciar a la empresa; los sindicatos involucrarse en disociadoras disputas laborales, y los rivales responder con una competencia desleal mediante acciones anticompetitivas bajo su propia cuenta o entablando juicios antimonopolio. Es posible que las comunidades se opongan al propósito de la firma de ubicar sus instalaciones en determinada área, y el público en general puede formar grupos de presión para emprender acciones legales contra las compañías que deterioren la calidad de vida. Cualquiera de estas reacciones puede tener un impacto desastroso en la empresa.

La exposición de la misión permite que la organización incorpore las exigencias de los grupos de interés dentro de su toma estratégica de decisiones y reducir en consecuencia el riesgo de perder su apoyo. La exposición de la misión, en efecto, se convierte en el compromiso formal de la compañía con diversos grupos de interés; ésta porta el mensaje en el que se formulan sus estrategias teniendo en cuenta los derechos de estos grupos. Anteriormente se analizó cómo se incorporan las exigencias del accionista en la exposición de la misión cuando una empresa decide que su meta principal consiste en maximizar la utilidad a largo plazo. Cualquier estrategia que genere debe reflejar esta importante meta corporativa. De manera análoga, la exposición de la misión debe reconocer derechos adicionales del grupo de interés, en términos de sus metas secundarias y principios filosóficos.

Análisis del impacto de los grupos de interés

Una compañía no siempre puede satisfacer las exigencias de todos los grupos de interés. Los derechos de diferentes conjuntos de individuos pueden generar conflicto, y en la práctica pocas organizaciones cuentan con los recursos para manejar a todos los grupos de interés. Por ejemplo, las exigencias de mayores salarios por parte de los sindicatos pueden entrar en conflicto con las demandas del consumidor en cuanto a precios razonables y con las del accionista sobre rendimientos aceptables. Por consiguiente, la empresa a menudo debe hacer selecciones. Para esto, debe identificar los grupos de interés más importantes y darles la mayor prioridad para seguir estrategias que satisfagan sus necesidades. El análisis del impacto del grupo de interés puede facilitar esta identificación. Por lo general, involucra los siguientes pasos:

1. Identificar los grupos de interés
2. Establecer sus intereses e inquietudes

3. Como resultado, determinar las probables exigencias para la organización
4. Identificar los grupos de interés más importantes desde la perspectiva de la organización
5. Identificar los desafíos estratégicos generados[19]

Este análisis permite que la compañía identifique los grupos de interés más importantes para su supervivencia y le facilite incorporar sus exigencias de manera explícita dentro de la exposición de la misión. A partir de esta exposición, los derechos de los grupos de interés se incorporan al resto del proceso de formulación de estrategias. Por ejemplo, si se establece el compromiso de la comunidad como una exigencia importante del grupo de interés, debe incorporarse en la exposición de la misión, y rechazar cualquier estrategia que entre en conflicto con aquélla.

2.7 EL MANEJO CORPORATIVO Y LA ESTRATEGIA

Las exposiciones de una misión corporativa, por lo general, suministran bastante atención a la satisfacción de las demandas de los accionistas. Como proveedores de capital y propietarios legales de la corporación, los accionistas desempeñan una función única. En síntesis, una de las metas importantes de una empresa consiste en proporcionar a sus accionistas un buen índice de rendimiento sobre su inversión. Sin embargo, en el caso de la mayoría de corporaciones abiertas*, los accionistas delegan a los gerentes corporativos la tarea de controlar la compañía y determinar estrategias; individuos que se convierten en agentes de los accionistas[20]. En consecuencia, los gerentes corporativos deben buscar estrategias que favorezcan los intereses de los accionistas y maximicen su ganancia. Aunque muchos gerentes siguen este tipo de estrategias, no todos actúan de este modo.

Metas de la gerencia *versus* metas del accionista

¿Por qué los gerentes deben buscar estrategias diferentes de aquellas consecuentes con la maximización de la ganancia del accionista? La respuesta depende de las metas personales de los gerentes profesionales. Un buen número de teóricos argumentan que los gerentes están motivados por deseos de estatus, poder, seguridad laboral, ingreso y otros similares[21]. Gracias a su posición dentro de la compañía, algunos gerentes, como en el caso del CEO, pueden utilizar su autoridad y control sobre los fondos de la corporación para satisfacer sus deseos. Por ejemplo, los funcionarios CEO pueden utilizar su posición para invertir fondos corporativos en lujos superfluos que agranden su estatus (jets ejecutivos, espléndidas oficinas y viajes a Hawaii con todos los gastos pagos) en vez de invertirlos de tal manera que aumenten la utilidad del accionista. Los economistas denominan tal comportamiento como **derroche en el cargo**[22]. En la estrategia en acción 2.2 se ilustra un buen ejemplo de alguien que realizó excesivo derroche en el cargo, Ross Johnson, ex-CEO de RJR Nabisco.

Además de efectuar derroche en el cargo, los funcionarios CEO, junto con otros gerentes senior, pueden satisfacer sus deseos de obtener mayor ingreso al concederse a sí mismos excesivos aumentos de remuneración. Muchos críticos de la industria norteamericana manifiestan que esto se ha convertido en un problema endémico entre las compañías estadounidenses. Señalan que durante los últimos años la remuneración del CEO ha aumentado en forma más rápida que el pago promedio para los norteamericanos. Por ejemplo, entre 1980 y 1992 el pago promedio de un ingeniero se duplicó, pasó de US$28,486 a US$58,240 anuales, mientras que la remuneración promedio de 1,000

---

* **N de R.T.** Corporaciones abiertas: Empresas cuyas acciones pueden ser compradas por cualquier persona.

Ross Johnson y la fuerza aérea RJR: un caso sobre derroche en el cargo

Ross Johnson, de 1984 hasta finales de 1989, se desempeñó como CEO de RJR Nabisco, una de las más grandes compañías norteamericanas productoras de alimentos y tabaco, cuando fue adquirida mediante una compra apalancada por valor de US$26,000 millones, negociación emprendida por Kohlberg, Kravis, Roberts & Co. Durante su permanencia en la empresa Johnson se ganó la reputación como uno de los CEO más derrochadores de las corporaciones norteamericanas. El símbolo de su despilfarro lo constituía la "fuerza aérea RJR" (una flota conformada por diez de los mejores jets corporativos y 36 pilotos que constantemente estaban listos al llamado de Johnson y sus lugartenientes), dispuesta para asistir a una asamblea de negocios en Washington, un viaje de compras a New York o un torneo de golf auspiciado por RJR en California. Los jets corporativos preferidos de Johnson eran los Gulfstream G4. A US$21 millones cada uno, atraían por su sensación de esparcimiento y deseo de disfrutar el confort. Eran tan amplios que también permitían que su perro ovejero alemán (registrado en la lista de pasajeros como "A. Shepherd" cuando viajaba con Johnson) correteara un bocado de comida.

A fin de albergar la fuerza aérea RJR, Johnson ordenó que se construyera una nueva área de hangares en el aeropuerto Charlie Brown de Atlanta. Los planes originales demandaron una inversión de US$12 millones. El dinero no se destinó a la construcción del hangar en sí, sino que fue a parar a un edificio adyacente de convenciones de tres plantas que Johnson hizo construir. Con 20,000 pies cuadrados de espacio, ventanas de diversos matices, un elegantísimo patio interior de tres plantas y pisos en mármol italiano, la edificación se calificó en forma apropiada como el "Taj Mahal de los hangares corporativos". Cuando los arquitectos le presentaron los planos originales, obviamente estaban nerviosos. Después de todo, aunque Johnson les había dado instrucciones de erigir la cumbre del arte de las construcciones, ésta costaría US$12 millones. Johnson examinó los bocetos, escuchó a los arquitectos e hizo su recomendación: agregar otros 7,000 pies cuadrados. Como comentó finalmente un agradecido proveedor, involucrado en el proyecto: "Es la única compañía en la que he trabajado sin un presupuesto"[23].

funcionarios CEO de grandes compañías aumentó seis veces, pasó de US$624,996 a US$3,842,247, de acuerdo con la encuesta realizada por la revista *Business Week*[24]. En 1991, el CEO norteamericano promedio ganó de 85 a 100 veces más que el trabajador norteamericano promedio. En comparación, el CEO promedio del Japón ganó 17 veces más que el trabajador promedio, mientras que en Alemania estos funcionarios obtuvieron de 23 a 25 veces más[25]. (Si se desea consultar mayor información comparativa sobre la remuneración del CEO en EE.UU. con la de otros países, *véase* figura 2.6).

La abrupta magnitud de los paquetes remunerativos de algunos CEO y su aparente falta de relación con el desempeño de la compañía, en particular, incrementa las críticas[26]. Por ejemplo, en 1992, Tony O'Reilly, CEO de H.J. Heinz recibió US$115.3 millones en salarios y acciones, y Roberto Goizueta, CEO de Coca-Cola obtuvo US$101.1 millones. Aunque Heinz y Coca-Cola funcionaban razonablemente bien bajo el liderazgo de O'Reilly y Goizueta, muchos críticos experimentaron que la magnitud de estas remuneraciones estaba fuera de toda proporción del logro de los CEO. Quizá más inquietante es el caso de Stephen Wolf, CEO de UAL, compañía matriz de United Air Lines.

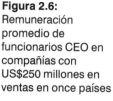

Figura 2.6:
Remuneración
promedio de
funcionarios CEO en
compañías con
US$250 millones en
ventas en once países

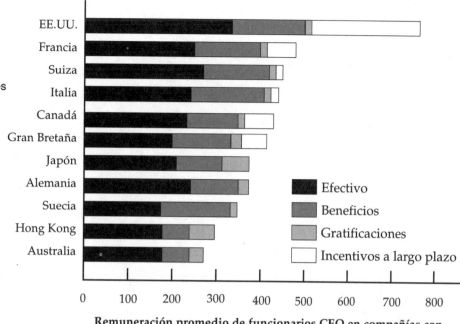

**Remuneración promedio de funcionarios CEO en compañías con
US$250 millones en ventas, en 1991, expresada en miles de dólares**

Datos de 1991. *Fuente*: Towers Perrin.

En 1992 recibió salarios y acciones por valor de US$17.1 millones, a pesar de que el rendimiento de las acciones de UAL había caído en un 26% durante los últimos tres años[27].

Otra preocupación es que al tratar de satisfacer los deseos de estatus, seguridad, poder e ingreso, el CEO podría hacer crecer la compañía mediante la diversificación. Aunque tal crecimiento pueda hacer poco para incrementar la utilidad de la compañía y, por tanto, la ganancia del accionista, aumenta la magnitud del imperio bajo control del CEO, y por extensión, su estatus, poder, seguridad e ingreso (existe una fuerte relación entre la magnitud de la compañía y la remuneración del CEO)[28]. Carl Icahn, uno de los compradores de empresas más conocidos de la década de 1980, dice:

> En América existe, con toda seguridad, una aristocracia corporativa fuertemente unida. Es más, un individuo de la alta jerarquía a menudo halla que ampliar su poder es más importante que compensar a los propietarios (accionistas). Cuando Mobil y USX tuvieron excedentes de efectivo, ¿enriquecieron a los accionistas? Por supuesto que no. Compraron Marcor y Marathon; inversiones desastrosas, pero constituyeron los mayores incrementos en el tamaño del feudo[29].

Por tanto, en lugar de maximizar la ganancia del accionista, algunos gerentes senior se pueden ocupar de la utilidad a largo plazo para obtener un mayor crecimiento mediante la diversificación. En la figura 2.7 se representa la rentabilidad frente al índice de crecimiento de una compañía. Una empresa que no crece probablemente pierda oportunidades rentables[30]. Una tasa de crecimiento de G_0 en la figura 2.7 no es consistente con la maximización de utilidades ($P_1 < P_{max}$). Una tasa de crecimiento moderado de G_1, por otro lado, permite que una firma maximice su rentabilidad, produciendo utilidades iguales a P_{max}. Sin embargo, lograr una tasa de crecimiento excedente de G_1 requiere diversificación en áreas que la compañía conoce poco. Por consiguiente, esta tasa sólo se

Figura 2.7
La relación entre
rentabilidad e índice
de crecimiento

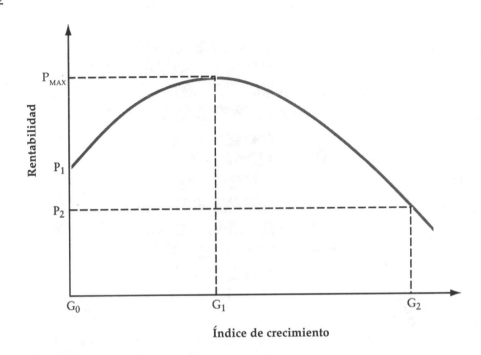

puede lograr al sacrificar la utilidad (es decir, el anterior G_1, la inversión necesaria para financiar posterior crecimiento, no produce un rendimiento adecuado y disminuye la rentabilidad de la empresa). Sin embargo, G_2 puede ser la tasa de crecimiento favorecida por un CEO "formador de imperios", puesto que aumentará su poder, estatus e ingreso. A esta tasa de crecimiento, las utilidades son iguales sólo a P_2. Debido a que $P_{max} > P_2$, es evidente que el crecimiento de una compañía a esta tasa no maximiza su rentabilidad y, por tanto, la ganancia de sus accionistas. Sin embargo, una tasa de crecimiento de G_2 puede ser consistente con el logro de metas administrativas de poder, estatus e ingreso.

Se debe hacer énfasis en que de ninguna manera todos los gerentes se comportan en la forma esbozada anteriormente. En verdad, muchos son gerentes buenos que actúan conscientemente con el fin de incrementar la ganancia del accionista. Sin embargo, dado que algunos gerentes superponen sus propios intereses, el problema que enfrentan los accionistas consiste en cómo manejar la corporación de tal modo que mantengan a raya los deseos administrativos de derroche en el cargo, salarios excesivos o diversificación mediante la formación de imperios. Además, existe la necesidad de contar con mecanismos para que los accionistas despidan gerentes incompetentes o inefectivos. Varios **mecanismos de manejo** desempeñan esta función; éstos incluyen las asambleas de accionistas, la junta directiva, planes de remuneración con base en acciones, el mercado de adquisiciones y compras apalancadas.

Asambleas de accionistas

La constitución de la mayoría de las corporaciones abiertas especifica que las compañías deben realizar asambleas de accionistas al menos una vez por año. En estas asambleas se prepara un foro en el cual los accionistas pueden expresar su aprobación o inconformidad con la gerencia. En teoría, en estas reuniones los accionistas pueden proponer soluciones que, si reciben una mayoría de votos de los accionistas, pueden constituir una política administrativa, limitar las estrategias para que siga la gerencia y cambiar y contratar personal clave. Sin embargo, en la práctica hasta hace poco las asambleas de accionistas funcionaban escasamente para proporcionar soluciones preconcebidas por la gerencia. Los accionistas deben financiar sus propios desafíos y, en muchos casos, encontrar rápidas regulaciones que limiten el número de poderes que puedan manejar. Por tanto, proponer soluciones críticas para la administración normalmente se consideraba demasiado costoso y difícil de valorar. Más bien, era comprensible que los accionistas podían manifestar mejor su insatisfacción con una compañía vendiendo sus acciones.

Sin embargo, el surgimiento de poderosos inversionistas institucionales como accionistas importantes comienza a generar cambios. En 1992, las acciones de todos los inversionistas institucionales (fondos de pensiones, fondos mutuos, compañías aseguradoras, entidades bancarias, corredores de bolsa y agentes) sumaron casi el 60% de todas las acciones corporativas[31]. La importancia de la creciente concentración de acciones en manos institucionales es que las instituciones ya no pueden vender sus acciones sin bajar su precio y tener pérdida en la transacción. Jose Arau, principal funcionario de inversiones del California Public Employees Retirement System, uno de los mayores inversionistas institucionales en la nación, afirmó: "Antes siempre se podía elegir a la ligera, pero si usted controla mil acciones, es difícil hacerlo así"[32].

La falta de espacio para vender presiona a las instituciones a fin de que manifiesten su insatisfacción con la gerencia al votar en contra de determinadas propuestas o contrapropuestas administrativas que son críticas de la administración. Como resultado, las instituciones se unen para presionar a los equipos administrativos que se perciben como incompetentes o que siguen estrategias no consistentes con la maximización de los rendimientos a largo plazo. Por ejemplo, en 1992 y 1993 los gerentes de fondos institucionales desempeñaron un rol importante tras bambalinas al presionar a directores externos de las juntas directivas para que despidieran a los siguientes funcionarios CEO: Richard Robinson de American Express, John Akers de IBM, Robert Stempel de General Motors y Ken Olson de Digital.

La función de la junta directiva

La junta directiva dentro de la compañía cuida los intereses de los accionistas. Sus miembros son elegidos de manera directa por los accionistas, y bajo ley corporativa la junta representa sus intereses. Por tanto, la junta directiva puede ser legalmente responsable de las actuaciones de la empresa. Su posición en la parte más alta de la toma de decisiones dentro la organización le permite hacer monitoreo a las decisiones estratégicas corporativas y asegurar que sean consistentes con los intereses del accionista. Si la junta directiva considera que las estrategias corporativas no favorecen los intereses de los accionistas, puede aplicar sanciones como votar en contra de propuestas administrativas para la junta directiva o someter a consideración sus propias propuestas. Además, la junta directiva tiene la autoridad legal para contratar, despedir y remunerar a los empleados de la corporación, incluyendo al más importante, el CEO[33]. En la situación de Allegis Corporation, analizada en el caso inicial, un factor que ocasionó el despido del CEO Dick Ferris fue que sus estrategias perdieron el apoyo de la junta directiva.

La junta directiva típica está constituida por una combinación de personas que se encuentran en el interior y otras en el exterior de la compañía. Es necesario contar con los directores del interior debido a que poseen información valiosa sobre las actividades de la empresa. Sin esta información la junta directiva no puede desempeñar en forma adecuada su función de monitoreo. Sin embargo, puesto que las personas del interior son empleados de tiempo completo, sus intereses tienden a estar alineados con los de la gerencia. Por tanto, se requieren directores exteriores para dar objetividad a los procesos de monitoreo y evaluación. Los directores exteriores no son empleados de tiempo completo; muchos son directores profesionales de tiempo completo que mantienen sus posiciones en las juntas directivas de varias organizaciones. La necesidad de sostener una reputación de directores exteriores competentes les da un incentivo para desempeñar sus labores de manera objetiva y efectiva hasta donde les sea posible[34].

Los críticos insisten en que los directores interiores deben tener dominio sobre los exteriores en la junta directiva. Los directores interiores pueden utilizar su posición dentro de la jerarquía administrativa para ejercer control sobre el contenido de información específica de la compañía que reciba la junta directiva. Por consiguiente, pueden presentar la información de tal manera que la gerencia quede en posición favorable. Además, los directores interiores tienen la ventaja de conocer íntimamente las operaciones de la empresa. Puesto que el conocimiento superior y el control sobre la información son fuentes de poder (*véase* capítulo 12), los directores interiores pueden estar en mejor posición para influir en la toma de decisiones de la junta directiva que los directores exteriores. La junta se puede convertir en la prisionera de los directores interiores y servir exclusivamente para tomar decisiones administrativas preconcebidas, en vez de ser el guardián de los intereses del accionista. Una junta dominada por sus directores interiores puede seguir estrategias consistentes con los intereses de la gerencia en lugar de cuidar los intereses de los accionistas.

Algunos críticos sostienen que la mayoría de las juntas directivas están dominadas por el CEO de la organización[35]. En apoyo a este punto de vista, señalan que tanto los directores interiores como los exteriores a menudo son los candidatos personales del CEO. El director interior típico se encuentra subordinado al CEO en la jerarquía de la compañía y, por tanto, no existe la probabilidad que critique a su jefe inmediato. De igual manera, puesto que los directores exteriores con frecuencia son candidatos del CEO, difícilmente se espera que lo evalúen de manera objetiva. Por tanto, la lealtad de la junta directiva puede ser sesgada hacia el CEO, no hacia los accionistas. Este problema ha motivado a gurúes de la administración, como Peter Drucker, a manifestar que una de las características común a todas las juntas directivas es que no funcionan.

No obstante, existen señales de que muchas juntas directivas corporativas se están desplazando de las decisiones exclusivamente preconcebidas por la alta gerencia y comienzan a desempeñar un rol mucho más activo en la administración. El catalizador ha sido un aumento en la cantidad de pleitos entablados por accionistas contra juntas directivas. La tendencia comenzó en 1985, cuando el fallo de la corte de Delaware estableció que los directores de Trans Union Corporation se habían precipitado a aceptar una oferta pública de adquisición de la empresa. La corte hizo responsables directos a los miembros de la junta por la diferencia entre el ofrecimiento que aceptaron y el precio que la compañía podría haber percibido en la venta. Los directores entonces acordaron suplir la diferencia de US$23.5 millones. Desde entonces, se han iniciado varios pleitos importantes por parte de accionistas contra miembros de juntas directivas. Éstos incluyen juicios contra las juntas de Holly Farms, Northrop Corp., Lincoln Savings & Loan, Lotus Development Corp. y RJR Nabisco[36].

Presionadas por la amenaza de acciones legales, una cantidad cada vez mayor de juntas directivas ha comenzado a afirmar su independencia de la gerencia de la compañía, en general, y de los funcionarios CEO corporativos, en particular. Durante los últimos años las juntas directivas se han ocupado del despido o renuncia de funcionarios CEO en diversas e importantes corporaciones estadounidenses que incluyen a American Express, Digital Equipment, General Motors e IBM. Otra tendencia de cierta relevancia es la creciente inclinación a que los directores externos sean presidentes de la junta directiva. Para 1997, de acuerdo con estimados de la National Association of Corporate Directors, del 40% al 50% de grandes compañías nombrarán como presidente de la junta directiva a un director externo, menos de la mitad del porcentaje registrado en 1990[37]. Tales designaciones limitan la capacidad de los miembros internos corporativos, y particularmente del CEO, para ejercer control sobre la junta. Fue evidente que después del despido del CEO Robert Stempel en General Motors, en seguida surgió el nombramiento de un director externo, John Smale, como presidente de su junta directiva.

Planes salariales basados en la adquisición de acciones

Para abordar el problema de las juntas directivas cautivas, los accionistas han exhortado a muchas empresas para que introduzcan planes salariales basados en la adquisición de acciones de la compañía para sus ejecutivos senior. Estos planes están diseñados para alinear los intereses de los gerentes con aquellos de los accionistas. Además de su salario fijo, estos ejecutivos tienen acciones en la firma. Las alternativas accionarias suministran a los gerentes el derecho a comprar acciones de la compañía a un precio predeterminado, el cual a menudo puede ser menor que el de mercado. La idea inherente a las alternativas accionarias consiste en motivar a los gerentes para que adopten estrategias que incrementen el precio de sus acciones, puesto que al hacerlo de esta manera también aumentarán el valor de sus alternativas accionarias.

Por ejemplo, en noviembre de 1992 Michael Eisner, CEO de The Walt Disney Company, utilizó alternativas accionarias que había obtenido en años recientes, cuando una acción de Disney se comercializaba muy por debajo de su valor de mercado en ese mes. Su rentabilidad al utilizar estas participaciones fue la asombrosa suma de US$197 millones. Aunque los críticos calificaron de excesivas estas retribuciones, debe recordarse que bajo el liderazgo de Eisner los accionistas de la organización obtuvieron considerables beneficios. En verdad, si Eisner hubiera dejado caer el precio de las acciones en vez de aumentarlo durante su gerencia, sus alternativas accionarias no hubieran tenido valor. Como ejemplo opuesto, considérese el caso de Paul Lego, CEO de Westinghouse. En 1991, él tuvo la alternativa de comprar 700,000 acciones en Westinghouse a US$22.28 cada una. Sin embargo, a mediados de 1992, una acción de Westinghouse se comercializaba a un precio inferior a los US$17, haciendo menos valiosas sus acciones. Poco después, Lego renunció a su cargo, luego de soportar presión por parte de la junta directiva sin poder utilizar ninguna de sus alternativas accionarias[38].

Estudios parecen confirmar que los planes salariales basados en las adquisiciones de acciones para los ejecutivos senior pueden alinear los intereses de la gerencia con los de los accionistas. Por ejemplo, en un estudio se halló que existe mayor probabilidad de que los gerentes consideren los efectos de sus decisiones de adquisición en la ganancia del accionista si ellos mismos son accionistas importantes[39]. De acuerdo con otro estudio, habría menor probabilidad de que gerentes, considerados accionistas importantes, busquen estrategias de diversificación que maximicen el tamaño de la compañía en vez de buscar rentabilidad[40]. Por todas sus características interesantes, los planes salariales basados en la adquisición de acciones aún se encuentran en los proyectos de adopción por parte de compañías norteamericanas, aunque en realidad se están difundiendo rápidamente. Algunos críticos también argumentan que los esquemas no siempre tienen el efecto deseado, puesto que los planes de remuneración mediante adquisición de acciones pueden perjudicar a sus accionistas diluyendo sus intereses y retribuyendo injustificadamente a la gerencia por mejoramientos en los precios de las acciones. Analistas anotan que los aumentos en los precios de las acciones a menudo se deben a un mejoramiento en la economía en vez de responder al esfuerzo administrativo, y se cuestionan por qué la gerencia debe ser retribuida por tal incremento. Además, cuando los precios de las acciones bajan debido a factores externos al control de la compañía, como una baja repentina en la economía, los ejecutivos pueden observar que el valor de sus acciones declina rápidamente. Bajo tales circunstancias, los planes salariales basados en la adquisición de acciones dan poco incentivo a los gerentes para alinear sus metas con las de los accionistas en general.

La coacción para la adquisición y los compradores corporativos

Si la junta directiva es leal con la gerencia en vez de serlo con los accionistas, o si la compañía no adopta planes salariales basados en adquisición de acciones, entonces, como se sugirió antes, la gerencia puede seguir estrategias y emprender acciones no consistentes con la maximización de la ganancia del accionista. Sin embargo, los accionistas todavía se reservan cierta cantidad de poder, pues siempre pueden vender sus acciones. Si comienzan a hacerlo en grandes cantidades, declinará el precio de las acciones. Si el precio de las acciones cae bastante, la compañía podría tener un valor menor en el mercado accionario que el valor contable de sus activos, al punto que puede convertirse en objetivo de adquisición.

El riesgo de que la empresa sea comprada se conoce como **coacción para la adquisición.** Este procedimiento, en efecto, restringe el punto hasta el cual los gerentes pueden seguir estrategias y emprender medidas que coloquen sus propios intereses sobre las ganancias de los accionistas. Si ignoran los intereses de los accionistas y la compañía es comprada, los gerentes senior por lo general pierden su independencia y es probable que suceda lo mismo con sus empleos. Por tanto, la amenaza de adquisición puede restringir la acción administrativa. La experiencia de Allegis Corporation, presentada en el caso inicial, es un ejemplo de este proceso.

Durante los últimos años, la amenaza de adquisición se ha visto fortalecida por **compradores corporativos.** El comprador corporativo es un fenómeno que surgió en gran escala a finales de la década de 1970 y comienzos de la de 1980. Son individuos o instituciones que compran grandes bloques de acciones en compañías que siguen estrategias no consistentes con la maximización de la ganancia del accionista. Argumentan que si estas empresas siguieran diferentes estrategias, podrían generar más ganancia para los accionistas. Los compradores adquieren acciones en una firma bien sea para tomar el poder de los negocios y manejarlos de manera más eficiente, o para precipitar un cambio en la alta gerencia, remplazando el equipo actual por uno que probablemente maximice la ganancia del accionista.

Por supuesto, los compradores de empresas están motivados no por el altruismo sino por la ganancia. Si tienen éxito en su oferta pública de adquisición, pueden implementar estrategias que generen valor para los accionistas, incluyéndose ellos mismos. Aunque falle la oferta pública de adquisición, los compradores incluso pueden ganar millones, puesto que sus acciones por lo regular son adquiridas para proteger a la compañía de una prima muy alta. Llamada *greenmail**, esta fuente de ganancia ha generado mucha controversia y debate acerca de sus beneficios.

"Píldoras venenosas" y "paracaídas dorados"

Una respuesta de la gerencia frente a la amenaza que representan las adquisiciones ha consistido en crear las así denominadas **píldoras venenosas.** El propósito de una píldora venenosa consiste en dificultar que un comprador corporativo adquiera una compañía. La píldora venenosa, diseñada por Household International en 1985, es típica. La junta directiva de Household, de manera unilateral, cambió la constitución de la empresa. En respuesta a cualquier oferta pública de adquisición que involucrara una prima sobre el valor del mercado inferior a US$6,000 mil millones, los accionistas no podrían vender sus acciones sin autorización previa de la junta directiva. En ese momento, Household tenía un valor en el mercado inferior a los US$2,000 mil millones, por tanto, el cambio de constitución en efecto suministró a la junta directiva la capacidad de rechazar cualquier intento

---

* **N. de R.T.** *Greenmail*. Compra de gran cantidad de acciones de una compañía antes de que la gerencia (temerosa del control que pueda obtener el comprador) adquiera dichas acciones a un precio superior al del mercado. (*Webster*).

de adquisición que ofreciera menos de US$8,000 millones por Household. Debido a que ningún comprador de empresas ofrecería conscientemente US$8,000 millones por una compañía avaluada en menos de US$2,000 millones, la táctica en esencia anuló la coacción para la adquisición de Household.

El derecho de las compañías a crear píldoras venenosas ha sido objetado en varias ocasiones en los tribunales por parte de los accionistas, que rechazan las restricciones unilaterales impuestas por la gerencia en cuanto a su derecho a vender acciones a un comprador potencial. Hasta la fecha los tribunales han tenido la tendencia a dar la razón a la gerencia (el derecho de la junta directiva de Household a imponer restricciones fue ratificado por el tribunal de Delaware). Sin embargo, existen muchos ejemplos de accionistas que en sus asambleas presentan soluciones, las cuales, en efecto, limitan la capacidad de una compañía para diseñar una defensa tipo píldora venenosa, de tal modo que aún se espera ver qué tan exitosa y amplia puede ser esta táctica.

Otra respuesta a la amenaza que representan las adquisiciones ha sido el creciente uso de *contratos de paracaídas dorados*. Los paracaídas dorados son contratos de trabajo que generosamente indemnizan a los gerentes de alto nivel por la pérdida de sus empleos en caso de que ocurra una adquisición. Estos contratos aparecieron debido a los temores generados por dichas amenazas que forzaron a los gerentes a concentrarse en la maximización de ganancias a corto plazo, en un intento por incrementar en forma repentina el precio vigente de las acciones de la compañía, reduciendo así el riesgo de adquisición a expensas de inversiones a largo plazo en I&D y nuevos equipos de capital. Los gerentes también se quejan de que la amenaza de adquisición redujo su disponibilidad para hacer inversiones riesgosas que potencialmente generen utilidad. Los defensores de los contratos de paracaídas dorados argumentan que al reducir las preocupaciones de los gerentes sobre la pérdida de sus empleos, estos contratos los estimulan para que se concentren en inversiones a largo plazo y asuman los riesgos necesarios. Además, ya que la gerencia se encuentra menos preocupada por la posibilidad de perder su cargo, es muy probable que estos contratos hagan que la alta gerencia analice de manera objetiva las propuestas de adquisición, teniendo en cuenta los intereses del accionista cuando decida la forma de responder.

Por estas razones, cuando los contratos de paracaídas dorados se utilizan de manera apropiada pueden ser benéficos. Por otro lado, algunos accionistas ven en los paracaídas dorados poco más que un "seguro contra la incompetencia" o una "retribución por el fracaso", y manifiestan que los gerentes no deben ser retribuidos por perder su trabajo[41]. Una manera de asegurar que esto no ocurra, mientras se preservan los aspectos benéficos de estos contratos, puede ser vincular el pago de un paracaídas dorado con la prima obtenida por los accionistas en caso de una oferta pública de adquisición.

Compras apalancadas

Una característica dramática en la década de 1980 fue el rápido crecimiento en la cantidad de compras apalancadas (LBO)*. La LBO es una forma especial de adquisición. Mientras en una adquisición típica un comprador corporativo adquiere suficientes acciones con el propósito de obtener el control de una compañía, en una LBO los propios ejecutivos de una empresa a menudo (no siempre) se encuentran entre los compradores. El grupo gerencial que emprende una LBO, por lo regular, genera efectivo mediante la emisión de bonos, luego lo utiliza para comprar las acciones de la firma. Así, las LBO involucran un trueque de patrimonio por deudas. En efecto, la compañía remplaza sus accionistas por acreedores (tenedores de bonos), transformando la corporación de entidad pública a privada. Sin embargo, con frecuencia las mismas instituciones que antes de una LBO eran importantes accionistas se convierten posteriormente en principales tenedores de bonos.

---

* LBO. Sigla de *Leveraged Buyouts*.

La diferencia consiste en que como accionistas no se les garantiza un pago regular de dividendos por parte de la compañía; como tenedores de bonos sí cuentan con esa garantía.

Durante la década de 1980, la cantidad y valor totales de LBO emprendidas en EE.UU. aumentaron en forma significativa. El valor total de 76 LBO realizadas en 1979 fue de US$1,400 millones (en dólares en 1988). En comparación, el valor total de 214 LBO realizadas en 1988 excedió los US$77,000 millones, aproximadamente una tercera parte del valor de todas las fusiones y adquisiciones en EE.UU[42]. Desde entonces, sin embargo, la actividad de LBO en EE.UU. ha disminuido a un ritmo extremadamente lento con sólo unas cuantas transacciones ejecutadas cada año. No obstante, su desaparición puede ser solamente temporal. Las adquisiciones tienden a surgir por ciclos, y es muy posible que la próxima vez que EE.UU. tenga una época próspera en fusiones también haya bonanza en las compras apalancadas.

Quienes apoyan la técnica de LBO, muy notoriamente Michael Jensen, manifiestan que las LBO deben considerarse hasta el momento como otro mecanismo de manejo que mantenga a raya la discreción de la gerencia[43]. La teoría de Jensen consiste en que las LBO solucionan muchos de los problemas generados por deficientes mecanismos de manejo corporativo. Según él, una importante debilidad y fuente de malgastos en la corporación pública es el conflicto entre accionistas y gerentes acerca del pago del libre flujo de efectivo. Él define el **libre flujo de efectivo** como un flujo excedente del requerido para proveer fondos a todos los proyectos de inversión con valores presentes netos positivos cuando se descuentan en el costo relevante de capital. Puesto que el libre flujo de efectivo, por definición, es dinero en efectivo que no puede reinvertirse rentablemente dentro de la compañía, Jensen expresa que debería distribuirse entre los accionistas, pero advierte que los gerentes se resisten a estas distribuciones de superávit de efectivo. Más bien, de acuerdo con las razones analizadas anteriormente, tienen la tendencia a invertir este efectivo en estrategias de maximización del crecimiento o de formación de imperios.

Jensen considera que las LBO son una solución para este problema. Aunque la gerencia no tiene que pagar dividendos a los accionistas, debe hacer pagos regulares de deudas a los tenedores de bonos o enfrentar la quiebra. Por tanto, de acuerdo con Jensen, la deuda utilizada para financiar una LBO ayuda a limitar el malgasto del libre flujo de efectivo al exigir que los gerentes desembolsen el efectivo excedente para realizar pagos de deudas por concepto de servicios, en vez de invertirlo en proyectos de formación de imperios con rendimientos bajos o negativos, excesivo *staff*, gratificaciones por indulgencias y otras ineficiencias organizacionales. Además, Jensen ve la deuda como una forma de motivar a los gerentes para que busquen mayores eficiencias; realizar pagos de grandes deudas puede obligar a los gerentes a reducir en forma radical programas defectuosos de inversión, disminuir gastos generales y disponer de los activos que tienen más valor fuera de la compañía. Los procedimientos generados por estas reestructuraciones se pueden utilizar entonces para reducir la deuda a niveles más sostenibles, creando una organización más plana, más eficiente y más competitiva.

No todos los especialistas, Jensen por ejemplo, parecen entusiasmados con el potencial de las LBO. El secretario del ministerio de trabajo en la administración Clinton, Robert Reich, profesor de economía política y administración en John F. Kennedy School of Government de Harvard, es uno de los críticos más francos de las LBO[44]. Reich considera dos problemas importantes al respecto. Primero, argumenta que la necesidad de pagar grandes préstamos obliga a la gerencia a concentrarse en las inversiones a corto plazo y reducir aquellas a largo plazo, en particular los gastos en I&D y los nuevos de capital. El efecto neto probablemente sea una declinación en la competitividad de las LBO. En segundo lugar, Reich cree que la deuda asumida para financiar una LBO aumenta en forma significativa el riesgo de llegar a la quiebra. La fuerte economía de la década de 1980 pudo haber opacado este hecho. Reich cita un estudio realizado por la Brookings Institution, en el cual se examinan los efectos de una recesión similar en gravedad a la que golpeó a EE.UU. entre 1974 y

1975. La simulación del computador Brookings reveló que, con los niveles de deuda corporativa prevalecientes a finales de la década de 1980, una de cada diez compañías norteamericanas sucumbiría a la quiebra.

2.8   ESTRATEGIA Y ÉTICA

Muchos cuestionamientos estratégicos poseen una dimensión ética[45]. La razón es simple. Cualquier acción llevada a cabo por una compañía inevitablemente afecta el bienestar de sus grupos de interés: empleados, proveedores, clientes, accionistas, las comunidades locales donde la empresa realiza sus actividades y el público en general. Mientras que una estrategia propuesta puede aumentar el bienestar de algunos de sus grupos de interés, puede causar daño a otros. Por ejemplo, una compañía de acero que enfrente una caída en la demanda y una capacidad excedente, puede decidir el cierre de una instalación de producción, principal fuente de empleo en una pequeña población. Aunque esta acción puede ser consistente con la maximización de la ganancia del accionista, también podría generar la pérdida de empleo de cientos de personas y el ocaso de un pequeño pueblo. ¿Es ética esa decisión? ¿Es la forma correcta de hacerlo, considerando el probable impacto en los empleados y la comunidad donde viven? Los gerentes deben equilibrar estos beneficios y costos competentes; deben decidir si prosiguen con la estrategia propuesta a la luz de su evaluación con respecto no sólo a sus beneficios económicos, sino también a sus implicaciones éticas, dado el efecto potencialmente adverso en varios grupos de interés.

El propósito de la ética de los negocios

El propósito de la ética de los negocios, como disciplina, no consiste tanto en enseñar la diferencia entre lo correcto y lo que considera mal, sino en suministrar herramientas a las personas para tratar la complejidad moral, de manera que puedan identificar y analizar las implicaciones morales de las decisiones estratégicas[46]. La mayoría de nosotros ya tenemos un buen criterio de lo que es correcto y aquello que está mal. Sabemos que es malo mentir, engañar y robar; tampoco está bien el hecho de emprender acciones que pongan en peligro la vida de los demás. Estos valores morales se nos han inculcado a una edad temprana mediante la socialización formal e informal. Sin embargo, el problema es que mientras un buen número de gerentes se adhieren en forma rigurosa a tales principios morales en su vida privada, algunos no los aplican en su vida profesional, ocasionalmente con desastrosas consecuencias.

La historia de Manville Corporation ilustra tal omisión. (La estrategia en acción 2.3 ofrece otro ejemplo, el caso de Jack-in-the-Box). Hace dos décadas Manville (en ese entonces Johns Manville) era suficientemente sólida para ser incluida entre las gigantes de la industria norteamericana. En 1989, el 80% del patrimonio de Manville pertenecía a personas dignas de confianza quienes habían demandado por responsabilidad a la compañía por uno de sus principales productos constituyentes, el asbesto. Hace más de 40 años que la información llegó al departamento médico de Johns Manville (y de ahí pasó a los gerentes de la compañía), en la que se sugería que la inhalación de partículas de asbesto era la causa de la asbestosis, una fatal enfermedad de los pulmones. Los gerentes de Manville ocultaron la investigación. Además, como cuestión política de la compañía, aparentemente decidieron ocultar la información de los empleados afectados. El *staff* médico de la empresa colaboró en el encubrimiento. Por alguna razón los gerentes en Manville se convencieron de que era la acción correcta en vez de emprender medidas para mejorar las condiciones de trabajo y hallar formas más seguras de manipular el asbesto. Calcularon que el costo de mejorar las condi-

El envenenamiento en Jack-in-the Box: ¿Un caso de cuestionamiento de la ética?

A comienzos de enero de 1993, en los hospitales localizados en el área de Seattle, comenzó a advertirse un dramático aumento en los casos de infecciones bacteriales E. *coli*. Esta bacteria se encuentra en la carne mal cocida. Los síntomas de infección son fiebre alta, diarrea y vómito severos. En el caso de los jóvenes, puede amenazar sus vidas. La mayoría de las víctimas de esta epidemia eran jóvenes, y muchos se encontraban en condiciones muy graves. Los epidemiólogos rápidamente descubrieron un elemento común en casi todos los casos: la mayoría de las víctimas había consumido hamburguesas en los restaurantes Jack-in-the-Box poco antes de enfermarse.

Foodmaker, la compañía matriz de Jack-in-the-Box, rápidamente emitió un boletín en el cual negaba que la carne servida en sus restaurantes estuviera mal preparada. Al mismo tiempo responsabilizó a un proveedor de haber suministrado gran cantidad de carne de mala calidad. El proveedor respondió culpando a Jack-in-the-Box. Mientras Foodmaker y su proveedor intercambiaban acusaciones, la cantidad de personas infectadas había ascendido a 200 y muchos niños se encontraban gravemente enfermos. Entonces los inspectores de salubridad del estado de Washington revelaron que estos restaurantes estaban cociendo la carne a 140 grados Fahrenheit, 15 grados por debajo del estándar establecido por este estado desde marzo de 1992. Foodmaker respondió reclamando que nunca había recibido notificación del aumento de ese estándar de 155 grados. Sin embargo, cuando los funcionarios del ministerio de salud aparecieron con una copia de la notificación enviada a los restaurantes, Foodmaker cambió su posición. De acuerdo con Robert Nugent, presidente de Jack-in-the-Box, la compañía había recibido la información pero el vicepresidente cuya responsabilidad era avisar a los restaurantes del área local no lo hizo; señaló que se emprendería una acción disciplinaria contra este último a quien se rehusó nombrar. Entre tanto, la cantidad de niños infectados había ascendido a 450, uno había muerto, muchos estaban en coma y otros se encontraban en condiciones críticas. En ese momento Jack-in-the-Box ofreció pagar los costos hospitalarios de aquellos infectados. Pero utilizaron una argucia: a cambio de pagar los costos médicos, sus abogados solicitaron a los padres de los niños infectados firmar documentos en los que renunciarían a su derecho de entablar demandas posteriores contra la empresa. Esta solicitud fue recibida con indignación, y Jack-in-the-Box una vez más tuvo que modificar su posición. Esta vez acordó pagar todos los costos hospitalarios sin solicitar ninguna renuncia al derecho de iniciar pleitos.

A mediados de febrero terminó la fase más delicada de la epidemia. Sin embargo, para Foodmaker el impacto sólo fue aparente. Las ventas nacionales en los restaurantes se precipitaron en un 35% en las primeras dos semanas de febrero, el precio de sus acciones perdió el 30% de su valor, y la organización anunció que depondría los planes de abrir 85 nuevos restaurantes en ese año. Parece que el mayor perjuicio para Jack-in-the-Box no fue la epidemia, sino sus repetidos intentos de culpar a otros por el problema, además de su cínico intento de vincular el ofrecimiento de ayuda financiera a las víctimas con las renuncias a los procesos judiciales. Como resultado, Jack-in-the-Box salió de la crisis con su reputación empañada y el desplome de sus ventas; en contraste, Johnson y Johnson, debido a una actitud muy diferente, salió de la crisis del Tylenol con incrementada reputación de comportamiento ético[48].

ciones en el trabajo era mayor que el costo de un seguro para la salud que cubriera a quienes se enfermeran, así que la mejor decisión "económica" fue ocultar la información en el caso de los empleados[47].

La clave para comprender el caso de Manville es tener en cuenta que los hombres y mujeres que participaron en el encubrimiento no eran monstruos amorales, sino sencillamente personas comunes como cualquiera. Es muy probable que la mayoría nunca hubiera imaginado quebrantar la ley o hacer daño físico a alguien. Sin embargo, en forma consciente tomaron una decisión que generó directamente gran sufrimiento y muerte a seres humanos. ¿Cómo pudo suceder? Parece que la decisión de ocultar la información se consideró teniendo en cuenta aspectos eminentemente económicos. Su dimensión moral fue ignorada. De alguna manera, los gerentes involucrados se convencieron de que estaban comprometidos en tomar una decisión de negocios racional que debía sujetarse a un análisis económico de costo-beneficio. Las consideraciones éticas nunca formaron parte de estos cálculos. Tal comportamiento es posible sólo en un ambiente donde las decisiones de negocios se consideran como un componente no ético. Pero como se demostró en este ejemplo, las decisiones de negocios *sí* tienen un componente ético.

Por tanto, la tarea de la ética de los negocios, consiste en establecer dos puntos centrales: (1) que las decisiones de negocios tienen un componente ético, y (2) que los gerentes deben sopesar las implicaciones éticas de decisiones estratégicas antes de escoger un curso de acción. Si los gerentes en Manville hubieran sido capacitados para analizar las implicaciones éticas de su decisión, es probable que hubieran optado por otra medida.

Formación del ambiente ético en una organización

Con el fin de fomentar la conscientización de que las decisiones estratégicas tienen una dimensión ética, una compañía debe establecer un clima que haga énfasis en la importancia de la ética. Esto requiere por lo menos tres pasos. Primero, los altos gerentes deben utilizar su posición de liderazgo para incorporar una dimensión ética dentro de los valores sobre los cuales hacen énfasis. Por ejemplo, en Hewlett-Packard, Bill Hewlett y David Packard, fundadores de la compañía, propagaron un conjunto de valores conocidos como el estilo Hewlett-Packard. Estos valores, que configuran la manera como se conducen los negocios dentro y por la organización, poseen un importante componente ético. Entre otros aspectos, hacen énfasis en la necesidad de confiar y respetar a las personas, en la comunicación abierta y en el interés por cada empleado. Si estos factores hubieran funcionado en el caso de Manville, hubieran ayudado a que los gerentes evitaran su catastrófico error.

Segundo, los valores éticos deben incorporarse en la exposición de la misión de la compañía. Como se anotó antes, el credo de Johnson & Johnson, presentado en la figura 2.5, le ayudó a responder en forma ética frente a la crisis ocasionada por el Tylenol. Tercero, los valores éticos se deben poner en práctica. Los altos gerentes deben implementar sistemas de contratación, despido e incentivos que reconozcan en forma explícita la importancia de adherirse a valores éticos en la toma de decisiones estratégicas. En Hewlett-Packard, por ejemplo, se dice que aunque es difícil perder el empleo (debido al interés personal de los trabajadores), no existe otra forma de perder el empleo más rápido que al infringir las normas éticas de la compañía manifestadas en el estilo Hewlett-Packard[49].

Análisis de problemas éticos

Además de establecer el tipo apropiado de ambiente ético en una organización, los gerentes deben ser capaces de analizar en forma sistemática las implicaciones éticas producto de las decisiones

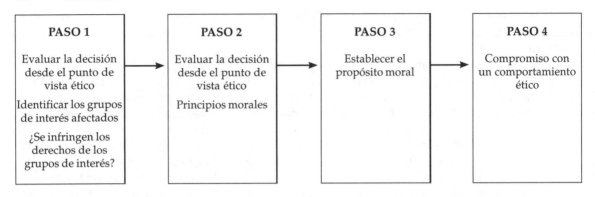

PASO 1	PASO 2	PASO 3	PASO 4
Evaluar la decisión desde el punto de vista ético	Evaluar la decisión desde el punto de vista ético	Establecer el propósito moral	Compromiso con un comportamiento ético
Identificar los grupos de interés afectados	Principios morales		
¿Se infringen los derechos de los grupos de interés?			

Figura 2.8
Modelo de la toma ética de decisiones

estratégicas. Diversos marcos teóricos se han sugerido como ayuda al proceso de toma de decisiones. El modelo de cuatro pasos, representado en la figura 2.8 es una compilación de los diferentes modelos recomendados por varias autoridades en la materia[50].

En el paso 1, evaluar una decisión estratégica propuesta desde el punto de vista ético, los gerentes deben identificar qué grupos de interés afectarían la decisión y en qué formas. Aún más importante, necesitan determinar si la decisión propuesta violaría los derechos de cualquier grupo de interés. El término *derechos* se refiere a las prerrogativas fundamentales de un grupo de interés. Por ejemplo, se podría argumentar que el derecho a la información sobre riesgos para la salud en el lugar de trabajo es una prerrogativa fundamental de los empleados. Éste también es un derecho que Manville ignoró.

El paso 2 involucra juzgar la ética de las decisiones estratégicas propuestas, de acuerdo con la información obtenida en el paso 1. Este criterio debe ser guiado por varios principios morales inviolables. Los principios podrían ser aquellos articulados en la exposición de una misión corporativa u otros documentos de la compañía (como el estilo de Hewlett Packard). Además, existen ciertos principios morales que hemos adoptado como miembros de la sociedad (por ejemplo, la prohibición de robar) y éstos no pueden ser infringidos. En esta etapa, el criterio también debe ser orientado por la regla de decisión escogida para evaluar la decisión estratégica propuesta. Aunque la maximización de utilidad a largo plazo es justamente la regla decisoria enfatizada en la mayoría de compañías, esta regla debe aplicarse sujeta a la coacción de que no se viole ningún principio moral.

El paso 3, establecer el intento moral, significa que la empresa debe anteponer intereses morales por encima de otros beneficios en casos en los que hayan sido violados los derechos de los grupos de interés o principios morales claves. En esta etapa la iniciativa de la alta gerencia debe ser particularmente valiosa. Sin el estímulo preventivo de los altos gerentes, los gerentes de nivel medio tendrían tendencia a establecer los cercanos intereses económicos de la compañía antes que buscar el beneficio de los grupos de interés. Podrían hacerlo con la frecuente y errónea convicción de que los altos gerentes favorecen ese enfoque.

El paso 4 requiere que la compañía se comprometa con un comportamiento ético. Evidentemente, Johnson & Johnson satisfizo esta exigencia, cuando se presentó la alarma por envenenamiento a causa del Tylenol, al sacar del mercado todos sus productos de los almacenes minoristas a un costo muy grande para la organización.

Responsabilidad social de la corporación

La responsabilidad social de la corporación es el juicio de obligación por parte de las compañías de formar ciertos criterios sociales dentro de su toma de decisiones estratégicas. El concepto implica que cuando las empresas evalúan decisiones desde una perspectiva ética, debe haber una presunción que favorezca la adopción de cursos de acción que aumenten el bienestar de la sociedad en general. Las metas seleccionadas deben ser muy específicas: Incrementar el bienestar de las comunidades donde se encuentre la compañía, mejorar el ambiente o dar poder a los empleados con el propósito de proporcionarle un sentido de autovaloración.

En su forma más pura, la responsabilidad social puede ser apoyada para su propio beneficio sencillamente porque responde al comportamiento apropiado de una compañía. Menos absolutos pero quizá más prácticos son los argumentos que el comportamiento socialmente responsable se encuentra en el propio interés de una empresa. Las acciones económicas tienen consecuencias sociales que afectan a sus peticionarios externos. Por consiguiente, con el fin de conservar el apoyo de estos peticionarios, la organización debe tener en cuenta esas consecuencias sociales cuando formule estrategias. De otra manera, puede generar mala voluntad y oposición. Por ejemplo, si una comunidad percibe que una firma tiene un impacto ambiental adverso, puede bloquear el propósito de construir nuevas instalaciones en el área.

Un importante ejemplo significativo de una compañía comprometida con la responsabilidad social lo constituye el minorista británico Body Shop International, cuyo CEO, Anita Roddick, se ha convertido en enérgica vocera de la importancia de este criterio. Body Shop compite en el mercado internacional de cosméticos y artículos de tocador pero sólo ofrece productos a base de ingredientes naturales. Ninguno de sus productos es probado en animales, contiene ingredientes artificiales o tiene un empaque muy elaborado. Los productos atraen a los consumidores que tienen interés en los derechos de los animales y en el ambiente. Body Shop compra muchos ingredientes para sus productos a fabricantes del Tercer Mundo, y los paga muy bien. También reinvierte el dinero en las comunidades donde se encuentran los proveedores con el fin de apoyar una variedad de proyectos educativos y de salud. En vez de causar daño a la compañía, este compromiso con la responsabilidad social le ha ayudado a impulsarse de un solo almacén en 1976 a una empresa mundial con US$1,500 millones en ingresos durante 1992. Según Roddick:

> Se pueden realizar los negocios en forma diferente comparado con la mayoría, compartir la prosperidad con los empleados y darles poder sin temor. Es posible rescribir el libro desde el punto de vista de cómo interactúa una compañía con la comunidad, con el comercio del Tercer Mundo, con la responsabilidad global y con la función de educar a clientes y accionistas. Se puede hacer todo esto y seguir en el juego de acuerdo con la *City* (versión británica de Wall Street), continuar ganando dinero, satisfacer a las instituciones y proporcionar a los accionistas un maravilloso rendimiento sobre su inversión[51].

La perspectiva de Roddick consiste en que ser socialmente responsable no perjudica las actividades. En verdad, a juzgar por el éxito de Body Shop, a menudo la situación puede ser exactamente opuesta. No obstante, existen quienes argumentan que a una compañía le incumbe seguir metas sociales. El Nobel Milton Friedman, por lo menos, insiste en que los conceptos de responsabilidad social no deben entrar en el proceso de decisión estratégica de la corporación:

> ¿Qué significa que el ejecutivo corporativo tiene responsabilidad social en su capacidad como hombre de negocios? Si esta afirmación no es pura retórica, debe expresar que él actúa en una forma que no protege los intereses de sus empleadores. Por ejemplo... que realiza desembolsos para reducir la contaminación que va más allá de la cantidad que favorece los intereses de la corporación o lo exigido por la ley con el fin

de contribuir al objetivo social de mejorar el ambiente... En cuanto a sus intervenciones relacionadas con la responsabilidad social reduce los rendimientos de los accionistas, gasta el dinero de ellos. De igual manera, puesto que sus actividades aumentan los precios para los clientes, gasta el dinero de los consumidores. Igualmente, ya que sus actuaciones disminuyen la remuneración de algunos empleados, gasta su dinero[52].

La posición de Friedman esencialmente consiste en que los negocios tienen sólo un tipo de responsabilidad: la utilización de sus recursos en actividades que aumenten sus utilidades, siempre y cuando se mantengan dentro de las reglas del juego, es decir, mientras se comprometan a realizar una competencia abierta y libre sin engaño ni fraude.

Por otro lado, Edward H. Bowman del Wharton School de la University of Pennsylvania plantea que la responsabilidad social es, en realidad, una relevante estrategia de inversión, una perspectiva consistente con la experiencia de The Body Shop[53]. Sostiene que el comportamiento social de una compañía afecta el precio de sus acciones; en otras palabras, la política socialmente responsable también puede beneficiar a los peticionarios internos importantes de una empresa, los accionistas. De acuerdo con Bowman, muchos inversionistas tienen en cuenta organizaciones que no son socialmente responsables de llevar a cabo inversiones riesgosas. Además, muchos inversionistas institucionales como iglesias, universidades, ciudades, Estados y fondos mutuos, prestan atención al comportamiento social corporativo y, por tanto, ejercen influencia en el mercado accionario de una compañía.

En verdad, se puede hallar evidencia a favor de los argumentos de Bowman. Por ejemplo, el retiro de activos norteamericanos de Sudáfrica, por parte de compañías como IBM y General Motors en 1986, puede atribuirse al menos parcialmente al deseo de crear una impresión favorable frente a los inversionistas. En ese momento, por razones sociales o políticas, muchos inversionistas vendieron acciones en compañías que mantenían allí una presencia importante. De igual modo, Unión Carbide vio hundir su mercado de valores en más del 37% en 1984, como consecuencia de un escape de gas, ocurrido en su planta de Bhopal en la India (que mató 2,000 personas y dejó a otras 150,000 gravemente lesionadas), y de posteriores revelaciones relacionadas con deficientes procedimientos de seguridad en muchas de sus plantas. Para esta empresa, las consecuencias fueron una oferta pública de adquisición por parte de GAF Corporation (la cual finalmente fracasó), grandes pleitos y un problema de imagen negativa.

2.9   RESUMEN DEL CAPÍTULO

El propósito básico de este capítulo consistió en identificar varios factores que constituyen el contexto organizacional donde se formulan estrategias. Normalmente, estos factores se reconocen de manera explícita a través de una exposición de la misión corporativa. Así, esta exposición establece los límites dentro de los cuales deben estar las estrategias. Específicamente se analizaron los siguientes puntos:

1. La exposición de la misión es el punto inicial de la administración estratégica. Ésta establece el contexto donde se formulan las estrategias.
2. La exposición de la misión contiene tres amplios elementos: una definición del negocio de la empresa, una exposición de las principales metas de la corporación (incluye la visión) y una exposición de la filosofía corporativa.
3. Para una compañía especializada, definir el negocio implica concentrarse en los grupos de consumidores que va a atender, las necesidades de los clientes que va a satisfacer y las tecnolo-

gías mediante las cuales puede atender esas necesidades. Esto significa una definición de la actividad orientada al consumidor.

4. Para una compañía diversificada, definir el negocio involucra concentrarse en el valor que agrega el nivel corporativo a los negocios constituyentes de la firma.

5. La principal meta corporativa debe reflejar el interés para favorecer el bienestar de los propietarios de la compañía, sus accionistas. Maximizar las utilidades a largo plazo es la principal meta consistente con el incremento de la ganancia del accionista.

6. Con el propósito de evitar consecuencias adversas a corto plazo de un obsesivo enfoque en obtener utilidades, una empresa necesita adoptar varias metas secundarias que equilibren consideraciones a corto y a largo plazo.

7. La filosofía corporativa de una compañía aclara cómo intenta realizar sus negocios. Una exposición de esta filosofía refleja sus valores, aspiraciones, principios y prioridades filosóficas fundamentales.

8. Toda compañía tiene sus grupos de interés: individuos que tienen algún derecho en la organización. Pueden dividirse en peticionarios internos y externos. La empresa necesita reconocer sus exigencias en su exposición de la misión, de lo contrario puede perder su apoyo.

9. Los accionistas se encuentran entre los peticionarios internos más importantes de una firma. Si no se maximiza la ganancia del accionista, la organización corre el riesgo de convertirse en objetivo de adquisición. Algunas veces las empresas caen en esta trampa debido a los deseos administrativos de derroche en el cargo, estrategias de diversificación mediante formación de imperios y excesivos aumentos de remuneración.

10. Diversos mecanismos de manejo sirven para limitar la capacidad de los gerentes para seguir estrategias y emprender acciones que difieren con las tendientes a lograr maximización de la utilidad del accionista. Éstas incluyen asambleas de accionistas, la junta directiva, planes salariales basados en adquisición de acciones corporativas y la amenaza de adquisición.

11. Varias de las decisiones estratégicas poseen una dimensión ética. Cualquier acción emprendida por una compañía inevitablemente tiene impacto en el bienestar de sus grupos de interés.

12. El propósito de la ética de los negocios no consiste tanto en enseñar la diferencia entre lo bueno y lo malo, sino en proporcionar a las personas las herramientas para tratar la complejidad moral, a fin de identificar y analizar las implicaciones morales, producto de las decisiones estratégicas.

Preguntas y temas de análisis

1. ¿Por qué es importante que una compañía adopte una perspectiva de negocios orientada al consumidor? ¿Cuáles son las posibles deficiencias de esta perspectiva?

2. ¿Cuáles son las implicaciones estratégicas de una concentración en los rendimientos a corto plazo? Analícense estas implicaciones en términos del impacto ocasionado en las decisiones tomadas sobre innovación de productos, gastos de marketing, fabricación y compras.

3. ¿Los compradores corporativos representan una influencia positiva o negativa para la economía estadounidense? ¿Cómo pueden las compañías reducir el riesgo de adquisición?

4. "Las compañías siempre deben comportarse de manera ética, a cualquier costo económico". Analícese este enunciado.

Aplicación 2

Buscar el ejemplo de una compañía que esté en conflicto porque no tuvo en cuenta los derechos de uno de sus principales grupos de interés al tomar una importante decisión estratégica.

Proyecto sobre administración estratégica: módulo 2

Este módulo aborda las relaciones que la compañía escogida posee con su principal grupo de interés. Con la información disponible desarróllense las siguientes tareas y preguntas:

1. Investíguese si esta empresa posee una exposición formal de la misión. ¿Esta exposición define las actividades, identifica las metas principales y articula la filosofía corporativa?
2. Si la firma carece de una exposición de la misión, ¿cuál debería ser?
3. Si la organización posee una exposición de la misión, ¿es apropiada de acuerdo con los temas analizados en este capítulo?
4. Identifíquense los principales grupos de interés. ¿Cuáles son sus exigencias? ¿Cómo trata la compañía de satisfacerlas?
5. Evalúese el desempeño del CEO desde la perspectiva de (a) accionistas, (b) empleados, (c) clientes y (d) proveedores. ¿Qué revela esta evaluación acerca de la capacidad del CEO y las prioridades con las cuales está comprometido?
6. Determínese si los mecanismos de manejo que operan en la compañía desempeñan una buena labor de alinear los intereses de los altos gerentes con aquellos de los accionistas.
7. Escójase una importante decisión estratégica realizada por la compañía en los últimos años y analícense las implicaciones éticas de esa decisión. De acuerdo con este análisis, ¿la compañía actúa en forma correcta?

Notas

1. Kenneth Labich, "How Dick Ferris Blew It", *Fortune*, July 6, 1987, pp. 42-46. Jodi Klein, "The Lack of Allegiance at Allegis", *Business & Society Review* (Spring 1988), 30-33. James Ellis, "The Unraveling of an Idea", *Business Week*, June 22, 1987, pp. 42-43.
2. Derek F. Abell, *Defining the Business: The Starting Point of Strategic Planning* (Englewood Cliffs, N.J.: Prentice-Hall, 1980). K. Andrews, *The Concept of Corporate Strategy* (Homewood, Ill.: Dow Jones Irwin, 1971). John A. Pearce, "The Company Mission as a Strategic Tool", *Sloan Management Review* (Spring 1982), 15-24.
3. *Fuente:* Weyerhaeuser Co, Annual Report.
4. Estas tres preguntas fueron formuladas en primera instancia por P. F. Rucker. *Véase* P. F. Drucker, *Management-Tasks, Responsibilities, Practices* (New York: Harper & Row, 1974), pp. 74-94.
5. Abell, *Defining the Business*, p. 17.
6. Theodore Levitt, "Marketing Myopia", *Harvard Business Review* (July-August 1960), 45-56.
7. F. J. Weston and S. K. Mansinghka, "Tests of the Efficiency Performance of Conglomerate Firms", *Journal of Finance*, 26 (1971), 919-935.
8. Si se desea obtener información detallada *véase* Jeffrey R. Williams, Betty Paez and Leonard Sanders, "Conglomerates Revisited...", *Strategic Management Journal*, 9(1988), 403-414.
9. Philip Morris Company, Annual Report and Accounts, 1992.
10. Robert H. Hayes and William J. Abernathy, "Managing Our Way to Economic Decline", *Harvard Business Review* (July-August 1980), 67-77.
11. Lester C. Thurow, *The Zero Sum Solution* (New York: Simon and Schuster, 1985), 69-89.
12. Michael L. Dertouzos, Richard K. Lester, and Robert M. Solow, *Made in America* (Cambridge, Mass.: MIT Press).
13. *Fuentes:* "Flat Out in Japan", *The Economist*, February 1, 1992, pp. 79-80. H. Nomura, "IBM, Apple Fight LCD Screen Tariffs: US Decision Forcing Assembly Offshore", *Nikkei Weekly*, October 26, 1992. A. Tanzer, "The New Improved Color Computer", *Forbes*, July 23, 1990, pp. 276-280.
14. Thomas J. Peters and Robert H. Waterman, *In Search of Excellence* (New York: Harper & Row, 1982).
15. Extractado de Hewlett-Packard's Mission Statement.

Cortesía de Hewlett-Packard Company.

16. M. D. Richards, *Setting Strategic Goals and Objectives* (St. Paul, Minn: West, 1986).

17. Si desea obtener información detallada, *véase* "Johnson & Johnson (A)", *Harvad Business School* Case No. 384-053, Harvard Business School.

18. Pearce, "The Company Mission", pp. 15-24.

19. I. C. Macmillan and P. E. Jones, *Strategy Formulation: Power and Politics* (St. Paul, Minn.: West, 1986).

20. M. C. Jensen and W. H. Meckling, "Theory of the Firm: Managerial Behavior, Agency Costs and Ownership Structure", *Journal of Financial Economics*, 3 (1976), 305-360.

21. Por ejemplo, *véase* R. Marris, *The Economic Theory of Managerial Capitalism* (London: Macmillan, 1964), and J. K. Galbraith, *The New Industrial State* (Boston: Houghton Mifflin, 1970).

22. E. F. Fama, "Agency Problems and the Theory of the Firm", *Journal of Political Economy*, 88 (1980), 375-390.

23. Bryan Burrough and John Helyar, *Barbarians at the Gate* (New York: Harper & Row, 1990).

24. John A. Byrne and Chuck Hawkins, "Executive Pay: The Party Ain't Over Yet", *Business Week*, April 26, 1993, pp. 56-64.

25. George Will, "CEOs Aren't Paid for Performance", *Seattle Times*, September 1, 1991, p. 1.

26. Para estudios que examinan los determinantes remunerativos del CEO, *véase* M. C. Jensen and K. J. Murphy, "Performance Pay and Top Management Incentives", *Journal of Political Economy*, 98 (1990), 225-264; y Charles W. L. Hill and Phillip Phan, "CEO Tenure as a Determinant of CEO Pay", *Academy of Management Journal*, 34 (1991), 707-717.

27. Byrne and Hawkins, "Executive Pay", pp. 56-64.

28. *Véase* Jensen and Murphy, "Performance Pay", pp. 225-254, and Hill and Phan, "CEO Tenure", pp. 707-717.

29. Carl Icahn, "What Ails Corporate America - And What Should Be Done?" *Business Week*, October 27, 1986, p. 101.

30. E. T. Penrose, *The Theory of the Growth of the Firm* (London: Macmillan, 1958).

31. "America's Investment Famine", *Economist*, June 27, 1992, pp. 89-90.

32. Citado en Christopher Power and Vick Cahan, "Shareholders Aren't Just Rolling Over Anymore", *Business Week*, April 27, 1987, pp. 32-33.

33. O. E. Williamson, *The Economic Institutions of Capitalism* (New York: Free Press, 1985).

34. E. F. Fama, "Agency Problems and the Theory of the Firm", *Journal of Political Economy*, 88, 1980, 375-390.

35. M. L. Mace, *Directors: Myth and Reality* (Cambridge, Mass.: Harvard University Press, 1971, S. C. Vance, *Corporate Leadership: Boards of Directors and Strategy* (New York: McGraw Hill, 1983).

36. Michele Galen, "A Seat on the Board Is Getting Hotter", *Business Week*, July 3, 1989, pp. 72-73.

37. Gilbert Fuchsberg, "Chief Executives See Their Power Shrink", *Wall Street Journal*, March 15, 1993, p. B1, B3.

38. John Byrne, "If CEO Pay Makes You Sick, Don't Look at Stock Options", *Business Week*, April 13, 1992, pp. 34-35.

39. W. G. Lewellen, C. Eoderer, and A. Rosenfeld, "Merger Decisions and Executive Stock Ownership in Acquiring Firms", *Journal of Accounting and Economics*, 7 (1985), 209-231.

40. C. W. L. Hill and S.A. Snell, "External Control, Corporate Strategy, and Firm Performance", *Strategic Management Journal*, 9 (1988), pp. 577-590.

41. H. Singh and F. Harianto, "Management-Board Relationships, Takeover Risk, and the Adoption of Golden Parachutes", *Academy of Management Journal*, 32 (1989), pp. 7-24.

42. "Whose Firm? Whose Money?" *Economist*, May 5, 1990, Survey: Punters or Propietors? pp. 7-8.

43. *Véase* Michael C. Jensen, "Agency Costs of Free Cash Flow, Corporate Finance, and Takeovers", *American Economic Review* (1986), 323-329; and Michael C. Jensen, "The Eclipse of the Public Corporation", *Harvard Business Review* (September-October 1989), Vol. 76, pp. 61-74.

44. Robert B. Reich, "Leveraged Buyouts: America Pays the Price", *New York Times Magazine*, January 29, 1989, pp. 32-40.

45. R. Edward Freeman and Daniel Gilbert, *Corporate Strategy and the Search for Ethics* (Englewood Cliff, N. J.: Prentice-Hall, 1988).

46. Robert C. Solomon. *Ethics and Excellence* (Oxford University Press, 1992).

47. Saul W. Gellerman, "Why Good Managers Make Bad Ethical Choices", *Ethics in Practice: Managing the Moral Corporation*, ed. Kenneth R. Andrews (Harvard Business School Press, 1989).

48. *Fuentes*: Benjamin Holden. "Foodmaker Delays Expansion Plans in Wake of Food-Poisoning Outbreak", *Wall Street Journal*, February 16, 1993, p. B10. Benjamin Holden. "Foodmaker, Struggling After Poisonings, Breaks with Its Public Relations Firm", *Wall Street Journal*, February 12, 1993, p. A4.

49. Kirk O. Hanson and Manuel Velasquez, "Hewlett-Packard Company: Managing Ethics and Values", en *Corporate Ethics: A Prime Business Asset*. The Business Roundtable, February 1988.

50. Por ejemplo, *véase* R. Edward Freeman and Daniel Gilbert, *Corporate Strategy and the Search for Ethics* (Englewood Cliffs, N. J.: Prentice-Hall, 1988). Thomas Jones, "Ethical Decision Making by Individuals in Organizations", *Academy of Management Review*, 16 (1991), 366-395. J. R. Rest, *Moral Development: Advances in Research and Theory* (New York: Praeger, 1986).

51. Anita Roddick.

52. Milton Friedman, "A Friedman Doctrine: The Social Responsibility of Business Is to Increase Its Profits", *New York Times Magazine*, September 13, 1970, p. 33.

53. Edward D. Bowman. "Corporate Social Responsibility and the Investor", *Journal of Contemporary Business* (Winter 1973), 49-58.

II

La Naturaleza de la Ventaja Competitiva

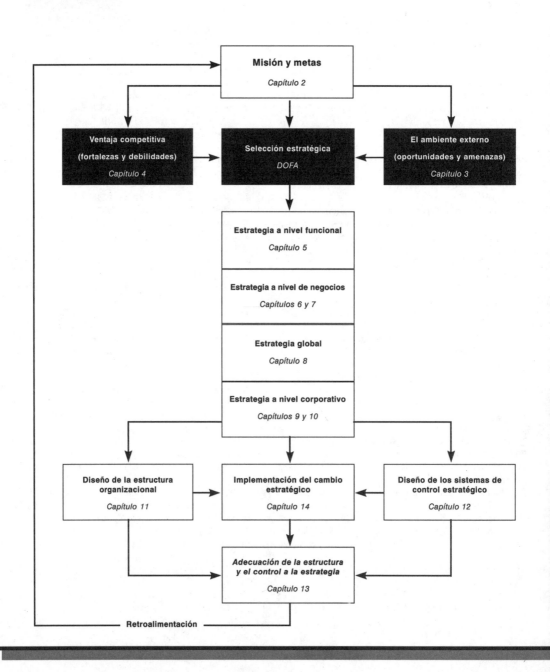

Misión y metas
Capítulo 2

Ventaja competitiva
(fortalezas y debilidades)
Capítulo 4

Selección estratégica
DOFA

El ambiente externo
(oportunidades y amenazas)
Capítulo 3

Estrategia a nivel funcional
Capítulo 5

Estrategia a nivel de negocios
Capítulos 6 y 7

Estrategia global
Capítulo 8

Estrategia a nivel corporativo
Capítulos 9 y 10

Diseño de la estructura
organizacional
Capítulo 11

Implementación del cambio
estratégico
Capítulo 14

Diseño de los sistemas de
control estratégico
Capítulo 12

*Adecuación de la estructura
y el control a la estrategia*
Capítulo 13

Retroalimentación

El ambiente externo

3.1   CASO INICIAL: WANG LABORATORIES

An Wang, inmigrante chino, fundó en 1951 Wang Laboratories, Inc. y en la década de 1970 formó parte de un pequeño grupo de compañías que se las ingeniaba para superar con ingenio a IBM y apoderarse de un nicho rentable en la industria de los computadores. En el caso de Wang su nicho estaba constituido por el procesamiento de palabras. A comienzos de la década de 1970 Wang desarrolló su propio *software* propietario para procesamiento de palabras, que cargó en sus minicomputadores los cuales funcionaban en su sistema operativo propietario. Las terminales de procesamiento de textos se conectaban a estos minicomputadores; éstas remplazaron las máquinas de escribir, y condujeron las cartas y documentos escritos hacia una nueva era.

Se cuenta que un día que An Wang recorrió el edificio de las Naciones Unidas, las secretarias empezaron a aplaudirlo a su paso. "Soy el amigo de las secretarias", explicó a sus acompañantes, "las liberé de la tiranía de la máquina de escribir". De esa manera Wang Labs se convirtió en una de las milagrosas empresas de alta tecnología en la década de 1970. En 1988 esta organización empleó 31,500 personas en todo el mundo, generó ingresos superiores a los US$3,000 millones, obtuvo utilidades netas por US$92.7 millones y ocupó la posición 143 de las 500 firmas industriales que aparecen en la revista *Fortune*. Sin embargo, en agosto de 1992 la compañía se acogió a la protección de bancarrota contemplada en el capítulo 11 del Código de Quiebras de EE.UU. Los ingresos habían caído a US$19,000 millones y el nivel de empleo a menos de 8,000. La empresa había perdido un total de US$19,000 millones desde 1988 y su valor accionario en el mercado, que estaba en US$5,600 millones, cayó a US$70 millones. Las acciones de Wang que se comercializaban a US$42.50 en 1982, en ese entonces estaban a 37.5 centavos por unidad.

Wang cayó debido a que perdió contacto con los cambios registrados en el mercado. Así como superó a IBM en la década de 1970, fue desplazada a su vez por un sinnúmero de compañías productoras de software a mediados de la década de 1980. La demanda del costoso sistema de procesamiento de palabras de Wang, basado en el minicomputador, declinó en forma precipitada a medida que los computadores personales ganaron popularidad y se hizo disponible el económico software para procesar textos. Por ejemplo, un asiduo usuario de Wang explicó cómo desechó su minicomputador Wang de US$400,000, a un costo anual de servicio de US$100,000, y lo remplazó por una red de 25 computadores personales cuyo costo total era inferior a los US$100,000. Al enfrentar este tipo de competencia de bajo costo, el mercado de Wang se derrumbó en la segunda mitad de esa década.

Sin embargo, el aspecto lamentable de la historia de Wang fue que en sus inicios rechazó la oportunidad de ingresar a la industria de los computadores personales. En marzo de 1984, la compañía consideró la posibilidad de asociarse con Apple Computer, que había acabado de lanzar el Macintosh. El propósito era combinar el software para procesamiento de palabras de Wang con la interfaz gráfica del usuario y aplicaciones de Apple, y tener participación en el mercado de los sistemas con base en MS-DOS, como el PC original de IBM. El presidente de Apple, John Sculley reconocía el valor de su aplicación de procesamiento de textos, y estaba entusiasmado con el trato. Apple incluso adelantó conversaciones acerca de autorizar a Wang para utilizar su sistema operativo Macintosh, que le habría permitido fabricar los PC. Sin embargo, Wang desechó la propuesta. Según los memorandos internos, los gerentes senior consideraban que "la automatización de oficinas es *nuestro* negocio, Apple podría apoderarse de Wang y utilizarla para ingresar en el mercado... Apple es una empresa joven, volátil y excesivamente autónoma. ¿Deberíamos asociarnos con una firma impredecible?" Wang también desdeñó los programas de procesamiento de palabras, desarrollados por sus similares WordStar y WordPerfect. Como organización de US$2,000 millones en capital, Wang no percibió las pequeñas manifestaciones operativas de WordPerfect como uno de los posibles competidores. Además fue renuente a vender su *software* separado del *hardware*. La compañía consideraba que si vendía el software de procesamiento de textos por aparte, nadie compraría el hardware. Es posible, sin embargo en la actualidad nadie compra su software ni su hardware, mientras que compañías como WordPerfect la han superado en ventas[1].

Preguntas y temas de análisis

1. ¿Cuál es la lección de la historia de Wang para las compañías con respecto a la importancia de explorar el ambiente externo?
2. En retrospectiva, ¿qué medidas debió adoptar Wang para prevenir el desastre que padeció a comienzos de la década de 1990?

3.2   VISIÓN GENERAL

Como se anotó en el capítulo 1, dos determinantes básicos del desempeño organizacional son el ambiente industrial en el cual compite una compañía y el país (o países) donde está localizada. Ambos factores forman parte del **ambiente externo** de la empresa. Algunas firmas prosperan en parte porque su ambiente externo es muy atractivo; otras funcionan en forma deficiente debido a que su ambiente externo es hostil. En este capítulo se analiza la influencia del ambiente industrial y el contexto nacional de una organización en su ventaja competitiva.

El principal tema en este capítulo es que para que una compañía tenga el éxito debe, bien sea, ajustar su estrategia al ambiente industrial donde opera o estar en capacidad de reformarlo para lograr su ventaja mediante una estrategia escogida. Por lo general, las empresas fracasan cuando su estrategia ya no se adecua al ambiente en el que operan (*véase* figura 3.1). La historia de Wang Labs, presentada en el caso inicial, es un ejemplo de estos procesos. Su éxito inicial se originó por la demanda de aplicaciones de procesamiento de palabras, producto de sus innovaciones pioneras. Durante el proceso, Wang creó un nuevo y completo nicho en la industria de los computadores, el cual dominó. En otras palabras, sus inventos reformaron el ambiente de la industria para lograr ventaja, creando un nuevo nicho en el que existía un estrecho ajuste entre su estrategia y las exigencias del cliente. Sin embargo, posteriormente perdió visión de los cambios competitivos que ocurrían en el ambiente industrial; no reconoció la amenaza que representaba para su posición el surgimiento de los económicos computadores personales y el software de procesamiento de textos. En efecto, la evidencia señala que no consideró como competidores directos a los computadores personales y a las aplicaciones relacionadas de software. Este descuido fue un error fatal. A mediados de la década de 1980 no había ajuste entre el ambiente donde operaba y su estrategia. Wang había perdido contac-

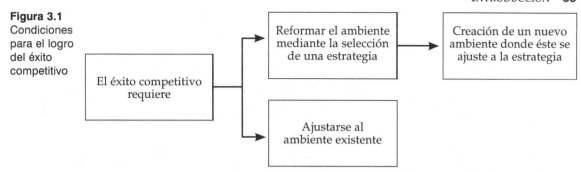

Figura 3.1
Condiciones para el logro del éxito competitivo

to con los cambios que se registraban en el nicho de mercado que había creado. Otras firmas tuvieron mayor capacidad de satisfacer las demandas de software para procesamiento de palabras y de hardware por parte de los clientes, mientras Wang quedó a la deriva. La organización pudo haber sobrevivido si a comienzos de esa década hubiera tomado la firme decisión de cambiarse a los computadores personales y a las aplicaciones relacionadas con el procesamiento de textos. Tal estrategia se habría adecuado al nuevo ambiente creado por la revolución del computador personal, pero Wang no supo valorar esta situación y, en consecuencia, se fue a la quiebra.

Si las compañías quieren evitar los errores que cometió Wang, deben comprender las fuerzas que manejan la competencia en la industria donde operan. De otra manera, tienen poca posibilidad de seguir estrategias que se ajusten al ambiente industrial existente o identificar estrategias que puedan reformarlo con el fin de lograr su ventaja. En contraste con esta experiencia, el objetivo de este capítulo consiste en analizar diversos modelos que ayuden a los gerentes a analizar el ambiente. Los modelos suministran una estructura que se puede utilizar para identificar **oportunidades** y **amenazas** ambientales. Las oportunidades surgen cuando las tendencias ambientales generan el potencial para que una compañía obtenga la ventaja competitiva. Por ejemplo, los avances en la tecnología del microprocesador durante la década de 1960 crearon la oportunidad para que Wang construyera minicomputadores asequibles, utilizables para correr aplicaciones de procesamiento de palabras. De igual manera, los continuos avances en esta tecnología durante la década de 1970 generaron la oportunidad para que las empresas construyeran económicos computadores personales (una oportunidad de la que sacaron ventaja Apple, IBM y Compaq, pero que Wang ignoró). Las amenazas surgen cuando las tendencias ambientales ponen en peligro la integridad y rentabilidad del negocio de una firma. En este sentido, el surgimiento de los computadores personales significó más que una oportunidad perdida para Wang; también se convirtió en una amenaza.

Este texto comienza con el examen de un modelo para analizar el ambiente de la industria. Luego se consideran las implicaciones competitivas que surgen cuando grupos de compañías dentro de una industria siguen estrategias similares. En seguida se estudiará la naturaleza de la evolución industrial y se examinará en detalle cómo afecta la globalización de la economía mundial a las fuerzas competitivas que funcionan en un ambiente industrial. Finalmente, se evalúa el impacto del contexto nacional sobre la ventaja competitiva. Al final del capítulo, el lector estará familiarizado con los principales factores que deben tener en cuenta los gerentes al analizar el ambiente externo para las oportunidades y amenazas de una organización.

3.3 EL MODELO DE CINCO FUERZAS

Una **industria** se define como un grupo de compañías oferentes de productos o servicios que son sustitutos cercanos entre sí. Los sustitutos cercanos son productos o servicios que satisfacen las mismas necesidades básicas del *consumidor*. Por ejemplo, los tableros plásticos y metálicos utilizados en la fabricación de automóviles son sustitutos cercanos entre sí. A pesar de las diferentes tecnologías de producción, las empresas de autopartes fabricantes de tableros metálicos se encuentran en la misma industria básica de las firmas que producen tableros plásticos. Atienden la misma necesidad de consumo: suministrar tableros a aquellas compañías ensambladoras de automóviles.

El desafío para los gerentes consiste en analizar las fuerzas competitivas de un ambiente industrial a fin de identificar las oportunidades y amenazas que enfrenta una organización. Michael E. Porter de Harvard School of Business Administration desarrolló un marco teórico para auxiliar a los gerentes en la realización de este análisis[2]. El marco teórico de Porter, conocido como el **modelo de cinco fuerzas**, aparece en la figura 3.2. Éste se concentra en las cinco fuerzas que generan la competencia dentro de una industria: (1) el riesgo por el nuevo ingreso de potenciales competidores, (2) el grado de rivalidad entre compañías establecidas dentro de una industria, (3) el poder de negociación de los compradores, (4) el poder de negociación de los proveedores, y (5) la proximidad de sustitutos para los productos de una industria.

Porter argumenta que cuanto más fuerte sea cada una de estas fuerzas, más limitada estará la capacidad de compañías establecidas para aumentar precios y obtener mayores utilidades. Dentro de su marco teórico, una fuerza competitiva sólida puede considerarse una amenaza puesto que disminuye las utilidades. Una fuerza competitiva débil puede tomarse como una oportunidad, pues permite que la empresa obtenga mayor rentabilidad. La solidez de las cinco fuerzas puede cambiar con el paso del tiempo, debido a factores que se encuentran fuera del control directo de una firma, como la evolución industrial. En tales circunstancias, la tarea que enfrentan los gerentes estratégicos consiste en reconocer oportunidades y amenazas a medida que surjan y formular respuestas estratégicas apropiadas. Además, es posible que una organización, mediante su selección de estrategias, altere la solidez de una o más de las cinco fuerzas con el fin de lograr ventaja. Esto forma parte del contenido de los siguientes capítulos. Éste se concentra en comprender el impacto de cada una de las cinco fuerzas en una compañía.

Figura 3.2
El modelo de cinco
fuerzas

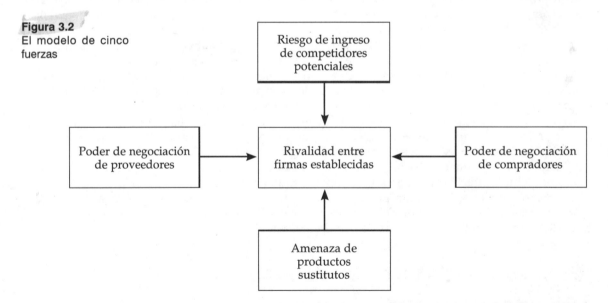

Competidores potenciales

Los competidores potenciales son compañías que en el momento no participan en una industria pero tienen la capacidad de hacerlo si se deciden. Por ejemplo, a comienzos de la década de 1980 American Telephone & Telegraph Co. se consideraba un rival potencial en la industria del computador personal, pues poseía la tecnología, fuerza de ventas y capital necesarios para fabricar y vender los PC. En realidad, AT&T ingresó en la industria en 1985, aunque posteriormente no aseguró una fuerte posición en el mercado. Las compañías establecidas tratan de hacer desistir a los competidores potenciales de su ingreso, puesto que cuanto mayor sea la cantidad de empresas que ingresen en una industria, más difícil será para aquéllas mantener su participación en el mercado y generar utilidades. Por consiguiente, un alto riesgo de ingreso de potenciales rivales representa una amenaza para la rentabilidad de las firmas establecidas. Por otro lado, si es menor el riesgo de un nuevo ingreso, las organizaciones establecidas pueden sacar ventaja de esta oportunidad para aumentar precios y obtener mayores rendimientos.

La solidez de la fuerza competitiva de potenciales rivales depende en forma considerable de la dificultad de las barreras impuestas al ingreso. El concepto de barreras de ingreso implica que existen costos significativos para entrar en una industria. Cuanto mayores sean los costos por asumir, mayores serán las barreras de ingreso para los competidores potenciales. Difíciles barreras de ingreso mantienen a potenciales rivales fuera de una industria incluso cuando los rendimientos industriales son altos. El economista Joe Bain realizó un estudio clásico, en el cual identificó tres fuentes importantes de barreras para un nuevo ingreso: lealtad a la marca, ventajas de costo absoluto y economías de escala[3].

Lealtad a la marca Esta fuente consiste en la preferencia que tienen los compradores por los productos de compañías establecidas. Una firma puede fomentar este tipo de fidelidad mediante publicidad constante de la marca y la empresa, protección de la marca registrada en los productos, innovación de productos a través de programas de investigación y desarrollo, un énfasis en la óptima calidad del producto y un buen servicio de posventa. La significativa lealtad a la marca representa una dificultad para los nuevos aspirantes si desean despojar la participación en el mercado de las organizaciones establecidas. De esta manera se reduce la amenaza de ingreso de potenciales competidores puesto que pueden advertir que es demasiado costosa la tarea de acabar con las muy establecidas preferencias de los consumidores.

Ventajas de costo absoluto Disminuir costos absolutos suministra a las compañías establecidas una ventaja que es difícil igualar por parte de los competidores potenciales. Las ventajas de costo absoluto pueden surgir de técnicas de producción superiores. Estas técnicas son producto de la práctica, patentes o procesos secretos del pasado; del control de particulares insumos necesarios para la producción como mano de obra, materiales, equipos o habilidades administrativas; o del acceso a capitales menores ya que empresas existentes representan menores riesgos que las firmas establecidas. Si estas últimas cuentan con una ventaja de costo absoluto, disminuye entonces por otra parte la amenaza de ingreso.

Economías de escala Las economías de escala son las ventajas de costo asociadas a compañías de gran magnitud. Las fuentes de las economías de escala incluyen reducciones de costo obtenidas a través de fabricación en serie de productos normalizados, descuentos por compras de materias primas y piezas en grandes volúmenes, la distribución de costos fijos sobre un gran volumen y economías de escala en publiciad. Si estas ventajas de costos son significativas, entonces un nuevo aspirante enfrenta el dilema de entrar en pequeña escala y soportar una significativa desventaja de costos, o correr el gran riesgo de ingresar en gran escala y asumir los enormes costos de capital. Un riesgo

Barreras de ingreso en la industria de aviones comerciales de propulsión a chorro

En este momento sólo hay tres participantes importantes en la industria mundial de aviones comerciales de propulsión a chorro: Airbus Industrie, Boeing y McDonnell Douglas. La existencia de tan pocos participantes se explica en parte por las barreras de ingreso impuestas en esta industria. Estas barreras se deben a los enormes costos y riesgos asociados al desarrollo de nuevos jets comerciales y a las economías de escala que disfrutan las compañías involucradas.

Con relación a los costos de desarrollo, Mc-Donnell Douglas gastó US$1,500 millones en el desarrollo y montaje de su avión comercial de cabina ensanchada el MD-11, introducido a finales de la década de 1980, y calculó que los costos de desarrollo para el modelo propuesto MD-12, que competirá con el 747 de Boeing, será del orden de US$5,000 millones. Dados estos enormes costos de desarrollo, con el propósito de que una compañía recupere lo invertido debe capturar una participación significativa de la demanda mundial. Por ejemplo, en el caso del MD-11, McDonnell Douglas tendrá que vender más de 200 aviones para recuperar lo invertido, cifra que representa el 13% de las ventas industriales pronosticadas para este tipo de aviones entre 1990 y el año 2000. Un modelo como el MD-12 puede requerir 400 a 500 unidades vendidas para recuperar la inversión. En consecuencia, pueden transcurrir de 10 a 14 años de producción antes de que un avión alcance su punto de equilibrio, sumados a 5 ó 6 años de flujos negativos de efectivo que deben asumir durante el proceso de desarrollo. Estos altos costos de desarrollo y de riesgos sirven

como freno a un nuevo competidor; hacen mayores las barreras de ingreso.

En cuanto a las economías de escala, el consenso mundial es que existen significativas economías de escala en la producción de esta industria. Aún más importante, las economías de costos con base en la experiencia en promedio disminuyen en un 20% aproximadamente el costo unitario de producir un avión de propulsión a chorro en particular cada vez que se duplica la producción acumulada. Por tanto, las compañías con operaciones establecidas tendrán una significativa ventaja de costos sobre los nuevos aspirantes. En efecto, se calculó que las empresas que logran sólo la mitad de la participación en el mercado, requerida para recuperar la inversión, enfrentan una desventaja de costos por unidad del 20% en comparación con aquellas cuya participación en el mercado excede el punto de equilibrio. Así, empresas establecidas como Boeing, que durante años ha producido modelos como el 747 y el 737, tiene una considerable ventaja en costos frente a los potenciales nuevos fabricantes.

Sin embargo, a pesar de las grandes barreras de ingreso impuestas en esta industria, Airbus logró ingresar en forma exitosa durante la década de 1980, fue la primera organización en hacerlo desde comienzos de la década de 1960. En la actualidad, Airbus tiene una participación en el mercado que es secundada sólo por la de Boeing. No obstante, éste es un caso inusual, pues Airbus recibió considerables subsidios de los gobiernos de Alemania, Francia, España y Gran Bretaña que le ayudaron a superar las barreras de ingreso en esa industria[5].

adicional de ingresar en gran escala consiste en que el aumento en la oferta de productos reducirá los precios y generará una fuerte retaliación por parte de empresas establecidas. Por tanto, cuando estas organizaciones poseen economías de escala, se reduce la amenaza de ingreso.

Si las compañías establecidas han generado lealtad a la marca para sus productos, poseen una ventaja de costo absoluto con respecto a los competidores potenciales, o si tienen significativas economías de escala, entonces disminuye en forma considerable el riesgo de ingreso por parte de potenciales rivales. Cuando este riesgo es menor, las empresas establecidas pueden cobrar precios más altos y obtener mayores utilidades que no serían posibles de otra manera. Obviamente, entonces, el interés de las organizaciones consiste en buscar estrategias consistentes con estos fines. En efecto, la evidencia empírica sugiere que la dificultad de las barreras de ingreso es el determinante más importante de las tasas de utilidad en una industria[4]. Ejemplos de industrias donde son grandes las barreras de ingreso incluyen la farmacéutica, detergentes de uso doméstico y aviones comerciales de propulsión a chorro. En los dos primeros casos, la diferenciación de producto, lograda mediante considerables desembolsos en investigación y desarrollo y en publicidad, generó lealtad a la marca, haciendo difícil que nuevas compañías ingresaran en gran escala en estas industrias. Las estrategias de diferenciación de Procter & Gamble y Unilever en los detergentes de uso doméstico han sido tan exitosas que estas dos firmas dominan la industria global. En el caso de la industria de aviones comerciales de propulsión a chorro, analizada en detalle en la estrategia en acción 3.1, las barreras de ingreso se deben básicamente a las economías de escala.

Rivalidad entre compañías establecidas

La segunda de las cinco fuerzas competitivas de Porter es el grado de rivalidad entre compañías establecidas dentro de una industria. Si esta fuerza competitiva es débil, las empresas tienen la oportunidad de aumentar precios y obtener mayores utilidades. Pero si es sólida, la significativa competencia de precios, que incluye guerra de precios, puede resultar de una intensa rivalidad. La competencia de precios limita la rentabilidad al reducir los márgenes que se obtienen en las ventas. De esta manera, la intensa rivalidad entre firmas establecidas constituye una fuerte amenaza para la rentabilidad. El grado de rivalidad entre estas organizaciones dentro de una industria depende ampliamente de tres factores: (1) estructura competitiva de la industria, (2) condiciones de demanda, y (3) la dificultad de barreras de salida en la industria.

Estructura competitiva   Este factor se refiere a la distribución en cantidad y magnitud de las compañías en una industria particular. Las diferentes estructuras competitivas tienen diversas implicaciones para la rivalidad. Las estructuras varían de **fragmentadas** a **consolidadas**. Una industria fragmentada contiene gran cantidad de empresas medianas o pequeñas, pero ninguna está en posición de dominar la industria. Una industria consolidada es dominada por una pequeña cantidad de grandes firmas o, en casos extremos, por una sola organización (monopolio). Las industrias fragmentadas varían desde la agricultura, alquiler de videos, clubes para el cuidado de la salud hasta la industria de corretaje de bienes raíces y los salones para bronceado. Las industrias consolidadas incluyen la aeronáutica, automotriz y farmacéutica. La estructura competitiva más común en EE.UU. es la consolidada, llamada por los economistas *oligopolio*[6]. En la figura 3.3. se ilustran los tipos de estructuras y sus diferentes características.

Muchas industrias fragmentadas se caracterizan por bajas barreras de ingreso y productos populares difíciles de diferenciar. La combinación de estos rasgos tiende a generar ciclos de auge y fracaso. Las bajas barreras de ingreso implican que cada vez que la demanda sea fuerte y las utilidades sean altas habrá una corriente de nuevos aspirantes en espera para aprovechar el auge. La enorme cantidad de tiendas de video, clubes para el cuidado de la salud y salones de bronceado durante la década de 1980, ejemplifica esta situación. A menudo, la corriente de nuevos aspirantes dentro del auge en la industria fragmentada genera capacidad excedente. Una vez desarrollada una capacidad excedente, las compañías empiezan a reducir los precios para utilizar su capacidad de reserva. La dificultad que enfrentan las empresas cuando tratan de diferenciar sus productos de los de sus competidores puede empeorar esta tendencia. El resultado es una guerra de precios, que disminuye las utilidades de la industria, expulsa del negocio a algunas firmas y desanima a los nuevos aspirantes potenciales. Por ejemplo, luego de una década de expansión y auge de utilidades, muchos clubes encargados del cuidado a la salud se encuentran con que tienen que ofrecer grandes descuentos para mantener sus socios.

Figura 3.3
El *espectro* de las estructuras industriales

En general, cuanto más popular sea el producto de una industria, más viciada será la guerra de precios. Esta parte negativa del ciclo se mantiene hasta que la capacidad general de la industria entra en línea con la demanda (mediante quiebras), en cuyo punto los precios se pueden estabilizar de nuevo.

Una estructura de industria fragmentada, entonces, se constituye en una amenaza en vez de ser una oportunidad. La mayoría de los auges relativamente tendrán corta duración debido a la facilidad de nuevos ingresos y a que en seguida habrá guerras de precios y procesos de quiebra. Puesto que la diferenciación a menudo es difícil en estas industrias, la mejor estrategia que puede seguir una compañía en estas circunstancias es la minimización de costos. Ésta permite que acumule altos rendimientos en condiciones de auge y sobreviva a cualquier fracaso posterior.

Es muy difícil pronosticar la naturaleza e intensidad de la competencia en las industrias consolidadas. La única certeza sobre estas industrias es que las empresas son interdependientes; es decir, las actuaciones competitivas de una firma afectan en forma directa la rentabilidad de las demás en ese ámbito. Por ejemplo, la introducción por parte de General Motors de una tasa financiera reducida para vender automóviles en 1986 tuvo un impacto negativo inmediato en las ventas y utilidades de Chrysler Corp. y Ford Motor Co., organizaciones que luego debieron introducir paquetes similares a fin de proteger su participación en el mercado.

Por tanto, en una industria consolidada, la actuación competitiva de una compañía afecta en forma directa la participación en el mercado de sus rivales, obligándolos a reaccionar. La consecuencia de esta interdependencia competitiva puede convertirse en una peligrosa espiral competitiva, en la que los rivales entre sí tratan de socavar sus precios, ocasionando la caída de utilidades industriales en el proceso. La guerra de tarifas que agobió a la industria aérea en años recientes es un buen ejemplo de esta situación. En 1990 cuando cayó la demanda de viajes aéreos y a medida que la economía estadounidense entraba en recesión, las aerolíneas comenzaron a reducir los precios con el fin de mantener sus grandes cantidades de pasajeros. Cuando una aerolínea que atendía una ruta particular reducía los precios, sus competidores la imitaban. El resultado fue una espiral particularmente severa baja de precios. La competencia de precios se hizo tan intensa que entre 1990 y 1992 la industria perdió la asombrosa cantidad de US$7,100 millones, más de lo que había ganado en los 50 años anteriores, y algunas compañías de transportes de larga permanencia, como Pan American World Airways, desaparecieron por quiebra.

Sin duda, la interdependencia de compañías en industrias consolidadas y la posibilidad de una guerra de precios se constituyen en una amenaza mayor. Las empresas a menudo buscan reducir esta amenaza al seguir el liderazgo en precios determinado por una organización dominante en la industria. Sin embargo, las compañías deben ser cuidadosas, ya que los acuerdos explícitos de fijación de precios son ilegales, aunque no ocurra lo mismo con los acuerdos tácitos. (Un acuerdo tácito es aquel que se logra sin comunicación directa. Más bien, las compañías observan e interpretan entre sí su comportamiento. Lo usual es que en los acuerdos tácitos se involucra seguir el liderazgo en precios impuesto por una compañía dominante)[7]. No obstante, los acuerdos tácitos de liderazgo en precios con frecuencia se rompen bajo condiciones económicas adversas, como comienza a suceder en la industria cervecera. Durante la mayor parte de la década de 1980, Anheuser-Busch fue el reconocido líder de precios en esta industria. La consecuente ausencia de competencia de precios ayudó a mantener altas utilidades industriales. Sin embargo, el lento crecimiento en el consumo de cerveza a finales de esta década y comienzos de la de 1990 presionó las ganancias de las principales cervecerías y persuadió a Miller Brewing Company (una división de Philip Morris) y a Adolph Coors Co. de romper los esquemas e instituir una política de grandes y continuos descuentos en muchas de sus marcas. En 1990 el líder del mercado, Anheuser-Busch, anunció que comenzaría a ofrecer descuentos similares para proteger el volumen de sus ventas. En consecuencia, después del rompimiento de un acuerdo tácito de liderazgo en precios, la industria cervecera parece desplazarse a una guerra de precios.

De manera más general, cuando las guerras de precios representan una amenaza, las compañías compiten con base en factores independientes del precio como calidad del producto y características de diseño. Este tipo de competencia constituye un intento para generar lealtad a la marca y reducir la probabilidad de una guerra de precios. Sin embargo, la efectividad de esta estrategia depende de la facilidad de diferenciar el producto de una industria. Aunque algunos productos (como los automóviles) son relativamente fáciles de diferenciar, otros (como los viajes aéreos) esencialmente son populares pues son muy difíciles de diferenciar.

Condiciones de demanda   Las condiciones de demanda de la industria representan otro determinante de la intensidad de la rivalidad entre compañías establecidas. La creciente demanda tiende a moderar la competencia al suministrar mayor espacio para la expansión. La demanda aumenta cuando el mercado en su totalidad crece mediante la adición de nuevos consumidores o cuando los consumidores existentes adquieren más productos de una industria. Cuando crece la demanda, las empresas pueden aumentar los ingresos sin apropiarse de la participación en el mercado de otras firmas. De esta manera, la creciente demanda proporciona a una organización la mayor oportunidad de ampliar sus operaciones.

Por el contrario, la declinación en la demanda genera mayor competencia ya que las compañías luchan por mantener los ingresos y la participación en el mercado. La demanda declina cuando los consumidores abandonan el mercado o cuando cada uno compra menos. Cuando se presenta esta situación, una empresa puede crecer sólo al apropiarse de la participación en el mercado de otras firmas. Por consiguiente, la declinación en la demanda constituye una mayor amenaza, ya que aumenta el grado de rivalidad entre organizaciones establecidas. El tema que determina las condiciones de demanda se analiza en forma más detallada posteriormente en este capítulo, cuando se examine la evolución industrial.

Barreras de salida   Este factor representa una seria amenaza competitiva cuando declina la demanda industrial. Estas barreras son de carácter económico, estratégico y emocional que mantienen dentro de un ámbito a compañías en competencia aunque los rendimientos sean bajos. Si las barreras de salida son altas, las empresas pueden bloquearse en una industria desfavorable; puede generarse una excesiva capacidad productiva. A su vez, la capacidad excedente tiende a ocasionar a una intensa competencia de precios, con firmas que reducen precios en un intento por obtener los pedidos necesarios para utilizar su capacidad inactiva.

Las barreras de salida comunes incluyen las siguientes:

1. Inversiones en planta y equipos que no tienen usos alternativos y no pueden ser liquidados. Si la compañía desea abandonar la industria, tiene que dar por perdido el valor contable de estos activos.
2. Los elevados costos fijos de salida, como el pago de indemnización a trabajadores sobrantes.

3. Los vínculos emocionales con determinada industria, por ejemplo, una firma que no está dispuesta a salir de su ámbito original por razones sentimentales.
4. Las relaciones estratégicas entre las unidades de negocios. Por ejemplo, dentro de una organización diversificada, una unidad de actividades de bajo rendimiento puede suministrar ingresos vitales a una unidad de negocios de grandes rendimientos ubicada en otro ámbito. En consecuencia, la compañía puede estar renuente a salir del negocio de bajo rendimiento.
5. La dependencia económica en determinada industria, como cuando una empresa no es diversificada y depende, por tanto, de ese ámbito para lograr sus ingresos.

La experiencia de la industria del acero ilustra los adversos efectos competitivos de elevadas barreras de salida[8]. Una combinación de la declinación en la demanda y nuevas fuentes de oferta de bajo costo produjeron excesiva capacidad en la industria mundial del acero a finales de la década de 1980. Las compañías norteamericanas, con su estructura de altos costos, estaban en el penoso final de su ocaso. La demanda de acero norteamericano cayó en 1977 de un tope de 160 millones de toneladas a 70 millones en 1986.

El resultado fue una excesiva capacidad que llegó a un estimativo de 45 millones de toneladas en 1987, o sea el 40% del total de la capacidad productiva. Para tratar de utilizar esta capacidad, muchas acerías redujeron en forma radical sus precios. Como consecuencia de esta resultante guerra de precios, bajaron las utilidades industriales, y varias de las firmas más importantes, incluso LTV Steel Company y Bethlehem Steel, entraron en quiebra.

Dado que la industria del acero se caracterizaba por la excesiva capacidad durante la mayor parte de la década de 1980, ¿por qué las compañías no la redujeron? La respuesta es que muchas lo intentaron, pero los costos de salida desaceleraron el proceso y prolongaron la concomitante guerra de precios. Por ejemplo, en 1983 USX bajó en un 16% su capacidad de explotación de acero puro a un costo de US$1,200 millones. USX tuvo que dar por perdido el valor contable de estos activos; no se pudieron vender. Además, tuvo que cubrir pensiones y seguros para 15,400 trabajadores liquidados. Dados los altos costos de salida, empresas como USX han quedado estancadas en este medio no rentable. El efecto de una salida obstruida ha sido una competencia de precios más intensa que no sería posible en otras circunstancias. De este modo, las elevadas barreras de salida, al demorar el abandono del ámbito del acero por parte de varias organizaciones, amenazan la rentabilidad de todas las compañías en esa industria.

Tabla 3.1
Condiciones de demanda y barreras de salida como determinantes de las oportunidades y amenazas en una industria consolidada

Barreras de salida	**Condiciones de demanda**	
	Declinación de la demanda	**Crecimiento de la demanda**
Altas	Gran amenaza de excesiva capacidad y guerras de precios	Oportunidades para aumentar precios mediante el liderazgo en precio y para ampliar operaciones
Bajas	Moderada amenaza de excesiva capacidad y guerras de precios	Oportunidades para aumentar precios mediante el liderazgo en precio para ampliar operaciones

Interacciones entre factores   El grado de rivalidad entre compañías establecidas dentro de una industria depende de la estructura competitiva, las condiciones de demanda y las barreras de salida. En particular, dentro de una industria consolidada, la interacción de estos factores determina el grado de rivalidad. Por ejemplo, el ambiente de una industria consolidada puede ser favorable cuando el crecimiento de la demanda es elevado. Bajo tales circunstancias, las empresas podrían aprovechar la oportunidad para adoptar acuerdos de liderazgo en precios. Sin embargo, cuando declina la demanda y son elevadas las barreras de salida, existe la posibilidad de que el probable surgimiento de la excesiva capacidad ocasione guerras de precios. Así, al depender de la interacción entre estos diversos factores, el *grado* de rivalidad entre compañías establecidas en una industria consolidada podría constituir una oportunidad o una amenaza. Estos aspectos se resumen en la tabla 3.1.

El poder de negociación de los compradores

Ésta es la tercera de las cinco fuerzas competitivas de Porter. Los compradores se pueden considerar una amenaza competitiva cuando obligan a bajar precios o cuando demandan mayor calidad y mejor servicio (lo que aumenta los costos operativos). De manera alternativa, los compradores débiles suministran a la compañía la oportunidad de aumentar los precios y obtener mayores rendimientos. Si los compradores pueden hacer demandas a una compañía dependen de su poder relacionado con el de aquella. Según Porter, los compradores son más poderosos en las siguientes circunstancias:

1. Cuando la industria proveedora se compone de muchas firmas pequeñas y los compradores son unos cuantos y de poca magnitud. Estas condiciones permiten que los compradores dominen a las proveedoras.
2. Cuando los compradores adquieren grandes cantidades. En tal situación, los compradores pueden usar su poder de adquisición como apalancamiento para negociar reducciones de precios.
3. Cuando la industria proveedora depende de los compradores en un gran porcentaje de sus pedidos totales.
4. Cuando los compradores pueden cambiar pedidos entre empresas proveedoras a menores costos, enfrentando a las compañías entre sí para obligarlas a bajar los precios.
5. Cuando es económicamente factible que los compradores adquieran el insumo de varias firmas a la vez.
6. Cuando los compradores pueden usar la amenaza para satisfacer sus propias necesidades mediante integración vertical como instrumento de reducción de precios[9].

El ejemplo de una industria cuyos compradores son poderosos es la de abastecimiento de autopartes. Los proveedores de autopartes son numerosos y, por lo regular, pequeños en escala. Sus clientes, los fabricantes de automóviles, son grandes y apenas unos cuantos. Chrysler, por ejemplo, hace negocios con casi 2,000 suministradores de partes y por lo general contrata varias organizaciones para abastecer la misma pieza. Las principales compañías automotrices han utilizado su poderosa posición con el fin de enfrentar a los proveedores entre sí, hacer bajar los precios que pagan por las partes y demandar mejor calidad. Si uno de ellos se opone, entonces aquéllas utilizan la amenaza de cambiarse a otro abastecedor como instrumento de negociación. Además, para mantener bajos precios, tanto Ford como General Motors han utilizado la amenaza de fabricar las partes por sí mismos en vez de comprar las de los proveedores. Los compradores en la industria del cuidado de la salud también están ganando poder; en la estrategia en acción 3.2 se estudia este proceso.

La cambiante relación entre compradores y proveedores en la industria del cuidado de la salud

Por décadas las compañías farmacéuticas, como importantes proveedores de productos indispensables para el cuidado de la salud, han estado en la conducción de esta industria. Empresas farmacéuticas como Merck, Pfizer, Glaxo y Ciba-Geigy invirtieron cientos de millones de dólares al año para producir nuevas drogas. Aunque éste es un proceso riesgoso con baja probabilidad de éxito, las organizaciones que crean nuevos medicamentos con importantes aplicaciones médicas históricamente han ocupado una posición muy poderosa. Las firmas pueden patentar medicinas, esto impide que los competidores elaboren y mercadeen productos con base en los mismos componentes químicos durante un periodo de 17 años. Protegidas por las patentes, estas compañías han podido cobrar altos precios. Dado que quienes formulan drogas, los médicos, no pagan por éstas, no tienen en sí un motivo para interesarse por los precios; más bien se preocupan por beneficiar a sus pacientes. En cuanto a los pacientes, ya que las compañías aseguradoras a menudo terminan por pagar sus prescripciones médicas tampoco tienen un gran incentivo para fijarse en sus precios. Por tanto, ha habido poca presión en los precios de los medicamentos en este medio. Por ejemplo, durante la década de 1980 y comienzos de la de 1990, los precios de las medicinas estadounidenses superaron de dos a tres veces la tasa de inflación anual. En 1992 aumentaron a una tasa anual del 5.7%, significativamente mayor que el 2.9% de la tasa de inflación.

Existen indicios de que esta situación está cambiando y que compradores poderosos están comenzando a limitar la capacidad de las compañías farmacéuticas de incrementar los precios de las drogas. Dos factores entran en juego en este caso. El primero es el aumento de organizaciones para el mantenimiento de servicios de salud [*health maintenance organizations* (HMO)]. Estas organizaciones se establecieron en un intento por controlar los costos del cuidado de la salud. Los afiliados a las HMO sacrifican la libertad de elección en cuanto al proveedor respectivo para obtener unos costos de seguros más bajos. Las HMO resultan atractivas para las empresas, las cuales encuentran a menudo más económico suministrar a los empleados una cobertura de cuidado de la salud a través de estas organizaciones que mediante el seguro convencional. Como un aspecto de su esfuerzo para controlar costos, las HMO negocian en forma directa con las firmas farmacéuticas a favor de todos los médicos por precios atractivos en las drogas más importantes. El enorme poder de compra de las HMO, junto con su interés en los precios de los medicamentos, que los médicos en forma independiente nunca han tenido, empiezan a ejercer efecto sobre estos precios.

Bajo su propia responsabilidad las HMO probablemente no podrían limitar los precios de las drogas. Es posible que una medicina importante la tenga un solo proveedor, lo que pone en desventaja a estas organizaciones. Después de todo, una HMO difícilmente puede rechazar a un paciente grave el acceso a un medicamento que de manera potencial le puede salvar la vida sólo porque es muy costoso. Sin embargo, ocurre que estas compañías están introduciendo otros con componentes similares para competir con los patentados de los rivales. Estas drogas sustituto se diferencian químicamente de los productos pioneros y, por tanto, no tienen patente, pero ofrecen análogos beneficios médicos. Por ejemplo, tres compañías sacaron al mercado medicamentos antidepresivos muy parecidos: Smithkline Beecham ofrece Paxil; Eli Lilly & Co, el Prozac; y Pfizer, el Zoloft. (El Prozac de Eli Lilly fue el pionero). El cambio a las medicinas de componentes similares se debe a que las firmas farmacéuticas hicieron importantes descubrimientos médicos durante las últimas décadas y quedan muy pocas áreas prometedoras para la investigación. Así, para mantener sus tasas históricas de crecimiento, cada vez más se consideran estas drogas sustituto.

Desde la perspectiva de las HMO, el reciente surgimiento de las drogas con características similares les da una inesperada alternativa. Por ejemplo, si Eli Lilly de esta manera se niega a reducir el precio del Prozac, una HMO siempre puede amenazar con utilizar un sustituto como Paxil. En efecto, a comienzos de 1993 la estrategia establecida por Smithkline Beecham para el Paxil era fijarle un precio del 13% inferior al Prozac. El hecho de que los proveedores de servicios de salud ahora tengan una alternativa, y la aparente disponibilidad de las compañías farmacéuticas para comenzar una rebaja de precios, comienza a cambiar la relación de poder en la industria del cuidado de la salud. Aunque las HMO, los mayores compradores de medicamentos, históricamente han tenido poca influencia en las productoras de drogas, su poder aumenta. Si la tendencia continúa, es probable que el resultado sea una competencia más intensa y disminuyan los precios de las medicinas y las utilidades en el medio farmacéutico, pero también los costos para las HMO[10].

El poder de negociación de los proveedores

La cuarta de las fuerzas competitivas de Porter es el poder de negociación de los proveedores. Ellos pueden considerarse una amenaza cuando están en capacidad de imponer el precio que una compañía debe pagar por el insumo o de reducir la calidad de los bienes suministrados, disminuyendo en consecuencia la rentabilidad de ésta. De manera alternativa, los suministradores débiles proporcionan a la empresa la oportunidad de hacer bajar los precios y exigir mayor calidad. Al igual que con los compradores, la capacidad de los abastecedores para hacer exigencias a una firma depende de su poder relacionado con el de aquella. Según Porter, los proveedores son más poderosos en las siguientes circunstancias:

1. Cuando el producto que venden tiene pocos sustitutos y es importante para la compañía.
2. Cuando la organización no es un cliente importante para los proveedores. En tales instancias, su bienestar no depende de la compañía y ellos tienen pocos incentivos para reducir precios o mejorar la calidad.
3. Cuando los respectivos productos de los proveedores se diferencian a tal grado que para una firma es muy costoso cambiarse de abastecedor. En tales casos, el cliente depende de ellos y no puede enfrentarlos entre sí.
4. Cuando, a fin de aumentar los precios, los suministradores pueden usar la amenaza de integrarse verticalmente hacia adelante dentro de la industria y competir en forma directa con su cliente.
5. Cuando los compradores no pueden usar la amenaza de integrarse verticalmente hacia atrás y suplir sus propias necesidades como medio para reducir los precios de los insumos[11].

Durante mucho tiempo las compañías de transporte aéreo fueron ejemplo de una industria cuyos proveedores eran poderosos. En particular, los pilotos de aerolíneas y los sindicatos conformados por los mecánicos de aviones, como proveedores de mano de obra, tuvieron una fuerte posición con respecto a las aerolíneas. Éstas dependían de los sindicatos para volar y reparar su aparatos. Debido a los acuerdos laborales y a la probabilidad de huelgas perjudiciales, la mano de obra no sindicalizada no se consideraba un posible sustituto. Los sindicatos utilizaban su posición para aumentar los sueldos de pilotos y mecánicos por encima del nivel que hubiera prevalecido en circunstancias más competitivas, como las que suelen presentarse en este ámbito. Esta situación duró hasta comienzos de la década de 1980, cuando la estructura resultante de altos costos de este medio comenzó a llevar a la quiebra a muchas organizaciones de transporte aéreo. Éstas utilizaron entonces la amenaza de quiebra para romper los acuerdos sindicales y obligar a bajar los costos de mano de obra, a menudo hasta en un 50%.

La amenaza de los productos sustitutos

La última fuerza del modelo de Porter es la amenaza de productos sustitutos: los productos de industrias que satisfacen similares necesidades del consumidor como los del medio analizado. Por ejemplo, las compañías en el ámbito del café compiten de manera indirecta con las del té y las de bebidas refrescantes. (Estas tres industrias atienden las necesidades del consumidor en cuanto a bebidas). Los precios que pueden cobrar las empresas en la industria del café se limitan por la existencia de sustitutos como té y bebidas refrescantes. Si el precio del café aumenta demasiado con relación al de estas bebidas, entonces sus consumidores lo cambiarán por esos sustitutos. Este fenómeno se presentó cuando de manera inusual las heladas destruyeron la mayor parte de la cosecha de café brasileño entre 1975 y 1976; su precio alcanzó altos registros, hecho que reflejaba la escasez, y los consumidores en grandes cantidades comenzaron a cambiarse al té.

La existencia de sustitutos cercanos representa una fuerte amenaza competitiva, limita el precio que una organización puede cobrar y su rentabilidad. Sin embargo, si los productos de una empresa tienen unos cuantos sustitutos cercanos (es decir, si éstos son una débil fuerza competitiva), entonces, mientras las demás condiciones permanezcan constantes, la firma tiene la oportunidad de aumentar los precios y obtener utilidades adicionales. En consecuencia, sus estrategias deben diseñarse para sacar ventaja de esta situación.

El rol del macroambiente

Hasta aquí se han tratado las industrias como entidades autónomas, aunque en la práctica se encuentren en un **macroambiente** más amplio. Es decir, un ambiente económico, tecnológico, demográfico, social y político más amplio (*véase* figura 3.4). Los cambios en el macroambiente pueden tener un impacto directo en cualquiera de las cinco fuerzas expuestas en el modelo de Porter, alterando en consecuencia la relativa solidez de estas fuerzas y, con ello, el atractivo de una industria. Brevemente se analiza el impacto que cada aspecto de estas fuerzas macroambientales puede tener en la estructura competitiva de un medio industrial.

El ambiente macroeconómico   La condición del ambiente macroeconómico determina la prosperidad y bienestar general de la economía. Esto a su vez afecta la capacidad de la compañía para obtener una adecuada tasa de rendimiento. Los cuatro indicadores macroeconómicos más importantes en este contexto son la tasa de crecimiento de la economía, las tasas de interés, las tasas de cambio monetario y las tasas de inflación.

Puesto que el crecimiento económico conduce a una expansión en el desembolso del consumidor, tiende a generar un alivio general de las presiones competitivas dentro de una industria. Esta instancia suministra a las compañías la oportunidad de ampliar sus operaciones. Ya que la declinación económica genera reducción en el desembolso del consumidor, aumenta las presiones competitivas. La declinación económica con frecuencia causa guerras de precios en industrias maduras.

El nivel de tasas de interés puede determinar el nivel de demanda para los productos de una compañía. Las tasas de interés son importantes siempre que los consumidores de manera rutinaria soliciten préstamos para financiar las compras de estos productos. El ejemplo más evidente es el mercado de vivienda en el que el índice hipotecario afecta en forma directa a la demanda, pero las tasas de interés también tienen un impacto en la venta de automóviles, electrodomésticos y equipos

Figura 3.4 El rol del macroambiente

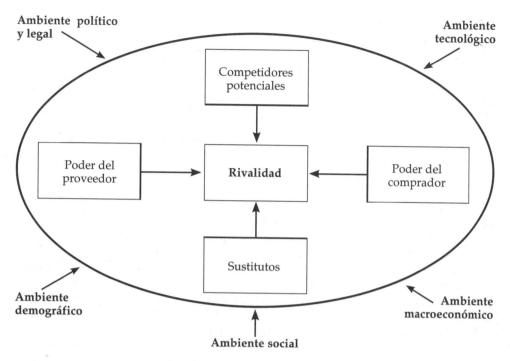

de capital, para nombrar unos cuantos ejemplos. Para las empresas de estos ámbitos, las crecientes tasas de interés representan una amenaza y cuando disminuyen se constituyen en una oportunidad.

Las tasas de cambio monetario determinan el valor de las diferentes monedas nacionales entre sí. El movimiento en las tasas de cambio monetario tiene un impacto directo en la competitividad de los productos de una firma en el mercado mundial. Por ejemplo, cuando el valor del dólar es inferior comparado con el de otras monedas, los productos hechos en EE.UU. son relativamente económicos y los del exterior son relativamente costosos. Una disminución o declinación en el dólar reduce la amenaza de competidores extranjeros mientras genera oportunidades para el aumento de ventas en el exterior. Por ejemplo, la disminución en el valor del dólar frente al yen japonés ocurrida entre 1985 y 1993, cuando la tasa cambiaria dólar/yen declinó de US$1 = 240 yenes a US$1 = 105 yenes, aumentó de manera abrupta el precio de automóviles importados del Japón, permitiendo a los fabricantes norteamericanos cierto grado de protección contra la amenaza japonesa.

La inflación puede desestabilizar la economía, al producir un crecimiento económico menor, altas tasas de interés y volátiles movimientos monetarios. Si la inflación se mantiene en aumento, los proyectos de inversión se hacen riesgosos. La característica clave de la inflación es que hace el futuro menos predecible. En un ambiente inflacionario, puede ser imposible pronosticar con cierta exactitud el valor real de los rendimientos por obtenerse de un proyecto a cinco años. Tal incertidumbre hace que las organizaciones estén menos dispuestas a invertir. Su limitación a la vez reduce la actividad económica, situación que a la postre genera un desplome de la economía. De esta manera, la alta inflación representa una amenaza para las compañías.

El ambiente tecnológico Desde la Segunda Guerra Mundial se aceleró la marcha del cambio tecnológico, al liberar un proceso conocido como "constante vendaval de destrucción creativa"[12]. El cambio tecnológico puede hacer que un producto establecido sea obsoleto de la noche a la mañana. Al mismo tiempo puede generar un sinnúmero de nuevas posibilidades para un producto. En efecto, es creativo y destructivo; representa tanto una oportunidad como una amenaza. Uno de los más importantes impactos de cambio tecnológico consiste en que puede afectar las barreras de ingreso y, como resultado, reformar radicalmente la estructura de la industria. Por ejemplo, en el caso inicial se ilustra a Wang Laboratories, Inc., empresa que se mantuvo fuerte en el mercado de procesamiento de palabras durante la década de 1970. Sin embargo, el cambio tecnológico a comienzos de la década de 1980 (la fabricación de económicos computadores personales) disminuyó efectivamente las barreras de ingreso en el mercado de procesadores de texto. El resultado fue el ingreso por parte de compañías de software como WordPerfect y Microsoft, cuyos programas de procesamiento de palabras pudieron correr en económicos computadores personales. Finalmente, este desarrollo impulsado por la tecnología llevó a Wang a la quiebra[13].

El ambiente social   Al igual que el cambio tecnológico, el cambio social origina oportunidades y amenazas. Uno de los mayores movimientos sociales de las décadas de 1970 y 1980 fue la tendencia hacia una mayor conciencia de obtener bienestar. Su impacto fue grande y las compañías que reconocieron las oportunidades a tiempo, a menudo, cosecharon significativos beneficios. Por ejemplo, Philip Morris sacó provecho de esta creciente tendencia en la búsqueda de bienestar cuando adquirió a Miller Brewing Company y luego redefinió la competencia en la industria cervecera con la introducción de su cerveza de bajas calorías (Miller Lite). De igual manera, Pepsico pudo ganar participación en el mercado de su archirrival, The Coca-Cola Company, al introducir por primera vez colas dietéticas y bebidas refrescantes de frutas. Al mismo tiempo, esta tendencia creó una amenaza para muchas industrias. Por ejemplo, el medio tabacalero ahora se encuentra en decadencia como resultado directo de una mayor conciencia del consumidor en cuanto a las implicaciones para la salud al fumar. De igual forma, el ámbito azucarero vio disminuir las ventas pues los consumidores decidieron cambiarse a los edulcorantes artificiales.

El ambiente demográfico   La cambiante composición de la población es otro factor que puede generar oportunidades y amenazas. Por ejemplo, así como la generación de la década de 1960, producto de la explosión demográfica, se ha desplazado a través de la población, ha creado muchas oportunidades y amenazas. En general, esa generación contrae matrimonio y está creando un ascenso vertiginoso en la demanda de productos para el hogar que normalmente compran las parejas casadas por primera vez. Así, compañías como Whirlpool Corporation y General Electric Co. esperan sacar provecho del pronosticado ascenso en la demanda de lavadoras, lavaplatos, secadores y otros artículos. La otra cara de la moneda es que las industrias orientadas a los jóvenes, como la de juguetes, han visto descender la base de consumidores en los últimos años.

El ambiente político y legal   Los factores político y legal también tienen un efecto importante en el nivel de oportunidades y amenazas en el ambiente. Una de las tendencias más significativas en los últimos años fue el desplazamiento hacia la desregulación. Al eliminar muchas restricciones legales, la desregulación disminuyó las barreras de ingreso y dio apertura a varias industrias para que se involucraran en intensa competencia. Por ejemplo, la desregulación de la industria de transporte aéreo en 1979 creó la oportunidad para el establecimiento de transportadores aéreos de tarifas bajas, oportunidad que Texas Air, People Express y otras trataron de capitalizar. Al mismo tiempo la intensidad aumentada de la competencia generó muchas amenazas, incluyendo la más notable, el peligro de prolongadas guerras de tarifas, que repetidamente lanzó al caos a la industria de transporte aéreo durante la última década.

En el futuro, los temores frente a la destrucción de la capa de ozono, la lluvia ácida y el calentamiento de la corteza terrestre son casi prioridad en la agenda política de la década presente. Dadas estas circunstancias, es probable que los gobiernos cada vez más promulguen severas regulaciones ambientales para limitar la contaminación del aire. En vez de resistirse a esta tendencia, las compañías deben tratar de sacarle ventaja. Por ejemplo, hacia 1974, cuando la reducción del ozono era aún una teoría, E. I. du Pont de Nemours & Co. decidió comenzar la investigación sobre sustitutos para los clorofluorocarbonos (CFC) que dañan la capa de ozono, ampliamente usados en aerosoles, ambientadores y equipos de refrigeración. Al mismo tiempo, Du Pont se comprometió a eliminar por fases la producción de CFC si se demostraba que representaban una amenaza para la salud pública. En marzo de 1988, en respuesta a la información de la NASA, Du Pont respetó ese compromiso y prometió descontinuar por fases la producción de CFC en un periodo de diez años. Aunque Du Pont espera perder US\$600 millones anuales en ventas de CFC, desde mediados de la década de 1970 la investigación de la empresa produjo tres alternativas viables para los CFC, las cuales se producen ahora comercialmente. En estos términos, al anticiparse a las regulaciones y adoptar una acción apropiada, Du Pont ahora se encuentra bien posicionada para tomar una amplia participación en el mercado de los sustitutos de CFC cuando se acabe el proceso de eliminación por fases de su uso a finales de la década de 1990.

3.4   GRUPOS ESTRATÉGICOS DENTRO DE LAS INDUSTRIAS

El concepto de grupos estratégicos

Hasta el momento se ha dicho poco acerca de cómo podrían diferenciarse entre sí las compañías en una industria y qué implicaciones tendrían las diferencias en las oportunidades y amenazas que enfrentan. En la práctica, las empresas en determinado ámbito a menudo se diferencian entre sí con relación a factores como canales de distribución utilizados, segmentos de mercado atendidos, calidad de productos, liderazgo tecnológico, servicio al cliente, políticas de fijación de precios, políticas de publicidad y promociones. Dentro de muchos medios, es posible observar grupos de firmas en las que cada miembro sigue la misma estrategia básica de otras organizaciones pertenecientes al grupo, pero diferente de la que buscan las compañías de otros conjuntos. Estos grupos de empresas se conocen como **grupos estratégicos**[14].

Por lo general, una cantidad limitada de grupos captura la esencia de las diferencias estratégicas entre las empresas en el interior de una industria. Por ejemplo, en el ámbito farmacéutico se destacan dos importantes grupos estratégicos (*véase* figura 3.5)[15]. Un grupo, que incluye firmas como Merck, Eli Lilly y Pfizer, se caracteriza por la gran inversión en I&D y una concentración en el desarrollo de drogas propias de gran efecto. Las organizaciones en este *grupo propietario* impulsan una estrategia de alto riesgo/elevado rendimiento. Es una estrategia de alto riesgo porque la investigación básica de medicamentos es difícil y costosa. Introducir una nueva medicina al mercado puede costar de US\$100 a US\$200 millones en I&D, además de una década de pruebas y experimentaciones médicas. La estrategia también es de elevado rendimiento porque una sola droga exitosa se puede patentar, proporcionándole al innovador un monopolio de 17 años en su producción y venta. Esto le permite al innovador cobrar un precio muy alto por el medicamento patentado, posibilitando que la compañía gane millones, si no miles de millones de dólares, durante el periodo de vigencia de la patente. (Por ejemplo, en 1992 Glaxo obtuvo US\$3,440 millones en ingresos de una medicina en particular, el antidepresivo Zantal).

El segundo conjunto estratégico podría caracterizarse como grupo de **drogas genéricas**. Este conjunto de empresas, que incluye a Marion Labs, ICN Pharmaceuticals y Carter Wallace, se concentra en la fabricación de drogas genéricas (económicas imitaciones de medicamentos iniciados por firmas en el grupo propietario cuyas patentes en el momento expiraron). Estas organizaciones se caracterizan por bajos gastos en I&D y énfasis en la competencia de precios. Están en búsqueda de una estrategia de menor riesgo y bajo rendimiento; es de menor riesgo porque no invierten millones de dólares en I&D y de bajo rendimiento porque no pueden cobrar altos precios.

Implicaciones de los grupos estratégicos

El concepto de grupos estratégicos tiene varias implicaciones en el análisis industrial y en la identificación de oportunidades y amenazas. Primero, los competidores inmediatos de una compañía son aquellos que se encuentran en su grupo estratégico. Debido a que todas las empresas dentro de un grupo estratégico siguen estrategias similares, los consumidores tienden a considerar sus productos como sustitutos directos entre sí. Así, una amenaza importante para la rentabilidad de una firma puede surgir del interior de su propio grupo estratégico.

Segundo, diversos grupos estratégicos pueden mantener una posición diferente con respecto a cada una de las fuerzas competitivas de Porter. En otras palabras, el riesgo ante el nuevo ingreso de competidores potenciales, el grado de rivalidad existente entre organizaciones en el interior de un grupo, el poder de negociación de los compradores, el poder de negociación de los proveedores y la fuerza competitiva de productos sustitutos pueden variar en intensidad entre los distintos grupos estratégicos localizados en el mismo ámbito.

Por ejemplo, en la industria farmacéutica, las compañías en el grupo propietario históricamente han estado en una posición muy poderosa con relación a los compradores ya que sus productos están patentados. Además, la rivalidad dentro de este grupo se limita a la competencia por ser el primero en patentar una nueva droga (conocida como la carrera de patentes). La competencia de precios ha sido excepcional, aunque, como se indicó en la estrategia en acción 3.2, existen indicios de que esta situación podría cambiar. Sin la competencia de precios, estas empresas han podido cobrar altos precios y obtener utilidades muy altas. En contraste, las firmas del grupo genérico se encuen-

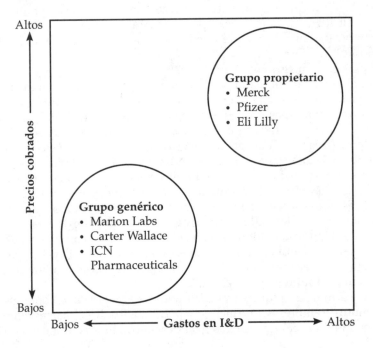

Figura 3.5
Grupos estratégicos en la industria farmacéutica

tran en una posición más débil con respecto a los compradores puesto que carecen de patentes para sus productos y debido a que ellos pueden escoger entre competentes drogas genéricas muy similares. Aún más, la competencia de precios entre las organizaciones de este grupo ha sido bastante intensa; esto refleja la carencia de diferenciación de producto. De esta manera, estas compañías han obtenido en cierto modo menores ingresos que las empresas del grupo propietario.

Se deduce que es preferible escoger ciertos grupos estratégicos, debido a que tienen un nivel menor de amenazas y cuentan con mayores oportunidades. Los gerentes deben evaluar si su firma estaría en mejores condiciones de competir en un grupo estratégico diferente. Si el ambiente de otro grupo estratégico es más favorable, entonces la integración a ese grupo se puede considerar como una oportunidad.

Sin embargo, esta oportunidad no es usual sin costos, en especial debido a las **barreras para la movilidad** entre grupos. Las barreras para la movilidad son factores que inhiben el desplazamiento de organizaciones entre grupos en una industria. Incluyen tanto las limitaciones para ingresar a un grupo como las restricciones para salir del grupo en el cual se encuentre la compañía. Por ejemplo, Marion Labs encontraría barreras para la movilidad si intentara ingresar al grupo propietario en el medio farmacéutico. Estas limitaciones surgirían debido a que Marion carece de habilidades en I&D que poseen empresas en el conjunto propietario, y que crearlas sería una propuesta costosa. De esta manera, una firma que estudia la posibilidad de ingresar en otro grupo estratégico debe evaluar la dificultad de estas barreras antes de decidir si se justifica el desplazamiento.

Las restricciones para la movilidad también implican que las organizaciones dentro de determinado grupo pueden protegerse en mayor o menor grado de la amenaza de ingreso por parte de compañías establecidas en otros grupos estratégicos. Si estas barreras son menores, entonces puede ser mayor la amenaza de ingreso de empresas en otros grupos, limitando efectivamente los precios que cobrarían y las utilidades que pueden obtener sin atraer nueva competencia. Si son mayores, entonces la amenaza de ingreso es menor, y las firmas dentro del grupo protegido tienen la oportunidad de elevar los precios y obtener mayores rendimientos sin atraer incorporaciones.

3.5 LIMITACIONES DEL MODELO DE CINCO FUERZAS Y DEL MODELO DE GRUPO ESTRATÉGICO

Los modelos de cinco fuerzas y de grupo estratégico constituyen formas muy útiles de reflexión y análisis acerca de la naturaleza de la competencia dentro de una industria. Sin embargo, los gerentes necesitan conscientizarse de sus deficiencias. Los dos modelos (1) presentan una imagen estática de la competencia que escatima el rol de la innovación, y (2) minimizan la importancia de las diferencias individuales de la compañía mientras hace énfasis excesivo en la relevancia de la industria y la estructura de los grupos estratégicos como determinantes de las tasas de rentabilidad de la organización.

Modelos estáticos en un mundo dinámico

Superior a cualquier periodo razonable, en muchas industrias la competencia se puede considerar como un proceso impulsado por la innovación[16]. Las empresas pioneras de nuevos productos, procesos o estrategias, a menudo pueden obtener enormes utilidades. Esta perspectiva suministra a las firmas un fuerte incentivo para buscar productos, procesos y estrategias de carácter innovador. Por ejemplo, considérese el extraordinario crecimiento de Apple Computer, Toys Я Us, Dell Computer o Wal-Mart. De una forma u otra, todas estas organizaciones fueron innovadoras. Apple fue pionera del computador personal, Dell introdujo una forma completamente nueva de vender computadores personales (mediante pedidos por correo), Toys Я Us fue pionera de una nueva manera de vender juguetes (mediante grandes descuentos en almacenes tipo depósito) y Wal-Mart que fue pionera del concepto de bajo precios en superalmacenes de descuento.

La exitosa innovación puede revolucionar la estructura de la industria. En las últimas décadas una de las consecuencias más comunes de la innovación fue reducir los costos fijos de producción, disminuyendo de esta manera las barreras de ingreso y permitiendo que nuevas y pequeñas empresas compitan con grandes organizaciones establecidas. Tómese el ejemplo del ámbito industrial del acero. Hace dos décadas este medio lo cubrían grandes acerías integradas como US Steel, LTV y Bethlehem Steel. Esta industria era un típico oligopolio, dominado por una pequeña cantidad de grandes productoras, en la cual se practicaba una tácita confabulación de precios. Luego llegó una serie de eficientes miniplantas productoras como Nucor y Chaparral Steel, que utilizaron nueva tecnología, hornos de arco. En los últimos 20 años revolucionaron la estructura de este ámbito. Lo que una vez fue una industria consolidada ahora se encuentra mucho más fragmentada y competitiva en precios. La firma sucesora de US Steel, USX, ahora tiene sólo el 15% de participación en el mercado, inferior al 55% registrado a mediados de la década de 1960, y tanto Bethlehem como LTV se acogieron a la protección de bancarrota contemplada en el capítulo 11 del Código de Quiebras de EE.UU. En contraste, como grupo las miniplantas en la actualidad tienen más del 30% del mercado, cifra muy superior al 5% de hace 20 años. Así la innovación emprendida por las miniplantas reformó la naturaleza de la competencia en este medio[17]. Un modelo de cinco fuerzas aplicado a la industria en 1970 sería muy distinto del que se emplee en 1995.

En cuanto a este respecto la industria del acero es apenas única. Más aún, en el ámbito del computador han ocurrido drásticos cambios; allí un sinnúmero de compañías, que no existían hace una década (Compaq Computer, Dell Computer, Sun Microsystems y Silicon Graphics) se apropiaron de la participación en el mercado de productores establecidos como IBM, Digital Equipment y Wang Labs, empresas que perdieron dinero en los últimos años. Hace 15 años nadie pronosticaba algo al respecto, pero en la actualidad la revolución que Apple Computer comenzó cuando introdujo su primer computador personal (revolución que por sí misma fue producto de un profundo cambio tecnológico) transformó por completo la estructura de este medio. Como resultado, un análisis de cinco fuerzas y un esquema de grupo estratégico de la industria computacional en 1980 serían completamente diferentes de los aplicados en 1995.

Michael Porter, difusor de los conceptos de cinco fuerzas y de grupo estratégico, en su más reciente trabajo reconoció en forma explícita el rol de la innovación en la revolución de la estructura industrial. Porter habla de innovaciones como "liberar" y "reformar" la estructura industrial. Su punto de vista parece ser que después de un periodo de turbulencia acelerado por la innovación, la estructura de un ámbito una vez más se establece dentro de un modelo completamente estable. Una vez estabilizada la industria en su nueva configuración, los conceptos de cinco fuerzas y de grupo estratégico se pueden aplicar de nuevo[18]. Esta visión de la evolución de la estructura industrial a menudo se denomina *equilibrio discontinuo*[19]. La visión sobre el equilibrio discontinuo sostiene que prolongados periodos de equilibrio (cuando la estructura de una industria es estable) está interrumpido por periodos de rápido cambio cuando la estructura industrial se revoluciona por la innovación. De esta manera, se registra un proceso de liberación y reestabilización.

En la figura 3.6 se ilustra cómo sería el equilibrio discontinuo en una dimensión clave de la estructura industrial, una estructura competitiva. De T_0 a T_1 la estructura competitiva de la industria es un oligopolio estable, con unas cuantas compañías que comparten el mercado. En el momento T_1 una compañía existente o una nueva emergente es pionera de una nueva e importante innovación. El resultado es un periodo de turbulencia entre T_1 y T_2. Sin embargo, poco después, la industria se establece en una nueva condición de equilibrio, pero ahora la estructura competitiva se encuentra mucho más fragmentada. Obsérvese que puede ocurrir lo contrario: el medio podría consolidarse más, aunque esto parece ser menos común. En general, las innovaciones parecen redu-

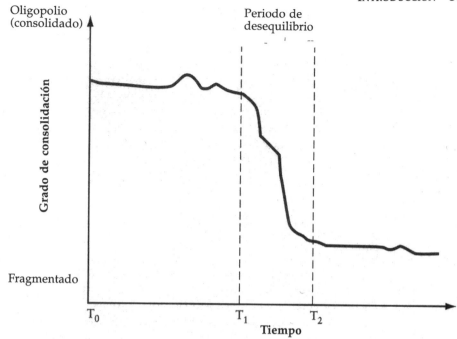

Figura 3.6
Equilibrio
discontinuo y
estructura
competitiva

cir las barreras de ingreso, admitir más compañías dentro del medio y como resultado conducir a una fragmentación en vez de generar una consolidación.

El modelo de equilibrio discontinuo de la evolución industrial le da gran significación. Implica que los modelos de cinco fuerzas y de grupo estratégico son aplicables mientras la industria se encuentre en condición estable, siempre y cuando no pase por una reestructuración radical debido a la innovación o alguna otra discontinuidad. (La desregulación de una industria es otro ejemplo de discontinuidad). Puesto que los modelos de cinco fuerzas y de grupo estratégico son estáticos, no pueden capturar en forma adecuada lo que ocurre durante tales periodos de rápido cambio, pero en verdad son herramientas útiles para analizar la estructura del ámbito durante periodos de estabilidad. Sin embargo, debe advertirse que algunos expertos en este campo cuestionan la validez de este enfoque. Por ejemplo, en un reciente libro, Richard D'Avani sostiene que muchas industrias son **hipercompetitivas**[20]. Las industrias hipercompetitivas se caracterizan por la permanente y progresiva innovación (la del computador a menudo se cita como ejemplo de medio hipercompetitivo). En estos ámbitos, su estructura constantemente se revoluciona por la innovación; no existen periodos de equilibrio. Cuando se presenta esta instancia, es posible argumentar que los modelos de cinco fuerzas y de grupo estratégico tienen valor limitado puesto que no representan sino imágenes instantáneas de una película.

Estructura de la industria y diferencias de la compañía

La segunda crítica de los modelos de cinco fuerzas y de grupo estratégico consiste en que hacen demasiado énfasis en la importancia de la estructura industrial como factor determinante del desempeño de una empresa, y menosprecian la relevancia de las diferencias existentes entre firmas localizadas dentro de una industria o en un grupo estratégico. Como se señalará en el siguiente capítulo, puede haber enorme variación en las tasas de utilidades de organizaciones individuales dentro de un medio industrial. Por ejemplo, reciente investigación de Richard Rumelt sugiere que sólo cerca del 10% de los casos, la rentabilidad de las compañías depende de su estructura, y mucho más del resto está en función de sus diferencias individuales[21]. Otros estudios han establecido la variación explicada cercana a un 20%, que aún no representa una gran cifra[22]. Asimismo, en un creciente número de estudios se halló sólo una evidencia muy débil de vínculo entre miembros de grupos estratégicos y las tasas de utilidad de la firma, a pesar de que el modelo de grupo estratégico pronostica un fuerte vínculo[23]. En conjunto, estos estudios sugieren que los recursos y capacidades individuales de una organización son determinantes mucho más importantes de su rentabilidad que el ámbito o grupo estratégico del cual es miembro. Aunque estos hallazgos no hacen irrelevantes los modelos de cinco fuerzas y de grupo estratégico, insisten en que tienen utilidad limitada. Una compañía no será rentable sólo porque se base en una industria atractiva o se encuentre en un grupo estratégico interesante; se requiere mucho más, como se analizará en los capítulos 4 y 5.

3.6   CAMBIOS COMPETITIVOS DURANTE LA EVOLUCIÓN DE LA INDUSTRIA

Con el paso del tiempo muchas industrias atraviesan una serie de etapas bien definidas, desde el crecimiento hasta la madurez y finalmente a la decadencia. Estas etapas tienen diferentes implicaciones para la forma de competencia. La solidez y naturaleza de cada una de las fuerzas competitivas de Porter por lo general cambian a medida que evoluciona la industria[24]. Esto es particularmente cierto con respecto a los competidores potenciales y a la rivalidad; este estudio se concentra en estas dos fuerzas. Los cambios en la solidez y naturaleza de estas fuerzas generan diferentes oportunidades y amenazas en cada paso de una evolución industrial. La tarea que enfrentan los gerentes consiste en *anticipar* la manera como la solidez de cada fuerza modifica la etapa del desarrollo industrial, y formular estrategias para sacar ventaja de las oportunidades a medida que surjan y enfrentar las amenazas que aparezcan.

El **modelo del ciclo de vida industrial** es una herramienta útil para analizar los efectos de la evolución industrial sobre las fuerzas competitivas. El modelo es similar al del ciclo de vida del producto analizado en la literatura de marketing. Mediante el modelo del ciclo de vida industrial se pueden identificar cinco ambientes industriales, cada uno vinculado a una etapa diferente en la evolución de un ámbito: (1) ambiente de una industria embrionaria, (2) ambiente de crecimiento industrial, (3) ambiente de recesión industrial, (4) ambiente de industria madura, y (5) ambiente de una industria en decadencia (*véase* figura 3.7).

Industrias embrionarias

Una industria *embrionaria* es la que apenas comienza a desarrollarse (por ejemplo, los computadores personales en 1980). El crecimiento en esta etapa es lento debido a factores como la no familiaridad de los compradores con el producto de este medio, altos precios debidos a la incapacidad de las compañías para aprovechar significativas economías de escala y canales de distribución deficientemente desarrollados. Las barreras de ingreso en esta etapa de la evolución de una industria tienden a apoyarse en el acceso a *know-how* tecnológico clave en vez de fundamentarse en las economías de costo o en la lealtad a la marca. Si el *know-how* principal necesario para competir en ese ámbito es complejo y difícil de aprehender, las restricciones de ingreso pueden ser muy altas y las compañías involucradas se protegerán de potenciales competidores. La rivalidad en las industrias

Figura 3.7
Etapas del ciclo
de vida industrial

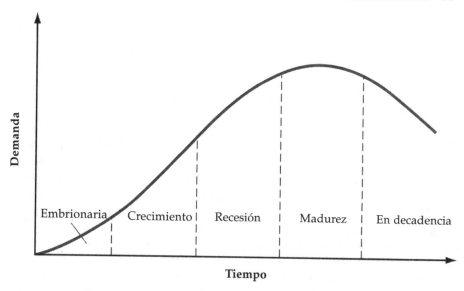

embrionarias se apoya no tanto en los precios como en educar a los clientes, abrir canales de distribución y perfeccionar el diseño del producto. Tal rivalidad puede ser intensa, y la empresa que solucione primero los problemas de diseño, a menudo, tiene la oportunidad de alcanzar una significativa posición en el mercado. Una industria embrionaria también podría ser el resultado de esfuerzos innovativos de una firma, como ocurrió con los computadores personales (Apple), las aspiradoras (Hoover) y las fotocopiadoras (Xerox). En tales circunstancias, la organización tiene una mayor oportunidad para aprovechar la falta de rivalidad y establecer un fuerte dominio en el mercado.

Industrias en crecimiento

Una vez que la demanda por un producto industrial comienza a despegar, ese medio desarrolla las características de un ámbito en crecimiento. En una industria en *crecimiento*, la demanda por primera vez se encuentra en expansión rápida a medida que nuevos consumidores ingresan en el mercado. Por lo regular, un medio crece cuando los consumidores se familiarizan con el producto, cuando los precios caen debido a que se ha acumulado experiencia y se han obtenido economías de escala, y cuando se desarrollan canales de distribución. La industria del computador personal tuvo su etapa de crecimiento en la mayor parte de la década de 1980 y comienzos de la de 1990. Para ilustrar, en EE.UU. en 1981 se vendieron 55,000 computadores personales. En 1984 la cifra se elevó a 7.5 millones y en 1992 fue de 20 millones.

Usualmente, la importancia del control sobre el conocimiento tecnológico como barrera de ingreso disminuye en el momento en que una industria entra en su etapa de crecimiento. Puesto que cuando unas cuantas compañías alcanzan significativas economías de escala o diferencian sus productos suficientemente para garantizar la lealtad a la marca, otras restricciones de ingreso también tienden a ser menores. En consecuencia, la amenaza de potenciales competidores por lo general es mayor en este punto. No obstante, en forma paradójica y usual, el crecimiento elevado significa que los nuevos aspirantes pueden ser absorbidos en un ámbito sin que se registre un marcado incremento en la presión competitiva.

Durante una etapa de crecimiento industrial, la rivalidad tiende a ser baja. El rápido crecimiento en la demanda permite que las empresas aumenten sus ingresos y utilidades sin despojar a los competidores de la participación en el mercado. Una firma tiene la oportunidad de ampliar sus operaciones. Además, una organización consciente en términos estratégicos saca ventaja del ambiente relativamente favorable de la etapa de crecimiento con el fin de prepararse para la intensa competencia en la inminente recesión industrial.

Recesión industrial

El extraordinario crecimiento que experimentó la industria del computador personal en la década de 1980 y comienzos de la de 1990 no se puede mantener de manera indefinida. Tarde o temprano la tasa de crecimiento se desacelera, e ingresa en la etapa de recesión. En la etapa de *recesión*, la demanda se acerca a niveles de saturación. En un mercado saturado, quedan pocos compradores potenciales de primera vez. Gran parte de la demanda se limita al mercado de reposición.

Cuando una industria entra en la etapa de recesión, se intensifica la rivalidad entre compañías. Por lo general ocurre que las empresas acostumbradas al rápido desarrollo durante la fase de crecimiento industrial, continúan agregando capacidad a tasas consistentes con el crecimiento anterior. Los gerentes utilizan tasas de crecimiento histórico para pronosticar futuras tasas de crecimiento, y en consecuencia proyectan aumentos en la capacidad productiva. No obstante, cuando una industria se acerca a la madurez, la demada ya no aumenta a tasas históricas. La consecuencia es el surgimiento de una excesiva capacidad productiva. Esta condición se muestra en la figura 3.8; en ésta la curva continua indica el crecimiento de la demanda con el paso del tiempo y la curva discontinua señala el crecimiento en capacidad productiva con el tiempo. Como se puede observar, el punto t_1 anterior, es decir, el crecimiento en la demanda disminuye a medida que madura el ámbito industrial. Sin embargo, la capacidad continúa creciendo hasta el momento t_2. El espacio entre las líneas continua y discontinua representa la capacidad excedente. En un intento por utilizar esta capacidad, las firmas con frecuencia reducen los precios. El resultado puede ser una intensa guerra de precios, que conduce a la quiebra a la mayoría de las organizaciones ineficientes. Este factor es suficiente para disuadir cualquier nuevo ingreso.

Un ejemplo de lo que puede ocurrir tuvo lugar en la industria de semiconductores a mediados de la década de 1980. En 1983 había 20 plantas en operación a nivel mundial que producían memorias

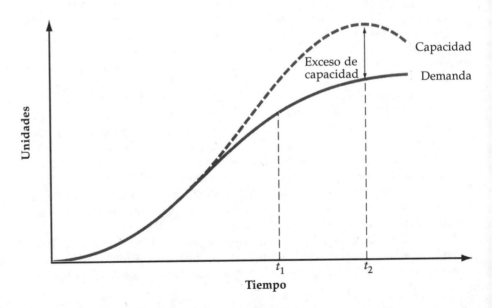

Figura 3.8
Crecimiento en la
demanda y la
capacidad

dinámicas de acceso aleatorio [dynamic random-access memories (DRAM)]. A comienzos de 1985 se duplicó la cantidad de plantas, impulsadas por el fuerte crecimiento del mercado y los pronósticos optimistas. Sin embargo, a mediados de ese año, se registró un significativo receso no previsto en la tasa de crecimiento del mercado. En consecuencia, al culminar el año, del 30% al 40% de la capacidad industrial de las DRAM no se ocupaba. El exceso de capacidad provocó una fuerte reducción de precios y el retiro de varios productores involucrados. Como resultado, en 1987 la cantidad de plantas fabricantes de las DRAM cayó en un 30% con relación al elevado número registrado en 1985. No obstante, es bastante interesante que desde esta recesión el mercado de las DRAM una vez más ha reanudado su rápido crecimiento. El mercado todavía no es maduro, de tal modo que en el futuro se presentará una nueva recesión. La recesión entre 1985 y 1986 acabó por anticipar lo que se puede presentar en el futuro.

Industrias maduras

La etapa de recesión termina cuando la industria entra en su etapa de *madurez*. En una industria madura, el mercado está completamente saturado y la demanda se limita al mercado. Durante esta etapa, el crecimiento es bajo o cero. El bajo crecimiento existente proviene de la población en expansión que trae nuevos consumidores hacia el mercado.

Cuando una industria entra en su madurez, aumentan las barreras de ingreso y disminuye la amenaza de potenciales competidores. A medida que el crecimiento se desacelera durante la recesión, las compañías ya no pueden mantener tasas históricas de crecimiento sólo mediante su participación en el mercado. La competencia por la participación en el mercado se desarrolla, bajando los precios. Con frecuencia, el resultado es una guerra de precios, como ocurrió en la industria de transporte aéreo durante la recesión de 1988 a 1992. Para sobrevivir a la recesión, las empresas comienzan a concentrarse tanto en la minimización de costos como en la creación de lealtad a la marca. Por ejemplo, las aerolíneas trataron de disminuir costos operativos al contratar mano de obra no sindicalizada y generar lealtad a la marca mediante la introducción de programas de realización de viajeros frecuentes. En ese momento madura una industria, las firmas sobrevivientes son aquellas que cuentan con lealtad a la marca y bajos costos de operación. Puesto que los dos factores constituyen una significativa barrera de ingreso, la amenaza por parte de potenciales competidores disminuye de manera considerable. Las elevadas restricciones de ingreso en las industrias maduras suministran a las organizaciones la oportunidad de aumentar precios y utilidades.

Como resultado de la recesión, muchas industrias en la etapa de madurez se consolidan y se convierten en oligopolios. En la industria de transporte aéreo, por ejemplo, debido a este factor, las cinco compañías principales en 1992 controlaban el 80% del medio, superior sólo al 50% de 1984. En industrias maduras, las compañías tienden a reconocer su interdependencia y tratan de evitar la guerra de precios. La demanda estable les proporciona la oportunidad de participar en los acuerdos de liderazgo en precio. El efecto neto consiste en reducir la amenaza de rivalidad intensa entre firmas establecidas, posibilitando en consecuencia mayor rentabilidad. Sin embargo, como se anotó antes, la estabilidad de una industria madura siempre está amenazada por futuras guerras de precios. Una crisis general en la actividad económica puede reducir la demanda industrial. A medida que las organizaciones luchan por mantener sus ingresos frente a la disminución de la demanda, se rompen los acuerdos de liderazgo en precio, aumenta la rivalidad y caen los precios y las utilidades. Las periódicas guerras de precios que ocurren en el ámbito de transporte aéreo parecen seguir este patrón. Un patrón similar parece desarrollarse actualmente en la industria cervecera de los EE.UU.; éste se perfila en la estrategia en acción 3.3.

ESTRATEGIA EN ACCIÓN 3.3

Competencia en una industria madura: la industria cervecera de EE.UU.

El consumo de cerveza esencialmente ha sido bajo en EE.UU. desde comienzos de la década de 1980. Entre 1960 y 1980, el consumo en el país aumentó de 90 millones a 175 millones de barriles por año. Desde entonces difícilmente ha variado. Una razón importante parece ser la creciente conscientización de los peligros que ocasiona abusar del alcohol, junto con leyes más severas de control de conducir en estado de embriaguez. Enfrentadas con un mercado en proceso de maduración, las principales cerveceras de EE.UU. han respondido mediante la compra de pequeñas cervecerías regionales y a través de agresivas campañas de marketing en regiones claves. Su motivo principal ha sido que el crecimiento sólo se puede mantener a través de la consolidación. Así, en 1992 las tres grandes compañías cerveceras del país. (Anheuser-Busch, Miller y Coors) respondieron por el 77% del total del mercado, superior a sólo el 60% de la década anterior. Al ampliar su participación, las principales cerveceras obtuvieron considerables economías de escala. A medida que declinaron sus costos por barril, las tres grandes empresas pudieron concentrar más dinero en marketing y distribución, hecho que les ha proporcionado una clara ventaja frente a las pequeñas productoras regionales.

Sin embargo, tal estrategia en la actualidad se hace cada vez más difícil de mantener frente a los movimientos estratégicos realizados por varias cervecerías de segundo renglón, como The Stroh Brewery Co. y G. Heileman Brewing Co. Estas dos organizaciones se han beneficiado al enfatizar su concentración regional en las campañas de marketing y al establecer precios bajos. Por ejemplo, en el estado de Washington, Heileman posee Rainer Beer, firma regional con base en Seattle. Toda la publicidad de Rainer hace énfasis en sus raíces locales en Seattle, y nunca menciona el hecho de que Heileman es dueña de la compañía. En respuesta, a finales de la década de 1980 Miller y Coors comenzaron a hacer descuentos puesto que trataban de obtener participación en el mercado regional. Sin embargo, la táctica afectó los intereses de Anheuser-Busch tanto como los de las regionales. Anheuser-Busch respondió al reducir sus propios precios, y el resultado fue un marcado aumento en la intensidad de la competencia de precios en la industria cervecera del país y una declinación proporcional en las tasas de utilidad de la empresa. Para las cerveceras más importantes, el problema ahora es que consumidores y comerciantes minoristas se han acostumbrado al descuento de precios. Así, esto prueba que resulta difícil para éstas separar lo que en esencia es una estrategia no ganadora[25].

Industrias en decadencia

Eventualmente, un buen número de industrias entran en una etapa de decadencia. En la etapa de *decadencia*, el crecimiento se hace negativo por varias razones, que incluyen sustitución tecnológica (por ejemplo, viajar en tren en vez de hacerlo en avión), cambios sociales (una mayor conciencia del cuidado de la salud golpea las ventas de tabaco), demográficos (la declinante tasa de nacimientos perjudica el mercado de productos para bebés y niños) y competitividad internacional (competencia extranjera de bajo costo lleva a la decadencia a la industria norteamericana del acero). Dentro de un ámbito en decadencia, por lo general aumenta el grado de rivalidad existente entre compañías establecidas. De acuerdo con la celeridad de la decadencia y la dificultad de las barreras de salida, las presiones competitivas se hacen tan fuertes como en la etapa de recesión[26]. El principal problema de una industria en decadencia es que la demanda en descenso genera el surgimiento de una capacidad excedente. Al tratar de utilizar esta capacidad, las firmas empiezan a reducir precios, provocando así una guerra de los mismos. Como se anotó anteriormente, la industria norteamericana del acero experimentó estos problemas debido al intento de las acerías de utilizar su capacidad excedente. En el periodo 1990-1992 se presentó el mismo problema en la industria del transporte aéreo cuando las aerolíneas redujeron precios para asegurarse de que no volarían aviones con la mitad del cupo (es decir, no operarían con un considerable exceso de capacidad). Las barreras de salida desempeñan una función al ajustar esta capacidad excedente. Cuanto mayores sean las restricciones de salida, más difícil será para las organizaciones reducir la capacidad y mayor será la amenaza de una severa competencia de precios.

Variaciones sobre el tema

Es importante recordar que el modelo del ciclo de vida industrial es una generalización. En la práctica, los ciclos de vida industrial no siempre siguen el modelo ilustrado en la figura 3.7. En algunos casos, el crecimiento es tan rápido que la etapa embrionaria se pasa por alto en su totalidad, como ocurrió en el medio del computador personal. En otras instancias, ciertos ámbitos no pasan por la etapa embrionaria. El crecimiento de la industria puede revitalizarse después de largos periodos de decadencia, bien sea a través de innovaciones o cambios sociales. Por ejemplo, el auge del cuidado de la salud devolvió la vida a la industria de las bicicletas después de un largo periodo de decadencia. El lapso de las diferentes etapas también puede variar en forma significativa de una industria a otra. Algunas pueden permanecer en estado de madurez casi indefinidamente si sus productos se convierten en necesidades básicas de la vida, como en el caso de la automotriz. Otras pasan por alto la etapa de madurez y van directo a la decadencia. Esencialmente fue lo que ocurrió en el campo de tubos al vacío. Los tubos al vacío se remplazaron por transistores como un componente principal en los productos electrónicos, mientras que la industria estaba aún en su etapa de crecimiento. Incluso otros medios industriales pueden pasar no por una sino por varias recesiones antes de llegar a la etapa de madurez total. Como se ilustra con el caso de los chips DRAM, parece que es lo que sucede en la industria de semiconductores.

3.7 GLOBALIZACIÓN Y ESTRUCTURA DE LA INDUSTRIA

En la actualidad en el mundo de la economía ocurre un cambio fundamental. El término *cambio global* ha sido acuñado por un autor para capturar la esencia del cambio[27]. El mundo es testigo de la globalización de la producción y de los mercados. Con relación a la **globalización de la producción**, se observa que las empresas individuales de manera incremental dispersan partes de sus procesos de producción a diversos lugares alrededor del mundo para sacar ventaja de las diferencias nacionales en el costo y calidad de los factores de producción (es decir, mano de obra, energía, terrenos y capital). El objetivo consiste en reducir costos e incrementar considerablemente las utilidades. Considérese el caso del Pontiac Le Mans de General Motors (GM). Con base en una comparación de factores relativos de costos y calidad, GM dispersa muchas de las diferentes actividades proyectadas a fabricar este modelo en diversos lugares del planeta. Como resultado, de los US$20,000 que se pagan a GM por un Le Mans, cerca de US$6,000 van a Corea del Sur donde lo ensamblan, US$3,500 van al Japón por partes originales (motores, ejes transmisores y partes electrónicas), US$1,500 van a Alemania donde se diseña el modelo, US$800 van a Taiwan, Singapur y Japón por pequeñas partes,

US$500 a Gran Bretaña por servicios de publicidad y marketing, y alrededor de US$100 a Irlanda por servicios de procesamiento de datos. Los restantes US$7,600 van a GM y a los abogados, banqueros y agentes de seguros que la empresa utiliza en EE.UU. La cuestión es que GM trata de disminuir sus costos generales al dispersar sus diversas actividades productivas en localidades óptimas para realizar determinada actividad, en cualquier lugar del mundo[28].

En cuanto a la **globalización de mercados,** se argumenta que el mundo se aleja de un sistema económico en el que los mercados nacionales son entidades distintas, que se encuentran aisladas entre sí por barreras comerciales y limitaciones espaciales, temporales y culturales, y que éste se aproxima a un sistema en el que los mercados nacionales se están fusionando dentro de un enorme mercado mundial. De acuerdo con esta perspectiva, los gustos y preferencias de los consumidores en diferentes naciones comienzan a converger en una norma mundial. Por tanto, en muchas industrias ya no tiene sentido hablar del mercado alemán, del mercado norteamericano o del mercado Japonés, sólo existe el mercado global. La aceptación mundial de Coca-Cola, los **jeans** Levi, los **walkman** Sony y las hamburguesas McDonald's son un ejemplo de esta tendencia[29]. Por otro lado, es importante no promover demasiado esta perspectiva. Como se verá en el capítulo 8, donde se analizará este tema en profundidad, en muchas industrias aún quedan diferencias muy significativas en cuanto a los gustos y preferencias del consumidor entre los mercados nacionales. Estas diferencias con frecuencia requieren que las estrategias de marketing y características del producto se personalicen de acuerdo con las condiciones locales. No obstante, no hay duda de que en la actualidad existen más mercados globales que en cualquier momento de la historia.

Las causas del cambio global

Dos factores subyacen en la tendencia hacia la creciente globalización de los mercados y la producción. A partir del final de la Segunda Guerra Mundial disminuyeron las barreras impuestas a la libre circulación de bienes, servicios y capital entre países, y se registraron cambios extraordinarios en las tecnologías de comunicación, información y transporte.

Después de las desastrosas consecuencias de la Segunda Guerra Mundial, las avanzadas naciones industriales de Occidente se comprometieron con la meta de eliminar restricciones impuestas a la libre circulación de bienes, servicios y capital entre naciones. El propósito de eliminar barreras para la libre circulación de bienes se conservó en un tratado internacional conocido como el Acuerdo General sobre Aranceles y Comercio (GATT). Bajo el amparo del GATT, a mediados de siglo desde la Segunda Guerra Mundial se ha presentado una significativa reducción de las limitaciones impuestas a la libre circulación de bienes.

El efecto de este tratado ha sido facilitar la globalización de mercados y la producción. La disminución de barreras comerciales ha permitido que las compañías tengan en cuenta al mundo como su mercado, en vez de concentrarse en un solo país. De igual manera, ha posibilitado apoyar cada vez más sus actividades de producción individual en lugares óptimos, abastecer el mercado mundial desde esos puntos. Por tanto, una empresa puede diseñar un producto en un país, producir partes en dos países diferentes, ensamblarlo incluso en otro país y luego exportar el producto terminado alrededor del mundo.

Si la reducción de barreras comerciales hizo de la globalización de mercados y producción una posibilidad teórica, el cambio tecnológico ha transformado esta posibilidad en una realidad tangible. Desde el final de la Segunda Guerra Mundial, los avances más importantes se presentan en las comunicaciones, el procesamiento de información y la tecnología del transporte. Quizá la innovación particular más importante ha sido el desarrollo del microprocesador, en el cual se fundamentan muchos de los recientes adelantos en la tecnología de las comunicaciones. En los últimos 30 años las comunicaciones mundiales se revolucionaron por los desarrollos en la tecnología de satélites y de fibra óptica; éstas pueden llevar cientos de miles de señales a la vez. Ambas tecnologías dependen del microprocesador para codificar, transmitir y decodificar la enorme cantidad de información que fluye a lo largo de autopistas electrónicas.

Estas innovaciones tecnológicas han disminuido en forma considerable los costos reales del procesamiento y comunicación de la información en las dos últimas décadas. Bajar costos, a su vez, posibilita que las compañías manejen en forma global los dispersos sistemas de producción. En efecto, es imprescindible una red mundial de comunicaciones para el funcionamiento de muchas organizaciones. Por ejemplo, Texas Instruments, empresa electrónica estadounidense, posee cerca de 50 plantas ubicadas en 19 países; opera un sistema de comunicaciones con base en satélites para coordinar, a escala mundial, su planeación de producción, contabilidad de costos, planeación financiera, marketing, servicio al cliente y manejo de personal. El sistema está compuesto por más de 300 terminales remotas de ingreso de trabajo, 8,000 terminales de consulta y 140 *mainframes*, enlazados con éste. El sistema posibilita que los gerentes de operaciones mundiales de Texas Instruments envíen entre sí instantáneamente enormes cantidades de información y efectúen una rigurosa coordinación entre las diferentes plantas y actividades de la compañía[30].

Además de la tecnología de comunicaciones y de procesamiento de información, el desarrollo del avión comercial de propulsión a chorro ha ayudado a enlazar en todo el mundo las operaciones de muchos negocios internacionales. En un avión comercial, un gerente norteamericano gasta a lo sumo un día para viajar y efectuar las operaciones europeas y asiáticas de su firma, aumentando enormemente su capacidad de supervigilancia de un sistema de producción disperso por el mundo.

La innovación tecnológica también ha facilitado la globalización de mercados. El viaje en avión a bajo costo ha generado la movilización masiva de personas entre países. Esto ha posibilitado acortar las distancias culturales entre naciones y ha abonado el terreno para que haya convergencia en cuanto a las preferencias y gustos del consumidor. Al mismo tiempo las redes globales de comunicaciones y los medios mundiales de comunicación ayudan a crear una cultura universal. Las redes de televisión estadounidense como CNN, MTV y HBO se pueden captar ahora en muchos países del mundo, y las películas de Hollywood se exhiben en cualquier lugar. En cualquier sociedad los medios de comunicación son uno de los principales portadores de la cultura, y a medida que se desarrollan estos medios en todo el mundo se posibilita de igual manera la evolución de una cultura global afín. El lógico resultado final de este proceso será el surgimiento de mercados globales para productos de consumo. En efecto, son evidentes los primeros signos de que esto comienza a suceder. En la actualidad es fácil encontrar un restaurante de McDonald's en Tokio como en Nueva York; comprar un *walkman* Sony en Rio como en Berlín; y comprar *jeans* Levi en París o en San Francisco.

Las consecuencias del cambio global

La tendencia hacia la globalización de la producción y de los mercados tiene varias implicaciones importantes para la competencia dentro de una industria. Primero, es esencial que las compañías reconozcan que los límites de su ámbito no se detienen en las fronteras nacionales. Ya que muchos medios se hacen globales en su campo de acción, los competidores actuales y potenciales no sólo existen en el mercado doméstico de una empresa, sino también se encuentran en otros mercados nacionales. Las organizaciones que exploran sólo su mercado doméstico pueden ser sorprendidas por el ingreso de eficientes rivales foráneos. Así, por ejemplo, las firmas automotrices estadounidenses erróneamente percibieron el ingreso en este mercado como una amenaza insignificante y fueron sorprendidas por la violenta arremetida de la competencia japonesa que comenzó a finales de la década de 1970. La globalización de mercados y producción, además del resultante crecimiento de comercio mundial, inversión e importaciones extranjeras directas indican que las compañías alrededor del mundo hallan sus mercados domésticos bajo el ataque de rivales foráneos. Esto se verifica en el Japón, donde Eastman Kodak en los últimos años ha despojado a Fuji de la participación en el mercado en la industria de películas; en EE.UU., donde las empresas automotrices japonesas han desafiado al trío estadounidense conformado por General Motors, Ford y Chrysler; y en Europa occidental donde la otrora predominante organización holandesa, Philips, ha visto que el Japón se apoderó de su participación en el mercado en la industria de electrodomésticos a través de JVC, Matsushita y Sony.

Segundo, el cambio de mercados nacionales a globales en los últimos veinte años intensificó la rivalidad competitiva de una industria a otra. Los mercados nacionales que alguna vez fueron consolidados oligopolios, dominados por tres o cuatro firmas y sujetos a una competencia extranjera relativamente baja, se han transformado en segmentos de industrias globales fragmentadas, en las cuales muchas organizaciones luchan entre sí por la participación en el mercado de un país a otro. Esta rivalidad generó la disminución de tasas de utilidad e hizo más difícil que las compañías maximizaran su eficiencia, calidad, capacidad de satisfacer al cliente y capacidad innovativa. La penosa reestructuración y reducción que se presenta en empresas como General Motors y Kodak es una respuesta tanto para la incrementada intensidad de la competencia global como para cualquier otro factor. Sin embargo, debe mencionarse que no todas las industrias globales son fragmentadas. Muchas siguen siendo oligopolios consolidados, excepto que ahora son oligopolios consolidados globales, no nacionales. En la estrategia en acción 3.4. se examina uno de estos ámbitos, la industria mundial de llantas.

Tercero, así como aumentó la intensidad competitiva, ocurrió lo mismo con la tasa de innovación. Las organizaciones compiten para sacar ventaja de sus rivales al ser pioneras de nuevos productos, procesos y formas de efectuar negocios. El resultado ha sido condensar los ciclos de vida del producto y hacerlo vital para que las firmas permanezcan a la vanguardia tecnológica. Con respecto a los medios globales altamente competitivos, en las cuales se acelera el índice de innovación, el criterio de que el modelo de cinco fuerzas de Porter es demasiado estático puede ser particularmente relevante.

Finalmente, debe mencionarse que aunque la globalización ha aumentado tanto la amenaza de ingreso como la intensidad de rivalidad dentro de muchos mercados nacionales anteriormente protegidos, también ha creado enormes oportunidades para que las compañías se apoyen en aquellos mercados. La firme caída de barreras comerciales dio apertura a muchos mercados antes protegidos a empresas que se apoyaban fuera de éstos. Así, por ejemplo, en los últimos años organizaciones estadounidenses han acelerado sus inversiones en las naciones de Europa oriental, Latinoamérica y del sureste asiático, puesto que intentan sacar ventaja de las oportunidades de crecimiento en esas áreas.

3.8   CONTEXTO NACIONAL Y VENTAJA COMPETITIVA

Como se mencionó en el capítulo 1, el contexto nacional de un país influye en la competitividad de las compañías localizadas en su interior. A pesar de la globalización de la producción y de los mercados, gran cantidad de las más exitosas empresas en ciertas industrias aún se agrupan en pocos países. Por ejemplo, muchas de las organizaciones más exitosas del mundo en computadores y biotecnología tienen su base en EE.UU., muchas de las más exitosas a nivel mundial en electrodomésticos tienen su sede en el Japón y muchas internacionalmente exitosas en el campo de la ingeniería y química se encuentran en Alemania. Esto indica que el contexto nacional dentro del cual se localiza la firma puede tener una importante relación con su posición competitiva en el mercado global.

Interdependencia competitiva en la industria mundial de llantas

La globalización de producción y mercados transformó muchas industrias nacionales anteriormente consolidadas en medios globales fragmentados. Sin embargo, otros ámbitos globales continúan siendo oligopolios consolidados; por ejemplo, la industria global de llantas. En 1992, ésta atendió un mercado mundial de US$48,000 millones. Cinco compañías controlaban el 66% del mercado, incluyendo las tres grandes (Michelin de Francia, Bridgestone de Japón y Goodyear de EE.UU.), que respondían por el 20%, el 16.5% y el 16%, respectivamente, de la participación en el mercado mundial.

Como muchos otros medios consolidados vendedores de tipos de productos populares, la industria mundial de llantas se caracterizó por la interdependencia competitiva y periódicas guerras de precios. La única variante fue el uso del descuento de precios en forma selectiva para mantener dominio en mercados domésticos. El primer ejemplo de este descuento de precios sucedió a comienzos de la década de 1980, cuando la industria estaba en proceso de convertirse en entidad mundial. Michelin utilizó sus grandes utilidades europeas para apoyar una competitiva reducción de precios en el mercado norteamericano, dominado por Goodyear. Esta firma podría tomar retaliaciones mediante la reducción de precios en Norteamérica, pero debido a que sólo una pequeña parte del negocio mundial de Michelin se encontraba allí, esta última poco tenía que perder en esa guerra de precios. Goodyear, por otro lado, sacrificaría las utilidades en el mayor de sus mercados. En consecuencia, Goodyear devolvió el golpe al reducir precios y ampliar sus operaciones en Europa. Esta acción obligó a Michelin a disminuir su ataque al mercado norteamericano de Goodyear y a reconsiderar los costos de despojarle participación en el mercado.

Después de la competitiva reducción de precios, a comienzos de la década de 1980, pareció surtir efecto una propuesta tácita de confabulación de precios: tanto Goodyear como Michelin se abstuvieron de reducir los precios en sus respectivos mercados domésticos. Sin embargo, a comienzos de la década de 1990, se deshizo esa confabulación. La industria global estaba bajo el control de una viciada guerra de precios, impulsada por dos acontecimientos. Primero, Bridgestone del Japón adquirió Firestone y en el proceso se estableció como la número dos del medio. El ascenso de Bridgestone amenazó la frágil tregua entre Goodyear y Michelin. Segundo, el ámbito mundial automotriz experimentó una fuerte caída de los negocios a comienzos de la década de 1990. La industria de llantas, como uno de los principales proveedores del medio automotriz, halló sus precios bajo presión de las compañías automotrices, las cuales estaban dispuestas a sacar provecho de los enfrentamientos entre los fabricantes de llantas para obtener precios más bajos. Frente a la disminución de precios y al exceso de capacidad, estas empresas tenían pocas alternativas pero comenzaron a reducir los precios. Sin embargo, de nuevo existía un sesgo regional para su reducción. Bridgestone utilizó sus utilidades, obtenidas en el Japón para poner a prueba y subsidiar una agresiva política de precios en Europa. Michelin respondió reduciendo agudamente sus precios en Europa en un esfuerzo por impedir que la compañía japonesa consiguiera participación en el mercado local. El resultado final fue una baja oferta en los precios de las llantas en Europa y cayeron las utilidades. Al mismo tiempo, Michelin y Bridgestone iniciaron una agresiva política de precios en Norteamérica en un intento por despojar a Goodyear de la participación en el mercado. Goodyear se vio obligado a responder de igual manera, y los precios también se precipitaron a nivel local. Por consiguiente, tanto Goodyear como Michelin perdieron dinero entre 1991 y 1992, mientras Bridgestone vio absorber casi todas sus utilidades en el Japón por las pérdidas acarreadas por parte de sus subsidiarias norteamericanas y europeas [31].

Las compañías necesitan entender cómo el contexto nacional puede afectar la ventaja competitiva, puesto que entonces podrán identificar (1) de dónde pueden provenir sus competidores más significativos, y (2) en dónde quizá localizarían determinadas actividades productivas. Por esta razón, al tratar de sacar ventaja de la experiencia norteamericana en biotecnología, muchas empresas extranjeras han establecido instalaciones de investigación en lugares de EE.UU como San Diego, Boston y Seattle, donde tienden a agruparse firmas estadounidenses de este campo. De igual manera, en un intento por sacar ventaja del éxito japonés en productos para el hogar, muchas organizaciones estadounidenses de este mercado han establecido instalaciones de investigación y producción en el país nipón, a menudo con socios japoneses.

La teoría económica subraya que las **condiciones de diversos factores** (el costo y la calidad de los factores de producción) son un determinante primordial de la ventaja competitiva que ciertos países podrían tener en algunos medios. Los factores de producción incluyen **factores básicos**, como terrenos, mano de obra, capital y materias primas, y **factores avanzados** como *know-how* tecnológico, sofisticación administrativa e infraestructura física (es decir, carreteras, vías férreas y puertos). La ventaja competitiva que EE.UU. posee en biotecnología podría explicarse por la presencia de determinados factores avanzados de producción (por ejemplo, *know-how* tecnológico) en combinación con algunos factores básicos; éstos podrían constituir una combinación de capital relativamente de bajo costo que puede utilizarse para financiar empresas de alto riesgo en industrias como la de biotecnología.

Por supuesto, particulares condiciones de factores representan sólo una parte de la historia. En un estudio acerca de la ventaja competitiva, Michael Porter identificó otros elementos del contexto nacional que desempeñan un rol importante. Según Porter, en ciertos ámbitos existen cuatro determinantes básicos para la posición competitiva de una nación: condiciones de diversos factores, rivalidad industrial, condiciones de demanda e industrias de apoyo y relacionadas (*véase* figura 3.9). Él plantea que un país tendrá una ventaja competitiva en un medio particular bajo las siguientes condiciones:

1. El país tiene la combinación adecuada de factores básicos y avanzados de producción para apoyar esa industria.
2. La rivalidad intensa entre compañías locales en ese ámbito las obliga a ser eficientes.
3. Las fuertes condiciones de demanda local han ayudado a fomentar una sólida industria local, mientras los consumidores que demandan obligan a una mayor eficiencia por parte de las empresas.

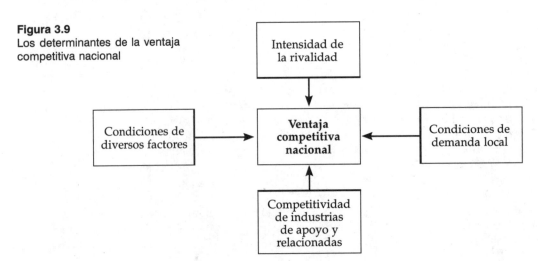

Figura 3.9
Los determinantes de la ventaja competitiva nacional

4. Las empresas de apoyo y relacionadas también son competitivas a nivel internacional, suministrando así a las organizaciones que se ubican en la industria principal, insumos y productos complementarios a bajo costo y de alta calidad[32].

Como ejemplo, examínese la industria estadounidense de *hardware* (computadores personales, estaciones de trabajo, minicomputadores y *mainframes*). La existencia en EE.UU. de un medio con clase mundial se puede explicar por la presencia de factores avanzados de producción en la forma de *know-how* tecnológico; una fuerte rivalidad entre innumerables y competentes firmas de computadores; una fuerte demanda local de computadores (se vendieron más computadores personales en EE.UU. que en el resto del mundo); e industrias competitivas de apoyo a nivel internacional, como las de microprocesadores y *software*.

Quizá la implicación más importante del marco teórico de Porter es su mensaje sobre el atractivo de ciertas localidades para realizar determinadas actividades productivas. Por ejemplo, muchas compañías japonesas de computadores trasladaron gran parte de su actividad de I&D a EE.UU de tal manera que se puedan beneficiar de su competitividad internacional en este ámbito. La mayoría de las empresas de servicios financieros tienen considerables operaciones en Londres para poder sacar ventaja de su posición predominante en este medio mundial; y muchas firmas textileras internacionales proyectan operaciones de diseño en Italia para poder sacar ventaja de ese estilo y del *know-how* de sus diseños. En todos estos casos, las organizaciones tratan de fijar una ventaja competitiva al establecer actividades productivas decisivas en un lugar óptimo, como se define mediante los diversos elementos destacados en el marco teórico de Porter. Este tema se examinará en profundidad en el capítulo 8.

3.9   RESUMEN DEL CAPÍTULO

Este capítulo presentó en detalle un marco teórico que los gerentes pueden utilizar con el fin de analizar el ambiente externo de su compañía; éste les permite identificar oportunidades y amenazas. En el capítulo se abordaron los siguientes aspectos importantes:

1. Para que una compañía logre el éxito, su estrategia debe ajustarse al ambiente donde opera, o debe tener la capacidad de reformarlo para sacar su propia ventaja mediante la selección de estrategias. Por lo general, las empresas fracasan cuando su estrategia ya no se ajusta al ambiente donde operan.
2. La principal técnica utilizada para analizar la competencia en el ambiente de la industria es el modelo de cinco fuerzas. Las cinco fuerzas, (a) el riesgo de nuevo ingreso por parte de competidores potenciales, (b) el grado de rivalidad entre firmas establecidas, (c) el poder de negociación de los compradores, (d) el poder de negociación de los proveedores, y (e) la amenaza de productos sustitutos. Cuanto más sólida sea cada una de estas fuerzas, habrá más competencia en la industria y más bajo será el índice de rendimiento por obtener.
3. El riesgo de ingreso de potenciales rivales depende de la altura de las barreras para ingresar. Cuanto más elevadas sean las barreras de ingreso, habrá menor riesgo de entrada y serán mayores las posibles utilidades en ese medio.
4. El grado de rivalidad entre organizaciones establecidas depende de la estructura competitiva, las condiciones de demanda y las barreras de salida de un ámbito industrial. Las fuertes condiciones de demanda moderan la competencia entre compañías establecidas y crean oportunidades para la expansión. Cuando la demanda es débil, se puede desarrollar intensa rivalidad, particularmente en medios consolidados con grandes barreras de salida.
5. Los compradores son más poderosos cuando una compañía depende de éstos para llevar a cabo los negocios pero por sí mismos no dependen de ésta. En estas circunstancias, los compradores representan una amenaza.

6. Los proveedores son más poderosos cuando una empresa depende de éstos para desarrollar sus actividades pero por sí mismos no dependen de la organización. En estas circunstancias, los proveedores representan una amenaza.

7. Los productos sustitutos son aquellos que pertenecen a compañías ubicadas en industrias que satisfacen las necesidades del consumidor en forma similar a las que atiende el ámbito analizado. Cuanto más se asemejen los productos sustitutos, menor será el precio que cobren las compañías sin perder los clientes de estos productos.

8. La mayoría de las industrias están conformadas por grupos estratégicos. Éstos son grupos de empresas que emplean la misma estrategia o una similar. Las organizaciones ubicadas en distintos grupos estratégicos utilizan diferentes estrategias.

9. Los miembros del grupo estratégico de una firma constituyen sus competidores inmediatos. Debido a que los diferentes grupos estratégicos se caracterizan por oportunidades y amenazas distintas, esto puede obligar a una compañía a cambiar de grupo estratégico. La posibilidad de hacerlo depende de la dificultad de las barreras de movilidad.

10. El modelo de cinco fuerzas y el modelo de grupo estratégico son criticados por presentar una imagen estática de la competitividad que desdeña el rol de la innovación. La innovación puede revolucionar la estructura industrial y cambiar por completo la solidez de las diferentes fuerzas competitivas.

11. El modelo de cinco fuerzas y el modelo de grupo estratégico han sido criticados por desdeñar la importancia de las diferencias individuales de la compañía. Una empresa no será rentable sólo porque se apoye en una industria atractiva o se encuentre en un grupo estratégico; esta instancia requiere mucho más.

12. Las industrias atraviesan por un ciclo de vida bien definido, que va desde una etapa embrionaria, pasa por una de crecimiento, otra de recesión, una de madurez y con el tiempo entra en decadencia. Cada etapa tiene diferentes implicaciones para la estructura competitiva del medio y genera su propio conjunto de oportunidades y amenazas.

13. Actualmente, en la economía mundial ocurre un cambio fundamental: la globalización de la producción y de los mercados, o cambio global. Las consecuencias de esta transformación incluyen una rivalidad más intensa, una innovación más rápida y unos ciclos de vida del producto más cortos.

14. En la economía global existe un vínculo entre el contexto nacional y la ventaja competitiva de una compañía.

Preguntas y temas de análisis

1. ¿Bajo qué condiciones ambientales existe mayor probabilidad de que se presenten guerras de precios en una industria? ¿Qué implicaciones tienen las guerras de precios para una empresa? ¿Cómo debe una compañía abordar la amenaza de una guerra de precios?

2. Analícese el modelo de cinco fuerzas de Porter con respecto a la industria estadounidense de transporte aéreo. ¿Qué indica el modelo con relación a su nivel competitivo?

3. ¿Cómo puede la tendencia hacia una mayor globalización afectar la naturaleza y el nivel de intensidad de la competencia en el mercado estadounidense de transporte aéreo?

4. Identifíquese una industria en crecimiento, una madura y una en decadencia. Para cada medio, identifíquense los siguientes factores: (a) la cantidad y magnitud de distribución de las compañías, (b) la naturaleza de las barreras de ingreso, (c) la dificultad de las barreras de ingreso y (d) el grado de diferenciación del producto. ¿Qué indican estos factores sobre la naturaleza competitiva en cada ámbito? ¿Cuáles son las implicaciones para una firma en términos de oportunidades y amenazas?

---

5. Evalúese el impacto de los factores macroambientales en un posible nivel de inscripciones en una universidad para la próxima década. ¿Cuáles son las implicaciones de estos factores para la estabilidad laboral y el nivel salarial de sus profesores?

Aplicación 3

Hállese un ejemplo de una industria que se haya hecho más competitiva en los últimos años. Identifíquense las razones para el aumento de la presión competitiva.

Proyecto sobre administración estratégica: Módulo 3

Este módulo requiere analizar el ambiente de la industria donde está ubicada la compañía seleccionada. Con la información disponible, desarrollar las tareas y responder las preguntas indicadas en la lista:

1. Aplique el modelo de cinco fuerzas a la industria donde se encuentra la compañía. ¿Qué indica este modelo sobre la naturaleza competitiva en ese medio?
2. ¿Se registran cambios en el macroambiente que puedan tener un impacto, positivo o negativo, en la industria donde está localizada la firma? Si es así, ¿cuáles son estos cambios y como afectarán este ámbito industrial?
3. Identifíquense algunos posibles grupos estratégicos en la industria. ¿Cómo difiere la intensidad de la competencia a través de los grupos estratégicos identificados?
4. ¿Qué tan dinámico es este medio? ¿Hay evidencia de que la innovación reforma la competencia o la ha llevado a cabo así en los últimos tiempos?
5. ¿En qué etapa de su ciclo de vida se encuentra la industria donde se desempeña la compañía? ¿Qué implicaciones tiene este factor en la intensidad competitiva ahora y en el futuro?
6. ¿La empresa está ubicada en un medio cada vez más global? Si es así, ¿cuáles son las implicaciones en la intensidad competitiva?
7. Analícese el impacto del contexto nacional cuando corresponde a la industria donde se ubica la organización escogida. ¿El contexto nacional ayuda o impide que ésta logre una ventaja competitiva en el mercado mundial?

Notas

1. *Fuentes*: P. Andrews, "Wrong Turns on the Road to PCdom Come Back to Haunt Wang", *Seattle Times*, August 25, 1992, p. D3. B. Ziegler, "Once Booming Wang Laboratories Failed to Heed the Changing Market", *Seattle Times*, August 23, 1992, p. C6. W. M. Bulkeley, *y* J. R. Wilkes, "Steep Slide: Filing in Chapter 11, Wang Sends Warning to High Tech Circles", *Wall Street Journal*, August 19, 1992, p. A1.
2. Michael E. Porter, *Competitive Strategy* (New York: Free Press, 1980).
3. J. E. brian, *Barriers to New Competition* (Cambridge, Mass.: Harvard University Pres, 1956). Para consultar una revisión de la literatura moderna sobre las barreras para el ingreso, *véase* R. J. Gilbert, "Mobility Barriers and the value of Incumbency", in *Handbook of Industrial Organization*, ed. R. Schmalensee and R. D. Willig (Amsterdam: North Holland, 1989), I.
4. La mayor parte de esta información sobre las barreras para el ingreso se puede encontrar en la literatura económica de organización industrial. *Véase* especialmente Bain, *Barriers to New Competition*; M. Mann, "Seller Concentration, Barriers to Entry and Rates of Return in 30 Industries", *Review of Economics and Statistics*, 48 (1966) 296-307; W. S. Comanor y T. A. Wilson, "Advertising, Market Structure and Performance", *Review of Economics and Statistics*, 49 (1967), 423-440 y Gilbert, "Mobility Barriers and the Value of Incumbency".
5. *Fuentes*: M. L. Dertouzos, R. K. Lester, and R. M.

Solow, *Made in America* (Cambridge, Mass.: MIT Press, 1989). "The Jumbo War", *Economist*, June 15, 1991, pp. 65-66; "Dissecting Airbus", *Economist*, February 16, 1991, pp. 51-52.

6. Si se desea consultar una revisión de la teoría del oligopolio, *véase* C. Shapiro, "Theories of Oligopoly Behavior", in *Handbook of Industrial Organization*, ed. R. Schmalensee and R. D. Willig (Amsterdam: North Holland, 1989), I.

7. Para consultar el análisis de acuerdos tácitos, *véase* T. C.. Schelling, *The Strategy of Conflict*, (Cambridge, Mass.: Harvard University Press, 1960).

8. Para mayor información *véase* D. F. Barnett, y R. W. Crandall, *Up From the Ashes* (Washington, D.C.: Brookings Institution y F. Koelbel, "Strategies for Restructuring the Steel Industry", *Metal Producing*, 33 (1986), 28-33.

9. Michael E. Porter, *Competitive Strategy* (New York: Free Press, 1980).

10. *Fuentes:* E. Tanouye, "Drug Prices Get a Dose of Market Pressure", *Wall Street Journal*, March 11, 1993, B1. C. G. McLaughlin, "Market Responses to HMOs: Price Competition or Rivalry?" *Inquiry*, 25 (1988), 207-218.

11. Porter, *Competitive Strategy*.

12. La frase fue originalmente acuñada por J. Schumpeter, *Capitalism, Socialism and Democracy* (London: Macmillan, 1950), p. 68.

13. *Véase* M. Gort and J. Klepper, "Time paths in the Diffusion of Product Innovations", *Economic Journal* (September 1982), 630-653. Al observar el historial de 46 productos diferentes, Gort y Klepper hallaron que el periodo previo al ingreso de otras compañías a los mercados creados por unas pocas empresas ingeniosas, disminuyó de un promedio de 14.4 años para productos introducidos antes de 1930 a 4.9 años para aquellos introducidos después de 1949.

14. El desarrollo de la teoría de grupo estratégico ha sido un importante tema en la literatura sobre estrategias. Entre las contribuciones importantes se incluyen R. E. Caves y Michael E. Porter, "From Entry Barriers to Mobility Barriers", *Quarterly Journal of Economics* (May 1977), 241-262; K. R. Harrigan, "An Application of Clustering for Strategic Group Analysis", *Strategic Management Journal*, 6 (1985), 55-73; K. J. Hatten and D. E. Schendel, "Heterogeneity Within an Industry: Firm Conduct in the U.S. Brewing Industry, 1952-71", *Journal of Industrial Economics*, 26 (1977), 97-113; y Michael E. Porter, "The Structure Within Industries and Companies' Performance", *Review of Economics and Statistics*, 61 (1979), 214-227.

15. Para mayor información sobre la estructura del grupo estratégico en la industria farmacéutica, *véase* K. Cool y I. Deierickx, "Rivalry, Strategic Groups, and Firm Profitability", *Strategic Management Journal*, 14 (1993), 47-59.

16. Esta perspectiva está asociada con la escuela austriaca de economía. La perspectiva se remonta hasta Schumpeter. Para consultar reciente información de esta es-

cuela y sus implicaciones de estrategia, *véase* R. Jacobson, "The Austrian School of Strategy", *Academy of Management Reviews*, 17 (1992), 782-807.

17. D. F. Barnett and R. W. Crandall, *Up from the Ashes*.

18. Michael E. Porter, *The Competitive Advantage of Nations* (New York: Free Press, 1990).

19. El término *equilibrio discontinuo* es un préstamo de la biología evolutiva. Si se desea una explicación detallada del concepto, *véase* M. L. Tushman, W. H. Newman, and E. Romanelli, "Convergence and Upheaval: Managing the Unsteady Pace of Organizational Evolution", *California Management Review*, 29 29-44; y C. J. G. Gersick, "Revolutionary Change Theories: A Multilevel Exploration of the Punctuated Equilibrium Paradigm", *Academy of Management Review*, 16 (1991), 10-36.

20. Richard D'Avani, *Hypercompetition* (New York: Free Press, 1994).

21. Richard P. Rumelt, "How Much Does Industry Matter?" *Strategic Management Journal*, 12 (1991) 167-185.

22. *Véase* R. Schmalensee, "Inter-Industry Studies of Structure and Performance", *Handbook of Industrial Organization*, ed. R. Schmalensee and R. D. Willig (Amsterdam: North Holland, 1989), I.

23. Por ejemplo, *véase* K. Cool and D. Schendel, "Strategic Group Formation and Performance: The Case of the U.S. Pharmaceutical Industry 1932-1992", *Management Science* (September 1989), 1102-1124.

24. Charles W. Hofer plantea que las consideraciones sobre el ciclo de vida se pueden constituir en la contingencia más importante cuando se formula una estrategia de negocios. *Véase* Charles W. Hofer, "Towards a Contingency Theory of Business Strategy", *Academy of Management Journal*, 18 (1975), 784-810. También existe evidencia empírica que apoya este criterio. *Véase* C. R. Anderson y C. P. Zeithaml, "Stages of the Product Life Cycle, Business Strategy", and Business Performance, *Academy of Management Journal* 27 (1984), 5-24 y D. C. Hambrick and D. Lei, "Towards and Empirical Prioritization of Contingency Variables for Business Strategy," *Academy of Management Journal*, 28 (1985), 763-788.

25. Standard and Poor's Industry Surveys, *Food, Beverage and Tobacco*, November 5, 1992.

26. Las características de las industrias en decadencia han sido resumidas por K. R. Harrigan, "Strategy Formulation in Declining Industries", *Academy of Management Review*, 5 (1980), 599-604.

27. P. Dicken, *Global Shift* (New York: Guilford Press, 1992).

28. Robert B. Reich, *The Work of Nations* (New York: Knopf, 1991).

29. Theodore Levitt, "The Globalization of Markets", *Harvard Business Review* (May-June 1983), 92-102.

30. Dicken, *Global Shift*.

31. *Fuentes:* "The Tyre Industry's Costly Obsession with Size", *Economist*, June 8, 1991, pp. 65-66. "A Bridge Too Far", *Financial World*, June 9, 1992, pp. 52-54.

32. Porter, *Competitive Advantage*.

4 Ventaja competitiva: recursos, capacidades y habilidades

4.1 CASO INICIAL: MARKS & SPENCER

Marks & Spencer (M&S) es una institución minorista británica. Fundada en 1884 por Michael Marks, un judío polaco que había emigrado a Inglaterra, la compañía ha sido cadena nacional desde comienzos de este siglo. En 1926 tenía una sucursal en cada población importante del país y se había convertido en la más grande minorista de Gran Bretaña, posición que todavía mantiene en 1994. M&S básicamente es un proveedor de confecciones y productos alimenticios; es uno de los minoristas más rentables del mundo. En 1992 sus 280 almacenes ubicados en el Reino Unido obtuvieron ventas por US$7,500 millones. M&S respondió por el 15% del total de ventas de confecciones al por menor en el Reino Unido, y el 4.6% de las ventas totales de productos alimenticios. De acuerdo con el libro de *Guinness Records,* en 1991 el almacén insignia de la organización en Marble Arch, Londres, tuvo un volumen de ventas de US$3,700 por pie cuadrado, superior a cualquier otro almacén por departamentos en el mundo.

El secreto del éxito de la empresa radica en la forma como utiliza algunos principios estratégicos claves, muchos de los cuales ya se encontraban establecidos desde la década de 1920. M&S suministra una selectiva variedad de confecciones y productos alimenticios dirigidos a lograr un rápido volumen de ventas. La firma vende todos sus productos bajo su propia marca St. Michael. Ofrece productos de alta calidad a precios moderados, no bajos. Esta combinación de alta calidad y precio razonable motiva a los clientes para que asocien a M&S con el valor que ellos pagan, y su habilidad para proporcionar firmemente esta combinación con el paso de los años ha contituido un importante *goodwill* en Gran Bretaña. La reputación de M&S es tan fuerte entre los consumidores británicos que la compañía no hace publicidad en ese mercado: fuente importante de ahorro en costos.

A fin de lograr la combinación de precios moderados y alta calidad, la empresa trabaja en forma muy estrecha con sus proveedores, varios de los cuales le han vendido una gran proporción de sus productos durante generaciones. La concentración en calidad se refuerza mediante la práctica de la organización de tener su personal técnico trabajando en contacto constante con los proveedores sobre el diseño de productos. Los proveedores se encuentran muy dispuestos a responder a las exigencias de la firma, pues saben que M&S es leal y a medida que ésta crece igual les sucede a ellos. El volumen de ventas generado por su estrategia de suministrar sólo una selecta variedad de confecciones y productos alimenticios, le permite a sus proveedores realizar sustanciales economías de escala en grandes cantidades de producción. Estos ahorros en costos pasan entonces a M&S en la forma de precios reducidos. A su vez, la empresa transfiere parte de los ahorros al consumidor.

Una concentración clara en el cliente es vital para la efectividad de M&S. La actitud la establece la alta gerencia. Cada gerente senior se acostumbra a lucir prendas M&S y consumir sus alimentos. En consecuencia, los gerentes llegan a comprender lo que los clientes desean y gustan de sus productos; al mantenerse cerca del cliente pueden mejorar la calidad y diseño que ofrecen. La concentración en el cliente está reforzada en el nivel de almacenes por parte de los gerentes respectivos quienes hacen monitoreo del volumen de ventas y rápidamente identifican las líneas que se están vendiendo y aquellas que no. Luego, estos gerentes pueden transmitir la información a los proveedores, quienes tiene la capacidad de modificar rápido su producción, aumentando las líneas que se venden bien y reduciendo aquellas que no registran una buena salida.

Otra característica importante de M&S es su enfoque pionero en las relaciones humanas. Mucho antes de que se hiciera popular, la firma había desarrollado un compromiso con el bienestar de sus empleados. Siempre se había considerado como una familia comercial con una amplia responsabilidad por el bienestar de su gente. La compañía les ofrece planes médicos y de pensiones que proporcionan beneficios superiores al promedio de la industria. Paga a una tasa que se encuentra por encima del promedio industrial, y practica la promoción de sus empleados dentro de la organización en vez de contratar personal externo. Además, hay en proyecto una serie de atractivos, que incluyen cafeterías subsidiadas, servicios médicos, salas de recreación y salones de peluquería. La recompensa para M&S es la confianza y lealtad de sus empleados y, finalmente, su gran productividad.

También es importante el compromiso de la compañía para simplificar su estructura operativa y los sistemas de control estratégico. M&S posee una jerarquía bastante plana; no existe forma de intervención de sus estratos administrativos entre los gerentes de almacén y la alta gerencia. La firma emplea sólo dos márgenes de utilidades, uno para los productos alimenticios y otro para las confecciones. Esta práctica reduce la burocracia y libera a sus gerentes de almacén de preocuparse por los asuntos de precios. Por el contrario, se encuentran estimulados a concentrarse en la maximización del volumen de ventas. El desempeño de un almacén se evalúa de acuerdo con su volumen de ventas. El control se logra en parte mediante procedimientos presupuestales formales, y parcialmente a través de procesos informales de sondeo, en los cuales la alta gerencia realiza visitas inesperadas a los almacenes e interroga a los gerentes sobre el movimiento a su cargo. En un año común, casi todo almacén en Gran Bretaña recibe por lo menos una visita inesperada por parte de la alta gerencia. Esta condición mantiene la expectativa de los gerentes quienes constantemente están alertas a la necesidad de suministrar el tipo de productos equivalentes al valor justo en dinero que los clientes asocian a M&S[1].

Preguntas y temas de análisis

1. ¿Cuál es la fuente de ventaja competitiva de Marks & Spencer?
2. Marks & Spencer se las ha ingeniado para mantener su ventaja competitiva en la venta minorista británica durante más de 50 años. ¿Por qué a las firmas rivales se les ha dificultado atacar su posición competitiva?

4.2   VISIÓN GENERAL

En el capítulo 3 se analizaron los elementos del ambiente externo que determinan el atractivo de una industria y se examinó cómo la estructura de un medio explica la razón para que unas industrias sean más rentables que otras. Sin embargo, la estructura industrial no es la única fuerza que afecta las utilidades de una compañía. Como se anotó en el capítulo 1, dentro de determinado ámbito algunas empresas son más rentables que otras. Por ejemplo, en la industria mundial automotriz, Toyota ha superado firmemente el desempeño de General Motors durante la mayor parte de los últimos 20 años. En la del acero, Nucor ha superado de igual manera el rendimiento de US Steel. En el medio minorista estadounidense de confecciones, The Gap ha sobrepasado en forma vigorosa el desempeño de JC Penney, mientras que en Gran Bretaña, como se ilustró en el caso inicial, Marks & Spencer durante más de medio siglo ha estado al frente de sus competidores. Por tanto, la pregunta pertinente es: ¿por qué, dentro de determinada industria, algunas compañías se desempeñan mejor que otras? En otras palabras, ¿cuál es la base de la ventaja competitiva?

Marks and Spencer suministra algunas claves con relación a las fuentes de ventaja competitiva, es decir, una habilidad de la organización para sobrepasar el rendimiento de sus rivales. En el caso inicial, se vio cómo la ventaja competitiva de esta empresa en el medio minorista británico estaba fundamentada en su firme habilidad para distribuir confecciones y productos alimenticios de alta calidad a precios razonables (proporcionar valor justo pagado por los clientes). ¿Cómo lo hace? Primero, su estrategia de ofrecer sólo una limitada selección de productos y concentrarse en el volumen permite que sus proveedores obtengan ganancias en eficiencia de las economías de escala. Estos beneficios, que generan reducción de costos, pasan a M&S en forma de precios reducidos de insumos. Segundo, la firma maneja sus relaciones con los proveedores con el fin de motivarlos para que se concentren en la calidad del producto y satisfagan sus necesidades. Tercero, el enfoque en el cliente de M&S asegura que la compañía responda a las exigencias de éste. Cuarto, la confianza y compromiso que la política de relaciones humanas de M&S genera entre sus empleados se traduce en alta productividad del empleado, la cual a su vez ayuda a disminuir los costos de la empresa y aumenta la capacidad de aceptación del cliente. Quinto, la ausencia de burocracia ayuda a reducir los gastos al eliminar los sobrecostos. Finalmente, el enorme *goodwill* que M&S ha generado en Gran Bretaña permite que opere sin hacer publicidad, lo cual de nuevo disminuye los gastos.

Por tanto, se puede concluir que la ventaja competitiva de M&S proviene de la habilidad para disminuir costos mediante **alta eficiencia,** el firme suministro de **productos de alta calidad** y la correcta respuesta a las **necesidades del cliente**. También se puede argumentar que su éxito se puede reconocer en parte por su carácter de **innovadora** estratégica en la industria minorista. Fue la primera operación minorista a nivel nacional en Gran Bretaña, la primera en adoptar la estrategia de vender una selección limitada de mercancía de alta calidad, la primera en adoptar políticas progresivas de relaciones humanas, y la primera en establecer relaciones corporativas a largo plazo con sus proveedores.

Como se verá en este capítulo, **eficiencia, calidad, innovación** y **capacidad de satisfacer al cliente** pueden considerarse como los cuatro bloques o dimensiones principales de formación de ventaja competitiva. Las firmas que han logrado una ventaja competitiva típicamente superan por lo menos una de estas cuatro dimensiones. A su vez, estos bloques son el producto de las habilidades, recursos y capacidades de una organización. En este capítulo se examina cómo una empresa busca establecer la ventaja competitiva al desarrollar habilidades, recursos y capacidades con el fin de crear situaciones superiores de eficiencia, calidad, innovación y capacidad de aceptación del cliente. Luego se analizan tres cuestionamientos importantes. Primero, una vez obtenida la ventaja competitiva, ¿qué factores influyen en su durabilidad? Segundo, ¿por qué las compañías exitosas pierden su ventaja competitiva? Tercero, ¿cómo pueden evitar el fracaso competitivo y sostener su ventaja competitiva con el paso del tiempo? Mientras que firmas como M&S han disfrutado de una ventaja competitiva de prolongada permanencia, la de otras con frecuencia es breve. Por ejemplo, la ventaja competitiva de IBM en la industria del computador personal sólo duró aproximadamente dos años antes de que fuera golpeada por clones de bajo precio e innovadores de mayor velocidad como Compaq. Reciente historial de negocios está lleno de ruinas de organizaciones antes importantes como IBM, Sears y General Motors, que perdieron su perfil competitivo y luchan para reobtenerlo. En este capítulo, se suministra un marco teórico para resolver tales interrogantes.

4.3 VENTAJA COMPETITIVA: BAJO COSTO Y DIFERENCIACIÓN

Se dice que una compañía posee una **ventaja competitiva** cuando su índice de utilidad es mayor que el promedio de su industria. La tasa de utilidad normalmente se define como cierto índice; por ejemplo, el rendimiento sobre las ventas (RSV) o el rendimiento sobre los activos (RSA). La tabla 4.1 proporciona información acerca del rendimiento sobre las ventas y el rendimiento sobre los

Tabla 4.1
Tasas de utilidad en la industria de computadores en 1992

Compañía	Ventas US$ millones	RSV (%)	RSA (%)
IBM	65,096	-8	-6
Hewlett-Packard	16,427	3	4
Digital Equipment	14,027	-20	-25
Unisys	8,422	4	5
Apple Computer	7,078	7	13
Compaq Computer	4,132	5	7
Sun Microsystems	3,682	5	6
Pitney Bowes	3,460	3	2
Seagate Technology	2,889	2	3
Amdahl	2,554	0	0
Conner Peripherals	2,273	5	6
Tandem Computers	2,058	-2	-2
Wang Laboratories	1,910	-19	-33
Storage Technology	1,512	1	1
Intergraph	1,182	1	1
Quantum	1,128	4	9
Data General	1,127	-6	-7
Gateway 2000	1,107	6	26
SCI Systems	1,945	0	1
Maxtor	1,039	1	2
AST Research	951	7	12
Western Digital	940	-8	-14
Dell Computer	890	6	9
Silicon Graphics	867	-14	-16
Cray Research	798	-2	-1
Promedio		-0.8	0.6

activos, registrados en 1992, de 25 compañías estadounidenses en la industria de los computadores. Como se puede observar, 1992 fue un mal año para este medio. El promedio de RSV para la industria en 1992 fue de -0.8% y el de RSA fue de 0.6%. Sin embargo, algunas empresas evidentemente superaron el promedio, entre ellas Apple Computer, AST Research, Dell Computer y Gateway 2000, todas con considerables índices de utilidad. Estas firmas tuvieron ventaja competitiva en 1992. Por otro lado, hubo otro grupo que obtuvo un índice menor del promedio; estas organizaciones incluyen algunas importantes en este ámbito como Digital Equipment, IBM y Wang Laboratories. Estas compañías se encontraron en desventaja competitiva.

El determinante fundamental del índice de utilidad en una compañía es su margen de utilidad bruta (MUB), que corresponde sencillamente a la diferencia entre los ingresos totales (IT) y los costos totales (CT), dividida por los costos totales:

$$MUB = (IT - CT)/CT$$

En otras palabras,

MUB = {(precio unitario * unidades vendidas) – (costo unitario * unidades vendidas)}/(costo unitario * unidades vendidas)

Se deduce que para que un margen de utilidad bruta sea superior al del promedio de la industria debe ocurrir una de las siguientes opciones:

- El *precio unitario* de la compañía *debe ser superior* al de la compañía promedio y su costo unitario debe ser equivalente al de la firma promedio.
- El *costo unitario* de la empresa *debe ser inferior* al de la compañía promedio y su precio unitario debe ser equivalente al de la compañía promedio.
- La firma debe tener un menor costo unitario *y* un mayor precio unitario que el de la compañía promedio.

Por tanto, para que una organización alcance una ventaja competitiva, debe tener costos menores que sus competidores, o diferenciar su producto de tal manera que pueda cobrar un precio mayor que el de sus rivales o debe llevar a cabo las dos opciones en forma simultánea.

Cuando una compañía cobra un precio unitario mayor que el promedio industrial, se involucra en una escala **de precios superiores.** Con el fin de que un consumidor esté preparado para pagar un precio superior, la empresa debe agregar valor al producto, desde la perspectiva del consumidor, en una forma que los competidores no puedan. Agregar valor requiere **diferenciar** el producto de los ofrecidos por los rivales en una o más dimensiones, como calidad, diseño, tiempo de entrega, y servicios y apoyo posventa. Con mayor exactitud, significa lograr desempeño superior en estas dimensiones.

Con base en estos conceptos primordiales Michael Porter se ha referido al **bajo costo** y a la **diferenciación** como **estrategias genéricas a nivel de negocios**[2]. Es decir, las estrategias representan las dos maneras fundamentales de intentar obtener una ventaja competitiva en una industria. Una estrategia de bajo costo consiste básicamente en hacer todo lo posible para disminuir costos unitarios. Una estrategia de diferenciación se fundamenta en hacer todo lo necesario para diferenciar los productos de aquellos ofrecidos por los competidores, con el propósito de poder cobrar un precio superior. Por ejemplo, en el ámbito industrial del computador, la ventaja competitiva disfrutada por Apple en 1992 se basaba en la diferenciación (*véase* tabla 4.1). Apple tenía la propiedad de un sistema operativo y de una marca importante, que le permitieron diferenciarse de sus competidores. Por otro lado, la ventaja competitiva de Gateway 2000, Dell y AST Research se apoyaba en el bajo costo. Todas estas organizaciones eran fabricantes de computadores personales (clones) compatibles con IBM de bajo costo. Como resultado, podían asignar un bajo precio a sus productos.

En el capítulo 6, se encuentra mayor información sobre el criterio de Porter cuando se analice en profundidad la estrategia a nivel de negocios. Por ahora, la tarea consiste en identificar aquellos factores que permiten que una compañía obtenga una posición de bajo costo y/o diferenciación y, por tanto, logre una ventaja competitiva.

4.4   LOS BLOQUES GENÉRICOS DE FORMACIÓN DE LA VENTAJA COMPETITIVA

Como se anotó anteriormente, cuatro factores constituyen la ventaja competitiva: eficiencia, calidad, innovación y capacidad de satisfacer al cliente. Éstos son los bloques genéricos de formación de la ventaja competitiva (figura 4.1). Estos factores son genéricos en el sentido que representan cuatro formas básicas de reducción de costos y de logro de diferenciación que cualquier compañía puede adoptar, independientemente de su industria o de los productos o servicios que ofrezca. Aunque estos factores se analizan en forma separada posteriormente, se debe tener en cuenta que todos se encuentran muy interrelacionados. Así, por ejemplo, la calidad superior puede llevar a una eficiencia superior, mientras la innovación puede aumentar la eficiencia, calidad y capacidad de satisfacción al cliente.

Figura 4.1
Bloques genéricos de formación
de la ventaja competitiva

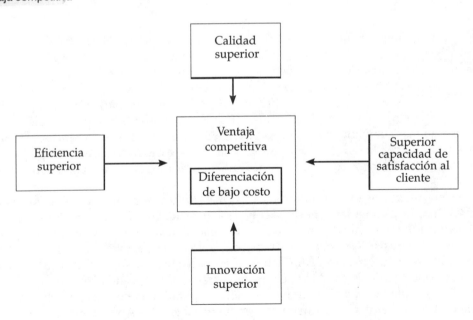

Eficiencia

Una compañía es un instrumento para la transformación de insumos en productos. Los insumos son los factores básicos de producción como mano de obra, terrenos, capital, administración, *know-how* tecnológico y otros. Los productos son los bienes y servicios que genera una empresa. La eficiencia se mide por el costo de los insumos necesarios para generar determinado producto. Cuanto más eficiente sea una organización, menor será el costo de los insumos requeridos de crear cualquier producto. Por consiguiente, la eficiencia ayuda a que una firma logre una ventaja competitiva de bajo costo. En el caso inicial, se observó cómo la habilidad de Marks & Spencer para reducir el costo de insumos mediante la relación con los proveedores, su capacidad para funcionar sin publicidad, su carencia de burocracia y la alta productividad del empleado, en conjunto, destacan su habilidad para ofrecer a los consumidores bienes de alta calidad a un precio razonable. Es decir, todas las habilidades refuerzan la ventaja competitiva con base en los costos de M&S.

Una de las claves para lograr alta eficiencia consiste en utilizar los insumos en la forma más productiva posible. El componente de la eficiencia más importante para la mayoría de las compañías es la productividad del trabajador, la cual usualmente se mide teniendo en cuenta la producción por empleado. Al tener como constante esta condición, la empresa con la mayor productividad por trabajador en una industria usualmente tendrá los menores costos de producción. En otras palabras, esa organización tendrá una ventaja competitiva con base en sus costos. Por ejemplo, Marks & Spencer, debido a su estrategia de recursos humanos y carencia de burocracia corporativa, posee una fuerza laboral bastante productiva. A su vez, esto ayuda a reducir sus costos con respecto a los de sus competidores, suministrándole así una ventaja competitiva. En la tabla 4.2 se ilustra otro ejemplo. Éste determina las horas promedio que se emplean para ensamblar un vehículo automotor en diversas plantas automotrices: japonesas propias ubicadas en el Japón, japonesas propias en Norteamérica, norteamericanas propias localizadas en Norteamérica y europeas propias ubicadas en Europa. Un rápido vistazo a estas cifras sugiere que, en general, las plantas japonesas poseen una ventaja competitiva con base en costos que proviene de su mayor productividad por trabajador. Por supuesto, a su vez esto se traduce en participación en el mercado. Por ejemplo, en EE.UU., las firmas automotrices japonesas tienen casi el 27% del mercado automotriz, superior al 20% de hace una década.

Tabla 4.2
Características de las plantas de ensamblaje para productores en serie

Desempeño	Japonesas en el Japón	Japonesas en Norteamérica	Norteamericanas en Norteamérica	Europeas en Europa
Productividad por empleado (horas por vehículo)	16.8	21.2	25.1	36.2
Calidad (Defectos/100 vehículos)	60	65	82.3	97

Fuente: Adaptación con autorización de Rawson Associates; impresión de Macmillan Publishing Company tomada de *The Machine That Changed the World* de James P. Womack, Daniel T. Jones y Daniel Roos. Copyright © 1990 James P. Womack, Daniel T. Jones, Daniel Roos, and Donna Sammons Carpenter.

Por supuesto, el aspecto interesante consiste en cómo lograr alta productividad y eficiencia. En capítulos posteriores, se examinará en detalle cómo una compañía alcanza estos dos factores básicos (además de calidad, innovación y capacidad de satisfacer al cliente). Por ahora, sólo nótese que con el fin de lograr alta productividad y eficiencia, la empresa debe adoptar la estrategia, estructura y sistemas de control apropiados.

Calidad

Los productos de calidad son bienes y servicios confiables en el sentido de que desempeñan la función para la cual se diseñaron y la ejecutan bien. Este concepto se aplica bien sea en el caso de un automóvil Toyota, una camisa marca St. Michael vendida en Marks & Spencer o en el caso del departamento encargado del servicio al cliente en un banco.

El impacto de la alta calidad de un producto sobre la ventaja competitiva es doble[3]. Primero, suministrar productos de alta calidad genera una reputación de marca para los productos de una compañía. A su vez, esta reputación incrementada permite que la empresa cobre un mayor precio por sus productos. Por ejemplo, en la industria automotriz, las organizaciones japonesas como Toyota no sólo han tenido una ventaja en costos con base en la productividad sobre sus competidores estadounidenses y europeos, sino que también podrían determinar un precio alto para sus automóviles debido a la mayor calidad de sus productos (*véase* tabla 4.2). Por tanto, comparada con una firma como General Motors, Toyota ha contado con costos más bajos y la habilidad de asignar precios mayores. Como resultado, ha operado con un margen de utilidades mucho mayor que General Motors.

El segundo impacto de la calidad en la ventaja competitiva proviene de la mayor eficiencia, y por consiguiente menores costos unitarios originados por una mayor calidad del producto. En este caso el mayor efecto lo constituye el impacto de la calidad en la productividad. Una mayor calidad del producto significa que se pierde menos tiempo por trabajador realizando productos defectuosos o suministrando servicios fuera de lo normal, y se emplea menos tiempo corrigiendo errores. Esto se traduce en mayor productividad por trabajador y menores costos por unidad. En consecuencia, la alta calidad de producto no sólo permite que una compañía establezca mayores precios; también disminuye los costos (figura 4.2).

La importancia de la calidad en la formación de una ventaja competitiva ha aumentado considerablemente durante los últimos años. En verdad, es tan importante el énfasis en la calidad de muchas compañías que lograr un producto de alta calidad ya no puede considerarse como una forma exclusiva de obtener ventaja competitiva. En muchas industrias, éste se ha convertido en un absoluto imperativo para la supervivencia.

Innovación

La innovación puede definirse como algo nuevo o novedoso con respecto a la forma como una empresa opera o sobre los productos que ésta genera. Por consiguiente, la innovación incluye adelantos en los tipos de productos, procesos de producción, sistemas administrativos, estructuras organizacionales y estrategias desarrolladas por una organización. Desde esta perspectiva, Marks & Spencer con su implementación pionera en las relaciones con sus trabajadores, la estrategia de descuento de Toy Я Us en el negocio minorista de juguetes, el ajustado sistema de producción de Toyota para la fabricación de automóviles y el desarrollo del *walkman* por parte de Sony se pueden considerar innovaciones, ya que todas involucran a una compañía que realiza algo novedoso.

La innovación es quizá el bloque aislado de ventaja competitiva más importante. Como se anotó en el capítulo 3, a largo plazo, la competencia se puede considerar como un proceso impulsado por la innovación. Aunque no todas las novedades tienen éxito, aquellas que lo alcanzan pueden ser una fuente importante de ventaja competitiva. La razón es que, por definición, la creación exitosa proporciona a una firma algo **exclusivo,** algo que sus competidores no tienen (hasta que imiten esa innovación). Esta exclusividad puede permitir que una compañía se diferencie de sus rivales y cobre un precio superior a su producto. En forma alternativa, ésta puede permitir que una empresa reduzca sus costos unitarios mucho más que sus competidores.

Así como con la eficiencia y la calidad, el aspecto de la innovación se explora en forma más completa posteriormente en este libro. Por el momento, su importancia se puede ilustrar mediante algunos ejemplos. Marks & Spencer, perfilado en el caso inicial, fue el pionero de tres importantes transformaciones en la industria minorista británica: el establecimiento de relaciones a largo plazo con sus proveedores, la institución de prácticas de relaciones humanas de avanzada y el ofrecimiento de una limitada variedad de mercancías. Estas introducciones ayudan a M&S a disminuir sus costos con relación a sus competidores que ofrecen productos de calidad similar. En consecuencia, la ventaja competitiva actual basada en sus costos se debe en parte a que se constituyó en un perfeccionador.

Ampliamente, hay muchos ejemplos de organizaciones que han sido pioneras de nuevos productos y han obtenido importantes compensaciones por sus creaciones. Considérese la evolución de la fotocopiadora Xerox, el desarrollo de nuevos microprocesadores de Intel, como el 386, el 486 y ahora el chip Pentium, el adelanto de la impresora láser de Hewlett-Packard, el perfeccionamiento de zapatillas deportivas de alta tecnología de Nike, la evolución de los lentes de contacto de Bausch & Lomb y el desarrollo del *walkman* de Sony. Todas estas innovaciones de producto ayudaron a formar una ventaja competitiva para las organizaciones pioneras. En cada caso, la compañía, por virtud de ser el único proveedor de un nuevo producto, podía cobrar un precio superior. Cuando los competidores tuvieron éxito al imitar el trabajo del innovador, la firma innovadora había generado una lealtad a la marca tan fuerte que su posición demostró la dificultad de ser atacada por parte de los imitadores. Por esta razón, Sony todavía se conoce por su *walkman* y Hewlett Packard por sus impresoras láser.

Figura 4.2
El impacto de la calidad en las utilidades

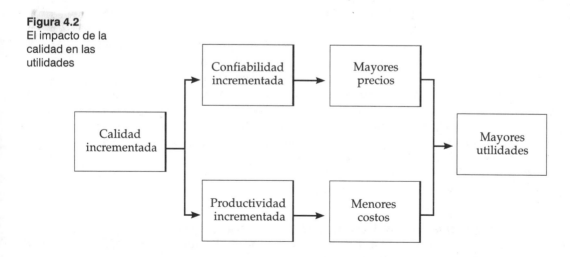

Capacidad de satisfacción al cliente

A fin de lograr la aceptación por parte del cliente, una compañía debe proporcionarles exactamente lo que desean en el momento que lo requieran. En consecuencia, una firma debe hacer todo lo posible para identificar sus necesidades y satisfacerlas. Entre otras cosas, lograr una superior capacidad de corresponder al cliente implica proporcionarle el valor de lo que pagó. Las medidas emprendidas para mejorar la eficiencia del proceso de producción de una compañía y la calidad de su producción son consistentes con esta meta. Además, satisfacer las necesidades del cliente puede requerir el desarrollo de nuevos productos con características que no poseen productos existentes. En otras palabras, *alcanzar eficiencia, calidad e innovación superiores en conjunto hacen parte del logro de una gran capacidad de aceptación por parte del cliente.*

Otro factor que se destaca en cualquier análisis de la capacidad de corresponder al cliente es la necesidad de **personalizar** los bienes y servicios de acuerdo con las demandas individuales de los clientes. Por ejemplo, la proliferación de diferentes tipos de bebidas refrescantes y cervezas durante los últimos años se puede considerar en parte como una respuesta a esta tendencia. De igual manera, las compañías automotrices se han especializado en la individualización de automóviles de acuerdo con las demandas de sus clientes. Por ejemplo, según la pauta de Toyota, la división Saturn de General Motors construye vehículos de acuerdo con los pedidos individuales de clientes, permitiéndoles escoger de una amplia gama de colores y opciones.

Un aspecto de la capacidad de corresponder al cliente que ha originado creciente atención es el **tiempo de respuesta al cliente**[4], el lapso que se emplea en la entrega de un bien o prestación de un servicio. Para un fabricante de maquinaria, el tiempo de respuesta es el lapso que emplea en despachar los pedidos de los clientes. Para un banco, es el lapso para diligenciar un préstamo o el tiempo que el cliente debe esperar en fila para utilizar un cajero libre; y para un supermercado, consiste en el tiempo que los clientes deben esperar en fila para pagar en las cajas. Las encuestas a los clientes han demostrado que el lento tiempo de respuesta es la mayor causa de su insatisfacción[5]. La forma como Citicorp cambió sus procesos de préstamos para reducir el espacio que le tomaba procesar solicitudes de crédito hipotecario ilustra cómo reducir el tiempo de respuesta puede generar una ventaja competitiva (*véase* estrategia en acción 4.1).

Además de la calidad, la personalización y el tiempo de respuesta, otras fuentes de aumento de la capacidad de satisfacer al cliente son el diseño superior, el servicio superior, y el servicio y apoyo posventa superiores. Todos estos factores incrementan la capacidad de conformidad del cliente y permiten que una compañía se diferencie de sus competidores que ofrecen una menor aceptación. A su vez, la diferenciación posibilita que una empresa genere lealtad a la marca y establezca un precio superior a sus productos. Por ejemplo, considérese cuántas personas más están dispuestas a pagar por el servicio de entrega de correo expreso, al día siguiente en oposición a su entrega en tres o cuatro días. En 1994 una carta de dos páginas, enviada la noche anterior por Express Mail, dentro de los EE.UU. costaba casi US$9.95, comparada con los 29 centavos para el correo corriente. Por tanto, el precio superior por la entrega expresa (tiempo de respuesta reducido) fue de US$9.66, ¡o sea un precio superior de 3,331% sobre el precio corriente!

Resumen

Eficiencia, calidad, capacidad de satisfacer al cliente e innovación son elementos importantes para el logro de una ventaja competitiva. La eficiencia superior posibilita que una compañía reduzca sus costos; la calidad superior le permite cobrar un precio mayor y disminuir los costos; la superior capacidad de aceptación por parte del cliente le permite establecer un precio mayor; y la innovación

ESTRATEGIA EN ACCIÓN 4.1

Cómo utilizó Citicorp la competencia basada en el tiempo para desarrollar ventaja competitiva

Durante la década de 1980 Citicorp, de pequeño participante en la industria de préstamos hipotecarios pasó a ser una fuerza importante. En 1982 sus intereses sobre hipotecas representaban una tasa anual de US$756 millones. En 1987 la tasa anual había aumentado a US$14,800 millones. Por otra parte, aunque Citicorp en 1987 continuaba respondiendo por sólo el 3.3% de todos los intereses sobre hipotecas en EE.UU., pudo reclamar un 37% más en intereses que su mayor rival, H. F. Ahmanson.

En el núcleo del éxito de Citicorp ha estado una estrategia que logra superior capacidad de corresponder al cliente al enfatizar una rápida respuesta y que los funcionarios encargados de créditos hipotecarios son altamente competentes. Citicorp también se dio cuenta de que el prestatario es sólo uno de los clientes a quien el prestamista debe servir. El agente de bienes raíces también es otro cliente. El prestatario a menudo pregunta al agente qué institución crediticia en el área posee dinero a las tasas más aconsejables. ¿Cuál institución recomienda el agente de bienes raíces? Citicorp concluyó que estos agentes desean cerrar un trato tan pronto como sea posible. Por consiguiente, recomendarán instituciones que sean rápidas en el procesamiento de solicitudes de préstamos y que estén atendidas por funcionarios receptivos y eficientes.

Tradicionalmente, las solicitudes de préstamo que emplean aproximadamente 45 días para su aprobación, se realizan en dos semanas. Como sabe cualquiera que haya comprado bienes raíces, esos 45 días pueden ser tensionantes e inciertos. La tensión se agrava cuando a finales del proceso de aprobación, una compañía que adelante en forma errónea el crédito hipotecario requiere más documentación o aclaración por parte del prestatario. En contraste con estos antecedentes, Citicorp decidió reducir el tiempo empleado para aprobar un préstamo a sólo 15 días. Con el propósito de lograr esta meta, creó un programa llamado MortgagePower. Los agentes de bienes raíces pagan una suscripción anual de US$2,500 para vincularse al programa. De esta manera los agentes investigan y cualifican a sus compradores para Citicorp, a cambio de un descuento de medio punto a punto y medio y la promesa de una respuesta a la solicitud de préstamo en 15 días. El agente puede utilizar el descuento de diversas maneras, permitidas por las regulaciones del Estado, bien sea proporcionárselo todo al comprador o, en algunos estados, mantener el descuento y cobrarle al comprador un honorario por el logro de la financiación. Como se anotó, los resultados para Citicorp han sido estupendos[6].

superior puede generar precios mayores o disminuir los costos unitarios (figura 4.3). En conjunto, estos cuatro factores crean una ventaja de bajo costo o de diferenciación y le posibilita superar el desempeño de sus competidores.

4.5 HABILIDADES DISTINTIVAS, RECURSOS Y CAPACIDADES

Una habilidad distintiva se refiere a la única fortaleza que le permite a una compañía lograr condición superior en eficiencia, calidad, innovación o capacidad de satisfacción al cliente (*véase* figura 4.4[7]. Una firma con una habilidad distintiva puede asignar un precio superior a sus productos o

Figura 4.3
El impacto de la eficiencia,
calidad, capacidad de
aceptación del cliente
e innovación en los costos
y precios unitarios

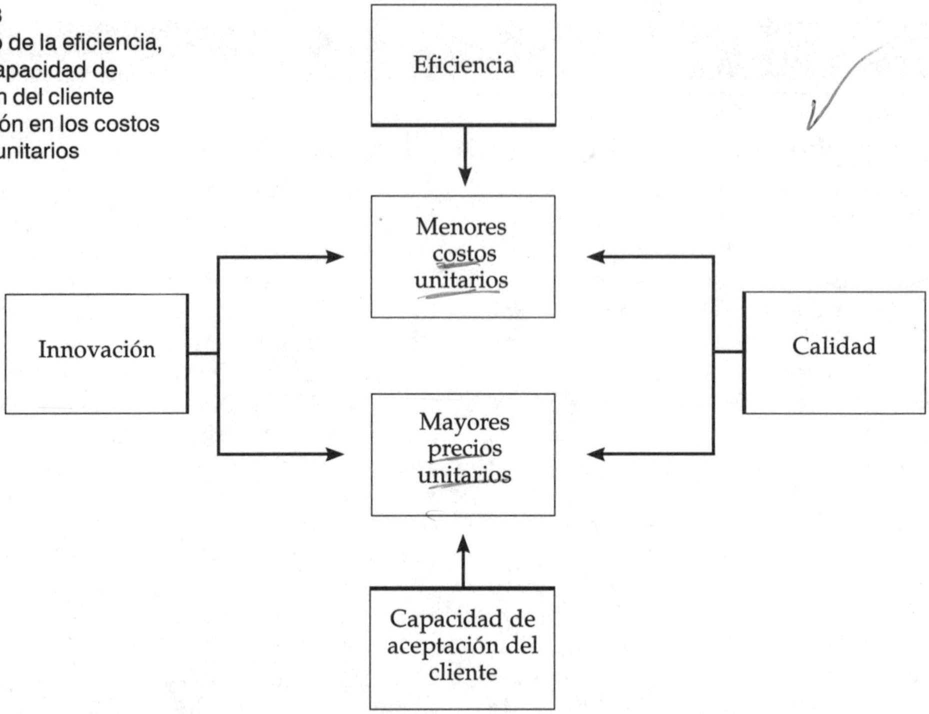

lograr costos sustancialmente menores con relación a sus rivales. En consecuencia, puede obtener un índice de utilidad considerablemente superior al promedio industrial.

Por ejemplo, Caterpillar posee una habilidad distintiva en el servicio y apoyo posventa. Esta organización fabrica maquinaria pesada para la construcción. Como esta maquinaria es muy costosa, lo último que podrían desear los contratistas de la construcción es tenerla inactiva. La respuesta de Caterpillar ha sido una red de servicio y apoyo posventa que ocupa el segundo lugar en su industria. La empresa puede proporcionar un repuesto y personal de servicio a cualquier punto del mundo en 24 horas. Por tanto, la habilidad distintiva de Caterpillar en el servicio y apoyo posventa le ha permitido lograr superior capacidad de aceptación por parte del cliente, lo que a su vez le permite cargar un precio superior a sus productos. En forma similar, se puede argumentar que Toyota posee habilidades distintivas en el desarrollo y operación de procesos de fabricación. Toyota ha sido pionera en una amplia gama de técnicas de fabricación, como los sistemas de inventario justo a tiempo, los equipos autogestionarios y los tiempos reducidos de instalación de maquinaria compleja. Estas habilidades le han ayudado a lograr eficiencia y calidad de producto superiores, las cuales se constituyen en la base de su ventaja competitiva en la industria mundial automotriz[8].

Recursos y capacidades

Las habilidades distintivas de una organización surgen de dos fuentes complementarias: **recursos** y **capacidades**[9]. Los recursos se refieren a los medios financieros, físicos, humanos, tecnológicos y organizacionales de la compañía. Éstos se pueden dividir en **recursos tangibles** (terrenos, edificaciones, planta y maquinaria) y **recursos intangibles** (marcas, reputación, patentes y *know-how* de marketing o tecnológico). Para crear una habilidad distintiva, los recursos de una empresa deben

ESTRATEGIA EN ACCIÓN 4.2

Cómo perdió EMI su posición de líder en los escáneres CAT: un relato de buenos recursos pero capacidades deficientes

En la década de 1970, cuando se introdujo el escáner computarizado para tomografía, se consideró el mayor avance en radiología desde el descubrimiento de los rayos X en 1895. Los escáneres CAT generan visualizaciones de cortes seccionales del cuerpo humano. Fueron inventados por Godfrey Hounsfield, ingeniero investigador senior de la compañía británica EMI, quien posteriormente ganó un premio Nobel por su logro. Como resultado de su invento EMI inicialmente tuvo la posesión exclusiva de un único y valioso recurso intangible: el *know-how* tecnológico necesario para fabricar escáneres CAT. Sin embargo, esta empresa carecía de la capacidad para explotar en forma exitosa ese recurso en el mercado. Es-

pecíficamente, no contaba con las habilidades de marketing requeridas para educar consumidores potenciales sobre los beneficios del producto, y carecía de las habilidades de servicio y apoyo posventa necesarias para mercadear de manera exitosa un producto tecnológicamente tan complejo. Como resultado, ocho años después de introducir este escáner, EMI ya no estaba en el negocio mientras que un imitador, General Electric, se había convertido en el líder del mercado. Aunque tuvo un recurso intangible exclusivo y valioso (*know-how* tecnológico), su falta de capacidad para explotarlo significó incapacidad de establecer una habilidad distintiva y generar altas utilidades[11].

ser *únicos* y *valiosos*. Un recurso único es el que ninguna otra compañía posee. Por ejemplo, la habilidad distintiva de Polaroid en la fotografía instantánea está fundamentada en un exclusivo recurso intangible: el *know-how* tecnológico involucrado en el proceso de revelado instantáneo. Este *know-how* se protegía de la imitación mediante muchas patentes. Un recurso es valioso si en alguna forma ayuda a generar una fuerte demanda de los productos de la organización. Por tanto, el *know-how* tecnológico de Polaroid era valioso debido a que generaba gran demanda de sus productos fotográficos.

Las capacidades se refieren a las habilidades de una compañía para coordinar sus recursos y destinarlos al uso productivo. Estas habilidades residen en las rutinas de una organización, es decir, en la forma como una empresa toma decisiones y maneja sus procesos internos con el fin de

Figura 4.4
La relación entre las habilidades distintivas y los bloques de formación de ventaja competitiva

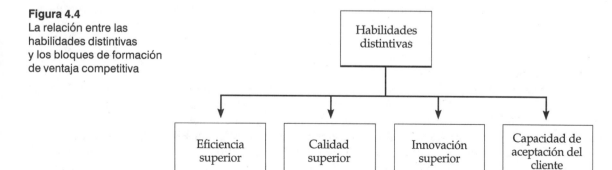

lograr objetivos organizacionales. En general, las capacidades de una firma son el producto de su estructura y sistemas de control organizacional. Éstas especifican cómo y dónde se toman las decisiones en su interior, el tipo de comportamientos que retribuye y sus normas y valores culturales. (En los capítulos 11 y 12 se analiza cómo la estructura organizacional y los sistemas de control ayudan a una compañía a desarrollar capacidades). Es importante tener en cuenta que las capacidades son, por definición, intangibles. Éstas se encuentran no tanto en los individuos como en su forma de interactuación, cooperación y toma de decisiones dentro del contexto de una organización[10].

Es importante la distinción entre recursos y capacidades para comprender lo que genera una habilidad distintiva. Una compañía puede tener recursos únicos y valiosos, pero a menos que posea la capacidad de utilizar esos recursos en forma efectiva no podrá crear o sostener una habilidad distintiva. La historia del fracaso de EMI en la explotación del escáner tomográfico axial computarizado (CAT), resumida en la estrategia en acción 4.2, muestra por qué es vital la unión de recursos y capacidades para generar una ventaja competitiva.

También es importante reconocer que una empresa puede no necesitar recursos únicos y valiosos para establecer una ventaja competitiva siempre y cuando tenga capacidades que no posea ningún competidor. Por ejemplo, la miniplanta de acero Nucor es ampliamente conocida por ser la acería más eficiente en costos en EE.UU. Sin embargo, su habilidad distintiva en la producción de acero a bajo costo no proviene de ningún recurso único y valioso. Nucor posee los mismos recursos (planta, maquinaria, empleados calificados, *know-how*) como muchas otras miniplantas operadoras. Lo que distingue a Nucor es su capacidad exclusiva de administrar sus recursos en una forma altamente productiva. De manera específica, la estructura, los sistemas de control y la cultura promueven la eficiencia en todos sus niveles.

En resumen, para que una empresa posea habilidad distintiva debe como mínimo contar bien sea con (1) un recurso único y valioso y las capacidades (habilidades) necesarias para explotarlo (como se ilustró en el caso de Polaroid), o (2) una capacidad exclusiva para manejar recursos comunes (como se ilustró el caso de Nucor). La habilidad distintiva de una firma es más fuerte cuando posee recursos y valores únicos *y* capacidades exclusivas para administrarlos.

Estrategia y ventaja competitiva

El objetivo básico de la estrategia consiste en lograr una ventaja competitiva. Alcanzar esta meta demanda un esfuerzo doble. Una compañía necesita emplear estrategias que se fundamenten en sus recursos y capacidades (habilidades) existentes, como también estrategias que generen recursos y capacidades adicionales (es decir, desarrollar nuevas habilidades) y, por consiguiente, aumenten su posición competitiva a largo plazo. La figura 4.5 ilustra la relación entre las estrategias de una firma y sus recursos y capacidades. Es importante anotar que por *estrategias* se quiere decir *todos* los tipos de estrategia: estrategias a nivel funcional, a nivel de negocios, a nivel corporativo, internacionales, o más comúnmente cierta combinación de ellas. En los siguientes seis capítulos se analizará en detalle las diversas estrategias disponibles para una empresa. En esta parte es necesario destacar las estrategias exitosas que a menudo se fundamentan en las habilidades distintivas existentes de una organización o que le ayudan a desarrollar otras nuevas.

La historia de Walt Disney Company durante la década de 1980 es un ejemplo de la necesidad de seguir estrategias que se basen en los recursos y capacidades de una firma. A comienzos de la década de 1980, Walt Disney sufrió una racha de infortunados años financieros. Esta situación culminó en 1984 con la reorganización total de la gerencia, cuando Michael Eisner fue nombrado CEO. Cuatro años más tarde, las ventas aumentaron de US$1,660 millones a US$3,750 millones, sus utilidades netas de US$98 millones pasaron a US$570 millones y la valorización del mercado accionario

Figura 4.5
La relación existente de las estrategias con los recursos y capacidades

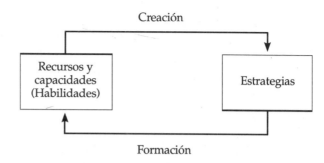

de US$1,800 millones pasó a US$10,300 millones. Esta transformación fue el intento deliberado de la compañía de explotar sus recursos y capacidades existentes en forma más enérgica. Estos recursos y capacidades incluían la enorme filmoteca de Disney, su marca y propias habilidades fílmicas, particularmente en la producción de películas de dibujos animados. Bajo el liderazgo de Eisner, muchos antiguos clásicos de Disney fueron lanzados nuevamente, primero en salas de cine y luego en video, proporcionándole millones de ganancias en el proceso. Disney también comenzó a trabajar con un canal de televisión por cable, el Disney Channel, a fin de utilizar su filmoteca y capitalizar con base en la marca de la firma. Además, bajo su liderazgo floreció la sección de realización de películas Disney, primero con una cadena de éxitos taquilleros de bajo presupuesto, conocidos con la marca Touchstone, y luego con la reintroducción del producto que originalmente había hecho famosa a Disney: la película animada de largometraje. Al poner en conjunto su marca y capacidades internas de producción de dibujos animados, Disney produjo tres grandes éxitos taquilleros en cuatro años: *La sirenita*, *La bella y la bestia* y *Aladino*[13]. En resumen, su transformación se fundamentó principalmente en las estrategias que explotaron la base existente de recursos.

Entre otras empresas que han explotado en forma exitosa sus recursos y capacidades con el fin de crear oportunidades rentables se incluye a 3M, que ha explotado su habilidad distintiva en cintas pegantes para desarrollar actividades tan diversas como Post-it Notes, cintas adhesivas y revestimientos abrasivos; y Honda, que ha aprovechado su habilidad distintiva en el diseño y fabricación de motores livianos para desplazarse de la producción de motocicletas a la de automóviles, cortadoras de césped y "buggies" todo-terreno. Por la misma razón, algunos de los fracasos estratégicos más sorprendentes de los últimos años han involucrado a organizaciones que se desviaron demasiado de sus habilitades distintivas. Por ejemplo, Exxon, que posee habilidades distintivas en exploración, extracción y refinamiento de petróleo, empleó la mayor parte de la década de 1970 diversificándose en áreas como la de equipos de automatización de oficinas, donde no tenía capacidades. El esfuerzo fracasó y Exxon liquidó estos negocios durante la década de 1980.

En cuanto al proceso de formación de recursos y capacidades a través de estrategias, considérese el caso de Xerox Corp. A finales de la década de 1970 su participación en el mercado del negocio de fotocopiadoras cayó en un 50% debido a que sus principales competidores japoneses, Canon y Ricoh, prestaron bastante atención a sus habilidades distintivas en tanto que Xerox no lo hizo. Como resultado, a comienzos de la década de 1980 Canon y Ricoh vendían fotocopiadoras superiores en calidad y tecnología a precios aproximadamente equivalentes a los de Xerox. Con el fin de recobrar su perdida participación en el mercado, Xerox tuvo que replantear fundamentalmente la manera de hacer negocios. Lanzó una serie de estrategias a nivel funcional diseñadas para mejorar la calidad y el diseño de productos, eliminar el inventario innecesario y reducir el tiempo de desarrollo de nuevos productos. En esencia, la meta de estas estrategias fue desarrollar el tipo de recursos y capacidades que permitieron a Canon y Ricoh despojarle de su participación en el mercado. Xerox obtuvo tanto éxito en el proceso que se convirtió en la primera gran compañía estadounidense en recuperar dicha participación de rivales japoneses. Su participación en el mercado estadounidense de un 10% en 1985 aumentó a un 18% en 1991[4]. El renacimiento de Xerox, en otras palabras, se logró mediante la implementación exitosa de estrategias a nivel funcional con el fin de formar nuevas habilidades distintivas.

El rol de la suerte

Varios especialistas plantean que la suerte desempeña un rol importante en la determinación del éxito y fracaso competitivo[15]. En su versión más extrema, el argumento sobre la suerte menosprecia por completo la importancia de la estrategia. Por el contrario, manifiesta que frente a la incertidumbre algunas compañías justo han logrado escoger la estrategia correcta. En otras palabras, desarrollan o poseen el tipo apropiado de recursos y capacidades por accidente en vez de hacerlo mediante una planeación.

Aunque la suerte puede ser la razón del éxito de una empresa en casos particulares, no es una explicación convincente del constante éxito de una compañía. Recuérdese el planteamiento de que los bloques genéricos de formación de la ventaja competitiva son eficiencia, calidad, innovación y capacidad de satisfacer al cliente. Téngase en cuenta también que la competencia es un proceso en el que las organizaciones continuamente tratan de superarse entre sí en su capacidad para lograr alta eficiencia, calidad, innovación y capacidad de satisfacer al cliente. En consecuencia, es posible imaginar una firma afortunada que logra recursos y éstos le permiten obtener excelencia en una o más de estas dimensiones pero es difícil imaginar cómo la excelencia *sostenida* en cualquiera de estos cuatro factores puede originarse por algo diferente del esfuerzo consciente, es decir mediante estrategias. La suerte puede, en verdad, desempeñar una función en el logro del éxito; en la estrategia en acción 4.3 se analizan los comienzos afortunados de Microsoft Corp. Sin embargo, cuesta creer que el éxito es enteramente una cuestión de suerte.

4.6   LA DURABILIDAD DE LA VENTAJA COMPETITIVA

Ahora es necesario abordar el cuestionamiento acerca del tiempo que dura la ventaja competitiva una vez generada. En otras palabras, ¿cuál es la durabilidad de una ventaja competitiva, dado que otras compañías también buscan desarrollar habilidades distintivas que les proporcione tal ventaja? La respuesta depende de tres factores: la dificultad de las **barreras para la imitación**, la capacidad de los competidores y el dinamismo general del ambiente industrial.

Barreras para la imitación

Las barreras para la imitación consisten en factores que dificultan a un rival copiar las habilidades distintivas de una firma. Debido a que las habilidades distintivas permiten que las organizaciones obtengan utilidades superiores, los competidores desean copiarlas. Sin embargo, cuanto mayores sean las barreras para la imitación, más sostenible será la ventaja competitiva de una empresa[17]. Es importante anotar desde el principio que finalmente casi ninguna habilidad distintiva se puede reproducir por parte de un competidor. El punto decisivo es el *tiempo*. Cuanto más tiempo empleen los rivales en imitar una habilidad distintiva, mayor será la oportunidad de la compañía para establecer una fuerte posición de mercado y *reputación* con los consumidores, la cual, entonces, será difícil de atacar por parte de aquellos. Además, cuanto más prolongado sea el lapso invertido en

Por qué la suerte le ayudó a Microsoft a dominar la industria del software

El producto que lanzó a Microsoft a su posición de liderazgo en la industria del software fue el MS-DOS, el sistema operativo de IBM y los computadores personales compatibles con IBM. Sin embargo, el programa DOS original no fue desarrollado por Microsoft sino por una compañía llamada Seattle Computer, donde se conocía como Q-DOS (Quick and dirty operating system) ("sistema operativo rápido y sucio"). Cuando IBM buscaba un sistema operativo para correr su PC original, contactó varias compañías de *software*, incluyendo a Microsoft, buscando la posibilidad de desarrollar tal sistema. Sin embargo, IBM no entró en contacto con Seattle Computer. Bill Gates, como participante en la emergente comunidad computacional de Seattle, sabía que esta última había desarrollado un sistema operativo de disco. Gates pidió prestado US$50,000 a su padre, socio de una prominente firma de abogados de Seattle. Luego, fue donde el CEO de Seattle Computer y le ofreció por los derechos de su sistema Q-DOS. Por supuesto, no le comentó que IBM estaba buscando un sistema operativo de disco. Debido a que Seattle Computer tenía poco efectivo, el CEO rápidamente accedió. Gates rebautizó el sistema como MS-DOS, lo mejoró un poco y lo autorizó para IBM. El resto, como se dice, es historia.

¿Tuvo suerte Microsoft? Por supuesto que sí. Fue afortunado que Seattle Computer no hubiera escuchado nada sobre la solicitud de IBM. Tuvo suerte que IBM se acercara a Microsoft, y que Gates supiera sobre el sistema operativo de Seattle Computer. Además la casualidad que Gates tuviera un padre suficientemente adinerado para prestarle US$50,000 en forma inmediata. Por otro lado, sería erróneo atribuir a la suerte todo el éxito posterior de Microsoft. Aunque el MS-DOS le proporcionó una gran ventaja inicial en la industria, no garantizó que continuaría disfrutando el éxito mundial que posee. Microsoft tuvo que establecer el conjunto apropiado de recursos y capacidades necesarias para producir una corriente continua de software novedoso, precisamente lo que Gates hizo con el dinero generado por el MS-DOS[16].

lograr una copia, mayor será la oportunidad de la compañía imitada para mejorar su habilidad, o crear otras, permaneciendo por consiguiente a la vanguardia de la competencia.

Recursos para la imitación   Las habilidades distintivas más fáciles de imitar por parte de potenciales rivales tienden a ser aquellas fundamentadas en la posesión de recursos *tangibles*, únicos y valiosos, como edificaciones, plantas y equipos. Tales recursos son visibles para los rivales y con frecuencia se pueden comprar en el mercado abierto. Por ejemplo, si la ventaja competitiva de una compañía se basa en la posesión exclusiva de instalaciones de fabricación de escala eficiente, los competidores pueden desplazarse muy rápido para establecer instalaciones similares. Por ejemplo, aunque Ford ganó una ventaja competitiva sobre General Motors en la década de 1920 al ser primero en adoptar una tecnología de fabricación de ensamblaje en línea para producir automóviles, General Motors rápidamente copió esa innovación, rivalizando con la habilidad distintiva de aquella en el proceso. En la actualidad, un proceso similar ocurre en la industria automotriz, pues las compañías tratan de reproducir el famoso sistema de producción de Toyota, que se constituyó en la base de la mayor parte de su ventaja competitiva durante las décadas de 1970 y 1980. Por ejemplo, la planta Saturn de General Motors es un intento suyo por duplicar el sistema de producción de la firma japonesa.

Los recursos intangibles pueden ser más difíciles de imitar. Esto es particularmente cierto con las marcas. Éstas son importantes debido a que simbolizan la reputación de una organización. Por ejemplo, en la industria de maquinaria pesada para remoción de tierras, la marca Caterpillar es sinónimo de alta calidad y superior servicio y respaldo posventa. En forma similar, la marca St. Michael utilizada por Marks & Spencer simboliza calidad óptima y confecciones a precio razonable. Los clientes con frecuencia mostrarán preferencia por los productos de tales empresas pues la marca es una garantía importante de excelente calidad. Aunque a los rivales les gustaría imitar marcas bien establecidas, la ley les prohibe hacerlo.

El marketing y el *know-how* tecnológico también son recursos intangibles importantes. Sin embargo, a diferencia de la marca, el *know-how* tecnológico y el marketing específico de la compañía pueden ser relativamente fáciles de imitar. En el caso del *know-how* de marketing el desplazamiento entre compañías de personal calificado en esa área puede facilitar la difusión general del *know-how*. Por ejemplo, en la década de 1970 Ford se conocía como el mejor distribuidor entre las tres grandes compañías automotrices de EE.UU. En 1979 Ford perdió bastante de su *know-how* con Chrysler cuando su especialista en marketing más exitoso, Lee Iacocca, se unió a Chrysler después de ser despedido por Henry Ford III a raíz de "divergencias personales". Iacocca, en seguida, contrató mucho personal alto de marketing de Ford para trabajar con él en Chrysler. En forma general, las estrategias exitosas de marketing son relativamente fáciles de imitar debido a que son muy visibles para los competidores. Así, Coca-Cola rápidamente cogió la marca Diet Pepsi de Pepsico con la introducción de su propia marca, Diet Coke. En un ejemplo similar, recientemente Compaq Computer reprodujo la estrategia exitosa de marketing de Dell Computer en la venta de computadores personales mediante pedidos por correo.

Con relación al *know-how* tecnológico, en teoría, el sistema de patentes debe hacerlo relativamente inmune a la imitación. Las patentes proporcionan al inventor de un nuevo producto el derecho exclusivo de producción durante 17 años. Así, por ejemplo, el gigante farmaceuta Merck patentó una droga para la reducción del colesterol comercializada bajo la marca Mevacor. Aprobada por Food and Drug Administration (FDA) en agosto de 1987, este medicamento generó ventas por US$430 millones en 1988 y ventas anuales superiores a US$1,000 millones en 1992. Sin embargo, aunque es relativamente fácil de utilizar el sistema de patentes para proteger un compuesto químico de la copia, esta condición no se aplica a muchos otros inventos. Por ejemplo, en la ingeniería eléctrica y de sistemas, a menudo es posible "inventar alrededor" de las patentes. Así, aunque EMI tuvo patentes del escáner CAT, General Electric pudo utilizar sus habilidades de ingeniería para deducir cómo funcionaba dicho aparato (*véase* estrategia en acción 4.2). Luego, desarrolló un producto muy similar y desarrolló la misma función básica; no obstante, no era idéntica y, por tanto, no violó la patente de EMI. De manera más general, en un estudio reciente se halló que el 60% de las innovaciones patentadas se llevaron a cabo en forma exitosa alrededor de otras ya realizadas en cuatro años[18]. Esto sugiere que, en general, las habilidades distintivas con base en *know-how* tecnológico pueden tener relativamente corta existencia.

Imitación de capacidades   Reproducir las capacidades de una compañía tiende a ser más difícil que copiar sus recursos tangibles e intangibles, principalmente debido a que sus capacidades con frecuencia son invisibles para agentes externos. Puesto que, por definición, las capacidades se fundamentan en la forma como se toman las decisiones y se manejan los procesos en profundidad dentro de una organización, para los agentes externos es difícil entender la naturaleza de sus operaciones internas. Así, por ejemplo, los agentes externos pueden tener dificultades al identificar con precisión por qué 3M es tan exitosa en el desarrollo de nuevos productos o por qué Nucor es una acería eficiente.

Sin embargo, en forma independiente la naturaleza invisible de las capacidades no sería suficiente para detener la imitación. En teoría, los competidores incluso podrían comprender la forma como opera una empresa al contratar personal proveniente de aquella. No obstante, las capacidades de una compañía raramente residen en un solo individuo. Más bien, son producto de la manera como interactúan muchos individuos dentro de un solo escenario organizacional. Es posible que ningún individuo dentro de una firma pueda estar familiarizado con la totalidad de sus rutinas y procedimientos operativos internos. En tales casos, contratar personal de una organización exitosa con el fin de imitar sus capacidades claves puede no ser útil.

Como ilustración, considérese el modo de funcionamiento de un equipo de fútbol. El éxito del equipo no es producto de cada individuo sino de cómo funcionan los jugadores en conjunto. Es el producto de un entendimiento tácito no escrito entre ellos. Por tanto, la transferencia de un jugador estrella de un equipo ganador o uno perdedor puede no ser suficiente para mejorar el desempeño del conjunto perdedor. Sin embargo, supóngase que se compra todo el equipo. Esto fue lo que casi le sucede en 1993 a la subsidiaria alemana de General Motors. Hubo que obtener un mandato del gobierno alemán para evitar que Ignacio López de Arriortúa, exvicepresidente de operaciones de General Motors y nuevo CEO de Volkswagen, convenciera a 40 de sus gerentes que trabajaran con él, quien les ofreció salarios muy altos. Su propósito era llevar a Volskwagen a todos los gerentes expertos en producción de bajo costo, quienes desesperadamente trataban de reducir las cargas para competir con los japoneses. Evidentemente, intentaría reproducir la nueva habilidad de General Motors en eficiencia al comprar sus capacidades mediante la adquisición de sus gerentes.

Para resumir, debido a que los recursos son más fáciles de imitar que las capacidades, una habilidad distintiva fundamentada en las capacidades únicas de una compañía probablemente es más perdurable (menos imitable) que una basada en sus recursos. Existe mayor probabilidad de cimentar la base para una ventaja competitiva a largo plazo.

Capacidad de los competidores

Según la investigación de Pankaj Ghemawat, un determinante importante de la capacidad de los rivales para imitar en forma rápida la ventaja competitiva de una compañía radica en la naturaleza de los compromisos estratégicos previos de los competidores[19]. Por **compromiso estratégico** Ghemawat entiende el acuerdo de una organización con una forma particular de hacer negocios, es decir, de desarrollar un conjunto particular de recursos y capacidades. La perspectiva de Ghemawat consiste en que una vez que la empresa tiene un compromiso estratégico encontrará difícil responder a una nueva competencia si para llevarlo a cabo se requiere una ruptura con este acuerdo. Por tanto, cuando los rivales poseen prolongados compromisos establecidos con una forma particular de hacer negocios, pueden retardarse en la imitación de la ventaja competitiva de una firma innovadora. Su ventaja competitiva será, por consiguiente, relativamente duradera.

La industria automotriz estadounidense proporciona un ejemplo. De 1945 a 1975 este ámbito estuvo dominado por el oligopolio estable de General Motors, Ford y Chrysler, quienes adaptaban sus operaciones a la producción de grandes automóviles. En otras palabras, sus recursos y capacidades estaban comprometidos con la producción de grandes vehículos. Cuando a finales de la década de 1970, el mercado cambió de automóviles grandes a pequeños y eficientes en combustible, estas compañías carecían de los recursos y capacidades necesarias para producir dichos vehículos. Sus compromisos previos habían formado la clase equivocada de habilidades requeridas para este nuevo ambiente. Como resultado, los productores extranjeros, y particularmente los japoneses, escalonaron dentro de la brecha de mercado al suministrar automóviles compactos, eficientes en combustible, de alta calidad y bajo costo. El fracaso de los fabricantes estadounidenses, de reaccionar en forma rápida a la habilidad distintiva de las compañías automotrices japonesas, proporcionó la última oportunidad para establecer una fuerte posición de mercado y una lealtad a la marca, que ahora demuestran una condición sólida y difícil de atacar.

Dinamismo de la industria

Un ambiente industrial dinámico es aquel que cambia en forma rápida. Cuando se abordó el ambiente externo en el capítulo 3 se analizaron los factores que determinan el dinamismo e intensidad de la competencia en un medio industrial. Ahora se debe anotar que la mayoría de las industrias dinámicas tienden a ser aquellas con una tasa muy alta de innovación de productos; por ejemplo, el ámbito de electrodomésticos y el de computadores personales. En industrias dinámicas, la rápida tasa de innovación significa que los ciclos de vida del producto son breves y que la ventaja competitiva puede ser muy transitoria. Una compañía que posea actualmente una ventaja competitiva mañana puede encontrar su posición en el mercado rebasada por la innovación de un rival.

Por ejemplo, en la industria del computador personal, el rápido aumento en el poder computacional durante las últimas dos décadas ha contribuido a un alto grado de innovación y turbulencia del ambiente. Apple Computer, al reflejar la persistencia en novedades, a finales de la década de 1970 y comienzos de la de 1980 tuvo una ventaja competitiva en toda la industria debido a esa renovación. Luego, en 1982 la ventaja fue tomada por IBM con su introducción del primer computador personal. Sin embargo, a mediados de esa década, IBM había perdido su ventaja competitiva con relación a los fabricantes del "clon" de alto poder como Compaq, que le había derrotado en la carrera por ser el primero en introducir un computador fundamentado en el chip 386 de Intel. A su vez, a finales de esa década y comienzos de la presente, Compaq perdió su ventaja competitiva ante empresas como Dell, pionera en nuevas formas de bajo costo para distribuir computadores a los consumidores (pedido por correo) y tuvo la capacidad de socavar el precio de Compaq. Ahora Dell halla difícil sostener su ventaja competitiva frente a la rápida imitación de su estrategia por rivales que incluyen a Compaq y Gateway 2000, firmas que también venden computadores por correo.

Resumen

La durabilidad de la ventaja competitiva de una organización depende de tres factores: la dificultad de las barreras para la imitación, la capacidad de los competidores para imitar su innovación y

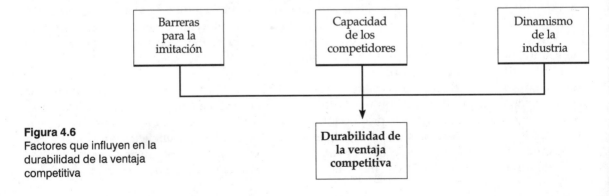

Figura 4.6
Factores que influyen en la
durabilidad de la ventaja
competitiva

el nivel general de dinamismo en el ambiente industrial (*véase* figura 4.6). Cuando las barreras a la imitación son bajas, abundan competidores capaces y el ambiente es muy dinámico, con innovaciones que se desarrollan en todo momento, entonces probablemente sea transitoria la ventaja competitiva. Tales condiciones son a menudo comunes en las industrias de electrodomésticos y computadores personales. Por otro lado, incluso dentro de tales medios, las compañías pueden conseguir una ventaja competitiva más durable si tienen la capacidad de hacer inversiones que generen restricciones para la imitación. Apple Computer ha construido una ventaja competitiva fundamentada en la combinación de la propiedad de un sistema operativo de disco y una imagen intangible (como se anotó anteriormente, los recursos intangibles son difíciles de copiar). El resultado es una lealtad a la marca que le ha permitido a Apple apoderarse de un nicho de mercado totalmente seguro en un ámbito donde la ventaja competitiva en otros casos ha probado ser bastante transitoria.

4.7   ¿POR QUÉ FRACASAN LAS COMPAÑÍAS?

En esta sección se aborda el problema de por qué una empresa podría perder su ventaja competitiva posteriormente y se formula la pregunta: ¿por qué fracasan las organizaciones? Una compañía se define fracasada como aquella cuyo índice de utilidades es sustancialmente menor que la tasa promedio de utilidades de sus rivales. Una firma puede perder su ventaja competitiva pero no fracasar; puede obtener sólo rentabilidad promedio. El fracaso implica algo más drástico. Las empresas que fracasan se caracterizan porque obtienen utilidades menores o negativas; en otras palabras, se encuentran en una desventaja competitiva.

El cuestionamiento del porqué fracasan algunas compañías es pertinente en particular debido a que ciertas organizaciones muy exitosas del siglo XX ahora parecen encontrarse en una desventaja competitiva. Firmas como IBM, Sears, General Motors, American Express y Digital Equipment, que antes eran ejemplos permanentes de excelencia administrativa, han registrado grandes pérdidas durante los últimos años. En esta parte se exploran tres razones relacionadas con el fracaso: inercia, compromisos estratégicos previos y la paradoja de Ícaro.

Inercia

El argumento de la inercia consiste en que a las compañías se les dificulta cambiar sus estrategias y estructuras para adaptarse a las cambiantes condiciones competitivas[20]. IBM constituye un ejemplo clásico de este problema. Durante 30 años fue considerada ampliamente como la empresa de computadores más exitosa del mundo. Luego, en unos cuantos años, su éxito se tornó en desastre, con una pérdida de US$5,000 millones en 1992 que generó despidos de más de 100,000 empleados. Sus problemas fueron causados por una fuerte declinación en el costo del poder computacional como resultado de innovaciones en los microprocesadores. Con la llegada de los poderosos microprocesadores de bajo costo, la ubicación de este mercado cambió de los *mainframes* a pequeños computadores personales de poco precio. Esta instancia dejó un mercado bastante reducido para sus grandes operaciones. Aunque IBM poseía, y en la actualidad tiene, una presencia significativa en este mercado, fracasó al cambiar el enfoque en sus esfuerzos de los *mainframes* a los computadores personales. Este revés significó el desastre para una de las organizaciones más exitosas del siglo XX.

¿Por qué firmas como IBM encuentran difícil adaptarse a las nuevas condiciones ambientales? Un factor que parece destacarse es el rol de las capacidades de una organización al causar inercia. A comienzos del capítulo se argumentó que las capacidades organizacionales pueden representar una fuente de ventaja competitiva: sin embargo, su inconveniente consiste en que son difíciles de cambiar. Recuérdese que las capacidades son la forma como una compañía toma decisiones y maneja sus procesos. IBM siempre hizo énfasis en la estrecha coordinación entre diferentes unidades operativas y favoreció procesos de toma de decisiones que reforzaran el consenso entre unidades operativas interdependientes como prerrequisito para que una decisión siguiera su curso[21]. Esta capacidad le representó una fuente de ventaja durante la década de 1970, cuando la coordinación entre sus unidades operativas en todo el mundo era necesaria para desarrollar, fabricar y vender *mainframes* complejos. No obstante, la burocracia inepta que generó se convirtió en fuente de fracaso en la década de 1990, cuando las organizaciones tuvieron que adaptarse de inmediato al rápido cambio ambiental.

Las capacidades son difíciles de cambiar debido a que cierta distribución de poder e influencia se encuentra fija dentro de los procesos establecidos de toma de decisiones y administración de una organización. Quienes desempeñan funciones claves en un proceso de toma de decisiones obviamente poseen más poder. Se deduce que cambiar las capacidades establecidas de una organización significa transformar su distribución existente de poder e influencia, y aquellas cuyo poder e influencia reducirían la resistencia al cambio. Las propuestas para el cambio provocan batallas de feudos. Esta lucha por el poder y la resistencia política asociada al intento de alterar la forma como una organización toma sus decisiones y maneja sus procesos (es decir, tratar de cambiar sus capacidades) causan inercia. Esto no quiere decir que las compañías no puedan cambiar. Sin embargo, debido a que algunas, a menudo, se resisten al cambio porque se sienten amenazadas en la mayoría de los casos, el cambio induce a la crisis. Para ese entonces la empresa puede encontrarse en situación desfavorable como le sucedió a IBM.

Compromisos estratégicos previos

Ghemawat sostiene que los compromisos estratégicos previos de una firma no sólo limitan su habilidad para imitar a los rivales, sino también pueden ocasionarle desventaja competitiva[22]. Por ejemplo, IBM había hecho importantes inversiones en el negocio de *mainframes*. Como resultado, cuando cambió el mercado, se estancó con recursos significativos especializados para esa actividad particular. La organización tenía instalaciones de fabricación ajustadas a su producción, organizaciones de investigación similarmente especializadas y una fuerza de ventas de *mainframes*. Debido a que estos recursos no se ajustaron en forma apropiada al emergente y novedoso negocio de computadores personales, las dificultades corrientes de IBM fueron inevitables en cierto sentido. Sus compromisos estratégicos previos la bloquearon en un negocio que se estaba reduciendo. Difundir estos recursos inevitablemente causaría fatiga en todos los grupos de interés de la organización.

La paradoja de Ícaro

En un libro reciente, Danny Miller planteó que las raíces del fracaso competitivo podrían encontrarse en lo que denominó la paradoja de Ícaro[23]. Ícaro es un personaje de la mitología griega que fabricó un par de alas con el fin de escapar de la isla donde estaba prisionero. Voló tan bien que fue cada vez más alto, más cerca del Sol, hasta que su calor derritió la cera que sostenía sus alas y se precipitó hacia la muerte en el mar Egeo. La paradoja consiste en que su mayor activo, la habilidad de volar, causó su infortunio. Miller argumenta que la misma paradoja se aplica a muchas compañías antes exitosas. Según él, muchas empresas se deslumbran tanto por su éxito prematuro que consideran realizar más esfuerzo del mismo tipo como forma de alcanzar fines futuros. Sin embargo, como resultado, una firma se puede hacer tan especializada y dirigida desde su interior, que pierde visión de la realidad en el mercado y de los requerimientos fundamentales para lograr una ventaja competitiva. Tarde o temprano esta actitud lleva al fracaso.

Cómo el éxito de DEC plantó las semillas de su propia ruina

El éxito original de DEC se fundamentó en el minicomputador, versión más económica y más flexible de sus primos *mainframes,* que Ken Olsen y su brillante equipo de ingenieros inventó en la década de 1960. Olsen y su *staff* mejoraron los minicomputadores originales hasta que no pudieron ser superados en absoluto en cuanto a calidad y confiabilidad. En la década de 1970 su serie VAX de minicomputadores se consideraban ampliamente los aparatos más confiables nunca antes producidos. DEC fue compensado por altas tasas de utilidades. Sin embargo, animado por su propio éxito, se convirtió en una monocultura de la ingeniería. Sus ingenieros se hicieron ídolos; su *staff* de marketing y contabilidad apenas eran tolerados. Estándares de diseño y especificaciones de componentes era lo único que comprendían los gerentes senior. La afinación tecnológica se convirtió en una obsesión de tal modo que ignoraron las necesidades de clientes por conseguirles computadores más pequeños, más económicos y más amigables con el usuario. Por ejemplo, los computadores personales de DEC resultaron un fiasco debido a que se quedaron lejos del contacto de las necesidades de los consumidores. En otras palabras, DEC, enceguecida por su éxito prematuro, no continuó siendo receptiva con sus clientes, y a comienzos de la década de 1990 se encontraba en profundas dificultades[24].

Miller identifica cuatro grandes categorías entre organizaciones que surgen y que decaen. Los "artesanos", como Texas Instruments y Digital Equipment Corp. (DEC), lograron un éxito prematuro mediante la excelencia en ingeniería. Pero luego se obsesionaron tanto con los detalles de ingeniería que perdieron visión de la realidad del mercado. (La historia de la desaparición de DEC se resume en la estrategia en acción 4.4). Luego, se encuentran los "constructores"; por ejemplo, Gulf & Western e ITT. Después de construir compañías exitosas y moderadamente diversificadas, se cautivaron tanto con la sola diversificación que continuaron en ese proceso más allá del punto donde ya no era rentable hacerlo. El tercer grupo de Miller lo constituyen los "pioneros" como Wang Labs. Enamorado de sus propias innovaciones originalmente brillantes, continuó con su investigación en renovaciones adicionales de este tipo; y terminó fabricando productos novedosos pero completamente inútiles. La última categoría comprende a los "vendedores" personificada por Procter & Gamble y Chrysler. Ellos se convencieron tanto de su habilidad para vender cualquier cosa, que le prestaron poca atención al desarrollo del producto y a la excelencia en la fabricación, y como resultado generaron una proliferación de productos inferiores e insulsos.

4.8   EVITAR EL FRACASO Y MANTENER LA VENTAJA COMPETITIVA

¿Cómo puede una empresa evitar la trampa en la que han caído muchas compañías antes exitosas, como IBM, DEC, Sears, General Motors y otras? ¿Cómo puede formar una ventaja competitiva sostenible? En esta parte no se proporciona una respuesta completa a estas inquietudes; en lo que queda del texto se abordarán estos cuestionamientos. Sin embargo, aquí se pueden exponer varios puntos claves.

Concentración en los bloques de formación de la ventaja competitiva

En primer lugar, mantener una ventaja competitiva requiere que una compañía se concentre de manera permanente en los cuatro bloques genéricos de formación de ventaja competitiva (eficiencia, calidad, innovación y capacidad de satisfacción al cliente) y desarrolle habilidades distintivas que contribuyan al desempeño superior en esas áreas. Uno de los mensajes de la paradoja de Ícaro de Miller consiste en que muchas organizaciones exitosas se desequilibran en su búsqueda de habilidades distintivas. Por ejemplo, DEC se centralizó en la calidad de ingeniería a expensas de casi todo lo demás, incluyendo lo más importante, la capacidad de corresponder al cliente. Otras firmas olvidan concentrarse en determinada habilidad distintiva. Ciertamente, éste fue el caso de ITT, cuando un CEO formador de imperios, Harold Geneen, se centralizó en la diversificación pero perdió visión de la necesidad de concentrarse en el logro de excelencia en eficiencia, calidad, innovación y capacidad de aceptación del cliente al nivel de sus unidades de negocios.

Mejor desempeño industrial y *benchmarking*

Una de las mejores formas para desarrollar habilidades distintivas que contribuyan al logro superior de eficiencia, calidad, innovación y capacidad de aceptación del cliente consiste en identificar el **mejor desempeño industrial** y adoptarlo. Sólo a través de este reconocimiento una compañía podrá generar y mantener los recursos y capacidades que sostengan la excelencia de estos factores. El mejor rendimiento industrial, su esencia, es un aspecto que se analiza en profundidad en el capítulo 5. Sin embargo, identificar el mejor desempeño industrial involucra hacer un seguimiento del rendimiento de otras organizaciones, y quizá la mejor manera es mediante el **benchmarking**. Éste es el proceso de medir una empresa con relación a los productos, desempeños y servicios de algunos de los competidores globales más eficientes. Por ejemplo, cuando Xerox se encontraba en problemas a comienzos de la década anterior, decidió instituir una política de *benchmarking* como medio de identificar la manera de mejorar la eficiencia de sus operaciones. Xerox aplicó *benchmarking* a L. L. Bean para los procedimientos de distribución, a Deere & Company en cuanto a operaciones computacionales centrales, a Procter & Gamble en lo que respecta a marketing y a Florida Power & Light en los procesos de administración de calidad total. A comienzos de la década de 1990 Xerox se encontraba aplicando *benckmarking* a 240 funciones frente a áreas comparables en otras firmas. A este proceso se le ha atribuido el mérito de ayudar a Xerox a mejorar sustancialmente la eficiencia de sus operaciones.

Superar la inercia

Una razón adicional del fracaso consiste en la incapacidad para adaptarse a las cambiantes condiciones debido a la inercia organizacional. Superar las barreras para el cambio dentro de una organización es uno de los requerimientos claves para mantener ventaja competitiva; en el capítulo 14 se aborda este tema. En esta parte es suficiente identificar las barreras para el cambio, tarea que constituye uno de los primeros pasos importantes. Una vez realizada esta tarea, la implementación del cambio requiere un buen liderazgo, el sensato uso del poder, junto con los apropiados cambios en la estructura organizacional y los sistemas de control. Estos aspectos se analizarán posteriormente.

4.9   RESUMEN DEL CAPÍTULO

El objetivo principal de este capítulo fue identificar la base de la ventaja competitiva; establecer por qué, dentro de determinada industria, algunas compañías superan el desempeño de otras. La ventaja competitiva es el producto de por lo menos una de las siguientes características: eficiencia superior, calidad superior, innovación superior y capacidad superior de satisfacer al cliente. Lograr la excelencia en esta instancia exige que una organización desarrolle apropiadas habilidades distintivas, las cuales a su vez son producto del tipo de recursos y capacidades que posea la firma. El capítulo también examinó aspectos relacionados con la durabilidad de la ventaja competitiva. Esta duración está determinada por la dificultad de las barreras para la imitación, la capacidad de los rivales para imitar su ventaja competitiva y el nivel general de turbulencia del ambiente. Finalmente, el análisis de por qué fracasan las empresas y lo que pueden hacer para evitar el hundimiento indica que ello se debe a factores como inercia organizacional, compromisos estratégicos previos y la paradoja de Ícaro. Evitar el fiasco requiere que una compañía constantemente trate de mejorar sus habilidades distintivas de acuerdo con el mejor desempeño industrial y adopte medidas para superar la inercia organizacional. Los principales puntos analizados en este capítulo se pueden resumir así:

1. Con el fin de lograr una ventaja competitiva una organización debe reducir sus costos, diferenciar su producto de manera que pueda cobrar un precio mayor o tomar las dos decisiones en forma simultánea.
2. Los cuatro bloques genéricos de formación de ventaja competitiva son eficiencia, calidad, innovación y capacidad de satisfacer al cliente.
3. La eficiencia superior permite que una empresa disminuya sus costos; la calidad excelente le posibilita establecer un precio mayor y reducir sus costos; y con el servicio superior al cliente puede cobrar un precio mayor. La innovación superior genera precios mayores, particularmente en el caso de innovaciones de productos; o puede llevar a reducir los costos unitarios, en particular en el caso de renovaciones de procesos.
4. Las habilidades distintivas son las fortalezas únicas de una firma. Las habilidades distintivas valiosas permiten que obtenga un índice de utilidad superior al promedio de la industria.
5. Las habilidades distintivas de una organización provienen de sus recursos y capacidades.
6. Los recursos son los activos financieros, físicos, humanos, tecnológicos y organizacionales de una compañía.
7. Las capacidades se refieren a las habilidades de una compañía para coordinar recursos y destinarlos al uso productivo.
8. Con el fin de lograr ventaja competitiva, las empresas necesitan seguir estrategias que se formen sobre los recursos y capacidades existentes de una organización (sus habilidades), y precisan formular estrategias que constituyan recursos y capacidades adicionales (desarrollar nuevas habilidades).
9. La durabilidad de la ventaja competitiva en una firma depende de la dificultad de las barreras para la imitación, la capacidad de los competidores y el dinamismo ambiental.
10. Las compañías que fracasan se caracterizan porque obtienen utilidades bajas o negativas. Tres factores parecen contribuir a este hundimiento: inercia organizacional frente al cambio ambiental, la naturaleza de los compromisos estratégicos previos en una compañía y la paradoja de Ícaro.
11. Evitar el fracaso requiere concentración constante en los bloques básicos de formación de la ventaja competitiva, identificación y adopción del mejor desempeño industrial, y superación de la inercia.

Preguntas y temas de análisis

1. ¿Cuáles son las principales implicaciones de los temas analizados en este capítulo en la formulación de estrategias?
2. ¿Cuándo existe mayor probabilidad de que la ventaja competitiva de una compañía perdure con el paso del tiempo?
3. ¿Qué es más importante al explicar el éxito y fracaso de las organizaciones, la formulación de estrategias o la suerte?

Aplicación 4

Tómese el ejemplo de una compañía que haya sostenido su ventaja competitiva durante más de 10 años. Identifíquese la fuente de la ventaja competitiva y elabórese una descripción del por qué ha permanecido tanto tiempo.

Proyecto sobre administración estratégica: Módulo 4

Este módulo trata sobre la posición competitiva de la compañía escogida. Con la información a disposición, desarróllense las tareas y preguntas a continuación:

1. Identificar si la empresa posee una ventaja o desventaja competitiva en su industria básica. (Su industria básica es aquella donde registra mayores ventas).
2. Evalúese la organización frente a los cuatro bloques genéricos de formación de la ventaja competitiva: eficiencia, calidad, innovación y capacidad de satisfacer al cliente. ¿De qué manera ayudan estos factores a comprender su desempeño con relación a sus competidores?
3. ¿Cuáles son sus habilidades distintivas?
4. ¿Qué función han desempeñado las estrategias previas en la estructuración de sus habilidades distintivas? ¿Cuál ha sido el rol de la suerte?
5. ¿Sus estrategias utilizadas con regularidad se forman con base en sus habilidades distintivas? ¿Representan un intento de formar nuevas habilidades?
6. ¿Cuáles son las barreras para la imitación de sus habilidades distintivas?
7. ¿Existe evidencia de que a esta compañía se le dificulta adaptarse a las cambiantes condiciones de la industria? Si es así, ¿por qué?

Notas

1. *Fuentes*: J. Thornhill, "A European Spark for Marks", *Financial Times*, July 13, 1992, p. 8. Marks and Spencer, Ltd. (A). *Harvard Business School* Case No. 91-392-089. J. Marcom, "Blue Blazers and Guacamole", *Forbes*, November 25, 1991, pp. 64-68. M. Evans, "Marks & Spencer Battles On", *Financial Post*, December 11, 1989, p. 32.
2. Michael E. Porter, *Competitive Advantage* (New York: Free Press, 1985).
3. *Véase* D. Garvin, "What Does Product Quality Really Mean", *Sloan Management Review*, 26 (Fall 1984), 25-44;

P. B. Crosby, *Quality is Free* (Mentor, 1980); and A. Gabor, *The Man Who Discovered Quality* (Times Books, 1990).
4. G. Stalk and T. M. Hout, *Competing Against Time* (New York: Free Press, 1990).
5. *Ibíd.*
6. R. Guenther, "Citicorp Shakes Up the Mortgage Market", *Wall Street Journal*, November 13, 1988, p. B1. "Mortgage Lenders Lavish New Attention on Real Estate Agents", *Savings Institutions* (February 1988), 82.
7. C. K. Prahalad and G. Hamel, "The Core Competence of the Corporation", *Harvard Business Review* (May-June 1990), 79-91.

8. M. Cusumano, *The Japanese Automobile Industry* (Cambridge, Mass.: Harvard University Press, 1989).

9. El material en esta sección depende de la denominada perspectiva de la firma basada en los recursos. Si se desea mayor información al respecto *véase* J. B. Barney, "Firm Resources and Sustained Competitive Advantage", *Journal of Management*, 17 (1991), 99-120; J. T. Mahoney and J. R. Pandian, "The Resource-Based View Within the Conversation of Strategic Management", *Strategic Management Journal*, 13 (1992), 363-380; R. Amit and P. J. H. Schoemaker, "Strategic Assets and Organizational Rent", *Strategic Management Journal*, 14 (1993), 33-46; y M. A. Peteraf, "The Cornerstones of Competitive Advantage: A Resource-Based View", *Strategic Management Journal*, 14 (1993), 33-46; y M. A. Peteraf, "The Cornerstones of Competitive Advantage: A Resource-Based View", *Strategic Management Journal*, 14 (1993), 179-191.

10. Para un análisis de las capacidades organizacionales, *véase* R. R. Nelson y S. Winter, *An Evolutionary Theory of Economic Change* (Cambridge, Mass.: Belknap Press, 1982).

11. *Véase* EMI and The CT Scanner (A) and (B). *Harvard Business School Cases* No. 383-194 and 383-195.

12. R. M. Grant, *Contemporary Strategic Analysis* (Cambridge, Mass.: Blackwell, 1991).

13. "Disney's Magic", *Business Week*, March 9, 1987. "Michael Eisner's Hit Parade", *Business Week*, February 1, 1988.

14. D. Kearns, "Leadership Through Quality", *Academy of Management Executive*, 4 (1990), 86-89. J. Sheridan, "America's Best Plants", *Industry Week*, October 15, 1990, pp. 27-40.

15. El informe clásico de esta posición fue realizado por A. A. Alchain, "Uncertainty, Evolution, and Economic Theory", *Journal of Political Economy*, 84 (1950), 488-500

16. Stephen Manes and Paul Andrews, *Gates* (New York: Simon & Schuster 1993).

17. Al igual que con los recursos y las capacidades, el concepto de barreras para la imitación también se fundamenta en la perspectiva de la firma basada en los recursos. Si se desea consultar mayor información, *véase* R. Reed and R. J. DeFillippi, "Causal Ambiguity, Barriers to Imitation, and Sustainable Competitive Advantage", *Academy of Management Review*, 15 (1990), 88-102.

18. E. Mansfield, "How Economists See R & D", *Harvard Business Review*, (November-December 1981), 98-106.

19. P. Ghemawat, *Commitment: The Dynamic of Strategy* (New York: Free Press, 1991).

20. M. T. Hannah and J. Freeman, "Structural Inertia and Organizational Change", *American Sociological Review*, 49 (1984), 149-164.

21. *Véase* IBM Corporation. *Harvard Business School Case* No. 180-034.

22. Ghemawat, *Commitment*.

23. D. Miller, *The Icarus Paradox* (Harper Business, 1990).

24. *Ibíd.*

25. D. Kearns, "Leadership Through Quality", *Academy of Management Executive*, 4 (1990), 86-89.

III Estrategias

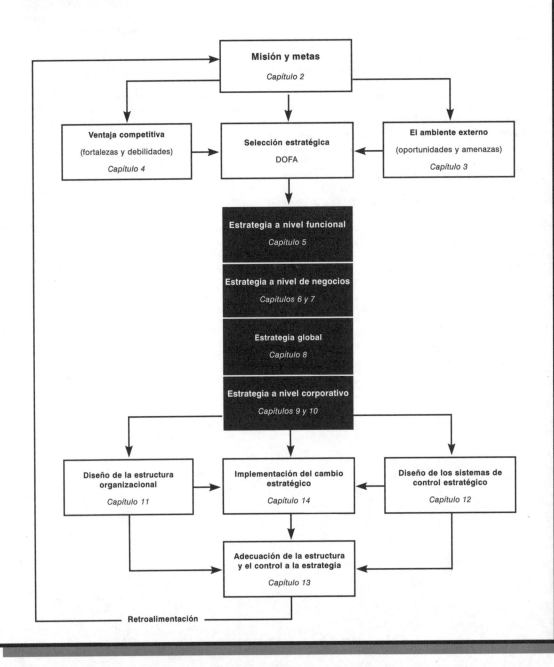

Formación de la ventaja competitiva mediante estrategias a nivel funcional

5.1   CASO INICIAL: XEROX CORP.

En 1960 Xerox Corp. despachó su primera copiadora 914, y así comenzó uno de los lanzamientos más exitosos de un nuevo producto en la historia. Durante los siguientes 15 años Xerox dominó el mercado de las fotocopiadoras. Sin embargo, en 1980 la compañía enfrentaba problemas. Dos empresas japonesas, Canon y Ricoh, surgieron como importantes competidores, vendían copiadoras de alta calidad a un precio igual al de Xerox en productos equivalentes. Debido a los precios y costos relativamente altos, la participación en el mercado de Xerox cayó a la mitad y su rendimiento sobre activos se desplomó hasta el 8%.

Xerox supo de primera mano cuán atrasada estaba cuando comenzó a producir y mercadear en EE.UU. una copiadora que había sido diseñada para su filial japonesa, Fuji-Xerox. Xerox halló que el margen de rechazo a las partes de Fuji-Xerox era sólo una muestra del rechazo a las piezas producidas en Norteamérica. Las visitas a Fuji-Xerox revelaron otra importante verdad: la calidad en la fabricación no aumenta los costos; los disminuye al reducir la cantidad de productos defectuosos y aquellos por concepto de servicios.

Estos acontecimientos obligaron a Xerox a replantear la forma como desarrollaba sus actividades. En 1982 lanzó la primera de una serie de iniciativas que durante la siguiente década transformarían la manera de llevar a cabo sus operaciones. En 1981 tenía más de 5,000 proveedores individuales en todo el mundo. La gerencia de Xerox se dio cuenta de que al consolidar su base mundial de proveedores podría lograr tres metas:

1. Al simplificar el proceso de compras, podría reducir los gastos generales en esa área.
2. Al tener un solo proveedor que fabricara una pieza única para todas sus operaciones mundiales, permitiría al proveedor lograr economías de escala en producción; estos ahorros en costos podrían pasar a su haber en forma de precios más bajos.
3. Al reducir la cantidad de proveedores, se le facilitaría trabajar con sus suministradores para mejorar la calidad de las piezas.

Con este propósito, en 1982 Xerox creó "equipos primarios" que incluían compradores, ingenieros, expertos en costos y personal de control de calidad. Su primera tarea fue reducir la base de proveedores de más de 5,000 a menos de 500; exactamente a 325. Puesto que la consolidación de los proveedores simplificó el proceso de compras, los índices de gastos generales cayeron del 9% de costos totales para los materiales en 1982 a cerca del 3% en 1992.

Luego, la organización emprendió una labor junto con sus proveedores de capacitación sobre calidad. Su meta: disminuir la cantidad de piezas defectuosas de los suministradores a menos de 1,000 por millón. En ese momento algunos proveedores tenían índices de productos defectuosos tan altos como 25,000 piezas por millón. La compañía pronto cumplió su meta de calidad de 1,000 piezas defectuosas por millón. En efecto, en 1992 esta tasa estaba por debajo de 300 unidades por millón.

En 1983 Xerox introdujo su programa Liderazgo mediante la calidad. Los grupos se formaron en toda la firma, desde la alta gerencia hasta la planta. Cada grupo recibió capacitación en programas de mejoramiento de la calidad. Se hizo énfasis en identificar los déficit de calidad, determinar los orígenes de la calidad deficiente, generar soluciones e implementarlas. El programa de capacitación comenzó con los grupos de nivel superior y luego descendió en toda la organización, que cubrió a unos 100,000 empleados en todo el mundo.

Entre 1985 y 1986 Xerox comenzó a concentrarse en su proceso de desarrollo de nuevos productos. Una meta consistía en diseñar productos que, mientras se acomodaran a las condiciones de mercado en diferentes países, también incluyeran una gran cantidad de piezas estandarizadas a nivel global. Otro propósito era reducir el tiempo empleado para diseñar nuevos productos e introducirlos en el mercado. Para alcanzar estos fines, Xerox constituyó equipos de desarrollo de nuevos productos multifuncionales y multinacionales. Cada uno manejaba el diseño, los suministros de piezas, fabricación, distribución y seguimiento de servicio al cliente a nivel mundial. La institucionalización de estos equipos redujo por lo menos un año del ciclo general de desarrollo de productos y ahorró millones de dólares.

Una consecuencia del nuevo enfoque para desarrollar productos fue la fotocopiadora 5100. Fue el primer producto diseñado conjuntamente por Xerox y Fuji-Xerox para el mercado mundial. La 5100 se fabricó en las plantas estadounidenses; se lanzó en el japón en noviembre de 1990 y en los EE.UU en el mes de febrero. El diseño mundial de la 5100 se dice que redujo el tiempo total de lanzamiento al mercado y ahorró a la compañía más de US$10 millones en costos de desarrollo.

En 1989 Xerox calculó que podría eliminar US$1,000 millones en existencias y US$200 millones en costos relacionados con el inventario al vincular los pedidos mundiales de los clientes en forma más ajustada con producción. Formó una organización multinacional llamada Central Logistics and Assets Management, cuya finalidad es lograr una fuerte integración entre los pedidos individuales del cliente y los niveles de producción en planta, reduciendo en consecuencia la necesidad de mantener existencias excesivas para atender la demanda.

Como resultado de estas medidas, la posición de Xerox mejoró en forma notable durante la década de 1980. Gracias a su mejoramiento de la calidad, costos más bajos y un periodo menor de desarrollo del producto, la empresa pudo recuperar la participación en el mercado frente a sus competidores japoneses e incrementar sus utilidades e ingresos. Su participación en el mercado estadounidense de copiadoras creció de un bajo 10% en 1985 a un 18% en 1991[1].

Preguntas y temas de análisis

1. Identifíquese cómo los cambios que Xerox emprendió después de 1980 le ayudaron a mejorar su eficiencia, calidad, innovación y capacidad de satisfacer al cliente.
2. ¿Hasta qué punto los cambios iniciados por Xerox después de 1980 fueron el resultado de funciones que operaron en conjunto para lograr una meta común?

5.2 VISIÓN GENERAL

En el capítulo 4 se analizó el rol esencial desempeñado por la eficiencia, la calidad, la innovación y la capacidad de satisfacer al cliente en la formación y mantenimiento de una ventaja competitiva. En este capítulo se aborda el rol de las estrategias a nivel funcional en la consolidación de estos bloques. Las estrategias a nivel funcional están dirigidas a mejorar la efectividad de las operaciones funcionales dentro de una compañía, como fabricación, marketing, administración de materiales, investigación y desarrollo, y recursos humanos. Aunque estas estrategias pueden estar concentradas en una función determinada, siempre y cuando no adopten dos o más funciones y exijan estrecha cooperación entre éstas con el fin de lograr las metas de eficiencia, calidad, innovación y capacidad de satisfacer al cliente en toda la compañía.

Por ejemplo, el caso inicial describe cómo Xerox utilizó estrategias a nivel funcional para recobrar la participación en el mercado, en poder de Canon y Ricoh. La organización incrementó su eficiencia al racionalizar su base de proveedores e implementar estrategias de administración de materiales que redujeron los costos de tenencia de inventarios. Aumentó la calidad del producto al trabajar en forma ajustada con los suministradores en el mejoramiento de calidad y al utilizar su función de gerencia de recursos humanos para lanzar en 1983 en toda la compañía el programa sobre Liderazgo mediante la calidad. Más aún, la empresa aumentó tanto la capacidad de satisfacer al cliente como la habilidad de innovar al reorganizar el proceso de desarrollo de nuevos productos para reducir su tiempo de lanzamiento; también personalizó su producto para adaptarlo a las condiciones que prevalecen en los diferentes mercados del mundo.

Con el fin de expresar posteriormente el tema de las estrategias a nivel funcional, este capítulo comienza por examinar el concepto de la cadena de valor. Presenta un marco teórico para entender los roles que desempeñan las diferentes funciones dentro de una firma para alcanzar grados superiores de eficiencia, calidad, innovación y capacidad de satisfacer al cliente. Luego, se considera en detalle la contribución que las diferentes estrategias a nivel funcional pueden hacer para el logro de estos grados superiores.

5.3   LA CADENA DE VALOR

El valor que una compañía crea se mide por la cantidad de compradores dispuestos a pagar por un producto o servicio. Una compañía es rentable si el valor generado excede el costo de desarrollar funciones para la creación de valor, como adquisición, fabricación y marketing. Con el propósito de lograr ventaja competitiva, una organización debe desarrollar funciones de creación de valor a un costo menor que el de sus rivales o desarrollarlas de manera que genere diferenciación y un precio superior. Es decir, debe seguir las estrategias de bajo costo o diferenciación analizadas en el capítulo 4.

El proceso de creación de valor puede ilustrarse con referencia al concepto llamado cadena de valor, divulgado por Michael Porter[2]. La representación de la cadena de valor se ilustra en la figura 5.1. Como se puede apreciar, esta cadena se divide en actividades primarias y actividades de apoyo. Cada actividad agrega valor al producto. Las **actividades primarias** tienen relación con la creación física del producto, su marketing y distribución a los compradores, junto con su apoyo y servicio de posventa. En este capítulo se analizarán las actividades primarias implicadas en la creación física del producto bajo el nombre de **fabricación**, y aquellas que involucran mercadeo, distribución y servicio de posventa conocidas como **marketing**.

Las actividades de apoyo son las tareas funcionales que permiten llevar a cabo las actividades primarias de fabricación y marketing. La función de **administración de materiales** controla la transferencia de materiales físicos a través de la cadena de valor, desde la adquisición, pasando por las operaciones hasta la distribución. La eficiencia con la que se realiza este proceso puede disminuir el costo de creación de valor. Además, una función efectiva de administración de materiales se puede encargar del monitoreo a la calidad de insumos dentro del proceso de fabricación. Esto genera un

Figura 5.1
La cadena de valor

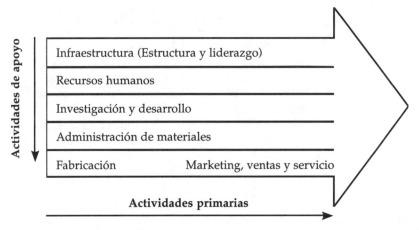

Adaptación y reimpresión con autorización de The Free Press; impresión de Simon & Schuster tomada de *Competitive Advantage: Creating and Sustaining Superior Performance*, Michael E. Porter. Copyright c 1985 de Michael E. Porter.

Figura 5.2
Metas comunes y la
cadena de valor

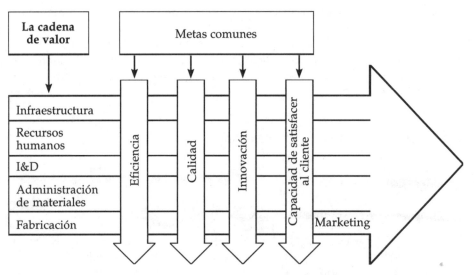

aumento en la calidad de las producciones de una firma, facilitando de esta manera la consolidación de un precio superior. La función de I&D desarrolla nuevas tecnologías de productos y procesos. Los desarrollos tecnológicos pueden reducir los costos de fabricación y dar como resultado la creación de productos más atractivos que exijan un precio superior. Así, I&D puede afectar las actividades primarias de fabricación y marketing, y a través de ellas la creación de valor. La función de **recursos humanos** asegura que la organización tenga la combinación correcta de personal calificado para desempeñar en forma efectiva sus actividades de creación de valor.

La última actividad de apoyo es la **infraestructura de la compañía**; ésta tiene en cierto modo un carácter diferente de las otras actividades de apoyo. La infraestructura está constituida por el amplio contexto de toda la empresa dentro del cual se ejecutan las demás actividades de creación de valor; ésta incluye estructuras organizacional, sistemas de control y cultura de la firma. Dado que la alta gerencia puede ejercer una enorme influencia en la consolidación de estos aspectos en una empresa, también debe considerarse parte de la infraestructura. En efecto, como se destacará repetidamente en este capítulo, la alta gerencia, mediante el fuerte liderazgo, puede constituir en forma consciente la infraestructura de la empresa y a través de ésta el desempeño de las demás actividades de creación de valor que ocurren dentro de la organización.

Un punto importante por destacar es que consolidar las metas de grados superiores en eficiencia, calidad, innovación y capacidad de satisfacer al cliente requiere estrategias que abarquen distintas actividades de creación de valor. En verdad, estos objetivos se pueden considerar *metas comunes que atraviesan las diferentes funciones de creación de valor de una compañía*. Como se ilustra en la figura 5.2, llegar a estos objetivos exige una importante integración interdisciplinaria.

5.4   LOGRO DE EFICIENCIA SUPERIOR

Una compañía puede considerarse un mecanismo para transformar insumos en productos. Los insumos son factores básicos de producción como mano de obra, terrenos, capital, administración, *know-how* tecnológico, maquinaria y otros. Los productos son los bienes y servicios que la empresa genera. La eficiencia se mide por el costo de los insumos necesarios para generar un producto determinado. Cuanto más eficiente sea una organización, menor será el costo de los insumos necesarios para elaborar determinado producto. En otras palabras, una firma eficiente posee mayor **productividad** que sus rivales, y por tanto, menores costos. En esta parte se analizan las diversas medidas que pueden seguir las compañías para aumentar en forma considerable su eficiencia y, por consiguiente, reducir sus costos unitarios. Sin embargo, antes de pasar a esa parte, se debe hacer énfasis en un punto clave: *el logro de calidad superior desempeña un rol importante en el logro de eficiencia superior*. El análisis sobre cómo lograr un grado superior de calidad se realizará en la siguiente sección.

Economías de escala, efectos del aprendizaje y la curva de experiencia

Una forma de lograr eficiencia superior consiste en obtener economías de escala y efectos del aprendizaje. Estos dos conceptos sirven de fundamento a un fenómeno denominado la curva de experiencia. Sin embargo, antes de examinarla se deben estudiar las economías de escala y los efectos del aprendizaje.

Economías de escala   Las economías de escala constituyen reducciones de costos unitarios asociadas a una amplia escala de producción. Una fuente de economías de escala es la habilidad para distribuir los costos fijos sobre un gran volumen de producción. Los costos fijos son aquellos en que se incurre para fabricar un producto cualquiera que sea el nivel de producción; éstos incluyen los costos de compra de maquinaria, los costos por instalación de maquinaria para las jornadas de producción individual y los costos de publicidad e I&D. Distribuir los costos fijos sobre un gran volumen de producción permite que la compañía reduzca los costos unitarios. Otra fuente de economía de escala consiste en la habilidad de las empresas para producir grandes volúmenes a fin de lograr una mayor división de la mano de obra y de la especialización. A su vez, se dice que la especialización tiene un impacto favorable en la productividad del trabajador principalmente porque posibilita que los individuos se califiquen en la realización de una tarea en particular.

El ejemplo clásico de estas economías es el automóvil Model T de Ford. En 1923 se fabricó el primer vehículo del mundo producido en serie, el Model T de Ford. Hasta ese año Ford había fabricado automóviles utilizando un costoso método manual de "producción artesanal". Al introducir las técnicas de producción en serie, la compañía logró una mayor división de la mano de obra al fraccionar el ensamblaje en pequeñas tareas repetitivas) y de la especialización, lo cual aumentó sustancialmente la productividad del trabajador. También fue posible distribuir los costos fijos de un automóvil y de instalación para maquinaria de fabricación sobre un gran volumen de producción. Como resultado de estas economías, el costo de fabricación de un modelo en Ford cayó de US$3,000 a menos de US$900 (valor del dólar en 1958)[3].

Como en el caso del Model T, de igual manera las economías de escala reducen costos en muchas otras situaciones. Por ejemplo. Du Pont pudo disminuir el costo de la fibra de rayón de 53 centavos por libra a 17 centavos por libra en menos de dos décadas, en particular mediante estas economías. Pero estas economías no continúan de manera indefinida. En efecto, muchos expertos coinciden en que después de alcanzar cierta **escala mínima eficiente** (EME) de producción existen pocas economías de escala adicionales, si acaso, disponibles del volumen en expasión[4]. (La escala mínima eficiente se refiere al tamaño mínimo de la planta necesario para obtener economías de escala significativas). En otras palabras, como se muestra en la figura 5.3, la curva de costo unitario a largo plazo de una organización es en forma de L. En producciones que se encuentran más allá de la **EME** de la figura 5.3, es difícil obtener reducciones de costo adicionales.

Efectos del aprendizaje Los efectos del aprendizaje son ahorros en costos que surgen de aprender haciendo. Por ejemplo, las actividades de mano de obra se aprenden mediante la repetición mejorada de una tarea. En otras palabras, la productividad de la mano de obra aumenta con el tiempo, y los costos unitarios disminuyen a medida que los individuos aprenden la forma más eficiente para realizar una tarea en particular. Es de igual importancia que en las nuevas instalaciones de fabricación la administración se caracteriza por la forma como aprende a realizar la nueva operación de una mejor manera. Por tanto, los costos de producción disminuyen debido al aumento de la productividad laboral y a la eficiencia administrativa.

Figura 5.3
Curva típica de costo
unitario a largo plazo

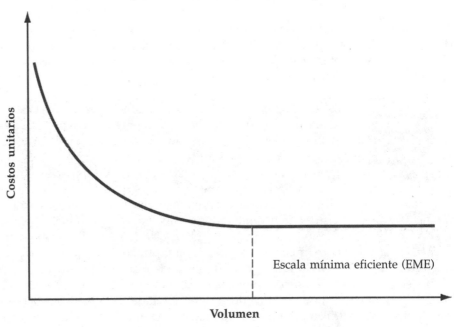

Los efectos del aprendizaje tienden a ser más significativos en situaciones en que una tarea tecnológicamente compleja se repite y donde hay mucho por aprender. De esta manera, los efectos del aprendizaje serán más significativos en un proceso de ensamblaje que involucra 1,000 pasos complejos que en un proceso similar que implique 100 pasos sencillos. Sin embargo, independientemente de la complejidad de la tarea, los efectos del aprendizaje por lo general se extinguen después de un periodo limitado. En verdad, se ha sugerido que realmente son importantes sólo durante el periodo inicial de un nuevo proceso y terminan después de dos o tres años[5].

La curva de experiencia   La curva de experiencia se refiere a las reducciones sistemáticas de costos unitarios observadas en la vida de un producto[6]. Según el concepto de la curva de experiencia, los costos unitarios de fabricación de un producto por lo general disminuyen en cierta cantidad característica cada vez que se duplica la producción *acumulada* del producto (la producción acumulada es la producción total de un bien desde su introducción). La relación se observó en primera instancia en la industria aeronáutica, donde se halló que cada vez que se duplicaba la producción acumulada de armazones de naves, los costos unitarios disminuían en un 80% de su nivel previo[7]. Así, la cuarta armazón por lo regular cuesta sólo el 80% de producir la segunda, la octava cuesta sólo el 80% de la cuarta, la decimosexta el 80% del costo de la octava, y así sucesivamente. El resultado de este proceso es una relación entre los costos unitarios de fabricación y la producción acumulada similar a la ilustrada en la figura 5.4.

Las economías de escala y los efectos del aprendizaje son la base del fenómeno de la curva de experiencia. En términos sencillos, a medida que la empresa con el paso del tiempo aumenta el volumen acumulado de su producción, puede obtener economías de escala (a medida que incrementa el volumen) y efectos del aprendizaje. En consecuencia, los costos unitarios caen con los aumentos en la producción acumulada.

El significado estratégico de la curva de experiencia es claro. Indica que el aumento de volumen del producto y de la participación en el mercado de la organización generará también ventajas en

Figura 5.4
Curva de
experiencia típica

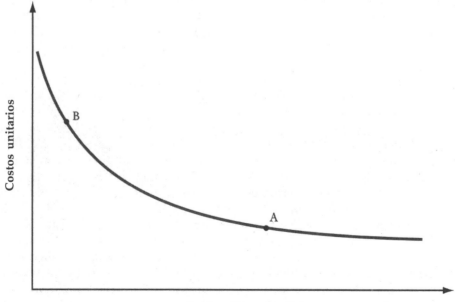

Producción acumulada

costos sobre la competencia. Así, la compañía A en la figura 5.4, debido a que se encuentra más abajo en la curva de experiencia, posee una clara ventaja en costos sobre la compañía B. El concepto es quizá más importante en aquellas industrias donde el proceso de producción involucra la producción en serie de un producto estandarizado (por ejemplo, la fabricación de chips semiconductores). Si una empresa desea ser más eficiente y, de esta manera, alcanzar una posición de bajo costo, debe tratar de llegar a la curva de experiencia tan pronto como sea posible. Esto implica construir instalaciones de fabricación de escala eficiente aun antes que haya demanda, y la búsqueda decidida de reducciones en costos a partir de los efectos del aprendizaje. La firma también podría seguir una vigorosa estrategia de marketing, mediante la reducción de precios hasta el mínimo y el énfasis de intensas promociones de ventas con el fin de generar demanda y, de esta manera, el volumen acumulado, tan pronto como sea posible. Una vez disminuida la curva de experiencia, debido a su eficiencia superior, es probable que la organización tenga una significativa ventaja en costos sobre sus competidores. Por ejemplo, se afirma que el éxito inicial de Texas Instruments se fundamentó en la explotación de la curva de experiencia (para mayor información *véase* la estrategia en acción 5.1); de igual modo, las compañías japonesas de semiconductores utilizaron vigorosamente tales tácticas para dar alcance a la curva de experiencia y obtener una ventaja competitiva sobre sus rivales estadounidenses en el mercado de chips DRAM[8]; y una razón para que Matsushita llegara a dominar el mercado mundial de videograbadoras VHS fue basar su estrategia en la curva de experiencia[9].

Sin embargo, la compañía que baja al máximo la curva de experiencia no debe estar satisfecha con su ventaja en costos. La estrategia en acción 5.1 explica por qué la obsesión con la curva de experiencia en Texas Instruments pudo significarle resultados altamente desfavorables. De manera más general, existen tres razones del porqué las empresas no deben sentirse satisfechas con su ventaja en costos con base en la eficiencia derivada de los efectos de la experiencia. En primer lugar, puesto que ni los efectos del aprendizaje ni las economías de escala son eternos; es probable que la curva de experiencia se nivele en algún punto inferior; en verdad, debe hacerlo por definición. Cuando esto suceda, será difícil obtener reducciones adicionales en costos unitarios a partir de los efectos del aprendizaje y de las economías de escala. Por tanto, otras organizaciones pueden alcanzar a tiempo al líder en costos. Una vez que se presente esta situación, varias firmas de bajo costo pueden tener entre sí paridad de costos. En tales circunstancias, establecer una ventaja competitiva sostenible debe involucrar otros factores estratégicos además de la minimización de costos de producción mediante la utilización de tecnologías existentes (factores como mejorar la capacidad de satisfacer al cliente, calidad del producto o innovación).

En segundo lugar, las ventajas en costos obtenidas a partir de los efectos de la experiencia pueden volverse obsoletas debido al desarrollo de nuevas tecnologías. Por ejemplo, el precio de los tubos de imagen para los televisores siguió el modelo de la curva de experiencia desde la introducción de la televisión a finales de la década de 1940 hasta 1963. El precio unitario promedio cayó en ese entonces de US\$34 a US\$8 (precio del dólar en 1958). La llegada de la televisión en colores interrumpió la curva de experiencia. La fabricación de tubos de imagen para los aparatos en color necesitó una nueva tecnología de fabricación, y el precio de estos tubos se elevó a US\$51 en 1966. Luego, la curva de experiencia se reafirmó por sí misma. El precio bajó a US\$48 en 1968, a US\$37 en 1970 y a US\$36 en 1972[10]. En resumen, el cambio tecnológico puede alterar las reglas del juego, al exigir que las antiguas compañías de bajo costo emprendan medidas con el fin de restablecer su ventaja competitiva.

Una razón adicional para evitar el conformismo es que un volumen alto no necesariamente proporciona a la compañía una ventaja en costos. Algunas tecnologías poseen diferentes funciones de costos. Por ejemplo, la industria del acero tiene dos tecnologías alternativas de fabricación: una tecnología integrada, la cual depende del horno que funciona a base de oxígeno, y una tecnología

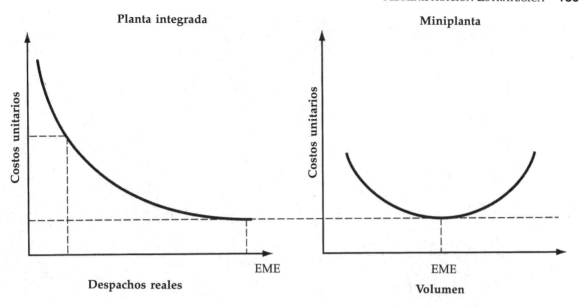

Figura 5.5 Costos unitarios de producción en una acería integrada y en una miniplanta

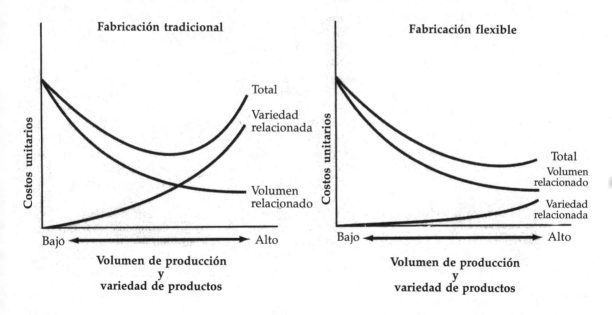

Figura 5.6 La relación entre costos y variedad de productos

Fuente: Adaptación de G. R. Jones and J. E. Butler, "Costs, Revenues, and Business-Level Strategy, *Academy of Management Review*, 13 (1988), 208.

ESTRATEGIA EN ACCIÓN 5.1

Cómo la curva de experiencia ayudó a Texas Instruments y luego se convirtió en un obstáculo

Texas Instruments (TI) fue uno de los primeros usuarios del concepto de curva de experiencia. TI fue un innovador tecnológico, el primero en fabricar transistores de silicio y luego semiconductores. La compañía descubrió que cada vez que se duplicaba el volumen de producción acumulada de un transistor o semiconductor, los costos unitarios se reducían al 73% de su nivel previo. Fundamentándose en esta previsión, cuando TI fabricara un nuevo transistor o semiconductor, reduciría de manera radical el precio del producto con el fin de estimular la demanda. Su meta era subir el volumen acumulado de producción y así disminuir los costos mediante la realización de economías en la curva de experiencia. Como resultado, durante las décadas de 1960 y 1970 TI golpeó a sus rivales en transistores y siguió con el predominio en el negocio de semiconductores, y finalmente en el de calculadoras manuales y relojes digitales. En efecto, durante más de 20 años, hasta 1982, TI disfrutó de un rápido crecimiento, con ventas que se cuadriplicaron sólo entre 1977 y 1981.

Sin embargo, después de 1982 las cosas comenzaron a funcionar mal para TI. El obstinado enfoque sobre reducciones en costos de la compañía, consecuencia de su dependencia estratégica en la curva de experiencia, no le permitió comprender completamente las necesidades del consumidor y las tendencias del mercado. Rivales como Casio y Hewlett-Packard comenzaron a hacer importantes incursiones en el negocio de calculadoras manuales de TI al concentrarse en otras características que exigían los consumidores, en vez de enfocar el costo y el precio. TI reaccionó lentamente a esta tendencia y como resultado perdió una considerable participación en el mercado. A finales de la década de 1970, también decidió concentrarse en los semiconductores para relojes y calculadoras (con los cuales había obtenido sustanciales economías fundamentadas en la curva de experiencia) en vez de desarrollar semiconductores de óxido metálico para memorias de computador y semiconductores avanzados. Sin embargo, con el desarrollo de los minicomputadores y computadores personales a comienzos de la década de 1980, el mercado cambió hacia los semiconductores de óxido metálico de alta potencia. En consecuencia, TI pronto se halló aventajada por Intel y Motorola. Así, aunque su concentración en la realización de economías en la curva de experiencia inicialmente benefició a la compañía, más tarde parece que contribuyó a una miopía que le generó consecuencias profundamente negativas[12].

de miniplantas que opera fundamentalmente con hornos eléctricos de arco. Como se ilustra en la figura 5.5 la escala mínima eficiente (EME) del horno eléctrico de arco se localiza en volúmenes relativamente bajos, en tanto que la EME de los hornos que funcionan con oxígeno se ubica en volúmenes relativamente altos. Aunque ambas operaciones funcionan a sus niveles de producción más eficientes, las acerías con hornos de oxígeno *no* poseen una ventaja en costos sobre las miniplantas.

En consecuencia, la búsqueda de economías de experiencia por parte de una compañía integrada que utiliza tecnología basada en oxígeno, puede no generar el tipo de ventajas en costos que le llevaría a suponer una lectura ingenua del fenómeno de la curva de experiencia. En verdad, durante los últimos años las organizaciones integradas no han podido obtener suficientes pedidos para funcionar a una capacidad óptima. Por tanto, sus costos de producción han sido considerablemente mayores que los de las miniplantas[11]. En forma más general, como se analizará adelante, en muchas industrias las nuevas tecnologías de fabricación flexible mantienen la promesa de permitir que los pequeños fabricantes produzcan a costos unitarios comparables con los de las grandes operaciones de ensamblaje en línea.

Fabricación flexible (producción reducida) y eficiencia

Tan importante como el concepto de las economías de escala es la idea que la mejor forma para alcanzar mayor eficiencia, y por ende bajos costos unitarios, es mediante la fabricación en serie de un producto estandarizado. La relación implícita en esta idea se encuentra entre los costos unitarios y la variedad de productos. Elaborar una gran variedad de productos en una fábrica implica tiempos de producción más cortos, lo que a su vez implica incapacidad para realizar economías de escala. Es decir, aumentar la variedad de productos dificulta que una compañía aumente su eficiencia de fabricación y así reduzca sus costos unitarios. De acuerdo con esta lógica, la manera de aumentar la eficiencia y reducir los costos unitarios consiste en limitar la diversidad de productos y fabricar un bien estandarizado en grandes volúmenes (*véase* figura 5.6a).

Esta perspectiva de la eficiencia en fabricación ha sido desafiada por el ascenso de tecnologías o fabricación flexible. El término **tecnología de fabricación flexible** (o **producción reducida**, como se le denomina con frecuencia) cubre una variedad de tecnologías de fabricación diseñadas para (1) disminuir tiempos en la instalación de equipos complejos, (2) aumentar el uso de máquinas individuales mediante una mejor programación, y (3) mejorar el control de calidad en todas las etapas del proceso de fabricación[13]. Las tecnologías de fabricación flexible permiten que la empresa produzca una amplia variedad de productos finales a un costo unitario que antes podían lograrse sólo mediante la producción en serie de un bien estandarizado (*véase* figura 5.6b). En efecto, investigación reciente sugiere que la adopción de tecnologías de fabricación flexible puede en realidad incrementar la eficiencia y reducir los costos unitarios comparado con lo que puede lograrse mediante la fabricación en serie de una producción estandarizada[14].

Las tecnologías de fabricación flexible varían en su sofisticación y complejidad. Uno de los ejemplos más famosos de este tipo de tecnología, el sistema de producción de Toyota, es no sofisticado relativamente, pero se le ha atribuido el mérito de convertirla en la compañía automotriz más eficiente en la industria mundial. El sistema de Toyota lo desarrolló un ingeniero de la organización, Ohno Taiichi. Después de trabajar en Toyota durante cinco años y de visitar las plantas de Ford en EE.UU., Ohno llegó a convencerse de que la filosofía de producción en serie para fabricar vehículos era defectuosa. Observó varios problemas con este sistema de producción que incluían tres grandes desventajas. En primer lugar, las extensas jornadas de producción crearon enormes existencias, que debían almacenarse en grandes depósitos. Esto era oneroso, debido a los costos de almacenamiento y a que las existencias restringían el capital en usos improductivos. En segundo lugar, si las instalaciones iniciales de maquinaria fueran erróneas, las extensas jornadas de producción generarían muchos productos defectuosos (es decir, desperdicios). Y en tercer lugar, el sistema de producción en serie no podía ajustar las preferencias del consumidor a la diversidad de productos.

Ohno buscó formas de hacer más económicos y breves los tiempos de producción. Desarrolló varias técnicas diseñadas para reducir tiempos de instalación de equipos para la producción (una gran fuente de costos fijos). Mediante un sistema de palancas y poleas, pudo reducir el tiempo para cambiar los troqueles del equipo de estampado que en 1950 exigía un día completo a tres minutos en 1971. Esto hizo que las pequeñas jornadas de producción fueran económicas, lo cual a su vez le permitió a Toyota responder mejor a las demandas del consumidor sobre diversidad de productos. Las pequeñas jornadas de producción también eliminaron la necesidad de mantener grandes inventarios, reduciendo en consecuencia los costos de almacenamiento. Además, tales jornadas y la falta de existencias significó que salieran piezas defectuosas sólo en pequeñas cantidades y que ingresaran al proceso de ensamblaje de inmediato. Esto redujo los desperdicios, facilitó buscar la causa de los imperfectos y dar solución al problema. En resumen, las innovaciones de Ohno permitieron que Toyota produjera una mayor variedad de productos a un costo unitario menor de lo posible con la convencional producción en serie[15].

Las **células de maquinado flexible** corresponden a otra tecnología común de fabricación flexible. Una célula de esta clase es una agrupación de diversos tipos de maquinaria, un operador común de materiales y un controlador centralizado de células (computador). Cada célula por lo general contiene de cuatro a seis máquinas capaces de ejecutar una variedad de operaciones. La célula típica se dedica a la producción de una familia de partes o productos. Los montajes en las máquinas se controlan por computador. Esto posibilita que cada célula cambie en forma rápida entre la producción de diferentes piezas o productos.

El uso de la capacidad mejorada y las reducciones de tareas en proceso (es decir, reservas de productos semiterminados) y de desperdicios son los mayores beneficios en eficiencia de las células de maquinado flexible. La utilización de la capacidad mejorada se genera a partir de la reducción en los tiempos de organización y gracias a la coordinación del flujo de producción entre las máquinas, controlada por computador, que elimina cuellos de botella. La estricta coordinación entre máquinas también reduce tareas en proceso. Las reducciones de desperdicio provienen de la capacidad de la maquinaria controlada por computador para identificar cómo transformar los insumos en productos mientras se produce un mínimo de material de desperdicio no utilizable. Dados todos estos factores, mientras las máquinas diseminadas podrían encontrarse en uso en un 50% del tiempo, cuando las mismas máquinas se agrupan en células se pueden utilizar más del 80% del tiempo y fabricar el mismo producto final con la mitad de desperdicio. Esto aumenta la eficiencia y genera menores costos.

Los beneficios en eficiencia de la instalación de tecnologías de fabricación flexible pueden ser considerables. Por ejemplo, al seguir la introducción de un sistema de fabricación flexible, las operaciones locomotoras de General Electric redujeron el tiempo empleado para producir estructuras locomotrices de los motores de 16 días a 16 horas; de igual manera, después de introducir un sistema de fabricación flexible, Fireplace Manufacturers, uno de los mayores negocios de chimeneas del país, redujo los desperdicios del proceso de fabricación en un 60%, triplicó el movimiento total de existencias e incrementó la productividad laboral en más de un 30%[16].

Además de mejorar la eficiencia y reducir costos, las tecnologías de fabricación flexible permiten que las compañías individualicen los productos con relación a las demandas exclusivas de pequeños grupos de consumidores, a un costo que antes podía conseguirse sólo al producir en forma masiva un bien estandarizado. Así, estas tecnologías ayudan a que una compañía aumente su capacidad de satisfacer al cliente.

Estrategia de marketing y eficiencia

La **estrategia de marketing** (la posición que adopta una compañía con relación a la fijación de precios, promoción, publicidad, diseño del producto y distribución) puede desempeñar un rol importante en el aumento de la eficiencia de una empresa. Algunos de los pasos que conducen a una mayor eficiencia son muy obvios. Por ejemplo, ya se analizó cómo bajar la curva de experiencia a fin de obtener una posición de bajo costo puede facilitarse mediante una agresiva política de precios, promociones y publicidad –elementos que constituyen la tarea de la función de marketing. Sin embargo, hay otros aspectos de la estrategia de marketing que tienen un impacto en la eficiencia menos obvio pero no menos importante. Quizá lo más importante es la relación entre **índices de deserción de clientes** y costos unitarios[17].

Los índices de deserción de clientes corresponden al porcentaje de clientes que abandonan anualmente una compañía y se dirigen hacia los rivales. Los índices de deserción se determinan por la lealtad de los clientes, que a su vez está en función de la habilidad de una empresa para satisfacer sus necesidades. Debido a que conseguir un nuevo cliente causa ciertos costos fijos inmediatos para publicidad, promociones y otros, existe una relación directa entre los índices de deserción y los costos. Cuanto más tiempo conserve una organización a un cliente, mayor será el volumen de ventas unitarias generadas por éste las cuales se pueden comparar con los costos fijos, y menor el promedio unitario de costo de cada venta. En consecuencia, disminuir los índices de deserción de clientes posibilita que una firma logre sustanciales economías de costos. Esto se ilustra en la figura 5.7, en la cual se muestra que altos índices de deserción implican altos promedios de costos unitarios (y viceversa).

Una consecuencia de la relación resumida en la figura 5.7 es la correspondencia ilustrada en la figura 5.8, entre el periodo de permanencia de un cliente con la firma y la utilidad por cliente. Debido a los costos fijos para adquirir nuevos clientes, atender aquellos que permanecen con la empresa sólo por un periodo breve antes de cambiarse hacia los competidores, a menudo, puede producir utilidades negativas. Sin embargo, cuanto más tiempo permanezca un cliente con la compañía, mayores costos fijos de adquisición de ese cliente se podrán distribuir a las compras repetidas que incrementa la utilidad por cliente. Así, como se muestra en la figura 5.8, existe una relación positiva entre el periodo de permanencia de un cliente con una empresa y la utilidad por cliente.

Como ejemplo de este fenómeno, considérese el negocio de tarjetas de crédito[18]. En 1990, la mayoría de las compañías de tarjetas de crédito invirtieron un promedio de US$51 para reclutar un cliente y abrir una nueva cuenta. Estos costos surgieron de la publicidad necesaria para atraer nuevos clientes, de las verificaciones de crédito necesarias para cada cliente y de los mecanismos de apertura de cuenta y expedición de tarjetas. Estos costos fijos inmediatos sólo se pueden recuperar si un cliente permanece con la empresa durante por lo menos dos años. Además, cuando los clientes llegan al segundo año, tienden a aumentar el uso de su tarjeta, hecho que con el tiempo

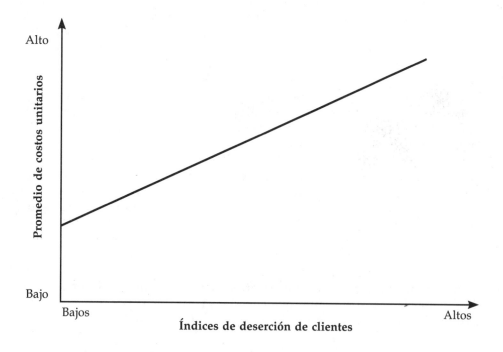

Figura 5.7
La relación entre promedio de costos unitarios e índices de deserción de clientes

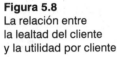

Figura 5.8
La relación entre
la lealtad del cliente
y la utilidad por cliente

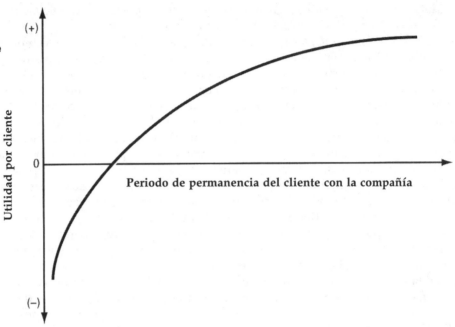

incrementa el volumen de ingresos generados por cada cliente. Como resultado, la utilidad promedio por cliente en este negocio aumenta de US$51 en el primer año (es decir, una pérdida de US$51)
a US$44 en el tercer año y US$55 en el sexto.

Otro beneficio económico de la lealtad prolongada del cliente lo constituye la publicidad gratui-
ta que los clientes proporcionan a la compañía. Los clientes leales hacen muchos comentarios, y
pueden aumentar en forma sorprendente el volumen de negocios mediante referencias. Un ejemplo interesante lo muestra el minorista británico Marks & Spencer, perfilado en el caso inicial del
capítulo 4. Como se recordará, esa empresa ha generado tal lealtad en el cliente que no necesita
hacer publicidad en Gran Bretaña (importante fuente de ahorro en costos).

El mensaje clave, entonces, consiste en que reducir índices de deserción de clientes y generar su
lealtad pueden ser una importante fuente de ahorro en costos. Por lo anterior para reducir los costos
unitarios, el hecho de disminuir los índices de deserción de clientes en sólo un 5% puede incrementar las utilidades por cada uno del 25% al 85% dependiendo de la industria. Por ejemplo, una reducción del 5% en los índices de deserción de clientes conduce a los siguientes aumentos en utilidades
por cliente sobre su promedio de vida: un incremento del 75% en utilidad por cliente en el negocio de
tarjetas de crédito; un aumento del 50% en rentabilidad por cliente en la industria de corretaje de
seguros; un incremento del 45% en utilidades por cliente en el negocio de lavandería industrial, y un
aumento del 35% en utilidades por cliente en la industria de software[19].

Pero, ¿cómo puede una compañía disminuir los índices de deserción de clientes? Puede hacerlo
mediante la generación de lealtad a la marca, que a su vez exige satisfacer las necesidades de sus
clientes. Posteriormente se analizará el tema de la capacidad de corresponder al cliente. Por ahora,
obsérvese que un componente importante de desarrollar una estrategia que reduzca los índices de
deserción es ubicar los clientes que abandonan, averiguar por qué evadieron y guiarse por esa
información de manera que en el futuro otros clientes no deserten por razones similares. Para

adoptar estas medidas, la función de marketing debe tener sistemas de información capaces de rastrear las deserciones de los clientes.

Estrategia de administración de materiales JAT y eficiencia

La contribución de la administración de materiales para aumentar considerablemente la eficiencia de una compañía puede ser tan importante como el aporte de fabricación y marketing. La administración de materiales incluye las actividades necesarias para hacer que éstos lleguen a las instalaciones de fabricación mediante el proceso de producción, y lleguen al usuario final a través de un sistema de distribución. El potencial para reducir costos mediante una administración de materiales más eficiente es enorme. Para la empresa manufacturera promedio, los costos de material y transporte responden entre el 50% y el 70% de los ingresos. Incluso una pequeña reducción en estos costos puede tener un impacto sustancial en la rentabilidad. De acuerdo con un estimativo, para una compañía con ingresos de US$1 millón, un rendimiento sobre la tasa de inversión del 5% y costos de materiales que ascienden al 50% de los ingresos por ventas, aumentar las utilidades totales a US$15,000 requeriría un incremento del 30% en ingresos por ventas o una reducción del 3% en costos de materiales[21]. En un mercado saturado, sería mucho más fácil reducir costos de materiales en un 3% que incrementar los ingresos por ventas en un 30%. El caso inicial suministra otro ejemplo de los ahorros en costos obtenibles a través de una administración de materiales más eficiente; al reorganizar su función global de administración de materiales, Xerox esperaba reducir sus existencias totales en US$1,000 millones y sus costos anuales de mantenimiento de inventarios en US$200 millones.

El mejoramiento de la eficiencia en la función de administración de materiales requiere la adopción de un sistema de inventario **justo a tiempo** (**JAT**). La filosofía básica del JAT consiste en economizar en costos de mantenimiento de inventarios al hacer que los materiales lleguen a la planta de fabricación justo a tiempo para ingresar al proceso de producción, y no antes. Los mayores ahorros en costos provienen del aumento en el movimiento total de existencias, lo cual disminuye los costos de mantenimiento de inventarios, como bodegaje y almacenamiento. Por ejemplo, el cambio de Ford a los sistemas JAT a comienzos de la década de 1980, según se dice, proporcionó a la firma un enorme ahorro inmediato (US$3,000 millones). En Ford los inventarios mínimos ahora se rotan nueve veces al año en lugar de las anteriores seis, en tanto que los costos conexos se han reducido a una tercera parte.

Muy recientemente, el concepto JAT ha sido adoptado por varias compañías de servicios, a menudo con gran éxito. Por ejemplo, Wal-Mart, el minorista general de mayor crecimiento en EE.UU., utiliza los sistemas JAT para reabastecer las existencias en sus almacenes por lo menos dos veces a la semana. Muchos almacenes reciben suministros a diario. El competidor común, Kmart o Sears, reabastece sus existencias cada dos semanas. Comparado con estos rivales, Wal-Mart puede mantener los mismos niveles de servicio con una cuarta parte de la inversión en inventario, que se constituye en la principal fuente de ahorro en costos. Así, una rotación de inventarios más rápida ayudó a Walt-Mart a lograr una ventaja competitiva basada en la eficiencia en la industria minorista[22].

La desventaja de los sistemas JAT es que dejan a la firma sin un fondo de reservas del inventario. Aunque los fondos de reservas de inventario son costosos de almacenar, pueden ayudar a una firma a protegerse del déficit en insumos provocado por la interrupción de los proveedores (por ejemplo, un pleito laboral en un proveedor clave). Los fondos de reserva también pueden ayudar a que una firma responda en forma rápida a los aumentos en la demanda. Sin embargo, existen soluciones para estas limitaciones. Por ejemplo, con el fin de reducir los riesgos relacionados con la dependencia justamente en un solo proveedor de un importante insumo, sería aconsejable que la firma tuviera fuentes de insumos de varios proveedores.

Estrategia de I&D y eficiencia

La labor superior de investigación y desarrollo al ayudar a que una compañía logre mayor eficiencia es doble. En primer lugar, la función de I&D puede incrementar considerablemente la eficiencia al diseñar productos fáciles de fabricar. Al reducir la cantidad de piezas que forman un producto, I&D puede disminuir en forma considerable el tiempo de ensamblaje requerido, lo cual se traduce en una mayor productividad del empleado y menores costos unitarios. Por ejemplo, después de que Texas Instruments rediseñó un mecanismo de visión infrarroja que suministra al Pentágono, la compañía pudo reducir la cantidad de piezas de 47 a 12, el número de pasos de ensamblaje de 56 a 13, el tiempo empleado en la fabricación del lente metálico de 757 minutos a 219 minutos por unidad, y el tiempo de ensamblaje por unidad de 129 a 20 minutos. El resultado fue una sustancial disminución en los costos de fabricación. Debe observarse que el diseño para la fabricación requiere una estrecha coordinación entre las funciones de fabricación e I&D de la organización. Esto se logra mejor a través de equipos multidisciplinarios que integren el personal de fabricación y el de I&D, de manera que puedan trabajar sobre el problema en forma conjunta.

La segunda manera como la función de I&D puede ayudar a que una empresa obtenga mayor eficiencia es mediante innovaciones pioneras de procesos. La innovación de un proceso es un perfeccionamiento de la forma como operan los procesos de producción que produce mejoramiento en su eficiencia. Las innovaciones en los procesos con frecuencia son la mayor fuente de ventaja competitiva. Por ejemplo, en la industria automotriz la ventaja competitiva de Toyota se fundamenta en parte en su creación de nuevos procesos de fabricación flexible, los cuales redujeron en forma sustancial los tiempos de ajuste. Esto le posibilitó a Toyota obtener ganancias en eficiencia asociadas a los sistemas de fabricación flexible y mantenerse durante años a la vanguardia de sus competidores.

Estrategia y eficiencia de los recursos humanos

La productividad del empleado es uno de los determinantes claves de la eficiencia y estructura de costos de una compañía. Cuanto más productivos sean los empleados, menores serán los costos unitarios. El reto para la función de recursos humanos en una empresa es inventar formas para incrementar la productividad del trabajador. Ésta posee tres alternativas fundamentales: capacitar a los empleados, organizar la fuerza de trabajo en equipos autogestionarios y vincular el pago al desempeño.

Capacitación del empleado   Los individuos son un importante insumo dentro del proceso de producción. Es probable que una firma que emplea personas con grandes habilidades sea más eficiente que aquella que cuenta con personal menos calificado. Los individuos más calificados pueden realizar tareas en forma más rápida y precisa, y existe mayor probabilidad de que aprendan tareas complejas asociadas a muchos métodos modernos de producción que quienes poseen menos habilidades. La capacitación puede mejorar los niveles de habilidad del empleado, proporcionando a la firma ganancias en eficiencia relacionadas con la productividad[23].

En efecto, la investigación realizada por la Comisión sobre productividad industrial del MIT indica que una de las principales fuentes de la ventaja competitiva que muchas compañías japonesas tienen sobre sus rivales europeas y estadounidenses es su compromiso con el mejoramiento del nivel de habilidades de sus empleados mediante permanentes programas de capacitación[24]. Estos programas poseen cuatro componentes importantes. En primer lugar, rotar empleados a través de varios departamentos les permite adquirir habilidades generales. Por ejemplo, todos los trabajadores nuevos contratados por Sanyo, la empresa japonesa de electrodomésticos, deben pasar un tiempo en ventas y en rotaciones entre investigación y fabricación. En segundo lugar, muchas firmas japonesas tienen amplia capacitación fuera del trabajo. De 30,000 empleados de Sanyo, 10,000 pasan anualmente por el Sanyo Corporate Educational Training Center, donde cada uno permanece por lo menos tres días en él. En tercer lugar, muchas organizaciones japonesas motivan a sus empleados para que desarrollen destrezas a través de cursos por correspondencia, cuyos costos a menudo reembolsan los empleadores al final del programa. Por último, la participación en actividades de equipos concentradas en mejorar el desempeño de la compañía genera un incremento general en los niveles de habilidades del empleado. Las compañías no japonesas que desean mejorar las habilidades de sus empleados podrían considerar la posibilidad de adoptar medidas similares.

Equipos autogestionarios Estos equipos son un fenómeno relativamente reciente en la industria norteamericana. Unas cuantas compañías los utilizaron hasta mediados de la década de 1980, sin embargo, desde ese entonces se han difundido en forma rápida. El crecimiento de las células de fabricación flexible, que constituyen equipos de trabajadores, sin duda facilitó la expansión de los equipos autogestionarios. El típico equipo comprende de 5 a 15 empleados que elaboran un producto completo o un subensamblaje. Los miembros del equipo aprenden todas las tareas de éste y se rotan cada una. El resultado es una fuerza de trabajo más flexible. Los miembros del equipo pueden remplazar a los compañeros ausentes. Los equipos también asumen deberes administrativos como programación de labores y vacaciones, pedido de materiales y contratación de nuevos miembros. La gran responsabilidad impuesta a los miembros del equipo y el *empowerment* que implica se consideran motivaciones. (**Empowerment** es el proceso de dar poder a los empleados de nivel inferior para tomar decisiones). Las personas a menudo responden bien cuando se les da mayor autonomía y responsabilidad. Las bonificaciones por desempeño unidas a la producción en equipo y a los objetivos de calidad funcionan como una motivación adicional.

El efecto neto de la introducción de equipos autogestionarios es supuestamente un aumento en la productividad de un 30% o más y un incremento sustancial en la calidad del producto. Los ahorros adicionales en costos surgen al eliminar supervisores y crear una jerarquía organizacional más plana. Quizá la combinación más potente es la que corresponde a los equipos autogestionarios y células de fabricación flexible. Los dos parecen hechos el uno para el otro. Por ejemplo, después de la introducción en 1988 de la tecnología de fabricación flexible y prácticas laborales con base en equipos autogestionarios, una planta de General Electric localizada en Salisbury, Carolina del Norte, aumentó la productividad en un 250% comparada con otras plantas de la compañía que fabricaban los mismos productos en 1984[25]. Sin embargo, estos equipos no son una panacea; a menos que se encuentren integrados con la tecnología de fabricación flexible, los equipos pueden no desarrollar todo su potencial.

Pago por desempeño Las personas trabajan por dinero, por esta razón, cuesta sorprenderse con el hecho de que vincular el pago con el desempeño pueda ayudar a incrementar la productividad del empleado. Sin embargo, el asunto no es tan simple como sólo introducir sistemas de pago mediante incentivos; también es importante definir qué tipo de desempeño se retribuirá y cómo. Algunas de las compañías más eficientes del mundo, atentas a la necesidad de cooperación entre empleados para obtener beneficios en productividad, *no* vinculan el pago con el desempeño individual. Por el contrario, lo asocian con el desempeño de grupo o equipo. Por ejemplo, en Nucor, ampliamente considerado uno de los productores de acero más eficientes del mundo, la fuerza de trabajo se encuentra dividida en equipos de 30 individuos o más. El pago de bonificaciones, que puede ascender a un 30% del sueldo básico, se vincula con la habilidad del equipo para satisfacer las metas de productividad y calidad. Esta instancia genera fuerte motivación para que los individuos cooperen entre sí en el logro de metas de equipo; es decir, facilita el trabajo en conjunto.

Infraestructura y eficiencia

La infraestructura establece el contexto dentro del cual se realizan las demás actividades de creación de valor. Se deduce que la infraestructura puede ayudar a lograr metas de eficiencia. Ante todo, la infraestructura puede fomentar un compromiso con la eficiencia en toda la compañía y promover la cooperación entre las diferentes funciones en la búsqueda de metas de eficiencia.

Este compromiso se puede formar a través del liderazgo de la alta gerencia. La función del liderazgo consiste en articular una visión que reconozca la necesidad de todas las funciones en la organización de concentrarse en el mejoramiento de su eficiencia. No es suficiente mejorar sólo la eficiencia de fabricación, marketing o I&D. Lograr la eficiencia superior requiere un compromiso con esta meta en toda la empresa y esto únicamente puede articularlo la alta gerencia.

Una función adicional de liderazgo consiste en facilitar la cooperación multidisciplinaria necesaria para lograr eficiencia superior. Por ejemplo, al diseñar productos fáciles de fabricar es necesaria la comunicación entre el personal de fabricación y el de I&D; al integrar los sistemas JAT con el cronograma de producción se requiere una estrecha comunicación entre la administración de materiales y el perso-

Tabla 5.1
Las tareas básicas de diversas funciones de creación de valor en el logro de eficiencia superior

Función de creación de valor	Tareas básicas
Infraestructura	(1) Generar compromiso con la eficiencia en toda la compañía
	(2) Facilitar la cooperación entre funciones
Fabricación	(1) Cuando sea apropiado, seguir la curva de experiencia con base en economías de costos
	(2) Implementar sistemas de fabricación flexible
Marketing	(1) Cuando sea apropiado, adoptar un plan decisivo de marketing con el fin de dar alcance a la curva de experiencia
	(2) Reducir la deserción de la clientela mediante la generación de lealtad a la marca
Administración de materiales	(1) Implementar los sistemas JAT (Justo a tiempo)
I&D	(1) Diseñar productos de fácil fabricación
	(2) Buscar innovaciones de procesos
Recursos humanos	(1) Instituir programas de capacitación para desarrollar habilidades
	(2) Implementar equipos autogestionarios
	(3) Implementar el pago por desempeño

nal de fabricación; al crear equipos autogestionarios con el fin de que desempeñen funciones de fabricación se necesita una estrecha cooperación entre recursos humanos y fabricación, y así sucesivamente.

Resumen: Logro de eficiencia superior

La tabla 5.1 resume las tareas básicas que deben asumir las diversas funciones con el fin de lograr eficiencia superior. Téngase en cuenta que lograr la eficiencia superior no es algo que se pueda obtener con base en una función por sí misma. Requiere un compromiso de toda la organización y una habilidad para asegurar la estrecha cooperación entre funciones. La alta gerencia desempeña un rol importante en este proceso al ejercer liderazgo e influir en la infraestructura.

5.5 LOGRO DE CALIDAD SUPERIOR

Como se anotó en el capítulo 4, lograr calidad superior proporciona dos ventajas a la compañía. La incrementada reputación en calidad permite que una empresa cobre un precio superior por su producto, y la eliminación de imperfecciones del proceso de fabricación aumenta la eficiencia y, por tanto, disminuye los costos. En esta sección, se examinarán los medios que puede utilizar una organización para lograr calidad superior. El principal concepto de la administración utilizado para incrementar la calidad es la administración de la calidad total (ACT). ACT es una filosofía administrativa concentrada en el mejoramiento de la calidad de productos y servicios de una firma, que además enfatiza que todas sus operaciones deben orientarse hacia esta meta. Si se desea implementar exitosamente la filosofía de toda una empresa, se requiere la cooperación de las diversas funciones. En primera instancia se considerará el concepto de administración de la calidad total y luego se analizarán los diversos pasos necesarios para implementar los programas de ACT. En todo el texto se hará énfasis en las labores que deben desempeñar las diversas funciones en este proceso.

El concepto ACT

El concepto sobre administración de la calidad total (ACT) lo desarrollaron en primera instancia varios consultores norteamericanos, entre otros W. Edwards Deming, Joseph Juran y A. V. Feigenbaum[26]. Al comienzo tuvieron pocos seguidores en EE.UU. Los japoneses por el contrario, lo adoptaron entusiasmados e incluso ahora otorgan un premio anual a la excelencia en fabricación en honor a Deming. La filosofía de ACT, expresada claramente por Deming, se fundamenta en la siguiente "reacción en cadena" de cinco pasos:

1. Calidad mejorada significa disminución de costos debido a que hay menor reelaboración, pocos errores, menores retrasos, y mejor uso del tiempo y materiales.
2. Como resultado, mejora la productividad.
3. La calidad mejorada lleva a una mayor participación en el mercado y permite que la compañía aumente los precios.
4. Esto incrementa la rentabilidad de la firma y le permite permanecer en el negocio.
5. Por tanto, la compañía genera más empleos[27].

Deming ha identificado 14 pasos que deben formar parte de cualquier programa ACT. Éstos se resumen en la tabla 5.2. (Deming continuamente ha cambiado estos puntos de acuerdo con su

Tabla 5.2 Los 14 puntos de Deming para el logro de la calidad

1. Generar constancia en los propósitos tendientes al mejoramiento del producto y servicio, con el objetivo de hacerse competitivo, permanecer en el negocio y generar empleo.
2. Adoptar la nueva filosofía. Nos encontramos en una nueva era económica. La administración occidental debe conscientizarse del reto, aprender sus responsabilidades y asumir el liderazgo para el cambio.
3. Dejar a un lado la dependencia en la inspección para el logro de la calidad. Eliminar la necesidad de inspeccionar masivamente al generar en primer lugar calidad en el producto.
4. Acabar con la práctica de adjudicar los negocios solamente por el precio fijo. Más bien, minimizar el costo total.
5. Mejorar para siempre y continuamente el sistema de producción y servicio, con el fin de incrementar la calidad y productividad y, en consecuencia, disminuir constantemente los costos.
6. Instituir la capacitación en el trabajo.
7. Instituir el liderazgo. El objetivo del liderazgo debe ser ayudar a que las personas, maquinaria y mecanismos realicen una mejor labor. El liderazgo en la administración como el liderazgo de trabajadores en producción, necesita un reacondicionamiento.
8. Desechar el temor, de tal manera que todos puedan trabajar en forma efectiva para la compañía.
9. Eliminar las barreras entre departamentos. Las personas dedicadas a investigación, diseño, ventas y producción deben trabajar como un equipo, con el fin de prever los problemas que se puedan presentar en la fabricación y utilización del producto o servicio.
10. Eliminar lemas, exhortaciones y objetivos para la fuerza de trabajo en los que se solicite cero defectos y nuevos niveles de productividad. Tales exhortaciones sólo crean relaciones adversas. La gran cantidad de causas de baja calidad y baja productividad pertenece al sistema y, por tanto, se sale del dominio de la fuerza laboral.
11. (a) Eliminar estándares de trabajo en la planta; sustituir por el liderazgo
    (b) Eliminar la administración por objetivos, la administración por cantidades y las metas numéricas; sustituir por el liderazgo.
12. (a) Eliminar las barreras que usurpan a quienes laboran por horas su derecho a enorgullecerse de la mano de obra calificada. La responsabilidad de los supervisores debe cambiar de las grandes cantidades hacia la calidad.
    (b) Eliminar las limitaciones que usurpan a las personas en administración e ingeniería el derecho a enorgullecerse de su trabajo calificado.
13. Instituir un vigoroso programa de educación y automejoramiento.
14. Hacer que todos en la compañía trabajen con el fin de lograr la transformación. La transformación es el trabajo de todos.

Fuente: Tomado de *The Man Who Discovered Quality*, Andrea Gabor. Copyright c 1990, Andrea Gabor. Reimpreso con autorización de Times Books, división de Random House, Inc.

convicción en la importancia del continuo mejoramiento de la calidad; los puntos presentados constituyen la versión más reciente, 1990). En esencia, para Deming es importante que la compañía posea un plan estratégico definido sobre su dirección y la manera como va a lograrlo. Él plantea que la gerencia debe adoptar la filosofía que los errores, defectos y materiales de deficiente calidad no son aceptables y deben eliminarse. La calidad de la supervisión debe mejorar al conceder más tiempo para que los supervisores trabajen con los empleados y les proporcionen la instrucción apropiada para realizar el trabajo. Además, la gerencia debe crear un ambiente donde los empleados no teman informar sobre los problemas y recomendar mejoramientos. Deming también cree que los estándares de trabajo deben estar definidos no sólo en cifras o cuotas, sino que deben incluir una noción de calidad para promover la generación de productos libres de imperfecciones.

ESTRATEGIA EN ACCIÓN 5.2

Algunos ejemplos del impacto de los programas ACT en la calidad

- En 1987, el negocio de semiconductores de Motorola generaba 6,000 productos defectuosos por millón de piezas. En 1992 esta cifra se redujo a 40 por millón[30].

- En 1978, desde que Hitachi adoptó por primera vez un decisivo programa ACT, la cantidad de productos defectuosos reportada por clientes en el negocio de *software* disminuyó de 100 por cada 1,000 computadores a menos de dos por cada 1,000 en 1992[31].

- En 1978, Yokogawa Hewlett-Packard (YHP) adoptó un programa ACT. En ese momento el índice de productos defectuosos en su proceso de soldadura era de 4,000 piezas por millón. En 1982 YHP redujo este índice a tres piezas por millón. Durante el mismo periodo la productividad por empleado ascendió en un 91%, los costos cayeron en un 42% y las utilidades aumentaron en un 177%[32].

- En 1983, cuando Xerox introdujo por primera vez un programa ACT junto con sus proveedores, éstos producían cerca de 25,000 piezas defectuosas por millón. En 1992, este índice en las piezas de los proveedores estaba por debajo de 300 por millón[33].

Argumenta que la gerencia tiene la responsabilidad de capacitar a los empleados en nuevas habilidades para avanzar al mismo ritmo de los cambios en el lugar de trabajo y, de otra parte, para lograr mejor calidad se requiere el compromiso de todos en la compañía.

Esto llevó al Japón a la cima de los poderes económicos y alertó a los negocios occidentales sobre la importancia del concepto ACT. Desde comienzos de la década de 1980 las prácticas ACT se han difundido rápidamente a través de la industria occidental. La estrategia en acción 5.2 ofrece algunos ejemplos del impacto que los programas ACT pueden tener en la calidad. Sin embargo, sorprende que a pesar de tales logros de éxito espectacular, las prácticas ACT todavía no son universalmente aceptadas. En un estudio de 1992, realizado por la American Quality Foundation, se halló que sólo el 20% de compañías estadounidenses revisa con regularidad las consecuencias del desempeño de la calidad, comparado con el 70% de organizaciones japonesas[28]. Otro estudio realizado por Arthur D. Little, sobre las 500 empresas norteamericanas que utilizan un programa ACT, encontró que sólo el 36% consideraba que la ACT estaba incrementando su competitividad[29]. Una razón importante, según el estudio, era que muchas firmas no habían comprendido o adoptado completamente el concepto ACT.

Implementación de los programas ACT

Entre las compañías que exitosamente han adoptado el concepto de ACT destacan ciertos imperativos. Éstos se analizan en el orden que usualmente abordan compañías cuando implementan estos programas, y se destaca el rol que desempeñan las diversas funciones con relación a cada precepto. Sin embargo, no se puede hacer suficiente énfasis en que la implementación de los programas ACT requiere estrecha cooperación entre *todas* las funciones en la búsqueda de la meta común para mejorar la calidad. Al final de esta sección la estrategia en acción 5.3 describirá los esfuerzos de una compañía de servicios para poner en práctica el concepto de ACT y los beneficios que ha obtenido.

Generar el compromiso organizacional con la calidad   Existe evidencia que el concepto de ACT hará poco por mejorar el desempeño de una compañía a menos que sea adoptado por todos en la organización[34]. Como se recordará en el caso inicial, cuando Xerox lanzó su programa de calidad en 1983, el primer paso fue educar a toda su fuerza de trabajo, de la alta gerencia hacia abajo, sobre la importancia y funcionalidad del concepto de ACT. Lo hizo mediante la formación de grupos, comenzando con uno de la mayor jerarquía en la organización que incluía al CEO. El alto grupo fue el primero en recibir capacitación básica sobre el concepto de ACT. Luego, a cada miembro se le asignó la tarea de capacitar a un grupo en el nivel siguiente de la jerarquía, y así sucesivamente en toda la organización hasta que todos los 100,000 empleados recibieron el entrenamiento básico sobre este programa. Tanto la alta gerencia como la función de recursos humanos de la compañía pueden desempeñar un rol importante en este proceso. La alta gerencia tiene la responsabilidad de ejercer el liderazgo necesario para crear un compromiso con la meta de calidad en toda la organizacion. La función de recursos humanos debe asumir la responsabilidad de la capacitación de toda la empresa en cuanto a las técnicas de ACT.

Concentración en el cliente   Los profesionales de ACT consideran la concentración en el cliente como el punto inicial que, en verdad se constituye en la *raison d'être* de toda la filosofía sobre la calidad[35]. La función de marketing, debido a que suministra el punto inicial de contacto con el cliente, debe aquí desempeñar una función importante. Necesita identificar lo que los clientes esperan del bien o del servicio suministrado por la compañía; lo que realmente proporciona a los clientes, y la brecha entre lo que desean y lo que realmente obtienen, la cual se podría llamar la *brecha de calidad*. Luego, junto con las demás funciones de la organización, es necesario formular un plan para cerrar la brecha de calidad.

Hallar formas para medir la calidad   Otro imperativo de cualquier programa de ACT consiste en crear una medición que se pueda utilizar para determinar la calidad. Esto es relativamente fácil en empresas manufactureras, donde la calidad se puede medir mediante criterios como defectos por millón de piezas. Esto tiende a ser más difícil en firmas de servicios, pero con un poco de creatividad se pueden diseñar mediciones apropiadas. Por ejemplo, una de las medidas que utiliza Florida Power & Light para determinar la calidad consiste en hacer una lectura de errores por mes. Otra consiste en medir la frecuencia y duración de las interrupciones del servicio eléctrico. L.L. Bean, minorista de pedidos por correo de utensilios distribuidos puerta a puerta en Freeport, Maine, utiliza el porcentaje de pedidos diligenciados correctamente como una de sus mediciones de calidad. Para algunas entidades bancarias, las mediciones claves consisten en el número de deserciones de clientes por año y la cantidad de errores en balance por cada mil clientes. El denominador común de todos estos ejemplos consiste en identificar el significado de la calidad desde la perspectiva del cliente y diseñar un método para su medición. La alta gerencia debe asumir la responsabilidad inicial en la formulación de las diferentes mediciones para determinar la calidad, pero para tener éxito en este esfuerzo, debe recibir *input* por parte de las diversas áreas de la compañía.

Establecer metas y crear incentivos   Una vez diseñada una medición, el siguiente paso consiste en establecer una desafiante meta de calidad y crear incentivos para lograrla. Un ejemplo de este propósito, presentado en el caso inicial, lo constituye la meta inicial de Xerox de reducir piezas defectuosas de 25,000 por millón a 1,000 por millón. Una forma de crear incentivos para alcanzar este propósito consiste en asociarle compensaciones, como el pago de bonos y oportunidades de promoción. Así, dentro de muchas compañías que han adoptado equipos autogestionarios, el pago de bonos de los miembros del equipo está determinado en parte por su habilidad para lograr las metas de calidad. La labor de establecer metas y crear incentivos es una de las tareas claves de la alta gerencia.

Solicitar *input* a los empleados   Los empleados pueden constituir una fuente vital de información con relación a las causas de calidad deficiente. Por tanto, se debe establecer un marco para solicitar sugerencias a los empleados sobre los mejoramientos que se pueden hacer. Los círculos de calidad (reuniones de grupos de empleados) con frecuencia se han utilizado para lograr esta meta. Otras compañías han utilizado equipos autogestionarios en foros para analizar ideas sobre el mejoramiento de la calidad. En cualquier foro, solicitar *input* a los empleados de nivel inferior requiere que la gerencia esté dispuesta a recibir, y actuar sobre, malas noticias y críticas por parte de sus trabajadores. De acuerdo con Deming, un problema con la gerencia norteamericana es que se ha acostumbrado a "eliminar a los portadores de malas noticias"[36]. Sin embargo, argumenta, los gerentes que están comprometidos con el concepto de calidad deben reconocer que las malas noticias constituyen una mina de oro en información[36].

Identificar defectos y encontrar su origen   Los defectos en los productos ocurren en su mayor parte el proceso de producción. El concepto de ACT advierte la necesidad de identificar imperfecciones durante el proceso de trabajo, encontrar su origen, investigar su causa y hacer las correcciones de manera que no se repitan. La fabricación y administración de materiales típicamente tienen la responsabilidad básica de esta tarea.

Para descubrir defectos, Deming defiende el uso de procedimientos estadísticos para determinar variaciones en la calidad de bienes o servicios. Deming considera la variación como un enemigo de la calidad[37]. Una vez identificadas las variaciones, se debe hallar y eliminar su origen. Una técnica bastante útil para rastrear el origen de imperfecciones consiste en reducir el tamaño de los lotes de productos fabricados. Con pequeñas jornadas de producción, los defectos aparecen en forma inmediata en el proceso de producción. Como consecuencia, rápidamente se puede hallar el origen y solucionar el problema. Reducir el tamaño de los lotes también significa que cuando se generan productos defectuosos, su cantidad no será mayor, disminuyendo en consecuencia los desperdicios. Las técnicas de fabricación flexible, analizadas anteriormente, se pueden utilizar para reducir el tamaño del lote sin aumentar costos. Por consiguiente, adoptar técnicas de fabricación flexible es un aspecto importante de un programa de ACT.

Los sistemas de inventario justo a tiempo (JAT) también desempeñan una función. Bajo un sistema de este tipo, las piezas defectuosas ingresan en forma inmediata al proceso de fabricación; no se almacenan durante muchos meses antes del uso. Por tanto, los insumos defectuosos se pueden reconocer rápidamente. Así, se puede auscultar el problema hasta llegar al origen y corregirlo antes de que se produzcan más piezas defectuosas. Bajo un sistema más tradicional, la práctica de almacenar piezas durante meses antes de utilizarlas puede significar que un proveedor genera grandes cantidades de piezas defectuosas antes de que ingresen al proceso de producción.

Relaciones con el proveedor   Una fuente importante de productos terminados de deficiente calidad son las piezas imperfectas. Con el fin de disminuir las imperfecciones en los productos, una compañía debe trabajar con sus proveedores para mejorar la calidad de las piezas suministradas. La responsabilidad inicial en esta área recae en la función de administración de materiales, debido a que ésta interactúa con los proveedores.

Las relaciones con los proveedores se analizan en el caso inicial sobre Xerox. Esta firma trabajó estrechamente con sus proveedores al hacer que adoptaran programas de ACT. El resultado fue una reducción en el índice de defectos en las piezas de 25,000 por millón en 1982 a menos de 300 por millón en 1992. Como ya se anotó, los sistemas JAT también son necesarios para el logro de alta calidad. Una compañía debe trabajar en proximidad con sus proveedores si va a introducir un sistema JAT para manejar el flujo de materiales que viene de ellos.

Para implementar sistemas JAT con los proveedores y hacer que adopten sus propios programas de ACT son necesarios dos pasos. Primero, se debe racionalizar la base de suministro de tal manera que se reduzca la cantidad de proveedores a proporciones manejables. Por ejemplo, Xerox redujo su base de 5,000 a 325. Segundo, existe la necesidad de comprometerse con la consolidación de una relación cooperativa a largo plazo con los proveedores y que sea continua. Solicitar que investiguen en sistemas JAT y ACT significa pedir que realicen grandes inversiones que los aten a la compañía. Por ejemplo, con el fin de implementar un sistema JAT completo, la compañía puede solicitar a un proveedor que reubique su planta de fabricación de tal modo que ésta quede en seguida de la planta de ensamblaje de la empresa. Los proveedores probablemente se mostrarán renuentes a hacer tales inversiones a menos que experimenten que la compañía se compromete con ellos en una relación durable y a largo plazo.

Diseño para fabricación fácil   Cuanto más pasos requiera el ensamblaje de un producto, mayores serán las oportunidades para cometer errores. Diseñar productos con pocas piezas facilita el proceso de ensamblaje y genera mínimos defectos. Tanto I&D como fabricación necesitan involucrarse en el diseño de productos que sean fáciles de elaborar.

Eliminar barreras entre las funciones   Implementar el concepto de ACT requiere que toda la organización se comprometa y coopere en forma sustancial entre las funciones. I&D debe cooperar con la función de fabricación en el diseño de productos que sean fáciles de elaborar, marketing

Tabla 5.3
La tarea de las diferentes funciones en el logro de una calidad superior

Función de creación de valor	Tarea principal
Infraestructura (Liderazgo)	(1) Suministrar liderazgo y generar compromiso con la calidad
	(2) Hallar formas de medir la calidad
	(3) Establecer metas y crear incentivos
	(4) Solicitar *input* a los empleados
	(5) Motivar la cooperación entre las áreas de la empresa
Fabricación	(1) Acortar los tiempos de producción
	(2) Encontrar el origen de los defectos
Marketing	(1) Concentrarse en el cliente
	(2) Suministrar retroalimentación al cliente sobre la calidad
Administración de materiales	(1) Racionalizar los proveedores
	(2) Ayudar a los proveedores a implementar el concepto de ACT
	(3) Señalar los defectos a los proveedores
I&D	(1) Diseñar productos que sean fáciles de fabricar
Recursos humanos	(1) Instituir programas de capacitación en ACT
	(2) Organizar a los empleados en equipos de calidad

ESTRATEGIA EN ACCIÓN 5.3

Los programas de ACT en Intermountain Health Care

Intermountain Health Care es una cadena de 24 hospitales sin ánimo de lucro que opera en Idaho, Utah y Wyoming. La firma adoptó primero un programa de ACT para ciertas secciones de su sistema a mediados de la década de 1980, y en 1990 lo implementó en toda la organización. La meta de ACT era encontrar y eliminar variaciones inapropiadas en la atención médica, suministrar al paciente mejor cuidado, y durante el proceso, reducir costos. El punto de partida consistió en identificar las variaciones en la práctica a través de los médicos, particularmente con relación a los costos y la tasa de éxito de los tratamientos. Luego, estós datos fueron compartidos por los médicos dentro del sistema de Intermountain. El siguiente paso fue que los métodos utilizaran los datos para eliminar prácticas deficientes y, en general, mejorar la calidad de la atención médica.

El resultado ha sido bastante sorprendente. Uno de los primeros resultados de este proceso fue un intento del hospital de Intermountain, en Salt Lake City, de disminuir la tasa de infecciones, producto de heridas posoperatorias. Antes de que comenzara el esfuerzo en

1985, la tasa de infecciones posoperatorias del hospital era del 1.8% (0.2 puntos por debajo del promedio nacional), pero aún así seguía siendo bastante inaceptable desde la perspectiva de ACT. Mediante un sistema de computación de cabecera para asegurar que se proporcionaran los antibióticos a los pacientes dos horas antes de la cirugía, el hospital redujo a la mitad la tasa de infecciones, es decir, hasta el 0.9% en un año. Desde entonces, la tasa de infecciones posoperatorias cayó aún más, hasta el 0.4%, comparada con el promedio nacional del 2%. Debido a que este promedio de infecciones posoperatorias agrega US$14,000 a una cuenta de hospital, este resultado constituye un gran ahorro en costos.

Intermountain se concentra ahora en decenas de problemas, que incluyen situaciones en las cuales se proporciona el tipo o dosis equivocada de medicamento, la mayor causa de deficiente atención médica. La cadena hospitalaria espera que sus esfuerzos en esta área rápidamente eliminen por lo menos el 60% de esos errores y reduzcan sus costos médicos por lo menos en US$2 millones anuales por hospitales[36].

debe colaborar con fabricación e I&D de manera que se puedan solucionar los problemas del cliente identificados por la función de marketing, administración de recursos humanos debe cooperar con las demás funciones de la compañía con el fin de planear programas apropiados de capacitación sobre la calidad, y así sucesivamente. El tema de generar cooperación entre las subunidades en el interior de una compañía se estudia en el capítulo 11. En este punto es necesario resaltar que finalmente la alta gerencia tiene la responsabilidad de asegurar dicha cooperación.

Resumen: Logro de calidad superior

La tarea básica que desempeñan las diferentes funciones de creación de valor en el logro de la calidad se resume en la tabla 5.3. Como se aclara en la tabla, implementar el concepto de ACT requiere la adopción de estrategias que pasen por las funciones. Nótese que la infraestructura, y particularmente la alta gerencia, desempeña la principal labor. La alta gerencia tiene la tarea de establecer el contexto dentro del cual se implementarán los programas ACT. Esto incluye generar un compromiso con la calidad y motivar la cooperación entre funciones de toda la organización para la búsqueda de la calidad superior.

5.6   LOGRO DE INNOVACIÓN SUPERIOR

En muchas formas la innovación es el bloque individual más importante de formación de la ventaja competitiva. La innovación exitosa de productos o procesos proporciona a la compañía algo exclusivo que sus competidores carecen. Esta exclusividad puede permitir que una organización cobre un precio superior o disminuya su estructura de costos por debajo de sus rivales. Sin embargo, los competidores tratarán de imitar las innovaciones exitosas. A la postre y con frecuencia tendrán éxito, aunque las altas barreras para la imitación pueden dilatarlo. Por tanto, mantener una ventaja competitiva requiere un continuo compromiso con la innovación.

Un buen número de empresas han estructurado un registro de su trayectoria en innovaciones exitosas. Entre otras se encuentra Du Pont, que ha producido una corriente estable de innovaciones exitosas como el celofán, el nailon, el Freón (utilizado en todos los aparatos de aire acondicionado) y el teflón (utilizado en sartenes antiadherentes); Sony, cuyos éxitos incluyen el *walkman* y el disco compacto; Merck, la firma de drogas que durante la década de 1980 produjo siete importantes medicamentos nuevos; 3M, que ha aplicado su habilidad principal en cintas y adhesivos para desarrollar una amplia variedad de nuevos productos; e Intel, que hasta la fecha, por lo menos, se las ha ingeniado continuamente para dirigir el desarrollo de nuevos e innovativos microprocesadores que operan en computadores personales.

El alto índice de fracaso en la innovación

Aunque la innovación puede ser una fuente de ventaja competitiva, su índice de fracaso es bastante alto. En un estudio que examinó las innovaciones en productos se estimó que sólo alrededor del 12% al 20% de nuevos productos realmente generan utilidades cuando ingresan en el mercado[39]. El restante 80% a 88% fracasa. Dos fracasos bastante publicitados fueron las pérdidas de AT&T, que ascienden a varios miles de millones de dólares, en su fallida empresa en la industria del computador personal y el revés de Sony al tratar de establecer el formato para Betamax en el mercado de videograbadoras.

Cuatro razones importantes se plantean para explicar por qué tantos nuevos productos no generan rendimiento económico. La primera razón es la incertidumbre. Desarrollar nuevos productos es riesgoso debido a que nadie puede pronosticar la demanda. Aunque una buena investigación de mercado puede reducir los riesgos de fracaso, ésta no puede erradicarlos en su totalidad.

La segunda razón a menudo citada es la deficiente comercialización, condición generada cuando existe una demanda intrínseca por una nueva tecnología, y la tecnología no se adapta apropiadamente a las necesidades del consumidor. Por ejemplo, muchos de los primeros computadores personales no se vendieron debido a que el usuario debía ser un programador de computadores para utilizarlos. Esta situación hizo que Steve Jobs de Apple Computer comprendiera que si la tecnología podría ser amigable con el usuario, habría un enorme mercado por explotar. Por tanto, los primeros computadores personales, llevados al mercado por Apple, hicieron poco por presentar una tecnología radicalmente nueva, pero lograron que la tecnología existente fuera accesible a la persona promedio.

Una tercera razón para el fracaso es que las compañías a menudo cometen el error de llevar al mercado una tecnología para la cual no existe suficiente demanda. El avión supersónico anglo-

ESTRATEGIA EN ACCIÓN 5.4

Por qué un ciclo lento le costó a Apollo Computer la supremacía en el mercado de las estaciones de trabajo

En 1980 Apollo Computer creó el mercado para las estaciones de trabajo o terminales de ingeniería. (Las estaciones de trabajo son minicomputadores independientes de alto poder). Apollo se vio retribuido por un rápido crecimiento y un potencial monopolio. Su primer competidor serio, Sun Microsystems, no introdujo un producto competitivo hasta 1982. Sin embargo, en 1988 Apollo perdió su liderazgo en el mercado de estaciones de trabajo frente a Sun. Mientras Apollo generaba ingresos de US$600 millones en 1988, los de Sun eran superiores a los US$1,000 millones. Entre 1984 y 1988 los ingresos de Sun por las estaciones de trabajo crecieron a una tasa anual del 100% en un año, comparado con la tasa de crecimiento anual de Apollo del 35%.

La causa de la disminución del crecimiento de Apollo fue un ciclo lento. En la industria del computador, las innovaciones en la tecnología del microprocesador avanzan a pasos agigantados. Cualquier fabricante de computadores que desee estar al tanto de la nueva tecnología de los microprocesadores, debe actualizar continuamente su producto. Mientras Sun tenía éxito en la introducción de un nuevo producto cada 12 meses, y duplicaba el poder de sus estaciones de trabajo cada 18 meses en promedio, el ciclo de desarrollo de productos de Apollo se había ampliado a más de dos años. Como resultado, los productos de Apollo se sustituyeron regularmente por otros tecnológicamente más avanzados introducidos por Sun, y así Apollo cada vez más se quedaba atrás. En consecuencia, mientras Sun aumentaba su participación en el mercado de un 21% a un 33% entre 1985 y 1988, la caída de Apollo fue del 41% a menos del 20%. En 1989, al enfrentar crecientes problemas, Apollo fue adquirida por Hewlett-Packard[40].

francés, Concorde, es un ejemplo sobresaliente. Milagro de la alta tecnología, el Concorde puede transportar 100 pasajeros al doble de la velocidad del sonido, reduciendo el tiempo de vuelo transatlántico en un 60% ó 70%. Sin embargo, sólo se vendieron 8 aviones. Al precio que cuesta producir la nave, hubo poca demanda. Por tanto, toda la empresa representó un error muy costoso.

Finalmente, las compañías fracasan cuando hay lentitud para lanzar sus productos al mercado. Cuanto más tiempo haya entre el desarrollo inicial y el mercado final (es decir, cuanto más lento sea el "ciclo"), hay mayor probabilidad de que otra firma se adelante en el mercadeo y obtenga la ventaja de ser el primero que inicia. En términos generales, los innovadores lentos actualizan sus productos con menos frecuencia que los rápidos innovadores. En consecuencia, pueden percibirse como los técnicos lentos con relación a los rápidos innovadores. En la industria automotriz, General Motors ha sufrido por ser un innovador de esta naturaleza. Su ciclo de desarrollo de productos ha sido casi de cinco años, comparado con los dos o tres años empleados por Honda, Toyota y Mazda, y de tres a cuatro años en Ford. Debido a que están fundamentados en una tecnología y conceptos de diseño de hace cinco años, con el tiempo, los automóviles de General Motors llegan a un mercado donde ya se encuentran desactualizados en comparación con los vehículos de los rápidos innovadores. En la estrategia en acción 5.4 se proporciona otro ejemplo de las consecuencias de la lenta innovación, la desaparición de Apollo Computer a manos de Sun Microsystems.

Generación de habilidades en la innovación

Las compañías pueden adoptar varias medidas con el fin de formar una habilidad en la innovación y evitar el fracaso. Cinco de los pasos más importantes parecen ser: (1) generar habilidades en la investigación científica básica y aplicada; (2) lograr estrecha integración entre I&D y marketing; (3) lograr estrecha integración entre I&D y fabricación; (4) tener capacidad para minimizar el tiempo de lanzamiento al mercado; y (5) contar con una buena administración de proyectos[41].

Generar habilidades en la investigación básica y aplicada   Esto requiere emplear científicos e ingenieros investigadores y establecer un ambiente de trabajo que motive la creatividad. Varias compañías importantes tratan de lograr esta instancia mediante la construcción de instalaciones de investigación estilo universitario, donde los científicos e ingenieros cuentan con el tiempo suficiente para trabajar en sus propios proyectos de investigación, adicionales a los proyectos relacionados directamente con la permanente investigación de la organización. Por ejemplo, en Hewlett-Packard los laboratorios están abiertos para los ingenieros las 24 horas del día. La empresa incluso motiva a sus investigadores corporativos a dedicar el 10% del tiempo de la compañía para explotar sus propias ideas, y no los sanciona si fracasan. En forma similar, en 3M existe la "regla del 15%", que permite a los investigadores emplear el 15% del trabajo semanal para que investiguen sobre cualquier tema de su predilección, ya que existe el potencial de una retribución para la firma. El producto más famoso de esta política son las comunes Post-it Notes amarillas. La idea, según ellos, surgió del deseo de un investigador por encontrar la forma de evitar la pérdida del separador de hojas que llevaba en su libro de cantos religiosos. Las Post-it Notes ahora son un importante negocio de consumo de 3M, con ingresos que ascienden aproximadamente a US$300 millones.

Integrar I&D y marketing   Los clientes de una compañía pueden ser una de sus fuentes básicas de ideas nuevas sobre productos. Identificar las necesidades del cliente, y particularmente aquellas no satisfechas, puede establecer el contexto dentro del cual se puede dar lugar a una exitosa innovación de productos. Como punto de contacto con los clientes, la función de marketing de una empresa puede suministrar información valiosa. Además, la integración de I&D y marketing son cruciales si se va a comercializar en forma apropiada un nuevo producto. Sin la integración de I&D y marketing, una organización corre el riesgo de desarrollar productos para los cuales existe muy poca o ninguna demanda, como en el caso del Concorde.

El ejemplo de Techsonic Industries ilustra los beneficios de la integración de I&D y marketing. Esta compañía de Alabama fabrica detectores de profundidad: dispositivos electrónicos adheridos debajo del bote, utilizados por los pescadores para medir la profundidad del agua y seguir a su presa. Techsonic había sobrevivido a nueve fracasos consecutivos de nuevos productos antes de 1985. Luego decidió entrevistar deportistas en todo el país para identificar sus necesidades. Descubrió la necesidad no satisfecha del detector de profundidad con un indicador que pudiera leerse bajo el brillo de la luz solar; y eso fue lo que Techsonic desarrolló. Un año después que el detector de profundidad de US$250 fuera un éxito en el mercado, las ventas de Techsonic se triplicaron en US$80 millones y su participación en el mercado aumentó al 40%[42].

Integrar fabricación e I&D   La innovación también requiere una estrecha integración entre fabricación e I&D. La tarea crítica consiste en diseñar productos que sean fáciles de fabricar, ya que esto disminuye los costos de fabricación y genera menos oportunidades de cometer errores. Así, el diseño para la fabricación puede disminuir costos y aumentar la calidad del producto.

Esta integración también puede ayudar a disminuir los costos de desarrollo y acelerar la llegada de los productos al mercado. Si un nuevo producto no se diseña teniendo en cuenta su fabricación, éste puede ser bastante difícil de elaborar, dada la existente tecnología de fabricación. En este caso, el producto tendrá que rediseñarse, y tanto los costos generales de desarrollo como el tiempo empleado para lanzarlo al mercado pueden incrementarse significativamente. Por ejemplo, realizar cambios de diseño durante la planeación del producto puede incrementar los costos generales de desarrollo en un 50% y adicionar un 25% al tiempo utilizado para llevar el producto al mercado[43].

Reducir el tiempo de lanzamiento al mercado   Como se ilustra en el caso de Apollo Computer, expuesto en la estrategia en acción 5.4, reducir el tiempo de lanzamiento al mercado es una dimensión competitiva clave. Las compañías lentas en esta dimensión perderán liderazgo tecnológico con relación a sus más veloces competidores. El rival de ciclo rápido se apodera de las ventajas por ser el primero y asegura que su producto siempre se encuentre a la vanguardia de la tecnología.

Uno de los requerimientos claves para la reducción del tiempo de lanzamiento al mercado consiste en lograr integración multidisciplinaria entre I&D, fabricación y marketing. Como ejemplo, considérese lo que ocurrió después de que Intel Corporation introdujo su microprocesador 386 en 1986. Varias compañías, IBM y Compaq, entre otras competían por ser las primeras en introducir un computador personal de base 386. Compaq derrotó a IBM en 6 meses y ganó una mayor participación en el mercado de computador de alto poder, Compaq tuvo éxito principalmente porque utilizó un equipo multidisciplinario para desarrollar el producto. El equipo incluía ingenieros (I&D) y personal de marketing, fabricación y financiero. Cada función trabajaba en paralelo en vez de hacerlo en forma secuencial. Mientras los ingenieros diseñaban el producto, el personal de fabricación estructuraba las instalaciones de fabricación, el personal de marketing trabajaba en distribución y planeación de campañas de mercadeo, y el área financiera trabajaba en proyectos de provisión de fondos. El efecto neto de este tipo de enfoque puede ser reducir en un 50% el tiempo empleado para llevar un producto de la mesa de diseño al mercado cuando se compara con el desarrollo secuencial[44].

Administración de proyectos   Ésta consiste en la administración general del proceso de innovación, desde la generación del concepto original, pasando por el desarrollo hasta la producción final y distribución. La administración de proyectos requiere tres habilidades importantes: la capacidad de motivar la mayor generación de ideas posibles; la habilidad de seleccionar entre proyectos competitivos en una etapa inicial de desarrollo de tal manera que lo más promisorio reciba apoyo financiero

Figura 5.9
El túnel de desarrollo

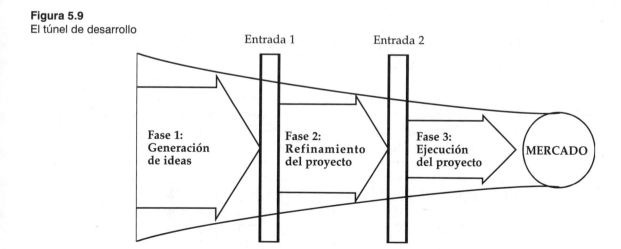

y se eliminen los potenciales fracasos costosos; y la habilidad de minimizar el tiempo de lanzamiento al mercado. El concepto de túnel de desarrollo, ilustrado en la figura 5.9, se puede utilizar para resumir lo necesario en la generación de estas habilidades[45].

Como se ilustra en la figura 5.9, el túnel de desarrollo está dividido en tres fases. El objetivo en la fase 1 consiste en ampliar la boca del túnel para estimular la mayor generación de ideas posibles. Para este fin, una compañía debe solicitar *input* a todas sus áreas, como también a los clientes, rivales y proveedores. La necesidad de alcanzar integración entre marketing e I&D, analizada anteriormente, puede ubicarse en este contexto.

En la entrada 1 el túnel se estrecha. Allí sus ideas se revisan a través de un equipo multidisciplinario de gerentes no involucrados en el desarrollo del concepto original. Aquellos conceptos listos para adelantar se desplazan entonces a la fase 2 del túnel, donde se determinan los detalles de la propuesta del proyecto. Nótese que la entrada 1 *no es* un punto de evaluación de "pasa/no pasa". En este filtro, las ideas se pueden retomar para llevar a cabo un desarrollo del concepto más profundo y luego someterlo de nuevo a evaluación.

Durante la fase 2, que usualmente dura una a dos semanas, los datos e información desarrollados durante la fase 1 se colocan de tal forma que permitan a la gerencia senior evaluar los proyectos propuestos frente a proyectos competentes. El siguiente punto importante de selección, entrada 2, es un punto de evaluación de "pasa/no pasa". Los gerentes senior se presentan para revisar los diversos proyectos bajo consideración y seleccionar aquellos que parecen posibles ganadores. Cualquier proyecto seleccionado en esta etapa para que siga adelante será financiado y dotado de personal, la expectativa será que se llevará adelante hasta su introducción en el mercado. En la fase 3, la propuesta de desarrollo del proyecto es ejecutada por parte de un equipo multidisciplinario con el fin de asegurar que se minimice el tiempo de lanzamiento al mercado.

Resumen: Logro de innovación superior

La tarea principal de las diversas funciones en el logro de innovación superior se resume en la tabla 5.4. Ésta aclara dos problemas. Primero, la alta gerencia debe asumir la responsabilidad inicial de supervigilar todo el proceso de desarrollo. Esto implica igualmente manejar el túnel de desarrollo como facilitar la cooperación entre las funciones. Segundo, aunque I&D desempeña una función importante en el proceso de innovación, su efectividad en el desarrollo de nuevos productos y procesos depende de su habilidad para cooperar con marketing y fabricación.

5.7   LOGRO DE CAPACIDAD SUPERIOR DE SATISFACER LAS NECESIDADES DEL CLIENTE

Para lograr una capacidad superior de satisfacer las necesidades del cliente una compañía debe proporcionar lo que ellos desean en el momento que lo necesiten, siempre y cuando la rentabilidad a largo plazo de la empresa no se comprometa en el proceso. Cuanto más corresponda la compañía a las necesidades de sus clientes, mayor será la lealtad a la marca que pueda merecer. A su vez, una fuerte lealtad a la marca puede permitir que la empresa establezca un precio superior a sus productos o le posibilite vender más bienes y servicios a sus clientes. De una u otra forma, la organización que satisfaga las necesidades de sus clientes tendrá una ventaja competitiva.

Lograr una capacidad superior de corresponder al cliente involucra proporcionarles el valor que ellos pagan, y los pasos emprendidos para mejorar la eficiencia del proceso de producción en una

Tabla 5.4
La labor de las diferentes funciones en el logro de innovación superior

Función de creación de valor	Tarea principal
Infraestructura	(1) Administración general de proyectos (por ejemplo: administrar la función de desarrollo)
	(2) Facilitar la cooperación interdisciplinaria
Fabricación	(1) Cooperar con I&D en el diseño de productos que sean fáciles de fabricar
	(2) Trabajar con I&D en el desarrollo de innovaciones de procesos
Marketing	(1) Suministrar información de mercados a I&D, trabajar con ésta en la creación de nuevos productos
Administración de materiales	(1) No existe una responsabilidad básica
I&D	(1) Crear nuevos productos y procesos
	(2 Cooperar con las demás áreas, particularmente marketing y fabricación, en el proceso de creación
Recursos humanos	(1) Contratar científicos e ingenieros con talento

compañía y la calidad de su producto deben ser consecuentes con este objetivo. Además, proporcionar lo que desean los clientes puede requerir el desarrollo de nuevos productos que posean características no incorporadas en los existentes. En otras palabras, *lograr un nivel superior en eficiencia, calidad e innovación forman parte del logro de la capacidad superior de satisfacer las necesidades del cliente*. Existen otros dos prerrequisitos para el logro de esta meta. El primero consiste en concentrarse en los clientes de la compañía y sus necesidades, y el segundo encontrar formas de satisfacer mejor esas necesidades.

Concentración en el cliente

Una empresa no puede corresponder a las necesidades de sus clientes a menos que las conozca. El primer paso para consolidar una capacidad superior de satisfacer al cliente consiste en motivar a toda la compañía para que se concentre en éste. Los medios para este fin son liderazgo, estructurar las actitudes del trabajador y los mecanismos para llevar a los clientes hacia la organización.

Liderazgo   La concentración en el cliente debe comenzar en la cima de la organización. Un compromiso con la capacidad superior de corresponder al cliente involucra cambios de actitud en toda la organización que puedan finalmente generarse sólo a través de un fuerte liderazgo. Una exposición de la misión (*véase* capítulo 2) que pone a los clientes en primer plano es una forma de enviar un claro mensaje a los empleados dentro de la firma sobre el enfoque deseado. Otra forma consiste en las propias acciones de la alta gerencia. Por ejemplo, como se recordará en el caso inicial del capítulo 4, el minorista británico Marks & Spencer se destaca por su concentración en el cliente. El esfuerzo para estar cerca del cliente comienza con los altos gerentes, quienes lucen prendas

M&S, consumen alimentos M&S y regularmente visitan sus almacenes. En forma similar, Tom Monaghan, el fundador de Domino's Pizza, permanece cerca del cliente cuando visita la mayor cantidad posible de pizzerías a la semana, atiende él mismo algunos pedidos, exhorta a que los otros altos gerentes hagan lo mismo y come pizza de Domino's con regularidad[46].

Actitudes del trabajador   Lograr una superior concentración en el cliente exige que todos los trabajadores lo consideren el punto central de su actividad. El liderazgo sólo no es suficiente para alcanzar esta meta. Todos los trabajadores deben estar capacitados para concentrarse en el cliente, cualquiera que sea su función: marketing, fabricación, I&D o contabilidad. El objetivo es hacer que los trabajadores se consideren clientes, que se pongan en el lugar de ellos. En este punto, los trabajadores podrán identificar mejor las formas de maximizar la calidad de la experiencia de un cliente con la compañía.

A fin de reforzar esta actitud mental, los sistemas de incentivos de la organización deben retribuir a los trabajadores por satisfacer a sus clientes. Por ejemplo, los gerentes senior en la cadena de hoteles Four Seasons, orgullosos de su concentración en el cliente, les gusta narrar la anécdota de Roy Dyment, un portero en Toronto que por negligencia olvidó poner en el taxi el maletín de un huésped que partía. El portero llamó al huésped, un abogado, en Washington D.C, y se enteró que lo necesitaba desesperadamente para una junta en la mañana. Dyment abordó un avión a Washington y le devolvió el maletín sin haber obtenido el permiso de su jefe. En lugar de sancionar a Dyment por haber cometido ese error y no consultar a la gerencia antes de ir a Washington, Four Seasons respondió nombrándolo el trabajador del año[47]. Esta actitud envió un poderoso mensaje a los trabajadores de Four Seasons sobre la importancia de satisfacer las necesidades del cliente.

Llevar los clientes hacia la compañía   "Conoce tu clientela" es una de las claves para el logro de la capacidad superior de corresponder al cliente. Conocer al cliente no sólo requiere que los empleados se consideren clientes; también exige que escuchen lo que sus clientes tienen que decir, y, en lo posible, llevarlos a la compañía. Aunque esto no involucre llevarlos físicamente a la empresa, significa llevar sus opiniones al solicitarles retroalimentación sobre los bienes y servicios de la organización y crear sistemas de información que comuniquen la retroalimentación a las personas pertinentes.

Por ejemplo, considérese al minorista de confecciones pedidas por correo, Lands' End. A través de su catálogo y operadores telefónicos de servicio al cliente, la organización continuamente solicita comentarios a sus clientes sobre la calidad de las confecciones y el tipo de mercancía que desearían. En verdad, la insistencia de los clientes fue la que motivó a la compañía para desplazarse al segmento de las confecciones. Lands' End solía suministrar equipo para botes mediante catálogos enviados por correo. Sin embargo, recibió tantas solicitudes de los clientes de incluir ropa informal en sus ofertas que respondió al ampliar el catálogo para satisfacer esta necesidad. Muy pronto, las confecciones se convirtieron en el negocio principal y Lands' End excluyó los equipos para botes. En la actualidad la empresa todavía presta mucha atención a las solicitudes de sus clientes. Cada mes se entrega a los gerentes una impresión de computador sobre las solicitudes y comentarios de los clientes. Esta retroalimentación ayuda a la firma a refinar la mercancía que vende. En efecto, a menudo se introducen nuevas líneas de mercancías en respuesta a las solicitudes de los clientes[48].

Ahora muchas compañías tratan de llevar en forma activa a los clientes a su proceso de desarrollo de nuevos productos. En el material expuesto sobre la innovación se vio un ejemplo de este esfuerzo: el desarrollo de Techsonic para producir detectores de profundidad. Otro ejemplo lo constituye el nuevo jet 777 de Boeing, el diseño que finalizó sólo después de constantes consultas a potenciales clientes de aerolíneas[49].

Satisfacer las necesidades del cliente

Una vez lograda la concentración en el cliente, la siguiente tarea consiste en satisfacer sus necesidades identificadas. Como se anotó, la eficiencia, calidad e innovación son cruciales para satisfacer aquellas necesidades. Más allá de esta condición, las compañías pueden suministrar un mayor nivel de satisfacción si personalizan el producto, cuanto sea posible, de acuerdo con los requerimientos individuales de los clientes y si minimizan el tiempo empleado para corresponder a las exigencias del cliente.

Personalización La personalización implica variar las características de un bien o servicio para ajustarlo a las necesidades exclusivas de grupos de clientes o, en caso extremo, de clientes individuales. Solía creerse que la personalización aumenta los costos. Sin embargo, el desarrollo de tecnologías de fabricación flexible ha posibilitado generar una variedad de productos mucho mayor que anteriormente sin sufrir una sustancial sanción en costos. Las compañías ahora pueden personalizar sus productos a un nivel mucho mayor de lo factible hace 10 ó 15 años. Los siguientes ejemplos ilustran los efectos de las tecnologías de fabricación flexible:

- Panasonic Bicyle Company del Japón puede fabricar más de 11,000 variaciones de diseños de bicicletas de acuerdo con la estatura, el peso y las preferencias de color de cada cliente, todas sin ocasionar ningún receso en la fábrica.
- Ingersoll Milling Machine Company puede producir 25,000 diseños de piezas, la mayoría por lotes de una, y muchos diseños de un solo tipo que apoyan su dominio mundial en el mercado de maquinaria especializada de producción.
- Debido a sus sistemas de producción flexible, Toshiba puede fabricar nueve diferentes procesadores de palabra en la misma línea de ensamblaje y 20 variedades diferentes de computadores *laptop* en una línea adyacente, con sólo un limitado aumento en los costos unitarios relacionados con la fabricación de un solo producto[50].

La tendencia hacia la personalización ha fragmentado muchos mercados, en particular los mercados de consumo, en nichos incluso más pequeños. Un ejemplo de esto ocurrió en Japón a comienzos de la década de 1980. En ese momento Honda dominaba allí el mercado de las motocicletas. Yamaha, que se encontraba en segundo lugar, decidió ir en pos del liderazgo de Honda. En 1981 anunció la apertura de una nueva fábrica que, cuando operara a plena capacidad, le convertiría en el más grande fabricante de motocicletas del mundo. Honda respondió mediante la proliferación de su línea de productos e incremento en la tasa de introducción de nuevos productos. Al comienzo de la conocida "guerra de motocicletas", Honda tenía 60 motocicletas en su línea de productos. Durante los siguientes 18 meses la empresa incrementó rápidamente su variedad de modelos a 113, personalizándolos para nichos cada vez más pequeños. Honda pudo lograr esta meta sin sufrir una significativa desventaja en costos debido a su condición de fabricante flexible. El flujo de modelos personalizados de Honda sacó a Yamaha de la mayor parte del mercado, paralizando efectivamente su esfuerzo para superar a Honda[51].

Tiempo de respuesta Proporcionar a los clientes *lo que desean en el momento que lo necesitan* requiere una rápida respuesta a sus exigencias. Con el fin de ganar una ventaja competitiva, la compañía a menudo debe responder a las exigencias del cliente en forma muy rápida. El tiempo de respuesta es importante en cualquier tipo de relación: la entrega de un producto elaborado por un fabricante de muebles una vez ordenado éste, el proceso de solicitud de préstamo en un banco, la entrega de un repuesto a un fabricante de automóviles para un vehículo averiado, o la espera en la fila de pago de un supermercado. Vivimos en una sociedad acelerada, en la que el tiempo es un bien valioso. Las compañías que pueden satisfacer las exigencias de los clientes mediante una rápida respuesta pueden generar lealtad a la marca y establecer un mayor precio para el producto o servicio.

La velocidad incrementada permite que una compañía cargue un precio superior significativo, como lo ilustra la industria de entregas por correo. El nicho completo de correspondencia por vía expresa en este ámbito se fundamenta en la noción que los clientes con frecuencia están dispuestos a pagar considerablemente más por el servicio nocturno del Express Mail, en oposición al correo corriente. Otro ejemplo del valor de la rápida respuesta lo constituye Caterpillar, el fabricante de maquinaria pesada para remoción de tierras, organización que puede hacer llegar un repuesto a cualquier punto en el mundo en 24 horas. Debido a que es muy costoso un receso en las operaciones de maquinaria pesada para la construcción, habilidad de Caterpillar para responder rápidamente en caso de que no funcione la maquinaria es de vital importancia para sus clientes. Como resultado, muchos de ellos han seguido siendo leales a Caterpillar a pesar de la fuerte competencia en precios bajos por parte de Komatsu del Japón.

En general, reducir el tiempo de respuesta requiere: (1) una función de marketing que pueda comunicar rápidamente a fabricación las solicitudes de los clientes, (2) funciones de fabricación y administración de materiales que en forma rápida se puedan ajustar a los horarios de producción en respuesta a las exigencias no anticipadas de los clientes, y (3) sistemas de información que puedan ayudar a fabricación y marketing en este proceso. La estrategia en acción 5.5 suministra un ejemplo detallado de las tareas que la administración de materiales y los sistemas de información pueden realizar en el logro de la capacidad superior de satisfacer al cliente. Nótese que es necesaria la combinación de sistemas de fabricación flexible, sistemas de inventario justo a tiempo y sistemas de información para suministrar una rápida respuesta a las exigencias de los clientes.

Tabla 5.5
El rol principal de las diferentes funciones en el logro de la capacidad superior de corresponder al cliente

Función de creación de valor	Tarea principal
Infraestructura	(1) Mediante el liderazgo, por ejemplo, generar compromiso en toda la compañía con la capacidad de satisfacer al cliente
Fabricación	(1) Lograr personalización del producto mediante la implementación de fabricación flexible
	(2) Lograr rápida respuesta mediante fabricación flexible
Marketing	(1) Conocer al cliente
	(2) Comunicar la retroalimentación del cliente a las áreas apropiadas
Administración de materiales	(1) Desarrollar sistemas logísticos capaces de responder en forma rápida a las exigencias no anticipadas de los clientes (JAT)
I&D	(1) Traer a los clientes al proceso de desarrollo del producto
Recursos humanos	(1) Desarrollar programas de capacitación en los que los trabajadores asuman el rol de clientes

Cómo la administración de materiales y los sistemas de información ayudaron a Bose a mejorar su capacidad de satisfacer al cliente

Bose Corporation, con sede en Massachusetts, fabrica algunos de los altoparlantes de alta fidelidad más conocidos en el mundo. En verdad, sus altoparlantes son los mejor vendidos en el Japón, el líder mundial en electrodomésticos. Bose atribuye la mayor parte de su éxito a una función de administración de materiales estrictamente coordinada, la cual le permite responder en forma rápida a las exigencias de los clientes. Bose compra la mayoría de las piezas electrónicas y no electrónicas instaladas en los altoparlantes a proveedores independientes. Aproximadamente el 50% de sus compras vienen de proveedores extranjeros, la mayoría del Lejano Oriente. El problema de Bose consiste en coordinar esta cadena de suministro dispersa en todo el mundo de tal manera que pueda minimizar costos de tenencia de materiales y de transporte. Las piezas deben llegar a su planta de ensamblaje en Massachusetts *justo a tiempo* para ingresar en el proceso de producción, y no antes. Sin embargo, Bose debe permanecer atento a satisfacer las exigencias de los clientes, la mayoría de las cuales a menudo significan responder rápidamente a la incrementada demanda de ciertos altoparlantes. Si Bose no responde en forma inmediata, puede perder un gran pedido ante los competidores. Debido a que no desea mantener grandes inventarios en su planta de Massachusetts, su cadena de suministro debe responder prontamente a la incrementada demanda de piezas.

La responsabilidad de coordinar la cadena de proveedores para minimizar los costos de transporte e inventario, incluso asegurar una rápida respuesta a las demandas de los clientes, recae en su función de administración de materiales. Ésta logra la coordinación a través de una operación sofisticada de logística. La mayoría de sus importaciones provenientes del Lejano Oriente llegan en buques desde la Costa Occidental y luego se transportan en tren por toda Norteamérica hasta su planta de Massachusetts. La mayoría de las exportaciones de la compañía también se

desplazan por vía oceánica, aunque Bose utiliza flete aéreo si los bienes se necesitan con urgencia.

Con el fin de controlar esta cadena de suministro, Bose ha establecido relación con W.N. Procter, agente de transporte y de aduana ubicado en Boston. Procter maneja el despacho aduanero y las remesas que los proveedores envían a Bose. También ofrece a Bose capacidades instantáneas de intercambio electrónico de datos (EDI), las cuales le proporcionan la información necesaria para hacer seguimiento a las piezas a medida que se desplazan en la cadena global de suministro. El sistema EDI se conoce como ProcterLink. Cuando un proveedor envía la remesa, ésta se desplaza dentro del sistema ProcterLink. Desde ese punto Bose puede hacer seguimiento a las provisiones a medida que se transportan por el mundo hasta Massachusetts. Así, Bose puede precisar su cronograma de fabricación de tal manera que los suministros ingresen en el proceso de producción justo a tiempo. Puesto que Procter está electrónicamente conectado al sistema aduanero de EE.UU., puede liberar en forma electrónica el ingreso de la carga cinco días antes de que el buque arribe a puerto estadounidense u horas antes de que aterrice un vuelo de carga internacional. Estos trámites aduaneros anticipados pueden ahorrar varios días para descargar la mercancía en su planta de fabricación.

Recientemente se comprobó la funcionalidad de este sistema cuando un cliente japonés duplicó su pedido de altoparlantes a Bose. La firma tuvo que ajustar su proceso de fabricación en forma rápida, pero muchos de los componentes se encontraban distribuidos a grandes distancias. Mediante ProcterLink, Bose pudo localizar las piezas necesarias en su cadena de suministro. Luego las sacó de la cadena normal de distribución y las desplazó mediante transporte aéreo de carga para hacerlas llegar a tiempo a la línea de fabricación con el fin de cumplir con el acelerado cronograma. Como resultado, Bose pudo satisfacer las solicitudes de su cliente japonés[52].

Resumen: Logro de capacidad superior de satisfacer las necesidades del cliente

La tabla 5.5 resume los pasos que las diferentes funciones deben seguir si una compañía desea alcanzar la capacidad superior de corresponder al cliente. Aunque marketing desempeña el rol decisivo en ayudar a que la compañía logre esta meta, básicamente porque representa el punto de contacto con el cliente, la tabla 5.5 muestra que las otras funciones también tienen importantes labores por realizar. Además, así como lograr superior eficiencia, calidad e innovación, alcanzar la capacidad superior de satisfacer al cliente exige que la alta gerencia lidere la consolidación de una orientación al cliente dentro de la organización.

5.8   RESUMEN DEL CAPÍTULO

En este capítulo se analizó el rol que desempeñan las estrategias a nivel funcional en el logro de la eficiencia, calidad, innovación y capacidad de satisfacer al cliente, se revisaron en detalle los diferentes pasos que llevan a este fin y se establecieron los siguientes puntos importantes:

1. Para ganar ventaja competitiva, una compañía debe desempeñar funciones de creación de valor a un costo menor que el de sus rivales o manejarlas en una forma que genere diferenciación.
2. La calidad superior desempeña una función importante en el logro de eficiencia superior.
3. Una compañía puede incrementar la eficiencia mediante varios pasos. Éstos incluyen explotar las economías de costo con base en la experiencia; adoptar tecnologías de fabricación flexibles; reducir los índices de deserción de clientes; implementar sistemas *justo a tiempo*; hacer que la función de I&D diseñe productos que sean fáciles de fabricar; mejorar las habilidades de los empleados mediante capacitación; introducir equipos autogestionarios; vincular el pago con el desempeño; generar un compromiso con la eficiencia en toda la compañía a través de un fuerte liderazgo; y diseñar estructuras que faciliten la cooperación entre las diferentes funciones en la búsqueda de metas de eficiencia.
4. La calidad superior puede ayudar a que una compañía reduzca sus costos, diferencie su producto y cobre un precio superior.
5. Lograr calidad superior exige que toda una organización se comprometa con la calidad y con una clara concentración en el cliente. Esto también requiere mediciones para determinar las metas de calidad e incentivos que hagan énfasis en ésta; el *input* de los trabajadores relacionado con las formas como se puede generar la calidad; una metodología para investigar el origen de los defectos y corregir los problemas que los ocasionan; la racionalización de la base de suministro de la compañía; la cooperación con los proveedores que implementan programas de ACT; productos que sean diseñados para facilitar la fabricación; y la sustancial cooperación entre las diferentes áreas de la empresa.
6. La tasa de fracaso con relación a introducciones de nuevos productos es alta debido a factores como incertidumbre, deficiente comercialización y una lenta duración del ciclo.
7. Para lograr innovación superior, la compañía debe formar habilidades en investigación básica y aplicada; integrar estrechamente I&D con marketing; generar una cercana integración entre I&D y fabricación; minimizar el tiempo de lanzamiento al mercado; y asegurar una buena administración de proyectos.
8. Para lograr una capacidad superior de satisfacer las necesidades del cliente a menudo se requiere que la compañía logre un nivel superior de eficiencia, calidad e innovación.
9. Para lograr capacidad superior de corresponder al cliente una compañía necesita proporcionarle lo que necesita en el momento que lo requiere. Debe asegurar una fuerte concentración en éste, y se puede lograr a través del liderazgo; capacitar a los empleados de tal modo que se consideren clientes y llevar los clientes a la compañía a través de una excelente investigación de

mercados; personalizar el producto de acuerdo con las necesidades individuales de los clientes o grupos de clientes; y responder rápidamente a sus exigencias.

Preguntas y temas de análisis

1. ¿Cómo se relacionan entre sí los cuatro bloques genéricos de formación de ventaja competitiva?
2. ¿Qué rol puede desempeñar la alta gerencia al ayudar a que la compañía logre niveles superiores de eficiencia, calidad, innovación y capacidad de satisfacer al cliente?
3. A largo plazo, ¿la adopción de prácticas de ACT proporcionará a la compañía una ventaja competitiva, o requerirá sencillamente lograr una paridad con sus rivales?
4. ¿En qué sentido podría la innovación considerarse el bloque individual más importante de formación de ventaja competitiva?

Aplicación 5

Hallar el ejemplo de una compañía considerada ampliamente excelente. Identifíquese la fuente de su excelencia y relaciónela con el material analizado en este capítulo. Préstese particular atención al rol que desempeñan las diversas funciones en la consolidación de la excelencia.

Proyecto sobre administración estratégica: Módulo 5

Este módulo aborda la habilidad de la compañía escogida para lograr niveles superiores de eficiencia, calidad, innovación y capacidad de satisfacer al cliente. Con la información disponible, responder las preguntas y realizar las tareas enumeradas:

1. ¿La compañía sigue alguna de las prácticas de incremento de la eficiencia, analizadas en este capítulo?
2. ¿La empresa sigue alguna de las prácticas de incremento de la calidad, analizadas en este capítulo?
3. ¿La organización sigue alguna de las prácticas diseñadas para incrementar la innovación, analizadas en este capítulo?
4. ¿La compañía sigue alguna de las prácticas diseñadas para incrementar la capacidad de satisfacer al cliente, analizadas en este capítulo?
5. Evalúese la posición competitiva de la firma con base en las respuestas 1-4. Explicar qué necesita la compañía (si requiere algo) para mejorar su posición competitiva.

Notas

1. *Fuentes:* R. Howard, "The CEO as Organizational Architect", *Harvard Business Review* (September-October 1992) 106-123. D. Kearns, "Leadership Through Quality", *Academy of Management Executive*, 4 (1990) 86-89. M. E. McGrath and R. W. Hoole, "Manufacturing's New Economies of Scale", *Harvard Business Review* (May-June 1992) 94-102. T. Rohan, "In Search of Speed", Industry Week, September 3, 1990, pp. 78-82. J. Sheridan, "America's Best Plants", *Industry Week*, October 15, 1990, pp. 27-40. J. Sheridan, "Suppliers: Partners in Prosperity", Industry Week, March 1990.
2. Michael E. Porter, *Competitive Advantage* (New York: Free Press, 1985).
3. W. J. Abernathy and K. Wayne, "Limits of the Learning Curve", *Harvard Business Review* (September-October 1974) pp. 109-119.
4. Por ejemplo, *véase* F. M. Scherer, A. Beckenstein, E. Kaufer and R. D. Murphy, *The Economies of Multiplant Operations* (Cambridge Mass.: Harvard University Press, 1975).
5. G. Hall and S. Howell, "The Experience Curve from an Economist's Perspective", *Strategic Management Journal*, 6 (1985), 197-212
6. Boston Consulting *Group, Perspectives on Experience* (Boston: Boston Consulting Group, 1972); Hall and Howelll, "The Experience Curve", pp. 197-212; y W. B. Hirschmann, "Profit from the Learning Curve", *Harvard, Business Review* (January-February 1964), 125-139.

7. A. A. Alchian, "Reliability of Progress Curves in Airframe Production, "*Econometrica*, 31 (1963), 679-693.

8. M. Borrus, L. A. Tyson, and J. Zysman, "Creating Advantage: How Government Policies Create Trade in the Semi-Conductor Industry", *Strategic Trade Policy and the New International Economics*", ed. P. R. Krugman (Cambridge, Mass.: MIT Press, 1986.

9. S. Ghoshal and C. A. Bartlett, 1988. "Matsushita Electrical Industrial (MEI) in 1987", Harvard Business School Case No. 388-144.

10. Abernathy and Wayne, "Limits of the Learning Curve," pp. 109-119

11. D. F. Barnett and R. W. Crandall, *Up From the Ashes: The Rise of the Steel Minimill in the United States* (Washington, D. C.: Brookings Institution, 1986).

12. G. Stalk and T. M. Hout, *Competing Against Time* (New York: Free Press, 1990). D. Miller, *The Icarus Paradox* (New York: Harper Business, 1990).

13. *Véase* P. Nemetz and L. Fry, "Flexible Manufacturing Organizations: Implications for Strategy Formulation", *Academy of Management Review*, 13 (1988), 627-638; N. Greenwood, *Implementing Flexible Manufacturing Systems* (New York: Halstead Press, 1986); y J. P. Womack, D. T. Jones, and D. Roos, *The Machine That Changed the World* (New York: Rawson Associates, 1990).

14. Womack, Jones, and Roos, *The Machine That Changed the World.*

15. *Fuentes:* M. A. Cusumano, The Japanese Automobile Industry (Cambridge, Mass.: Harvard University Press, (1989); Ohno Taiichi, *Toyota Production System* (Cambridge, Mass.: Productivity Pres, (1980); Womack, Jones, and Roos, *The Machine That Changed the World.*

16. *Fuentes*: J. D. Goldhar and D. Lei, "The Shape of Twenty-First Century Global Manufacturing", *Journal of Business Strategy* (March/April, 1991), 37-41. "Factories that Turn Nuts into Bolts", *U.S. News and World Report*, July 14, 1986, pp. 44-45. J. Kotkin, "The Great American Revival", Inc. (February 1988), pp. 52-63.

17. F. F. Reichheld and W. E. Sasser, "Zero Defections: Quality Comes to Service", *Harvard Business Review* (September-October 1990), 105-111.

18. El ejemplo tomado de Reichheld and Sasser, "Zero Defections", 105-111.

19. *Ibíd*, pp. 105-111.

20. R. Narasimhan and J. R. Carter, "Organization, Communication and Coordination of International Sourcing", *International Marketing Review*, 7 (1990) 6-20.

21. H. F. Busch, "Integrated Materials Management", IJDP & MM, 18 (1990) 28-39.

22. Stalk and Hout, *Competing Against Time.*

23. A Sorge and M. Warner, "Manpower Training, Manufacturing Organization, and Work Place Relations in Great Britain and West Germany", *British Journal of Industrial Relations*, 18 (1980), 318-333. R. Jaikumar, "Postindustrial Manufacturing", *Harvard Business Review* (November-December 1986), 72-83.

24. M. L. Dertouzos, R. K. Lester, and R. M. Solow, *Made in America* (Cambridge, Mass.: MIT Press, 1989).

25. J. Hoerr, "The Payoff from Teamwork", *Business Week*, July 10, 1989, pp. 56-62.

26. Para una información general sobre antecedentes *véase* "How to Build Quality", Economist, September 23, 1989, pp. 91-92; A. Gabor, *The Man Who Discovered Quality* (New York: Penguin, 1990); y P. B. Crosby, *Quality is Free* (New York: Mentor 1980).

27. W. E. Deming, "Improvement of Quality and Productivity Through Action by Management", *National Productivity Review*, 1 (Winter 1981-1982), 12-22.

28. J. Bowles, "Is American Management Really Committed to Quality?" *Management Review* (April 1992), 42-46.

29. O Port and G. Smith, "Quality", *Business Week*, November 30, 1992, pp. 66-75.

30. L. Therrien, "Spreading the Message", Business Week, October 25, 1991, p. 60.

31. N. Gross, "Rails That Run on Software", Business Week, October 25, 1991, p. 84.

32. Estos datos provienen de entrevistas personales realizadas por Charles Hill en el Japón durante el verano de 1992.

33. Kearns, "Leadership Through Quality" pp. 86-89. J. Sheridan, "America's Best Plants", *Industry Week*, October 15, 1990, pp. 27-40.

34. Bowles, "Is American Management Really Committed to Quality? pp. 42-46.

35. Gabor, *The Man Who Discovered Quality.*

36. Deming, "Improvement of Quality and Productivity", pp. 12-22.

37. W. E. Deming, *Out of the Crisis* (Cambridge, Mass.: MIT Center for Advanced Engineering Study, 1986).

38. J. F. Siler and S. Atchison, "The Rx at Work in Utah", *Business Week*, October 25, 1991, p. 113.

39. *Véase* la investigación de Edwin Mansfield y sus asociados, por ejemplo, Edwin Mansfield, "How Economists See R & D", *Harvard Business Review* (November-December 1981), 98-106; y Edwin Manfield, J. Rapoport, J. Schnee, S. Wagner, and M. Hamburger, *Research and Innovation in the Modern Corporation* (New York: Norton, 1971).

40. Stalk and Hout, *Competing Against* Time B. Buel and R. D. Hof, "Hewlett-Packard Rethinks Itself", *Business Week.* April 1, 1991, pp. 76-79.

41. K. B. Clark and S. C. Wheelwright, *Managing New Product and Process Development* (New York: Free Press, 1993).

42. P. Sellers, "Getting Customers to Love You, "*Fortune*", March 13, 1989, pp. 38-42.

43. O. Port. "Moving Past the Assembly Line", *Business Week Special Issue.* Reinventing America, (1992), 177-180.

44. Stalk and Hout. *Competing Against Time.*

45. K. B. Clark and S. C. Wheelwright, *Managing New Product and Process Development*, (New York: Free Press, 1993).

46. Sellers, "Getting Customers to Love You", pp. 38-42.

47. *Ibíd.*, pp. 38-42.

48. S. Caminiti, "A Mail Order Romance: Lands' End Courts Unseen Customers", *Fortune*, March 13, 1989, pp. 43-44.

49. K. West, "Boeing 2000", *Seattle Times*, October 21, pp. A7, A10, A11.

50. *Fuente:* Goldhard and Lei, "The Shape of Twenty-first Century Gobal Manufacturing", pp. 37-41. "Factories that Turn Nuts into Bolts", pp. 44-45. Kotkin, "The Great American Revival", pp. 52-63.

50. Patricia Nemetz, "Flexible Manufacturing Strategies, Technologies, and Structures: A Contingency Based Empirical Analysis" (Ph. D. diss. University of Washington, 1990).

51. Stalk and Hout, *Competing Against Time.*

52. P. Bradley, "*Global Sourcing Takes* Split-second Timing", *Purchasing*, July 20, 1989, 52-58.

Estrategia a nivel de negocios

6.1   CASO INICIAL: LIZ CLAIBORNE, INC.

La diseñadora Liz Claiborne fundó su empresa en 1976 con la ayuda de tres socios. En 1990, su compañía obtuvo más de US$2,000 millones en ventas anuales y sus acciones se convirtieron en las favoritas de Wall Street. El secreto de su éxito se fundamentó en la decisión de Liz Claiborne de concentrarse en el segmento de mercado de rápido crecimiento de confecciones para ejecutivas. En 1976 las mujeres ingresaban cada vez más a la fuerza laboral, pero relativamente pocas compañías producían confecciones para este segmento (firmas con precios bastante elevados como Ellen Tracy, Donna Karan y Ann Klein). Liz Claiborne decidió investigar qué clase de confecciones deseaban, luego utilizó su gran talento para formar un equipo de diseño concentrado en proporcionar a las ejecutivas ropa con diseños atractivos a precios razonables. Al hacer de esta manera, aprovechó la necesidad no satisfecha del cliente y el resultado fue extraordinario cuando las ventas se incrementaron repentinamente.

Con el propósito de proteger su imagen, Liz Claiborne vendió sus confecciones a través de minoristas reconocidos, como Macy's, Blooming-dale's y Dillard's. Les solicitó comprar por lo menos la cantidad de US$50,000 de su colección, y la empresa controlaba la forma de vender sus confecciones para hombre y mujer en cada almacén (por ejemplo, la manera como colgaban y exhibían sus vesti-

dos). Esta atención a los detalles formaba parte de su estrategia de concentración en el nicho de confecciones profesionales de alta escala. Con el fin de impulsar su crecimiento, la empresa comenzó entonces a buscar nuevos mercados para sus confecciones y abrió una cadena de casas de modas y almacenes de productos con su marca. El equipo de Liz Claiborne también utilizó sus habilidades de diseño para fabricar una línea de confecciones deportivas para caballero y crear nuevos productos como perfumes, calzado y accesorios. En 1988 el nombre Liz Claiborne se había hecho famoso.

Sin embargo, en 1990 disminuyó el crecimiento de la compañía; se encontraba en problemas. Los rivales, al reconocer el nicho del cual Liz Claiborne había sido pionera, comenzaron a ofrecer sus propias líneas de confecciones para ejecutivas. Diseñadores costosos como Ann Klein y Donna Karan tenían nuevas líneas económicas de confecciones, cuyos precios competían directamente con Liz Claiborne. Además, los fabricantes de bajo costo comenzaron a producir líneas que minaban sus precios, utilizando con frecuencia diseños parecidos a los de Liz Claiborne. Esta competencia desde ambos extremos en el mercado redujo las ventas de la empresa.

Otro problema para la firma surgió en el área minorista. Muchos de los mejores clientes de la compañía, minoristas como Macy's, se encontraban en grandes dificultades financieras y disminuyeron el volumen de compras para reducir su deuda. Al mismo tiempo, los consumidores conscientes de los costos compraban cada vez más confecciones en almacenes como Casual Corner y JC Penney, e incluso en almacenes de descuento como Kmart y Wal-Mart, que no vendían la línea de Liz Claiborne pero sí otras económicas de los competidores. A medida que los clientes se cambiaban a almacenes y líneas más económicas, las ventas de Liz Claiborne se vieron perjudicadas.

Al presentarse esta situación de deterioro, la compañía se lanzó rápidamente a cambiar su estrategia. Jerry Chazen, que remplazó como CEO a Liz Claiborne cuando ésta se jubiló, decidió ampliar la línea de productos de la firma y fabricar otras de confecciones de bajo costo. Con este propósito en mente y proteger al mismo tiempo la marca Liz Claiborne, compró Russ Togs, un fabricante de confecciones que produce tres marcas de ropa femenina: Crazy Horse, The Villager y Red Horse. Como parte de su nueva estrategia, estas líneas se rediseñarían y se les asignaría una escala distinta de precios en el mercado. Por ejemplo, Russ Togs, diseñador de ropa deportiva, mejoraría y vendería una nueva línea de confecciones a un 20% o 30%

menos que la de Liz Claiborne. Además, esta ropa se vendería a través de comercializadoras con descuento como Wal-Mart y almacenes por departamentos de bajo precio como Sears y JC Penney. De esta forma, la empresa Liz Claiborne comenzaría a atender el mercado general de confecciones femeninas y no sólo el nicho de confecciones para ejecutivas[1].

La alta gerencia espera que esta nueva estrategia refuerce las ventas débiles de la compañía y genere un nuevo periodo de crecimiento y expansión. Considera que hay un campo amplio de acción para que la empresa utilice sus existentes habilidades y capacidades de diseño y las aplique a nuevos segmentos del mercado. Sin embargo, la firma marchará al mismo ritmo de los productores de bajo costo y tendrá que hallar nuevas formas de reducir sus costos para competir. En 1993, sus acciones cayeron a US$18, el nivel más bajo hasta el presente, y los analistas no están seguros del futuro de la compañía en una industria muy conocida por la velocidad con que las organizaciones surgen y desaparecen.

Preguntas y temas de análisis

1. ¿Qué factores generan el éxito de Liz Claiborne?
2. ¿Cuáles cambios en su estrategia ha hecho recientemente la compañía? ¿Por qué?

6.2 VISIÓN GENERAL

Como se sugirió en el caso de Liz Claiborne, en este capítulo se examinará cómo una compañía puede competir de manera efectiva en un negocio o industria y se escudriñarán las diversas estrategias que puede adoptar con el fin de maximizar la ventaja competitiva y la rentabilidad. El capítulo 3, sobre el ambiente industrial, proporcionó los conceptos para analizar las oportunidades y amenazas de la industria. Los capítulos 4 y 5 analizaron la manera como una empresa puede obtener ventaja competitiva y cómo las habilidades distintivas se forman a nivel funcional para lograr ventaja competitiva. El propósito de este capítulo es considerar las estrategias a nivel de negocios que una compañía puede utilizar para explotar su ventaja competitiva y competir en una industria en forma efectiva.

6.3   FUNDAMENTOS DE LA ESTRATEGIA A NIVEL DE NEGOCIOS

En el capítulo 2 se analizó el punto de vista de Derek F. Abell acerca del proceso de definición del negocio que implica decisiones sobre: (1) necesidades del cliente, o lo que se va a satisfacer, (2) grupos de clientes, o a quienes se va a satisfacer, y (3) habilidades distintivas, o cómo se van a satisfacer las necesidades del cliente[2]. Estas tres decisiones se encuentran en el núcleo de la selección de estrategia a nivel de negocios ya que suministran la fuente de ventaja competitiva de una compañía sobre sus rivales y determinan cómo competirá en un negocio o industria. En consecuencia, es necesario examinar la manera como las empresas pueden obtener una ventaja competitiva a nivel de negocios.

Necesidades del cliente y diferenciación del producto

Las **necesidades del cliente** son aquellas que se pueden satisfacer mediante las características de un producto o servicio. La **diferenciación del producto** es el proceso de crear una ventaja competitiva al diseñar productos -bienes y servicios- para satisfacer las necesidades del cliente. Todas las empresas deben diferenciar sus productos hasta cierto grado con el fin de atraer clientes y satisfacer un nivel mínimo de necesidades del cliente. No obstante, algunas organizaciones diferencian sus productos a un nivel mucho mayor que otras, y esta diferencia puede proporcionarles una ventaja competitiva.

Algunas firmas ofrecen al cliente un producto de bajo costo sin involucrarse tanto con la diferenciación del producto. Otras buscan crear algo único en sus productos de manera que satisfagan las necesidades del cliente de tal forma que otos productos no pueden. La exclusividad puede relacionarse con las características físicas del producto, como calidad o confiabilidad, o puede encontrarse en su atracción frente a las necesidades psicológicas del cliente, como prestigio o estatus[3]. Así, un automóvil japonés se puede diferenciar por su reputación de confiabilidad, y un Corvette o un Porsche por su capacidad para satisfacer las necesidades de estatus de los clientes.

Grupos de clientes y segmentación del mercado

La **segmentación del mercado** se puede definir así: la manera como una compañía decide agrupar a los clientes, con base en diferencias importantes de sus necesidades o preferencias, con el propósito de lograr una ventaja competitiva[4]. En general, una empresa puede adoptar tres estrategias alternativas hacia la segmentación del mercado[5]. En primera instancia, puede optar por no reconocer que diferentes grupos de clientes poseen distintas necesidades y pueden adoptar el enfoque de atender al cliente promedio. En segundo lugar, una organización puede escoger segmentar su mercado en diferentes grupos y desarrollar un producto ajustable a las necesidades de cada uno. Por ejemplo, en un catálogo reciente, Sony ofrecía 24 diferentes televisores a color de 19 pulgadas, cada uno dirigido a un segmento de mercado distinto. De igual manera, muchas empresas automotrices fabrican una amplia variedad de modelos de automóviles y camiones livianos, dirigidos a segmentos particulares del mercado. En tercera instancia, una organización puede reconocer que el mercado está segmentado pero concentrarse en atender sólo un segmento o nicho de mercado.

¿Por qué una compañía desearía hacer complejas selecciones de producto/mercado y crear un producto diferente ajustado a cada segmento del mercado en vez de elaborar un solo producto para un mercado completo? La respuesta es que la decisión de suministrar muchos productos a diferentes nichos de mercado permite que una empresa satisfaga mejor las necesidades de los clientes. Como resultado, la demanda de productos de la firma por parte del cliente aumenta y genera más ingresos que en el caso de la empresa que ofrece sólo un producto para todo el mercado[6]. Sin embargo, algunas veces la naturaleza del producto o de la industria no posibilita mucha diferenciación; por ejemplo, químicos a granel o el cemento[7]. En estos casos, existen pocas oportunidades de obtener ventaja competitiva mediante la diferenciación del producto y segmentación del mercado debido a la restringida oportunidad de satisfacer de diversas formas las necesidades del cliente y de grupos de clientes. Más bien, el precio es el criterio principal utilizado por los clientes para evaluar el producto, y la ventaja competitiva corresponde a la empresa que posea eficiencia superior y pueda suministrar un producto más económico.

Decisión sobre las habilidades distintivas

El tercer tema en la estrategia a nivel de negocios consiste en decidir cuáles habilidades distintivas utilizar para satisfacer las necesidades del cliente y de grupos de clientes[8]. En este contexto, las **habilidades distintivas** son los medios por los cuales una compañía trata de satisfacer las necesidades individuales y de grupos con el propósito de lograr ventaja competitiva. Como se analizó en el capítulo 4, existen cuatro maneras mediante las cuales las empresas pueden obtener ventaja competitiva: mediante el logro de niveles superiores de eficiencia, calidad, innovación y capacidad de satisfacer las necesidades del cliente. Al seleccionar la estrategia de negocios, una organización debe decidir cómo organizar y combinar sus habilidades distintivas para alcanzar una ventaja competitiva. La fuente de estas habilidades distintivas se analizará en detalle en el capítulo 5.

6.4   SELECCIÓN DE UNA ESTRATEGIA GENÉRICA COMPETITIVA A NIVEL DE NEGOCIOS

Las compañías siguen una estrategia a nivel de negocios para lograr una ventaja competitiva que les permita superar el desempeño de los rivales y obtener rendimientos superiores al promedio. Pueden escoger entre tres enfoques genéricos competitivos: **liderazgo en costos, diferenciación** y **concentración**[9]. Estas estrategias se llaman **genéricas** porque todos los negocios o industrias pueden seguirlas independientemente de si son compañías manufactureras, de servicios o sin ánimo de lucro. Cada una de las estrategias genéricas surge de una firma que toma decisiones consecuentes con su producto, mercado y habilidades distintivas, selecciones que se refuerzan entre sí. La tabla 6.1 resume las selecciones apropiadas para cada estrategia genérica.

Estrategia de liderazgo en costos

La meta de una compañía en la búsqueda de una estrategia de liderazgo en costos o de bajo costo es superar el desempeño de los competidores al hacer lo posible para generar bienes o servicios a un costo inferior que el de aquéllos. Dos ventajas resultan de esta estrategia. En primer lugar, a causa de sus costos menores, el líder en costos puede cobrar un precio menor que sus rivales y de esta manera tener el mismo nivel de utilidad que ellos generan. Si las empresas en la industria establecen precios similares para sus productos, el líder en costos obtiene una mayor utilidad que sus competidores debido a sus costos menores. En segundo lugar, si aumenta la rivalidad industrial y las compañías empiezan a competir en precios, el líder en costos podrá resistir mejor la competitividad que otras empresas gracias a sus costos menores. Por estas razones, los líderes en costos probablemente obtengan utilidades superiores al promedio. Pero, ¿cómo alcanza una organización el liderazgo en costos? Logra esta posición por medio de las selecciones de producto/mercado/habilidades distintivas para obtener una ventaja competitiva de bajo costo. La tabla 6.1 esboza estas selecciones estratégicas.

Tabla 6.1
Selecciones de producto/mercado/habilidades distintivas y estrategias genéricas competitivas

	Liderazgo en costos	Diferenciación	Concentración
Diferenciación del producto	Bajo (principalmente por precios)	Alta (principalmente por la exclusividad)	Baja a alta (precio o exclusividad)
Segmentación del mercado	Bajo (mercado masivo)	Alta (varios segmentos de mercado)	Baja (uno o pocos segmentos)
Habilidades distintivas	Fabricación y administración de materiales	Investigación y desarrollo, ventas y marketing	Cualquier tipo de habilidad distintiva

Selecciones estratégicas   El líder en costos escoge un nivel bajo de diferenciación de producto. La diferenciación es costosa; si la compañía derrocha recursos para hacer de su producto algo exclusivo, entonces los costos se elevan[10]. El líder en costos se dirige a un nivel de diferenciación no muy inferior al del diferenciador (una empresa que compite gastando recursos en el desarrollo de productos), pero a un nivel asequible a menor costo[11]. El líder en costos no intenta ser el líder industrial en diferenciación; espera hasta que los clientes deseen una característica o servicio antes de suministrarlo. Por ejemplo, un líder en costos no introduce sonido estéreo a los televisores. Lo agrega sólo cuando es obvio que los consumidores lo desean.

El líder en costos también ignora normalmente los diferentes segmentos de mercado y posiciona su producto para atraer al cliente promedio. La razón para que el líder en costos haga esta selección es que desarrollar una línea de productos ajustada a las necesidades de diferentes segmentos de mercado es un negocio costoso. Un líder en costos por lo general se ocupa de sólo una cantidad limitada de la segmentación de mercado. Aunque ningún cliente puede estar completamente satisfecho con el producto, el hecho de que la empresa por lo general cobre un precio inferior que el de sus rivales atrae clientes para sus productos.

Al desarrollar habilidades distintivas, la meta predominante del líder en costos debe ser desarrollar habilidades que le permitan aumentar su eficiencia y disminuir costos comparados con los de sus rivales. El desarrollo de habilidades distintivas en fabricación y administración de materiales es esencial para lograr esta meta. Las compañías que siguen una estrategia de bajo costo pueden intentar dar alcance a la curva de experiencia de tal manera que puedan reducir sus costos de fabricación. Lograr una posición de bajo costo también puede requerir que la compañía desarrolle habilidades en fabricación flexible y que adopte técnicas eficientes de administración de materiales. (Como se recordará, la tabla 5.1 resume las técnicas que pueden utilizar las funciones de una compañía para aumentar la eficiencia). En consecuencia, las funciones de fabricación y administración de materiales son el centro de atención de la empresa que posee liderazgo en costos, y las otras áreas definen sus habilidades distintivas para responder a las necesidades de fabricación y administración de materiales[12]. Por ejemplo, la función de ventas puede desarrollar la habilidad de obtener grandes y estables conjuntos de pedidos de los clientes. A su vez, esto posibilita que la fabricación realice prolongadas jornadas de producción y así obtener economías de escala y reducir costos. La función de recursos humanos se puede concentrar en la creación de programas de capacitación y sistemas de retribución que reduzcan los costos mediante el incremento de la productividad del empleado. Y el área de investigación y

La nueva estrategia de Nissan de liderazgo en costos

Nissan, el fabricante japonés de automóviles, vio disminuir sus ventas en EE.UU. en un 35% de su tope en 1985. ¿Cuál fue la razón? La calidad y el diseño de sus vehículos simplemente no se encontraban al nivel de los competidores japoneses, como Honda, Mazda y Toyota. Mientras estas empresas habían sido innovadoras al introducir elegantes diseños de nuevos acabados en los automóviles y nuevos autos como el Miata y el Previa para nuevos segmentos de mercado, Nissan trabajó arduamente sus modelos rectangulares Stanzas y Maximas, vehículos tan costosos como los de sus rivales. A medida que disminuían sus ventas y utilidades, la compañía se dio cuenta en 1991 que necesitaba replantear su estrategia estadounidense. Como parte de una completa reorganización, Nissan compró a Earl J. Hesterberg vicepresidente y gerente general de la división estadounidense y le dio amplia autoridad para darle un vuelco total a los destinos de esa división[13].

Al reconocer que Nissan se encontraba muy atrasada con respecto a sus rivales desde el punto de vista de su reputación en la innovación y diseño de productos, Hesterberg se decidió por una nueva estrategia para introducir su moderno automóvil mediano: una estrategia de liderazgo en costos. Los vehículos medianos de sus rivales (Toyota Camry, Honda Accord y Mazda 626) habían aumentado firmemente en tamaño y precio con cada nuevo modelo. Por ejemplo, un Camry o un Accord bien equipado tenía un precio fijo superior a los US$19,000. Él decidió no aumentar el tamaño de sus automóviles, y mantener así bajos precios y costos. Los diseñadores de Nissan recibieron instrucciones de concentrarse en un vehículo económico de fabricar pero de calidad comparable con la de los otros automóviles de fabricantes japoneses. El resultado fue el Nissan Altima, cuya versión del modelo sencillo de cuatro puertas tiene un precio de US$13,000 y el mejor equipado vale miles de dólares menos que el Camry o el Accord. Nissan mantuvo bajos costos mediante la restricción deliberada en la cantidad de diversos modelos del Altima. Los clientes sólo tienen dos opciones básicas, la versión sencilla o la mejor equipada.

Otra parte de la estrategia de Hesterberg consistió en concentrar la mayor parte de su presupuesto de marketing (superior a los US$100 millones) en el Altima y el Nissan Quest, su nueva minicamioneta, y en concentrarse en la consolidación de una amplia participación en el mercado para estos vehículos con el fin de generar ingresos por ventas. En su mercadeo, Nissan fue cuidadoso al enfatizar en el precio del Altima comparando su calidad con el Lexus de Toyota, cuyos costos son cuatro veces mayores.

Los resultados de esta estrategia de bajo costo fueron asombrosos. Nissan esperaba vender 100,000 en su primer año; vendió más de 140,000. Aunque el margen de utilidad de cada automóvil era menor que para el Honda o el Camry, el volumen de ventas extra le brindó una enorme utilidad. Su búsqueda de una estrategia de bajo costo y bajo precio en el segmento de automóviles de tamaño mediano ha sido bastante exitosa y ha perjudicado a sus rivales. Por ejemplo, por primera vez en su historial, Honda se vio obligada a ofrecer descuentos en su Accord, y las ventas del Camry y Mazda 626 estuvieron por debajo de las proyecciones. Claramente, una estrategia de bajo costo puede generar grandes dividendos.

desarrollo puede especializarse en los mejoramientos de procesos para reducir los costos de fabricación. La forma como Nissan desarrolló su automóvil mediano, el Altima, analizada en la estrategia en acción 6.1, muestra cómo una organización decide seguir una estrategia de liderazgo en costos.

El líder en costos ajusta todas sus selecciones estratégicas de producto/mercado/habilidades distintivas a la meta exclusiva de rebajar cada centavo en costos para proporcionar una ventaja competitiva. Una empresa como Heinz constituye otro excelente ejemplo de liderazgo en costos. Los fríjoles y vegetales enlatados no admiten demasiado incremento en los precios. La utilidad proviene de la venta de grandes volúmenes de latas (cada enlatado puede registrar un pequeño incremento en el precio). Por tanto, H. J. Heinz Company llega a grandes extremos para tratar de reducir costos (incluso una vigésima parte de centavo de lata) ya que así generará grandes ahorros en costos y mayores utilidades a largo plazo. Como se verá en los capítulos correspondientes a la parte IV sobre implementación de estrategias, otra fuente de ahorros en costos en la búsqueda de liderazgo en costos consiste en el diseño de una estructura de la organización para adecuar esta estrategia, dado que la estructura es una fuente importante de costos para la empresa. Como se analizará en el capítulo 12, una estrategia de bajo costo a menudo implica estrictos controles de producción y un uso riguroso de presupuestos para controlar el proceso de producción.

Ventajas y desventajas   Las ventajas de cada estrategia genérica se abordarán mejor en términos del modelo de cinco fuerzas de Porter presentado en el capítulo 3[14]. Las cinco fuerzas implican amenazas de rivales, proveedores y compradores poderosos, productos sustitutos y nuevos participantes. El líder en costos se protege de los **rivales industriales** mediante su ventaja en costos. Sus costos reducidos también significan que se verá menos afectado que sus competidores por los aumentos en el precio de los insumos si hay **proveedores poderosos**, y menos afectado por una caída en el precio que puede cargar a sus productos si existen **compradores poderosos**. De otra parte, puesto que el liderazgo en costos por lo general requiere una gran participación en el mercado, el líder en costos compra en cantidades relativamente grandes, aumentando el poder de negociación frente a los proveedores. Si los **productos sustitutos** comienzan a entrar en el mercado, el líder en costos puede reducir su precio para competir con ellos y conservar su participación en el mercado. Por último, la ventaja en costos del líder constituye una **barrera de entrada**, pues otras organizaciones no pueden ingresar en la industria y quebrar los costos o precios del líder. Por tanto, el líder en costos se encuentra relativamente seguro siempre y cuando mantenga su ventaja en costos; y el precio es la clave para lograr una significativa cantidad de compradores.

Los principales riesgos del enfoque de liderazgo en costos se ocultan en la habilidad de los competidores para encontrar formas de producir a menor costo y vencer al líder en costos en su propio terreno. Por ejemplo, si el cambio tecnológico hace obsoletas las economías basadas en la curva de experiencia, las nuevas empresas pueden aplicar tecnologías menores en costos que les proporcionen una ventaja respectiva por encima del líder. Las miniplantas productoras de acero examinadas en el capítulo 5 obtuvieron esta ventaja. Los competidores también pueden sacar ventaja en costos de los ahorros en costos de mano de obra. Los competidores extranjeros en los países del Tercer mundo poseen costos de mano de obra muy bajos; por ejemplo, los costos de salarios en EE.UU son del orden del 600% o más que en Malasia, China o México. Muchas empresas norteamericanas ahora ensamblan sus productos en el exterior como parte de su estrategia de bajo costo; muchas son forzadas a hacer lo mismo sencillamente para competir.

La capacidad de los competidores para imitar fácilmente los métodos del líder en costos se constituye en otra amenaza para la estrategia de liderazgo en costos. Por ejemplo, la habilidad de los fabricantes de clones IBM para fabricar productos compatibles con IBM a costos similares (pero, por supuesto, los venden a un precio mucho menor) fue un factor importante que contribuyó a los problemas de IBM. Por último, la estrategia de liderazgo en costos acarrea el riesgo que el líder en costos, con el obstinado propósito de reducir costos, pueda perder visión de los cambios registrados en las preferencias de los clientes. De este modo, una compañía podría tomar decisiones que reduzcan costos pero afectar en forma drástica la demanda del producto. Por ejemplo, Joseph

Schlitz Brewing Co. disminuyó la calidad en los ingredientes de su cerveza, al sustituirlos por cereales de calidad inferior para reducir costos. Los clientes lo percibieron de inmediato; la demanda del producto cayó en forma considerable. Como se mencionó antes, el líder en costos no puede renunciar a la diferenciación del producto, e incluso productos económicos, como los relojes Timex, no pueden ser muy inferiores a los Seiko más costosos si se logra una política de bajo precio y bajo costo.

Estrategia de diferenciación

El objetivo de la estrategia genérica de diferenciación consiste en lograr una ventaja competitiva al crear un producto -bien o servicio- **percibido** por los clientes por ser exclusivo de una manera importante. La capacidad de la empresa diferenciada para satisfacer una necesidad del cliente, de tal manera que sus competidores no puedan, significa que ésta puede establecer un **precio superior**, considerablemente por encima del promedio industrial. La habilidad para incrementar ingresos al cobrar precios superiores (en vez de reducir costos como el líder) posibilita al diferenciador superar el desempeño de sus competidores y obtener utilidades superiores al promedio. El precio superior a menudo es mucho mayor que el del líder en costos, y los clientes lo pagan porque consideran que las cualidades diferenciales del producto valen la pena. En consecuencia, el producto recibe un precio con base en la determinación de mercado[15]. Por esta razón, los automóviles Mercedes-Benz son mucho más costosos en EE.UU. que en Europa debido a que allí proporcionan más estatus. De igual manera, un BMW no representa mayores costos de fabricación que un Honda, pero su precio lo determinan los clientes que perciben en su prestigio algo por lo cual vale la pena pagar. Así mismo, producir los relojes Rolex no cuesta mucho; su diseño no ha cambiado tanto durante años; y su contenido de oro es una sola fracción del precio del reloj. Sin embargo, los clientes compran el Rolex debido a la calidad exclusiva que perciben en éste; su capacidad para proporcionar estatus a quien lo usa. En estéreos, se destaca la marca Bang & Olufsen de Dinamarca; en joyería, Tiffany & Co.; en aviones, Learjets. Todos estos productos imponen precios superiores debido a sus cualidades diferenciadas.

Selecciones estratégicas Como se ilustra en la tabla 6.1, un diferenciador escoge un alto nivel de diferenciación del producto para lograr ventaja competitiva. La diferenciación del producto puede lograrse de tres maneras importantes, analizadas detalladamente en el capítulo 4: calidad, innovación y capacidad de satisfacer al cliente. Por ejemplo, Procter and Gamble sostiene que la calidad de su producto es alta y que el jabón Ivory es puro en un 99.44%. Maytag Corporation destaca la confiabilidad y el mejor registro de mantenimiento de cualquier máquina lavadora en el mercado. IBM impulsa el servicio de calidad suministrado por su bien capacitada fuerza de ventas. La innovación es muy importante para productos tecnológicamente complejos, en los que las nuevas características constituyen la fuente de diferenciación, y muchas personas pagan un precio superior por productos nuevos e innovadores, como un computador, un estéreo o un automóvil, expresiones máximas del arte. Cuando la diferenciación se fundamenta en la capacidad de satisfacer al cliente, una compañía ofrece un amplio servicio posventa y mantenimiento del producto. Ésta es una consideración especialmente importante para productos complejos como automóviles y electrodomésticos, que se dañan periódicamente. Empresas como Maytag, Dell Computer y Federal Express sobresalen por la capacidad de aceptación del cliente. En las compañías de servicio, las características de la calidad del servicio también son muy importantes. ¿Por qué Neiman-Marcus y Nordstrom pueden cobrar precios superiores? Ofrecen un nivel de servicio excepcionalmente alto. De igual manera, las firmas de abogados o contadores enfatizan en los aspectos de servicio de sus operaciones a los clientes: su conocimiento, profesionalismo y reputación.

Por último, el atractivo de un producto frente a los deseos psicológicos del cliente puede convertirse en una fuente de diferenciación. Éste puede generar prestigio o estatus, como sucede como los automóviles BMW y los relojes Rolex; patriotismo, al comprar un Chevrolet; seguridad para el hogar y la familia, como Prudential Insurance; valor justo por lo que se paga como Sears y JC Penney. La diferenciación también se puede ajustar a grupos de edades y grupos socioeconómicos. En efecto, las bases de la diferenciación son infinitas.

Una compañía que sigue una estrategia de diferenciación procura diferenciarse a sí misma en cuantas dimensiones le sea posible. Cuanto menos se asemeje a sus rivales, más se protegerá de la competencia y mayor será su atracción en el mercado. Por esta razón, los BMW no son sólo automóviles de prestigio; también ofrecen sofisticación tecnológica, lujo y confiabilidad, al igual que un buen servicio de mantenimiento, aunque muy costoso. Todas estas bases de diferenciación ayudan a aumentar las ventas.

En general, un diferenciador escoge segmentar su mercado en muchos nichos. De vez en cuando una empresa ofrece un producto diseñado para cada nicho de mercado y decide ser un **amplio diferenciador**, pero una compañía podría atender sólo aquellos nichos donde posee una ventaja específica de diferenciación. Por ejemplo, Sony fabrica 24 modelos de televisión, llenando todos los nichos con aparatos de medianos a elevados precios. No obstante, su modelo más económico siempre tiene un precio aproximado de US$100 por encima de sus competidores, poniendo en juego el factor de precio superior. Se debe hacer un pago extra por un Sony. De igual manera, aunque los Mercedes Benz han llenado los nichos que se encuentren por debajo de sus antiguos costosos modelos con sus series S y C, nadie aseguraría que el Mercedez cubre todos los segmentos de mercado. Como se mencionó antes, General Motors fue la primera empresa que trató de llenar la mayoría de los nichos, desde el Chevrolet más económico hasta los más costosos Cadillac y Corvette.

Finalmente, al seleccionar una habilidad distintiva, una compañía diferenciada se concentra en la función organizacional que suministra las fuentes de su ventaja de diferenciación. Como se observó en el capítulo 5, la diferenciación fundamentada en la innovación y habilidad tecnológica depende de la función de I&D. Los esfuerzos para mejorar el servicio al cliente dependen de la calidad del área de ventas. Sin embargo, la concentración en una función específica no quiere decir que el control de costos no sea importante para un diferenciador. Un diferenciador no desea aumentar costos sin necesidad y trata de mantenerlos de alguna manera cerca a los del líder en costos. Pero, debido a que con frecuencia es costoso desarrollar la habilidad distintiva necesaria para suministrar una ventaja de diferenciación, por lo general un diferenciador genera mayores costos que el líder en costos. No obstante, debe controlar todos los costos que no contribuyen a su ventaja de diferenciación de tal manera que el precio del producto no exceda lo que los clientes están dispuestos a pagar. Puesto que se obtienen mayores utilidades al controlar los costos, al igual que al maximizar los ingresos, paga controlar los costos, aunque no minimizarlos hasta el punto de perder la fuente de diferenciación[16].

Ventajas y desventajas   Las ventajas de la estrategia de diferenciación se pueden analizar ahora en el contexto del modelo de cinco fuerzas. La diferenciación protege a una compañía de los competidores hasta el grado en que los clientes generan **lealtad a la marca** para sus productos. La lealtad a la marca es un activo muy valioso ya que protege a la empresa en todos los frentes. Por ejemplo, los *proveedores poderosos* son un problema esporádico debido a que la estrategia de la compañía diferenciada se ajusta más al precio que puede cargar que a los costos de producción. Así, un diferenciador puede soportar incrementos moderados en los precios de sus insumos mejor que el líder en costos. Es improbable que los diferenciadores experimenten problemas con *compradores poderosos* porque el diferenciador ofrece al comprador un producto exclusivo. Sólo éste puede proporcionar el producto, e imponer lealtad a la marca. Los diferenciadores pueden pasar los aumentos en los precios a los clientes ya que ellos están dispuestos a pagar el precio superior. La diferenciación y la lealtad a la marca también crean una *barrera de entrada* a otras empresas que buscan ingresar en la industria. Las organizaciones nuevas se ven obligadas a desarrollar su propia habilidad distintiva para poder competir, y hacerlo así es muy costoso. Finalmente, la amenaza de *productos sustitutos* depende de la capacidad de los productos de competidores para satisfacer las mismas necesidades del cliente que atienden los productos del diferenciador y quebrantar la lealtad a la marca de los clientes. Esto puede suceder, por ejemplo cuando los fabricantes de clones IBM se apoderaron de una gran participación en el mercado de computadores caseros pero muchas personas aún desean un IBM, a pesar de que existe un buen número de clones IBM alrededor. El problema es qué precio superior puede establecer una empresa por la exclusividad antes de que los clientes cambien de productos. En 1993, Philip Morris descubrió que podía aumentar el precio de sus cigarrillos Marlboro sólo en la cantidad apropiada antes que los clientes se cambiaran a marcas genéricas. Cuando anunció la disminución de precios para atraerlos de nuevo, el precio de sus acciones cayó rápidamente después que los inversionistas se dieron cuenta de que incluso un diferenciador sólo puede cobrar la cantidad apropiada de precio superior antes que los clientes abandonen su producto.

Los principales problemas con la estrategia de diferenciación se concentran en la capacidad a largo plazo de la compañía para mantener su exclusividad percibida de acuerdo con el criterio de los clientes. En los últimos diez años se ha observado qué tan rápido se desplazan los competidores para **imitar** y **copiar** a los diferenciadores exitosos. Esto ha ocurrido en muchas industrias, como la de computadores, automóviles y electrodomésticos. Las patentes y las ventajas de primer iniciador (las ventajas de ser el primero en comercializar un producto o servicio) duran muy poco, y a medida que aumenta la calidad general de productos fabricados por todas las empresas, disminuye la lealtad a la marca. La anécdota acerca de la forma como American Express perdió su ventaja competitiva, presentada en la estrategia en acción 6.2, destaca muchas de las amenazas que enfrenta un diferenciador.

Por tanto, una estrategia de diferenciación requiere que la empresa desarrolle una ventaja competitiva al hacer selecciones en cuanto a producto/mercado/habilidades distintivas, que reforzadas entre sí y unidas aumenten el valor de un bien o servicio de acuerdo con el criterio de los consumidores. Cuando un producto es exclusivo para los clientes, los diferenciadores pueden cargar un precio superior. Sin embargo, las desventajas de una estrategia de diferenciación se constituyen en la facilidad con la cual los competidores pueden imitar un producto del diferenciador y en la dificultad de mantener un precio superior. Cuando la diferenciación se origina en el diseño o características físicas del producto, los diferenciadores se encuentran en gran riesgo ya que la imitación es fácil. El riesgo es que, con el paso del tiempo, productos como cigarrillos, VCR o estéreos se vuelven como productos *populares*, para los cuales la importancia de la diferenciación disminuye a medida que los clientes se vuelven más susceptibles al precio. Cuando la diferenciación se origina en la calidad o confiabilidad del servicio o cualquier *fuente intangible*, como la garantía de Federal Express o el prestigio de un Rolex, la empresa es mucho más segura. Es difícil imitar fuentes intangibles, y el diferenciador puede recoger los beneficios de esta estrategia por mucho tiempo. No obstante, todos los diferenciadores deben vigilar a los imitadores y cuidarse de no cargar un precio mayor que aquél que establecerá el mercado.

Liderazgo en costos y diferenciación

Hasta hace poco, los cambios en las técnicas de producción –en particular, el desarrollo de tecnologías de fabricación flexible (analizadas en el capítulo 5)– han hecho menos contrastada la selección

¿Quién desea una tarjeta de American Express?

Las tarjetas de crédito green, gold y platinum de American Express solían vincularse estrechamente con alto estatus y prestigio. Para obtener una tarjeta American Express (AmEx) se requería un ingreso alto, y tener una gold y platinum exigía incluso uno más elevado. AmEx diferenciaba en forma cuidadosa su producto mediante publicidad, caracterizada siempre por mostrar personajes famosos que informaban sobre las virtudes de poseer una tarjeta con el fin de hacer énfasis en la exclusividad y originalidad. Los consumidores estaban dispuestos a pagar la elevada cuota anual para poseer la tarjeta aunque cada mes se les exigiera cancelar el saldo débito acumulado. Estas tarjetas eran un producto superior que permitía a la compañía cobrar más, tanto a los clientes como a los comerciantes porque ofrecía calidad en el servicio y proporcionaba estatus al usuario. Durante muchos años, su operación con tarjeta de crédito fue el señuelo monetario de la división Travel Related Services (TRS) de AmEx, y el precio de las acciones de la empresa aumentó en forma desmesurada cuando en 1990 sus utilidades alcanzaron más de US$200 millones.

Sin embargo, la estrategia diferenciada de AmEx ha sufrido en la década de 1990. Las empresas rivales como MasterCard y Visa han demostrado cómo sus tarjetas pueden usarse en lugares donde las de AmEx no pueden hacerlo. Además, como se evidencia, cualquiera puede poseer una Gold MasterCard o Visa; no es sólo para una elite afortunada. Además, varias compañías y bancos se han asociado con el fin de ofrecer al cliente muchos otros beneficios de utilizar sus particulares tarjetas de crédito. Por ejemplo, entidades bancarias y aerolíneas han establecido alianzas que permiten a los consumidores usar una tarjeta de crédito bancaria para acumular millas de recorrido tendientes a la adquisición de tiquetes de aerolínea. Además, grandes organizaciones como AT&T y General Motors han expedido sus propias tarjetas de crédito que ofrecen a los clientes ahorros en sus productos, a menudo sin una cuota anual.

El surgimiento de todas estas nuevas tarjetas de crédito ha quebrantado la lealtad de los clientes de AmEx y destrozó la imagen de su exclusividad. Ahora se ha convertido en una tarjeta más que, en un mercado sobresaturado, ha perdido su atractivo diferenciado. En 1992, más de dos millones de usuarios abandonaron AmEx, y produjo una pérdida superior a los US$100 millones.

AmEx intenta defenderse y restituir la rentabilidad a su división. Con el fin de reducir costos, anunció un despido de más de 5,000 empleados en la división TRS; comenzó su propio programa de millaje de aerolíneas para tratar de recuperar a sus usuarios; y ha hecho más disponible su tarjeta para potenciales usuarios. También ha intentado aumentar la cantidad de agencias que acepten la tarjeta al disminuir el valor de las cuotas que deben pagar los comerciantes; por ejemplo, ahora se puede utilizar en Kmart. Por último, contrató una nueva agencia de publicidad para tratar de recuperar su atractivo diferenciado[17]. Sin embargo, los analistas temen que estos movimientos puedan hacer poco para detener la avalancha y la pérdida de clientes, y que al hacer más accesible la tarjeta puede incluso reducir más su atracción diferenciada. Si todo el mundo puede utilizar la tarjeta en cualquier parte, ¿por qué elegir a AmEx?

entre las estrategias de liderazgo en costos y diferenciación. Debido a los desarrollos tecnológicos, las compañías hallaron más fácil obtener los beneficios de ambas estrategias. La razón es que las nuevas tecnologías flexibles permiten a las firmas seguir una estrategia de diferenciación a menor costo.

Tradicionalmente, la diferenciación se obtenía a altos costos debido a que la necesidad de producir diferentes modelos para diferentes segmentos de mercado implicaban firmas con pequeñas jornadas de producción, que aumentaron los costos de fabricación. Además, la firma diferenciada tenía que asumir mayores costos de marketing que los del líder en costos porque atendía muchos segmentos del mercado. Como resultado, los diferenciadores tenían costos mayores que los líderes que producían grandes cantidades de productos estandarizados. Sin embargo, la fabricación flexible puede facilitar que una firma utilice la diferenciación para fabricar una variedad de productos a un costo semejante al del líder. El uso de robots y células de fabricación flexible reduce los costos de reorganizar la línea de producción y los costos relacionados con pequeñas jornadas de producción. En efecto, un factor que impulsa la tendencia actual hacia la fragmentación del mercado y el marketing de nichos en muchas industrias de bienes de consumo es la reducción sustancial de los costos de diferenciación mediante fabricación flexible.

Otra forma como un productor diferenciado puede generar significativas economías de escala es mediante la estandarización de muchas piezas usadas en sus productos finales. Por ejemplo, a mediados de la década de 1980 Chrysler comenzó a ofrecer 12 modelos diferentes de automóviles para diferentes segmentos del mercado automotriz. Sin embargo, a pesar de las diversas presentaciones, estos modelos se fundamentaron en una plataforma común, conocida como la plataforma tipo K. Modelos muy diferentes de vehículos tipo K utilizaron muchas de las mismas piezas, incluyendo ejes, unidades impulsoras, suspensiones y cajas de engranaje. Como resultado, Chrysler pudo realizar significativas economías de escala en la fabricación y compra a granel de piezas estandarizadas.

Una firma también puede reducir tanto los costos de producción como los de marketing si limita la cantidad de modelos en la línea de productos mediante el ofrecimiento de paquetes de opciones en vez de permitir que los consumidores decidan exactamente cuáles alternativas necesitan. Por ejemplo, cada vez es más común para los fabricantes de automóviles ofrecer un paquete económico de vehículos, un paquete de lujo y un paquete deportivo para atraer a los principales segmentos del mercado. Las ofertas en paquete disminuyen considerablemente los costos de fabricación debido a que son posibles las prolongadas jornadas de producción de varios paquetes. Al mismo tiempo, la firma puede concentrar su labor de publicidad y marketing en segmentos particulares del mercado de tal manera que también disminuye estos costos. Una vez más la firma obtiene ganancias de la diferenciación y del bajo costo al mismo tiempo.

Los sistemas de inventario justo a tiempo también pueden ayudar a reducir costos y mejorar la calidad y confiabilidad de los productos de una empresa. Esto es importante para las firmas diferenciadas, donde la calidad y confiabilidad son ingredientes esenciales de la atracción del producto. Por ejemplo, nunca se supone que los Roll-Royce se dañen. El control de calidad mejorado incrementa la reputación de una organización y así le posibilita establecer un precio superior, uno de los objetivos de los programas ACT.

Al sacar ventaja de las nuevas tendencias en producción y marketing, algunas firmas se las ingenian para obtener utilidades a partir de estrategias simultáneas de liderazgo y diferenciación en costos. Puesto que pueden cobrar un precio superior para sus productos en comparación con el precio establecido por quien sólo maneja liderazgo en costos y ya que generan costos menores que el diferenciador absoluto, ellos obtienen por lo menos un nivel de utilidades igual, y probablemente mayor, que las firmas que utilizan sólo una de las estrategias genéricas. Por esta razón, la estrategia combinada es la más rentable para seguir, y las empresas se desplazan rápidamente con el fin de sacar ventaja de las nuevas técnicas de producción, administración de materiales y marketing. En efecto, las compañías norteamericanas deben sacar ventaja de ellas si desean recuperar la ventaja competitiva, ya que los japoneses fueron pioneros en muchos de estos nuevos desarrollos. Esta condición explica por qué firmas como Toyota y Sony son comúnmente más rentables que sus contrapartes estadounidenses, General Motors y Zenith. No obstante, firmas norteamericanas como McDonald's, Apple Computer, Intel y Motorola están empleando las dos estrategias a la vez.

Estrategia de concentración

La tercera estrategia genérica competitiva pura, la estrategia de concentración, se diferencia de las otras dos sobre todo porque está dirigida a atender las necesidades de un **grupo** o **segmento limitado de clientes.** Una compañía concentrada se dirige a atender un nicho de mercado en particular, el cual puede definirse geográficamente, por tipo de cliente o por segmento de la línea de productos[19]. Por ejemplo, un nicho geográfico se puede definir por región o incluso por localidad. Escoger un nicho por el tipo de cliente podría significar atender sólo al más adinerado, al más joven o al más aventurero. Concentrarse sólo en un segmento de la línea de productos significa enfocar sólo comida vegetariana, automóviles muy veloces o confecciones de alta costura. Al seguir una estrategia de concentración, la empresa se especializa de cierta manera.

Una vez seleccionado el segmento de mercado, una compañía puede utilizar una estrategia de concentración mediante un enfoque de diferenciación o de bajo costo. En esencia, una compañía concentrada es un diferenciador especializado o líder en costos. Debido a su pequeña magnitud, pocas firmas concentradas pueden seguir el liderazgo en costos y la diferenciación en forma simultánea. Si una firma concentrada utiliza un enfoque de bajo costo, compite frente al líder en costos en los segmentos de mercado donde no posee desventajas en costos. Por ejemplo, en los mercados locales de maderas o cemento, quien se concentra tiene menores costos de transporte que la compañía nacional de bajo costo. También puede tener una ventaja en costos ya que fabrica productos complejos o según un diseño particular, hecho que no le permite fácilmente obtener economías de escala en producción y, en consecuencia, ofrece pocas ventajas en la curva de experiencia. Con una estrategia de concentración, una compañía se dedica a productos hechos a la medida en pequeños volúmenes, con los que tiene una ventaja en costos, y deja el mercado estandarizado de gran volumen al líder en costos.

Si quien se concentra sigue un enfoque de diferenciación, entonces todos los medios de diferenciación, abiertos al diferenciador, se encuentran disponibles para la compañía concentrada. El asunto es que la empresa concentrada compite con el diferenciador en sólo uno o unos pocos segmentos. Por ejemplo, Porsche, una compañía concentrada, compite con General Motors en el segmento de autos deportivos perteneciente al mercado de automóviles y no en otros segmentos. Las empresas concentradas probablemente desarrollen en forma exitosa calidades diferenciadas del producto debido a su conocimiento de un pequeño grupo de clientes (como compradores de autos deportivos) o de una región. Además, la concentración en una pequeña variedad de productos algunas veces permite a quien se concentra desarrollar innovaciones más rápido que un diferenciador. Sin embargo, quien se concentra no intenta atender todos los segmentos de mercado ya que al hacerlo entraría en competencia directa con el diferenciador. Por el contrario, una compañía concentrada apunta a la consolidación de la participación en el mercado en un segmento del mismo y, si triunfa, puede comenzar a atender cada vez más segmentos y acabar con la ventaja competitiva del diferenciador. La forma como las pequeñas empresas de software han surgido para sacar ventaja de nichos especializados en el mercado de suministro externo, analizada en la estrategia en acción 6.3, ilustra cómo las compañías concentradas pueden obtener una ventaja competitiva.

Selecciones estratégicas   La tabla 6.1 muestra las selecciones específicas de producto/mercado/habilidades distintivas de una empresa concentrada. La diferenciación puede ser alta o baja debido a que la compañía pude seguir un enfoque de bajo costo o de diferenciación. En cuanto a los grupos de clientes, una empresa concentrada escoge nichos específicos donde competir, en vez de dirigirse a todo el mercado, como el líder en costos, u ocupar gran cantidad de nichos, como un amplio diferenciador. Quien se concentra puede seguir cualquier habilidad distintiva ya que puede utilizar cualquier tipo de ventaja de diferenciación o de bajo costo. De este modo, podría buscar una ventaja en costos y desarrollar un nivel superior de eficiencia en la fabricación a bajo costo dentro de una región. O podría desarrollar habilidades superiores en la capacidad de corresponder al cliente, con base en su capacidad para satisfacer las necesidades de clientes regionales en formas que un diferenciador nacional hallaría muy costosas.

Los diversos caminos que una compañía concentrada puede tomar con el fin de desarrollar una ventaja competitiva explican por qué existen tantas firmas pequeñas con relación a las grandes. Una empresa enfocada tiene grandes oportunidades de desarrollar su propio nicho y competir con organizaciones de bajo costo y diferenciadas, que tienden a ser más amplias. Una estrategia de concentración proporciona la oportunidad a un empresario de encontrar y luego explotar un vacío en el mercado al desarrollar un producto innovador del cual los clientes no pueden prescindir[20]. Las miniplantas productoras de acero analizadas en el capítulo 5 constituyen un buen ejemplo de cómo las compañías concentradas que se especializan en un mercado pueden desarrollarse en forma eficiente de manera que se convierten en líderes en costos. Muchas de las grandes empresas comenzaron con una estrategia de concentración y, por supuesto, un medio por el cual las compañías pueden expandirse consiste en asumir la dirección de otras empresas concentradas. Por ejemplo, Saatchi & Saatchi DFS Compton Inc., organización especialista en marketing, creció al asumir la dirección de varias compañías también especialistas en su propio mercado, como Hay Associates, Inc., los consultores de gerencia.

Ventajas y desventajas La ventaja competitiva de una empresa concentrada proviene de la fuente de su habilidad distintiva (eficiencia, calidad, innovación o capacidad de satisfacer al cliente). Se protege de los **rivales** hasta el punto en que puede proporcionar un producto o servicio que ellos no pueden suministrar. Esta capacidad también le da poder a quien se concentra sobre sus compradores ya que no pueden conseguir lo mismo en otra parte. Sin embargo, con respecto a los proveedores poderosos, una empresa concentrada se encuentra en desventaja, debido a que compra en pequeños volúmenes y, por tanto, se encuentra en poder de los proveedores. No obstante, puesto que puede transferir los incrementos de precio a los clientes leales, esta desventaja puede no ser un problema significativo. Los **potenciales ingresantes** tienen que vencer la lealtad del cliente generada por quien se concentra, y el desarrollo de la lealtad del cliente también reduce la amenaza de productos sustitutos. Esta protección de las cinco fuerzas permite a quien se concentra obtener rendimientos sobre su inversión superiores al promedio. Otra ventaja de la estrategia de concentración es que ésta posibilita que una compañía permanezca cerca de sus clientes y responda a sus cambiantes necesidades. La dificultad que algunas veces experimenta un gran diferenciador al administrar una amplia cantidad de segmentos de mercado no representa un problema para quien se concentra.

Puesto que quien se concentra en pequeños volúmenes, sus costos de producción a menudo superan los de una compañía de bajo costo. Los costos elevados también pueden reducir la rentabilidad si quien se concentra está obligado a invertir bastante en el desarrollo de una habilidad distintiva (como la costosa innovación de un producto) con el fin de competir con una firma diferenciada. Sin embargo, de nuevo los sistemas de fabricación flexible descubren nuevas oportunidades para las firmas concentradas: las pequeñas jornadas de producción se hacen posibles a un costo inferior. Cada vez más, las pequeñas firmas especializadas compiten con grandes empresas en segmentos específicos de mercado donde su desventaja en costos se reduce mucho.

ESTRATEGIA EN ACCIÓN 6.3

Hallar un nicho en el mercado de suministro externo (*outsourcing**)

El suministro externo se presenta cuando una empresa hace un contrato con otra compañía con el fin de desempeñar una de las funciones de creación de valor para su propio beneficio. Cada vez más, muchas empresas tienen dificultades para ir al ritmo del cambio tecnológico en la industria del software, y buscan suministro externo para satisfacer sus necesidades de procesamiento de datos en empresas especializadas de software. Por ejemplo, Electronic Data Systems Corp. (EDS), fundada por Ross Perot y ahora poseída por General Motors, se ha convertido en un gigante de los servicios computacionales cuyo capital es de US$9,000 millones; esta empresa maneja las operaciones de procesamiento de datos de otras compañías mediante su software propietario. IBM es otra gran organización que trata de explotar este mercado en desarrollo.

Sin embargo, como se puede suponer, diferentes tipos de organizaciones, como universidades, entidades bancarias, agencias de seguros, gobiernos locales y empresas de servicios públicos, tienen diversos tipos de necesidades y problemas de procesamiento de datos. En consecuencia, cada tipo de empresa exige una clase especializada de software, que se puede ajustar a las necesidades específicas. Como resultado, es difícil para cualquier compañía de software satisfacer las necesidades de una amplia variedad de empresas, y el mercado de suministro externo en procesamiento de datos está muy fragmentado. Grandes compañías como EDS tienen sólo una pequeña participación en el mercado; por ejemplo, EDS tenía sólo el 13% de participación en el mercado en 1992. Por consiguiente, abundan oportunidades para que las firmas pequeñas ingresen en el mercado y se concentren en las necesidades de tipos particulares de compañías.

Cada vez más, las pequeñas empresas especializadas en software surgen para manejar las necesidades de tipos particulares de clientes. Un ejemplo lo constituye Systems & Computer Technology Corp., localizada en Malvern, Pennsylvania, la cual hasta hace poco se desempeñó al mismo nivel de EDS con el fin de asegurar un contrato de suministro externo durante siete años por valor de US$35 millones para satisfacer las necesidades de procesamiento de datos del condado de Dallas. La empresa tiene ingresos anuales de sólo US$100 millones, comparados con los US$9,000 millones de EDS, y no obstante, logró el contrato. Lo obtuvo debido a que se especializa en atender sólo las necesidades de clientes como el gobierno o la educación superior local. Le pudo demostrar al condado de Dallas que tiene doce contratos permanentes con clientes municipales, en tanto que EDS sólo pudo ofrecer su experiencia con uno, un hospital[19]. El condado consideró que Systems and Technology Corp. podría satisfacer mejor sus necesidades que un gigante como EDS, y de esta manera la empresa concentrada triunfó ante el diferenciador.

En la actualidad también surgen otras compañías concentradas; por ejemplo, la Bisys Group and Systematics Company, que atiende las necesidades de bancos y universidades. Parece ser que en la industria de procesamiento de datos, las pequeñas empresas concentradas serán fuertes competidores debido a su capacidad para suministrar servicio personal y especializado a clientes específicos en una forma que no pueden hacerlo los grandes diferenciadores.

N. de R. T. *Outsourcing.* Contratación de trabajos específicos con terceros

Un segundo problema consiste en que el nicho de quien se concentra puede desaparecer de repente debido al avance tecnológico o a cambios en los gustos de los consumidores. Al contrario de la mayoría de los diferenciadores, quien se concentra no puede desplazarse fácilmente hacia nuevos nichos, dada su concentración de recursos y habilidad en uno o unos cuantos nichos. Por ejemplo, un fabricante de confecciones que se concentre en los fanáticos de la música "heavy metal" hallará difícil cambiarse a otros segmentos si esta música pierde su encanto. La desaparición de los nichos es una razón por la cual fracasan muchas empresas pequeñas.

Por último, existe la expectativa de que los diferenciadores compitan por el nicho de quien se concentra al ofrecer un producto que pueda satisfacer las exigencias de sus clientes; por ejemplo, los nuevos modelos de primera línea de GM están dirigidos a competir con Lexus, BMW y Mercedez-Benz. Quien se concentra es vulnerable al ataque y, por tanto, debe defender constantemente su nicho.

Estancarse en el medio

Cada estrategia genérica exige que una empresa realice consistentes selecciones de producto/mercado/habilidades distintivas con el fin de establecer una ventaja competitiva. En otras palabras, una compañía debe lograr un ajuste entre los tres componentes de la estrategia a nivel de negocios. Así, por ejemplo, una organización de bajo costo no puede perseguir un alto nivel de la segmentación de mercado, como lo hace un diferenciador, y suministrar una amplia variedad de productos ya que hacerlo aumentaría demasiado los costos de producción y perdería su ventaja de bajo costo. De igual manera, un diferenciador con una habilidad en la innovación que trate de reducir sus desembolsos en investigación y desarrollo, o uno con habilidad en la capacidad de corresponder al cliente mediante servicio posventa, que busca ahorrar con base en su fuerza de ventas con el fin de reducir costos, se busca dificultades ya que perderá su ventaja competitiva cuando desaparezca su habilidad distintiva.

La selección exitosa de la estrategia a nivel de negocios implica una seria atención a todos los elementos del plan competitivo. Hay muchos ejemplos de empresas que, por la ignorancia o los errores, no hicieron la planeación necesaria para llegar al éxito mediante la estrategia seleccionada. Se considera que tales compañías se **estancaron en el medio** porque hicieron selecciones de producto/mercado de tal manera que no pudieron obtener o mantener la ventaja competitiva[21]. Como resultado, tienen un desempeño inferior al promedio y se ven afectadas cuando se intensifica la competencia industrial.

Algunas empresas estancadas en el medio comenzaron a seguir una de las tres estrategias genéricas pero tomaron decisiones equivocadas o estuvieron expuestas a los cambios ambientales. Perder el control de una estrategia genérica es muy fácil a menos que la gerencia mantenga un registro minucioso de los negocios y su ambiente, que ajusten constantemente las selecciones de producto/mercado para adaptarlas a las cambiantes condiciones de la industria. La experiencia de Holiday Inns en la década de 1980, descrita en la estrategia en acción 6.4, muestra cómo una empresa puede llegar a estancarse en el medio debido a los cambios registrados en el ambiente.

Como indica la experiencia de Holiday Inns, existen muchas formas de estancarse en el medio. Muy comúnmente, quien se concentra puede estancarse en el medio cuando se confía demasiado y comienza a actuar como un amplio diferenciador. People Express, la aerolínea desaparecida, ejemplifica una compañía en esta situación. Comenzó como empresa especializada en transporte aéreo atendiendo un reducido nicho de mercado: económicos viajes a la costa oriental. Al seguir esta estrategia de concentración con base en el liderazgo en costos, obtuvo mucho éxito; pero cuando trató de ampliarse a otras regiones geográficas y comenzó a asumir la dirección de otras aerolíneas para utilizar gran cantidad de aviones, perdió su nicho. People Express se convirtió en una más de las empresas de

Holiday Inns regresa

La historia de la cadena de moteles Holiday Inns, Inc., es una de las de mayor éxito en los negocios norteamericanos. Su fundador, Kemmons Wilson, quien se encontraba de vacaciones a comienzos de la década de 1950, se dio cuenta que los moteles existentes eran pequeños, costosos y de calidad impredecible. Este descubrimiento, junto con la expectativa de los imprevistos de un viaje por carretera que comenzaría el nuevo programa de autopistas interestatales, provocó una realización: existía una necesidad del cliente no satisfecha, una brecha en el mercado de hospedajes de calidad. Holiday Inns se propuso satisfacer esa necesidad.

Desde el comienzo, Holiday Inns impuso el estándar para las características de los moteles como aire acondicionado y hieleras, mientras mantenía las tarifas de las habitaciones a precios razonables. Estas comodidades incrementaron la popularidad de los moteles, y una creación de Wilson, la franquicia de moteles, hizo posible la rápida expansión. En 1960 los moteles Holiday Inns se difundieron por doquier en el territorio norteamericano; se podían encontrar en casi todas las ciudades y sobre todas las principales autopistas. Antes de que terminara esa década, más de 1,000 moteles se encontraban operando completamente, y las tasas de alojamiento promediaban el 80%. Había llegado el concepto de servicio de alojamiento masivo[22].

Sin embargo, en la década de 1970 la cadena de moteles se encontraba en problemas. El servicio ofrecido por Holiday Inns recurría al viajero promedio, que deseaba un producto (una habitación) estandarizado a un precio promedio. En esencia, Holiday Inns había estado apuntando al centro de mercado correspondiente al alojamiento del hotel-cuarto. Pero los viajeros comenzaron a hacer diferentes demandas de hoteles y moteles. Algunos querían lujo y estaban dispuestos a pagar precios elevados por mejores condiciones y servicio. Otros buscaban precios bajos y a cambio aceptaban menor calidad y servicios. Aunque el mercado se había fragmentado en diferentes grupos de clientes con diversas necesidades, Holiday Inns todavía ofrecía un producto no diferenciado, con costo y calidad promedios[23].

Holiday Inns ignoró el cambio en el mercado y, por tanto, no respondió en forma apropiada a éste, pero la competencia no cometió este error. Empresas como Hyatt Corp. ignoró el segmento superior del mercado, donde la calidad y el servicio vendían habitaciones. Cadenas como Motel 6 y Days Inns capturaron el segmento de mercado correspondiente a la calidad básica y baja en precios. En medio se encontraban muchas cadenas especializadas que recurrían a los agentes viajeros, familias o huéspedes (personas que deseaban cocinar en sus habitaciones de hotel). La posición de Holiday Inns fue atacada por todos los costados. Las ganancias de la compañía se redujeron cuando cayeron drásticamente las tasas de alojamiento, y los moteles marginales de Holiday Inns comenzaron a cerrarse a medida que aumentaba la competencia.

Afectada considerablemente pero no exterminada, Holiday Inns comenzó a contraatacar en la década de 1980. La cadena original se mejoró para ajustarse a los viajeros orientados a la calidad. Al mismo tiempo, con el fin de satisfacer las necesidades de diferentes tipos de viajeros, la compañía creó nuevas cadenas de hoteles y moteles, que incluyeron la lujosa Holiday Inn Crowne Plazas; Hampton Inns, a cargo del segmento de mercado de bajos precios; y Embassy Suites que presta sus servicios con sólo habitaciones de lujo. Holiday Inns intentó satisfacer las demandas de muchos nichos, o segmentos del mercado hotelero que surgieron en esa década[24].

transporte aéreo en un mercado cada vez más competitivo, donde no tenía una ventaja competitiva especial frente a las otras firmas nacionales de transporte aéreo. El resultado fueron problemas financieros. La compañía fue devorada por Texas Air e incorporada a Continental Airlines.

Los diferenciadores, igualmente, pueden fracasar en el mercado y terminar estancados en el medio si los competidores atacan sus mercados con productos más especializados o más económicos que obstaculicen su ventaja competitiva. Esto le sucedió a IBM en el mercado de los grandes *mainframes* a medida que los computadores personales se hacían más poderosos y capaces de hacer el trabajo de los *mainframes* más costosos. El creciente desplazamiento hacia los sistemas de fabricación flexible agravará los problemas que enfrentan los líderes en costos y los diferenciadores. Muchas de las grandes firmas se estancarán en el medio a menos que hagan la inversión necesaria para seguir las dos estrategias a la vez. Ninguna empresa está segura en la jungla de la competencia, y cada una debe estar constantemente a la expectativa para explotar las ventajas competitivas cuando resulten y defender las ventajas poseídas.

En resumen, la administración exitosa de una estrategia competitiva genérica requiere que los gerentes estratégicos atiendan dos problemas esenciales. En primer lugar, necesitan asegurarse de que las decisiones que toman con respecto a producto/mercado/habilidades distintivas se orienten hacia una estrategia competitiva específica. En segundo lugar, necesitan hacer monitoreo al ambiente de tal manera que puedan mantener las fuentes de la ventaja competitiva de la empresa a tono con las cambiantes oportunidades y amenazas.

6.5 SELECCIÓN DE UNA ESTRATEGIA DE INVERSIÓN A NIVEL DE NEGOCIOS

Hasta esta parte se ha analizado la estrategia a nivel de negocios en términos de hacer selecciones de producto/mercado/habilidades distintivas para ganar una ventaja competitiva. Sin embargo, existe una segunda selección importante para llevar a cabo en el nivel de negocios: la selección del tipo de estrategia de inversión por seguir en apoyo a la estrategia competitiva[25]. Una *estrategia de inversión* se refiere a la cantidad y tipo de recursos –tanto humanos como financieros– que deben invertirse para lograr una ventaja competitiva. Las estrategias genéricas competitivas suministran ventajas competitivas, pero son costosas de desarrollar y mantener. La diferenciación es la más costosa de las tres ya que exige que una compañía invierta recursos en muchas funciones, como investigación y desarrollo, ventas y marketing, para generar habilidades distintivas. El liderazgo en costos es menos costoso de mantener una vez realizada la inversión inicial en planta y maquinaria de fabricación. No demanda tales esfuerzos sofisticados de investigación y desarrollo y marketing. La estrategia de concentración es la más económica porque se necesitan menores recursos para atender un segmento de mercado en vez de servir al mercado completo.

Al decidirse por una estrategia de inversión, una empresa debe evaluar los rendimientos potenciales de invertir en una estrategia genérica competitiva frente al costo de desarrollarla. De esta manera, puede determinar si es rentable seguir una estrategia y cómo cambiaría la rentabilidad cuando cambie la competencia industrial. Existen dos factores cruciales al elegir una estrategia de inversión: la fortaleza de la posición de una firma en una industria con relación a sus competidores y la etapa del ciclo de vida de la industria donde compite la empresa[26].

Posición competitiva

Se pueden utilizar dos características para determinar la fortaleza de la posición competitiva relativa de una empresa. En primera instancia, cuanto más amplia sea la *participación en el mercado*, más fuerte será su posición competitiva y mayores sus rendimientos potenciales de la futura inversión. Esto se debe a que una gran participación en el mercado suministra economías de la curva de experiencia y sugiere que la compañía ha generado lealtad a la marca.

La fortaleza y exclusividad de las *habilidades distintivas* de una empresa constituyen la segunda medición de posición competitiva. Si es difícil imitar la experiencia en investigación y desarrollo de una compañía, sus habilidades de fabricación o marketing, su conocimiento de segmentos particulares de clientes o su reputación o su nombre de marca, la posición competitiva relativa de una organización es fuerte y se incrementan sus rendimientos a partir de la estrategia genérica. En general, las empresas con la mayor participación en el mercado y las más sólidas habilidades distintivas se encuentran en la mejor posición.

Estas dos características obviamente se refuerzan entre sí y explican por qué algunas compañías se hacen cada vez más fuertes con el tiempo. Una habilidad exclusiva genera una incrementada demanda para los productos de la organización, y luego, como resultado de una amplia participación en el mercado, la firma tiene más recursos para invertir en desarrollar su habilidad distintiva. Las empresas con menor participación en el mercado y poco potencial para generar habilidad distintiva se encuentran en una posición competitiva más débil[27]. Por tanto, son fuentes menos atractivas para la inversión.

Efectos del ciclo de vida

El segundo factor importante que influye en la atracción para la inversión de una estrategia genérica es la etapa *del ciclo de vida de la industria*. Cada etapa del ciclo de vida está acompañada por un ambiente particular de la industria, que muestra diferentes oportunidades y amenazas. Cada etapa, por tanto, tiene diferentes implicaciones para la inversión de recursos necesarios con el fin de obtener una ventaja competitiva. Por ejemplo, la competencia es más fuerte en la etapa de recesión del ciclo de vida y menos importante en el estado embrionario, de tal manera que los riesgos de seguir una estrategia cambian con el tiempo. La diferencia en el riesgo explica por qué los rendimientos potenciales de invertir en una estrategia competitiva dependen de la etapa del ciclo de vida.

Selección de una estrategia de inversión

La tabla 6.2 resume la relación entre la etapa de ciclo de vida, la posición competitiva y la estrategia de inversión en el nivel de negocios.

Estrategia embrionaria   En la etapa embrionaria, todas las empresas, débiles y fuertes, hacen énfasis en el desarrollo de una habilidad distintiva y una política de producto/mercado. Durante esta etapa, las necesidades de inversión son mayores porque una compañía debe establecer una ventaja competitiva. Muchas organizaciones inexpertas en la industria buscan recursos para desarrollar habilidades distintivas. Así, la apropiada estrategia de inversión a nivel de negocios es una **estrategia de formación de participación**. El propósito es generar participación en el mercado al desarrollar una ventaja competitiva estable y exclusiva para atraer a los clientes que no conocen los productos de una firma.

Las empresas precisan grandes cantidades de capital para formar habilidades de investigación y desarrollo o de ventas y servicios. No pueden generar mucho de este capital a nivel interno. Por esta razón, el éxito de una compañía depende de su capacidad para demostrar una habilidad única con el fin de atraer inversionistas externos o inversionistas de capital riesgoso. Si la empresa obtiene los recursos para desarrollar una habilidad distintiva, estará en una posición competitiva relati-

Tabla 6.2
Selección de una estrategia de inversión a nivel de negocios

Etapa del ciclo de vida de la industria	Posición competitiva fuerte	Posición competitiva débil
Embrionaria	Formación de la participación	Formación de la participación
De crecimiento	Crecimiento	Concentración en el mercado
De recesión	Aumento en la participación	Concentración en el mercado o cosecha/liquidación
De madurez	Sostener y mantener o generar utilidades	Cosecha o liquidación/desestimiento
De decadencia	Concentración en el mercado, cosecha o reducción de activos	Retorno completo, liquidación o desestimiento

vamente más fuerte. Si fracasa, su única opción posiblemente sea salir de la industria. En efecto, las organizaciones que se encuentran en posiciones competitivas débiles en todas las etapas del ciclo de vida pueden optar por salir de la industria con el fin de reducir sus pérdidas.

Estrategias de crecimiento   En la etapa de crecimiento, la tarea que enfrenta una empresa consiste en consolidar su posición y proveer la base necesaria para sobrevivir a la próxima recesión. Así, la estrategia de inversión apropiada es **la estrategia de crecimiento**. La meta es mantener una relativa posición competitiva de la empresa en un mercado en rápida expansión y, si es posible, aumentarlo; en otras palabras, crecer con el mercado en expansión. Sin embargo, otras compañías ingresan en el mercado y alcanzan a los innovadores industriales. Como resultado, las empresas demandan oleadas sucesivas de inyección de capital para sostener el impulso generado por el éxito obtenido en la etapa embrionaria. Por ejemplo, los diferenciadores se comprometen en una gran tarea de investigación y desarrollo, y los líderes en costos invierten en planta para lograr economías de la curva de experiencia. Toda esta inversión es muy costosa.

La etapa de crecimiento también incluye el momento cuando las compañías intentan consolidar los nichos existentes de mercado e introducir los nuevos de tal manera que puedan incrementar su participación en el mercado. Aumentar el nivel de segmentación del mercado también es costoso. Una empresa debe invertir recursos para desarrollar una nueva habilidad en ventas y marketing. En consecuencia, durante esta etapa, las compañías ajustan su estrategia competitiva y toman decisiones de inversión a nivel de negocios sobre las ventajas relativas de una estrategia de diferenciación, bajo costo o de concentración, dadas las necesidades financieras y la posición competitiva relativa. Por ejemplo, si una empresa surge como el líder en costos, las demás en la industria pueden decidir no competir frontalmente con ésta. Más bien, se dedican a la estrategia de crecimiento al utilizar un enfoque de diferenciación o de concentración e invertir recursos en el desarrollo de habilidades exclusivas. Puesto que las compañías invierten bastante dinero sólo para mantenerse al mismo ritmo de crecimiento en el mercado, encontrar recursos adicionales para desarrollar nuevas destrezas y habilidades se constituye en una tarea difícil para los gerentes estratégicos.

Las firmas que se encuentran en una posición competitiva débil se comprometen en esta etapa en una **estrategia de concentración en el mercado** con el fin de consolidar su posición. Buscan especializarse de alguna manera y adoptan una estrategia de concentración para reducir sus necesidades de inversión. Si son muy débiles, también pueden optar por salir de la industria.

Estrategias de recesión   En la etapa de recesión, la demanda aumenta lentamente y se intensifica la competencia por precios o características del producto. De esta manera, las compañías en posición competitiva fuerte necesitan recursos para invertir en una **estrategia de incremento de participación** con el fin de atraer clientes de empresas débiles que salen del mercado. En otras palabras, las organizaciones intentan mantener y aumentar la participación en el mercado a pesar de la fuerte competencia. La forma como las empresas invierten sus recursos depende de su estrategia genérica.

Para los líderes en costos, a causa de las guerras de precios que se pueden presentar, la inversión en el control de costos es crucial si desean sobrevivir al estado de recesión. Los diferenciadores que tienen una fuerte posición competitiva escogen avanzar con firmeza y convertirse en amplios diferenciadores. Es posible que su inversión se oriente al marketing y, de igual manera, desarrollen una sofisticada red de servicios de posventa. También amplían la variedad de productos para ajustarla a las necesidades de los clientes. Los diferenciadores ubicados en una posición débil disminuyen el volumen de su inversión al plegarse a una estrategia de concentración (la estrategia de concentración de mercado) con el fin de especializarse en un nicho o producto en particular. Las compañías débiles que salen de la industria se involucran en una estrategia de cosecha o liquidación, las cuales se analizarán posteriormente en este capítulo.

Estrategias de madurez   En la etapa de madurez, surge una estructura estratégica de grupo en la industria, y las empresas aprenden a observar cómo reaccionan los rivales ante sus movimientos competitivos. En este punto las compañías buscan recoger los frutos de sus inversiones previas al desarrollar una estrategia genérica. Hasta el momento las utilidades se reinvertían en el negocio, y los dividendos eran menores. Los inversionistas en empresas fuertes obtienen sus rendimientos mediante la apreciación de capital porque reinvirtieron la mayor parte de su capital en mantener y ampliar la participación en el mercado. Cuando disminuye el crecimiento del mercado en la etapa de madurez, una estrategia de inversión de la empresa depende del nivel competitivo en la industria y de la fuente de ventaja competitiva de la firma.

En ambientes donde la competencia es grande debido a que se está generando un cambio tecnológico o donde las barreras de ingreso son bajas, las empresas necesitan defender su posición competitiva. Los gerentes estratégicos necesitan continuar invirtiendo fuertemente en mantener la ventaja competitiva de la compañía. Tanto las empresas de bajo costo como los diferenciadores adoptan una **estrategia de sostener y mantener** para apoyar sus estrategias genéricas. Invierten recursos para desarrollar su habilidad distintiva de tal manera que sigan siendo los líderes del mercado. Por ejemplo, las empresas diferenciadas pueden invertir en el mejoramiento del servicio de posventa, y aquellas de bajo costo lo pueden hacer en las más recientes tecnologías de producción, como la robótica. Hacerlo es costoso pero se justifica por los ingresos que se acumularán de mantener una fuerte posición competitiva.

Adicionalmente, las compañías se desplazan para desarrollar en forma simultánea tanto la estrategia de bajos costos como la de diferenciación. Los diferenciadores sacan ventaja de su sólida posición para desarrollar sistemas de fabricación flexible con el propósito de reducir sus costos de producción. Los líderes en costos se desplazan para comenzar la diferenciación de sus productos con el fin de ampliar su participación en el mercado al atender más segmentos de mercado. Por ejemplo, Gallo se desplazó a los segmentos de mercado de vino excelso y vino seco para sacar ventaja de los bajos costos de producción.

Sin embargo, cuando una empresa se protege de la competencia industrial, puede decidir explotar su ventaja competitiva al máximo al involucrarse en una **estrategia de utilidades**. Una empresa que sigue esta estrategia intenta maximizar los rendimientos actuales a partir de inversiones anteriores. Por lo general, reinvierte proporcionalmente menos en su negocio y aumenta los rendimientos para sus accionistas. La estrategia funciona bien siempre y cuando las fuerzas competitivas permanezcan relativamente constantes, de tal manera que una organización puede mantener los márgenes de utilidad generados mediante su estrategia competitiva. Sin embargo, una empresa debe permanecer alerta a las amenazas del ambiente y debe tener cuidado de no ser conformista e indiferente a los cambios registrados en el ambiente competitivo.

Los líderes de mercado muy a menudo no ejercen vigilancia en administrar las condiciones ambientales, pues imaginan que son inexpugnables a la competencia. Por ejemplo, General Motors se sintió segura de los fabricantes extranjeros de automóviles hasta que los cambios ocurridos en los precios del petróleo precipitaron una crisis. Kodak, que aprovechó durante mucho tiempo sus fortalezas en el revelado de películas, respondió lentamente a la amenaza de las técnicas de imagen electrónica. Paradójicamente, las empresas más exitosas a menudo no perciben los cambios en el mercado. Por ejemplo, la no percepción de Holiday Inns de los cambios en las necesidades de los clientes hasta cierto punto fue el resultado de la posición testaruda de concentrarse en su cadena original de moteles. Crear dos cadenas paralelas exigiría más recursos, pero esa era la exigencia del mercado. Como se ilustra en la estrategia en acción 6.5, Campbell Soup Co. es otro ejemplo de una empresa que con el tiempo dejó de seguir una estrategia de sostener y mantener para administrar el ambiente competitivo.

Estrategias en decadencia   En el ciclo de vida de la industria comienza la etapa de decadencia cuando empieza a caer la demanda por el producto de la industria. Hay muchas razones posibles para la decadencia, que incluyen la competencia extranjera y la sustitución de productos. Una firma puede perder su habilidad distintiva cuando sus rivales ingresan con tecnologías nuevas o más eficientes. Por esta razón, debe decidir adoptar una estrategia de inversión para enfrentar las nuevas circunstancias industriales. La tabla 6.2 enumera las estrategias que una compañía puede utilizar como recurso cuando su posición competitiva está en decadencia[28].

Las estrategias iniciales que pueden adoptar las compañías son concentración en el mercado y reducción de activos[29]. Con una estrategia de concentración en el mercado, una compañía puede consolidar sus selecciones de producto y mercado. Limita su variedad de productos y sale de los nichos marginales en un intento por volver a desplegar sus inversiones de manera más eficiente y mejorar su posición competitiva. Reducir las necesidades del cliente y los grupos de clientes atendidos puede posibilitarle a la compañía seguir una estrategia de concentración para sobrevivir a la etapa de decadencia. (Como se explicó antes, las empresas débiles en la etapa de crecimiento tienden a adoptar esta estrategia). Eso fue lo que hizo International Harvester cuando cayó la demanda de maquinaria agrícola. Ahora sólo fabrica camiones de tamaño mediano con la marca de Navistar.

Una **estrategia de reducción de activos** exige que la firma limite o disminuya su inversión en un negocio y explote, o aproveche al máximo, la inversión. Este enfoque algunas veces se denomina **estrategia de cosecha** ya que la empresa reduce al mínimo los activos empleados en su actividad y renuncia a la inversión tendiente a utilidades inmediatas[30]. Una estrategia de concentración en el mercado por lo general indica que una compañía está tratando de darle un vuelco total a su negocio de tal manera que pueda sobrevivir a largo plazo. Una estrategia de cosecha implica que una

Campbell Soup se refresca

El nombre *Campbell Soup Co.* está estrechamente vinculado a sus muy conocidas sopas, y durante muchos años se han constituido en la fuente de rentabilidad de la empresa. Sin embargo, durante la década de 1980 su destino cambió cuando los altos ejecutivos no lograron manejar el negocio y mantenerlo al día con los cambios registrados en el ambiente. Mientras innovadores como Heinz y Nestlé innovaban productos e introducían nueva maquinaria para ahorrar costos, Campbell se conformaba con desarrollar sus actividades como siempre lo había hecho, aunque sus costos se elevaran y sus ventas se paralizaran. Esta situación cambió en 1990, cuando David W. Johnson llegó de Gerber Products Co. para revitalizar la empresa.

Johnson se desplazó inmediatamente hacia la reducción de costos y el incremento de utilidades. Clausuró 20 plantas ineficientes, incluyendo el famoso edificio de varios pisos Camden de Campbell, en Nueva Jersey, fábrica donde preparaba la sopa en forma tradicional en sus grandes pailas de cobre. Además, despidió el 16% de la fuerza laboral de Campbell y desistió de muchos de los negocios no rentables de la firma. Todas estas acciones formaron parte de su estrategia de retorno completo para llevar de nuevo a Campbell a la posición de sostenerse y mantenerse en la industria de alimentos con el propósito de redesplegar sus recursos de tal manera que pudiera competir por la participación en el mercado frente a sus rivales más eficientes. Sus acciones fueron exitosas, y el precio de las existencias se duplicó en un año a medida que se recuperaban las utilidades.

Aunque los analistas reconocieron sus esfuerzos, comenzaron a preocuparse por el hecho de que Johnson podría haber persistido en su estrategia de reducción de costos en forma un poco más vigorosa y a expensas del desarrollo de nuevos productos. Por lo general, parte de una estrategia de sostenerse y mantenerse consiste en invertir recursos para desarrollar nuevos productos con el fin de generar y mantener la participación en el mercado. Sin embargo, Johnson eliminó muchas de las nuevas líneas de productos de la empresa porque no eran rentables en ese momento, y se mostró renuente a invertir mucho en el desarrollo de nuevos productos. De otra parte, el presupuesto para la publicidad de la compañía se encuentra paralizado[32].

Puesto que la empresa no innova ni desarrolla nuevos productos que sostengan su crecimiento en el futuro, los analistas temen que lejos de continuar con una estrategia de sostenerse y mantenerse, Johnson puede aprovechar al máximo las marcas existentes para incrementar utilidades a corto plazo a expensas de las utilidades a largo plazo. Si Johnson reduce su inversión para cosechar la empresa, los analistas se preguntan qué será de ésta en el futuro. ¿Continúa siendo una importante compañía de productos alimenticios o volverá a sus orígenes como fabricante de sopas?

empresa saldrá de la industria una vez cosechados todos los rendimientos que pueda. Es posible que las organizaciones de bajo costo sigan una estrategia de cosecha simplemente debido a que una menor participación en el mercado significaría mayores costos y no estarían en capacidad de cambiarse a una estrategia de concentración. En contraste, los diferenciadores tienen una ventaja competitiva en esta etapa si se desplazan a una estrategia de concentración.

En cualquier etapa del ciclo de vida, las empresas en posiciones competitivas débiles pueden aplicar **estrategias de retorno completo (***turnaround*****)***[*31]. La pregunta que debe responder la compañía es si existe una forma viable de competir en la industria y cuánto costará tal competencia. Si una empresa se encuentra estancada en el medio, entonces debe evaluar los costos de inversión de desarrollar una estrategia genérica competitiva. Quizá una firma que sigue una estrategia de bajo costo no haya realizado las selecciones apropiadas en cuanto a producto o mercado, o un diferenciador haya perdido las oportunidades de obtener un nicho. En tales casos, la empresa puede redesplegar recursos y cambiar su estrategia competitiva.

En ocasiones la pérdida de competitividad de una compañía puede ser por una deficiente implementación de estrategias. Si es así, la firma debe desplazarse para cambiar su estructura y sistemas de control en vez de hacerlo con su estrategia. Por ejemplo, Dan Schendel, eminente investigador administrativo, descubrió que el 74% de las condiciones de retorno completo que estudió junto con sus colegas se debía a una ineficiente implementación de la estrategia. La estructura de la estrategia ajustada al nivel de negocios es, en consecuencia, muy importante al determinar la fortaleza competitiva[33]. Este tema se analizará en detalle en el capítulo 13.

Si una empresa decide que no es posible el retorno completo, bien sea por razones competitivas o del ciclo de vida, entonces las dos últimas alternativas de inversión son **liquidación** y **desestimiento**. Como implican los términos, la firma se desplaza para salir de la industria por liquidación de sus activos o por venta de todo el negocio. Ambas se pueden considerar formas radicales de la estrategia de cosecha porque la compañía busca recuperar lo máximo posible de su inversión en el negocio. Sin embargo, con frecuencia sólo puede salir con pérdidas y recibir un impuesto como castigo. El tiempo es importante, debido a que cuanto más pronto perciba una compañía la necesidad del desestimiento, mayor cantidad de activos puede lograr. Existen muchas historias de compañías que compran otras débiles o en decadencia, pues creen que pueden darles un vuelco total y luego se dan cuenta de su error cuando las nuevas adquisiciones se convierten en un agotamiento de sus recursos. A menudo, las empresas adquiridas pierden su ventaja competitiva, y el costo de recuperarlas es muy grande. Sin embargo, también se han registrado éxitos espectaculares, como el obtenido por Lee Iacocca, quien se involucró en una estrategia de bajo costo que implicó el despido de más del 45% de la fuerza laboral de Chrysler.

6.6 RESUMEN DEL CAPÍTULO

El propósito de este capítulo fue examinar los factores que debe considerar una compañía si desea desarrollar una estrategia a nivel de negocios que le permita competir en forma efectiva en el mercado. La formulación de la estrategia a nivel de negocios implica la adecuación de las oportunidades y amenazas existentes en el ambiente a las fortalezas y debilidades de la firma al tomar decisiones sobre productos, mercados, tecnologías, y las inversiones necesarias para seguir las selecciones. Todas las empresas, desde las funciones realizadas por una sola persona hasta las unidades estratégicas de negocios de grandes corporaciones, deben desarrollar una estrategia de negocios si desean competir de manera efectiva y maximizar su rentabilidad a largo plazo. El capítulo estableció estos puntos importantes:

N. de R. T. *Turnaround.* Transformación de empresas con dificultades competitivas y deficitarias en su capacidad de generar organizaciones competentes y rentables.

1. Seleccionar una estrategia a nivel de negocios implica escoger una estrategia genérica competitiva.
2. En el núcleo de una estrategia genérica competitiva se encuentran las selecciones concernientes con la diferenciación del producto, la segmentación del mercado y la habilidad distintiva.
3. La combinación de estas tres selecciones da lugar a la forma específica de una estrategia genérica competitiva empleada por una compañía.
4. Las tres estrategias genéricas competitivas son liderazgo en costos, diferenciación y concentración. Cada una tiene ventajas y desventajas. Una empresa debe administrar constantemente su estrategia; de otra manera, se arriesga a quedarse estancada en el medio.
5. Cada vez más, los desarrollos en tecnología de fabricación permiten que las firmas sigan tanto una estrategia de liderazgo en costos como una estrategia de diferenciación, y obtengan así en forma simultánea los beneficios económicos de ambas. Los desarrrollos técnicos también posibilitan que pequeñas firmas compitan con grandes compañías por igual en segmentos particulares del mercado y, en consecuencia, aumentan la cantidad de firmas que siguen una estrategia de concentración.
6. La segunda selección que enfrenta una compañía es una estrategia de inversión para apoyar la estrategia competitiva. La selección de una estrategia de inversión depende de dos factores importantes: (a) la fortaleza de la posición competitiva de una empresa en la industria, y (b) la etapa del ciclo de vida de la industria.
7. Los principales tipos de estrategia de inversión son formación de participación, crecimiento, aumento de la participación, sostenerse y mantenerse, utilidades, concentración en el mercado, reducción de activos, cosecha, retorno completo, liquidación y desestimiento.

Preguntas y temas de análisis

1. ¿Por qué cada estrategia genérica competitiva exige un conjunto diferente de selecciones de producto/mercado/habilidades distintivas? Dar ejemplos de dos empresas en (a) la industria de computadores, y (b) la industria automotriz, que sigan diferentes estrategias competitivas.
2. ¿Cómo pueden llegar a estancarse las firmas que buscan el liderazgo en costos, la diferenciación o la estrategia de concentración? ¿Cómo pueden recuperar su ventaja competitiva?
3. En cuanto al ciclo de vida industrial, ¿qué selecciones de estrategias de inversión deben hacer (a) los diferenciadores que se encuentren en fuerte posición competitiva, y (b) aquellos en posición competitiva débil?
4. ¿Cómo afectan los desarrollos técnicos a las estrategias genéricas que utilizan las firmas en una industria? ¿Cómo podrían hacerlo en el futuro?

Aplicación 6

Buscar un ejemplo (o varios) de una compañía que siga una o más de las estrategias genéricas a nivel de negocios. ¿Qué estrategia utiliza? ¿En qué selecciones de producto/mercado/habilidad distintiva se basa? ¿Cuáles son sus ventajas y desventajas?

Proyecto sobre administración estratégica: Módulo 6

Esta parte del proyecto se concentra en la naturaleza de la estrategia a nivel de negocios de la empresa escogida. Si la organización funciona en más de un negocio, es necesario concentrarse en su negocio principal o en el más importante, o en las actividades más relevantes. Utilícese toda la información recopilada y respóndanse las siguientes preguntas:

1. ¿Qué tan diferenciados están los productos/servicios de la compañía? ¿Cuál es la base de su atractivo diferenciado?
2. ¿Cuál es la estrategia de la empresa hacia la segmentación del mercado? Si segmenta su mercado, ¿en qué se fundamenta?
3. ¿Cuáles son sus habilidades distintivas? (Para responder esta pregunta utilice la información del módulo presentado en el capítulo anterior, sobre estrategia a nivel funcional). ¿La principal fuerza impulsora de la compañía es la eficiencia, la calidad, la innovación, la capacidad de satisfacer al cliente, o una combinación de estos factores?
4. Con base en las selecciones de producto/mercado/habilidad distintiva, ¿qué estrategia genérica a nivel de negocios sigue la organización?
5. ¿Cuáles son las ventajas y desventajas asociadas a la selección de la estrategia a nivel de negocios de la compañía?
6. ¿Cómo se podría mejorar su estrategia a nivel de negocios con el fin de fortalecer su ventaja competitiva?
7. ¿La compañía es miembro de un grupo estratégico en una industria? Si es así, ¿cuál?
8. ¿Qué estrategia de inversión utiliza con el propósito de apoyar su estrategia genérica? ¿Cómo se adecúa esto a la fortaleza de su posición competitiva y a la etapa del ciclo de vida industrial?

Notas

1. N. Darnton, "The Joy of Polyester", *Newsweek*, August 3, 1992, p. 61.
2. Derek F. Abell *Defining the Business: The Starting Point of Strategic Planning* (Englewood Cliffs, N. J.: Prentice-Hall, 1980), p. 169.
3. R. Kotler, *Marketing Management*, 5th ed. (Englewood Cliffs, N. J.: Prentice-Hall, 1984). M. R. Darby and E. Karni, "Free Competition and the Optimal Amount of Fraud", *Journal of Law and Economics*, 16 (1973), 67-86.
4. Abell, *Defining the Business*, p. 8.
5. Michael E. Porter, *Competitive Advantage: Creating and Sustaining Superior Performance* (New York: Free Press, 1985).
6. R. D. Buzzell and F. D. Wiersema, "Successful Share Building Strategies", *Harvard Business Review* January-February (1981), 135-144. L. W. Phillips, D. R. Chang, and R. D. Buzzell, Product Quality, Cost Position, and Business Performance: A Test of Some Key Hypotheses, *Journal of Marketing*, 47 (1983), 26-43.
7. Michael E. Porter, *Competitive Strategy: Techniques for Analyzing Industries and Competitors* (New York: Free Press, 1980), p. 45.
8. Abell, *Defining the Business*, p. 15.
9. Aunque muchos otros autores han analizado el liderazgo en costos y la diferenciación como enfoques básicos competitivos (por ejemplo, F. Sherer, *Industrial Market Structure and Economic Performance*, 2nd, ed. (Boston: Houghton Mifflin, 1980), el modelo de Porter (Porter, *Competitive Strategy*) se ha convertido en el enfoque predominante. En consecuencia, este modelo es el que se desarrolla posteriormente, y el análisis se

   fundamenta esencialmente en sus definiciones. La dimensión básica del liderazgo en costos/diferenciación ha recibido sustancial apoyo empírico (por ejemplo D. C. Hambrick, "High Profit Strategies in Mature Capital Goods Industries: A Contingency Approach", *Academy of Management Journal*, 26 (1983), 687-707.
10. Porter, *Competitive Advantage*, p. 37.
11. *Ibíd*, pp. 13-14.
12. D. Miller, "Configurations of Strategy and Structure: Towards a Synthesis", *Strategic Management Journal*, 7 (1986), 217-231.
13. L. Armstrong, "Altima's Secret: The Right Kind of Sticker Shock", *Business Week*, January 18, 1993, p. 37.
14. Porter, *Competitive Advantage*, pp. 44-46.
15. Charles W. Hofer and D. Schendel, *Strategy Formulation: Analytical Concepts* (St. Paul, Minn.: West, 1978).
16. W. K. Hall, "Survival Strategies in a Hostile Environment", *Harvard Business Review*, 58 (1980), 75-85. Hambrick, "High Profit Strategies", pp. 687-707.
17. L. Nathans Spiro and M. Landler, "Less-Than-Fantastic Plastic", *Business Week*, November 9, 1992, pp. 100-101.
18. Porter, *Competitive Strategy*, p. 46.
19. J. W. Verity, "They Make a Killing Minding Other People's Business", *Business Week*, November 30, 1992, p. 96.
20. Peter F. Drucker, *The Practice of Management* (New York: Harper, 1954).
21. Porter, *Competitive Strategy*, p. 43.
22. "The Holiday Inn Trip: A Breeze for Decades, Bumpy Ride in the '80s", *Wall Street Journal*, February 11, 1987, p. 1.

23. Holiday Inn, *Annual Report*, 1985.

24. Bureau of Labor Statistics, U.S. *Industrial Outlook* (Washington, D.C., 1986).

25. Hofer and Schendel, *Strategy Formulation*, pp. 102-104.

26. Nuestro análisis, o posición, con relación a la inversión (componente de la estrategia a nivel de negocios) se fundamenta en particular en el estudio de Hofer y Schendel *Strategy Formulation*, especialmente en el capítulo 6.

27. Hofer and Schendel, *Strategy Formulation*, pp. 75-77.

28. K. R. Harrigan, "Strategy Formulation in Declining Industries", *Academy of Management Review*, 5 (1980), 599-604.

29. Hofer and Schendel, *Strategy Formulation*, pp. 169-172.

30. L. R. Feldman and A. L. Page, "Harvesting: The Misunderstood Market Exit Strategy", *Journal of Business Strategy*, 4 (1985), 79-85.

31. C. W. Hofer, "Turnaround Strategies", *Journal of Business Strategy*, 1 (1980), 19-31.

32. J. Weber, "Campbell is Bubbling, But for How Long?" *Business Week*, June 17, 1991, pp. 56-58.

33. Hofer and Schendel, Strategy, 1 (1980), 19-31.

32. J. Weber, "Campbell is Bubbling, But for How Long? *Business Week*, June 17, 1991, pp. 56-58.

33. Hofer and Schendel, *Strategy Formulation*, p. 172.

7 Estrategia a nivel de negocios y ambiente de la industria

7.1 CASO INICIAL: THE GOODYEAR TIRE & RUBBER COMPANY

A finales de 1992 The Goodyear Tire & Rubber Company, el mayor fabricante de llantas en EE.UU., generó una utilidad superior a los US$340 millones sobre el récord de ventas de más de US$11,000 millones. Esto se diferenció bastante de la situación ocurrida en 1991, cuando la compañía registró pérdidas. Por un momento pareció como si la empresa, consumida por una deuda superior a los US$3,700 millones, pudiera ir a la quiebra. Lo que cambió sus destinos fue la combinación de un nuevo CEO, quien recuperó su ventaja competitiva, y un cambio en la naturaleza de la competencia industrial.

En la década de 1980, las ventas de Goodyear habían caído cuando la organización perdió participación en el mercado ante sus dos principales competidores, Michelin de Francia y Bridgestone del Japón. Como se analizó en el capítulo 3, estas compañías se habían expandido rápidamente en EE.UU., lanzando una agresiva estrategia para consolidar y ganar participación en el mercado. Su ingreso fue el comienzo de una guerra de precios en el mercado estadounidense de llantas, que causó daño especialmente a Goodyear debido a sus altos costos. De igual manera, la compañía obtuvo un deficiente registro en innovación de productos y se demoró en lanzar otros nuevos que atrajeran de nuevo a sus clientes. Después de las enormes pérdidas en 1991, la junta directiva despidió al CEO, Tom Barrett, y lo remplazó por Stanley Gault, quien se había desempeñado en Rubbermaid. Gault inmediatamente comenzó a cambiar la forma como operaba Goodyear con el propósito de restablecer su ventaja competitiva.

En primer lugar, se aventuró en una estrategia de reducción masiva de costos operativos. El predecesor de Gault, Barrett, había comenzado este proceso al invertir más de US$4,000 millones en la década de 1980 en plantas y maquinarias nuevas y más eficientes, y al disminuir la fuerza de trabajo en más del 20%. En 1991, la producción por hora-hombre había ascendido al 51%[1]. Sin embargo, Gault condujo este proceso en forma más amplia y comenzó a reducir radicalmente los costos en todos los ámbitos. Por ejemplo, le mostró a los gerentes cómo reducir costos. Comenzó por eliminar las limosinas de la compañía para los altos ejecutivos y remplazarlas por autómoviles sedán familiares. Vendió tres de los cinco jets corporativos y suprimió el zepelín de Goodyear ubicado en Houston, Texas. Incluso hizo quitar la mayoría de las bombillas en su oficina para demostrar su compromiso de bajar costos. Los demás gerentes siguieron su ejemplo y sistemáticamente comenzaron los esfuerzos de reducción de costos, con los espectaculares resultados descritos anteriormente.

Con el fin de incrementar la participación en el mercado, Gault también trabajó en incrementar la innovación, la calidad y la velocidad con que la compañía lanzaba nuevos productos. Goodyear había tenido muchos tipos de llantas en proceso de desarrollo durante años, entre otras una llamada Aquatread, llanta de buen desempeño en terrenos húmedos. Sin embargo, había demorado su lanzamiento al mercado. En 1991, Gault decidió emprender una estrategia arriesgada: Goodyear introduciría cuatro nuevos tipos de llantas en forma simultánea, incluyendo la Aquatread. Cada tipo estaba dirigido a un segmento de mercado diferente. Por ejemplo, la Aquatread tenía como objetivo el consumidor que busca seguridad, en tanto que otro tipo se elaboró con el propósito de reducir los costos de gasolina. Estos movimientos fueron muy exitosos. Sus nuevas llantas, que tuvieron márgenes de utilidad mayores que las antiguas, restablecieron la percepción de los clientes de que Goodyear era un fabricante de llantas de primera calidad, y aumentaron sus ventas, en particular las de Aquatread. En verdad, la compañía vendió más de un millón de llantas Aquatread en un año, un 20% más de lo pronosticado. La estrategia combinada de Gault sobre reducción de costos y aumento de la atracción diferenciada de sus productos había dado resultados a través del enorme incremento en las utilidades anotado al comienzo de este caso.

En 1991, los fabricantes estadounidenses estaban cansados de las series de reducción y gue-

rras de precios que habían invadido la industria y afectado sus utilidades. Entonces, comenzaron a apoyarse mutuamente para mantener altos precios y evitar su reducción, e igualmente comenzaron a buscar nuevas formas de competir de tal modo que no redujeran la rentabilidad de la industria. Una estrategia adoptada fue desarrollar nuevos tipos de llantas y comercializarlas agresivamente a los clientes. La estrategia de Gault de desarrollar productos innovativos coincidió con este cambio en la industria de la competencia en precios a la competencia libre de precios que, además, ayudó a promover el vuelco total de la compañía e incrementó las ventas. Desde 1992, Goodyear y sus rivales se beneficiaron de su nueva estrategia de competencia libre de precios. En 1993, Goodyear estableció un récord de utilidades, y el precio de sus acciones superó más de tres veces su valor en 1990.

Preguntas y temas de análisis

1. ¿Cómo le causó problemas la naturaleza de la competencia a Goodyear en la industria de llantas?
2. ¿Qué estrategias desarrolló Gault para darle un vuelco total a la compañía?

7.2 VISIÓN GENERAL

Incluso cuando las compañías han desarrollado exitosas estrategias genéricas a nivel de negocios, aún enfrentan un problema crucial: cómo responder a las acciones de los rivales de la industria, donde cada uno busca maximizar su propia ventaja competitiva y rentabilidad. El texto se concentrará en este importante aspecto de la estrategia a nivel de negocios y examinará las formas de sostener una ventaja competitiva con el tiempo en diferentes ambientes industriales.

En primera instancia, se concentrará en la forma como compañías en *industrias fragmentadas* tratan de desarrollar estrategias competitivas que apoyen sus estrategias genéricas. En segundo lugar, considerarán los retos de desarrollar una ventaja competitiva en *industrias embrionarias y en crecimiento*. En tercera instancia, se investigará la naturaleza de las relaciones competitivas en *industrias maduras*. Esta parte del capítulo se concentrará en cómo un conjunto de compañías que han seguido exitosas estrategias genéricas competitivas pueden utilizar una variedad de técnicas competitivas para manejar el nivel alto de interdependencia competitiva hallado en tales industrias. Finalmente, evaluarán los problemas de manejar la estrategia genérica competitiva de una compañía en *industrias en decadencia*, donde la rivalidad entre competidores es alta debido a que la demanda de mercado disminuye o cae. Al final del capítulo, el lector sabrá por qué la búsqueda exitosa de una estrategia genérica depende de la selección correcta de tácticas competitivas para manejar el ambiente industrial.

7.3   ESTRATEGIA EN INDUSTRIAS FRAGMENTADAS

Una industria fragmentada es aquella que se compone de gran cantidad de compañías pequeñas y medianas. Por ejemplo, la industria de alquiler de videos se encuentra aún muy fragmentada, al igual que los ámbitos industriales de restaurantes, clubes dedicados al cuidado de la salud y jurídicos. Existen varias razones por las cuales una industria puede estar conformada de muchas organizaciones pequeñas en vez de unas cuantas grandes[2]. En algunas industrias existen pocas economías de escala, y por esta razón las grandes compañías no poseen una ventaja sobre las más pequeñas. En efecto, en algunas industrias existen sobrecostos de escala. Por ejemplo, muchos compradores de vivienda prefieren tratar con agentes locales de bienes raíces, a quienes perciben como las personas que poseen mayor conocimiento del medio local que las cadenas nacionales. En forma similar, en el negocio de restaurantes, muchos individuos sienten aversión a las cadenas nacionales y prefieren el estilo exclusivo de un restaurante local. Además, debido a la falta de economías de escala, muchas industrias fragmentadas se caracterizan por bajas barreras de entrada -y los nuevos ingresos de otras organizaciones mantienen fragmentada la industria. La industria de alquiler de videos es un ejemplo de esta situación: los costos de apertura de un almacén de alquiler de videos son bastante moderados y pueden ser asumidos por un solo empresario. Los altos costos de transporte, también, pueden mantener fragmentada una industria, ya que la producción regional puede ser la única forma eficiente de satisfacer las necesidades del cliente, como en el caso del negocio de cementos. Finalmente, una industria puede estar fragmentada debido a que las necesidades de los clientes son bastante especializadas de tal manera que sólo se requieren pequeños lotes de productos, y así no hay posibilidad de llevar a cabo amplias operaciones de producción en serie con el fin de satisfacer el mercado.

Para algunas industrias fragmentadas, estos factores determinan la estrategia competitiva por utilizar, y la estrategia de concentración se destaca como la principal selección. Las compañías pueden especializarse en grupo de clientes, sus necesidades o región geográfica; por esta razón, muchas pequeñas compañías especializadas operan en segmentos locales o regionales del mercado. Todos los tipos de productos hechos a la medida (muebles, confecciones, rifles y otros) se ubican en esta categoría, de igual manera las pequeñas operaciones de servicios que satisfacen necesidades particulares del cliente, como lavanderías, restaurantes, clubes encargados del cuidado de la salud y almacenes de alquiler. En verdad, las compañías de servicio constituyen una amplia proporción de las empresas en industrias fragmentadas ya que suministran servicio personalizado a clientes y por tanto necesitan estar más cerca de ellos.

Sin embargo, los empresarios están ansiosos por obtener las ventajas al seguir una estrategia de bajo costo o alcanzar las ventajas de diferenciación de incrementar los ingresos por ventas obtenidas al evitar los problemas de una industria fragmentada. Los rendimientos de consolidar una industria fragmentada con frecuencia son enormes. Durante los últimos 30 años muchas compañías han superado problemas de la estructura industrial y han comenzado a consolidar industrias fragmentadas. Estas compañías incluyen grandes minoristas como Wal-Mart Stores, Sears y JC Penney, cadenas de comidas rápidas como Mcdonald's y Burger King, y cadenas de alquiler de videos como Blockbuster Entertainment Corp. con sus almacenes Blockbuster Video, al igual que otras organizaciones de clubes dedicados al cuidado de la salud, talleres de reparación e incluso abogados y consultores. Con el propósito de crecer, consolidar sus industrias y convertirse en líderes industriales utilizan tres estrategias importantes: (1) encadenamiento, (2) franquicia, y (3) fusión horizontal.

Encadenamiento

Compañías como Wal-Mart Stores y Midas International Corporation siguen una estrategia de **encadenamiento** con el fin de obtener las ventajas de una estrategia de liderazgo en costos. Estas empresas establecen redes de agencias comerciales enlazadas, las cuales se encuentran muy interconectadas de manera que funcionan como una gran entidad de negocios. El asombroso poder de compra que poseen estas compañías a través de sus cadenas de almacenes en todo el país les permite negociar amplias reducciones de precio con sus proveedores y promueve su ventaja competitiva. Ellas superan la barrera de altos costos de transporte mediante el establecimiento de sofisticados centros de distribución regional, los cuales pueden economizar en costos de inventario y maximizar la capacidad de respuesta a las necesidades de almacenes y clientes (ésta es la especialidad de Wal-Mart). Por último, en orden mas no en importancia, realizan economías de escala al compartir habilidades administrativas a lo largo de la cadena y al hacer publicidad en toda la nación y no a nivel local.

Franquicia

Para compañías diferenciadas en industrias fragmentadas, como McDonald's o Century 21 Real Estate Corporation, la ventaja competitiva proviene de la estrategia de negocios de **franquicia**. Con la franquicia, una operación local de almacén es poseída y manejada por la misma persona. Cuando el dueño también es el gerente, se halla muy motivado para controlar el negocio en forma estrecha y asegurarse de que la calidad y los estándares sean consistentemente altos de tal manera que siempre satisfagan las necesidades del cliente. Tal motivación es particularmente crítica en una estrategia de diferenciación, en la que para una compañía es importante mantener su exclusividad. Una razón por la cual las industrias se fragmentan es la dificultad de mantener el control sobre, y la exclusividad, de las muchas pequeñas agencias que se deben manejar. La franquicia evita este problema. Además, la franquicia disminuye la carga financiera de rápida expansión, y de esta manera permite el rápido crecimiento de la compañía. Finalmente, un diferenciador puede sacar provecho de las ventajas de la publicidad en gran escala, al igual que las economías en compras, administración y distribución de una gran compañía, como lo hace McDonald's en forma muy eficiente. En efecto, McDonald's puede seguir el liderazgo en costos y la diferenciación en forma simultánea sólo debido a que la franquicia posibilita que los costos sean controlados a nivel local y que la diferenciación pueda lograrse al comercializar a nivel nacional.

Fusión horizontal

Compañías como Dillard's y Blockbuster Entertainment han seleccionado una estrategia a nivel de negocios de **fusión horizontal** con el fin de consolidar sus respectivas industrias. Tales empresas han realizado fusiones de pequeñas compañías en una industria con el propósito de crear unas pocas grandes empresas. Por ejemplo, Dillard's organizó la fusión de cadenas de almacenes regionales con el fin de formar una compañía nacional. Al seguir una fusión horizontal, las organizaciones pueden obtener economías de escala o asegurar un mercado nacional para su producto. Como resultado, pueden utilizar una estrategia de liderazgo en costos o una de diferenciación.

El reto en una industria fragmentada consiste en escoger los medios más apropiados (franquicia, encadenamiento o fusión horizontal) para superar un mercado fragmentado de tal modo que se puedan lograr las ventajas de la estrategia genérica. Es difícil concebir cualquier importante actividad de servicios (desde firmas de consultoría y contabilidad hasta negocios que satisfacen la más pequeña necesidad de consumo, como salas de belleza y talleres de reparación de automóviles) que no hayan sido fusionados y consolidados por el encadenamiento o la franquicia.

7.4 ESTRATEGIA EN INDUSTRIAS EMBRIONARIAS Y EN CRECIMIENTO

Las industrias embrionarias normalmente son creadas por las innovaciones de compañías pioneras. Así, Apple creó en forma individual el mercado de computadores personales, Xerox creó el mercado de fotocopiadoras y McDonald's el de comidas rápidas. En la mayoría de los casos, la empresa pionera puede obtener inicialmente enormes utilidades a partir de su innovación puesto que puede ser la única en la industria. Por ejemplo, antes del ingreso de IBM en el mercado de los computadores personales en 1981, Apple disfrutó de un virtual monopolio de este mercado. De igual manera, durante los 17 años previos a la expiración de sus patentes, Xerox disfrutó de un monopolio en el mercado de fotocopiadoras, obteniendo enormes utilidades como resultado[3].

No obstante, las altas utilidades que las compañías innovadoras a menudo obtienen en una industria embrionaria también atraen potenciales imitadores, motivándolos a ingresar en el mercado. Generalmente, este ingreso es más rápido en la etapa de crecimiento de una industria y puede ocasionar que el innovador pierda su predominante posición competitiva. La figura 7.1 muestra cómo el índice de utilidad disfrutado por el innovador en una industria embrionaria puede declinar a medida que los imitadores ingresan con ímpetu en el mercado durante su etapa de crecimiento. Por ejemplo, la antigua posición de monopolio de Apple se encontraba asediada por la competencia a medida que una multitud de fabricantes de computadores personales ingresaba en el mercado a comienzos y mediados de la década de 1980, tratando de sacar participación del éxito de Apple. Una vez expiradas sus patentes, Xerox también enfrentó muchos imitadores, y algunos de ellos, como Canon y Ricoh, finalmente obtuvieron mucho éxito en el mercado de fotocopiadoras. En el mercado de comidas rápidas, el éxito inicial de McDonald's atrajo a los imitadores, entre otros Burger King, Wendy's y Foodmaker, con sus restaurantes Jack-in-the-Box.

Aunque su participación en el mercado ha declinado desde los primeros días, compañías como Apple, Xerox y McDonald's todavía son importantes competidores. Otros innovadores iniciales no fueron tan afortunados. Por ejemplo, a mediados de la década de 1970 EMI fue pionera en el desarrollo del escáner CAT. Este escáner ampliamente considerado el avance en radiología más importante desde los rayos X, toma radiografías tridimensionales del cuerpo humano. Sin embargo, a pesar de ser pionera, EMI pronto vio que imitadores como General Electric capturaban el mercado. La compañía abandonó este mercado a comienzos de la década de 1980. En forma similar, Bowman inventó la calculadora de bolsillo, sólo para ver que Texas Instruments obtenía las retribuciones a largo plazo de esta innovación, y RC Cola fue pionera en la introducción de las colas dietéticas, pero Coca Cola y Pepsico fueron las que obtuvieron enormes utilidades de este concepto.

Dada la dificultad para evitar la imitación, el problema clave de una compañía innovadora en una industria embrionaria consiste en descubrir cómo explotar su innovación y generar una ventaja competitiva a largo plazo y permanente fundamentada en el bajo costo o la diferenciación. Hay disponibles tres estrategias para la compañía: (1) desarrollar y comercializar por sí misma la innovación; (2) desarrollar y comercializar la innovación junto con otras compañías mediante una alianza estratégica o *joint venture* y (3) autorizar con licencia la innovación a otras compañías y permitirles desarrollar el mercado.

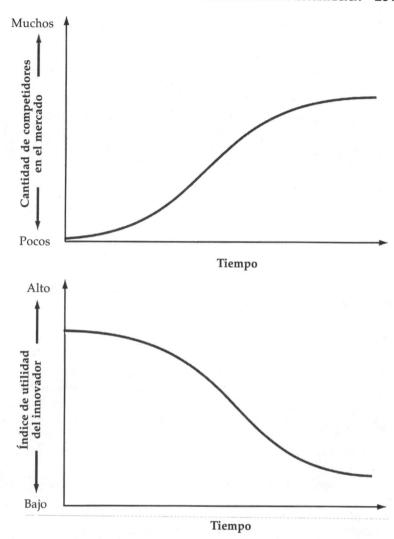

Figura 7.1
Cómo las utilidades de los innovadores pueden caer por la competencia

La óptima selección de la estrategia depende de tres factores. En primer lugar, ¿la compañía innovadora posee los **activos complementarios** para explotar su innovación y obtener una ventaja competitiva? En segundo lugar, ¿qué tan difícil es para los imitadores copiar la innovación de la compañía; en otras palabras, cuál es la **dificultad de las barreras para la imitación**? Y en tercer lugar, ¿existen **competidores capaces** que puedan imitar rápidamente la innovación? Antes de analizar la óptica selección de una estrategia de innovación, es necesario examinar estos factores.

Activos complementarios

Éstos son los activos necesarios para explotar en forma exitosa una nueva innovación y obtener ventaja competitiva[4]. Entre los activos más importantes se encuentran competitivas instalaciones de fabricación con las cuales se pueda manejar el rápido crecimiento mientras se mantiene la alta calidad del producto. Estas instalaciones permiten que el innovador se desplace rápidamente hacia abajo en la curva de experiencia sin tropezarse con cuellos de botella en producción y/o problemas en la calidad de los productos. Una incapacidad de satisfacer la demanda debido a estos problemas puede generar oportunidades para que los imitadores ingresen en el mercado. Por ejemplo, Compaq Computer pudo crecer rápidamente en el mercado de los computadores personales MS-DOS a mediados de la década de 1980 a expensas del pionero de dicho producto, IBM, en gran parte porque ésta carecía de las instalaciones de fabricación para satisfacer la demanda generada para estos computadores.

Los activos complementarios también incluyen el *know-how* de marketing, una adecuada fuerza de ventas, acceso a los sistemas de distribución y una red de apoyo y servicio postventa. Todos estos activos pueden ayudar a que un innovador genere lealtad a la marca. También le ayudan a penetrar en el mercado en forma más rápida. A su vez, los resultantes aumentos en el volumen facilitan un desplazamiento hacia abajo más rápido en la curva de experiencia.

Desarrollar estos activos complementarios es costoso, y las compañías embrionarias con frecuencia necesitan grandes inyecciones de capital para este propósito. Por esta razón, los primeros en llegar (las primeras empresas en una industria) a menudo son derrotados por los que se desplazan posteriormente (las empresas que ingresan posteriormente) -compañías grandes y exitosas, a menudo establecidas en otras industrias, que poseen los recursos para generar en forma rápida una presencia en la nueva industria. Una compañía como 3M es el ejemplo de firmas que pueden desplazarse rápidamente con el propósito de aprovechar las oportunidades que surgen cuando otras organizaciones abren nuevos mercados de productos, como sucedió con los discos compactos o los disquetes. En efecto, 3M llega tarde pero debe temérsele.

Barreras para la imitación

En el capítulo 4 se analizaron por primera vez las barreras para la imitación, al abordar la durabilidad de la ventaja competitiva. Como se recordará, las barreras para la imitación son factores que impiden que los rivales imiten las habilidades distintivas de una compañía. También pueden considerarse factores que evitan que los rivales, particularmente los que llegan posteriormente, imiten la innovación de una empresa. Aunque finalmente cualquier inovación se puede copiar, cuanto más difíciles sean las barreras para la imitación, mayor tiempo emplearán los rivales para reproducirla.

Las barreras para la imitación proporcionan al innovador tiempo de establecer ventaja competitiva y generar barreras más duraderas para el ingreso en el mercado recientemente creado. Por ejemplo, las patentes son, entre otras, las barreras para la imitación más ampliamente utilizadas. Xerox, al proteger su tecnología de fotocopiadoras con una barrera de patentes, pudo dilatar cualquier imitación importante de su producto durante 17 años. Sin embargo, los artículos bajo patentes a menudo son fáciles de plagiar en poco tiempo. Por ejemplo, en un estudio se halló que el 60% de las innovaciones patentadas fueron plagiadas alrededor de cuatro años[5]. Si la protección de patentes es débil, una compañía podría tratar de dilatar la imitación al desarrollar en secreto nuevos productos y procesos. El ejemplo más famoso de este enfoque lo constituye Coca-Cola, que durante generaciones ha mantenido en secreto la fórmula de Coke. Pero el éxito de Coca-Cola a este respecto es una excepción. Un estudio de 100 compañías ha estimado que la información propietaria, acerca de la decisión de la compañía de desarrollar un nuevo producto o proceso importante lo conocen sus rivales en aproximadamente 12 a 18 meses después de que se ha tomado la decisión inicial.

Competidores capaces

La capacidad de los competidores para imitar la innovación de un pionero depende básicamente de dos factores: (1) habilidades de I&D y (2) acceso a los activos complementarios. Los demás factores permanecen constantes, cuanto mayor sea la cantidad de competidores capaces con acceso a habilidades de I&D y activos complementarios necesarios para imitar una innovación, más rápido y mayor probabilidad habrá de que ésta se genere.

Las habilidades de I&D son aquellas que permiten a los rivales hacer un proceso de ingeniería hacia atrás en una innovación con el fin de investigar cómo funciona y desarrollar rápidamente un producto equivalente. De nuevo, considérese el caso del escáner CAT. General Electric compró uno de los primeros escáneres CAT producidos por EMI, y técnicos expertos de la compañía lo estudiaron para conocer su funcionamiento. A pesar de la complejidad tecnológica del producto, desarrollaron su propia versión, que le permitió imitar en forma rápida a EMI y remplazarla como el principal proveedor de escáneres CAT.

Con relación a los activos complementarios, el acceso que los rivales tienen a los activos complementarios como capacidades de marketing, *know-how* de ventas o fabricación es uno de los determinantes claves del índice de imitación. Si los potenciales imitadores carecen de activos complementarios vitales, no solamente deben copiar la innovación; también tendrían que reproducir los activos complementarios del innovador. Esto es costoso, como lo descubrió AT&T cuando intentaba ingresar en el negocio de computadores personales en 1984. AT&T carecía de los activos de marketing (fuerza de ventas y sistemas de distribución) necesarios para apoyar los computadores personales. La carencia de estos activos y el tiempo empleado en generarlos explican en parte por qué cuatro años después de su ingreso inicial en el mercado, AT&T, había perdido US$2,500 millones y no había surgido todavía como probable competidor.

Tres estrategias de innovación

En la tabla 7.1 se resume la forma como estos tres factores (activos complementarios, barreras para la imitación y capacidad de los competidores) influyen en la selección de la estrategia de innovación. La estrategia de **desarrollo** y **mercadeo de la innovación solamente** tiene mayor sentido cuando las barreras para la imitación de una nueva innovación son difíciles, cuando el innovador posee los activos complementarios necesarios para desarrollar la innovación, y cuando la cantidad de competidores capaces es limitada. Las altas barreras a la imitación

Tabla 7.1
Estrategias para obtener utilidades de la innovación

Estrategia	¿El innovador posee todos los activos complementarios requeridos?	Probable dificultad de las barreras para la imitación	Cantidad de competidores capaces
Trabajar en forma individual	Sí	Alta	Pocos
Ingreso a una alta alianza	No	Alta	Limitados
Innovar con licencia	No	Baja	Muchos

incrementan el tiempo que posee el innovador para establecer una ventaja competitiva y generar permanentes barreras para el ingreso a través de la lealtad a la marca y/o ventajas en costos basadas en la experiencia. Los activos complementarios permiten el rápido desarrollo y promoción de la innovación. Cuanto menor sea la cantidad de competidores capaces, existe menos probabilidad que cualquiera supere exitosamente las barreras para la imitación y copien rápidamente la innovación.

La estrategia de **desarrollo y comercialización de la innovación justo con otras compañías mediante una alianza estratégica o joint venture** tiene mayor sentido cuando las barreras para la imitación son difíciles, existen varios competidores capaces y el innovador carece de activos complementarios. En tales circunstancias, tiene sentido concertar una alianza con una compañía que ya posee los activos complementarios; en otras palabras, con un competidor capaz. En teoría, esta alianza debe probar que es mutuamente benéfica, y cada socio puede participar en altas utilidades que no podrían obtener independientemente. El intento de Body Shop International, descrito en la estrategia en acción 7.1, de trabajar en forma individual para ingresar en el mercado estadounidense en lugar de formar una alianza con socios de ese país, ilustra los beneficios de las alianzas al explotar rápidamente una innovación.

La tercera estrategia, **autorización con licencia**, tiene mayor sentido cuando las barreras para la imitación son bajas, la compañía innovadora carece de los activos complementarios y existen muchos competidores capaces. La combinación de bajas barreras para la imitación y muchos competidores capaces hace casi evidente la rápida imitación. La carencia de activos complementarios por parte de los innovadores sugiere además que un imitador capturará rápidamente la ventaja competitiva del innovador. Dados estos factores, debido a que es inevitable la rápida difusión tecnológica del innovador mediante la imitación, al autorizar mediante licencia su tecnología puede participar por lo menos en algunos de los beneficios de esta difusión[8].

7.5   ESTRATEGIA EN INDUSTRIAS MADURAS

Señalización de precios
lideVazgo en precios

Como resultado de la agresiva competencia durante la etapa de recesión, una industria se consolida y, así, una industria madura a menudo es dominada por una pequeña cantidad de grandes compañías. Aunque también puede incluir organizaciones de mediana magnitud y un sinnúmero de pequeñas firmas especializadas, las grandes empresas determinan la naturaleza de la competencia industrial debido a que pueden influir en las cinco fuerzas competitivas. En efecto, son firmas que desarrollaron las estrategias genéricas competitivas más exitosas para manejar el ambiente de la industria.

Al final de la etapa de recesión, los grupos estratégicos de compañías que siguen estrategias genéricas competitivas similares surgen en la industria. Por ejemplo, todas las compañías que utilizan una estrategia de bajo costo pueden considerarse componentes de un grupo estratégico. Todas aquellas que siguen la diferenciación constituyen otro, y las que se concentran forman un tercer grupo. Las compañías han aprendido a analizar las estrategias de cada una, y saben que sus acciones competitivas estimularán una respuesta competitiva por parte de los rivales en su grupo estratégico y por parte de las empresas en otros grupos que puedan verse amenazados por estas acciones. Por ejemplo, un diferenciador que comienza a disminuir precios porque ha adoptado una tecnología más eficiente no sólo amenaza a otros diferenciadores en su grupo, sino también a las compañías de bajo costo, que ven deteriorarse su ventaja competitiva. Por tanto, en la etapa de madurez del ciclo de vida industrial, *las compañías han aprendido el significado de interdependencia competitiva.*

Body Shop abre muy tarde

En 1976, Anita Roddick, una exhippie dueña de un pequeño hotel en el sur de Inglaterra, tuvo una idea. La creciente conscientización contra el uso de animales en pruebas de cosméticos y una ola de ambientalismo, concentrados en los productos "naturales", le dieron la idea de fabricar una variedad de cremas para la piel, champúes y lociones producidas a base de aceites de frutas y vegetales en vez de utilizar derivados de los animales. Además, sus productos no se probarían en animales. Roddick comenzó a vender su nueva línea en un pequeño almacén localizado en Brighton, población costera, y los resultados superaron sus erradas expectativas. Su línea de cosméticos tuvo un éxito inmediato y con el fin de sacar provecho, dio comienzo a una franquicia para tener derecho a abrir almacenes llamados The Body Shop donde vendiera sus productos. En 1993 había más de 700 almacenes en el mundo, con ventas combinadas superiores a los US$250 millones.

En Gran Bretaña y Europa, con el propósito de acelerar el crecimiento de la compañía, Roddick concedió la franquicia de sus almacenes principalmente mediante alianzas con otros individuos y empresas. Sin embargo, en su afán por ingresar al mercado estadounidense en 1988, decidió tener sus propios almacenes y renunciar a la rápida expansión posible mediante la franquicia. Éste fue un error costoso. Grandes organizaciones estadounidenses de cosméticos como Estée Lauder y empresarios como Leslie Wexner de The Limited, estu-

vieron pendientes y percibieron las oportunidades que Roddick había abierto en este segmento del mercado en rápido crecimiento. Ellos se desplazaron rápidamente para imitar sus líneas de productos, las cuales no eran técnicamente difíciles de realizar, y comenzaron a comercializar sus propios cosméticos naturales. Por ejemplo, Estée Lauder lanzó su línea de cosméticos Origins, y Wexner inauguró Bath and Body Works para vender su propia línea de cosméticos naturales. Ambas empresas habían sido muy exitosas y lograron una amplia participación en el mercado.

Al darse cuenta de la amenaza competitiva que representaban los imitadores, Roddick en 1990 comenzó a conceder en forma rápida la franquicia de The Body Shop en EE.UU. y en 1993 se abrieron más de 150 almacenes. Aunque estos almacenes tuvieron éxito, el retraso en su apertura dio a los competidores de Roddick la oportunidad de establecer sus propias marcas y le robaron a la empresa la exclusividad que sus productos disfrutaban en toda Europa. Dado que EE.UU. constituye por un amplio margen el mayor mercado de cosméticos del mundo y que los cosméticos naturales conforman su segmento de mayor crecimiento, este error le costará a Body Shop miles de millones de dólares en ingresos perdidos durante los próximos años. Cuando una innovación es fácil de imitar y existen muchos competidores capaces, establecer una alianza con otros puede acelerar el desarrollo de un nuevo producto[7].

En industrias maduras, las compañías seleccionan movimientos competitivos a fin de maximizar su ventaja competitiva *dentro de la estructura de competencia industrial*. En efecto, para entender la estrategia a nivel de negocios en industrias maduras, se debe comprender cómo grandes compañías tratan de estabilizar en forma colectiva la competencia industrial con el propósito de evitar el ingreso, capacidad industrial sobrante o la implacable competencia en precios, que afectaría a todas las empresas. (Estos esfuerzos son indirectos debido a que la confabulación explícita entre compañías viola la ley antimonopolio). La estrategia genérica seguida por una compañía afecta a otras firmas en forma directa debido a que éstas compiten entre sí en el mismo ámbito. Entonces, ¿cómo pueden las compañías manejar la competencia industrial de tal modo que protejan *simultáneamente* su ventaja competitiva individual y no quebrantar las reglas industriales que preservan la rentabilidad industrial? (Recuérdese que ninguna estrategia genérica proporcionará utilidades superiores al promedio si las fuerzas competitivas son tan fuertes que las compañías se encuentran a merced de las demás, de proveedores y de clientes poderosos).

Éstas pueden lograrlo al hacer movimientos y utilizar técnicas competitivas para reducir la amenaza de cada fuerza competitiva. En la próxima sección se examinarán los diversos métodos concentrados y no concentrados en el precio que utilizan las compañías; en primer lugar, para impedir el ingreso en una industria y, en segundo lugar, con el fin de reducir el nivel de rivalidad industrial. Luego se analizarán los métodos que emplean las compañías para obtener más control sobre los proveedores y los compradores.

7.6 ESTRATEGIAS PARA IMPEDIR EL INGRESO EN INDUSTRIAS MADURAS

Las compañías industriales pueden utilizar tres métodos importantes para impedir el ingreso de potenciales rivales y de esta manera sostener e incrementar la rentabilidad de la industria. Como se ilustra en la figura 7.2, estos métodos son proliferación de productos, reducción de precios y sostenimiento de la capacidad sobrante.

Proliferación de productos

Las compañías rara vez fabrican un solo producto. Generalmente, fabrican una variedad de productos dirigidos a diferentes segmentos del mercado de manera que cuentan con amplias líneas de productos. Algunas veces, con el fin de reducir la amenaza de ingreso, las compañías ajustan su variedad de productos para llenar una amplia variedad de nichos, creando así una barrera de entrada contra potenciales competidores. Esta estrategia de seguir una amplia línea de productos con el fin de impedir el ingreso se conoce como **proliferación de productos**.

Debido a que los grandes fabricantes de automóviles estadounidenses se demoraron bastante en llenar los nichos de vehículos pequeños, fueron vulnerables al ingreso de los japoneses dentro de estos segmentos de mercado en EE.UU. En realidad no tenían excusa para esta situación, debido a que en sus operaciones europeas tenían un largo historial de fabricación de automóviles pequeños. Debieron haber visto la oportunidad y aprovecharla diez años antes, pero su percepción consistía en que los automóviles pequeños representaban pequeñas utilidades. Por otro lado, en la industria

Figura 7.2
Estrategias para impedir el ingreso

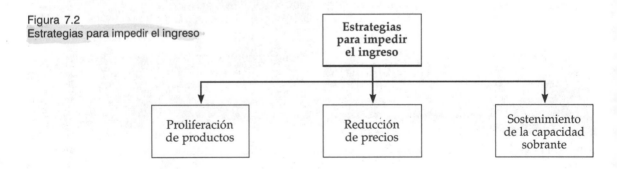

de cereales para consumo en el desayuno, la competencia se fundamenta en la producción de nuevas variedades de cereales con el fin de satisfacer o crear nuevos deseos de consumo. Por esta razón, prolifera la cantidad de variedades utilizadas en el desayuno, dificultando que los potenciales participantes ataquen un nuevo segmento del mercado.

La figura 7.3 indica cómo la proliferación de productos puede impedir el ingreso. Ésta esboza en dos dimensiones el espacio del producto en la industria de restaurantes: (1) la atmósfera, que va desde las comidas rápidas hasta la cena a la luz de la vela, y (2) la calidad de la comida, que va desde la corriente hasta la gastronómica. Los círculos representan los espacios de productos ocupados por los restaurantes que se localizan en las dos dimensiones. Por ejemplo, McDonald's está situado en el área promedio de calidad/comida rápida. Un vacío en el espacio de productos proporciona a un potencial participante o a un rival existente la oportunidad de ingresar en el mercado y hacer incursiones. El espacio sombreado no ocupado por productos representa áreas donde los nuevos restaurantes pueden ingresar al mercado. Sin embargo, llenar todos los espacios de productos crea una barrera para el ingreso y hace mucho más difícil que un aspirante participe en el mercado y se diferencie por sí mismo.

Figura 7.3
Proliferación de productos en la industria de restaurantes

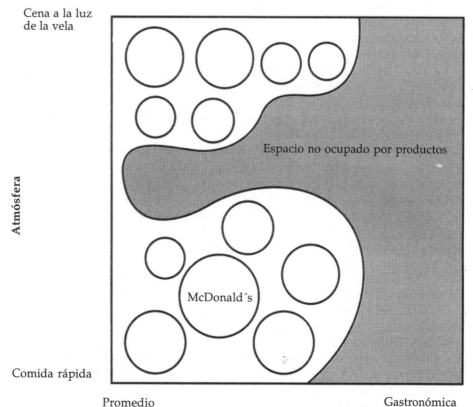

Reducción de precios

En algunas situaciones, las estrategias de precios que involucran la disminución de éste se pueden utilizar para impedir el ingreso de otras compañías, y de esta manera proteger los márgenes de utilidad de las compañías ya establecidas en una industria. Por ejemplo, una estrategia de reducción de precios consiste en cargar inicialmente un precio alto a un producto y obtener utilidades a corto plazo, pero luego disminuir agresivamente los precios con el fin de generar participación en el mercado y evitar el ingreso de potenciales participantes en forma simultánea[10]. Las compañías involucradas indican a los aspirantes potenciales que si ingresan a la industria, utilizarán su ventaja competitiva para disminuir los precios a un nivel donde las nuevas compañías no puedan cubrir sus costos[11]. Esta estrategia de fijación de precios también permite a una compañía bajar la curva de experiencia y obtener considerables economías de escala. Puesto que los costos caerían junto con los precios, los márgenes de utilidad aún podrían mantenerse.

Sin embargo, es probable que esta estrategia no detenga a un potencial competidor fuerte: una compañía establecida que esté tratando de hallar oportunidades de inversión rentables en otras industrias. Por ejemplo, es difícil imaginarse a 3M temerosa de ingresar en una industria debido a que las organizaciones allí localizadas amenazan con disminuir los precios. Una compañía como 3M posee los recursos para soportar cualquier pérdida a corto plazo. Por tanto, puede ser del interés de las empresas involucradas aceptar gustosamente nuevos ingresos de otras compañías, dejando gradualmente la participación en el mercado a los nuevos participantes con el fin de evitar que se desarrollen guerras de precios.

La mayor evidencia sugiere que las compañías primero examinan el mercado y cargan altos precios durante la etapa de crecimiento, maximizando las utilidades a corto plazo[12]. Luego se inclinan a incrementar su participación en el mercado y cobran un precio menor para expandir el mercado, generar reputación y obtener economías de escala en forma rápida, reduciendo costos y las barreras para el ingreso. A medida que ingresan los competidores, las compañías involucradas reducen los precios para demorar el ingreso y desisten de la participación en el mercado con el fin de crear un contexto industrial estable, donde puedan utilizar métodos competitivos libres de precios para maximizar las utilidades a largo plazo. En este punto, la competencia libre de precios se convierte en la base principal de la competencia industrial, y es muy probable que los precios aumenten a medida que se estabiliza la competencia. Por esta razón, se encuentran vinculadas las decisiones sobre determinación de precios competitivos y diferenciación del producto; están determinadas por la forma como una compañía maneja su estrategia genérica para maximizar las utilidades cuando las empresas son altamente interdependientes. La industria de transporte aéreo, analizada en la estrategia en acción 7.2, ofrece un ejemplo de cómo y cuándo las compañías utilizan estas técnicas con el propósito de generar barreras para el ingreso para evitar la llegada de nuevos participantes y reducir la rivalidad.

Aunque todas estas técnicas concentradas y no concentradas en el precio han reducido la cantidad de nuevos participantes y el nivel de rivalidad, la industria de transporte aéreo aún no es rentable. Todavía existe capacidad sobrante en este medio, lo cual disminuye sus utilidades, y muchas aerolíneas sufren pérdidas. Sin embargo, las aerolíneas colectivamente estarían en una posición más desfavorable si no hubieran desarrollado estas técnicas para manejar su ambiente.

Mantener la capacidad sobrante

Una técnica competitiva adicional que permite a las compañías evitar el ingreso de otras consiste en mantener cierta cantidad sobrante de capacidad productiva. Como se verá en la próxima sección, la capacidad sobrante es un importante factor que afecta el nivel de competencia en una

ESTRATEGIA EN ACCIÓN 7.2

Altibajos en la industria del transporte aéreo

Antes de la desregulación en 1978, la competencia en precios de tarifas y tiquetes no se permitía en la industria de transporte aéreo, y las aerolíneas debían hallar otras formas de competir para obtener clientes. Su respuesta consistió en atraer clientes al ofrecer vuelos más frecuentes y mejor servicio. Sin embargo, debido a que todas se imitaban entre sí, ninguna aerolínea pudo lograr una ventaja competitiva sobre sus rivales, y los costos de todas aumentaron dramáticamente debido a los vuelos extras, los alimentos mejorados y otros. Con el fin de asumir los altos costos, las aerolíneas constantemente ajustaban las tarifas. Como resultado, los clientes pagaban tarifas cada vez mayores para compensar la ineficiencia de las aerolíneas. En un intento por resolver este problema, el Congreso decidió desregular la industria, permitiendo la competencia en precios de tiquetes y el libre ingreso a la industria. Las aerolíneas no deseaban desregulación. (¿Por qué tenían que hacerlo? Recibían buena utilidad como industria protegida). Sin embargo, ésta se llevó a cabo en 1979, y el resultado fue un caos.

La desregulación destruyó las antiguas reglas competitivas del juego. Antes de ésta, las principales aerolíneas sabían cómo podían competir e indicar sus intenciones entre sí de tal manera que entendían los movimientos competitivos de cada una de ellas. En el nuevo mundo de la competencia en precios, ingresar en la industria era fácil, y un sinnúmero de pequeñas aerolíneas lo hicieron para competir con las más importantes. Durante la regulación ninguna aerolínea había tenido que desarrollar una estrategia genérica. No había incentivos para mantener bajos costos debido a que los aumentos podrían transferirse a los consumidores. Además, todas las firmas habían utilizado los mismos medios para diferenciarse, de tal modo que ninguna aerolínea tenía la ventaja competitiva de ser exclusiva. Sin reglas que les indicaran cómo competir y sin experiencia en libre competencia, las aerolíneas libraron una guerra de precios cuando

los nuevos participantes de bajo costo como People Express y Sothwest Air buscaron obtener participación en el mercado de las aerolíneas más importantes.

Durante varios años la competencia en precios permaneció como el principal comportamiento competitivo en la industria del transporte aéreo, y el resultado fue un bajo nivel de rentabilidad. La mayoría de las aerolíneas perdieron dinero. Sin embargo, en 1988 la industria pasó por una etapa de recesión. Muchos de los nuevos participantes que habían precipitado la crisis entraron en quiebra debido a las guerras de precios o fueron devorados por las organizaciones más importantes. Las principales compañías también habían desplegado sofisticadas estrategias a nivel de negocios fundamentadas en el desarrollo de redes de concentración y comunicación, que les permitieron consolidar estructuras de rutas nacionales a bajo costo. Estas redes dificultaron el ingreso de nuevas firmas a la industria, debido a que las principales compañías tenían disponibles todos los terminales de los grandes aeropuertos. A través de estos medios, las grandes compañías habían creado nuevas barreras para el ingreso y así redujeron la amenaza representada por los nuevos participantes. En consecuencia, se encontraron en la posición de desarrollar nuevas reglas competitivas de juego con el fin de estabilizar la rivalidad en la industria y evitar la competencia en precios.

Dentro de la industria, las principales empresas también adoptaron técnicas competitivas para reducir el nivel de rivalidad competitiva. Rápidamente las aerolíneas imitaron sus políticas de precios. En la mayoría de segmentos de rutas los precios cargados por las aerolíneas diferían en menos del 5%, y las aerolíneas utilizaban señalización de mercados para comunicarse su intención de hacer cambios, así como sus incrementos en los precios. En 1990, las aerolíneas también comenzaron en forma conjunta una política de emisión de tiquetes no reembolsables con el fin de reducir sus costos y transferir el riesgo al consumidor[13].

industria debido a que puede generar una reducción de precios y una disminuida rentabilidad en la industria. Sin embargo, las compañías existentes pueden preferir poseer una cantidad limitada de capacidad sobrante pues les sirve para advertir a los potenciales aspirantes que si ingresan en su ámbito pueden tomar retaliaciones al incrementar la producción y reducir los precios hasta que el ingreso no sea rentable. Además, la amenaza de incremento de la producción debe ser *creíble*; en forma colectiva, las compañías involucradas en la industria deben ser capaces de aumentar en forma rápida el nivel de producción si existe la probabilidad de ingreso por parte de otras. Por tanto, las firmas en la industria podrían preferir cierto nivel de capacidad excedente.

7.7   ESTRATEGIAS PARA MANEJAR LA RIVALIDAD EN INDUSTRIAS MADURAS

Más allá de evitar el ingreso, las compañías también desean utilizar estrategias para manejar su interdependencia competitiva y disminuir la rivalidad debido a que la competencia no restringida sobre los precios o la producción reducirá el nivel de rentabilidad de la compañía y de la industria. Las organizaciones cuentan con varias estrategias para manejar las relaciones en la industria. Las más importantes son señalización de precios, liderazgo en precios, competencia libre de precios y control de la capacidad.

Señalización de precios

Todas las industrias comienzan fragmentadas, con pequeñas compañías que luchan por lograr la participación en el mercado. Luego, con el paso del tiempo, surgen los participantes líderes, y las compañías comienzan a interpretarse entre sí los movimientos competitivos. **La señalización de precios** es el primer medio por el cual las compañías intentan estructurar la competencia en la industria con el fin de controlar la rivalidad entre los competidores[14]. La señalización de precios es el proceso por el cual las empresas manifiestan sus intenciones a las otras compañías sobre la estrategia de precios y cómo competirán en el futuro o reaccionarán ante los movimientos competitivos de sus rivales. Existen muchas formas por las cuales la señalización de precios les puede ayudar a defender sus estrategias genéricas competitivas.

En primer lugar, las compañías pueden utilizar la señalización de precios para anunciar que responderán en forma vigorosa a los hostiles movimientos competitivos que les amenacen. Por ejemplo, pueden indicar que si una firma comienza a reducir los precios en forma agresiva, ellas responderán del mismo modo con el fin de mantener el *statu quo* y evitar que cualquier organización obtenga ventaja competitiva. En forma similar, como se anotó en la sección anterior, las compañías pueden indicar a los potenciales ingresantes que si entran en el mercado, ellas se defenderán reduciendo precios o empleando otros agresivos movimientos competitivos. Por tanto, la señalización de precios *protege la estructura existente de ventaja competitiva* al impedir que potenciales imitadores intenten copiar las estrategias genéricas de otras compañías.

Un segundo propósito, y muy importante, de la señalización de precios consiste en permitir indirectamente que las compañías coordinen sus acciones y eviten costosos movimientos competitivos que las lleven a un fracaso en la política de precios de la industria. Una compañía puede indicar que intenta disminuir los precios con el argumento que desea atraer clientes que se están cambiando a los productos de otra industria, no porque desee estimular una guerra de precios. Por otro lado, la señalización de precios puede utilizarse para mejorar la rentabilidad de la industria. El transporte aéreo constituye un buen ejemplo del poder de la señalización de precios. En la década de 1980, las señales de reducir precios provocaron guerras de precios, pero en la presente década las aerolíneas han utilizado la señalización de precios para obtener aumentos uniformes. De igual manera, los tiquetes no reembolsables se originaron como una señal de mercado por parte de una compañía que rápidamente haya sido copiada por las demás en la industria. En resumen, la señalización de precios permite que las compañías se proporcionen información entre sí lo cual les posibilita entender la estrategia competitiva de producto/mercado de las demás y realizar movimientos competitivos coordinados.

Liderazgo en precios

El liderazgo en precios (cuando una compañía asume la responsabilidad de establecer los precios de una industria) constituye otra forma de utilizar la señalización de precios para incrementar la rentabilidad de la política de productos/mercado entre organizaciones en una industria madura[15]. Al establecer precios, el líder de la industria crea en forma implícita los estándares que seguirán otras compañías. El líder en precios generalmente es la compañía más fuerte en la industria, aquella con la mejor capacidad para amenazar a otras que podrían reducir precios o incrementar su producción para obtener mayor participación en el mercado. Por ejemplo, las vastas reservas de petróleo de Arabia Saudita, el líder en precios en la industria petrolera. Esta posición le permitió advertir que si otros países incrementaban su producción, también lo haría, aunque disminuyera el precio del petróleo. En forma similar, De Beers controla el precio de los diamantes puesto que domina su distribución mundial.

El liderazgo formal en precios, o el establecimiento de precios por parte de compañías unidas, es ilegal ante las leyes antimonopolio, por tanto, el proceso de liderazgo en precios con frecuencia es muy sutil. Por ejemplo, en la industria automotriz los precios se establecen por imitación. El establecimiento de precios por parte de la compañía más débil -es decir, la que posee los costos más altos- a menudo se utiliza como la base para la determinación de precios por parte de los competidores. Así, los fabricantes estadounidenses de automóviles establecen sus precios, y luego los japoneses determinan los suyos con base en los de los estadounidenses. Los japoneses están felices de hacerlo ya que poseen menores costos que las compañías estadounidenses y logran mayores utilidades que los fabricantes de EE.UU. sin competir con ellos en precios. La fijación de precios es realizada por el segmento del mercado. Los precios de los diferentes modelos de automóviles en la diversidad de modelos indican los segmentos de clientes hacia los cuales apuntan las compañías y la variedad de precios que, consideran, puede tolerar el segmento del mercado. Cada fabricante establece el precio de un modelo en el segmento con base en los precios que cargan sus competidores, no con referencia a los costos de los competidores. Por tanto, el liderazgo en precios ayuda a los diferenciadores a cobrar un precio superior y ayuda a las compañías de bajo costo a incrementar sus márgenes. En consecuencia, se constituye en una estrategia combinada muy rentable de bajo costo/diferenciación.

El liderazgo en precios puede estabilizar las relaciones industriales al evitar el tipo de competencia directa, y aumenta el nivel de rentabilidad de la industria de tal manera que las compañías poseen fondos para futuras inversiones y buenos rendimientos para los accionistas. Sin embargo, el liderazgo en precios tiene sus peligros. Éste ayuda a las compañías más productivas o más eficientes. En consecuencia, puede estimular el conformismo: las compañías pueden mantenerse sacando utilidades sin reinvertir nada para mejorar su productividad. A largo plazo, tal comportamiento las hará vulnerables a los nuevos aspirantes que tengan menores costos debido a que han desarrollado nuevas técnicas de producción. Esto le sucedió a las industrias estadounidenses automotriz y de electrodomésticos cuando los japoneses ingresaron en estos mercados. Años después de una política tácita de precios, con General Motors como líder, los fabricantes de automóviles estuvieron sujetos a la creciente competencia japonesa de bajo costo, ante la cual fueron incapaces de responder. En efecto, muchas compañías automotrices estadounidenses han sobrevivido en el nuevo ambiente competitivo sólo porque los fabricantes japoneses eran firmas extranjeras. Si hubieran sido nuevos participantes estadounidenses, el gobierno probablemente no habría emprendido medidas para protegerlos, y Chrysler, Ford y General Motors serían compañías mucho más pequeñas.

Competencia libre de precios

Un tercer aspecto muy importante de la estrategia de producto/mercado en industrias maduras lo constituye el uso de la competencia libre de precios para manejar la rivalidad industrial. Aplicar varias técnicas para tratar de evitar la costosa reducción y guerras de precios no evitan la competencia en diferenciación del producto. En muchas industrias, la diferenciación del producto se utiliza como la principal arma competitiva para evitar que los competidores tengan acceso a los clientes de una compañía y ataquen su participación en el mercado. En otras palabras, las compañías dependen de la diferenciación del producto para detener a potenciales participantes y manejar la rivalidad industrial. Esto les permite competir por la participación en el mercado al ofrecer productos con características diferentes o superiores o al aplicar diferentes técnicas de mercadeo. En la tabla 7.2, las dimensiones de productos y segmentos de mercado se utilizan para identificar cuatro estrategias competitivas libres de precio fundamentadas en la diferenciación del producto. (Nótese que en este modelo se consideran nuevos segmentos del mercado, no nuevos mercados).

Penetración en el mercado   Cuando una compañía se concentra en ampliar la participación en su mercado actual del producto, se involucra en una estrategia de penetración en el mercado[16]. La penetración en el mercado implica publicidad para promover y generar la diferenciación del producto. En una industria madura, el crédito de la publicidad consiste en influir la selección de la marca por parte del consumidor y generar su reputación de nombre de marca para la compañía y sus productos. En esta forma, una empresa puede incrementar su participación en el mercado al atraer clientes de sus rivales. Debido a que los productos de marca con frecuencia imponen precios superiores, la generación de participación en el mercado es muy rentable en este caso.

En algunas industrias maduras (por ejemplo, jabones y detergentes, pañales desechables y cerveza), una estrategia de penetración en el mercado con frecuencia se convierte en una forma de vida[17].

Tabla 7.2
Cuatro estrategias para la competencia libre de precios

Segmentos de mercado	Productos	
	Existentes	Nuevos
Existentes	Penetración en el mercado	Desarrollo de productos
Nuevos	Desarrollo del mercado	Proliferación de productos

En estas industrias, todas las compañías participan en intensa publicidad y batallas por la participación en el mercado. Cada una teme que si no hace publicidad perderá la participación en el mercado ante sus rivales. Como consecuencia, en la industria de jabones y detergentes, por ejemplo, más del 10% de los ingresos por ventas se van en publicidad, con el objetivo de mantener y quizá consolidar participación en el mercado. Estos grandes gastos en publicidad constituyen una barrera de ingreso para potenciales participantes. Como se ilustra en la estrategia en acción 7.3, Toys Я Us creció prominentemente en el mercado minorista de juguetes al seguir una estrategia de penetración en el mercado.

Desarrollo de productos   El desarrollo de productos consiste en la creación de nuevos productos o mejoramiento de los mismos para remplazar a los existentes[19]. La industria de espuma para afeitar ejemplifica un medio que depende de la sustitución de productos para crear exitosas olas de demanda del consumo, que luego generan nuevas fuentes de ingresos para las compañías de la industria. Por ejemplo, en 1989 Gillette apareció con su nuevo sistema de afeitada Sensor, proporcionando un gran aumento a su participación en el mercado. A su vez, Wilkinson Sword respondió con su versión del producto.

El desarrollo de productos es importante para mantener la diferenciación de éstos y generar participación en el mercado. Por ejemplo, el detergente Tide ha sufrido más de 50 cambios diferentes en su formulación durante los últimos 40 años para mejorar su rendimiento. Siempre se le hace publicidad bajo el nombre de Tide, pero es un producto diferente cada año. La guerra de las colas dietéticas constituye otro ejemplo interesante de la diferenciación competitiva de productos como parte de su desarrollo. Royal Crown Cola desarrolló Diet Riet, la primera cola dietética. Sin embargo, Coca Cola y Pepsico respondieron rápidamente con sus versiones de la bebida refrescante y, mediante el uso de publicidad masiva, pronto se apoderaron del mercado. Refinar y mejorar los productos es un elemento importante en la defensa de la estrategia genérica competitiva de una compañía en una industria madura, pero este tipo de competencia puede ser tan perjudicial como una guerra de precios.

La señalización del mercado para los competidores también se puede constituir en una parte importante de una estrategia de desarrollo de productos. Una compañía puede permitir que otras conozcan que se encuentra realizando innovaciones de productos, los cuales le proporcionarán una ventaja competitiva no imitable efectivamente debido a que su ingreso en el mercado será demasiado tarde. Por ejemplo, compañías de software como Microsoft con frecuencia anuncian con años de anterioridad sus nuevos sistemas operativos. El propósito de este anuncio consiste en impedir que potenciales competidores realicen grandes inversiones necesarias para rivalizar con los líderes de la industria y hacer saber a los clientes que la compañía aún posee la ventaja competitiva tan importante para conservar su lealtad. Sin embargo, la señalización anticipada puede ser contraproducente, como le sucedió a IBM cuando anunció que su sistema operativo PS/2 no sería compatible con los actuales sistemas operativos estándares en la industria. Otras compañías en la industria indicaron en forma colectiva a IBM y a los clientes de esta firma que se unirían para proteger los existentes sistemas operativos, preservando de esta manera los estándares industriales e impidiendo que IBM obtuviera una ventaja competitiva de su nueva tecnología. Como consecuencia, IBM se retractó. Si un movimiento anticipado tiene éxito, los competidores deben creer que una compañía actuará de acuerdo con sus señales y seguirán de cerca su posición. Si la amenaza no es creíble, la compañía señaladora debilita su posición.

Desarrollo del mercado   El desarrollo del mercado involucra hallar nuevos segmentos de mercado para los productos de una compañía. Una firma que siga esta estrategia desea sacar provecho de la marca que ha desarrollado en un segmento del mercado al localizar nuevos segmentos del

Guerra de precios en el país de los juguetes

Toys Я Us, localizada en Paramus, Nueva Jersey, creció a una asombrosa tasa anual del 25% en la década de 1980 y actualmente tiene un 20% de la participación en el mercado minorista de juguetes de US$15,000 millones, que la constituye en el líder de la industria. Para alcanzar su predominante posición en la industria, la compañía utilizó una estrategia de penetración en el mercado basada en la creación de una cadena nacional de agencias minoristas y una estrategia de liderazgo en costos. Con el fin de disminuir los costos, Toys Я Us desarrolló eficientes técnicas de administración de materiales para tomar pedidos y distribuir juguetes a sus almacenes. También suministró sólo un bajo nivel de servicio al cliente. En conjunto, estos movimientos le permitieron obtener una muy baja relación (17%) entre gastos y ventas. La compañía, entonces, utilizó sus bajos costos para promover una filosofía diaria de establecimiento de precios bajos. Deliberadamente comenzó a socavar los precios de sus rivales, y obtuvo éxito, pues sus dos mayores rivales en la década de 1980, Child World, Inc., y Lionel Corp., fueron a la bancarrota. En consecuencia, al seguir una estrategia de penetración en el mercado fundamentada en bajos costos, le generó espectaculares resultados a la compañía.

Sin embargo, en la presente década la posición líder de la compañía ha sido amenazada por un nuevo conjunto de rivales, quienes también utilizan estrategias de penetración en el mercado. Empresas como Wal-Mart, Kmart y Target rápidamente están ampliando la cantidad de almacenes y tratan de vencerle en su propio campo al vender juguetes a un precio que con frecuencia es inferior que los de Toys Я Us. En efecto, Wal-Mart ha incrementado en más del doble su participación en este mercado, (más de un 13%, y tanto las ventas de Kmart como las de Target están aumentando rápidamente. Esta nueva competencia disminuye las utilidades de Toys Я Us y en la actualidad la compañía está girando a una competencia libre de precios para atraer a los clientes. Por ejemplo, está promoviendo su amplia variedad de productos como ventaja competitiva; con una cantidad de 16,000 ítemes comparado con los 2,000 de un típico almacén de descuento. También ha decidido incrementar el nivel de servicio al cliente al ofrecer una atención más personalizada. Al hacer énfasis en la calidad y capacidad de satisfacer al cliente, como también en el bajo precio, la compañía busca detener el nuevo reto de los almacenes de descuento y mantener su crecimiento en la década de 1990[18].

mercado donde competir. En esta forma, puede explotar las ventajas de diferenciación del producto de su marca. Los fabricantes de automóviles japoneses ofrecen un ejemplo interesante sobre el uso del desarrollo del mercado. Cuando ingresaron por primera vez en el mercado, cada fabricante japonés ofrecía automóviles dirigidos a segmentos económicos del mercado automotriz. Por esta razón tanto el Toyota Corolla como el Honda Accord estaban dirigidos al pequeño segmento de vehículos económicos. Sin embargo, con el tiempo, los japoneses mejoraron cada modelo, y ahora cada uno está dirigido a un segmento de mercado más costoso. El Accord es un líder competente en el segmento mediano del sedan lujoso, en tanto que el Corolla llena el segmento de automóviles pequeños antes ocupado por el Celica, el cual ahora se dirige a un segmento de mercado más deportivo. Al redefinir sus ofertas de productos, los fabricantes japoneses han desarrollado rentablemente sus segmentos de mercado y exitosamente han atacado a sus rivales industriales, arrebatándoles la participación en el mercado. Aunque los japoneses solían competir básicamente como productores de bajo costo, el desarrollo del mercado también les ha permitido convertirse en diferenciadores.

Proliferación de productos   La proliferación de productos puede utilizarse para manejar la rivalidad industrial, al igual que detener el ingreso. La estrategia de proliferación de productos generalmente significa que todas las grandes compañías en una industria tienen un producto en cada segmento o nicho del mercado y compiten directamente para tener clientes. Si se desarrolla un nuevo nicho, como el de convertibles o cereales granulados, entonces el líder obtiene una ventaja de primer iniciador, pero rápidamente las demás compañías se adelantan, entonces de nuevo se estabiliza la competencia y se reduce la rivalidad industrial. La proliferación de productos por tanto, permite el desarrollo de una competencia industrial estable fundamentada en la diferenciación de productos, no de precios; es decir, la competencia libre de precios basada en el desarrollo de nuevos productos. La batalla es sobre la calidad percibida y exclusividad de un producto, no sobre su precio.

Control de la capacidad   Aunque la competencia libre de precios ayuda a las industrias maduras a evitar la implacable competencia que reduce los niveles de rentabilidad de la compañía y de la industria, en algunos ámbitos periódicamente surge la competencia de precios. Esto ocurre más comúnmente cuando existe capacidad sobrante en la industria, es decir, cuando las compañías en forma colectiva generan demasiada producción de tal manera que reducir el precio constituye la única forma de salir de ésta. Si una compañía comienza a reducir precios, entonces las otras rápidamente la imitan por temor a que quien reduce los precios pueda vender todo su inventario y éstas se queden con mercancías que no desean. Las estrategias de control de la capacidad pueden influir en el nivel de producción de la industria. Éstas constituyen el último conjunto de estrategias para manejar la rivalidad industrial analizadas en este capítulo.

La capacidad sobrante puede originarse por un déficit en la demanda, por ejemplo cuando una recesión disminuye la demanda de automóviles y hace que las compañías proporcionen a los clientes incentivos en precios. En esta situación, las compañías no pueden hacer nada excepto esperar mejores épocas. Sin embargo, en conjunto la capacidad sobrante proviene de respuestas simultáneas por parte de las compañías de la industria a condiciones favorables: todas invierten en nuevas plantas para poder sacar ventaja del pronosticado ascenso en la demanda. Paradójicamente, cada esfuerzo individual de una compañía para superar el desempeño de las demás significa que colectivamente generan capacidad industrial sobrante, lo cual les afecta. La figura 7.4 ilustra esta situación. Aunque la demanda aumenta, la consecuencia de la decisión de cada firma de acrecentar la capacidad constituye un incremento repentino en la capacidad de la industria, que disminuye los precios.

Con el propósito de evitar la acumulación de una costosa capacidad sobrante, las compañías deben diseñar estrategias que les permitan el control, o por lo menos beneficiarse, de programas de expansión de la capacidad. Sin embargo, antes de examinar estas estrategias, es necesario considerar en detalle los factores que ocasionan la capacidad sobrante[20].

Factores que ocasionan la capacidad sobrante   Los problemas de capacidad con frecuencia provienen de factores tecnológicos. Algunas veces la nueva tecnología de bajo costo es culpada porque en ocasiones todas las compañías con el propósito de no quedarse atrás, la introducen simultáneamente. Un problema de capacidad ocurre porque aún se utiliza la antigua tecnología para generar productos. Además, la nueva tecnología con frecuencia se introduce en grandes incrementos, lo que genera capacidad sobrante. Por ejemplo, una aerolínea que necesite más sillas en una ruta debe adicionar otro avión, agregando de esta manera cientos de sillas aunque sólo se necesiten 50. En otro

Figura 7.4
Cambios en la capacidad
y la demanda de la industria

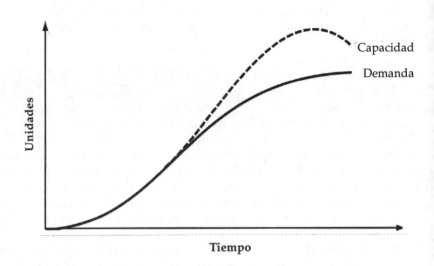

ejemplo, un nuevo proceso químico puede operar eficientemente sólo a la tasa de 1,000 galones por día, en tanto que el proceso anterior era eficiente a una tasa de 500 galones diarios. Si todas las compañías de la industria cambian las tecnologías, la capacidad industrial se duplica y se generan enormes problemas.

Los factores competitivos de la industria también causan capacidad sobrante. Obviamente, ingresar en una industria es un factor. El ingreso de los japoneses en la industria de semiconductores causó gran capacidad sobrante y reducciones en los precios de microchips. En forma similar, el colapso de la OPEP se debió al ingreso de nuevos países capaces de producir petróleo a precios competitivos. Algunas veces la edad de la planta de una compañía es la fuente del problema. Por ejemplo, en la industria hotelera, dada la rapidez con que se deteriora la calidad del mobiliario en los hoteles, los clientes siempre se sienten atraídos por nuevos hoteles. Sin embargo, la construcción de nuevas cadenas hoteleras junto a las antiguas, puede causar capacidad sobrante. Con frecuencia, las compañías simplemente realizan simultáneos movimientos competitivos fundamentados en las tendencias de la industria, pero aquellos movimientos eventualmente llevan a una competencia directa. Por ejemplo, la mayoría de las cadenas de comida rápida establecen nuevas sucursales siempre que los datos demográficos muestren incrementos en la población. Sin embargo, parecen olvidar que todas las cadenas utilizan estos datos. Por ejemplo, en un sitio que no posee sucursales de comida rápida de repente pueden aparecer construidas varias al mismo tiempo. Su supervivencia depende del índice de crecimiento de la demanda con relación al índice de crecimiento de las cadenas de comidas rápidas.

Selección de una estrategia de control de la capacidad   Dadas las diversas formas mediante las cuales se puede expandir la capacidad, las compañías obviamente necesitan hallar algunos medios para controlarla. Si siempre se encuentran invadidas por la reducción y guerras de precios, no podrán recuperar las inversiones en sus estrategias genéricas. La baja rentabilidad de la industria causada por la capacidad sobrante fuerza a salir de la industria no sólo a las compañías más débiles, sino algunas veces también a las principales participantes. En general, las compañías poseen dos alternativas estratégicas: (1) cada empresa debe tratar en forma individual de anticiparse a sus rivales y tomar la iniciativa, o (2) las compañías deben hallar en forma colectiva medios indirectos de coordinación recíproca de tal manera que todas sean conscientes de los efectos mutuos de sus acciones.

Para *anticiparse* a los rivales, una compañía debe pronosticar un gran aumento de la demanda en el mercado del producto y luego dirigirse rápidamente a establecer operaciones en gran escala que puedan satisfacer la demanda pronosticada. Al lograr una ventaja de primer iniciador, la compañía puede evitar que otras firmas ingresen en el mercado debido a que quien se anticipa usualmente podrá moverse hacia abajo en la curva de experiencia, reducir sus costos y por tanto sus precios, y amenazar con una guerra de precios si es necesario.

Sin embargo, esta estrategia es extremadamente riesgosa, pues implica invertir recursos en una estrategia genérica antes de que la extensión y rentabilidad del futuro mercado sean claros. Wal-Mart, con su estrategia de localización en pequeñas poblaciones rurales con el fin de aprovechar un mercado subexplotado de bienes de descuento, se ha adelantado a Sears y Kmart. Wal-Mart ha podido comprometerse en la penetración y expansión del mercado debido a la base segura que ha establecido en sus fortalezas rurales.

Una estrategia de adelantarse también es riesgosa si no detiene a los competidores, y ellos deciden ingresar en el mercado. Si poseen una estrategia genérica fuerte o más recursos, como AT&T o IBM, pueden afectar a la empresa que se adelanta. Por tanto, para que la estrategia tenga éxito, la empresa que se adelanta debe ser generalmente una compañía creíble con suficientes recursos para evitar una posible guerra de precios.

En cuanto a la *coordinación* como estrategia de control de la capacidad, la confabulación del establecimiento de los tiempos de realización de nuevas inversiones es ilegal de acuerdo con la ley antimonopolio, pero la coordinación tácita se practica en muchas industrias a medida que las compañías intentan entender y pronosticar los movimientos competitivos de sus rivales. Generalmente, las compañías utilizan la señalización de mercados para asegurar la coordinación. Hacen anuncios sobre sus futuras decisiones de inversión en publicaciones sobre negocios. Además, comparten información sobre sus niveles de producción y sus pronósticos de demanda industrial de tal modo que generen un equilibrio de oferta y demanda industrial. Por esta razón, una estrategia de coordinación reduce los riesgos asociados con la inversión en la industria.

7.8 ESTRATEGIA DE OFERTA Y DISTRIBUCIÓN EN INDUSTRIAS MADURAS

Como se analizó en el capítulo 3, cuando una industria se consolida y abarca unas cuantas grandes compañías, obtiene fortalezas con relación a sus proveedores y clientes. Los proveedores se hacen dependientes de la industria por comprar sus insumos, y los clientes por obtener producciones de ésta. En la etapa de madurez, con el fin de proteger la participación en el mercado y mejorar la calidad del producto, muchas compañías desean hacerse cargo de más de la distribución y controlar la fuente de insumos crucial para el proceso de producción. Cuando buscan apropiarse de las operaciones de aprovisionamiento o distribución, siguen una estrategia de integración vertical, la cual se analizará en detalle en el capítulo 9. En esta parte se estudiará cómo la elección de un medio de controlar las relaciones entre una compañía, sus proveedores y distribuidores es un determinante importante de la forma como una organización apoya su estrategia genérica y desarrolla una ventaja competitiva.

Al controlar las relaciones de proveedores y distribuidores, una compañía puede asegurar su habilidad para salir de sus producciones o adquirir insumos en forma oportuna y confiable y, por tanto, reducir los costos y mejorar la calidad del producto. Una forma para analizar los problemas involucrados al escoger una estrategia de distribución/proveedor consiste en contrastar la situación que existe entre una compañía, sus proveedores y distribuidores en el Japón con la situación que existe en EE.UU. En este país, es normal que una compañía y sus proveedores tengan una relación antagónica. Cada uno trata de llevar a cabo la mejor negociación para obtener la mayor utilidad. Además, la relación entre los compradores y los proveedores de una compañía tiende a ser superficial y anónima debido a que el personal de compra y distribución constantemente se está rotando para evitar pagos por debajo de la mesa. En contraste, en el Japón, la relación entre una compañía, sus proveedores y distribuidores se basa en relaciones personales y confiabilidad a largo plazo. Los proveedores en el Japón son sensibles a las necesidades de la compañía, responden rápidamente a los cambios en la especificación de insumos y ajustan la oferta para satisfacer sus requerimientos del sistema de inventario justo a tiempo. Los resultados de esta estrecha relación son costos menores y la habilidad para responder a cambios inesperados en la demanda de los clientes. La estrecha relación proveedor/distribuidor apoya la estrategia genérica de las compañías japonesas. Evidentemente, a una compañía le conviene desarrollar una estrategia a largo plazo orientada a sus proveedores y distribuidores.

Una compañía posee muchas opciones para decidir la forma apropiada de distribuir sus productos a fin de ganar una ventaja competitiva. Puede entregar los productos a un distribuidor independiente, quien a su vez los hace llegar a los minoristas; o puede distribuir directamente a los minoristas o incluso a los clientes. Como se indica en la estrategia en acción 7.4, las compañías también pueden necesitar cambiar sus estrategias de distribución a medida que cambia la industria.

En general, la complejidad de un producto y la cantidad de información necesaria acerca de su operación y mantenimiento determinan la estrategia de distribución escogida. Por ejemplo, los fabricantes de automóviles usualmente utilizan franquicias en vez de una comercialización general de vehículos con el fin de controlar su distribución. La razón es el alto nivel de servicio y apoyo de posventa necesario para satisfacer a los clientes. Los fabricantes de autos pueden castigar a los concesionarios al abstenerse de proporcionar automóviles si aumentan las quejas de los clientes; por tanto, poseen control efectivo sobre el comportamiento de quienes tienen la franquicia. De igual manera, al controlarlos pueden ajustar la competencia de precios y de no precios a las condiciones de la industria; esta situación permite que los grandes fabricantes coordinen sus acciones al controlar en forma efectiva los miles de concesionarios o disgregados en todo el país.

Por otro lado, los grandes fabricantes de aparatos eléctricos y productores de bienes de consumo duraderos como electrodomésticos generalmente prefieren utilizar una red de distribuidores para controlar la entrega. Con el propósito de incrementar la participación en el mercado y controlar la forma de vender los productos y su servicio, los fabricantes escogen cinco o seis grandes distribuidores por estado con el fin de controlar la distribución. Se exige que los distribuidores transporten la línea completa de productos de una compañía e inviertan en instalaciones de servicios de posventa. El resultado es que el fabricante recibe buena retroalimentación sobre la forma como se venden sus productos, y el distribuidor se hace conocedor de los productos de la compañía ayudando de esta manera a que la empresa mantenga e incremente su control sobre el mercado. La firma puede disciplinar a sus distribuidores si comienzan a descontar precios o, de otra manera, amenazan su reputación o estrategia genérica.

Grandes fabricantes como Johnson & Johnson, Procter & Gamble y General Foods se caracterizan porque venden directamente a un minorista y evitan proporcionar utilidades a un distribuidor o mayorista. Lo hacen en parte porque tienen menores márgenes de utilidad que los fabricantes de equipos electrónicos y artículos de consumo duraderos. Sin embargo, esta estrategia también les permite influir directamente en el comportamiento de un minorista. Por ejemplo, pueden rehusarse a suministrar un producto particular que un minorista desee a menos que éste mantenga toda la variedad de productos de la compañía. Además, las compañías están seguras del espacio de exhibición para los nuevos productos. Coca-Cola y Pepsico son compañías que pueden influir en los mino-

ESTRATEGIA EN ACCIÓN 7.4

Compaq y Dell trabajan de igual a igual en la distribución

Así como los nuevos desarrollos de la tecnología alteran la naturaleza de la competencia en la industria del computador personal, las estrategias de distribución de sus más importantes participantes también están cambiando. Estas transformaciones son evidentes en la lucha entre Dell Computer Corp. y Compaq Computer Corp. por el dominio del mercado. Fundada por un equipo de ingenieros, Compaq desde el comienzo ha enfatizado en la parte de ingeniería e investigación del negocio del PC. Por ejemplo, ésta fue la primera compañía en ofrecer un computador utilizando el nuevo chip 486 Intel. Su estrategia de diferenciación consistió en producir excelentes PC con base en la tecnología más novedosa, que demandarían un precio superior. Compaq se especializó en el mercado de negocios y desarrolló una sofisticada red de comerciantes para distribuir, vender y prestar servicios a sus costosos PC.

Por otro lado, Dell se concentró desde un comienzo en el área de mercadeo y distribución del negocio de PC. Su estrategia de bajo costo consistió en ensamblar un PC y luego venderlo directamente a los consumidores a través de agencias que atendían pedidos por correo, excluyendo al comerciante con el fin de ofrecer al consumidor un precio mínimo. Sus gerentes básicamente la consideraban una compañía de distribución o de atención de pedidos por correo, no una organización de ingeniería.

A medida que los productos se hacían cada vez más populares y disminuían los precios en forma drástica, Compaq se dio cuenta que su estrategia de venta sólo a través de comerciantes de altos precios sería un desastre. Cambió su estrategia con el fin de producir un computador de bajo costo y en 1993 comenzó su propia distribución por correo, ofreciendo sus máquinas directamente a los clientes. Su nueva estrategia de distribución a bajo costo había sido muy exitosa, pero resulta que Compaq se encuentra luchando con Dell por los mismos clientes. Con el fin de competir, cada compañía hace publicidad a su habilidad de atender clientes en una forma más rápida y más eficiente que la otra; por ejemplo, mediante el ofrecimiento de entrega e instalación de los computadores al día siguiente, además de amplias garantías. Para estas compañías, sus estrategias de distribución y ventas se han convertido en una parte vital del juego competitivo[21].

ristas para reducir este espacio proporcionado a productos de la competencia o incluso para excluirlos. Pueden hacerlo ya que las bebidas refrescantes tienen los más altos márgenes de utilidad de cualquier producto vendido en los supermercados. Gallo es uno de los pocos fabricantes de vino que controla la distribución y venta minorista de sus propios productos. Ésta es una de las razones por las cuales Gallo es consistentemente rentable.

En resumen, diseñar una estrategia apropiada para adquirir insumos y salir de las producciones es una parte importante de la estrategia competitiva en el ambiente de las industrias maduras. Las compañías pueden obtener una ventaja competitiva a través de la forma como controlen sus relaciones con distribuidores y proveedores. Al escoger la estrategia correcta, pueden controlar sus costos, estrategias concentradas y no concentradas en el precio, junto con su reputación y calidad del producto. Estos aspectos son cruciales en las industrias maduras.

7.9 ESTRATEGIA EN INDUSTRIAS EN DECADENCIA

Tarde o temprano muchas industrias entran en una etapa de decadencia, en la que comienza a reducirse la magnitud de todo el mercado. Los ejemplos incluyen las industrias de los ferrocarriles, tabacalera y de acero. Las industrias comienzan a declinar por varias razones, que incluyen el cambio tecnológico, las tendencias sociales y las transformaciones demográficas. Las industrias de los ferrocarriles y del acero comenzaron a declinar cuando los cambios tecnológicos trajeron sustitutos posibles para los productos que éstas fabricaban. La llegada del motor de combustión interna llevó a la decadencia a la industria de ferrocarriles, y el ámbito del acero declinó cuando surgieron materiales plásticos y compuestos. Así como en la industria del tabaco, el cambio de actitudes sociales hacia el cigarrillo (producto de la creciente preocupación por los efectos que tiene en la salud la acción de fumar) ha causado la decadencia.

Existen cuatro estrategias importantes que las compañías pueden adoptar para abordar la decadencia: (1) una **estrategia de liderazgo**, es decir, buscar la manera de convertirse en el participante predominante en una industria en decadencia; (2) una **estrategia de nichos**, concentrada en reservas de demanda que declinan con mayor lentitud que toda la industria; (3) una **estrategia de cosecha**, que optimiza el flujo de efectivo y (4) una **estrategia de desestimiento** o venta de los negocios a otros. Más adelante se examinará en detalle cada una de estas estrategias. Por ahora, nótese que la selección de una estrategia depende en parte de la severidad del aumento en la intensidad competitiva que surge como resultado de la decadencia. Este aspecto se estudiará antes de concentrar la atención en la selección de la estrategia.

La severidad de la decadencia

Debido a que se reduce la magnitud del mercado total, la competencia tiende a intensificarse en una industria en decadencia y disminuyen los índices de utilidad. La intensidad de la competencia en una industria en decadencia depende de cuatro factores críticos, ilustrados en la figura 7.5. En primer lugar, la intensidad de la competencia es mayor en industrias donde la decadencia es rápida por oposición a medios, como el tabacalero, donde la decadencia es lenta y gradual. En segundo lugar, la intensidad de la competencia es mayor en las industrias en decadencia donde las barreras de salida son altas. Como se recordará del capítulo 3, las barreras altas de salida mantienen bloqueadas a las compañías en una industria incluso cuando se reduce la demanda. El resultado es el

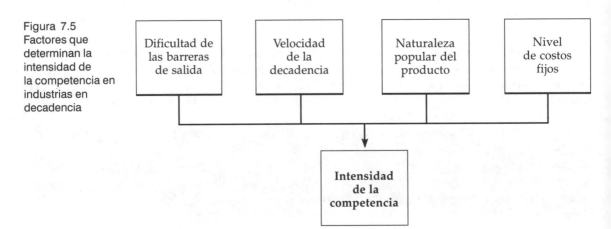

Figura 7.5
Factores que determinan la intensidad de la competencia en industrias en decadencia

surgimiento de una capacidad productiva sobrante, y por tanto, una probabilidad incrementada de competencia fiera en precios. En tercer lugar, y relacionado con el punto anterior, la intensidad de la competencia es mayor en las industrias en decadencia donde los costos fijos son elevados (como en la industria del acero). La razón es que la necesidad de cubrir los costos fijos, como los costos de mantener la capacidad productiva, puede hacer que las compañías traten de utilizar cualquier capacidad sobrante que tengan al reducir radicalmente los precios (acción que puede activar una guerra de precios). Finalmente, la intensidad de la competencia es mayor en las industrias en decadencia donde los productos se perciben como de consumo popular (como sucede en la del acero) en contraste con ámbitos industriales donde la diferenciación genera significativa lealtad a la marca, como sucedió evidentemente hasta hace muy poco en la decadente industria del tabaco.

No todos los segmentos de una industria típicamente declinan a la misma velocidad. En algunos segmentos, la demanda puede permanecer razonablemente fuerte, a pesar de que se registre una declinación en general. La industria del acero tipifica esta situación. Aunque los productos de acero al granel, como la lámina, han sufrido una declinación general, la demanda realmente se ha incrementado para aceros especiales, como aquellos utilizados en las máquinas herramientas de alta velocidad. Los tubos al vacío proporcionan otro ejemplo. Aunque su demanda declinó cuando los transistores los remplazaron como componentes claves en muchos productos electrodomésticos, durante los años siguientes los tubos al vacío todavía tienen algunas aplicaciones limitadas en equipos de radar. En consecuencia, la demanda en este segmento continuó siendo fuerte a pesar de su declinación general. El punto, entonces, es que pueden existir **reservas de demanda** en una industria donde la demanda declina en forma más lenta que en toda la industria o en un medio que no declina en forma general. La competencia en precios, por ejemplo, puede ser mucho menos intensa entre compañías que atienden estas reservas de demanda que dentro de toda la industria.

Selección de una estrategia

Como se anotó, hay disponibles cuatro estrategias importantes para las empresas ubicadas en una industria en decadencia: una estrategia de liderazgo, una estrategia de nichos, una estrategia de cosecha y una estrategia de desestimiento. La figura 7.6 suministra una estructura simple para guiar la selección estratégica. Nótese que la intensidad de la competencia en la industria en decadencia se mide en el eje vertical, y las fortalezas de la compañía *con relación a las reservas remanentes de demanda* se miden en el eje horizontal.

Estrategia de liderazgo   Una estrategia de liderazgo implica crecer en una industria en decadencia al tomar la participación de compañías que abandonan ese medio. Esta estrategia tiene mayor sentido cuando la compañía posee fortalezas distintivas que le permiten capturar la participación en el mercado en una industria en decadencia, y cuando la velocidad de la declinación y la intensidad de la competencia en esta industria son moderadas.

Philip Morris Corp. ha seguido tal estrategia en la industria de tabaco. Al realizar una agresiva campaña de mercadeo, Philip Morris ha incrementado su participación en el mercado en una industria en decadencia y ha obtenido enormes utilidades en el proceso. Las medidas tácticas que podrían utilizar las compañías para lograr una posición de liderazgo incluyen agresivas políticas de precios y de mercadeo para generar participación en el mercado, adquirir competidores establecidos para consolidar la industria e incrementar los obstáculos para otros competidores, por ejemplo, al realizar nuevas inversiones en capacidad productiva. Tales acciones le señalan a otros competidores que la compañía está dispuesta y tiene capacidad para permanecer y competir en la

Figura 7.6
Selección de la
estrategia en una
industria en decadencia

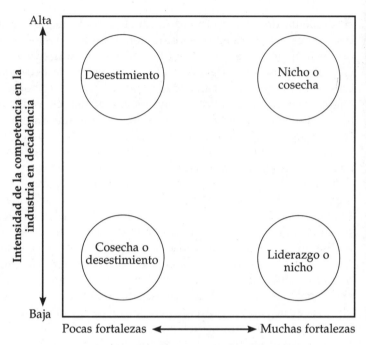

**Fortalezas de la compañía con relación a
las reservas remanentes de demanda**

industria en decadencia. Estas señales pueden persuadir a otras compañías de salir de la industria, lo cual posteriormente incrementaría la posición competitiva del líder de la industria. La estrategia en acción 7.5 ofrece un ejemplo de una compañía que ha prosperado al asumir el liderazgo en una industria en decadencia: Richardson Electronics, la última compañía en el negocio de tubos al vacío.

Estrategia de nichos   Esta estrategia implica concentrarse en aquellas reservas de demanda en la industria donde ésta es estable o declina menos lentamente que toda la industria. La estrategia tiene sentido cuando la compañía posee algunas fortalezas exclusivas relacionadas con aquellos nichos donde la demanda permanece relativamente fuerte. Como ejemplo considérese a Naval Inc.; la compañía fabrica arpones para cazar ballenas y pequeñas armas para activarlos, y hace dinero con esto. Esto podría considerarse más bien casual, debido a que la caza de ballenas ha sido prohibida por la comunidad mundial. Sin embargo, Naval Inc. sobrevivió a la declinación terminal de la industria de arpones al concentrarse en un grupo de personas a quienes todavía se les permite cazar ballenas, aunque sólo en cantidades muy limitadas, los esquimales norteamericanos. A los esquimales se les permite cazar ballenas groenlandesas, dado que lo hacen sólo para obtener sus alimentos y no para propósitos comerciales. Naval es el único proveedor de pequeñas armas para disparar arpones en la caza de ballenas en las comunidades de esquimales, y su posición de monopolio le permite obtener un alto rendimiento en este pequeño mercado[23].

Estrategia de cosecha   Como se anotó en el capítulo 6, una estrategia de cosecha es la mejor selección cuando una compañía desea salir de la industria en decadencia y quizá optimizar el flujo de caja en el proceso. Esta estrategia tiene más sentido cuando la compañía prevé una decadencia

ESTRATEGIA EN ACCIÓN 7.5

Cómo hacer dinero en la industria de tubos al vacío

En su punto máximo a comienzos de la década de 1950, el negocio de tubos al vacío fue una gran industria, donde compañías como Westinghouse, General Electric, RCA y Western Electric tuvieron grandes intereses económicos. Luego vino el transistor, que hizo obsoletos a la mayoría de tubos al vacío, y todas las grandes compañías, una por una, salieron de la industria. Sin embargo, una empresa, Richardson Electronic, no solamente permaneció en el negocio, sino también demostró que era posible obtener altos rendimientos en una industria en decadencia. Básicamente distribuidor, aunque posee algunas capacidades de fabricación, Richardson Electronics compró el remanente de decenas de compañías en EE.UU. y Europa a medida que salían de dicha industria. Richardson ahora posee un depósito donde almacena más de 10,000 tipos diferentes de tubos al vacío. Para muchos de ellos la compañía ahora es el único proveedor a nivel mundial, lo cual explica por qué tiene un margen bruto que va del 35% al 40%.

Richardson sobrevive y prospera debido a que los tubos al vacío son partes vitales en algunos equipos electrónicos antiguos, piezas que serían muy costosas de remplazar por equipos de estado sólido. De otra parte, los tubos al vacío todavía sobrepasan el desempeño de los semiconductores en algunas aplicaciones limitadas, que incluyen equipos de radar y de soldadura. El gobierno estadounidense y General Motors son grandes clientes de los productos de Richardson.

La velocidad es la clave del negocio de Richardson. Su depósito en Illinois ofrece distribución nocturna a unos 40,000 clientes, procesando 650 pedidos al día, con un precio promedio de US$550. A clientes como General Motors no les importa si un tubo al vacío cuesta US$250 o US$350; lo que les preocupa son las pérdidas entre US$40,000 y US$50,000 por cese de operaciones que enfrentan cuando no funciona una pieza clave del equipo de soldadura. Al responder rápidamente a las exigencias de tales clientes y ser el único gran proveedor de diversos tipos de tubos al vacío, Richardson se ha colocado en una posición que envidiarían muchas compañías de industrias en crecimiento: una posición de monopolio. Como resultado, sus ventas se triplicaron en US$101 millones durante la segunda mitad de la década de 1980, en tanto que sus utilidades se cuadruplicaron en US$8.5 millones y aún continúan incrementándose[22].

pronunciada y una competencia particularmente intensa o cuando carece de fortalezas relacionadas con remanentes reservas de demanda de la industria. Una estrategia de cosecha requiere que la compañía reduzca todas las nuevas inversiones en bienes de equipo, publicidad, I&D y similares. Como se ilustra en la figura 7.7, el resultado inminente es que una compañía pierda participación en el mercado, pero, debido a que no invierte más en este negocio, inicialmente se incrementará su positivo flujo de caja. Esencialmente, la compañía toma el flujo de caja a cambio de la participación en el mercado. Finalmente, sin embargo, estos flujos comenzarán a declinar, y en esta etapa es razonable que la compañía liquide el negocio. Aunque esta estrategia es bastante atractiva en teoría, puede ser un poco difícil de poner en práctica. La motivación del empleado en un negocio que está acabando puede afectarse. Además, si los clientes se dan cuenta de lo que está haciendo la compañía, pueden desertar rápidamente. Entonces, la participación en el mercado puede declinar mucho más rápido de lo que espera la compañía.

Figura 7.7
Estrategia de cosecha

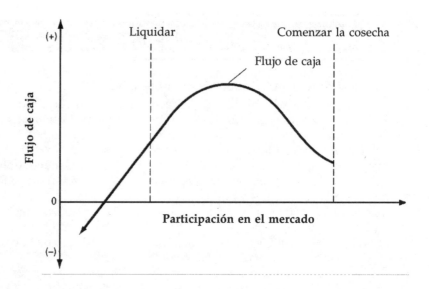

Estrategia de desestimiento   Una estrategia de este tipo subyace en la idea de que una compañía puede maximizar su recuperación de la inversión neta de un negocio al venderlo rápidamente, antes de que la industria entre en fuerte decadencia. Esta estrategia es apropiada cuando la compañía posee pocas fortalezas relacionadas con cualquier reserva de demanda que probablemente permanezcan en la industria y cuando existe la probabilidad de que sea intensa la competencia en la industria en decadencia. La mejor opción puede ser venderle a una compañía que siga una estrategia de liderazgo en la industria. La desventaja de esta estrategia es que para el logro de su éxito depende de la habilidad de la compañía para descubrir una industria en decadencia antes de que la situación sea más desfavorable y liquidar mientras los activos de la compañía continúan teniendo valor para los demás.

7.10   RESUMEN DEL CAPÍTULO

El propósito de este capítulo fue analizar cómo la estructura de la industria donde las compañías compiten afecta el nivel de rentabilidad de la compañía y de ese medio. Desarrollar una estrategia genérica competitiva y una estrategia de inversión es sólo la primera parte, aunque crucial, de la estrategia a nivel de negocios. Ajustar esta estrategia genérica a la estructura industrial al seleccionar movimientos competitivos apropiados para la industria y estrategias de producto/mercado constituye la segunda parte de la formulación exitosa de la estrategia a nivel de negocios. Las compañías siempre deben estar a la expectativa de los cambios en las condiciones industriales y en el comportamiento competitivo de sus rivales si desean responder a estos cambios en forma oportuna. En el capítulo se analizaron los siguientes puntos importantes:

1. En industrias fragmentadas compuestas por una amplia cantidad de pequeñas compañías, las principales formas de estrategia competitiva son encadenamiento, franquicia y fusión horizontal.
2. En industrias embrionarias y en crecimiento, desarrollar una estrategia para obtener utilidades de las innovaciones técnicas es un aspecto crucial de la estrategia competitiva. Las estrategias

entre las cuales una compañía puede escoger son: (1) desarrollar y comercializar por sí misma la tecnología, (2) hacerlo junto con otra compañía, o (3) autorizar con licencia la tecnología a compañías existentes.

3. Las industrias maduras se componen de unas pocas grandes compañías cuyas acciones son altamente interdependientes de tal manera que el éxito de la estrategia de una compañía depende de la respuesta de sus rivales.

4. Los principales movimientos y estrategias competitivas utilizadas por las compañías en industrias maduras para detener el ingreso son la proliferación de productos, la reducción de precios y mantener la capacidad sobrante.

5. Los principales movimientos y estrategias competitivas utilizadas por las compañías en industrias maduras para manejar la rivalidad son la señalización de precios, el liderazgo en precios, la competencia libre de precios y el control de la capacidad.

6. Las compañías en industrias maduras también necesitan desarrollar una estrategia de oferta y distribución para proteger la fuente de su ventaja competitiva.

7. En industrias en decadencia donde la demanda del mercado se ha nivelado o está disminuyendo, las compañías deben ajustar sus estrategias concentradas y no concentradas en el precio al nuevo ambiente competitivo. También necesitan manejar la capacidad de la industria para evitar el surgimiento de problemas de expansión de la capacidad.

8. Existen cuatro estrategias importantes que una compañía puede seguir cuando la demanda está cayendo: de liderazgo, de nichos, de cosecha y de desestimiento. La selección de la estrategia está determinada por la severidad de la decadencia industrial y las fortalezas de la compañía relacionadas con las remanentes reservas de demanda.

Preguntas y temas de análisis

1. ¿Por qué existen industrias fragmentadas? ¿Cuáles son las principales formas mediante las cuales las compañías pueden convertir una industria fragmentada en una consolidada?

2. ¿Cuáles son los problemas clave involucrados en el sostenimiento de una ventaja competitiva en un ambiente industrial en crecimiento? ¿Cuáles son los peligros asociados con el hecho de ser el líder?

3. Analícese cómo las compañías pueden utilizar estrategias de (a) diferenciación del producto y (b) de control de la capacidad para manejar la rivalidad e incrementar la rentabilidad de la industria.

Aplicación 7

Encontrar ejemplos de la forma como la competencia en un ambiente industrial afecta a la estrategia de negocios seguida por una compañía o un grupo de empresas.

Proyecto sobre administración estratégica: Módulo 7

Esta parte del proyecto continúa con el análisis de la estrategia a nivel de negocios de la compañía escogida y estudia cómo las condiciones en el ambiente industrial afectan a la compañía.

1. ¿En qué tipo de ambiente industrial (por ejemplo, embrionario, maduro) opera la compañía? (Utilícese la información del módulo 3 del proyecto para responder esta pregunta).
2. Analícese cómo esta organización ha ajustado la estrategia a nivel de negocios a su industria. Por ejemplo, si la compañía opera en una industria embrionaria, examinar las formas que ha utilizado para incrementar su ventaja competitiva con el tiempo. Si ésta opera en una industria madura, obsérvese cómo ha tratado de manejar las cinco fuerzas de la competencia industrial.
3. ¿Qué nuevas estrategias serían aconsejables para que la compañía siguiera con el fin de incrementar su ventaja competitiva? Por ejemplo, ¿qué tipos de estrategias con relación a los compradores o proveedores debería adoptar? ¿Cómo podría este intento diferenciar sus productos en un futuro?
4. Con base en este análisis, ¿la compañía podrá mantener su ventaja competitiva en el futuro? ¿Por qué?

Notas

1. P. Nulty, "The Bounce Is Back at Goodyear", *Fortune*, September 7, 1992, pp. 70-72.
2. M. Porter, *Competitive Strategy: Techniques for Analyzing Industries and Competitors* (New York: Free Press, 1980), pp. 191-200.
3. La mayor parte del contenido de esta sección se fundamenta en Charles W. L. Hill, Michael Heeley, and Jane Sakson, "Strategies for Profiting from Innovation", *Advances in Global High Technology Management*, (Greenwich, Conn.: JAI Press, 1993), III, 79-95.
4. La importancia de los activos complementarios se mencionó por primera vez en D. J. Teece. *Véase* D. J. Teece, "Profiting from Technological Innovation", in *The Competitive Challenge*, ed. D. J. Teece (New York: Harper & Row, 1986), 26-54.
5. E. Mansfield, M. Schwartz, and S. Wagner, "Imitation Costs and Patents: An Empirical Study", *Economic Journal*, 91 (1981), 907-918.
6. E. Mansfield, "How Rapidly Does new Industrial Technology Leak Out?" *Journal of Industrial Economics*, 34 (1985), 217-223.
7. G. R. Jones, Organizational Theory: *Text and Cases* (Reading, Mass.: Addison-Wesley, 1995).
8. Este argumento se ha expuesto en la literatura sobre teoría de los juegos. *Véase* R. Caves, H. Cookell, and P. J. Killing, "The Imperfect Market for Technology Licenses", *Oxford Bulletin of Economics and Statistics*, 45 (1983, 249-267; N. T. Gallini, "Deterrence by Market Sharing: A Strategy Incentive for Licensing", *American Economic Review*, 74 (1984), 931-941; y C. Shapiro, "Patent Licensing and R & D Rivalry", *American Economic Review*, 75 (1985), 25-30.
9. J. Brander and J. Eaton, "Product Line Rivalry", *American Economic Review*, 74 (1985), 323-334.
10. P. Milgrom and J. Roberts, "Predation, Reputation and Entry Deterrence", *Journal of Economic Theory*, 27 (1982), 280-312.

11. Sharon M. Oster, *Modern Competitive Analysis* (New York: Oxford University Press, 1990), pp. 262-264.
12. Donald A. Hay and Derek J. Morris, *Industrial Economics: Theory and Evidence* (New York: Oxford University Press, 1979), pp. 192-193.
13. G. R. Jones and M. W. Pustay, "Interorganizational Coordination in the Airline Industry", *Journal of Management*, 14 (1989), 529-546.
14. Porter, *Competitive Strategy*, pp. 76-86.
15. Scherer, *Industrial Market Structure and Economic Performance*, Ch. 8.
16. H. Igor Ansoff, *Corporate Strategy* (London: Penguin Books, 1984), pp. 97-100.
17. Robert D. Buzzell, Bradley T. Gale, and Ralph G. M. Sultan, "Market Share-A Key to Profitability", *Harvard Business Review* (January-February 1975), 97-103. Robert Jacobson and David A. Aaker, "Is Market Share All That It's Cracked Up to Be?" *Journal of Marketing*, 49 (1985), 11-22.
18. M. Maremont and G. Bowens, "Brawls in Toyland", *Business Week*, December 21, 1992, pp. 36-37.
19. Ansoff, *Corporate Strategy*, pp. 98-99.
20. La siguiente sección se apoya en gran parte en Marvin B. Lieberman, "Strategies for Capacity Expansion", *Sloan Management Review*, 8 (1987), 19-27; y Porter, *Competitive Strategy*, pp. 324-338.
21. K. Pope, "Out for Blood, For Compaq and Dell Accent is on Personal in the Computer Wars", *Wall Street Journal*, February 13, 1993, pp. A1, A6.
22. C. W. L. Hill, *International Business: Competing in the Global Marketplace* (Homewood, Ill.: Irwin, 1994).
23. Jack Willoghby, "The Last Iceman", *Forbes*, July 13, 1987, pp. 183-202.

La estrategia en el ambiente global

8.1 CASO INICIAL: SWAN OPTICAL CORP.

Cuando la mayoría de las personas reflexionan acerca de las empresas multinacionales, piensan en grandes y complejas compañías como General Electric, General Motors y Procter & Gamble. Sin embargo, en realidad un creciente número de compañías pequeñas y de mediana magnitud se ha convertido en empresas multinacionales en décadas recientes. Tómese el caso de Swan Optical Corp., por ejemplo. Fundada en la década de 1960 por Alan Glassman, la compañía fabrica y distribuye accesorios para los ojos. A finales de la década de 1980, esta compañía generaba ingresos brutos anuales superiores a los US$20 millones. Por tanto, no es exactamente una empresa pequeña, pero tampoco es un gigante coporativo. Sin embargo, Swan Optical es una compañía multinacional, con instalaciones de producción en tres continentes y clientes en todo el mundo.

Swan comenzó a convertirse en una multinacional en la década de 1970. En ese momento el fuerte dólar hacía muy costosas las operaciones de fabricación localizadas en EE.UU. Las importaciones de bajo precio tomaban una participación un poco mayor en ese mercado estadounidense de productos para la visión. Swan se dio cuenta de que no podía sobrevivir a menos que también comenzara a importar.

Inicialmente, la compañía compró accesorios visuales a fabricantes extranjeros independientes, básicamente en Hong Kong. Sin embargo, Swan no estaba satisfecha con la calidad y distribución de aquellos productos, y a medida que aumentaba el volumen de importaciones, Glassman decidió que la mejor manera de garantizar la calidad y distribución era estableciendo operaciones propias de fabricación en el extranjero. Según él, tener intereses en las fábricas extranjeras le proporciona a Swan el control necesario para influir en la calidad y programación de distribución. En consecuencia, junto con un socio chino, Swan inauguró una instalación de fabricación en Hong Kong, en la que tomó la mayor parte de las acciones.

La elección de Hong Kong como sitio para la fabricación de accesorios para los ojos, se debió a la combinación de bajos costos de mano de obra, fuerza de trabajo calificada y rebajas en impuestos proporcionadas por el gobierno de Hong Kong. Sin embargo, en 1986 la creciente industrialización de Hong Kong y la gradual escasez de mano de obra habían incrementado las tarifas de salarios a tal punto que Hong Kong ya no podía ser considerada como una ubicación de bajo costo. En respuesta, Glassman y su socio abrieron una planta de fabricación en China continental para sacar ventaja de las bajas tarifas salariales. La fábrica produce piezas para monturas. Las piezas se envían a la fábrica de Hong Kong para un ensamblaje final y luego se distribuyen a los mercados de Norte y Suramérica. La fábrica de Hong Kong actualmente emplea 80 personas, y la planta china entre 300 y 400.

Por la misma época Swan comenzó a estudiar las oportunidades de inversión en compañías extranjeras de accesorios visuales que disfrutaban de una reputación de diseños de moda y productos de alta calidad. Su objetivo en ese momento no era reducir los costos, sino ganar una ventaja diferencial al lanzar una línea de diseños de accesorios de alta calidad. Al carecer de capacidades propias de diseño para apoyar tal línea, Swan se inclinó por los fabricantes extranjeros que tenían tal capacidad. Invirtió en fábricas en Francia e Italia, tomando una parte minoritaria de las acciones en cada caso. Estas fábricas proveen accesorios a la división Status Eye de Swan, cuyos mercados constituyen diseños de artículos visuales de alto precio[1].

Preguntas y temas de análisis

1. ¿Cómo la expansión internacional le ha ayudado a Swan Optical a fortalecer su posición competitiva?
2. ¿Cuáles son las enseñanzas de la experiencia de Swan Optical para las compañías que tratan de establecer una ventaja competitiva en el mercado mundial?

8.2   VISIÓN GENERAL

En los capítulos 5 a 7 se han analizado las estrategias funcionales y a nivel de negocios que las compañías siguen con el fin de formar y mantener una ventaja competitiva. En este capítulo, se considera la contribución de la estrategia global al proceso de generación y sostenimiento de una ventaja competitiva. El caso inicial ofrece un ejemplo del vínculo entre la estrategia global y la ventaja competitiva: la expansión extranjera por parte de una compañía relativamente pequeña para lograr una baja estructura de costos y una línea de productos que esté diferenciada de aquella de los competidores por un diseño superior. Swan Optical se expandió globalmente con el propósito de lograr mejor los objetivos de bajo costo y diferenciación. En este sentido, la expansión global de Swan, se puede considerar un movimiento para apoyar su estrategia a nivel de negocios.

Al tener firmemente en cuenta la conexión entre la estrategia global y la ventaja competitiva, este capítulo comenzará por abordar las formas mediante las cuales las compañías pueden tener utilidades a partir de la expansión global. Luego, considerará las diferentes estrategias que utilizan las compañías con el fin de competir en el mercado mundial, y analizará las ventajas y desventajas de estas estrategias. En seguida, se examinarán los diferentes medios que emplean las compañías con el fin de ingresar en los mercados extranjeros, entre otros: exportación, licenciamiento, establecimiento de una *joint venture* y establecimiento de una subsidiaria propia. El capítulo terminará con un análisis acerca de los beneficios y costos de ingresar en alianzas estratégicas con competidores globales.

8.3   OBTENER UTILIDADES DE LA EXPANSIÓN GLOBAL

La expansión global permite a las compañías, grandes o pequeñas, incrementar su rentabilidad en formas no viables a las empresas puramente domésticas. Las compañías que operan internacionalmente pueden (1) obtener un gran rendimiento a partir de sus habilidades distintivas; (2) realizar lo que se conoce como economías de localización al distribuir las actividades individuales de creación de valor a aquellos sitios donde se pueden ejecutar en forma más eficiente; y (3) bajar la curva de experiencia antes que los competidores, disminuyendo de esta manera los costos de creación de valor.

McDonald's se internacionaliza

A mediados de la década de 1970, McDonald's enfrentaba un problema: después de 30 años de rápido crecimiento, el mercado estadounidense de comidas rápidas finalmente había comenzado a dar señales de madurez. McDonald's respondió al retardo expandiéndose rápidamente en el extranjero. En 1980, el 28% de todas las nuevas tiendas abiertas por la compañía eran extranjeras; en 1986 la cifra ascendió al 40% y en 1990 estaba muy cerca del 60%. A finales de la década de 1980, McDonald's tenía operaciones en 45 países y generaba casi una cuarta parte de sus ingresos fuera de EE.UU., no tenía planes para ir despacio.

La clave de la estrategia de la compañía consiste en exportar habilidades administrativas que estimularon su crecimiento en EE.UU. McDonald's construyó su éxito estadounidense con base en una fórmula que incluía estrechas relaciones con proveedores, poder de mercadeo en toda la nación, estricto control sobre los procedimientos operativos a nivel de almacén y un sistema de franquicia que estimula a los concesionarios individuales a ser empresarios.

Aunque este sistema funcionaba perfectamente en los EE.UU., debieron hacerse algunas modificaciones en otros países. Uno de los más grandes retos de la compañía ha sido infundir en todos los almacenes de la misma cultura entusiasta y procedimientos operativos estandarizados que constituyen el distintivo de su éxito en EE.UU. Para ayudar en esta tarea, en muchos países McDonald's ha conseguido ayuda de grandes socios a través de un acuerdo de *joint ventures*. Los socios desempeñan un rol clave en el aprendizaje y trasplante de los valores de la organización.

Los socios extranjeros también han desempeñado un rol crucial en ayudar a McDonald's a adaptar sus métodos de mercadeo y menú a las condiciones locales. Aunque el estilo estadounidense de comidas rápidas permanece como el plato principal del menú, también

se han agregado productos locales. Por ejemplo, en Brasil, McDonald's vende una bebida refrescante hecha de guaraná, una baya del Amazonas; y los clientes de McDonald's en Malasia, Singapur y Tailandia han saboreado la leche malteada mezclada con durian, una fruta de olor extraño considerada afrodisiaco por las personas de allí. Más allá de las adiciones de productos locales, los socios extranjeros pueden ayudar a la compañía a evitar los potenciales y costosos peligros. Por esta razón, en el Japón, Den Fujita, presidente de McDonald's Co. (Japón), evitó localizaciones suburbanas, elecciones comunes en EE.UU. e hizo énfasis en los sitios urbanos donde los clientes pueden llegar caminando sin tener que acudir al automóvil.

Sin embargo, el gran problema de McDonald's ha sido reproducir en otros países su cadena estadounidense de suministros. En EE.UU., los proveedores son fuertemente leales a McDonald's. Deben serlo: sus destinos están estrechamente ligados a los de McDonald's. La compañía mantiene rigurosas especificaciones para todos los insumos que utiliza, clave en su consistencia y control de calidad. No obstante, fuera de EE.UU. la compañía ha hallado que los proveedores están un poco reacios a efectuar las inversiones necesarias para satisfacer sus especificaciones. Por ejemplo, en Gran Bretaña tuvo dificultades al tratar de establecer panaderías locales que produjeran el pan para la hamburguesa. Después de los problemas de calidad en dos panaderías locales, McDonald's puso su propio dinero para construir una panadería en Gran Bretaña que aprovisionara a sus restaurantes. En un caso más extremo, cuando la empresa decidió abrir su primer restaurante en Rusia, halló que los proveedores locales sencillamente carecían de la capacidad para producir artículos de la calidad que demandaba. La compañía se vio forzada a hacer una integración vertical en gran escala a través de la industria local de alimentos, mediante la importación de semillas de papa y semen de toro e indirectamente a través de la administración de granjas lecheras, haciendas ganaderas y parcelas de vegetales. También ha tenido que construir la mayor planta de procesamiento de alimentos del mundo, a un costo de US$40 millones. El restaurante sólo cuesta únicamente US$ 4.5 millones de dólares[2].

Transferencia de habilidades distintivas

El concepto de habilidades distintivas se analizó en primera instancia en el capítulo 4. Las habilidades distintivas se definen como *fortalezas únicas que permiten que una compañía logre niveles superiores de eficiencia, calidad, innovación o capacidad de satisfacer al cliente*. Tales fortalezas usualmente encuentran su expresión en las ofertas de productos que para otras compañías es difícil equiparar o imitar. Por tanto, las habilidades distintivas constituyen el fundamento sólido de la ventaja competitiva de una compañía. Le permiten disminuir los costos de creación de valor y/o desarrollar actividades de creación de valor de tal forma que generen una diferenciación y un precio superior.

Compañías con habilidades distintivas valiosas, con frecuencia, pueden obtener enormes rendimientos al aplicarlas, y los productos que generan, para los mercados extranjeros donde los competidores nativos carecen de habilidades y productos similares. Por ejemplo, como se describe en la estrategia en acción 8.1, McDonald's se ha expandido en el extranjero rápidamente en recientes años con el fin de explotar sus habilidades distintivas en el manejo de operaciones de comidas rápidas. Estas habilidades han probado ser valiosas en países tan diversos como Francia, Rusia, China, Alemania y Brasil, de la misma forma como en EE.UU. Antes del ingreso de McDonald's, ninguno de estos países tenía cadenas de comidas rápidas estilo americano, por esta razón, McDonald's aprovechó introducir habilidades únicas y un producto exclusivo. La carencia de competidores nativos con habilidades y productos similares y, en consecuencia, la falta de competencia, incrementaron en forma considerable la rentabilidad de esta estrategia para McDonald's.

En sus primeros años, compañías estadounidenses como Kellogg, Coca-Cola, H. J. Heinz y Procter & Gamble se expandieron internacionalmente para explotar sus habilidades distintivas en el desarrollo y comercialización de productos de consumo de marca. Estas habilidades y los resultantes productos, que se desarrollaron en el mercado estadounidense durante las décadas de 1950 y 1960, generaron enormes rendimientos cuando se aplicaron a los mercados europeos, donde la mayoría de competidores nativos carecían de las habilidades de mercadeo y productos similares. Su cercano monopolio a las habilidades de comercialización para el consumidor permitieron que estas compañías norteamericanas dominaran muchos mercados europeos de productos de consumo durante aquellas décadas. Actualmente, muchas compañías japonesas se están expandiendo a nivel mundial con el fin de explotar sus habilidades distintivas en producción, administración de materiales y desarrollo de nuevos productos: habilidades que muchos de sus competidores nativos, norteamericanos y europeos, parecen no tener.

Realizar economías de localización

Las **economías de localización** son aquellas que surgen del desarrollo de una actividad de creación de valor en el sitio óptimo para esta actividad, en cualquier parte del mundo que se pueda realizar (costos de transporte y barreras comerciales permitidas). Ubicar una actividad de creación de valor en el sitio óptimo puede tener uno de estos dos efectos: *disminuir los costos de creación de valor, ayudando a que la compañía alcance una posición de bajo costo, o permitir que una compañía diferencie su oferta de productos y fije un precio superior*. Por este motivo, los esfuerzos para realizar economías de localización son consistentes con las estrategias genéricas a nivel de negocios de bajo costo y diferenciación. Como se muestra en el caso inicial, ambas consideraciones estimularon a Swan Optical a buscar oportunidades en el extranjero. Desplazó sus operaciones de fabricación fuera de EE.UU., primero hacia Hong Kong y luego a China continental, con el fin de sacar ventaja de los bajos costos de mano de obra, disminuyendo de esta manera los costos de creación de valor. Al mismo tiempo, Swan trasladó algunas de sus operaciones de diseño de EE.UU. a Francia e Italia, con el argumento de que expertos diseñadores italianos y franceses probablemente ayudarían a la compañía a diferenciar mejor su producto. En otras palabras, Swan vio a China como el sitio óptimo para la ejecución de sus operaciones de fabricación, y a Francia e Italia como los lugares apropiados para desarrollar las operaciones de diseño. La compañía ha configurado adecuadamente su cadena de valor, de tal manera que puede seguir *simultáneamente* tanto una estrategia de bajo costo como una de diferenciación. Para generalizar a partir del ejemplo de Swan, este tipo de pensamiento ayuda a formar una *trama global* de actividades de creación de valor, con diferentes etapas de la cadena de valor que se establecen en aquellos lugares en el mundo donde se maximiza el valor agregado o donde se minimizan los costos de creación de valor.

Desplazamiento descendente en la curva de experiencia

Como se recordará del capítulo 5, la curva de experiencia se refiere a la disminución sistemática en los costos de producción incurridos durante la vida de un producto. En ese capítulo se señaló que los efectos del aprendizaje y las economías de escala fundamentan la curva de experiencia, y que el desplazamiento descendente en la curva de experiencia permite que una compañía disminuya los costos de creación de valor. La empresa de mayor rapidez en el desplazamiento hacia abajo en la curva de experiencia tendrá una ventaja de costos sobre sus competidores. Este movimiento en la curva es, por tanto, consistente con la estrategia de liderazgo en costos a nivel de negocios.

Muchas de las fuentes fundamentales de las economías de costo con base en la experiencia se hallan en la planta. Esto es cierto en la mayoría de los efectos del aprendizaje y de las economías de escala derivadas de la distribución de costos fijos de generar capacidad productiva sobre una gran producción. Se deduce que la clave para bajar la curva de experiencia tan rápido como sea posible consiste en incrementar el volumen acumulado *producido por planta* tan rápido como sea posible. Debido a que los mercados globales son más grandes que los mercados domésticos, las compañías que atienden un mercado global *desde un solo sitio* probablemente generen un volumen acumulado más rápido que las organizaciones concentradas básicamente en atender su mercado doméstico o en servir a múltiples mercados a partir de diversos sitios de producción. Por tanto, atender un mercado global desde un solo lugar es consistente con el desplazamiento descendente en la curva de experiencia y el establecimiento de una posición de bajo costo. Además, con el fin de descender la curva de experiencia en forma rápida, las compañías necesitan determinar el precio y comercializar en forma muy agresiva de tal manera que la demanda se distribuya rápidamente. También necesitan generar una capacidad de producción capaz de atender un mercado global. Otro punto para tener en cuenta es que las ventajas en costos de atender el mercado mundial desde una solo sitio serán las más significativas si esta localización es también la más apropiada para desempeñar esa actividad de creación de valor; es decir, si la compañía realiza *en forma simultánea* economías de costo a partir de los efectos de la curva de experiencia *y* de las economías de localización.

Una compañía que ha sobresalido en la búsqueda de esta estrategia ha sido Matsushita. Junto con Sony y Philips NV, en la década de 1970 esta firma se encontraba compitiendo para desarrollar un VCR comercialmente viable. Aunque Matsushita inicialmente se encontraba a la zaga de Philips y Sony, finalmente pudo lograr que su formato para VHS fuera aceptado como el estándar mundial y obtener en el proceso enormes economías en costos con base en la curva de experiencia. Posteriormente esta ventaja en costos constituyó una barrera formidable para la nueva competencia.

La estrategia de Matsushita implicaba generar un volumen global tan rápido como fuera posible. Con el fin de asegurar que podía acomodarse a la demanda mundial, incrementó 33 veces la capacidad de producción, de 205,000 unidades en 1977 a 6.8 millones unidades en 1984. Al atender el mercado mundial desde un solo sitio en el Japón, Matsushita pudo obtener significativos efectos del aprendizaje y economías de escala. Esto le permitió disminuir sus precios en un 50% en 5 años de venta de su primer formato VHS para VCR. Como resultado, en 1983 Matsushita se constituyó en el principal productor de VCR del mundo, respondiendo aproximadamente por el 45% de la producción mundial y disfrutando de una significativa ventaja en costos sobre sus principales competidores. La inmediata mayor compañía, Hitachi, respondió sólo por el 11.1% de la producción mundial en 1983[3].

Resumen

Es importante reconocer que las diferentes formas de obtener utilidades a partir de la expansión global están vinculadas a las *estrategias genéricas* de liderazgo en costos y diferenciación *a nivel de negocios*. Las compañías que transfieren habilidades distintivas a otros países tratan de obtener mayores ganancias de su ventaja competitiva fundamentada en el bajo costo o la diferenciación. Compañías como Swan Optical, que intentan realizar economías de localización, tratan de disminuir sus costos y/o incrementar el valor agregado de manera que pueden diferenciarse mejor de sus competidores. Y las compañías que atienden un mercado global con el fin de bajar con mayor rapidez la curva de experiencia, tratan de consolidar una ventaja competitiva con base en el bajo costo, como lo hizo Matsushita con sus formatos VHS para VCR.

8.4   PRESIONES PARA EL LOGRO DE REDUCCIONES EN COSTOS Y PARA LA CAPACIDAD DE OBTENER ACEPTACIÓN LOCAL

Las compañías que compiten en el mercado global usualmente enfrentan dos tipos de presiones competitivas: *presiones para el logro de reducciones en costos y presiones para obtener mayor capacidad de aceptación local* (*véase* figura 8.1). Estas presiones competitivas establecen exigencias conflictivas en una compañía. Responder a las presiones para el logro de reducciones en costos requiere que una compañía trate de minimizar sus costos unitarios. Para lograr esta meta, una compañía puede tener la base de sus actividades productivas en el sitio más favorable de bajo costo, en cualquier parte del mundo donde sea posible. También puede ofrecer un producto estandarizado al mercado global con el fin de disminuir la curva de experiencia tan rápido como sea posible. Por otro lado, responder a las presiones sobre el logro de capacidad de aceptación local requiere que una compañía diferencie su oferta de productos y estrategia de mercadeo de un país a otro en un esfuerzo por acomodarse a las diversas exigencias que surgen en cuanto a las diferencias nacionales en los gustos y preferencias de los consumidores, prácticas de negocios, canales de distribución, condiciones competitivas y políticas gubernamentales. Los costos se pueden incrementar debido a que la diferenciación entre los países puede implicar una duplicación significativa y una falta de estandarización de los productos.

Mientras algunas organizaciones, como la compañía A en la figura 8.1, enfrentan grandes presiones para obtener reducciones en costos y bajas presiones para el logro de la capacidad de aceptación local, y otras, como la compañía B, enfrentan bajas presiones para la reducción de costos y altas presiones para el logro de mayor capacidad de aceptación local, muchas empresas se encuentran en la posición de la compañía C. Enfrentan altas presiones para lograr reducciones en costos y obtener capacidad de aceptación local. Abordar estas presiones incompatibles y contradictorias es un reto

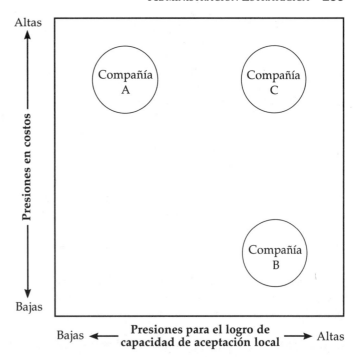

Figura 8.1
Presiones para lograr reducción en costos
y capacidad de aceptación local

estratégico difícil para una compañía, básicamente porque tener una capacidad de aceptación local tiende a incrementar los costos. En la parte que resta de esta sección se analizarán las fuentes de las presiones para las reducciones en costos y capacidad de aceptación local, y en la siguiente se examinarán las estrategias que las compañías adoptan con el fin de enfrentar estas presiones.

Presiones para el logro de reducciones en costos

Cada vez más, las compañías internacionales deben enfrentar presiones para obtener reducciones en costos. Con el fin de responder a estas imposiciones, una empresa necesita disminuir los costos de creación de valor mediante la producción en serie de un bien estandarizado en un lugar óptimo en el mundo, con el fin de realizar economías en localización y en la curva de experiencia. Las presiones para lograr reducciones en costos pueden ser particularmente intensas en industrias que generan productos tipo popular, donde es difícil la diferenciación significativa sobre factores libres de precio y el precio constituye la principal arma competitiva. Los productos que atienden necesidades universales tienden a caer en esta categoría. Las necesidades universales existen cuando los gustos y preferencias de los consumidores en diferentes naciones son similares, si no idénticos. Esto obviamente se aplica a productos convencionales populares como químicos, petróleo, acero, azúcar y otros similares a granel. Esto también tiende a ser verdadero para muchos productos industriales y de consumo; por ejemplo, calculadoras manuales, chips semiconductores y computadores personales. Las presiones para lograr reducciones en costos también son intensas en industrias donde los principales competidores se apoyan en lugares de bajo costo, donde existe una persistente capacidad sobrante y donde los consumidores son poderosos y enfrentan bajos costos de cambio. Muchos analistas también argumentan que la liberalización del comercio mundial y del ambiente de inversión en recientes décadas generalmente ha incrementado las presiones en costos al facilitar una mayor competencia internacional[4].

Las presiones para lograr reducciones en costos han sido intensas en la industria mundial de llantas en los últimos años. Las llantas son esencialmente un producto de consumo en el que la diferenciación es difícil y el precio constituye la principal arma competitiva. Los principales compradores de llantas, las compañías automotrices, son poderosos y enfrentan bajos costos de cambio, de tal modo que han hecho que las productoras de llantas se enfrenten entre sí en un intento por ofrecer menores precios. Y la decadencia en la demanda global de automóviles a comienzos de la década de 1990 ha creado una situación seria de capacidad sobrante en la industria de llantas, por lo menos con un 25% de la capacidad mundial ociosa. El resultado ha sido una guerra de precios a nivel mundial, donde casi todas las productoras de llantas están sufriendo graves pérdidas desde comienzos de la década de 1990. En respuesta a estas presiones en costos, la mayoría de estas organizaciones actualmente tratan de racionalizar sus operaciones en una forma consistente con el logro de una posición de bajo costo. Desplazan la producción a instalaciones de bajo costo y ofrecen productos estandarizados a nivel mundial en un intento por realizar economías en la curva de experiencia[5].

Presiones para el logro de capacidad de aceptación local

Las presiones para el logro de una capacidad de aceptación local surgen a partir de las diferencias en los gustos y preferencias de los consumidores, las diferencias en infraestructura y prácticas tradicionales, las diferencias en canales de distribución y las exigencias de los gobiernos anfitriones.

Diferencias en los gustos y preferencias del consumidor Las fuertes presiones para el logro de una capacidad de aceptación local surgen cuando los gustos y preferencias de los consumidores se diferencian significativamente entre países, por ejemplo, por razones históricas o culturales. En tales casos, el producto y/o los mensajes de mercadeo deben ajustarse para atraer los gustos e inclinaciones de los consumidores locales. Esto típicamente crea presiones de la delegación de funciones de producción y marketing a las subsidiarias nacionales.

Por ejemplo, en la industria automotriz existe una fuerte demanda de camionetas entre los consumidores norteamericanos. Esto se evidencia particularmente en el sur y el occidente del país, donde muchas familias poseen una camioneta como segundo o tercer automóvil. En contraste, en países europeos las camionetas se consideran eminentemente vehículos utilitarios y las adquieren principalmente las compañías en vez de los individuos. En consecuencia, el mensaje de mercadeo necesita acomodarse a la naturaleza diferente de la demanda en Norteamérica y en Europa.

En contraste, el profesor Theodore Levitt del Harvard Business School plantea que las exigencias del consumidor en cuanto a la adaptación local se encuentran en decadencia mundial[6]. Según Levitt, las modernas tecnologías de comunicaciones y transporte han creado las condiciones para una convergencia de gustos y preferencias de los consumidores de diferentes naciones. El resultado es el surgimiento de enormes mercados globales para productos estandarizados de consumo. Levitt cita la aceptación mundial de hamburguesas McDonald's, Coca-Cola, bluyines Levi Strauss y televisores Sony, los cuales se han vendido como productos estandarizados, como evidencia de la creciente homogeneidad del mercado global.

Sin embargo, el argumento de Levitt ha sido tildado de extremista por muchos analistas. Por ejemplo, Cristopher Bartlett y Sumantra Ghoshal han observado que en la industria de electrodomésticos los compradores reaccionaron ante una sobredosis de productos estandarizados a nivel mundial al mostrar una renovada preferencia por productos que se ajustan a las condiciones locales[7]. Ellos observan que Amstrad, la compañía británica de computadores y equipos electrónicos de rápido crecimiento, comenzó reconociendo y respondiendo a las necesidades de los consumidores locales. Amstrad logró una importante participación en el mercado británico de unidades de audio al apartarse de los estandarizados y poco costosos equipos de sonido comercializados por compañías mundiales como Sony y Matsushita. El producto de Amstrad fue montado en muebles de madera de teca en vez de utilizar cajas metálicas, con un panel de control hecho a la medida para atraer las inclinaciones de los consumidores británicos. En respuesta, Matsushita tuvo que reconsiderar su posición inicial enfocada hacia el diseño global estandarizado y hacer mayor énfasis en la personalización de acuerdo con los gustos locales.

Diferencias en infraestructura y prácticas tradicionales   Las presiones para el logro de capacidad de aceptación local surgen de las diferencias en la infraestructura y/o en las prácticas tradicionales entre países, creando una necesidad de ajustar los productos en forma apropiada. Satisfacer esta necesidad puede requerir la asignación de funciones de fabricación y producción a subsidiarias extranjeras. Por ejemplo, en Norteamérica los sistemas eléctricos de consumo son de 110 voltios, en tanto que en algunos países europeos el estándar de los sistemas es de 240 voltios. Por tanto, los electrodomésticos deben ajustarse con el fin de tener en cuenta esta diferencia en infraestructura. Las prácticas tradicionales con frecuencia también varían en las naciones. Por ejemplo, en Gran Bretaña las personas manejan por el lado izquierdo de la vía, creando así una demanda de automóviles cuya cabrilla se encuentra en la parte derecha, en tanto que en Francia las personas manejan por el lado derecho de la calzada, y por esta razón requieren automóviles que tengan la cabrilla al lado izquierdo. Obviamente, los automóviles han tenido que ser ajustados para tener en cuenta esa diferencia en las prácticas tradicionales.

Diferencias en canales de distribución   Las estrategias de mercadeo de una compañía quizá tengan que responder a las diferencias en canales de distribución existentes entre los países. Esto puede necesitar la asignación de funciones de marketing a subsidiarias nacionales. Por ejemplo, en la industria farmacéutica los sistemas británicos y japoneses de distribución son radicalmente diferentes del sistema estadounidense. Los médicos británicos y japoneses no aceptarán o responderán favorablemente a un estilo norteamericano de fuerza de ventas de alta presión. Por tanto, las compañías farmacéuticas deben adoptar diferentes prácticas de mercadeo en Gran Bretaña y Japón comparadas con las de EE.UU., venta suave *versus* venta fuerte.

Exigencias de los gobiernos anfitriones   Las exigencias económicas y políticas impuestas por los gobiernos de países anfitriones pueden necesitar un grado de capacidad de aceptación local. Por ejemplo, la política de cuidado de la salud en el mundo requiere que las compañías farmacéuticas fabriquen sus productos en múltiples lugares. Estas compañías están sujetas a la evaluación clínica local, procedimientos de registro y restricciones en la determinación de precios; esto hace necesario que la fabricación y comercialización de una droga satisfaga los requerimientos locales. Además, debido a que los gobiernos y las agencias de gobierno controlan una proporción significativa del presupuesto dedicado al cuidado de la salud en la mayoría de los países, se encuentran en una poderosa posición para exigir un alto nivel de capacidad de aceptación local. En términos más generales, las amenazas de proteccionismo, el nacionalismo económico y reglas de contenido local (las cuales imponen que cierto porcentaje de un producto debe fabricarse localmente) establecen que los negocios internacionales fabriquen a nivel local. Por ejemplo, parte de la motivación de las compañías automotrices japoneses para ajustar su producción en EE.UU. es para contrarrestar la creciente amenaza de proteccionismo expresada por el congreso estadounidense.

Implicaciones   Las presiones para el logro de la capacidad de aceptación local implican que puede no ser posible que una compañía obtenga todos los beneficios de la curva de experiencia y de las economías de localización. Por ejemplo, no sea probable atender el mercado global desde una sola localización de bajo costo, producir un bien globalmente estandarizado y comercializarlo en todo el mundo para lograr economías en costos con base en la curva de experiencia. En la práctica, la necesidad de ajustar la oferta de productos a las condiciones locales puede funcionar en contra de la implementación de tal estrategia. Por ejemplo, las compañías automotrices han hallado que los consumidores japoneses, norteamericanos y europeos exigen diferentes tipos de automóviles, lo cual significa ajustar los productos para los mercados locales. En respuesta, compañías como Honda, Ford y Toyota siguen una estrategia de establecimiento de instalaciones para el diseño y producción total en cada una de estas regiones, de tal manera que puedan atender mejor las demandas locales. Aunque este ajuste proporciona beneficios, éste también limita la habilidad de una compañía para realizar significativas economías en costos en la curva de experiencia y economías de localización.

Además, las presiones para la capacidad de aceptación local implican que quizá no sea posible transferir en forma masiva de una nación a otra las habilidades y productos asociados a las habilidades distintivas de una compañía. A menudo deben realizarse concesiones a las condiciones locales. Por ejemplo, recuérdese la estrategia en acción 8.1. Ésta describe algunas de las concesiones a las condiciones locales que McDonald's ha debido hacer en diferentes mercados nacionales.

8.5 SELECCIÓN ESTRATÉGICA

Existen 4 estrategias básicas que las compañías utilizan con el fin de ingresar y competir en el ambiente internacional: una estrategia internacional, una multidoméstica, una global y una transnacional[8]. Cada una tiene sus ventajas y desventajas. Lo apropiado de cada una varía con el grado de presiones para lograr reducciones en costos y capacidad de aceptación local. La figura 8.2 ilustra cuándo es más apropiada cada una de estas estrategias. En esta sección se describirá cada estrategia, se identificará cuándo es apropiada y se analizarán sus pros y sus contras.

Figura 8.2
Cuatro estrategias básicas

La estrategia internacional de Procter & Gamble

Procter & Gamble, la gran compañía estadounidense de productos de consumo, tiene una muy bien ganada reputación como uno de los mejores comercializadores del mundo. Con más de 80 marcas importantes, Procter & Gamble genera más de US$20,000 millones en ingresos a nivel mundial. Junto con Unilever, la compañía es una fuerza global predominante en la industria de detergentes, productos para la limpieza y elementos para el aseo personal. La compañía se expandió en el extranjero después de la Segunda Guerra Mundial al seguir una estrategia internacional –transferencia de marcas y políticas de comercialización desarrolladas en EE.UU. hacia Europa Occidental, inicialmente con un éxito considerable. Durante los siguientes 30 años esta política dio por resultado el desarrollo de una clásica compañía internacional, en la cual las nuevas estrategias de desarrollo de producto y de mercadeo se iniciaron en este país y sólo después se transfirieron al exterior. Aunque la compañía realizó algunos intentos para adaptar las políticas de comercialización con el fin de ajustarlas a las diferencias entre países, en conjunto esta adaptación fue bastante mínima.

Las primeras señales del deterioro de esta estrategia comenzaron a surgir en la década de 1970, cuando Procter & Gamble sufrió varios reveses considerables en el Japón. En 1985, después de 30 años en ese país, la compañía seguía perdiendo US$40 millones al año. La empresa había introducido pañales desechables y en un momento alcanzó un 80% de la participación en el mercado, pero a comienzos de la década de 1980 la vio caer a un 8%. En su lugar tres grandes empresas japonesas de productos de consumo dominaron el mercado. El problema de Procter & Gamble era que los japoneses hallaban que sus pañales desechables, desarrollados en Norteamérica, eran demasiado abultados. Al sacar ventaja de este hecho, Kao, la compañía japonesa de productos de consumo, desarrolló una línea de pañales desechables livianos que armonizaba mejor con las preferencias de los consumidores nipones. Kao apoyó la introducción de su producto con una arrolladora campaña de mercadeo y rápidamente fue recompensada con un 30% de la participación en el mercado. En cuanto a Procter & Gamble, sólo tardíamente se dio cuenta de que debía modificar sus pañales para ajustarse a las necesidades y preferencias de aquellos consumidores. Actualmente la compañía ha incrementado su participación en el mercado japonés a un 30%. Además, en un ejemplo de aprendizaje global, los pañales livianos de Procter & Gamble originalmente desarrollados para el mercado japonés, ahora se han convertido en los mejor vendidos en EE.UU.

La experiencia de la compañía con los pañales desechables en el Japón la estimuló a replantear su desarrollo de nuevos productos y filosofía de comercialización. Ahora admite que su forma de hacer los negocios en EE.UU. ya no funciona. Desde finales de la década de 1980, la compañía ha tratado de delegar más responsabilidad para el desarrollo de nuevos productos y para la estrategia de mercadeo a sus más importantes subsidiarias en el Japón y Europa. Como resultado, se ha convertido en una compañía que responde más a las diferencias locales en cuanto a los gustos y preferencias del consumidor, como también más dispuesta a admitir que los buenos nuevos productos pueden desarrollarse fuera de EE.UU.

A pesar de los aparentes cambios en la compañía, aún no es claro que haya logrado una revolución en el modo de pensar necesaria para transformar sus prácticas ampliamente establecidas. La reciente incursión de Procter & Gamble en el mercado polaco de champúes quizá ilustra que la compañía aún tiene camino por recorrer. En el verano de 1991 ingresó en el mercado polaco con su Vidal Sasson Wash & Go, champú y acondicionador dos en uno, uno de los productos mejor vendidos en Norteamérica y Europa. El lanzamiento del producto fue apoyado por una espectacular campaña de mercadeo al estilo norteamericano, en una escala nunca antes vista en Polonia. A primera vista la campaña parecía funcionar a medida que Procter & Gamble capturaba más del 30% de ese mercado, pero a comienzos de 1992 de repente cayeron las ventas. Entonces vinieron los rumores: Wash & Go produjo caspa y caída del cabello, quejas que la compañía negó rotundamente. Luego comenzaron las bromas; una muy conocida en Polonia decía así: "Lavé mi auto con Wash & Go y las llantas quedaron calvas". Y cuando el presidente Lech Walesa se postuló en 1993 también para primer ministro, los críticos ridiculizaban la idea de esta manera: "dos soluciones en una, igual que Wash & Go".

¿Cuál fue el error de Procter & Gamble? La teoría más común es que promocionó el Wash & Go demasiado en un país que tenía poco entusiasmo por el agresivo estilo americano de publicidad. Una encuesta realizada por Pentor, compañía privada de investigación de mercados en Varsovia, halló que casi se triplicaba la cantidad de polacos que no gustaban de los comerciales de Procter & Gamble. Pentor sugirió que el alto perfil de la campaña de mercadeo había fracasado porque años de propaganda del Partido Comunista habían llevado a los consumidores polacos a imaginarse que la propaganda era simplemente una forma de cambiar los bienes que nadie quería. Estas críticas parecen implicar que Procter & Gamble de nuevo tambalea debido a que transfirió en forma masiva un producto y una estrategia de mercadeo de EE.UU. hacia otro país sin hacer una modificación de tal modo que se ajustara a las necesidades y preferencias de los consumidores locales[9].

Estrategia internacional

Las compañías que siguen una estrategia internacional tratan de crear valor al transferir productos y habilidades valiosas a mercados extranjeros donde los competidores nativos carecen de aquellas habilidades y productos. La mayoría de compañías internacionales ha creado valor al transferir ofertas de productos diferenciados desarrollados a nivel doméstico para nuevos mercados en el exterior. Por tanto, tienden a centralizar las funciones de desarrollo de productos (por ejemplo, I&D) a nivel local. Sin embargo, también tienden a establecer funciones de fabricación y marketing en cada país grande donde realicen sus actividades. No obstante, aunque pueden asumir un ajuste local de la oferta de productos una estrategia de mercadeo, esto tiende a ser más bien limitado en alcance. Finalmente, en la mayoría de compañías internacionales la oficina principal conserva un estricto control sobre la estrategia de mercadeo y de productos.

Las compañías internacionales incluyen empresas como Toys Я Us, McDonald's, IBM, Kellogg y Procter & Gamble. En efecto, la mayoría de compañías estadounidenses que se expandieron en el extranjero en las décadas de 1950 y 1960 pertenecen a esta categoría. Como ejemplo, considérese a Procter & Gamble, cuyo perfil aparece en la estrategia en acción 8.2. Tradicionalmente, la compañía ha poseído instalaciones de producción en todos sus mercados importantes fuera de EE.UU., incluyendo Gran Bretaña, Alemania y Japón. Sin embargo, estas instalaciones fabricaron productos diferenciados que habían sido desarrollados por la compañía matriz estadounidense y que con frecuencia se han comercializado mediante el mensaje de mercadeo desarrollado en EE.UU. Históricamente al menos, la capacidad de aceptación local por parte de Procter & Gamble ha sido bastante limitada, factor que ahora causa problemas a la compañía, tal como se explica en la estrategia en acción 8.2.

Una estrategia internacional tiene sentido si una compañía posee una habilidad distintiva valiosa que no tienen los competidores nativos en mercados extranjeros y si la empresa enfrenta presiones relativamente débiles para lograr capacidad de aceptación local y reducciones en costos. En tales circunstancias, una estrategia internacional puede ser bastante lucrativa. Sin embargo, cuando las presiones para el logro de capacidad de aceptación local son altas, las compañías que siguen esta estrategia son derrotadas ante empresas que hacen un gran énfasis en ajustar la oferta de productos y la estrategia de mercado a las condiciones locales. Además, debido a la duplicación de las instalaciones de fabricación, las compañías que siguen una estrategia internacional tienden a incurrir en altos costos operativos. Por tanto, esta estrategia es inapropiada en industrias donde las presiones en costos son elevadas.

Estrategia multidoméstica

Las compañías que siguen una estrategia multidoméstica se orientan a lograr la máxima capacidad de aceptación local. Al igual que las compañías que siguen una estrategia internacional, tienden a transferir habilidades y productos desarrollados a nivel doméstico a los mercados extranjeros. Sin embargo, a diferencia de las empresas internacionales, las multidomésticas ajustan en forma extensiva tanto su oferta de producto como su estrategia de mercadeo a diversas condiciones nacionales. Consistentes con este enfoque, también tienden a establecer un conjunto completo de actividades de creación de valor (que incluyen producción, marketing e I&D) en cualquier mercado nacional importante donde realicen sus negocios. Como resultado, generalmente no pueden obtener valor a partir de los efectos de la curva de experiencia ni economías de localización y, por consiguiente, a menudo poseen una estructura de altos costos.

Una estrategia multidoméstica tiene mayor sentido cuando existen altas presiones para el logro de capacidad de aceptación local y bajas presiones para alcanzar reducciones en costos. La estructura de alto costo asociada a la duplicación de instalaciones de producción hace inapropiada esta estrategia en industrias donde las presiones en costos son intensas. Otra debilidad de esta estrategia se debe al hecho que muchas compañías multidomésticas se han desarrollado en federaciones descentralizadas donde cada subsidiaria nacional funciona en una forma ampliamente autónoma. Como consecuencia, después de un tiempo comienzan a perder la capacidad de transferir las destrezas y productos, derivados de las habilidades distintivas, a sus diversas subsidiarias nacionales en el mundo. En un notable caso que ilustra los problemas que puede ocasionar esta condición, recuérdese que la capacidad de Philips NV para establecer su formato VCR V2000 como diseño predominante en esta industria a finales de la década de 1970, en oposición al formato para VHS de Matsushita, fue destruida por el rechazo de su subsidiaria estadounidense para adoptar este formato. Por el contrario, la subsidiaria compró los VCR producidos por Matsushita y les puso su propia marca.

Estrategia global

Las compañías que siguen una estrategia global se concentran en el incremento de la rentabilidad al obtener las reducciones en costos que provienen de los efectos de la curva de experiencia y de las economías de localización. Es decir, utilizan una estrategia de bajo costo. Las actividades de producción, marketing e I&D de las compañías que emplean una estrategia global están concentradas en unos pocos sitios favorables. Las empresas globales no tienden a ajustar su oferta de productos y estrategia de mercadeo a las condiciones locales. Esto se debe a que el ajuste incrementa los costos ya que implica menores tiempos de producción y la duplicación de las funciones. Por el contrario, estas organizaciones prefieren comercializar un producto estandarizado a nivel mundial de manera que puedan cosechar los máximos beneficios de las economías de escala que fundamentan la curva de experiencia. También tienden a utilizar su ventaja en costos para apoyar la agresiva determinación de precios en mercados mundiales.

Esta estrategia tiene más sentido en aquellos casos en que existen fuertes presiones para el logro de reducciones en costos y donde las exigencias de capacidad de aceptación local son mínimas. Cada vez más, estas condiciones prevalecen en muchas industrias de mercancías industriales. Por ejemplo, en la industria de semiconductores han surgido estándares globales, creando enormes demandas de productos globalmente estandarizados. Por tanto, compañías como Intel, Texas Instruments y Motorola siguen una estrategia global. No obstante, como se anotó anteriormente, estas condiciones no se dan en muchos mercados de bienes de consumo, donde las demandas de capacidad de aceptación local permanecen altas (como en los mercados de unidades de audio, automóviles y alimentos procesados). La estrategia es inapropiada cuando las exigencias de capacidad de aceptación local son elevadas.

Estrategia transnacional

Cristopher Bartlett y Sumantra Ghoshal argumentan que en el ambiente actual, las condiciones competitivas son tan intensas que para sobrevivir en el mercado global las compañías *deben explotar economías en costos con base en la curva de experiencia y sus economías de localización, transferir habilidades distintivas dentro de la compañía, y al mismo tiempo prestar atención a las presiones para alcanzar un nivel de capacidad de aceptación local*[10]. Además, observan que en la multinacional moderna, las habilidades distintivas no residen sólo en el país local, sino que se pueden desarrollar en cualquiera de las operaciones mundiales de la compañía. Por tanto, sostienen que el flujo de habilidades y de ofertas de productos no debe encontrarse en una sola vía, desde la compañía local hasta la subsidiaria extranjera, como en el caso de las empresas que siguen una estrategia internacional. Por el contrario, el flujo también debe ser a partir de la subsidiaria en el exterior al país local, y de una subsidiaria extranjera a otra, proceso al que denominan **aprendizaje global.** Bartlett y Goshal denominan esta técnica seguida por compañías que tratan de lograr todos estos objetivos en forma simultánea como **estrategia transnacional**[11].

La estrategia transnacional tiene sentido cuando una compañía enfrenta grandes presiones tanto para lograr reducciones en costos como para alcanzar un nivel de capacidad de aceptación local. En esencia, *compañías que siguen una estrategia transnacional tratan de lograr en forma simultánea ventajas de bajo costo y de diferenciación*. Esto parece muy atractivo pero, en la práctica la estrategia no es tan fácil de seguir. Como se mencionó anteriormente, las presiones para lograr capacidad de aceptación local y reducciones en costos generan exigencias contradictorias en una compañía. Contar con un nivel de capacidad de aceptación local incrementa los costos, lo cual obviamente hace que las reducciones en costos sean difíciles de alcanzar. Entonces, ¿cómo puede una compañía utilizar en forma efectiva una estrategia transnacional?

Se pueden sacar algunas pistas del caso de Caterpillar Inc. La necesidad de competir con rivales de bajo costo como Komatsu del Japón ha forzado a Caterpillar a buscar mayores economías en costos. Sin embargo, las variaciones en las prácticas de construcción y las regulaciones gubernamentales en todos los países significan que Caterpillar también debe responder a las exigencias locales. Por tanto, como se ilustró en la figura 8.3, Caterpillar enfrenta significativas presiones para el logro de reducciones en costos y capacidad de aceptación local.

Con el propósito de abordar estas presiones en costos, la empresa rediseñó sus productos para utilizar muchos componentes idénticos e invirtió en unas pocas instalaciones de fabricación de piezas en gran escala, situadas en lugares favorables, con el fin de satisfacer la demanda global y

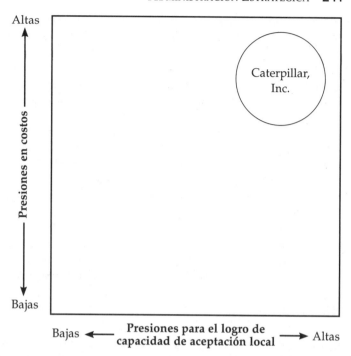

Figura 8.3
Presiones en costos y presiones para el logro de capacidad de aceptación local que enfrenta Caterpillar

realizar economías de escala. Al mismo tiempo, la compañía aumenta la fabricación centralizada de piezas con plantas de ensamblaje en cada uno de sus principales mercados globales. En estas plantas, Caterpillar agrega características locales a los productos, ajustando los productos terminados a las necesidades locales. En consecuencia, puede obtener muchos de los beneficios de fabricación global mientras reacciona a las presiones para alcanzar un nivel de capacidad de aceptación local al diferenciar su producto entre los diversos mercados nacionales[12].

Unilever proporciona otro ejemplo. La alguna vez clásica compañía multidoméstica Unilever, en los últimos años tuvo que cambiar más hacia una estrategia transnacional. Un incremento en la competencia de bajo costo, que aumentó las presiones en costos, le forzó a buscar formas de racionalizar su negocio de detergentes. Durante la década de 1980 la compañía tuvo 17 diferentes y ampliamente autónomas operaciones de detergentes en solo Europa, una enorme duplicación en términos de activos y de mercadeo. Además, debido a que la compañía estaba muy fragmentada, le tomó casi cuatro años introducir un nuevo producto en toda Europa. Ahora Unilever está tratando de integrar su operación europea en una sola entidad, con detergentes que se fabrican en unas cuantas plantas eficientes en costos, cuyo empacado y publicidad estándares se utilizan en toda Europa. De acuerdo con sus estimados, el resultado podría ser un ahorro anual en costos superior a los US$200 millones. Sin embargo, Unilever reconoce que debido a las diferencias nacionales en canales de distribución y conscientización de marca, debe seguir buscando un nivel de capacidad de aceptación local, incluso a medida que lucha para realizar economías a partir de la consolidación de producción y marketing en lugares óptimos[13].

A pesar de ejemplos como los de Caterpillar y Unilever, Bartlett y Ghoshal admiten que crear una organización capaz de apoyar una posición estratégica transnacional es una tarea compleja y difícil. El núcleo del problema es que al tratar de lograr en forma simultánea eficiencias en costos, aprendizaje global y capacidad de aceptación local se establecen exigencias contradictorias en una organización[14]. Exactamente la forma como una compañía puede abordar el dilema establecido por tales dificultades organizacionales es un tema que se analizará en detalle en el capítulo 13, cuando se estudie la estructura de los negocios internacionales. Por ahora, es importante anotar que los problemas organizacionales asociados a seguir esencialmente objetivos contrarios constituyen un gran impedimento para implementar una estrategia transnacional. Las compañías que intentan seguir una estrategia transnacional pueden empantanarse en un estado de confusión organizacional que sólo genera ineficiencias.

También podría anotarse que, al presentarlo como la única estrategia viable, Bartlett y Ghoshal quizá hacen mucho énfasis en el caso de la estrategia transnacional[15]. Aunque sin duda en algunas industrias la compañía que pueda adoptar una estrategia transnacional tendrá una ventaja competitiva, en otras industrias las estrategias globales, multidomésticas e internacionales siguen siendo viables. Por ejemplo, en la industria global de semiconductores las presiones para la adaptación local son mínimas y la competencia es sólo un juego de costos; estas condiciones hacen que una estrategia global sea óptima. En verdad, éste es el caso registrado en muchos mercados de bienes industriales donde el producto satisface necesidades universales. Por otro lado, se puede argumentar que para competir en ciertos mercados de bienes de consumo, como el de la industria de electrodomésticos, una compañía debe tratar de adoptar una estrategia transnacional.

Resumen

Las ventajas y desventajas de cada una de las estrategias analizadas anteriormente se resumen en la tabla 8.1. Aunque una estrategia transnacional parece ofrecer la mayoría de las ventajas, no se debe olvidar que al implementarla surgen difíciles problemas organizacionales. De una forma más general, como aparece en la figura 8.2, lo apropiado de cada estrategia depende de la fortaleza relativa de las presiones para el logro de reducciones en costos y capacidad de aceptación local.

8.6 LA SELECCIÓN DEL MODO DE INGRESO

Al considerar el ingreso en un mercado extranjero se plantea la pregunta acerca de la mejor forma de ingresar. Existen cuatro alternativas importantes: exportación, licenciamiento, franquicia, ingreso en una *joint venture* con una compañía de un país anfitrión y establecimiento de una subsidiaria propia en el país anfitrión. Cada modo de ingreso posee sus ventajas y desventajas, que los gerentes deben sopesar cuidadosamente cuando decidan cuál utilizar[16].

Exportación

La mayoría de las compañías fabricantes comienzan su expansión global como exportadores y sólo después se cambian a un modo diferente de atender un mercado extranjero. La exportación tiene dos ventajas diferentes: evita los costos de establecer operaciones de fabricación en el país anfitrión, que a menudo son considerables; y puede ser consistente con la realización de economías en costo con base en la curva de experiencia y de economías de localización. Al fabricar el producto en un sitio centralizado y luego exportarlo a otros mercados nacionales, la compañía puede realizar considerables economías de escala a partir de su volumen global de ventas. Así fue como Sony llegó a dominar el mercado global de televisores, Matsushita llegó a predominar en el mercado de los VCR y, de igual manera, muchas compañías automotrices japonesas inicialmente hicieron incursiones en el mercado automotriz de EE.UU.

Tabla 8.1
Las ventajas y desventajas de las cuatro estrategias tradicionales

Estrategia	Ventajas	Desventajas
Global	• Habilidad para explotar los efectos de la curva de experiencia • Habilidad para explotar las economías de localización	• Falta de aceptación del medio local
Internacional	• Transferencia de habilidades distintivas a mercados extranjeros	• Falta de aceptación del medio local • Inhabilidad para realizar economías de localización • Fracaso al explotar los efectos de la curva de experiencia
Multidoméstica	• Habilidad para ajustar las ofertas de productos y la comercialización de acuerdo con la capacidad de aceptación local	• Inhabilidad para realizar economías de localización • Fracaso al explotar los efectos de la curva de experiencia • Fracaso al transferir habilidades distintivas a mercados extranjeros
Transnacional	• Habilidad para explotar los efectos de la curva de experiencia • Habilidad para explotar las economías de localización • Habilidad para ajustar las ofertas de productos y la comercialización de acuerdo con la capacidad de aceptación local • Cosechar beneficios del aprendizaje global	• Dificultades en la implementación debido a problemas organizacionales

Por otro lado, existen varias desventajas al exportar. En primer lugar, exportar desde la *sede* de la compañía puede no ser apropiado si existen lugares de bajo costo para la fabricación del producto en el exterior (es decir, si la compañía puede realizar economías de localización al desplazar la producción a cualquier parte). Por tanto, particularmente en el caso de una compañía que sigue una estrategia global o transnacional, le puede dar resultado fabricar en un sitio donde las condiciones sean más favorables desde una perspectiva de creación de valor y luego exportar desde allí hacia el resto del mundo. Por supuesto, esto no es un argumento contra la exportación sino un argumento contra la exportación desde el país *sede* de la compañía. Por ejemplo, muchas compañías de electrónica de EE.UU. han desplazado algunas de sus operaciones de fabricación al Lejano Oriente debido a los bajos costos, además porque hay disponible mano de obra bastante calificada. Exportan desde ese lugar al resto del mundo, incluyendo a EE.UU.

Otra desventaja consiste en que los elevados costos de transporte pueden hacer que la exportación no sea económica, particularmente en el caso de los productos a granel. Una forma de evitar este problema consiste en fabricar productos a granel en una base regional. Tal estrategia permite que la compañía realice algunas economías a partir de la producción en gran escala, en tanto que limita los costos de transporte. Por esta razón, muchas multinacionales químicas fabrican sus productos en una base regional, atendiendo varios países en una zona desde una instalación.

De igual manera, las barreras arancelarias pueden hacer que la exportación no sea económica, y la amenaza de su imposición por parte del gobierno de un país donde la compañía exporta puede hacer que la estrategia sea muy riesgosa. En efecto, la amenaza implícita del Congreso para imponer aranceles sobre los automóviles japoneses importados a EE.UU. generó inmediatamente la decisión por parte de gran cantidad de firmas japonesas de establecer plantas de fabricación en territorio estadounidense.

Finalmente, una práctica común entre compañías que comienzan a exportar también genera riesgos. Una empresa puede delegar actividades de mercadeo en cada país donde realice los negocios a un agente local, pero no existe garantía de que el agente actúe en pro de los intereses de la compañía. A menudo, agentes extranjeros llevan los productos de compañías competidoras y, por tanto, poseen lealtades divididas. En consecuencia, el agente extranjero quizá no hace un trabajo tan óptimo como lo desarrollaría la compañía si ésta manejara las actividades de mercadeo por sí misma. Una forma de resolver este problema consiste en establecer una subsidiaria propia en el país anfitrión con el fin de que maneje las actividades locales de mercadeo. Así, puede cosechar las ventajas en costos que surgen de la fabricación del producto en un solo lugar y ejercer un control rígido sobre la estrategia de comercialización en el país anfitrión.

Licenciamiento

El licenciamiento internacional es un convenio en el que un licenciado extranjero compra los derechos para fabricar los productos de una compañía en su país por una tarifa negociada (normalmente, pagos de regalías con base en la cantidad de unidades vendidas). Entonces, el licenciado aporta la mayor parte del capital necesario para poner en marcha la operación extranjera[17].

La ventaja del licenciamiento consiste en que la compañía no tiene que afrontar los costos y riesgos de desarrollo asociados con la apertura de un mercado extranjero. Por tanto, puede ser una alternativa bastante atractiva para las compañías que carecen del capital para desarrollar operaciones en el extranjero. También puede representar una alternativa atractiva para las compañías que no deseen comprometer considerables recursos financieros en un mercado extranjero no familiar o políticamente inestable donde los riesgos políticos son particularmente elevados.

Sin embargo, el licenciamiento presenta tres serias desventajas. En primer lugar, no proporciona a una compañía estricto control sobre las funciones de fabricación, marketing y de estrategias en otros países necesarios para alcanzar economías en costos con base en la curva de experiencia y economías de localización (tal como tratan de hacerlo organizaciones que siguen estrategias globales y transnacionales). El licenciamiento básicamente implica que cada licenciado establezca sus propias operaciones de fabricación. Por tanto, la empresa tiene poca oportunidad de realizar economías en costos con base en la curva de experiencia y economías de localización al fabricar su producto en un sitio centralizado. Cuando existe la probabilidad de que estas economías sean importantes, el licenciamiento quizá no sea la mejor forma de expandirse en el exterior.

En segundo lugar, competir en un mercado global puede hacer necesario que la compañía coordine movimientos estratégicos en los países de tal modo que las utilidades obtenidas en un país se puedan utilizar para apoyar los ataques competitivos en otro. El licenciamiento, por su propia naturaleza, limita enormemente la capacidad de una compañía para hacerlo. Es improbable que un licenciado permita que la multinacional tome sus utilidades (fuera de aquellas que se obtienen en la forma de pagos de regalías) y las utilice para apoyar a un licenciado totalmente diferente que opere en otro país.

Un tercer problema con esta alternativa lo constituye el riesgo asociado de autorizar mediante licenciamiento *know-how* tecnológico a compañías extranjeras. Para muchas multinacionales, el *know-*

how tecnológico forma la base de su ventaja competitiva, y desearían mantener control sobre el uso para el cual se ha establecido. Al autorizar el uso de su tecnología, una compañía rápidamente puede perder su control. Por ejemplo, RCA una vez autorizó el uso de su tecnología de televisores a color a varias compañías japonesas. Estas empresas rápidamente asimilaron su tecnología y luego la utilizaron para ingresar en el mercado estadounidense. Ahora los japoneses poseen una mayor participación en el mercado estadounidense que la marca RCA. Actualmente se plantean asuntos similares sobre la decisión del Congreso en 1989 de permitir que las compañías japonesas produzcan bajo licenciamiento el moderno avión de caza FSX de McDonnell Douglas. Los críticos de esta decisión temen que los japoneses utilicen la tecnología FSX para apoyar el desarrollo de una industria de transporte aéreo comercial que competirá con Boeing y McDonnell Douglas en el mercado mundial.

Franquicia

Mientras el licenciamiento es una estrategia utilizada básicamente por compañías fabricantes, la franquicia, que se le asemeja en algunos aspectos, es una estrategia empleada principalmente por las firmas de servicios. Por ejemplo, tanto McDonald's como Hilton Hotels Corp. se han expandido internacionalmente a través de la franquicia[18]. En el caso de la franquicia, la compañía vende al concesionario derechos limitados para utilizar su marca a cambio del pago de una suma global y una participación en sus utilidades. Sin embargo, a diferencia de las partes en la mayoría de los acuerdos de licenciamiento, el concesionario debe cumplir con estrictas reglas sobre la forma como realiza los negocios. Cuando McDonald's concerta una franquicia con una compañía extranjera, espera que la empresa haga funcionar sus restaurantes en la misma forma que los restaurantes McDonald's lo hacen en cualquier parte del mundo.

Las ventajas de la franquicia son similares a las del licenciamiento; específicamente, el que la otorga no tiene que asumir por su propia cuenta costos de desarrollo y riesgos de apertura en un mercado extranjero, pues el titular se encarga de éstos. Por tanto, al utilizar una estrategia de franquicia, una compañía de servicios rápidamente puede generar una presencia global a un bajo costo.

Sin embargo, las desventajas son menos pronunciadas que en el caso del licenciamiento. Debido a que la franquicia es una estrategia utilizada por compañías de servicios, quien la otorga no debe considerar la necesidad de coordinar la fabricación con el fin de lograr efectos de la curva de experiencia y economías de localización. No obstante, la franquicia puede limitar la capacidad de una compañía para lograr una coordinación estratégica global.

Una desventaja más significativa de la franquicia tiene que ver con el control de calidad. El fundamento de los acuerdos de franquicia es la noción de que la marca de la compañía transmite el mensaje a los consumidores acerca de la calidad de su producto. Por consiguiente, un hombre de negocios que hace una reservación en un hotel de la cadena Hilton International en Hong Kong puede razonablemente esperar la misma calidad de habitaciones, comida y servicio de Nueva York. La marca Hilton es una garantía de la consistencia en la calidad del producto. Sin embargo, los concesionarios extranjeros quizá no están tan interesados en la calidad como debieran, y la calidad deficiente puede significar no sólo pérdidas en ventas en el mercado extranjero, sino también una declinación en la reputación mundial de la compañía. Por ejemplo, si el agente hombre de negocios ha tenido una mala experiencia en el hotel Hilton en Hong Kong, podría no volver nunca a ningún hotel de esta cadena y persuadir a sus colegas para que no vayan. La distancia geográfica que separa a la compañía de sus concesionarios extranjeros y la cantidad total de concesionarios individuales (decenas de miles en el caso de McDonald's) pueden dificultar que quien otorga la franquicia detecte la calidad deficiente. En consecuencia, pueden persistir los problemas de calidad.

Para obviar esta desventaja, una compañía puede establecer una subsidiaria en cada país o región donde se encuentre en proyectos de expansión. La subsidiaria podría ser propia de la organización de una *joint venture* con una compañía extranjera. La subsidiaria, entonces, asume los derechos y obligaciones de establecer concesionarios a través de ese país o región particular. La combinación de proximidad y el limitado número de concesionarios independientes a los que se les debe aplicar monitoreo reduce el problema de control de calidad. Además, debido a que la subsidiaria es por lo menos en parte propia de la compañía, la empresa puede establecer allí sus propios gerentes para asegurar el tipo de monitoreo a la calidad que desea. Este convenio organizacional ha probado ser muy popular en la práctica. Ha sido utilizado por McDonald's, KFC y Hilton Hotels Corp., organizaciones que amplían sus operaciones internacionales, para dar sólo tres ejemplos.

Joint ventures

Establecer una *joint venture* con una compañía extranjera por mucho tiempo ha sido un modo privilegiado de ingresar en un nuevo mercado. La forma más típica de *joint venture* es una empresa de 50/50, en la que cada parte toma un 50% de la propiedad accionaria y el control operativo es compartido por un equipo de gerentes de ambas firmas matrices. Sin embargo, algunas compañías han buscado *joint ventures* en las cuales tengan una participación mayoritaria de acciones (por ejemplo, una propiedad dividida en un 51% frente a un 49%). Esto permite un control más estricto por parte del socio dominante[19].

Las *joint ventures* tienen varias ventajas. En primer lugar, una compañía puede sentir que se puede beneficiar del conocimiento de un socio local acerca de las condiciones competitivas, cultura, lengua, sistemas políticos y sistemas de negocios de un país anfitrión. (*Véase* estrategia en acción 8.1 para conocer la forma como McDonald's se benefició de esta alternativa). En consecuencia, para muchas compañías estadounidenses las *joint ventures* han implicado que la compañía norteamericana suministre el *know-how* tecnológico y los productos y que el socio local contribuya con la experiencia de mercadeo y el conocimiento local necesarios para competir dentro de ese país. En segundo lugar, cuando los costos de desarrollo y riesgos de apertura en un mercado extranjero son elevados, una compañía puede ganar al compartir estos costos y riesgos con un socio local. En tercer lugar, en muchos países las consideraciones políticas hacen de las *joint ventures* el único modo factible de ingreso. Por ejemplo, históricamente muchas organizaciones estadounidenses hallaron más fácil obtener permiso para establecer operaciones en el Japón si lo hacían con un socio japonés que si trataban de ingresar por sí solas[20].

A pesar de estas ventajas, las *joint ventures* pueden ser difíciles de establecer y de hacer funcionar debido a dos importantes inconvenientes. En primer lugar, como en el caso del licenciamiento, una compañía que ingresa a una *joint venture* corre el riesgo de perder el control sobre su tecnología ante su socio. Con el fin de minimizar este riesgo, la compañía puede buscar una participación mayoritaria de acciones en la *joint venture*, ya que como socio dominante podría ejercer mayor control sobre su tecnología. El problema con esta estrategia es que puede ser difícil hallar un socio extranjero dispuesto a aceptar una posición minoritaria.

La segunda desventaja es que una *joint venture* no proporciona a una compañía estricto control sobre sus subsidiarias, factor que podría necesitarse con el fin de obtener efectos de la curva de experiencia o economías de localización (como intentan hacerlo las compañías globales y transnacionales) o involucrarse en ataques globales coordinados en contra de sus rivales mundiales. Considérese el ingreso de Texas Instruments (TI) en el mercado japonés de semiconductores. Cuando TI estableció instalaciones de semiconductores en el Japón, su único propósito era limitar la participación en el mercado de los fabricantes japoneses y la cantidad de flujo disponible para ellos con el propósito de invadir el mercado global de TI. En otras palabras, TI estaba involucrándose en una coordinación estratégica global. Con el fin de implementar esta estrategia, la subsidiaria japonesa de TI tuvo que prepararse para seguir las instrucciones de la casa matriz de la compañía con respecto a la estrategia competitiva. La estrategia también requería que la subsidiaria japonesa asumiera una pérdida si era necesario. Es evidente que un socio japonés de *joint venture* probablemente no hubiera aceptado tales condiciones debido a que significaría un rendimiento negativo sobre la inversión. Por esta razón, con el fin de implementar la estrategia, TI estableció una subsidiaria propia en el Japón, en lugar de ingresar en el mercado a través de una *joint venture*.

Subsidiarias propias

Una **subsidiaria propia** es aquella en la que la compañía matriz posee el 100% de las acciones. Para establecer una subsidiaria propia en un mercado extranjero, una empresa puede establecer una operación completamente nueva o adquirir una firma establecida en ese país y utilizarla para promover sus productos en el mercado anfitrión.

Establecer una subsidiaria propia ofrece tres ventajas. En primera instancia, cuando la ventaja competitiva de una compañía se fundamenta en el control de su habilidad tecnológica, una subsidiaria propia normalmente constituirá el modo de ingreso preferido, pues reduce el riesgo de la compañía de perder este control. En consecuencia, muchas compañías de alta tecnología prefieren subsidiarias propias frente a las *joint ventures* o convenios de licenciamiento. Las subsidiarias propias tienden a constituir el modo de ingreso privilegiado en las industrias de semiconductores, electrónica y farmacéutica. En segunda instancia, una subsidiaria propia le proporciona a la empresa el tipo de control rígido sobre las operaciones en diferentes países que necesite si se va a comprometer en una coordinación estratégica global (tomar las utilidades obtenidas en un país con el fin de apoyar ataques competitivos en otro). En tercer lugar, una subsidiaria propia puede ser la mejor selección si una compañía desea realizar economías de localización y obtener efectos con base en la curva de experiencia. Como se vio anteriormente, cuando las presiones en costos son intensas, a una firma le puede dar resultado configurar su cadena de valor en tal forma que se maximice el valor agregado en cada etapa. Por consiguiente, una subsidiaria nacional puede especializarse en fabricar solamente parte de la línea de productos o ciertos componentes del producto final, intercambiando piezas y productos con otras subsidiarias en el sistema global de la organización. Establecer tal sistema de producción global requiere un alto grado de control sobre las operaciones de las filiales nacionales. Las diferentes operaciones nacionales deben estar preparadas para aceptar decisiones determinadas a nivel central en cuanto a cómo deben producir, cuánto deben producir y cómo se debe determinar el precio de su producción para la transferencia entre operaciones. Una subsidiaria propia debería, por supuesto, cumplir con estos requerimientos, en tanto que los licenciados o socios de *joint venture* muy probablemente evitarán este rol subordinado.

Por otro lado, establecer una subsidiaria propia generalmente es el método más costoso de atender un mercado extranjero. La compañía matriz debe afrontar todos los costos y riesgos de establecer operaciones en el exterior; en contraste con las *joint ventures*, donde los costos y riesgos son compartidos, o el licenciamiento, donde el licenciado asume la mayor parte de los costos y riesgos. Pero los riesgos de aprender a realizar los negocios en una nueva cultura disminuyen si la compañía adquiere una empresa establecida en un país anfitrión. No obstante, las adquisiciones generan un conjunto completo de problemas adicionales, como tratar de unir las divergentes culturas corporativas, y estas dificultades pueden hacer más que neutralizar los beneficios. (Los problemas asociados con las adquisiciones se analizarán en el capítulo 10).

Selección entre modos de ingreso

Las ventajas y desventajas de los diferentes modos de ingreso se resumen en la tabla 8.2. Inevitablemente, existen alternativas al escoger uno u otro modo de ingreso. Por ejemplo, cuando se considera el ingreso en un país poco familiar con un antecedente de empresas extranjeras nacionalizadas, una compañía podría preferir una *joint venture* con una empresa local. Su razón principal podría ser que el socio local le ayude a establecer operaciones en un ambiente no familiar y le dé su opinión con respecto a una posible nacionalización. Pero si la habilidad distintiva de la compañía se basa en tecnología propietaria, ingresar mediante una *joint venture* podría significar riesgos de pérdida de control sobre esta tecnología frente al socio de *joint venture*, situación que no haría atractiva la estrategia. A pesar de estos azares, se pueden establecer algunas generalizaciones acerca de la selección óptima del modo de ingreso.

Habilidades distintivas y modo de ingreso   Cuando las compañías se expanden a nivel internacional para obtener grandes rendimientos a partir de sus habilidades distintivas, transfiriendo las destrezas y productos derivados de sus habilidades a mercados extranjeros cuyos competidores nativos no poseen, las organizaciones siguen una estrategia internacional. El modo apropiado de ingreso para estas firmas depende en cierta medida de la naturaleza de su habilidad distintiva. En

Tabla 8.2
Las ventajas y desventajas de los diversos modos de ingreso

Modo de ingreso	Ventajas	Desventajas
Exportación	Habilidad para realizar economías de localización y economías de la curva de experiencia	Altos costos de transporte Barreras comerciales Problemas con agentes locales de marketing
Licenciamiento	Bajos costos y riesgos y desarrollo	Falta de control sobre la tecnología Inhabilidad para realizar economías de localización y de curva de experiencia Inhabilidad para comprometerse en una coordinación estratégica global
Franquicia	Bajos costos y riesgos y desarrollo	Falta de control sobre la calidad Inhabilidad para comprometerse en una coordinación estratégica global
Joint ventures	Acceso al conocimiento del socio local Participación de costos y riesgos de desarrollo Aceptación política	Falta de control sobre la tecnología Inhabilidad para comprometerse en una coordinación estratégica global Inhabilidad para realizar economías de localización y experiencia
Subsidiarias propias	Protección de la tecnología Habilidad para comprometerse en la coordinación estratégica global Habilidad para realizar economías de localización y de experiencia	Altos costos y riesgos

particular, es necesario distinguir entre las compañías con una habilidad distintiva en *know-how* tecnológico y aquéllas cuya habilidad distintiva está en el *know-how* administrativo.

Si la ventaja competitiva de una compañía, es decir, su habilidad distintiva proviene de su control de su propio *know-how tecnológico*, los acuerdos de licenciamiento y de *joint venture* deben evitarse, si es posible, con el fin de minimizar el riesgo de perder control de esa tecnología. En consecuencia, si una compañía de alta tecnología considera la posibilidad de establecer operaciones en otro país con el fin de obtener utilidades por una habilidad distintiva en *know-how* tecnológico, probablemente deba hacerlo mediante una subsidiaria propia.

Sin embargo, esta regla no debe tomarse tajantemente. Por ejemplo, un acuerdo de licencia o de *joint venture* podría estructurarse de tal manera que reduzca los riesgos de que una empresa sea expropiada de su *know-how* tecnológico por parte de licenciados o socios de *joint venture*. Posteriormente en el capítulo se analizará este tipo de arreglo cuando se estudie el tema de estructurar las alianzas estratégicas. Otra excepción a la regla es que una compañía puede percibir que su ventaja tecnológica es sólo transitoria, y espera la rápida imitación de su tecnología principal por parte de los competidores. En tal caso, la compañía podría autorizar mediante licencia su tecnología tan rápido como sea posible a organizaciones extranjeras con el fin de obtener aceptación global de su tecnología antes de que se presente el plagio. Esta estrategia posee algunas ventajas. Al autorizar su tecnología a los competidores, la compañía puede evitar que desarrollen su propia tecnología, posiblemente superior. También puede establecer su tecnología como el diseño predominante en la industria (como lo hizo Matsushita con su formato VHS para los VCR), asegurando una corriente estable de pagos de regalías. Sin embargo, tales situaciones aparte de los atractivos de la licencia probablemente son superadas por el riesgo de perder el control tecnológico, y en consecuencia debe evitarse esta alternativa.

La ventaja competitiva de muchas compañías de servicios, como McDonald's o Hilton Hotels, se fundamenta en el *know-how administrativo*. Para estas organizaciones, el riesgo de perder el control de sus habilidades administrativas ante los concesionarios o los socios de *joint venture* no es tan grande. La razón consiste en que el activo valioso de tales firmas es su marca, y las marcas generalmente están bien protegidas por las correspondientes leyes internacionales de registro. Dado este hecho, muchos de los problemas que surgen en el caso del *know-how* tecnológico no se presentan en el caso del *know-how administrativo*. Como resultado, muchas compañías de servicios apoyan una combinación de franquicia y de subsidiarias para controlar a los concesionarios establecidos en un país o región. La subsidiaria puede ser propia o una *joint venture*. Sin embargo, en la mayoría de los casos las organizaciones de servicios han hallado que ingresar en una *joint venture* con un socio local con el fin de establecer una subsidiaria controlada en un país o región funciona mejor porque una *joint venture* a menudo políticamente tiene mayor aceptación y proporciona un nivel de conocimiento local a la subsidiaria.

Presiones para el logro de reducciones en costo y modos de ingreso Cuanto mayores sean las presiones para el logro de reducciones en costos, hay mayor probabilidad que de una compañía desee utilizar una combinación de subsidiarias propias y de exportación. Al fabricar en sitios donde las condiciones de factores son óptimas y luego exportar al resto del mundo, una empresa puede realizar sustanciales economías de localización y obtener efectos de la curva de experiencia. La compañía podría entonces exportar el producto terminado a subsidiarias comercializadoras ubicadas en diversos países. Comúnmente, estas subsidiarias serían propias y tendrían la responsabilidad de supervigilar la distribución en un país particular. Establecer subsidiarias comercializadoras propias es preferible a concertar una *joint venture* o a utilizar un agente comercializador extranjero debido a que esta condición proporciona a la compañía estricto control sobre la comercialización que podría requerirse para coordinar una cadena de valor globalmente dispersa. Además, el control estricto sobre una operación local permite que la compañía use las utilidades generadas en un mercado con el fin de mejorar su posición competitiva en otro. Por esta razón, las compañías que siguen estrategias globales o transnacionales prefieren establecer subsidiarias propias.

8.7 ALIANZAS ESTRATÉGICAS GLOBALES

Las alianzas estratégicas son acuerdos de cooperación entre compañías que también pueden ser competidores. En esta sección se abordarán específicamente las alianzas estratégicas entre organizaciones de diferentes países. Las alianzas estratégicas van desde la variedad de *joint ventures* formales, en las cuales dos o más compañías tienen acciones iguales, hasta acuerdos contractuales a corto plazo en los cuales dos empresas pueden acordar cooperar en un problema particular (por ejemplo al desarrollar un producto nuevo). No existe duda de que la colaboración entre los competidores está de moda. En la década de 1980 se observó una virtual explosión en la cantidad de alianzas estratégicas. Ejemplos incluyen un acuerdo cooperativo entre Boeing y un consorcio de compañías japonesas para producir el jet comercial de cabina ancha 767; una alianza entre Eastman Kodak y Canon del Japón bajo la cual esta última produce una línea de copiadoras de capacidad media para vender con el nombre de Kodak; un acuerdo entre Texas Instruments y Kobe Steel Inc. del Japón para fabricar semiconductores lógicos en el Japón; y un acuerdo entre Motorola y Toshiba para combinar su *know-how* tecnológico y fabricar microprocesadores.

Ventajas de las alianzas estratégicas

Las compañías concertan alianzas estratégicas con competidores reales o potenciales con el fin de lograr varios objetivos estratégicos[21]. En primer lugar, como se anotó antes en este capítulo, las alianzas estratégicas pueden ser una forma de facilitar el ingreso en un mercado extranjero. Por ejemplo, Motorola inicialmente halló muy difícil tener acceso al mercado japonés de teléfonos celulares. A mediados de 1980 la compañía se quejó ruidosamente por las barreras comerciales japonesas formales e informales. El momento crucial para Motorola llegó en 1987, cuando formó una alianza con Toshiba con el fin de construir microprocesadores. Como parte del trato, Toshiba suministró a Motorola ayuda en marketing, que incluía algunos de sus mejores gerentes. Esto ayudó a Motorola en el terreno político para obtener aprobación gubernamental e ingresar en el mercado japonés y lograr localizaciones de radiofrecuencias para sus sistemas móviles de comunicaciones. Desde entonces, Motorola ha restado importancia a las informales barreras comerciales del Japón. Aunque privadamente la compañía aún admite su presencia, con la ayuda de Toshiba se ha vuelto especializado en evitarlas[22].

En segundo lugar, muchas compañías han concertado alianzas estratégicas con el fin de compartir los costos fijos (y riesgos asociados) que surgen del desarrollo de nuevos productos o procesos. La alianza de Motorola con Toshiba estuvo en parte motivada por un deseo de compartir los altos costos fijos asociados al establecimiento de una operación para fabricar microprocesadores. Este negocio es tan oneroso (el costo de establecer una instalación para Motorola y Toshiba es de cerca de US$1,000 millones) que pocas compañías pueden afrontar los costos y riesgos para seguir solas. En forma similar, la alianza entre IBM, Toshiba y Siemens, destacada en la estrategia en acción 8.3, en parte se basa en el deseo de compartir los costos fijos de desarrollar nuevos microprocesadores.

En tercer lugar, muchas alianzas pueden considerarse como una forma de unir activos y habilidades complementarias que ninguna compañía podría desarrollar fácilmente por sí sola. Éste fue un

ESTRATEGIA EN ACCIÓN 8.3

La alianza de IBM, Toshiba y Siemens

En julio 18 de 1992, tres de las mayores compañías de alta tecnología en el mundo, IBM, Toshiba y Siemens, anunciaron una alianza estratégica para construir una nueva generación de chips semiconductores. Estas tres compañías son, respectivamente, la mayor empresa de computadores y fabricante de chips en el mundo, la segunda fabricante de chips del Japón y la tercera en producir semiconductores en Europa. La meta de su alianza es el desarrollo de un nuevo chip semiconductor sobre cuya minúscula superficie de silicio se grabará una cantidad igual a un mapa de las calles del mundo entero. Estas calles electrónicas conectarán unos 600 transistores. Diseñados para introducir en 1998, los chips almacenarán 256 millones de bits en información, o aproximadamente dos copias de las obras completas de William Shakespeare. Esta tecnología tendrá la capacidad de crear microprocesadores con el poder de los supercomputadores actuales.

Las razones para la alianza son claras: compartir los enormes costos y riesgos involucrados en el negocio. El costo de desarrollar el chip se estima en cerca de US$1,000 millones. Construir fábricas que produzcan el chip en volúmenes económicos le costará a cada compañía otros US$1,000 millones. Además de compartir estos costos, las empresas también esperan que el desarrollo en conjunto del chip les proporcione una gran oportunidad de convertirse en un estándar aceptado en una industria donde ser el estándar es todo[23].

factor en la alianza estratégica entre Thompson de Francia y JVC del Japón para fabricar videograbadoras. JVC y Thompson intercambian habilidades; Thompson necesita tecnología y habilidades de fabricación de productos, en tanto que JVC desea aprender cómo obtener éxito en el fragmentado mercado europeo. Ambas partes consideran que existe una oportunidad equitativa para ganar. En forma similar, en 1990 AT&T cerró un trato con NEC Corp. del Japón para negociar habilidades tecnológicas. AT&T proporcionará a NEC parte de su tecnología de diseño asistido por computador (CAD). A cambio, NEC proporcionará a AT&T acceso a la tecnología de sus avanzados chips lógicos de computador. Tal intercambio equitativo de habilidades distintivas parece fundamentar mucha de las más exitosas alianzas estratégicas.

Finalmente, tiene sentido concertar una alianza si ésta ayuda a que la compañía establezca estándares tecnológicos para su industria y si aquellos estándares le benefician. Por ejemplo, en 1992 la empresa holandesa Philips ingresó a una alianza con su competidor global, Matsushita, con el fin de fabricar y comercializar su sistema de casete compacto digital (DDC) del cual fue pionera. El motivo para emprender esta acción fue que vincularse con Matsushita le ayudaría a Philips a establecer el sistema DCC como nuevo estándar tecnológico en las industrias de grabaciones y de electrodomésticos. El tema es importante debido a que Sony ha desarrollado una tecnología competitiva de disco minicompacto, la cual espera establecer como nuevo estándar técnico. Puesto que las dos tecnologías realizan tareas muy similares, probablemente hay espacio sólo para un nuevo estándar. La tecnología que se convierta en el nuevo estándar será la que tenga éxito. El perdedor en esta carrera de establecer un estándar técnico con toda probabilidad tendrá que dar por perdida una valiosa inversión de miles de millones de dólares. Philips ve la alianza con Matsushita como una táctica para ganar la carrera, por esta razón se une a un gran competidor potencial dentro de su estándar.

Desventajas de las alianzas estratégicas

Las diversas ventajas analizadas anteriormente pueden ser bastante significativas. No obstante, algunos analistas las han criticado fundamentándose en que proporcionan a los competidores una vía de bajo costo para obtener acceso a una nueva tecnología y de mercado. Por ejemplo, Robert Reich y Eric Mankin plantean que las alianzas estratégicas entre las compañías estadounidenses y japoneses forman parte de una implícita estrategia japonesa para mantener empleos de alta remuneración y alto valor agregado en el Japón, mientras ganan habilidades de ingeniería de proyectos y procesos de producción que constituyen la base del éxito competitivo de muchas compañías estadounidenses[24]. Consideran el éxito japonés de las industrias de máquinas-herramientas y de semiconductores como algo ampliamente establecido con base en la tecnología estadounidense adquirida a través de varias alianzas estratégicas. De igual manera, sostienen que, cada vez más, los gerentes norteamericanos ayudan a los japoneses en el logro de sus metas al concertar alianzas que encauzan nuevas invenciones hacia el Japón y suministran a la red de ventas y de distribución de EE.UU. los productos resultantes. Aunque tales tratos pueden generar utilidades a corto plazo, a largo término, según Reich y Mankin, el resultado es un "socavamiento" para las compañías estadounidenses, dejándolas sin ninguna ventaja competitiva en el mercado global.

Reich y Mankin tienen un planteamiento: las alianzas sí presentan riesgos. A menos que se sea cuidadosa, una compañía puede entregar más de lo que obtiene a cambio. Por otro lado, existen bastantes ejemplos de alianzas aparentemente exitosas entre firmas, entre otras las de empresas estadounidenses y japonesas, donde la posición de Reich y Mankin parece ser un poco extremista. Es difícil ver cómo las alianzas de Motorola-Toshiba, Ford-Mazda o la de 25 años entre Fuji y Xerox para fabricar y comercializar fotocopiadoras en Asia, se ajustan a su tesis. En estos casos, los dos socios parecen haber ganado por la alianza. Debido a que Reich y Mankin indudablemente sí dan en el punto, la pregunta es *¿por qué algunas alianzas benefician a la compañía, en tanto que otros acuerdos pueden terminar quitándole la tecnología y el acceso al mercado y suministrarle poca retribución?* La próxima sección proporcionará una respuesta a este planteamiento.

8.8 HACER QUE FUNCIONEN LAS ALIANZAS ESTRATÉGICAS

Los beneficios que una compañía obtiene de una alianza estratégica parecen depender de tres factores: selección del socio, estructura de la alianza y la forma como ésta se maneja. En seguida se analizará cada uno.

Selección del socio

Uno de los factores claves para hacer que una alianza estratégica funcione consiste en seleccionar el tipo apropiado de socio. Este socio tiene tres características importantes. En primer lugar, debe ser capaz de ayudar a la compañía a lograr sus metas estratégicas; por ejemplo obtener acceso a un mercado, compartir los costos y riesgos del desarrollo de nuevos productos o lograr acceso a habilidades esenciales. En otras palabras, el socio debe tener capacidades valiosas para la compañía que ésta no posee. En segundo lugar, el socio debe compartir la visión de la compañía en cuanto al propósito de la alianza. Si dos organizaciones se comprometen en una alianza con agendas radicalmente diferentes, habrá probabilidad de que terminen divorciándose.

En tercer lugar, no debe existir probabilidad de que uno de los socios trate de explotar en forma oportunista la alianza para sus propios fines, expropiando a la compañía de su *know-how* tecnológico, mientras le proporciona muy poco a cambio. En este respecto, las compañías que tienen reputación de mantener un juego limpio probablemente constituyen los mejores socios para las alianzas. Por ejemplo, IBM está involucrada en tantas alianzas estratégicas que no sería aconsejable atropellar sin miramientos a los socios individuales de las alianzas, expropiándolos de su *know-how* tecnológico y proporcionándoles poco a cambio. Tal acción empañaría su bien ganada reputación de compañía apropiada para formar una alianza. A su vez, esto le haría más difícil atraer socios para futuras alianzas. Debido a que IBM da gran importancia al establecimiento de alianzas con otras empresas, la compañía probablemente no adopte el tipo de comportamiento oportunista que Reich y Mankin destacan. IBM debe mantener una reputación de juego limpio. En forma similar, la necesidad de salvaguardar su reputación hace menos probable (aunque no imposible) que las compañías japonesas como Sony, Toshiba o Fuji, que poseen un historial de concertar alianzas con organizaciones no japonesas, exploten en forma oportunista a un socio.

Con el fin de seleccionar un socio con las características anteriormente anotadas, una compañía debe emprender una investigación amplia de candidatos potenciales para la alianza antes de escoger un socio. Necesita recolectar cuanta mayor información pertinente y públicamente haya disponible sobre los socios potenciales de la alianza. También necesita recolectar información proveniente de terceras partes, como compañías que hayan estado involucradas en alianzas con los socios potenciales, banqueros inversionistas que hayan tenido tratos con aquéllos y exempleados de estos candidatos. Además, la compañía debe conocer su socio potencial tanto como sea posible antes de establecer un compromiso para concertar la alianza. Los encuentros directos entre los gerentes senior (y quizá los gerentes de nivel medio) son importantes en este respecto, con el fin de asegurar que haya una buena compatibilidad.

Estructura de la alianza

Después de seleccionar al socio, la compañía debe tratar de estructurar la alianza de tal forma que los riesgos de proporcionar demasiado a aquél, sin recibir nada a cambio, se reduzcan a un nivel aceptable. Existen por lo menos cuatro formas mediante las cuales una compañía se puede proteger del oportunismo del socio. (El oportunismo incluye el robo de tecnología de mercados que Reich y Mankin describen). En primer lugar, las alianzas pueden estar diseñadas para dificultar, si no imposibilitar, la transferencia de tecnología no destinada para tal efecto. Específicamente, el diseño, desarrollo, fabricación y servicio de un producto generado por una alianza puede estructurarse de tal manera que *separe* las tecnologías más sensibles y prevenga su filtración hacia otro participante. Por ejemplo, en la alianza entre General Electric y Snecma para construir motores de aeronaves comerciales, General Electric trató de reducir el riesgo de transferencia excesiva al separar ciertas secciones del proceso de producción. La modularización efectivamente redujo la transferencia de tecnología competitiva clave de acuerdo con el criterio de la empresa, mientras le permitió a Snecma el acceso al proceso de ensamblaje final. En forma similar, en la alianza entre Boeing y los japoneses para construir el 767, Boeing separó las funciones de investigación, diseño y marketing consideradas más importantes para la posición competitiva de Boeing, en tanto que permitió que los japoneses participaran en la tecnología de producción. Boeing también separó las nuevas tecnologías no requeridas para la producción del 767[25].

En segunda instancia, las cláusulas de aseguramientos contractuales pueden redactarse en un acuerdo de alianza. Por ejemplo, TRW Inc. posee tres alianzas estratégicas con grandes proveedores japoneses de autopartes para producir cinturones de seguridad, válvulas de motores y mecanismos de dirección para la venta exclusiva a plantas japonesas de ensamblaje de automóviles en EE.UU. TRW posee cláusulas en cada uno de los contratos de alianza que impiden a las compañías japonesas competir con TRW de proveer estas piezas a compañías automotrices norteamericanas (General Motors, Ford y Chrysler). Estas cláusulas protegen a TRW de la posibilidad que las compañías japonesas concerten alianzas para tener acceso al mercado doméstico de TRW y se conviertan allí en competidores.

En tercer lugar, ambas partes en una alianza pueden acordar por adelantado intercambiar habilidades y tecnologías que cada una desee de la otra, asegurando así una oportunidad de ganar en forma equitativa. Los contratos de licenciamiento compartidos constituyen una forma de lograr esta meta. Por ejemplo, en el caso de la alianza entre Motorola y Toshiba, Motorola ha autorizado mediante licencia parte de su tecnología de microprocesadores a Toshiba, y a cambio Toshiba le ha autorizado parte de su tecnología de chips de memoria.

En cuarto lugar, el riesgo de oportunismo por parte de un socio puede disminuir si la compañía obtiene por adelantado un *compromiso creíble* de su socio, el cual hará menos probable que a la postre en la alianza la compañía dé más y obtenga menos a cambio. La alianza a largo plazo entre Xerox y Fuji para fabricar fotocopiadoras con el fin de atender el mercado asiático ilustra tal compromiso. En vez de concertar un acuerdo informal o un tipo de contrato de licencia (el cual inicialmente quería Fuji), Xerox insistió en que Fuji invirtiera en una *joint venture* de 50/50 para atender al Japón y al Asia oriental. Este negocio constituyó una inversión bastante significativa en empleados, equipo e instalaciones, insumos que desde el comienzo Fuji se comprometió a manejar para hacer que la alianza funcionara con el fin de obtener un rendimiento sobre esa inversión. Al concertar una *joint venture*, Fuji estableció un compromiso creíble para la alianza, y Xerox se sintió segura en la transferencia de su tecnología de fotocopiadoras a Fuji.

Manejo de la alianza

Una vez seleccionado el socio y acordada la estructura apropiada de la alianza, la tarea que enfrenta la compañía consiste en maximizar los beneficios del pacto. Un ingrediente importante parece ser la sensibilidad a las diferencias culturales. Las diferencias en el estilo de administración a menudo pueden atribuirse a las divergencias culturales. Los gerentes necesitan hacer concesiones para tales diferencias cuando traten con su socio. Además, manejar en forma exitosa una alianza implica generar relaciones interpersonales entre los gerentes de las diversas compañías, una lección que puede aprenderse de la exitosa alianza estratégica entre Ford y Mazda. Esta unión ha generado el desarrollo de los automóviles más vendidos como el Ford Explorer y el Mazda Navajo. Ford y Mazda han establecido un marco de reuniones dentro del cual los gerentes de Ford y de Mazda no solamente analizan problemas pertinentes a la alianza, sino que también tienen el suficiente tiempo libre para permitirles conocerse mejor. Las amistades personales que resultan pueden ayudar a generar confianza y facilitar relaciones armónicas entre las dos compañías. Además, las relaciones personales pueden crear una red administrativa informal entre las organizaciones, y ésta se puede utilizar para ayudar a resolver problemas que surjan en contextos más formales, como reuniones de comités conjuntos entre el personal de ambas firmas.

Un importante factor que determina cuánto gana una compañía a partir de una alianza lo constituye su habilidad para aprender de los socios. Gary Hamel, Yves Doz y C.K. Prahalad llegaron a esta conclusión después de un estudio de cinco años de 15 alianzas estratégicas entre multinacionales importantes. Ellos se concentraron en varias alianzas entre compañías japonesas y socios occidentales (europeos o norteamericanos). En cada caso, cuando una compañía japonesa salía de una alianza más fuerte que su socio occidental, se debió a que había hecho un gran esfuerzo por aprender. En verdad, pocas organizaciones occidentales parecían desear aprender de sus socios japoneses. Tendían a limitar la alianza estrictamente como medio para compartir costos o riesgos en vez de aprovechar la oportunidad para aprender cómo un competidor potencial desarrolla sus actividades.

Por ejemplo, considérese la alianza entre General Motors y Toyota Motor Corp. para construir el Chevrolet Nova. Esta alianza se estructuró como una *joint venture* formal, llamada New United Motor Manufacturing Inc., en la que ambas partes tienen una participación del 50% en las acciones. La empresa posee una planta automotriz en Fremont, California. De acuerdo con uno de los gerentes japoneses, Toyota logró la mayor parte de sus objetivos de la alianza: "Aprendimos sobre el suministro y transporte en EE.UU.; y logramos confianza para dirigir a los trabajadores estadounidenses"[27]. Luego, todo ese conocimiento se transfirió rápidamente a Georgetown, Kentucky, donde Toyota abrió una planta por sí sola en 1988. En contraste, aunque General Motors obtuvo un nuevo producto, el Chevrolet Nova, algunos gerentes de esta firma se quejaron de que a su conocimiento nunca se le dio buen uso dentro de la organización. Manifestaron que se les debió mantener juntos como equipo para educar a los ingenieros y trabajadores de General Motors acerca del sistema japonés. Por el contrario, estuvieron dispersos en las diferentes subsidiarias de General Motors[28].

Cuando una compañía concierta una alianza, debe tomar ciertas medidas con el fin de asegurar que podrá aprender de su socio y luego destinar ese conocimiento a buen uso dentro de su organización. Un enfoque sugerido consiste en educar a todos los empleados operativos sobre las fortalezas y debilidades del socio y aclararles cómo al adquirir habilidades particulares se reforzará la posición competitiva de su compañía. Para que se valore tal aprendizaje, el conocimiento adquirido de una alianza debe difundirse en toda la organización, lo que no sucedió en General Motors. Con el propósito de difundir este conocimiento, los gerentes involucrados en una alianza deben utilizarse como recurso al familiarizar a otros en la compañía acerca de las habilidades del socio.

8.9   RESUMEN DEL CAPÍTULO

En este capítulo se examinaron las diversas formas como las compañías pueden obtener utilidades de la expansión global y se revisaron las estrategias que pueden adoptar las empresas comprometidas en la competencia global. También se analizó la elección óptima del modo de ingreso para atender un mercado extranjero, y se exploró el tema de las alianzas estratégicas. En este capítulo se estudiaron los siguientes puntos:

1. Para algunas compañías, la expansión internacional representa una forma de obtener grandes rendimientos al transferir las ofertas de habilidades y productos derivados de sus habilidades distintivas a mercados donde los competidores nativos carecen de aquellas habilidades.
2. Debido a las diferencias nacionales, a una compañía le conviene desarrollar cada actividad de creación de valor en el sitio donde las condiciones de factores son más propicias para ejecutar esa actividad. Esta estrategia se concentra en el logro de economías de localización.
3. Al generar un volumen de ventas en forma más rápida, la expansión internacional puede ayudar a una campaña en el proceso de desplazarse en forma descendente en la curva de experiencia.
4. La mejor estrategia que puede seguir una compañía quizá depende del tipo de presiones que debe afrontar: presiones para el logro de reducciones en costos o para alcanzar un nivel de capacidad de aceptación local. Las presiones para lograr reducciones en costos son mayores en industrias que producen bienes tipo popular, donde el precio constituye la principal arma competitiva. Las presiones para alcanzar capacidad de aceptación local se generan a partir de las diferencias en los gustos y preferencias de los consumidores, como también de la infraestructura nacional y prácticas tradicionales, canales de distribución y exigencias de gobiernos anfitriones.

5. Las compañías que siguen una estrategia internacional transfieren las habilidades y productos derivados de las habilidades distintivas a mercados extranjeros, mientras asumen una limitada adaptación local.

6. Las empresas que emplean una estrategia multidoméstica ajustan su oferta de producto, estrategia de mercadeo y estrategia de negocios a las condiciones nacionales.

7. Las firmas que utilizan una estrategia global se concentran en obtener reducciones en costos que provienen de los efectos de la curva de experiencia y de las economías de localización.

8. Muchas industrias ahora son tan competitivas que las organizaciones deben adoptar una estrategia trasnacional. Esto implica una concentración simultánea en reducción de costos, transferencia de habilidades y productos, y alcanzar un nivel de capacidad de aceptación local. Sin embargo, implementar tal estrategia puede no ser fácil.

9. Existen cinco formas diferentes de ingresar en un mercado extranjero: exportación, licenciamiento, franquicia, concertar una *joint venture* y establecer una subsidiaria propia. La selección óptima entre los modos de ingreso depende de la estrategia de la compañía.

10. Las alianzas estratégicas constituyen acuerdos de cooperación entre competidores reales o potenciales. Las ventajas de las alianzas consisten en que facilitan el ingreso a mercados extranjeros, permiten a los socios compartir los costos fijos y riesgos asociados a los nuevos productos y procesos, facilitan la transferencia de habilidades complementarias entre compañías, y ayudan a que las empresas establezcan estándares técnicos.

11. Las desventajas de una alianza estratégica consisten en que una compañía se arriesga a proporcionar el *know-how* tecnológico y acceso al mercado a su socio mientras obtiene muy poco a cambio.

12. Las desventajas asociadas a las alianzas pueden reducirse si la compañía selecciona los socios en forma cuidadosa, poniendo mucha atención a la reputación, y si estructura la alianza de tal manera que evite transferencias intencionadas de *know-how*.

Preguntas y temas de análisis

1. En el caso hipotético de que no haya costos de transporte, barreras comerciales y ninguna diferencia significativa entre naciones con relación a las condiciones de factores, las compañías deben expandirse internacionalmente si desean sobrevivir. Analícese esta afirmación.

2. Determínese la posición de las siguientes compañías con base en la figura 8.1: Procter & Gamble, IBM, Coca-Cola, Dow Chemicals, USX y McDonald's. Justifíquese su respuesta en cada caso.

3. ¿Las siguientes son industrias mundiales o multidomésticas: químicos a granel, farmacéuticos, productos alimenticios de marca, películas, televisión, computadores personales y transporte aéreo?

4. Analizar cómo la necesidad de controlar las operaciones extranjeras varía de acuerdo con la estrategia y habilidades distintivas de una compañía. ¿Cuáles son las implicaciones de este factor en la selección de un modo de ingreso?

5. Una pequeña compañía canadiense que ha desarrollado un conjunto de valiosos y nuevos productos médicos utilizando su propio y exclusivo *know-how* biotecnológico intenta decidir cómo atender mejor el mercado de la Unión Europea. Sus alternativas son las siguientes: (a) fabricar el producto a nivel doméstico y permitir que los agentes de ventas extranjeros manejen la comercialización; (b) fabricar los productos a nivel local pero establecer una subsidiaria propia en Europa para que maneje la comercialización y (c) concertar una alianza estratégica con una gran compañía farmacéutica europea. El producto se fabricaría en Europa mediante una *joint*

venture de 50/50, luego se comercializaría por la compañía europea. El costo de inversión en las instalaciones de fabricación es mayor para la compañía canadiense pero no está fuera de su alcance. Si son las únicas opciones de la compañía ¿cuál sería la más aconsejable? ¿Por qué?

Aplicación 8

Hallar un ejemplo de una compañía multinacional que en años recientes haya cambiado su estrategia de multidoméstica, internacional o global a una alternativa transnacional. Identifíquense las razones del cambio y los posibles problemas mientras trata de modificar su orientación estratégica.

Proyecto sobre administración estratégica: Módulo 8

Este módulo requiere que el estudiante identifique cómo podría la compañía escogida obtener utilidades de la expansión global, la estrategia que debe seguir a nivel global y el modo de ingreso que le favorecería. Con la información disponible, responder las preguntas, relacionadas con estas dos situaciones:

A. Cuando la compañía ya realiza negocios en otros países:

1. ¿Crea valor o disminuye los costos de creación de valor al obtener economías de localización, transferir habilidades distintivas al extranjero o al realizar economías en costos a partir de la curva de experiencia? Si no es así, ¿tiene el potencial para hacerlo?

2. ¿Qué capacidad de respuesta posee la compañía ante las diferencias existentes entre las naciones? ¿Varía su producto y mensaje de mercadeo de un país a otro? ¿Debería hacerlo?

3. ¿Cuáles son las presiones en costos y las restricciones para la capacidad de aceptación local en la industria donde la compañía funciona?

4. ¿Qué estrategia sigue la compañía para competir globalmente? En su opinión, ¿es la estrategia correcta, dadas las presiones en costos y para la capacidad de aceptación local?

5. ¿Qué importante mercado extranjero atiende la compañía y qué modo ha utilizado para ingresar? ¿Cuáles son las ventajas y desventajas de utilizar este modo? ¿Podría preferirse otra alternativa?

B. Cuando la compañía aún no desarrolla actividades en otros países:

1. ¿En qué medida la compañía debe agregar valor a sus productos o disminuir los costos de creación de valor al expandirse internacionalmente?

2. A nivel internacional, ¿cuáles son las presiones en costos para lograr capacidad de aceptación local en la industria donde funciona la empresa? ¿Qué implicaciones tienen estas presiones en la estrategia que podría seguir si escoge expandirse globalmente?

3. ¿A qué mercado extranjero podría ingresar la firma y qué modo de ingreso debería utilizar para llegar a este mercado? Justifíquense sus respuestas.

Notas

1. C. S. Trager, "Enter the Mini-Multinational", *Northeast International Business* (March 1989) 13-14.

2. *Fuentes*: Kathleen Deveny et al., "McWorld?" *Business Week*, October 13, 1986, pp. 78-86. "Slow Food", *Economist*, February 3, 1990, p. 64.

3. "Matsushita Electrical Industrial in 1987", in *Transnational Management*, ed. C.A. Bartlett and S. Ghoshal (Homewood, Ill.: Irwin, 1992).

4. C. K. Prahalad and Yves L. Doz, "The Multinational Mission: Balancing Local Demands and Global Vision" (New York: Free Press, 1987). Prahalad y Doz en realidad hablan de la capacidad de aceptación local en vez de personalización local.

5. "The Tire Industry's Costly Obsession with Size", *Economist*, June 8, 1993, p. 65-66.

6. T. Levitt, "The Globalization of Markets", *Harvard Business Review*, (May-June, 1983), 92-102.

7. C. A. Bartlett and S. Ghoshal, *Managing Across Borders*, (Boston, Mass.: Harvard Business School Press, 1989).

8. Esta sección se fundamenta en Bartlett and Ghoshal, *Managing Across Borders*.

9. *Fuentes*: Guy de Jonquieres and C. Bobinski, "Wash and Get Into a Lather in Poland", *Financial Times*, May 28, 1992, p. 2. "Perestroika in Soapland", *Economist*, June 10, 1989, pp. 69-71. "After Early Stumbles P&G Is Making Inroads Overseas", *Wall Street Journal*, February 6, 1989, p. B1. Bartlett and Ghoshal, *Managing Across Borders*.

10. Bartlett and Ghoshal, *Managing Across Borders*.

11. *Ibíd*.

12. T. Hout, M. E. Porter, and E. Rudden, "How Global Companies Win Out", *Harvard Business Review*, (September-October, 1982), 98-108.

13. Guy de Jonquieres, "Unilever Adopts a Clean Sheet Approach", *Financial Times*, October 21, 1991, p. 13.

14. Bartlett and Ghoshal, *Managing Across Borders*.

15. *Ibíd*.

16. Esta sección se basa en los siguientes estudios: C. W. L. Hill, P. Hwang and W. C. Kim, "An Eclectic Theory of the Choice of International Entry Mode", *Strategic Management Journal*, 11 (1990), pp. 117-128. C. W. L. Hill and W. C. Kim, "Searching for a Dynamic Theory of the Multinational Enterprise: A Transaction Cost Model", *Strategic Management Journal*, 9 (1988), Special Issue on Strategy Content, pp. 93-104. *Véase también* E. Anderson and H. Gatignon, "Modes of Foreign Entry: A Transaction Cost Analysis and Propositions", *Journal of International Business Studies*, 17 (1986), 1-26; and F. R. Root, *Entry Strategies for International Markets* (Lexington, Mass.: Heath, 1980).

17. Para consultar un análisis general acerca de la licencia, *véase* F. J. Contractor, "The Role of Licensing in International Strategy", *Columbia Journal of World Business*, (Winter 1982), 73-83.

18. J. H. Dunning and M. McQueen, "The Eclectic Theory of International Production: A Case Study of the International Hotel Industry", *Managerial and Decision Economics*, 2 (1981), 197-210.

19. Para una revisión de la literatura sobre *joint ventures*, *véase* B. Kogut, "Joint Ventures: Theoretical and Empirical Perspectives", *Strategic Management Journal*, 9 (1988), 319-332.

20. D. G. Bradley, "Managing Against Expropriation" *Harvard Business Review* (July-August 1977), 78-90.

21. *Véase* K. Ohmae, "The Global Logic of Strategic Alliances", *Harvard Business Review*, (March-April 1989) 143-154; G. Hamel, Y. L. Doz, and C. K. Prahalad, "Collaborate with Your Competitor and Win!" *Harvard Business Review* (January-February 1988) 133-139; W. Burgers, C. W. L. Hill, and W. C. Kim, "Alliances in the Global Auto Industry", *Strategic Management Journal*, in press.

22. "Asia Beckons", *Economist*, May 30, 1992, pp. 63-64.

23. *Fuentes*: "Chip Diplomacy", *Economist*, July 18, 1992, p. 65. O. Port, "Talk About Your Dream Team", *Business Week*, July 27, 1992, pp. 59-60.

24. R. B. Reich and E. D. Mankin, "Joint Ventures with Japan Give Away Our Future", *Harvard Business Review*, (March-April 1986), 78-90.

25. T. W. Roehl and J. F. Truitt, "Stormy Open Marriages Are Better", *Columbia Journal of World Business*, (Summer 1987), 87-95.

26. Hamel, Doz, and Prahalad, "Collaborate with Your Competitors and Win!" pp. 133-139.

27. B. Wysocki, "Cross Border Alliances Become Favorite Way to Crack New Markets", *Wall Street Journal*, March 4, 1990, p. A1.

28. *Ibíd*.

9 Integración vertical, diversificación y alianzas estratégicas

9.1 CASO INICIAL: DIVERSIFICACIÓN EN DAIMLER-BENZ

Durante años Daimler-Benz AG de Alemania disfrutó de una bien ganada reputación como uno de los primeros fabricantes de automóviles lujosos de alta calidad en el mundo. Sin embargo, a mediados de la década de 1980, bajo el liderazgo de un nuevo CEO, Edzard Reuter, Daimler-Benz se aventuró en un dramático cambio estratégico. Reuter transformó a Daimler-Benz de una compañía concentrada en la producción de lujosos automóviles y camiones bajo la marca Mercedes-Benz en el mayor conglomerado industrial de Alemania, con ingresos mensuales de la escala de US$60,000 millones. Él logró esto al adquirir varias importantes compañías alemanas, entre otras el fabricante de productos electrónicos y bienes de consumo AEG junto con las compañías aeronáuticas Dornier Aircraft y Messerschmitt-Boelkow-Blohm (MBB). Posteriormente Daimler-Benz fusionó a Dornier y MBB en Deutsche Aerospace. Esta compañía ahora es propietario efectivo del 37.9% de las acciones en el consorcio European Airbus Industrie de Alemania, el cual compite de igual a igual con Boeing en el mercado mundial de jets comerciales.

La lógica implícita en la estrategia de diversificación de Reuter estaba fundamentada en varios factores. En primer lugar, consideraba que aumentaría la intensidad de la rivalidad en la industria mundial automotriz. Los competidores japoneses comenzaban a surgir en el mercado del territorio de Mercedes-Benz, haciendo

más difícil que Daimler-Benz sostuviera su ventaja diferencial. En segunda instancia, Reuter concluyó que en este nuevo ambiente competitivo las compañías que aparecieran en la cúspide serían aquellas capaces de incorporar tecnología de avanzada a sus automóviles, antes que los rivales. En tercer lugar, consideraba que al adquirir negocios de productos electrónicos y de aeronáutica Daimler-Benz podría obtener acceso justo a ese *know-how* tecnológico de avanzada. En resumen, Reuter consideraba que los desarrollos tecnológicos creaban enormes oportunidades de compartir el *know-how* en las actividades aeronáutica, automotriz y electrónica.

Sin embargo, los ambiciosos planes de Reuter proporcionarían las ganancias que había pronosticado enfáticamente. Las utilidades de la compañía se habían estancado desde mediados de la década de 1980. Una razón importante había sido el desempeño deficiente de los negocios nuevos de Daimler-Benz. AEG perdía dinero cuando Daimler-Benz la compró. Según los analistas, AEG estaba por mostrar utilidad. En forma similar, MBB se había convertido en un constante perdedor de dinero. Como resultado, a comienzos de la década de 1990 el negocio de automóviles Mercedez-Benz, aunque había generado sólo el 40% de los ingresos totales de Daimler-Benz, respondió por el 90% de las utilidades. Para empeorar la situación, existen señales de que este negocio puede encontrarse en problemas. En 1992, por primera vez, el archirrival de Daimler-Benz, BMW, vendió más automóviles que aquella. BMW vendió un estimado de 590,000 vehículos en el mundo en 1992, muy por encima de los 530,000 Mercedes-Benz vendidos.

Reuter manifiesta que estos problemas son a corto plazo y que a largo plazo la estrategia de diversificación dará resultado. Otros no están tan seguros. Muchos analistas siempre consideraron que Reuter tenía una exagerada visión del potencial para compartir tecnología entre los negocios de aeronáutica, automóviles y electrónica. También cuestionaban el porqué tenía que construirse un conglomerado diversificado para compartir tal *know-how*, particularmente en una época en la que muchas compañías lo compartían a través de alianzas estratégicas. Los críticos de las políticas de Reuter también señalaban serios problemas de motivación que habían comenzado a surgir dentro del ampliado grupo. Los gerentes en AEG aparentemente estaban descontentos con la orden de entregar el mando de su lucrativa división aeronáutica a Deutsche Aerospace. La combinación Dornier-MBB también tenía problemas. Las dos compañías aeronáuticas tenían culturas radicalmente diferentes y eran viejos rivales antes de su unión forzada por Daimler-Benz. En la actualidad, los gerentes de MBB, radicados en Munich, aparentemente se sienten ofendidos por tener que presentar informes a la oficina principal de Deutsche Aerospace, ubicada en Stuttgart,

cuyo personal básicamente es el antiguo de Dornier. Además, los gerentes en Mercedes-Benz se sienten ofendidos por tener que ceder la mayor parte de las utilidades de su compañía para financiar las unidades de negocios que registraban pérdidas monetarias como AEG y MBB, y a los ingenieros de Mercedes-Benz no les agrada estar unidos con compañías que consideran inferiores. Además, existe la percepción de que el enfoque de Reuter sobre la diversificación ha agotado el capital y ha desviado la atención de los altos gerentes corporativos, cuyo negocio principal de la compañía es la fabricación de automóviles; por estas razones se ha generado la reciente pérdida de liderazgo de Mercedes-Benz en la industria automotriz alemana ante BMW[1].

Preguntas y temas de análisis

1. Evalúese críticamente la lógica que fundamenta la estrategia de diversificación de Daimler-Benz. ¿Cómo podría esta estrategia agregar valor al negocio establecido de automóviles de Daimler-Benz?
2. Identificar las formas como la estrategia de diversificación de Daimler-Benz pudo haber destruido en vez de crear valor.
3. ¿Es posible que Daimler-Benz necesitara diversificarse con el fin de tener acceso al *know-how* tecnológico de avanzada? Además de la diversificación, ¿qué otro enfoque podría haber utilizado la compañía?

9.2 VISIÓN GENERAL

La estrategia a nivel corporativo está relacionada con dos importantes preguntas: (1) ¿en qué áreas de negocios debería participar la compañía de manera que maximice su utilidad a largo plazo? y (2) ¿qué estrategias debería utilizar para ingresar y salir de las áreas de negocios? La primera pregunta constituye la parte principal de este capítulo; y la segunda, el punto central del capítulo 10. Al escoger áreas de negocios donde pueda competir, una compañía tiene varias opciones. Las principales consisten en integrarse verticalmente en negocios adyacentes o diversificarse en diferentes áreas de negocios. En este capítulo, se explorarán estas alternativas en profundidad y se examinarán sus pros y sus contras. También se abordarán las alianzas estratégicas como alternativas para la integración vertical y la diversificación.

El caso inicial describe la estrategia corporativa de una compañía, Daimler-Benz. Cuando a mediados de la década de 1980 ésta redujo la dependencia de su negocio principal de fabricación de automóviles y camiones al diversificarse en nuevas áreas de negocios -específicamente aeronáutica y electrónica- escogió hacerlo mediante adquisiciones en lugar de emprender nuevas operaciones. Sin embargo, como se muestra en el caso, esta estrategia no ha creado valor. En verdad, a juzgar por el reciente desempeño de la operación de fabricación de vehículos por parte de Mercedes-Benz, anotada en el caso inicial, se podría argumentar que la estrategia ha disipado en vez de crear valor para los clientes y accionistas de la compañía.

Como se verá en este capítulo y en el próximo, la experiencia de Daimler-Benz no es particular; muchas estrategias a nivel corporativo parecen disipar en vez de crear valor. Por tanto, de nuevo se hace énfasis en que para obtener éxito, las estrategias a nivel corporativo deben *agregar valor* a la compañía. Para entender este principio es importante retomar el concepto de cadena de valor, expuesto en el capítulo 5. Con el fin de *agregar valor, una estrategia corporativa debe permitir a una compañía, o a una o más de sus unidades de negocios, desempeñar una o más funciones de creación de valor a un costo menor, o ejecutar una o más funciones de creación de valor de tal forma que posibilita obtener diferenciación y un precio superior.* Por tanto, la estrategia *corporativa* de una compañía debe ayudar en el proceso de establecer una habilidad distintiva y una ventaja competitiva a *nivel de negocios.* Esto no parece haber ocurrido en Daimler-Benz; de ahí sus problemas actuales.

9.3 INTEGRACIÓN VERTICAL

La **integración vertical** significa que una compañía produce sus propios insumos (integración hacia atrás o ascendente) o dispone de su propia producción (integración hacia adelante o descendente). Una compañía de acero que satisface sus necesidades de mineral de hierro mediante una empresa propia de minas de hierro, es el ejemplo de la integración hacia atrás (ascendente). Un fabricante que vende sus automóviles a través de agencias de distribución de su propia compañía ilustra la integración hacia adelante (descendente). La figura 9.1 ilustra cuatro etapas *importantes* en una típica cadena de producción materia prima-consumidor. Para una compañía ubicada en la etapa de ensamblaje, la integración hacia atrás involucra desplazarse hacia la fabricación intermedia y la producción de materias primas. La integración hacia adelante involucra el desplazamiento hacia la distribución. En cada etapa de la cadena, se *agrega valor* al producto. Esto significa que una compañía ubicada en esta etapa toma el producto generado en la etapa anterior, lo transforma de alguna manera y vende la producción con un precio mayor a una empresa que se encuentre en la etapa siguiente de la cadena. La diferencia entre el precio pagado por los insumos y el precio al cual se vende el producto es una medida del valor agregado en esa etapa.

Como ejemplo del concepto del valor agregado, considérese la cadena de producción en la industria del computador personal, ilustrada en la figura 9.2. En esta industria, las compañías de

Figura 9.1
Etapas en la cadena materia prima-consumidor

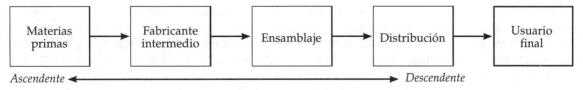

Figura 9.2
Cadena materia prima-consumidor en la industria del computador personal

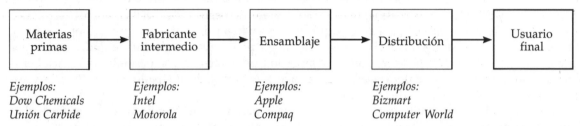

| Materias primas | → | Fabricante intermedio | → | Ensamblaje | → | Distribución | → | Usuario final |

Ejemplos: Ejemplos: Ejemplos: Ejemplos:
Dow Chemicals   Intel   Apple   Bizmart
Unión Carbide   Motorola   Compaq   Computer World

materias primas incluyen a los fabricantes de cerámica especial, químicos y metales como Dow Chemical y Union Carbide. Estas compañías venden su producción a los fabricantes de productos intermedios. Los fabricantes intermedios, que incluyen compañías como Intel y Motorola, transforman materiales adquiridos como cerámica, químicos y metales en partes para computador como microprocesadores, chips de memoria y unidades de *drive*. Al hacerlo, *agregan valor* a las materias primas que compran. Luego, estas piezas se venden a compañías ensambladoras como Apple y Compaq, quienes toman estos componentes y los convierten en computadores personales –es decir, *agregan valor* a las piezas que compran. Entonces, muchos de los computadores personales terminados se venden a distribuidores como Bizmart y Computer World, que a su vez los venden a clientes finales. Los distribuidores también *agregan valor* al producto al hacerlo accesible a los clientes, y al proporcionar el servicio y apoyo. En conclusión, las compañías agregan valor en cada etapa en la cadena materia prima-consumidor.

Vista de esta manera, la integración vertical implica una selección acerca de en cuáles etapas de valor agregado de la cadena materia prima-consumidor se debe competir. En la industria del computador personal, la mayor parte de las compañías no se han integrado en etapas adyacentes. Sin embargo, existen algunas importantes excepciones. Por ejemplo, IBM y Digital Equipment están implicadas en las etapas de fabricación intermedia y de ensamblaje en este medio. Son empresas verticalmente integradas. En contraste, muchos de sus competidores en el mercado de usuario final, como Compaq y Apple, no están verticalmente integrados.

Finalmente, nótese que además de la integración hacia adelante y hacia atrás, también es posible distinguir entre **integración completa** e **integración combinada** (*véase* figura 9.3)[2]. Una compañía logra la integración completa cuando produce todos los insumos particulares necesarios para sus procesos o cuando sale de toda su producción a través de propias operaciones. La integración combinada ocurre cuando una compañía compra a proveedores independientes además de contar con organizaciones proveedoras propias o cuando sale de su producción a través de agencias independientes además de contar con distribuidores propios. Las ventajas de la integración combinada sobre la integración completa se analizarán más adelante en este capítulo.

Creación de valor mediante la integración vertical

Una compañía que sigue la integración vertical normalmente está motivada por el deseo de fortalecer la posición competitiva de su negocio original o principal[3]. Existen cuatro argumentos importantes para utilizar una estrategia de integración vertical. La integración vertical (1) permite que la compañía construya barreras para la nueva competencia, (2) facilita inversiones en activos especializados que incrementen la eficiencia, (3) protege la calidad del producto, y (4) genera una programación mejorada.

Figura 9.3
Integración completa y combinada

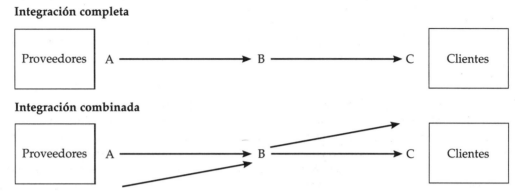

Generar barreras para el ingreso   Al integrarse verticalmente hacia atrás con el fin de obtener control sobre la fuente de insumos importantes o integrarse verticalmente hacia adelante para ganar control sobre los canales de distribución, una compañía puede generar barreras para el nuevo ingreso a su industria. Esta estrategia es efectiva hasta el punto en que *limita la competencia en la industria de la compañía, permitiendo así que cargue un precio superior y obtenga mayores utilidades* que en otras circunstancias no podría llevar a cabo. Para comprender este planteamiento, considérese un famoso ejemplo de esta estrategia en la década de 1930. En esa época la fundición comercial del aluminio fue iniciada por compañías como Alcoa y Alcan. El aluminio se extrae de la bauxita fundida. Aunque la bauxita es un mineral común, su porcentaje de aluminio es usualmente tan bajo que no es económico explotarlo y fundirlo. Durante la década de 1930 sólo un depósito de bauxita a gran escala había sido descubierto, donde el porcentaje de aluminio contenido en el mineral hacía económico el proceso de fundición. El depósito estaba localizado en la isla caribeña de Jamaica. Alcoa y Alcan se integraron verticalmente hacia atrás y adquirieron esta propiedad. Tal acción creó una barrera de ingreso a la industria del aluminio. A los potenciales competidores se les impidió ingresar debido a que no tenían acceso a la bauxita de alta calidad; todo lo poseían Alcoa y Alcan. Puesto que debían utilizar bauxita de menor calidad, quienes ingresaron a la industria se hallaron en desventaja en costos frente a estas dos empresas. Esta situación persistió hasta la década de 1950, cuando se descubrieron nuevos depósitos de bauxita de alta calidad en Australia e Indonesia.

Recientemente, una estrategia similar ha sido seguida por las compañías integradas verticalmente en la industria del computador como IBM y Digital Equipment. Estas firmas fabrican las principales piezas de los computadores como microprocesadores y chips de memoria, diseñan y ensamblan los computadores, producen el *software* que corre en los computadores y venden el producto final directamente a los usuarios finales. La razón fundamental de esta estrategia fue que muchos de los componentes claves y el *software* utilizados en los computadores contenían elementos patentados. Estas compañías concluyeron que al producir ellos mismos su tecnología patentada podrían limitar el acceso de los rivales, generando de esta manera barreras para el ingreso. Por consiguiente, cuando IBM introdujo su sistema de computador personal PS/2 a mediados de la década de 1980, anunció que fabricaría en sus plantas ciertas piezas de sus propias patentes. Su objetivo era limitar la imitación rápida de su sistema PS/2 al dificultar a los rivales, como Compaq, duplicar las funciones desempeñadas por sus piezas patentadas.

Aunque esta estrategia funcionó bien desde la década de 1960 hasta comienzos de la de 1980, ha venido fallando desde entonces. A comienzos de la presente década, los peores participantes en la industria del computador fueron precisamente las compañías que seguían la estrategia de integración vertical: IBM y Digital Equipment. Parece que el cambio a los estándares abiertos en *hardware* y *software* invalidó las ventajas para las compañías de computadores de permanecer ampliamente integradas en forma vertical. Además, las nuevas organizaciones de computadores personales, como Compaq, hallaron que podrían rápidamente hacer retroingeniería y duplicar las piezas patentadas que compañías como IBM ponían en sus computadores, evitando en forma efectiva esta barrera para el ingreso.

Facilitar inversiones en activos especializados   Un activo especializado es aquel que se diseña para desarrollar una tarea específica cuyo valor se reduce significativamente en su siguiente mejor uso[5]. Éste puede ser una pieza de equipo para usos muy especializados, o puede ser el *know-how* o habilidades que un individuo o compañía ha adquirido a través del entrenamiento y la experiencia. *Las compañías (e individuos) invierten en activos especializados debido a que les permiten disminuir los costos de creación de valor y/o diferenciar mejor su oferta de productos de aquélla de los competidores, facilitando de esta manera un precio superior.* Una compañía podría invertir en equipo especializado pues le permite reducir sus costos de fabricación e incrementar su calidad, o podría invertir en el desarrollo de conocimiento tecnológico altamente especializado, pues le ayuda a desarrollar mejores productos que sus rivales. *Por tanto, la especialización puede constituir la base del logro de una ventaja competitiva a nivel de negocios.*

Por razones que se conocerán más adelante, una compañía puede hallar muy difícil persuadir a otras empresas, que se encuentren en etapas *adyacentes* en la cadena de producción materia prima-consumidor que realicen inversiones en activos especializados. En consecuencia, para obtener las ganancias económicas asociadas a estas inversiones, tendría que integrarse verticalmente en tales etapas adyacentes y hacer las inversiones por sí misma. Como ilustración, supóngase que Ford ha desarrollado un nuevo carburador de alto rendimiento, alta calidad y diseño exclusivo. El carburador incrementará la eficiencia en combustible, que a su vez le ayudará a diferenciar sus automóviles de los de sus rivales, es decir, le proporcionará una ventaja competitiva. Ford debe decidir si fabrica los carburadores en su propia planta (integración vertical), o contrata la fabricación de un proveedor independiente (suministro externo). La fabricación de estos carburadores requiere considerables inversiones en equipo *que pueden utilizarse sólo para este propósito*. Debido a que el diseño es único, el equipo no puede utilizarse para fabricar cualquier otro tipo de carburador de Ford u otras firmas automotrices. Por esta razón, adquirir este equipo constituye una inversión en activos especializados.

En primera instancia, considérese esta situación desde la perspectiva de un proveedor independiente a quien Ford le solicita realizar esta inversión. El proveedor podría concluir que una vez hecha la inversión sus negocios dependerán de esa empresa *debido a que Ford es el único cliente posible para la producción de este equipo*. El proveedor percibe que esta situación coloca a Ford en una fuerte posición de negociación, además le preocupa que una vez realizada la inversión especializada Ford pueda utilizar esta posición para quebrar los precios de los carburadores. Dado este riesgo, el proveedor se niega a realizar la inversión en equipo especializado.

Ahora considérese la posición de Ford. Ésta podría concluir que si contrata la producción de los carburadores con un proveedor independiente, podría ser demasiado dependiente de aquél por un insumo vital. Debido a que necesita el equipo especializado para fabricar los carburadores, Ford no puede hacer fácilmente sus pedidos a otros proveedores que carecen del equipo. La compañía considera esta instancia un incremento en el poder de negociación del proveedor, situación que le preocupa pues puede utilizar su fortaleza de negociación para exigir mayores precios.

La situación de **dependencia mutua** que podría crearse por la inversión en activos especializados hace que Ford vacile en la contratación y que cualquier proveedor potencial dude realizar estas inversiones requeridas para producir los carburadores. El problema concreto en este caso es la falta de confianza. Ni Ford ni el proveedor confían enteramente entre sí para jugar limpio en esta situación. La falta de confianza surge del **riesgo de retraso,** es decir, que un socio comercial saque ventaja luego de realizada la inversión en los activos especializados[6]. Debido a este riesgo, Ford podría concluir que la única forma segura de obtener los nuevos carburadores es fabricándolos él mismo. En efecto, no puede persuadir a cualquier proveedor independiente para que los fabrique. Por tanto, decide hacer los carburadores en vez de comprarlos a una fuente independiente.

Para generalizar a partir de este ejemplo, cuando se intenta lograr una ventaja competitiva se requiere que una compañía haga inversiones en activos especializados con el fin de comerciar con otra, el riesgo de retraso puede servir como impedimento y la inversión puede no llevarse a cabo. En consecuencia, se perdería el potencial de ganancias competitivas a partir de la especialización. Con el propósito de prevenir tal pérdida, las compañías se integran verticalmente en etapas adyacentes en la cadena de valor. Esta consideración ha llevado a las compañías automotrices a integrarse verticalmente hacia atrás en la producción de piezas, a las empresas de acero a integrarse verticalmente hacia atrás en la producción de hierro, a las firmas de computadores a integrarse verticalmente hacia atrás en la producción de chips y a las compañías de aluminio a integrarse verticalmente hacia atrás en la explotación de bauxita. La razón fundamental de la integración vertical en la industria de aluminio se analiza en gran detalle en la estrategia en acción 9.1.

Protección de la calidad del producto Al proteger la calidad del producto, la integración vertical permite que una compañía se convierta en un participante diferenciado en su actividad principal. La industria del banano ilustra esta situación. Históricamente, un problema que enfrentan las empresas de alimentos importadores de banano fue la variable calidad de los bananos despachados, que con frecuencia llegaban a los estantes de los almacenes norteamericanos demasiado maduros o no lo suficiente. Con el fin de corregir este problema, las más importantes compañías alimenticias norteamericanas, como General Foods, se han integrado hacia atrás para obtener control sobre las fuentes de suministro. En consecuencia, han podido distribuir bananos de una calidad estándar en el tiempo óptimo para consumo. Al saber que dependen de la calidad de estas marcas, los consumidores están dispuestos a pagar más por ellas. Por tanto, al integrarse verticalmente hacia atrás en plantaciones propias, estas compañías han generado confianza en los consumidores, lo cual les permite a su vez cargar un precio superior a su producto. En forma similar, cuando McDonald's decidió abrir su primer restaurante en Moscú, halló, para su desilusión, que con el fin de servir alimentos y bebidas iguales a los que servían en los restaurantes McDonald's de cualquier sitio, tenía que integrarse verticalmente hacia atrás y suplir sus propias necesidades. La calidad de las papas cultivadas en Rusia y la carne, era sencillamente pésima. Por consiguiente, con el fin de proteger la calidad de su producto, McDonald's estableció sus propias granjas lecheras, haciendas ganaderas, parcelas de vegetales y planta de procesamiento de alimentos en la antigua Unión Soviética (*véase* estrategia en acción 8.1).

En la integración hacia adelante puede generarse el mismo tipo de consideraciones. Los distribuidores propios pueden ser necesarios si se desea mantener los estándares requeridos de servicio de posventa para productos complejos. Por ejemplo, en la década de 1920 Kodak poseía agencias minoristas para distribuir equipo fotográfico. La compañía sentía que las pocas agencias minoristas establecidas tenían las habilidades necesarias para vender y prestar servicio a su equipo fotográfico. Sin embargo, en la década de 1930 Kodak decidió que ya no necesitaba agencias minoristas propias debido a que otros minoristas habían comenzado a suministrar en forma satisfactoria la distribución y el servicio para los productos de Kodak. La compañía abandonó entonces la venta minorista.

ESTRATEGIA EN ACCIÓN 9.1

Activos especializados e integración vertical en la industria del aluminio

Con el fin de observar cómo una inversión en un activo especializado puede llevar a una integración vertical, considérese el caso de una compañía refinadora de aluminio. Las refinerías están diseñadas para refinar la bauxita y producir aluminio. El contenido de metal y composición química de la bauxita varía de un depósito a otro. Cada tipo de mineral requiere una refinería especializada; es decir, la refinería debe estar diseñada para un tipo particular de mineral. Procesar un tipo de bauxita en una refinería diseñada para otro tipo reporta incrementos en los costos de producción de un 20% a un 100%[7]. Por tanto, el valor de una inversión en una refinería especializada de aluminio y el costo de producción generada por esa refinería dependen de que reciba el tipo apropiado de bauxita.

Supóngase que una empresa de aluminio debe decidir si invierte en una refinería de aluminio diseñada para refinar cierto tipo de mineral. Además, este mineral es producido por una compañía de bauxita en una sola mina. Utilizar una clase diferente de mineral incrementaría los costos de producción en un 50%. Por consiguiente, el valor de la inversión de la empresa de aluminio depende del precio que debe pagar a la compañía de bauxita por la adquisición del mineral. Dada esta situación, una vez que la empresa de aluminio haga la inversión en una nueva refinería, no hay nada

que evite que la compañía de bauxita incremente sus precios; la empresa de aluminio está bloqueada en su relación con el proveedor de bauxita. La firma de bauxita puede incrementar los precios segura del conocimiento de que siempre y cuando el resultante incremento en los costos totales de producción de la compañía de aluminio sea menor que el 50%, ésta continuará comprándole. Por tanto, una vez que la empresa de aluminio haga esta inversión, la compañía de bauxita puede bloquear a la compañía de aluminio.

¿Cómo puede la compañía de aluminio reducir el riesgo de retraso? La respuesta es mediante la compra de la firma de bauxita. Si la empresa de aluminio puede comprar la compañía de bauxita, o su mina, ya no teme que los precios de la bauxita se incrementen después de hacer la inversión en una refinería de aluminio. En otras palabras, para la compañía de aluminio tiene sentido económico contemplar la posibilidad de invertir para involucrarse en integración vertical. Al eliminar el riesgo de retraso, la integración vertical hace meritoria la inversión especializada. Se dice que estas consideraciones han llevado a las empresas de aluminio a seguir la integración vertical a tal grado que, según un estudio, el 91% del volumen total de bauxita es procesado dentro de compañías de aluminio verticalmente integradas[8].

Programación mejorada Algunas veces se plantea que las ventajas estratégicas surgen de una planeación, coordinación y programación más fáciles en los procesos adyacentes posibles en las organizaciones verticalmente integradas[9]. Esto puede ser particularmente importante en compañías que tratan de obtener los beneficios de los sistemas de inventario *justo a tiempo*, analizados en detalle en el capítulo 5. Por ejemplo, en la década de 1920 Ford obtuvo utilidades de la estrecha coordinación y programación, posible gracias a la integración vertical hacia atrás. Ford se integró hacia atrás en la fundición, transporte y explotación del acero. Las entregas en Ford se coordinaban a tal punto que el hierro descargado en sus fundiciones ubicadas en Los Grandes Lagos se convertían en bloques de motores en 24 horas. En consecuencia, Ford redujo considerablemente su estructura de costos al eliminar la necesidad de mantener inventarios excesivos.

La programación ampliada que posibilita la integración vertical también puede permitir que una compañía responda mejor a intempestivos cambios en las condiciones de demanda, o lance más rápido su producto al mercado. Una situación en la industria del microprocesador de comienzos de la década de 1990 ilustra este punto. La demanda de microprocesadores llegaba al nivel más alto hasta el momento, y la mayoría de las plantas fabricantes de microprocesadores estaban operando con toda la capacidad. En ese momento, varias compañías de microprocesadores especializadas en el diseño de chips pero que contrataban su fabricación se hallaron en desventaja estratégica. Por ejemplo, en 1991 Chips & Technologies tuvo éxito en el diseño de un clon del microprocesador 386 de Intel. Chips & Technologies envió el diseño de su clon a Texas Instruments (TI) para ser fabricado, sólo para hallar que tuvo que esperar 14 semanas hasta que TI pudiera programar la fabricación de su clon 386. En ese corto lapso los precios del microprocesador 386 cayeron de US$112 a US$50. Cuando TI produjo el clon 386 para Chips & Technologies, la compañía había perdido la mejor parte del mercado. Si Chips & Technologies hubiese estado integrada verticalmente, esto no le hubiera sucedido[10].

Argumentos contra la integración vertical

La integración vertical tiene desventajas. Entre las más importantes se encuentran: (1) las desventajas en costos, (2) las desventajas que surgen cuando la tecnología cambia en forma rápida, y (3) las desventajas que surgen cuando la demanda es impredecible. Estas desventajas implican que los beneficios de la integración vertical no siempre son tan considerables como podrían parecer inicialmente.

Desventajas en costos Aunque a menudo se lleva a cabo para obtener una ventaja en costos de producción, la integración vertical puede generar costos si una compañía se compromete en la compra de insumos a compañías proveedoras propias cuando existen fuentes externas de suministro a bajo costo. Por ejemplo, General Motors fabrica en sus plantas el 68% de las piezas para sus vehículos, más que cualquier otro importante fabricante de automóviles (en Chrysler la cifra es del 30%, y en Toyota del 28%). Esta integración vertical ha ocasionado que General Motors sea el productor de mayores costos entre las más importantes compañías automotrices del mundo. En 1992, General Motors estaba pagando US$34.60 por hora por concepto de salarios y prestaciones a los empleados sindicalizados en compañías proveedoras propias por un trabajo que los rivales podían hacer a mitad de precio mediante proveedores independientes no sindicalizados[11]. Por tanto, como se ilustra en el caso de General Motors, la integración vertical puede constituir una desventaja cuando las fuentes de aprovisionamiento de la compañía tienen costos operativos mayores que aquellas de proveedores independientes.

Las compañías proveedoras propias podrían tener altos costos operativos comparados con los proveedores independientes debido a que estas empresas de suministro saben que siempre pueden vender su producción a otras partes de la compañía. Al no tener que competir por pedidos disminuye el incentivo para minimizar los costos operativos. En efecto, los gerentes de operación de aprovisionamiento pueden estar tentados a pasar cualquier incremento en costos a otras partes de la compañía en la forma de mayores precios de transferencia, en vez de buscar formas para reducir estos costos. Por consiguiente, la falta de incentivos para reducir los costos puede incrementar los costos operativos. Sin embargo, el problema puede ser menos serio cuando la compañía sigue una integración combinada en vez de una completa, debido a que la necesidad de competir con proveedores independientes puede producir una presión descendente en la estructura en costos de las compañías proveedoras propias.

Cambio tecnológico   Cuando la tecnología cambia en forma rápida, la integración vertical presenta el riesgo de sujetar una compañía a una tecnología obsoleta[12]. Considérese el caso de un fabricante de radios que en la década de 1950 se integró hacia atrás y adquirió una fábrica de tubos al vacío. Cuando en la década de 1960 los transistores remplazaron los tubos al vacío como pieza principal en los radios, esta compañía se halló sujeta a una operación tecnológicamente obsoleta. Cambiar hacia los transistores habría significado dar por perdida su inversión en los tubos al vacío. Por consiguiente, la compañía se mostró renuente al cambio y por el contrario continuó utilizando los tubos al vacío en sus radios, en tanto que sus competidores no integrados rápidamente cambiaban hacia la nueva tecnología. Debido a que siguió fabricando un producto anticuado, la compañía rápidamente perdió la participación en el mercado. Por consiguiente, la integración vertical puede inhibir la habilidad de una compañía de cambiar sus proveedores o sus sistemas de distribución con el fin de ajustarse a los requerimientos de la cambiante tecnología.

Incertidumbre en la demanda   La integración vertical también puede ser riesgosa en condiciones de demanda no estables o no predecibles. Cuando la demanda es estable, los altos grados de integración vertical se pueden manejar con relativa facilidad. La demanda estable permite mejor programación y coordinación de los flujos de producción entre las diferentes actividades. Cuando las condiciones de demanda son inestables o impredecibles, lograr una estrecha coordinación entre las actividades verticalmente integradas puede ser difícil. Las resultantes ineficiencias pueden dar cabida a significativos costos burocráticos.

El problema implica equilibrar la capacidad entre las diferentes etapas de un proceso. Por ejemplo, un fabricante de automóviles podría integrarse verticalmente hacia atrás con el fin de adquirir un proveedor de carburadores que tenga la capacidad de ajustarse exactamente a sus necesidades. Sin embargo, si cae la demanda de automóviles posteriormente, el fabricante se hallará bloqueado en un negocio que funciona por debajo de su capacidad. Claramente, esto no sería económico. El fabricante de vehículos podría evitar esta situación al continuar comprando carburadores en el mercado abierto en vez de fabricarlos por sí mismo.

Si las condiciones de demanda son impredecibles, la integración combinada podría ser un poco menos riesgosa que la integración completa. Cuando una organización obtiene sólo parte de sus requerimientos totales de insumos de las compañías proveedoras propias, en épocas de baja demanda puede mantener a sus proveedores con instalaciones propias trabajando con toda la capacidad al hacerles pedidos exclusivamente a ellos.

Costos burocráticos y los límites de la integración vertical   Como se anotó anteriormente, aunque la integración vertical puede crear valor, también puede generar costos considerables causados por la falta de incentivos por parte de las compañías proveedoras propias para reducir sus costos operativos, por una posible carencia de flexibilidad estratégica en épocas de cambio tecnológico o por incertidumbre en la demanda. En conjunto, estos costos forman un importante componente denominado **costos burocráticos** de integración vertical. Éstos simplemente representan los costos de hacer funcionar una organización. Incluyen los costos que provienen de las ineficiencias burocráticas, como las analizadas. La existencia de costos burocráticos establece un límite en la cantidad de integración vertical que puede ser rentable seguir: para una compañía tiene sentido integrarse verticalmente sólo si *el valor creado por tal estrategia excede los costos burocráticos asociados a la expansión de los límites de la organización para incorporar actividades adicionales ascendentes o descendentes.*

El razonamiento por sentido común sugiere que no todas las oportunidades de integración vertical presentan el mismo potencial de creación de valor. Aunque la integración vertical puede inicialmente tener un impacto favorable, el valor creado por la integración vertical adicional que se desplaza a áreas más distantes del negocio principal de la compañía probablemente se hace cada vez más marginal. Cuanto más marginal sea el valor creado por un movimiento de integración vertical, hay mayor probabilidad de que los costos burocráticos asociados a la expansión de los límites de la organización a nuevas actividades excedan el valor creado. Una vez que ocurra se habrá alcanzado un límite para la integración vertical rentable[13].

Sin embargo, es valioso tener en cuenta que el seguimiento de la integración combinada en vez de utilizar la integración completa puede disminuir los costos burocráticos de la integración vertical. Esto ocurre debido a que la integración combinada crea un incentivo para los proveedores con plantas propias de reducir sus costos operativos e incrementa la capacidad de la compañía para responder a las cambiantes condiciones de demanda. Por tanto, reduce algunas de las ineficiencias organizacionales que incrementan los costos burocráticos.

9.4 ALIANZAS ESTRATÉGICAS COMO ALTERNATIVA PARA LA INTEGRACIÓN VERTICAL

Las desventajas asociadas a la integración vertical plantean el interrogante de si es posible obtener beneficios de la integración vertical sin tener que afrontar el mismo nivel de costos burocráticos. Los beneficios asociados a la integración vertical, ¿pueden capturarse a través de las actividades de suministro externo para otras compañías? La respuesta parece ser un categórico sí. Bajo ciertas circunstancias, las compañías pueden obtener las ganancias vinculadas a la integración vertical, sin tener que afrontar los costos burocráticos, si establecen **relaciones de cooperación a largo plazo** con sus socios comerciales. Tales relaciones a largo plazo se denominan típicamente **alianzas estratégicas.** Sin embargo, las compañías por lo general son incapaces de obtener las ganancias asociadas a la integración vertical si establecen **contratos a corto plazo** con sus socios comerciales. Para ver el porqué en primera instancia se analizarán los problemas asociados a los contratos a corto plazo. Luego se analizarán las alianzas estratégicas y los contratos a largo plazo como alternativa para la integración vertical y se estudiará cómo las compañías pueden generar relaciones duraderas a largo plazo con sus socios comerciales.

Contratos a corto plazo y cotización competitiva

Un contrato a corto plazo es aquel que dura un año o menos. Muchas compañías utilizan los contratos a corto plazo para estructurar la compra de sus insumos o la venta de su producción. Un ejemplo clásico lo constituye la compañía automotriz que utiliza una **estrategia de cotización competitiva** para negociar el precio de una pieza particular producida por proveedores de componentes. Por ejemplo, General Motors a menudo solicita cotizaciones de varios proveedores para producir una pieza y adjudica un contrato a un año a quien presente la cotización más baja. Al final del año el contrato se somete a una nueva cotización competitiva. Por consiguiente, no existe garantía que la compañía que obtuvo el contrato durante un año lo mantenga para el próximo.

El beneficio de esta estrategia es que obliga a los proveedores a mantener bajos precios, lo cual presenta ventajas para la estructura en costos de una compañía como General Motors. No obstante, la falta de un compromiso a largo plazo con sus proveedores individuales puede hacer que duden en realizar el tipo de inversiones en activos especializados necesarios para mejorar el diseño o calidad de piezas o mejorar la programación entre General Motors y sus proveedores. En efecto, sin ninguna garantía de que permanecerá el siguiente año, el proveedor de General Motors puede negarse a hacer inversiones en activos especializados. Entonces, la compañía tendría que integrarse verticalmente hacia atrás con el fin de obtener las utilidades asociadas a la especialización.

En otras palabras, la estrategia de contratación a corto plazo cotización competitiva, *puesto que señala una falta de compromiso a largo plazo de la compañía con sus proveedores*, hará difícil que la empresa obtenga las ganancias asociadas a la integración vertical. Esto no representa un problema cuando existe la mínima necesidad de estrecha cooperación entre la compañía y sus proveedores para facilitar las inversiones en activos especializados, mejorar la programación o incrementar la calidad del producto. En tales casos la cotización competitiva puede ser óptima. Sin embargo, cuando esta necesidad es significativa, surgen las consideraciones. Una estrategia de cotización competitiva puede representar una seria desventaja.

Más interesante todavía, existen indicios de que General Motors, al adoptar una posición de cotización competitiva con relación a sus proveedores, se ha colocado en desventaja competitiva. En 1992, la compañía ordenó a sus proveedores de piezas reducir sus precios en un 10%, a pesar de previos acuerdos de determinación de precios. En efecto, General Motors rompió los contratos existentes y trató de imponer a la fuerza su política al amenazar deshacerse de los proveedores que no estuvieran de acuerdo con la reducción en precios. Aunque tal acción puede producir beneficios a corto plazo para General Motors, existe un costo a largo plazo que se debe afrontar. La pérdida de confiabilidad y la hostilidad entre la compañía y sus proveedores. Según los informes de la prensa, varios proveedores han manifestado que se encuentran restringiendo la investigación de futuras piezas para General Motors. También han indicado que difundirán nuevas ideas a Chrysler o Ford, quienes recientemente han adoptado un enfoque de mayor cooperación para forjar relaciones a largo plazo con los proveedores[14].

Alianzas estratégicas y contratación a largo plazo

Los **contratos a largo plazo** constituyen relaciones de cooperación a largo término entre dos compañías. Tales acuerdos con frecuencia se denominan en la prensa popular *alianzas estratégicas*. Usualmente en estos acuerdos, una compañía se compromete a proveer a la otra parte, y la otra organización a su vez se responsabiliza a continuar comprándole a ese proveedor; ambos convienen buscar en conjunto formas de reducir los costos o incrementar la calidad de insumos dentro del proceso descendente de creación de valor de la compañía. Si se logra este propósito, tal relación estable a largo plazo permite a las partes compartir el valor que podría crearse mediante la integración vertical mientras evitan muchos de los costos burocráticos vinculados a la propiedad de una etapa adyacente en la cadena materia prima-consumidor. Por esta razón, los contratos a largo plazo pueden sustituir la integración vertical.

Considérense las relaciones de cooperación que tienen muchas compañías automotrices japonesas con sus proveedores de piezas (el sistema *keiretsu*) las cuales ejemplifican la contratación exitosa a largo plazo. Estas relaciones con frecuencia retroceden décadas. Juntas, las compañías automotrices y sus proveedores, desarrollan formas para incrementar el valor agregado; por ejemplo, al implementar sistemas de inventario *justo a tiempo* o al cooperar en el diseño de piezas para mejorar la calidad y disminuir los costos de ensamblaje. Parte de este proceso implica que los proveedores hagan considerables inversiones en activos especializados con el fin de atender mejor las necesidades de las compañías automotrices. Por consiguiente, las más importantes compañías automotrices japonesas han podido obtener muchos de los beneficios de la integración vertical sin tener que afrontar los costos burocráticos asociados a la integración vertical formal. Los proveedores de piezas también se benefician de estas relaciones, ya que crecen con la compañía a la cual proveen y participan de su éxito.

En contraste con las contrapartes japonesas, las compañías automotrices estadounidenses históricamente han tenido la tendencia a seguir la integración vertical formal (General Motors fabrica el 68% de sus propias piezas y Ford el 47%, comparado con menos del 30% entre la mayoría de las compañías automotrices japonesas)[15]. Según varios estudios, los incrementados costos burocráticos de manejar la extensa integración vertical han ayudado a colocar a General Motors y Ford en desventaja competitiva con relación a la competencia japonesa[16]. Además, cuando las compañías automotrices estadounidenses deciden no integrarse verticalmente, no necesariamente establecen relaciones cooperativas a largo plazo con proveedores independientes de piezas. Más bien, han tenido la tendencia a utilizar su poderosa posición para seguir una agresiva estrategia de cotización competitiva, enfrentando entre sí a los proveedores de partes. Aunque Ford y Chrysler ahora evitan tal política, ésta sigue vigente en General Motors, como se observó anteriormente.

Otras industrias proporcionan ejemplos similares de estrategias efectivas e inefectivas con relación a los proveedores. La estrategia en acción 9.2 detalla los diversos enfoques utilizados por dos compañías en la industria de computadores.

Edificar relaciones de cooperación a largo plazo

El cuestionamiento interesante generado en la sección anterior consiste en descubrir cómo una compañía puede lograr una alianza estratégica estable a largo plazo con otra, dada la falta de confiabilidad y el temor de retraso que surge cuando una empresa tiene que invertir en activos especializados con el fin de comerciar con la otra parte. ¿Cómo compañías como Toyota se las han arreglado para consolidar estas relaciones duraderas con sus proveedores, y cómo ha hecho Quantum Coporation para generar esta relación a largo plazo tan exitosa con MKE del Japón? (*véase* estrategia en acción 9.2).

Las compañías pueden tomar algunas medidas específicas para asegurar que la relación de cooperación a largo plazo pueda funcionar y disminuyan las oportunidades de que un socio no cumpla un acuerdo. Uno de estos pasos consiste en que la compañía inversionista en activos especializados exija una **garantía** por parte de su socio. Otro consiste en establecer un **contrato asegurado** de ambas partes con el fin de generar una relación de confianza a largo plazo[18].

Garantía de mutua dependencia Esta constituye esencialmente un medio para garantizar que el socio mantenga su parte en la negociación. La relación de cooperación entre Boeing y Northrop ilustra este tipo de situación. Northrop es un importante subcontratista de la división de transporte comercial aéreo de Boeing, a la que le suministra diversas piezas para las aeronaves 747 y 767. Con el fin de atender las necesidades especiales de Boeing, Northrop ha tenido que realizar considerables inversiones en activos especializados. En teoría, debido a los costos no recuperables asociados a tales inversiones, Northrop depende de Boeing, y esta última se encuentra en posición de no cumplir los acuerdos previos y utilizar la amenaza para autorizar los pedidos a otros proveedores como forma de reducir los precios. Sin embargo, en la práctica no es probable que Boeing lo haga debido a que la compañía también es un importante proveedor de la división de defensa de Northrop, pues le suministra muchas piezas para el bombardero Stealth. Boeing ha tenido que realizar considerables inversiones en activos especializados con el fin de atender las necesidades de Northrop. Por tanto, ambas compañías son *mutuamente dependientes*. En consecuencia, no hay probabilidad de que Boeing trate de no cumplir cualquier acuerdo de precios con Northrop, pues sabe que Northrop podría responder en esa forma. Cada compañía mantiene una garantía que se puede utilizar como seguro en contra del incumplimiento unilateral frente a previos acuerdos en precios por parte de la otra empresa.

ESTRATEGIA EN ACCIÓN 9.2

Integración vertical *versus* suministro externo: Quantum Corporation y Seagate Technologies

Quantum Corporation y Seagate Technologies son los mayores productores de *drives* para computadores personales y estaciones de trabajo. Sin embargo, en años recientes las dos compañías han seguido estrategias de integración vertical muy diferentes. Seagate es un fabricante de *drives* verticalmente integrado que diseña y manufactura sus propios *drives*. Por otro lado, Quantum se especializa en diseño y suministra en forma externa la mayor parte de su fabricación a varios proveedores independientes, que incluye al más importante, Matsushita Kotobuki Electronics (MKE) del Japón. Estas diversas estrategias han generado diferentes resultados a las dos compañías, con un crecimiento en las ventas de Quantum que sobrepasa las de Seagate.

Quantum fabrica sólo sus más novedosos y costosos productos en sus propias instalaciones. Una vez perfeccionado un nuevo *drive* y listo para la fabricación en gran escala, la compañía entrega la fabricación a MKE. MKE y Quantum han consolidado su sociedad durante ocho años. En cada etapa en el diseño de un nuevo producto, los ingenieros de Quantum envían los últimos diseños a un equipo de producción en MKE. La compañía examina los diseños y propone cambios que faciliten la fabricación de los nuevos *drives*. Cuando el producto está listo para fabricar, de ocho a diez ingenieros de Quantum viajan a la planta de MKE ubicada en el Japón por lo menos durante un mes con el fin de trabajar en el despegue de la producción.

Al acoplar sus capacidades, Quantum y MKE han creado un revolucionario y nuevo diseño de *drives* que le proporciona a los últimos modelos de Quantum dos ventajas claves sobre los producidos por competidores como Seagate: menores precios y mayor confiabilidad. En la mayoría de los *drives*, la placa de circuito impreso, el cerebro del *drive*, sostiene aproximadamente 18 semiconductores insertados en los dos costados. Al funcionar juntas, Quantum y MKE descubrieron una forma de incrementar el poder de estos semiconductores. Como resultado, pudieron reducir el número de semiconductores a nueve, y colocarlos en un lado de la placa. La nueva práctica disminuyó la cantidad de piezas al 30% y redujo a la mitad el tiempo de producción, disminuyendo considerablemente los precios y costos unitarios. Con pocas piezas, los *drives* se averían con menos frecuencia, y de esta manera se incrementa la confiabilidad.

En contraste, Seagate ha sido criticada por ir despacio en introducir nuevos productos y por una falta general de innovación en los últimos años. Su problema, según los analistas, es haberse sujetado a obsoletas tecnologías de producción, que han superado sus rivales menos integrados como Quantum. Seagate también ha hallado que los altos costos fijos asociados a su condición de fabricante integrado hacen declinar sus ganancias en forma más rápida si se compara con una baja repentina de Quantum, pues Seagate debe asumir la capacidad sobrante en tanto que Quantum no. Sin embargo, por la misma razón, cuando la demanda es fuerte y la capacidad es estrecha, Seagate no tiene que pagar precios altos a proveedores independientes, como las compañías dependientes más del suministro externo (en el caso de Quantum) que están forzadas a hacerlo. No obstante, en un tácito reconocimiento que estar completamente integrado no es óptimo, Seagate ha comenzado a utilizar fuentes externas en mayor cantidad. Seagate sigue actualmente una estrategia de integración combinada en vez de una completa, con aproximadamente el 40% de su producción de *drives* suministrada en forma externa a través de proveedores[17].

Contrato asegurado   Consiste en un acuerdo de aseguramiento para apoyar el desarrollo de una relación a largo plazo entre compañías. Con el fin de entender el concepto de aseguramiento en este contexto, analícese la relación entre General Electric e IBM. General Electric es uno de los más importantes proveedores de chips semiconductores avanzados para IBM, y muchos de los chips se ajustan a las propias necesidades de IBM. Con el propósito de satisfacer las necesidades específicas de IBM, General Electric ha tenido que realizar considerables inversiones en activos especializados que tienen poco valor para otros. Como consecuencia, General Electric depende de IBM y enfrenta el riesgo de que ésta saque ventaja de su dependencia para exigir menores precios. Teóricamente, IBM podría apoyar su exigencia con la amenaza de cambiarse a otro proveedor. Sin embargo, General Electric redujo su riesgo al hacer que IBM realizara un acuerdo contractual que le compromete a comprar sus chips hasta finales de la década de 1990. Además, IBM acordó participar en los costos de desarrollar chips personalizados, reduciendo de esta manera las inversiones de General Electric en activos especializados. Por tanto, al comprometerse abiertamente en un contrato a largo plazo y al invertir una parte en el desarrollo de estos chips, IBM esencialmente ha realizado un *contrato asegurado* para continuar comprando aquellos chips a General Electric.

Mantener la disciplina de mercado   Una compañía que establece una relación a largo plazo también necesita tener sanciones aplicables al socio si éste no cumple la parte de la negociación. De otra manera, una compañía puede hacerse demasiado dependiente de un socio ineficiente. Debido a que no tiene que competir con otras organizaciones en el mercado por el negocio de la compañía, el socio puede carecer de incentivos para ser eficiente en costos. En consecuencia, una empresa que establece una relación de cooperación a largo plazo debe aplicar algún tipo de disciplina de mercado a su socio.

Este factor cuenta con dos recursos importantes. En primer lugar, incluso los contratos a largo plazo se renegocian periódicamente, por lo general cada cuatro o cinco años. Por consiguiente, un socio sabe que si no cumple sus compromisos, la compañía puede rehusarse a renovar el contrato. En segunda instancia, algunas compañías comprometidas en relaciones a largo plazo con proveedores utilizan una **política de fuentes paralelas***, es decir, establecen un contrato a largo plazo con dos proveedores por la misma pieza (como hace Toyota)[19]. Este contrato le proporciona a la empresa una protección contra el socio incumplido, pues cada proveedor sabe que si no cumple con el acuerdo, la compañía puede darle el negocio a otro. Esta amenaza rara vez se hace explícita, debido a que iría en contra del espíritu de formar una relación de cooperación a largo plazo. La sola prevención de que existen fuentes paralelas sirve para introducir un elemento de disciplina de mercado en la relación, pues el acuerdo advierte a los proveedores que si surge la necesidad, pueden ser remplazados a la menor brevedad.

Resumen   Al establecer contratos asegurados o tomar garantías, las compañías pueden utilizar los contratos a largo plazo para obtener más del valor asociado a la integración vertical aunque no tenga que enfrentar costos burocráticos de la integración vertical formal. Como punto general, debe notarse que la creciente importancia de los sistemas de inventario *justo a tiempo* como forma de reducir los costos e incrementar la calidad está aumentando la presión sobre las compañías para que establezcan acuerdos a largo plazo en una amplia variedad de industrias. Por tanto, estos acuerdos podrían hacerse mucho más populares en el futuro. Sin embargo, cuando no se pueden lograr tales acuerdos puede ser necesaria la integración vertical formal.

*****N. de R. T.**   También se denomina: Doble fuente.

9.5 DIVERSIFICACIÓN

Hasta este momento se ha tratado la integración vertical y sus alternativas. Ahora se abordará la diversificación. Existen dos tipos importantes de diversificación: la diversificación relacionada y la diversificación no relacionada. La **diversificación relacionada** se realiza en una nueva operación de negocios vinculada a la actividad, o aplicaciones de negocios existentes de una compañía, mediante relaciones comunes entre uno o más componentes de la cadena de valor de cada actividad. Normalmente, estos vínculos están fundamentados en las relaciones comunes de fabricación, marketing o tecnológicas. La diversificación de Philip Morris en la industria de la cerveza con la adquisición de Miller Brewing es un ejemplo de la diversificación relacionada ya que existen relaciones comunes de marketing entre el negocio cervecero y el tabacalero (ambos son negocios de productos de consumo en los que el éxito competitivo depende de las capacidades de posicionamiento de las marcas). La **diversificación no relacionada** se presenta en una nueva área de negocios que no posee una conexión evidente con ninguna de las áreas existentes de la compañía.

En esta sección se analizará en primer lugar cómo la diversificación puede crear valor para una compañía, y luego se examinarán algunas razones del porqué demasiada diversificación aparentemente disipa en vez de crear valor. También se tendrán en cuenta los costos burocráticos de la diversificación. Finalmente, se analizarán algunos de los factores que determinan la selección entre las estrategias de diversificación relacionada y no relacionada.

Creación de valor mediante la diversificación

La mayoría de las compañías consideran en primer lugar la diversificación cuando tratan de generar recursos financieros *excesivos* con relación a los necesarios para mantener una ventaja competitiva en su negocio original o principal[20]. La pregunta que deben abordar es cómo convertir esos recursos con el fin de crear valor. La compañía diversificada puede crear valor en tres formas importantes, mediante: (1) adquisición y reestructuración de empresas que funcionan en forma deficiente, (2) transferencia de habilidades entre negocios, y (3) realización de economías de alcance.

Adquisición y reestructuración   Una estrategia de reestructuración se fundamenta en la presunción de que una compañía manejada de forma eficiente puede crear valor al adquirir empresas administradas en forma ineficiente e ineficazmente y mejorar su eficiencia[21]. Este enfoque puede considerarse diversificación debido a que la organización adquirida no tiene que estar en la misma industria de la compañía que la compró para que funcione la estrategia. Los mejoramientos en la eficiencia de una compañía adquirida pueden provenir de varias fuentes. En primer lugar, la compañía compradora usualmente remplaza el equipo de alta gerencia de la compañía adquirida por uno mucho más agresivo. En segundo lugar, el nuevo equipo de alta gerencia está comprometido para salir de cualquier activo improductivo, como jets ejecutivos y sofisticadas sedes y reducir los niveles de *staff*. En tercera instancia, este nuevo equipo también está comprometido para intervenir en el funcionamiento de los negocios adquiridos con el fin de seleccionar formas de mejorar la eficiencia, calidad, innovación y capacidad de satisfacer al cliente. En cuarto lugar, con el propósito de estimular al nuevo equipo de alta gerencia y demás empleados de la unidad adquirida para emprender las nuevas acciones, deben efectuarse incrementos en sus salarios relacionados con el mejor rendimiento de la unidad adquirida. Además, la compañía compradora a menudo establece metas de desempeño para la firma adquirida, objetivos que no pueden satisfacerse sin registrar mejoramientos significativos en la eficiencia operativa. También concientiza a los nuevos miembros de la alta gerencia que fracasar en el logro de mejoramientos de desempeño consistentes con estas metas dentro de un determinado periodo probablemente genere la pérdida de sus empleos. Este sistema de compensaciones y sanciones establecido por la compañía compradora proporciona a los nuevos gerentes de la empresa adquirida todos los incentivos para que busquen formas de mejorar la eficiencia de la unidad bajo su cargo.

Existen buenos ejemplos de qué tan exitosa puede ser una estrategia de reestructuración en términos de su impacto en la rentabilidad de una compañía; por ejemplo, los conglomerados británicos BTR Inc. y Hanson Trust Plc[22]. No obstante, la estrategia tiene sus críticos. Algunos sostienen que las constantes presiones para lograr desafiantes objetivos de desempeño dentro de tales compañías puede llevar a la maximización de utilidades y prevención de riesgos a corto plazo por parte de los gerentes de las unidades de negocios[23]. Además, la relación de distancia prudente entre los jefes corporativos y los gerentes de las unidades de negocios, común en tales empresas, permiten que este tipo de comportamiento no se detecte hasta que se haya causado gran daño. El desempeño deficiente de diversificadores de portafolio, como Gulf & Western Industries, Consolidated Foods e ITT, proporciona peso a estas críticas. Más que cualquier otro factor, los ejemplos conflicto sugieren que es difícil implementar la estrategia.

Transferencia de habilidades Las compañías que fundamentan su estrategia de diversificación en la transferencia de habilidades seleccionan nuevos negocios relacionados con su existente negocio en una o más funciones de creación de valor; por ejemplo, fabricación, marketing, administración de materiales e I&D. Pueden crear valor al fundamentarse en las habilidades distintivas existentes en una o más de sus funciones de creación de valor con el fin de mejorar la posición competitiva del nuevo negocio. En forma alternativa, pueden adquirir una compañía en un área de negocios diferente con la convicción de que algunas de las habilidades de la compañía adquirida pueden mejorar la eficiencia de sus existentes actividades de creación de valor. Si tiene éxito, tales transferencias de habilidades pueden *disminuir los costos de creación de valor* en uno o más negocios diversificados de una compañía o permitir que uno o más de sus negocios diversificados asuman funciones de creación de valor de tal forma que generen una *diferenciación y un precio superior*.

Un ejemplo lo constituye Daimler-Benz de Alemania, perfilado en el caso inicial. Daimler, el fabricante de automóviles Mercedes-Benz, en años recientes se ha diversificado en productos para el hogar, aparatos electrónicos para la protección, sistemas de automatización y aeronáutica. Esta estrategia está arraigada en la convicción de que la transferencia del estado del arte de *know-how* tecnológico entre los diferentes negocios de la compañía incrementará la posición competitiva de cada una, permitiendo que todos los negocios de Daimler-Benz se diferencien mejor con relación a la tecnología.

Para que funcione esta estrategia, las habilidades que se transfieren deben implicar actividades importantes para establecer una ventaja competitiva. Las compañías con mucha frecuencia suponen que cualquier relación común es suficiente para crear valor. La adquisición de Hughes Aircraft por parte de General Motors, llevada a cabo simplemente porque los automóviles y su fabricación iban hacia la electrónica y Hughes tenía tendencia a esta tecnología, demuestra la tontería de sobreestimar las relaciones comunes entre negocios. Hasta el momento, la adquisición no ha tenido ninguna de las utilidades previstas por General Motors, cuya posición competitiva solamente ha empeorado. En forma similar, se puede cuestionar el valor que Daimler-Benz pudo crear al transferir *know-how* tecnológico entre los automóviles y la aeronáutica (*véase* caso inicial).

La transferencia de capacidades de marketing de Philip Morris a Miller Brewing, analizada anteriormente, quizá es uno de los ejemplos clásicos de cómo *puede* crearse valor mediante la transferencia de habilidades. Con base en sus capacidades de marketing y de posicionamiento de la marca, Philip Morris fue pionera en la introducción de Miller Lite, el producto que redefinió la industria cervecera y movió a Miller del número seis al número dos en el mercado. La diversificación de Rockwell International en automatización de fábrica con su adquisición en 1985 de Allen-Bradley Canada Ltd. constituye otro ejemplo de transferencias de habilidades. En este caso, las transferencias de habilidades se fundamentaron en los vínculos tecnológicos entre diferentes actividades. Rockwell proporcionó a Allen-Bradley fuerte apoyo en investigación y desarrollo y su propia tecnología, además la experiencia en automatización de fábrica de Allen-Bradley incrementó consirablemente la eficiencia en las fábricas de productos comerciales y para la defensa de Rockwell[24].

Economías de alcance   Las **economías de alcance** surgen cuando dos o más unidades de negocios comparten recursos como instalaciones de fabricación, canales de distribución, campañas de publicidad, costos de I&D y otros. Cada unidad de negocios que comparte recursos debe invertir menos en las funciones compartidas[25]. Por ejemplo, los costos de publicidad, ventas y servicio de costos de publicidad, ventas y servicio de General Electric en la mayoría de los electrodomésticos son bajos debido a que están esparcidos en una amplia variedad de productos. Además, con esta estrategia se puede utilizar mejor la capacidad de ciertas funciones. Por ejemplo, al producir las piezas para las operaciones de ensamblaje de dos negocios distintos, una planta de fabricación puede operar a mayor capacidad, obteniendo de esta manera *economías de escala* junto con las economías de alcance. Por tanto, una estrategia de diversificación fundamentada en economías de alcance puede ayudar a una compañía a alcanzar una posición de bajo costo en todos los negocios donde opere. La diversificación para realizar economías de alcance puede, por tanto, ser una forma válida de apoyar la estrategia genérica a nivel de negocios de liderazgo en costos.

Sin embargo, como las transferencias de habilidades, la diversificación para obtener economías de alcance es posible sólo cuando existen relaciones comunes significativas entre una o más de las funciones de creación de valor de las actividades nuevas y existentes de una compañía. De otra parte, los gerentes necesitan conscientizarse que los costos burocráticos de la coordinación necesaria para obtener economías de alcance dentro de una organización, con frecuencia, superan el valor que se puede crear mediante tal estrategia[26]. En consecuencia, la estrategia se debe seguir sólo cuando al compartir probablemente se genere una ventaja competitiva *significativa* en una o más de las unidades de negocios de la compañía.

El negocio de pañales desechables y toallas de papel de Procter & Gamble ofrece uno de los mejores ejemplos de una exitosa realización en economías de alcance. Estos negocios comparten los costos de consecución de ciertas materias primas (como papel) y el desarrollo de la tecnología para nuevos productos y procesos. Adicionalmente, una fuerza de ventas conjunta vende ambos productos a los compradores de los supermercados y los dos productos se despachan mediante el mismo sistema de distribución. Compartir estos recursos ha proporcionado a ambas unidades de negocios una ventaja en costos que les ha permitido debilitar a sus competidores menos diversificados[27].

Costos burocráticos y los límites de la diversificación

Aunque la diversificación puede crear valor para una compañía, con frecuencia termina generando justo lo contrario. Por ejemplo, en un estudio que examinó la diversificación de 33 importantes corporaciones estadounidenses entre 1950 y 1986, Michael Porter observó que el registro en la diversificación corporativa ha sido funesto[28]. Porter halló que la mayoría de las compañías habían claudicado en muchas más adquisiciones diversificadas de las que habían mantenido. Concluyó que las estrategias de diversificación corporativa de la mayoría de compañías han disipado el valor en lugar de crearlo. En términos más generales, un gran número de estudios académicos apoyan la conclusión de que la diversificación *extensiva* tiende a reducir, en vez de mejorar, la rentabilidad de la compañía[29].

Una de las razones para el fracaso de la diversificación en el logro de sus objetivos consiste en que muy a menudo los *costos burocráticos* de la diversificación exceden el valor creado por la estrategia. El nivel de costos burocráticos en una organización diversificada está en función de dos factores: (1) el número de negocios en el portafolio de una compañía, y (2) el grado de coordinación requerido entre los diferentes negocios de la empresa con el fin de obtener valor a partir de una estrategia de diversificación.

Cantidad de negocios Cuanto mayor sea la cantidad de negocios en el portafolio de una compañía, más difícil será para la gerencia corporativa mantenerse informada acerca de las complejidades de cada uno de ellos. La gerencia simplemente no posee el tiempo para procesar toda la información necesaria con el fin de evaluar el plan estratégico de cada unidad en forma objetiva. Este problema comenzó a ocurrir en General Electric en la década de 1970. En ese entonces el CEO Reg Jones comentó:

> Traté de revisar detalladamente cada plan. Este esfuerzo empleó incontables horas y constituyó una tremenda carga para la oficina ejecutiva. Después de un momento comencé a darme cuenta que no importaba lo fuerte que trabajáramos, no podríamos llegar a la comprensión necesaria y profunda de más de cuarenta proyectos de negocios de las diferentes unidades[30].

La sobrecarga de información en compañías extensivamente diversificadas puede llevar a la gerencia de nivel corporativo a fundamentar las decisiones importantes sobre distribución de recursos sólo en un análisis muy superficial de la posición competitiva en cada unidad de negocios. Así, por ejemplo, una prometedora unidad de negocios puede verse privada de fondos para inversión, en tanto que otras unidades de negocios reciben mucho más efectivo de lo que rentablemente pueden reinvertir en sus operaciones. Además, la falta de familiaridad con asuntos operativos por parte de la gerencia a nivel corporativo incrementa las oportunidades de que los gerentes de nivel de negocios puedan engañar a los gerentes de nivel corporativo. Por ejemplo, los gerentes de las unidades de negocios podrían ser inculpados por el deficiente desempeño en difíciles condiciones competitivas, aunque esta sea consecuencia de una mala administración. Por tanto, el exceso de información puede generar considerables ineficiencias dentro de las compañías extensivamente diversificadas, que eliminan el valor creado por la diversificación. Esta ineficiencias incluyen la distribución desfavorable de recursos de efectivo dentro de la compañía y el fracaso de la administración corporativa de estimular en forma exitosa y retribuir el agresivo comportamiento de búsqueda de utilidades por parte de los gerentes de las unidades de negocios.

Las ineficiencias que surgen de la información excesiva pueden considerarse un componente de los costos burocráticos de la diversificación extensiva. Por supuesto, estos costos se pueden reducir a proporciones manejables si una compañía limita el alcance de su diversificación. En efecto, el deseo de disminuir estos costos es producto de los desestimientos de la década de 1980 y de las estrategias de concentración estratégica de conglomerados en las décadas de 1960 y 1970, como Esmark Corporation, General Electric, ITT, Textron, Tenneco y United Technologies. Por ejemplo, bajo el liderazgo de Jack Welch, General Electric modificó su énfasis de 40 principales unidades de negocios a 16 contenidas dentro de 3 sectores claramente definidos.

Coordinación entre negocios La coordinación requerida para obtener valor a partir de una estrategia de diversificación fundamentada en la transferencia de habilidades o economías de alcance también puede ser una fuente de costos burocráticos. Tanto la transferencia de habilidades distintivas como el logro de economías de alcance exigen estrecha coordinación entre las unidades de negocios. Los mecanismos burocráticos necesarios para esta coordinación dan cabida a los costos burocráticos. (En el capítulo 12 se analizarán los mecanismos para lograr coordinación).

Sin embargo, un asunto más serio es que pueden resultar sustanciales costos burocráticos de una incapacidad para identificar la única contribución en utilidades de una unidad de negocios que comparte recursos con otra unidad en un intento por obtener economías de alcance. Considérese una compañía que posee dos unidades de negocios, una que produce bienes para el hogar (como jabón líquido y detergente) y otra que genera alimentos empacados. Los productos de ambas unidades se venden en supermercados. Con el fin de disminuir los costos de creación de valor, la compañía matriz decide repartir las funciones de marketing y ventas de cada unidad de negocios. La repartición permite que las unidades compartan los costos de una fuerza de ventas (una fuerza de ventas puede vender los productos de ambas divisiones) y obtener economías en costos a partir del uso del mismo sistema de distribución física. La estructura organizacional requerida para lograrlo podría ser similar a la ilustrada en la figura 9.4. La compañía está organizada en tres grandes divisiones: una división de productos para el hogar, una división de alimentos y una división de mercadeo.

Aunque tal organización puede crear valor, también puede dar cabida a considerables problemas de control y, por tanto, costos burocráticos. Por ejemplo, si comienza a declinar el desempeño del negocio de productos para el hogar, identificar quién es el responsable (la gerencia de la división de productos para el hogar o la gerencia de la división de mercadeo) puede ser difícil. En efecto, cada uno puede culpar a la otra parte del deficiente desempeño: la gerencia de la división de productos para el hogar podría culpar a las políticas implementadas en la división de marketing y ésta a su vez podría responsabilizar de calidad deficiente y costos altos de los productos generados en la división para el hogar. Aunque este tipo de problemas se puede resolver si la gerencia corporativa hace auditoría directamente a los problemas de ambas divisiones, hacerlo es costoso en términos de tiempo y esfuerzo para la gerencia corporativa.

Ahora, supóngase la situación dentro de una compañía que trata de crear valor al compartir recursos de marketing, fabricación e I&D en diez negocios en lugar de sólo dos. Claramente, el problema de responsabilidad podría hacerse mucho más severo en tal compañía. En efecto, el problema

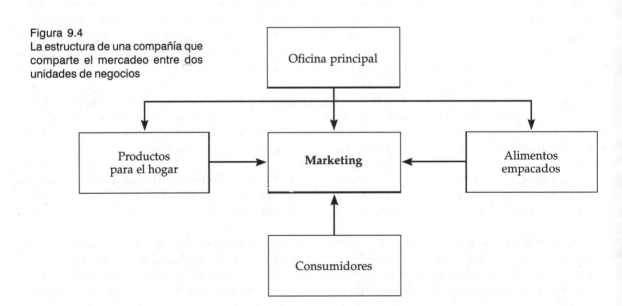

Figura 9.4
La estructura de una compañía que comparte el mercadeo entre dos unidades de negocios

podría hacerse tan agudo que el esfuerzo involucrado en tratar de asumir la responsabilidad podría crear una seria sobrecarga de información para la gerencia corporativa. Cuando esto ocurre, la gerencia corporativa efectivamente pierde el control de la compañía. Si no se puede determinar la responsabilidad, las consecuencias pueden incluir una incapacidad por parte de la gerencia corporativa para estimular y retribuir el agresivo comportamiento de los gerentes de unidades hacia la utilidad, deficientes decisiones sobre la distribución de recursos y, generalmente, alto nivel de inactividad organizacional. Todas estas ineficiencias pueden considerarse parte de los costos burocráticos de diversificación para realizar economías de alcance.

Límites de la diversificación   Por tanto, aunque la diversificación puede crear valor para una compañía, inevitablemente implica costos burocráticos. Como sucede con la integración vertical, la existencia de costos burocráticos establece un límite en la cantidad de diversificación que se puede seguir en forma rentable. Dada la existencia de los costos burocráticos, para una compañía tiene sentido diversificar sólo siempre y cuando *el valor creado por tal estrategia exceda los costos burocráticos asociados a la expansión de los límites de la organización que incorporen actividades de negocios adicionales.*

Recuérdese que cuanto mayor sea la cantidad de unidades de negocios dentro de una compañía y mayor la necesidad de coordinación entre estas unidades, hay mayor probabilidad de generar costos burocráticos. Por tanto, una compañía que posee 20 negocios, los cuales tratan de compartir recursos, incurre en costos burocráticos más amplios que la empresa que desarrolla diez actividades y ninguna trata de compartir recursos. Las implicaciones de esta relación son completamente directas. Específicamente, cuanto mayor sea la cantidad de negocios en el portafolio de una compañía y mayor la necesidad de coordinación entre aquellas unidades, hay más probabilidad de que el valor creado por un movimiento de diversificación sea superado por el inminente incremento en costos burocráticos. Una vez que ocurre esto, se logra un límite rentable para el alcance diversificado de la empresa. Sin embargo, muchas compañías continúan diversificando pasado este límite, y su desempeño declina. Con el fin de resolver este problema una compañía debe reducir el alcance de la empresa a través de desestimientos. La estrategia en acción 9.3 analiza una compañía, ICI, que diversificó demasiado y posteriormente tuvo que desistir de los negocios adquiridos. En el capítulo 10 se abordará el caso de varias compañías que han cometido el mismo error.

Diversificación que disipa el valor

Otra razón por la cual la excesiva diversificación deja de crear valor es que muchas compañías diversifican por razones erróneas. Como consecuencia, terminan disipando el valor en vez de crearlo. Esto es particularmente cierto en la diversificación para repartir riesgos o para alcanzar mayor crecimiento, las cuales con frecuencia son presentadas por los gerentes de las compañías como razones de diversificación.

Considérese la **diversificación para repartir riesgos**. Se dice que los beneficios de la repartición de riesgos provienen de la fusión de fuentes de ingreso correlacionadas imperfectamente para crear una corriente de ingreso más estable. Un ejemplo de repartición de riesgos podría ser la diversificación de USX en la industria del petróleo y la gasolina en un intento por compensar los efectos adversos de la depresión cíclica en la industria del acero. Según los defensores del reparto de riesgos, la corriente de ingreso más estable reduce el riesgo de bancarrota y favorece los mayores intereses de los accionistas de la compañía.

Sin embargo, este argumento ignora dos hechos. En primera instancia, los accionistas fácilmente pueden eliminar los riesgos inherentes en el sostenimiento de una acción individual al diversificar

ICI se diversifica, luego decae, después se divide en dos

Formado en 1926 por la fusión entre varias empresas de químicos, Imperial Chemical Industries Plc (ICI) de Gran Bretaña siempre ha sido una compañía diversificada, pero en la década de 1980 se lanzó a una nueva tendencia de adquisiciones diversificadas dirigidas a expandir su presencia en una amplia variedad de operaciones químicas especiales de alto valor agregado. A comienzos de la década de 1980 ICI ya estaba involucrada en actividades como químicos a granel, explosivos, fertilizantes, pinturas, plásticos de uso general y farmacéuticos. En 1985 amplió su portafolio mediante la compra de las modernas operaciones de materiales plásticos a la firma norteamericana Beatrice Company por US$750 millones. En 1986 compró Glidden, otra compañía norteamericana, por US$580 millones. Esta adquisición hizo de ICI el fabricante de pinturas más grande del mundo. En 1987 realizó otra compra, American Stauffer Chemical por US$1,700 millones. ICI conservó el negocio de agroquímicos especiales de American Stauffer, pero liquidó el resto. Como resultado, al final de la década de 1980 era la mayor manufacturera de Gran Bretaña y la cuarta compañía química del mundo.

Sin embargo, expandir el alcance de las actividades de negocios de ICI hizo poco por la línea inferior de la compañía. En 1990 vio caer sus utilidades antes de impuestos en un 36% a US$1,700 millones, sobre ventas de US$23,000 millones. Mientras tanto, sus operaciones de químicos especiales no funcionaban también como esperaba. En 1990 sus pinturas y otras especialidades disfrutaron de un margen de utilidad de sólo 2.8%, comparado con un margen del 5.7% en las operaciones más tradicionales de químicos a granel de la compañía.

En mayo de 1991 estos problemas financieros llamaron la atención de Hanson P.l.c., uno de los compradores corporativos más conocidos de Gran Bretaña. Hanson ha prosperado al comprar conglomerados como ICI para luego dividirlos y venderlos por partes a otras compañías, usualmente con una utilidad considerable. Hanson compró un 4.1% de las acciones en ICI y amenazó llevar a cabo una adquisición completa. Aunque la adquisición nunca se materializó y Hanson posteriormente vendió sus acciones por una utilidad atractiva, la amenazada adquisición generó en ICI una polémica sobre la razón que había detrás de su estrategia de diversificación.

Después de un examen detallado, la alta gerencia de ICI llegó a dos importantes conclusiones. En primer lugar, aunque muchos de los negocios de ICI estaban ligados de alguna forma a la industria de químicos, la gerencia reconoció que existían muchas menos sinergias entre sus operaciones de lo que inicialmente creían. En el análisis final, la alta gerencia concluyó que existían pocas relaciones comunes entre los químicos y productos farmacéuticos a granel, entre los plásticos y las pinturas, y entre los explosivos y los materiales avanzados. En segundo lugar, la compañía se había diversificado tanto que la alta gerencia se halló distribuida muy superficialmente en muchos negocios diferentes. La compañía simplemente no podía proporcionar el tipo de atención de alta gerencia y recursos financieros a muchos de los negocios que lo requerían. En otras palabras, el valor creado por la estrategia de diversificación era cuestionable, en tanto que los costos burocráticos de manejar una gran y compleja entidad diversificada eran considerables. Por consiguiente, la diversificación en ICI había disipado en vez de creado valor.

Por estas razones, en 1992 la alta gerencia decidió comenzar a dividir la organización. La primera etapa en este proceso se completó en marzo de 1993, cuando ICI se dividió en dos. Una parte, que mantiene el nombre ICI, tiene los negocios relacionados con químicos industriales, pinturas y explosivos. Según la compañía, partes de esta operación probablemente se venderán en el futuro. La otra parte, ahora llamada Zeneca, ha tomado los negocios de drogas, pesticidas, semillas y químicos especiales de ICI. ICI considera que las dos compañías funcionarán mejor por sí mismas que como parte de una gran empresa[31].

sus propios portafolios, y pueden hacerlo a un costo mucho menor que la compañía. Por tanto, lejos de favorecer los intereses de los accionistas, los intentos para repartir los riesgos a través de la diversificación representan un improductivo uso de recursos. En segunda instancia, la investigación sobre este tema sugiere que la diversificación corporativa no es una forma muy efectiva de repartir riesgos[32]. Los ciclos de negocios de diferentes industrias no son fáciles de pronosticar y en cada caso tienden a ser menos importantes que una depresión económica general, la cual golpea todas las industrias en forma simultánea. International Harvester ilustra este punto. En 1979 la compañía se había diversificado en tres grandes negocios: maquinaria agrícola, maquinaria de construcción y camiones. Se suponía que estas actividades seguirían diferentes ciclos de negocios, protegiendo la compañía de severas fluctuaciones. Sin embargo a comienzos de la década de 1980 todos estos negocios sufrieron una depresión al mismo tiempo, pues acumularon una pérdida de US$2,900 millones para Harvester.

Ahora considérese la **diversificación para lograr mayor crecimiento**. Esta diversificación no es una estrategia coherente ya que el crecimiento por sí mismo no crea valor. El crecimiento debe ser el *subproducto*, no el objetivo, de una estrategia de diversificación. Sin embargo, las compañías algunas veces se diversifican sólo por razones de crecimiento, en vez de obtener una ventaja estratégica bien cimentada. ITT, bajo el liderazgo de Harold Geneen dio este paso. Geneen a ITT de compañía internacional de telecomunicaciones la convirtió en un conglomerado ampliamente establecido, consistente en más de 100 negocios separados, con intereses en áreas tan diversas como bancas, alquiler de automóviles, productos electrónicos para la defensa, extintores de incendio, seguros, hoteles, productos de papel y telecomunicaciones. La estrategia tuvo que ver más con el deseo de Geneen de formar un imperio que con la maximización del valor de la compañía[33]. Desde la partida de Geneen en 1979, la gerencia de ITT ha desistido de muchos de los negocios adquiridos bajo su liderazgo con el fin de concentrarse en los seguros y los servicios financieros.

¿Diversificación relacionada o no relacionada?

Un problema que debe resolver una compañía es si puede diversificar en negocios relacionados con sus actividades existentes mediante relaciones comunes de cadena de valor o en negocios totalmente nuevos. La distinción en este caso es entre la diversificación relacionada y la diversificación no relacionada. Por definición, una compañía relacionada puede crear valor al compartir recursos y transferir habilidades entre los negocios. También puede adelantar una reestructuración. En constraste, debido a que no existen relaciones comunes entre las cadenas de valor de negocios no relacionados, una compañía no relacionada no puede crear valor al compartir recursos o transferir habilidades. Los diversificadores no relacionados pueden crear valor sólo al seguir una estrategia de adquisición y reestructuración.

Puesto que la diversificación relacionada puede crear valor en mayores formas que la diversificación no relacionada, se podría pensar que la diversificación relacionada debe ser la estrategia preferida. Además, la diversificación relacionada normalmente se percibe que involucra menores riesgos debido a que la compañía se mueve en áreas de negocios donde la alta gerencia tiene algún conocimiento. Probablemente debido a estas consideraciones, la mayoría de compañías diversificadas muestran preferencia por la diversificación relacionada[34]. Sin embargo, la investigación sugiere que el promedio de compañías relacionadas es, por lo menos, sólo marginalmente, más rentable que el promedio de compañías no relacionadas[35]. ¿Por qué se da esta situación si la diversificación relacionada está vinculada a mayores beneficios que la diversificación no relacionada?

La respuesta a esta pregunta es muy sencilla. Los costos burocráticos surgen de: (1) el número de negocios en el portafolio de una compañía, y (2) el grado de coordinación requerido entre las diferentes unidades de negocios con el fin de obtener valor a partir de una estrategia de diversificación. Una empresa no relacionada no tiene que alcanzar un nivel de coordinación entre las unidades de negocios y, por tanto, debe afrontar sólo los costos burocráticos que surgen de la cantidad de negocios en su portafolio. En contraste, una compañía diversificada relacionada tiene que lograr coordinación entre las unidades de negocios si desea obtener el valor de las transferencias de habilidades y de compartir recursos. Como consecuencia, tiene que asumir los costos burocráticos que surgen del número de unidades de negocios en su portafolio y de la coordinación entre las unidades. Por tanto, aunque es verdad que las compañías diversificadas relacionadas pueden crear valor en más formas que las compañías no relacionadas, deben afrontar mayores costos burocráticos al emprender estas actividades. Estos costos altos pueden eliminar los mayores beneficios, pues haría la estrategia no más rentable que la diversificación no relacionada. La tabla 9.1 enumera las fuentes de valor y costos de cada estrategia.

Entonces, ¿cómo puede una compañía escoger entre estas estrategias? La selección depende de una comparación del valor agregado relativo y los costos burocráticos asociados a cada estrategia. Al hacer esta comparación, es importante anotar que las oportunidades para crear valor a partir de la diversificación relacionada están en función del grado de relaciones comunes entre las capacidades requeridas para competir en el negocio principal de la compañía y las habilidades necesarias para competir en otras áreas industriales y comerciales. Las capacidades de algunas compañías están tan especializadas que tienen pocas aplicaciones fuera de las actividades principales. Por ejemplo, debido a que son pocas las relaciones comunes entre la explotación de acero y otras operaciones industriales o comerciales, la mayoría de compañías de acero se han diversificado en industrias no relacionadas (LTV en contratación para la defensa, USX en petróleo y gasolina). Cuando las compañías tienen capacidades menos especializadas, pueden hallar muchas más oportunidades de diversificación relacionada fuera del negocio principal. Varios ejemplos incluyen compañías químicas (como Dow Chemical y DuPont) y firmas eléctricas de ingeniería (como General Electric). En consecuencia, sus oportunidades disponibles de crear valor a partir de la diversificación relacionada son muchos mayores.

Tabla 9.1
Comparación de la diversificación relacionada y no relacionada

Estrategia	Formas de crear valor	Fuente de costos burocráticos
Diversificación relacionada	• Reestructuración • Transferencia de habilidades • Economías de alcance	• Cantidad de negocios • Coordinación entre negocios
Diversificación no relacionada	• Reestructuración	• Cantidad de negocios

Por tanto, le da resultado a una compañía concentrarse en la diversificación relacionada cuando: (1) sus capacidades principales se aplican a una amplia variedad de situaciones industriales y comerciales, y (2) los costos burocráticos de implementación no exceden el valor que puede crearse al compartir recursos o transferir habilidades. La segunda condición es probable sólo para compañías moderadamente diversificadas. A altos niveles de diversificación relacionada, los costos burocráticos de la diversificación adicional probablemente excedan el valor creado por esa diversificación, y la estrategia puede ser no rentable.

Por la misma lógica, a una compañía le puede dar resultado concentrarse en la diversificación no relacionada cuando: (1) sus capacidades funcionales principales son altamente especializadas y tienen pocas aplicaciones fuera de su negocio principal; (2) la alta gerencia está capacitada para la adquisición y dar un vuelco total a los negocios de desempeño deficiente (y muchas no); y (3) los costos burocráticos de implementación no exceden el valor que se puede crear al seguir una estrategia de reestructuración. Sin embargo, la tercera condición es *improbable* que se aplique a empresas altamente diversificadas. Por tanto, no importa si una compañía sigue una estrategia de diversificación relacionada o no relacionada, la existencia de costos burocráticos sugiere que existen límites muy concretos para su diversificación rentable.

9.6 ALIANZAS ESTRATÉGICAS COMO ALTERNATIVA PARA LA DIVERSIFICACIÓN

La diversificación puede no ser rentable debido a los costos burocráticos asociados a la implementación de la estrategia. Una forma para tratar de obtener el valor vinculado a la diversificación, sin tener que afrontar el mismo nivel de costos burocráticos, consiste en ingresar a una alianza estratégica con otra compañía para comenzar una nueva operación de negocios.

En este contexto, las alianzas estratégicas esencialmente son acuerdos entre dos o más compañías para compartir los costos, riesgos y beneficios asociados al desarrollo de nuevas oportunidades de negocios. Muchas alianzas estratégicas se constituyen como *joint ventures* formales en las cuales cada parte tiene una propiedad equitativa de las acciones. Otras alianzas adoptan la forma de un contrato a largo plazo entre compañías en el cual acuerdan emprender una actividad en conjunto que las beneficie. Estos acuerdos funcionan en proyectos conjuntos de I&D y con frecuencia adoptan esta forma.

Las alianzas estratégicas parecen ser una opción particularmente viable cuando una compañía desea crear valor a partir de la transferencia de habilidades o de compartir recursos entre negocios diversificados con el fin de realizar economías de alcance. Las alianzas ofrecen a las compañías un marco teórico dentro del cual se comparten los recursos requeridos para establecer un nuevo negocio. En forma alternativa, las alianzas permiten que las organizaciones intercambien capacidades complementarias para generar una nueva variedad de productos. Por ejemplo, considérese la alianza entre United Technologies y Dow Chemical para elaborar piezas de compuestos plásticos para la industria aeronáutica. United Technologies ya estaba involucrada en ese medio (construyó helicópteros Sikorsky) y Dow Chemical tenía capacidades en el desarrollo y fabricación de compuestos plásticos. En la alianza se pidió a United Technologies que contribuyera con sus modernas capacidades en aeronáutica y a Dow que aportara sus capacidades en el desarrollo y fabricación de armazones de plástico, que constituyeron la *joint venture* en la cual cada compañía tendría un 50% en las acciones. La *joint venture* emprendería la tarea de desarrollar, fabricar y comercializar una nueva línea de armazones de plástico para la industria aeronáutica. A través de esta alianza, ambas compañías se involucrarían en nuevas actividades. En resumen, podrían obtener algunos de los beneficios asociados a la diversificación relacionada sin tener que fusionar actividades formalmente o afrontar los costos y riesgos de desarrollar los nuevos productos por sí mismos.

Los costos burocráticos se han reducido porque ni Dow ni United Technologies realmente expandieron su propia organización, tampoco porque la compañía haya coordinado transferencias de habilidades internas. Por el contrario, después de la incorporación, la *joint venture* ha funcionado como una compañía independiente, y tanto Dow Chemical como United Technologies reciben pagos en forma de dividendos.

En efecto existe otro aspecto para tales alianzas. Por una parte, las utilidades se deben dividir con el socio, en tanto que con la diversificación completa una compañía mantiene todas las utilidades. Otro problema es que cuando una compañía concerta una alianza, siempre corre el riesgo de revelar su *know-how* crítico al socio, quien podría entonces utilizarlo para competir directamente con esta compañía en el futuro. Por ejemplo, después de obtener acceso a la experiencia de Dow en compuestos de plástico, United Technologies podría disolver la alianza y producir estos materiales por sí misma. Sin embargo, tal riesgo se puede minimizar si Dow obtiene un *acuerdo asegurado* por parte de United Technologies. Al ingresar en una *joint venture* formal, en vez de concertar una alianza estructurada más amplia, United Technologies ha hecho un compromiso pues ha tenido que invertir considerables cantidades de capital. Por tanto, si United Technologies independientemente trata de producir estos compuestos, esencialmente competirá en contra suya.

9.7 RESUMEN DEL CAPÍTULO

El propósito de este capítulo fue examinar las diferentes estrategias a nivel corporativo que siguen las compañías con el fin de maximizar su valor.

1. Las estrategias corporativas deben *agregar valor* a una corporación. Para agregar valor, una estrategia corporativa debe permitir que la compañía, o una o más de sus unidades de negocios, desempeñe una o más funciones de creación de valor a un costo menor o en una forma que posibilite la diferenciación y un precio superior.
2. La integración vertical puede permitir que una empresa logre una ventaja competitiva ayudando a formar barreras de ingreso, al facilitar inversiones en activos especializados, al proteger la calidad del producto, y al ayudar a mejorar la programación entre etapas adyacentes en la cadena de valor.
3. Las desventajas de la integración vertical incluyen desventajas en costo si la fuente interna de aprovisionamiento de la compañía es de alto costo y si no existe flexibilidad cuando la tecnología cambia en forma rápida o cuando la demanda es incierta.
4. Realizar un contrato a largo plazo puede posibilitar que una compañía obtenga muchos de los beneficios asociados a la integración vertical sin tener que afrontar el mismo nivel de costos burocráticos. Sin embargo, con el fin de evitar los riesgos asociados a ser demasiado dependiente de su socio, una organización que lleva a cabo este tipo de contratos necesita concretar un acuerdo asegurado con su socio o establecer una condición de garantía de mutua dependencia.
5. La diversificación puede crear valor a través de la búsqueda de una estrategia de reestructuración, transferencias de habilidades y la realización de economías de alcance.
6. Los costos burocráticos de diversificación están en función de la cantidad de unidades de negocios independientes dentro de la compañía y del grado de coordinación entre aquellas unidades.
7. La diversificación motivada por el deseo de repartir riesgos o lograr mayor crecimiento con frecuencia se vincula a la disipación de valor.
8. La diversificación relacionada se prefiere a la diversificación no relacionada debido a que permite que una compañía se comprometa en más actividades de creación de valor y es menos

arriesgada. Si las capacidades de una firma no son transferibles, ésta puede no tener alternativa sino seguir una diversificación no relacionada.

9. Las alianzas estratégicas pueden posibilitar que las compañías obtengan muchos de los beneficios de la diversificación relacionada sin tener que asumir el mismo nivel de costos burocráticos. Sin embargo, cuando se ingresa en una alianza, la organización corre el riesgo de revelar la tecnología clave a su socio. El riesgo de que esto ocurra puede minimizarse si una compañía obtiene un acuerdo asegurado por parte de su socio.

Preguntas y temas de análisis

1. ¿Cuándo es probable que una compañía escoja la diversificación relacionada y cuándo la diversificación no relacionada? Analícese este tema con respecto a un fabricante de productos electrónicos y a una compañía naviera.

2. ¿Por qué antes fue rentable para General Motors y Ford integrarse hacia atrás en la fabricación de piezas, y por qué ambas compañías tratan ahora de comprar más piezas en el exterior?

3. ¿Bajo qué condiciones la concentración en un solo negocio podría ser inconsistente con la meta de maximizar las utilidades del accionista? ¿Por qué?

4. General Motors se integró verticalmente en la década de 1920, se diversificó en la de 1930 y se expandió al exterior en la de 1950. Explíquense estos desarrollos con referencia a la rentabilidad de utilizar cada estrategia. ¿Por qué se considera que la integración vertical normalmente es la primera estrategia que se sigue después de la concentración en un negocio único?

Aplicación 9

Hallar un ejemplo de una compañía cuya integración vertical o estrategia de diversificación parezca haber disipado en vez de crear valor. Identifíquese por qué se ha generado esta situación y qué debería hacer la empresa para rectificarla.

Proyecto sobre administración estratégica: Módulo 9

Este módulo requiere que el estudiante evalúe las estrategias de integración vertical y diversificación seguidas por la compañía escogida. Con la información disponible, responder las preguntas y realizar las actividades propuestas:

1. ¿Qué tan integrada en forma vertical es la empresa? Si posee operaciones integradas verticalmente, ¿sigue una estrategia de integración combinada o completa?

2. ¿Qué tan diversificada es la compañía? Si ya está diversificada, ¿utiliza una estrategia de diversificación relacionada, una estrategia de diversificación no relacionada o una combinación de las dos?

3. Evalúese el potencial de la organización para crear valor a través de la integración vertical. Con esta evaluación, considérense también los costos burocráticos de manejar la integración vertical.

4. Con base en la evaluación de la pregunta 3, ¿la compañía debería (a) acudir al suministro externo de algunas operaciones que normalmente se ejecutan en sus plantas, o (b) traer algu-

nas operaciones a sus instalaciones que corrientemente se suministraron en forma externa? Justifíquense las recomendaciones.

5. ¿La compañía actualmente está implicada en una relación cooperativa a largo plazo con proveedores o compradores? Si es así, ¿cómo están estructuradas estas relaciones? ¿Estas relaciones agregan valor a la compañía? ¿Por qué?

6. Existe potencial para que la compañía establezca relaciones (adicionales) de cooperación a largo plazo con proveedores o compradores? Si es así, ¿cómo podrían estructurarse estas relaciones?

7. Evalúese el potencial de la empresa para crear valor a través de la diversificación. En el proceso de evaluación, analícense también los costos burocráticos de manejar la diversificación.

8. Con base en la evaluación de la pregunta 7, ¿la compañía debería: (a) liquidar algunas operaciones diversificadas, o (b) seguir la diversificación adicional? Justificar sus recomendaciones.

9. ¿La compañía usualmente intenta transferir capacidades o realizar economías de alcance al establecer alianzas estratégicas con otras empresas? Si es así, ¿cómo están estructuradas estas relaciones? ¿Estas relaciones agregan valor a la compañía? ¿Por qué?

10. ¿Existe potencial para que la compañía transfiera capacidades o realice economías de alcance al concertar alianzas estratégicas (adicionales) con otras partes? Si es así, ¿cómo podrían estructurarse estas relaciones?

Notas

1. *Fuentes*: "The Flawed Vision of Edzard Reuter", *Economist*, April 27, 1991, pp. 65-66. Krystal Miller, "BMW Zooms Ahead of Mercedes-Benz in Worldwide Sales for the First Time", *Wall Street Journal*, January 20, 1993, Section B1. John Templeman, "Daimler's Drive to Become a High-Tech Speedster", *Business Week*, February 12, 1990, pp. 55-58.

2. K. R. Harrigan, "Formulating Vertical Integration Strategies", *Academy of Management Review*, 9 (1984), pp. 638-652.

3. Ésta es la clave del planteamiento de Chandler. *Véase:* Alfred D. Chandler, *Strategy and Structure* (Cambridge, Mass.: MIT Press, 1962). El mismo argumento también es expuesto por Jeffrey Pfeffer and Gerald R. Salancik, *The External Control of Organizations*, (New York: Harper & Row, 1978). *Véase* también K. R. Harrigan, *Strategic Flexibility* (Lexington, Mass.: Lexington Books, 1985); K. R. Harrigan, "Vertical Integration and Corporate Strategy", *Academy of Management Journal*, 28 (1985), pp. 397-425; and F. M. Scherer, *Industrial Market Structure and Economic Performance* (Chicago: Rand McNally, 1981).

4. Para mayor información, *véase* Martin K. Perry, "Vertical Integration: Determinants and Effects", *Handbook of Industrial Organization*, ed. R. Schmalensee and R. D. Willig, (Elsevier Science Publishers, 1989) I, Amsterdam, pp. 183-255.

5. Esta sección está fundamentada en el enfoque de costos de transacción popularizado por Oliver E. Williamson, *The Economic Institutions of Capitalism* (New York: Free Press, 1985).

6. *Ibíd.*

7. J. F. Hennart, "Upstream Vertical Integration in the Aluminium and Tin Industries", *Journal of Economic Behavior and Organization*, 9 (1988), 281-299.

8. *Ibíd.*

9. A. D. Chandler, *The Visible Hand* (Cambridge, Mass.: Harvard University Press, 1977).

10. Julia Pitta, "Score One for Vertical Integration", *Forbes*, January 18, 1993, pp. 88-89.

11. Joseph White and Neal Templin, "Harsh Regimen: A swollen GM Finds It Hard to Stick with Its Crash Diet", *Wall Street Journal* (September 9, 1992), p. A1.

12. Harrigan, *Strategic Flexibility*, pp. 67-87.

13. Para una detallada exposición teórica de los principios de este planteamiento, *véase* G. R. Jones and C. W. L. Hill, "A Transaction Cost Analysis of Strategy-Structure Choice", *Strategic Management Journal*, 9 (1988) 159-172.

14. Kevin Kelly, Zachary Schiller, and James Treece, "Cut costs of Else", *Business Week*, March 22, 1993, pp. 28-29.

15. Standard & Poor's Industry Survey, *Autos-Auto Parts*, June 24, 1993.

16. *Véase* James Womack, Daniel Jones, and Daniel Roos, *The Machine That Changed the World* (New York: Rawson Associates, 1990); and James Richardson, "Parallel Sourcing and Supplier Performance in the Japanese Automobile Industry", *Strategic Management Journal*, 14 (1993), pp. 339-350.

17. *Fuentes*: G. Pascal Zachary, "High-Tech Firms Find It's Good to Line Up Outside Contractors", *Wall Street Journal*, July 7, 1992, p. A1; Shawn Tully, "The Modular Corporation", *Fortune*, February 8, 1993, pp. 106-114.

18. Williamson, *Economic Institutions*.
19. Richardson, "Parallel Sourcing", pp. 339-350.
20. Esta perspectiva de la diversificación fundamentada en los recursos puede encontrarse en el importantísimo libro de Edith Penrose, *The Theory of the Growth of the Firm* (Oxford: Oxford University Press, 1959).
21. Por ejemplo, *véase* Jones and Hill, "A Transaction Cost Analysis", pp. 159-172, y Williamson, *Markets and Hierarchies*, (New York: Free Press), pp. 132-175.
22. *Véase* C. W. L. Hill, "Profile of a Conglomerate Takeover: BTR and Thomas Tilling", *Journal of General Management*, 10 (1984), pp. 34-50
23. *Véase* C. W. L. Hill, M. A. Hitt, y R. E. Hoskisson, "Declining U.S. Competitiveness: Reflections on a Crisis", *Academy of Management Executive*, 2 (February 1988), pp. 51-59; y R. E. Hoskisson, M. A. Hitt, and C. W. L. Hill, "Managerial Incentives and Investment in R&D in Large Multiproduct Firms", *Organization Science*, 4 (1993), pp. 325-341.
24. "Rockwell: Using Its Cash Hoard to Edge Away from Defense", *Business Week*, February 4, 1985, pp. 82-84.
25. D. J. Teece, "Economies of Scope and the Scope of the Enterprise", *Journal of Economic Behavior and Organization*, 3 (1980), pp. 223-247.
26. Para un análisis detallado, *véase* C. W. L. Hill y R. E. Hoskisson, "Strategy and Structure in the Multiproduct Firm", *Academy of Management Review*, 12 (1987), pp. 331-341.
27. Michael E. Porter, *Competitive Advantage: Creating and Sustaining Superior Performance* (New York: Free Press, 1985), p. 326.
28. Porter, "From Competitive Advantage to Corporate Strategy", *Harvard Business Review*, (May-June 1987), 43-59.
29. Para una investigación de la evidencia, *véase* V. Ramanujam and P. Varadarajan, "Research on Corporate Diversification: A Synthesis", *Strategic Management Journal*, 10 (1989), pp. 523-551.
30. C. R. Christensen et al., *Business Policy Text and Cases* (Homewood, Ill: Irwin, 1987), p. 778.
31. *Fuentes*: Scott McMurray, "ICI Changes Tack and Splits Itself into Two Businesses", *Wall Street Journal*, March 5, 1993, p. B3; "Hanson Likes the Look of ICI", *Economist*, May 18, 1991, pp. 69-70.
32. Para una investigación de la evidencia, *véase* C. W. L. Hill, "Conglomerate Performance over the Economic Cycle", *Journal of Industrial Economics*, 32 (1983), pp. 197-212; y D. T. C. Mueller, "The Effects of Conglomerate Mergers", *Journal of Banking and Finance*, 1 (1977) pp. 315-347.
33. Michael Brody, "Caught in the Cash Crunch at ITT", *Fortune*, February 18, 1985, pp. 63-72.
34. Por ejemplo, *véase* C. W. L. Hill, "Diversified Growth and Competition", *Applied Economics*, 17 (1985), pp. 827-847; y R. P. Rumelt, *Strategy, Structure and Economic Performance* (Boston: Harvard Business School Press, 1974). G. R. Jones and C. W. L. Hill, "A Transaction Cost Analysis of Strategy Structure Choice", *Strategic Management Journal*, 1988, pp. 159-172.
35. *Véase* H. K. Christensen and C. A. Montgomery, "Corporate Economic Performance: Diversification Strategy Versus Market Structure", *Strategic Management Journal*, 2 (1981), 327-343; and Jones and Hill, "A Transaction Cost Analysis", pp. 159-172.

10

Formación y reestructuración de la corporación

10.1   CASO INICIAL: XEROX SE REESTRUCTURA

A comienzos de la década de 1980 con su principal negocio de fotocopiadoras ante el ataque de compañías japonesas como Canon y Ricoh, la alta gerencia de Xerox tomó la decisión de diversificarse en la industria de servicios financieros. El movimiento fue un intento para equilibrar su agitado negocio de copiadoras y proteger su corriente de ingresos. La comunidad inversionista de Wall Street reaccionó en desacuerdo, argumentando que la compañía estaba evadiendo los problemas en su actividad principal. También observó que la expansión del portafolio de Xerox haría más difícil que dicha actitud tuviera sentido para la comunidad inversionista de la compañía. A pesar de estas críticas, Xerox siguió adelante. Con el fin de introducirse en la industria de servicios financieros, área en la que no había tenido experiencia previa, Xerox decidió adquirir empresas establecidas con sólida administración y una buena trayectoria. En el curso de varios años Xerox adquirió diversas empresas que incluían a Crum and Forster, Inc., una compañía de seguros, Furman Selz, una entidad bancaria de inversiones, y Van Kampen Merrit, una firma de fondos mutuos.

A mediados de la década de 1980 esta estrategia parecía dar resultados. En ese entonces la parte encargada de servicios financieros contribuía casi con la mitad de las utilidades de Xerox. Sin embargo, éste también fue en general un periodo próspero para la industria de servicios financieros. A finales de esa década el panorama comenzó a cambiar. La fuerte administración había revolucionado el desempeño del negocio de fotocopiadora de Xerox al concentrarse en la calidad superior del producto y en los estrictos controles de costos. Esto permitió que la compañía obtuviera de nuevo participación en el mercado de los competidores japoneses. (*véase* el caso inicial del capítulo 4 si se decide consultar detalles). En ese entonces, el desempeño de las actividades de servicios financieros comenzó a deteriorarse en forma rápida. En verdad, aunque dichas operaciones contribuyeron a sus ingresos con una tercera parte durante 1991 por US$13,800 millones, esta cantidad correspondió únicamente al 3% de sus utilidades. La raíz del problema fue que las actividades de servicios financieros de Xerox se hicieron muy costosas para los proveedores en una industria cada vez más competitiva. Aunque pudieron obtener buenos rendimientos en los años favorables a mediados de dicha década, tuvieron que luchar denodadamente en los años improductivos hacia el final de la misma. Para hacer más desfavorables las condiciones, en 1992 el balance general del negocio de seguros de Crum and Forster fue golpeado fuertemente por las masivas pérdidas causadas por los pagos de indemnizaciones de los siniestros ocasionados por los huracanes Andrés e Iniki, acontecimiento que obligó a Moody's Investors Service bajar la cotización de las acciones de Crum and Foster y colocar a Xerox ante una deuda de por lo menos US$6,000 millones.

Xerox comenzó a reconsiderar la lógica implícita en su estrategia de diversificación en mayo de 1991, cuando Paul Allaire llegó a ser el presidente de la compañía. Allaire había sido el principal arquitecto del regreso de la empresa al negocio de las copiadoras. Él no tenía vínculos con la estrategia de diversificación, idea del anterior CEO, David Kearns. Bajo el liderazgo de Allaire, Xerox rápidamente separó los servicios financieros del resto de la compañía, negándose a sostener este titubeante negocio con las utilidades de las copiadoras. Después de revisar su estrategia de diversificación, Allaire decidió que los accionistas de Xerox estarían mejor atendidos mediante una separación completa de las operaciones de servicios financieros del resto de la compañía. Wall Street reaccionó en forma positiva con la noticia, pero al mismo tiempo los analistas de títulos valores observaron que la reestructuración no podría llevarse a cabo sin una sanción financiera para Xerox y sus accionistas.

El proceso de desestimiento comenzó en octubre de 1992, cuando Xerox vendió su negocio de fondos mutuos Van Kampen Merrit a Clayton Dubilier & Rice por US$360 millones. Con el fin de hacer comercializable su agitado negocio de seguros de Crum and Forster, Xerox asumió la responsabilidad de US$470 millones en el cuarto trimestre de 1992, fundamentalmente para fortalecer el balance general de Crum and Forster, haciéndolo en consecuencia más atractivo para los potenciales compradores. Xerox también está dividiendo en partes a Crum and Forster, organización que la compañía considera puede venderse más fácilmente que la unidad completa. Incluso así, la gerencia de la empresa admite que puede pasar algún tiempo antes que puedan vender las grandes partidas de valores de Crum and Forster. En cuanto a la entidad bancaria de inversiones de Furman Selz, la empresa negocia actualmente con los gerentes de esta unidad en lo posible la parte que corresponde a la gerencia.

Una vez vendidos todos los negocios de servicios financieros, Xerox estará en capacidad de eliminar casi US$2,600 millones de deuda registrada en sus libros. Sin embargo, los analistas señalan que la deuda ya está siendo atendida por los mismos negocios de servicios financieros, de tal manera que la venta no liberaría ningún fondo adicional para el resto de sus actividades. En un esfuerzo por fortalecer la base patrimonial de la compañía, Xerox planteó el propósito de emitir por lo menos otros US$500 millones en títulos en 1993, que mermarían el valor de las utilidades en las acciones de Xerox a lo sumo en un 5%. La mayoría de los analistas de bolsa observan esta merma como resultado inevitable de una serie de decisiones erróneas en inversiones tomadas a comienzos de la década de 1980. En parte esto corresponde al precio que los accionistas deben pagar por un intento no exitoso de la gerencia para diversificarse en servicios financieros[1].

Preguntas y temas de análisis

1. ¿Existe una manera con la cual Xerox pudo haber agregado valor a las operaciones de servicios financieros que adquirió a comienzos de la década de 1980? Si no es así, ¿por qué la compañía siguió esta estrategia?
2. ¿Los intereses de los accionistas de Xerox están mejor atendidos mediante el desestimiento de sus actividades de servicios financieros?

10.2 VISIÓN GENERAL

En el capítulo 9 se analizaron las estrategias a nivel corporativo que las compañías siguen con el fin de convertirse en empresas diversificadas. Este capítulo se fundamenta en el material expuesto en ese capítulo para concretarse en tres aspectos. Primero, ¿cuáles son los méritos relativos de los diferentes *vehículos* o *medios* que las empresas pueden utilizar para ingresar en nuevas áreas de negocios? La opción en este caso es entre adquisiciones, nuevas operaciones internas y *joint ventures*. Las **adquisiciones** implican la compra de un negocio existente; las **nuevas operaciones internas** involucran iniciar un nuevo negocio desde el principio; y las *joint ventures* básicamente involucran comenzar una nueva operación desde el comienzo con la ayuda de un socio. Como se replanteó en el caso inicial, Xerox optó por hacer adquisiciones en vez de realizar nuevas operaciones internas o *joint ventures* para diversificarse en la industria de servicios financieros. Esta opción de vehículo para la diversificación tenía sentido, dado que Xerox carecía de cualquier conocimiento relacionado con dicha industria. Al adquirir negocios establecidos de servicios financieros, la empresa también adquirió *know-how* administrativo acerca de la industria.

El segundo aspecto que se abordará en este capítulo es la reestructuración. Por razones ya referidas en el capítulo anterior y que se analizarán posteriormente en éste, durante las décadas de 1970 y 1980 muchas compañías se diversificaron demasiado o estuvieron muy integradas verticalmente. Durante los últimos años se ha registrado una transformación supremamente considerable a partir de estas dos estrategias, con compañías que liquidan muchas de sus actividades diversificadas y se reconcentran en sus negocios principales. El caso inicial describe la manera como se presentó esta situación en Xerox, empresa que a comienzos de la década de 1990 deshizo la mayor parte de la diversificación en servicios financieros, negocios que había emprendido a comienzos de la década anterior; la compañía liquidó la mayor parte de las unidades adquiridas previamente, a menudo con pérdida. En este capítulo, se explorará el porqué muchas organizaciones se encuentran en este momento en proceso de reestructuración y se estudiarán las diferentes opciones estratégicas abiertas a las compañías que siguen una estrategia de este tipo.

El tema final que se abordará en este capítulo corresponde a las técnicas de planeación de portafolio. Las técnicas de planeación de portafolio se refieren a una familia de herramientas de planeación conceptual diseñadas durante la década de 1960 por consultores de gerencia con el fin de ayudar a decidir en qué tipos de áreas de negocios debe involucrarse una compañía. Estas técnicas recientemente han sido consideradas desfavorables. En verdad, los críticos argumentan que éstas han ocasionado un gran perjuicio a las organizaciones que las han utilizado. En esta parte se considerará por qué podría ser éste el caso.

10.3 ADQUISICIONES *VERSUS* NUEVAS OPERACIONES INTERNAS COMO ESTRATEGIAS DE INGRESO

Como se anotó anteriormente, existen tres medios para seguir estrategias a nivel corporativo como diversificación e integración vertical: adquisiciones, nuevas operaciones internas y *joint ventures*. En esta sección se estudiará la opción entre adquisiciones y nuevas operaciones internas como medios alternativos para *ingresar* en nuevas áreas de negocios. En la próxima sección, se considerará por qué muchas adquisiciones en apariencia fracasan al suministrar sus beneficios proyectados, y se analizarán los parámetros para realizar adquisiciones exitosas. Luego se explorarán aspectos similares de las nuevas operaciones internas y finalmente se retomarán las *joint ventures*, las cuales constituyen un caso especial.

Ingresar en una nueva área de negocios mediante la adquisición involucra comprar una compañía establecida, completa con todas sus instalaciones, maquinaria y personal. Ingresar en una nueva área de negocios mediante una nueva operación interna significa iniciar un negocio a partir de cero: construir instalaciones, adquirir equipos, contratar personal, abrir agencias de distribución, etc. La selección entre una adquisición y una nueva operación interna como estrategia preferida de ingreso se encuentra influenciada por varios factores: (1) barreras para el ingreso, (2) la afinidad del nuevo negocio con las operaciones existentes, (3) la velocidad comparativa y los costos de desarrollo de los dos modos de ingreso, (4) los riesgos que involucran los diferentes modos de ingreso, y (5) los factores del ciclo de vida industrial[2].

Barreras para el ingreso

Como se recordará del capítulo 3, las barreras para el ingreso surgen a partir de factores asociados a la diferenciación de productos (lealtad a la marca), ventajas de costo absoluto y economías de escala. Cuando las barreras son considerables, una compañía encuentra difícil ingresar en una industria mediante una nueva operación interna. Para ingresar es posible que una compañía tenga que construir una planta de fabricación eficiente en gran escala, realizar publicidad masiva para acabar con la lealtad establecida a las marcas y consolidar rápidamente agencias de distribución (es muy probable que todas estas metas, difíciles de alcanzar, involucren gastos considerables). En contraste, al adquirir una empresa establecida, una compañía puede evitar la mayoría de las barreras de ingreso. También puede adquirir un líder de mercado, que posea beneficios obtenidos a partir de considerables economías de escala y lealtad a la marca. En consecuencia, cuanto mayores sean las barreras para el ingreso, más cuidadoso será el modo de ingreso para la adquisición.

Afinidad

Cuanto más se encuentre relacionado un nuevo negocio con las operaciones establecidas de una compañía, menores serán las barreras para el ingreso y habrá mayor probabilidad de que acumule experiencia con este tipo de negocio. Estos factores fortalecen los aspectos llamativos de una nueva operación. Por ejemplo, IBM ingresó en el mercado del computador personal en 1981 mediante una nueva operación. Su ingreso fue bastante exitoso, hecho que le permitió obtener el 35% del mercado en dos años. La empresa pudo ingresar a través de este medio debido al alto grado de afinidad entre el mercado de computadores personales y las operaciones establecidas de *mainframe*. IBM ya poseía una fuerza de ventas y una lealtad a la marca bien establecidas, además contaba con amplia experiencia en esta industria. En forma similar, compañías como Du Pont y Dow Chemical Co. ingresaron con éxito mediante una nueva operación interna debido a la estrecha relación con las actividades en químicos.

En contraste, cuanto menos relacionado se encuentre el nuevo negocio, existe mayor posibilidad de que el ingreso se realice mediante adquisición. Por definición, los diversificadores no relacionados carecen de la experiencia específica, necesaria para entrar en una nueva área de negocios, al operar en un campo totalmente nuevo (es decir, emprender un negocio desde el comienzo). Un diversificador no relacionado que escoge una nueva operación interna debe desarrollar su propia experiencia para competir en una industria no familiar. El proceso de aprendizaje puede ser prolongado e involucrar costosos errores antes de que la compañía comprenda completamente su nueva industria. Sin embargo, en el caso de una adquisición, el negocio adquirido ya cuenta con un equipo de gerencia que tiene experiencia acumulada de competir en ese medio en particular. Cuando se lleva a cabo una adquisición, una compañía también compra el conocimiento y la experiencia. En consecuencia, como se pudo observar en el caso inicial, cuando Xerox decidió diversificarse en la industria de servicios financieros (un caso de diversificación no relacionada), lo hizo mediante la adquisición de compañías establecidas.

Velocidad y costos de desarrollo

Como regla, la nueva operación interna requiere años en generar utilidades considerables. Establecer una presencia significativa de mercado puede ser costoso y consumir mucho tiempo. En un estudio de nuevas operaciones corporativas, Ralph Biggadike de la universidad de Virginia halló que en promedio toma ocho años para que una nueva operación alcance rentabilidad, y de diez a doce años antes de que la rentabilidad de esa operación en promedio sea igual a la de un negocio maduro. También halló que el flujo de caja, por lo regular, se mantiene negativo por lo menos durante los primeros ocho años de la nueva operación[3]. En contraste, la adquisición es una forma mucho más rápida de establecer una presencia significativa en el mercado y de generar rentabilidad. Una compañía puede adquirir un líder de mercado que se encuentre en una fuerte posición rentable, en vez de invertir años tratando de consolidar una posición de liderazgo en el mercado mediante el desarrollo interno. Así, cuando la velocidad es importante, la adquisición es el modo de ingreso favorable.

Riesgos del ingreso

El proceso de nuevas operaciones tiende a ser incierto con una baja probabilidad de éxito. Los estudios realizados por Edwin Mansfield de la universidad de Pennsylvania concluyeron que sólo entre el 12% y el 20% de nuevas operaciones fundamentadas en I&D, en realidad tuvieron éxito al alcanzar utilidades económicas[4]. En verdad, el historial de negocios está lleno de ejemplos de grandes compañías que perdieron dinero en nuevas operaciones internas. Por ejemplo, en 1984, AT&T ingresó en el mercado de computadores mediante una nueva operación interna. Los funcionarios de la compañía pronosticaron que para 1990 se ubicaría en el segundo lugar en el procesamiento de datos, detrás de IBM, pero eso nunca ocurrió. En 1985, su división de computadores perdió US$500 millones, y en 1986 alcanzó una pérdida de US$1,200 millones[5]. Posteriormente, la firma decidió que nunca consolidaría su presencia en el procesamiento de datos mediante nuevas operaciones internas. En 1991, cambió su estrategia y adquirió por US$7,500 millones a NCR Corp., compañía que poseía considerables operaciones computacionales.

Cuando una compañía hace una adquisición, obtiene rentabilidad, ingresos y participación en el mercado conocido, y de esta manera reduce la incertidumbre. En esencia, el proceso de nuevas operaciones internas involucra el establecimiento de una operación con un futuro muy incierto, en tanto que la adquisición permite que una compañía se haga a un negocio con una trayectoria establecida. Por esta razón, muchas compañías están a favor de las adquisiciones.

Factores del ciclo de vida industrial

En el capítulo 3 se analizó la importancia general del ciclo de vida industrial. Este ciclo tiene un impacto importante en muchos de los factores que influencian la opción entre adquisiciones y nuevas operaciones internas. En las industrias que se encuentran en etapa embrionaria y las que están en crecimiento, básicamente las barreras para el ingreso son menores que en los medios industriales maduros debido a que las compañías establecidas se encuentran en las etapas iniciales y aún están en proceso de aprendizaje. No poseen las mismas ventajas en experiencia que las compañías establecidas en un ambiente industrial maduro. Dados estos factores, ingresar mediante una nueva operación interna durante la etapa inicial del ciclo de vida industrial significa menores riesgos y costos de desarrollo, al igual que menores sanciones en términos de expansión rápida, comparado con el ingreso en un ambiente industrial maduro. Por consiguiente, las nuevas operaciones internas tienden a ser el modo de ingreso favorecido para las industrias embrionarias y en crecimiento, en tanto que la adquisición tiende a constituirse en el modo escogido en las industrias maduras. En efecto, muchos de los más exitosos casos de nuevas operaciones internas se han asociado al ingreso en industrias emergentes; por ejemplo, el ingreso de IBM en el campo de los computadores personales y el ingreso de John Deere Co. en el negocio de vehículos para la nieve.

Resumen

Las nuevas operaciones internas parecen tener mayor significado cuando se presentan las siguientes condiciones: la industria a la cual ingresan se encuentra en su etapa embrionaria o de crecimiento; las barreras de ingreso son bajas; la industria se encuentra estrechamente relacionada con las operaciones existentes de la compañía (su estrategia es de diversificación relacionada); y la empresa se encuentra dispuesta a aceptar un periodo, costos de desarrollo y riesgos concomitantes. De otra parte, el proceso de adquisición tiene mayor sentido cuando se dan las siguientes condiciones: la industria a la cual se va a ingresar es madura; las barreras de ingreso son mayores; la industria no se encuentra estrechamente relacionada con las operaciones existentes de la compañía (su estrategia es de diversificación no relacionada); y la organización no está dispuesta a aceptar el periodo, los costos de desarrollo y los riesgos que genera un proceso de este carácter.

10.4 ADQUISICIONES: PELIGROS Y PARÁMETROS PARA LOGRAR EL ÉXITO

De acuerdo con los argumentos que se acaban de exponer, las adquisiciones se han considerado durante un buen tiempo una forma popular de extender el alcance de la organización a nuevas áreas de negocios. Sin embargo, a pesar de esta popularidad, existe amplia evidencia que muchas adquisiciones no agregan valor a la compañía adquiriente y, más bien, a menudo acaban disipando ese valor. Por ejemplo, consultores de gerencia de McKinsey & Company plantearon dos pruebas a 58 importantes adquisiciones realizadas entre 1972 y 1983: (1) ¿el rendimiento en la cantidad total invertida en las adquisiciones superó el costo de capital?, y (2) ¿las adquisiciones ayudaron a sus compañías matrices a superar el desempeño de la competencia en el mercado de acciones? 28 de estas 58 adquisiciones claramente fallaron en las dos pruebas, y otras seis fallaron en una[16]. En términos más generales, existe gran evidencia de investigación académica en la que se sugiere que muchas adquisiciones no obtienen sus beneficios pronosticados. En un importante estudio acerca del desempeño posterior a la adquisición de las compañías durante las décadas de 1960 y 1970, David Ravenscraft y Mike Scherer concluyeron que muchas buenas compañías fueron adquiridas durante este periodo y, en promedio, sus utilidades y participaciones en el mercado declinaron después de la adquisición[7]. Ellos también observaron que un más pequeño pero relevante subconjunto de aquellas buenas compañías experimentaron dificultades traumáticas, las cuales finalmente ocasionaron su liquidación por parte de la empresa adquiriente (como ocurrió en el caso de las adquisiciones de servicios financieros de Xerox; *véase* caso inicial). En otras palabras, la evidencia de Ravenscraft y Scherer, al igual que la expuesta por McKinsey & Company, sugiere que muchas adquisiciones destruyen en vez de crear valor[8].

Por qué fallan las adquisiciones

¿Por qué muchas adquisiciones aparentemente no crean valor? Al parecer existen cuatro razones importantes: (1) las compañías a menudo experimentan dificultades cuando tratan de integrar culturas corporativas divergentes; (2) las empresas sobrestiman los potenciales beneficios económicos de una adquisición; (3) las adquisiciones tienden a ser muy costosas y (4) las organizaciones con frecuencia no proyectan en forma adecuada sus objetivos de adquisición.

Integración   Después de llevarse a cabo una adquisición, la compañía compradora debe integrar el negocio adquirido a su propia estructura organizacional. La integración puede generar la adopción de sistemas comunes de control financiero y administrativo, la unión de operaciones de la compañía adquirida y de la compradora o el establecimiento de vínculos para compartir la información y el personal. Cuando se intenta llevar a cabo la integración, se pueden presentar muchos problemas inesperados. A menudo, surgen por las diferencias en las culturas corporativas. Después de una adquisición, muchas compañías adquiridas experimentan un profundo cambio de dirección, posiblemente debido a que a sus empleados no les agrada la forma de realizar las actividades por parte de la compañía adquiriente[9]. Reciente evidencia investigativa sugiere que la pérdida de talento y experiencia administrativas, para no hablar del daño ocasionado por la tensión constante entre los negocios, en términos materiales puede perjudicar el desempeño de la unidad adquirida[10].

Por ejemplo, después de cuatro años Fluor compró St. Joe Minerals Corporation en una de las mayores adquisiciones de 1981, sólo siete gerentes senior continuaron de los 22 que habían permanecido con St. Joe hasta la adquisición. En vez de obtener ganancias de un ganador establecido, Fluor se encontró luchando denodadamente para transformar un negocio que rápidamente se estaba convirtiendo en un perdedor. La encrucijada del problema estaba en el conflicto existente entre las culturas corporativas de Fluor, una organización centralizada y autocrática, y St. Joe, una compañía descentralizada. La gerencia senior de St. Joe se sentía ofendida ante el estilo administrativo centralizado en Fluor, y muchos gerentes abandonaron en señal de protesta[11].

Sobrestimar los beneficios económicos   Incluso cuando las compañías logran una integración, a menudo sobrestiman el potencial de crear valor al unir diferentes negocios. Éstas sobrestiman las ventajas estratégicas que se pueden derivar de la adquisición y así pagan más por la compañía objetivo de lo que probablemente vale. Richard Roll ha atribuido esa tendencia a la predisposición por parte de la alta gerencia. Según él, los altos gerentes usualmente sobrestiman su capacidad de crear valor a partir de una adquisición, fundamentalmente porque haber alcanzado la cima de una corporación les suministra una percepción exagerada de sus propias capacidades[12].

En 1975, la adquisición de varias compañías vinícolas de mediana magnitud por parte de Coca-Cola ilustra la situación en que una empresa sobrestima los beneficios económicos de una adquisición. Al considerar que una bebida es una bebida, Coca-Cola quiso utilizar su habilidad distintiva en marketing para dominar la industria vinícola estadounidense. Sin embargo, después de comprar tres de estas compañías y de soportar siete años de utilidades marginales, Coca-Cola finalmente aceptó que el vino y las bebidas refrescantes son productos muy diferentes, con diversas clases de presentación, distintos sistemas de determinación de precios y redes de distribución. En 1983 vendió las operaciones vinícolas a Joseph E. Seagram & Sons por US$210 millones, precio que había pagado por las adquisiciones sumado a una sustancial pérdida cuando se ajustó a la inflación[13].

Lo costoso de las adquisiciones   Las adquisiciones de compañías cuyas acciones se comercializan abiertamente tienden a ser muy costosas. Cuando una empresa hace una oferta de adquisición de acciones de otra similar, su precio frecuentemente se incrementa en el proceso de adquisición. En particular esto puede ocurrir, por ejemplo, en el caso de ofertas disputadas, en las cuales dos o más compañías en forma simultánea tratan de lograr el control de una compañía que tienen en la mira. En consecuencia, la firma adquiriente a menudo debe pagar una prima superior al valor corriente de mercado de la empresa objetivo. A comienzos de la década de 1980 las compañías que adquirieron otras, pagaron una prima promedio del 40% al 50% superior a los precios vigentes de acciones por una adquisición. Entre 1985 y 1988, cuando la actividad de adquisiciones de empresas llegó a su cumbre, eran comunes las primas del 80%. En efecto, en la gran oferta de adquisición disputada de RJR Nabisco a finales de 1988, el precio de sus acciones se incrementó de US$45 por unidad, antes del intento de adquisición, hasta US$110 por unidad en el momento que fue vendida esta firma: ¡una prima superior al 200%!

La deuda asumida para financiar tales adquisiciones costosas más tarde se puede convertir en una trampa para la compañía adquiriente, en particular si se incrementan las tasas de interés. Aún más, si el valor de mercado de la compañía objetivo, previo a una adquisición, representaba un verdadero reflejo del valor de la compañía bajo su administración en ese entonces, una prima del 50% al 80% superior a este valor significa que la empresa adquiriente debe mejorar el desempeño de la unidad adquirida justo por lo menos si quiere obtener un rendimiento positivo sobre su inversión. Sin embargo, estas ganancias de desempeño pueden ser muy difíciles de lograr.

Proyección inadecuada antes de la adquisición Después de investigar adquisiciones realizadas por 20 compañías diferentes, Philippe Haspeslagh de INSEAD (una escuela francesa de negocios) y David Jemison de la universidad de Texas llegaron a la conclusión que una razón para que se presenten fallas en las adquisiciones radica en la atención inadecuada por parte de la gerencia para la proyección previa a la adquisición[14]. Ellos hallaron que muchas compañías deciden adquirir otras firmas sin analizar completamente los beneficios y costos potenciales. Después de culminada la adquisición, muchas compañías adquirientes descubren que en vez de procurarse un negocio que registre un buen funcionamiento, han comprado una organización en dificultades. Ésta fue la experiencia de Xerox cuando adquirió Crum and Forster, negocio de seguros a comienzos de la década de 1980. Sólo después de que se llevó a cabo la adquisición, Xerox se dio cuenta que esta empresa era un proveedor de seguros de alto costo. La estrategia en acción 10.1 ofrece otro ejemplo de una carencia de proyección y sus consecuencias: la adquisición de The Seven-Up Company por parte de Philip Morris.

Parámetros para realizar una adquisición exitosa

Para evitar los peligros y llevar a cabo adquisiciones exitosas, las compañías necesitan adoptar un enfoque estructurado que involucre tres importantes componentes: (1) identificación del objetivo y proyección previa a la adquisición, (2) estrategia de cotización, y (3) integración[16].

Proyección Mediante una proyección previa a la adquisición se incrementa el conocimiento de la compañía acerca de sus objetivos potenciales, se genera una evaluación más realista de los problemas que implica ejecutar una adquisición e integrar el nuevo negocio a la estructura organizacional de la compañía y se disminuyen los riesgos de comprar un negocio con problemas potenciales. La proyección debe comenzar con una evaluación detallada de la razón estratégica con el fin de hacer la adquisición e identificación del tipo de empresas que se constituiría en un candidato ideal para este propósito.

En seguida, la compañía debe explorar una población objetivo de candidatos potenciales de adquisición, evaluando a cada uno de acuerdo con un conjunto detallado de criterios, mediante la concentración en (1) posición financiera, (2) posición del producto en el mercado, (3) ambiente competitivo, (4) capacidades administrativas, y (5) cultura corporativa. Tal evaluación debe permitir que la compañía identifique las fortalezas y debilidades de cada candidato, el nivel de sinergias potenciales entre la empresa compradora y la adquirida, los problemas potenciales de integración y la compatibilidad entre las culturas corporativas de la firma compradora y de la adquirida.

Un relato sobre dos adquisiciones: Cómo triunfó Philip Morris con Miller Brewing y cómo fracasó con The Seven-Up Company

Una de las más exitosas adquisiciones de las décadas de 1960 y 1970 correspondió a la compra de Miller Brewing Company en 1969 por parte de Philip Morris. En ese entonces Miller tenía un desempeño muy deficiente en una industria cervecera fragmentada y más bien aletargada, mientras que Philip Morris se consideraba ampliamente como una de las mejores compañías de marketing en el mundo. Cuando compró a Miller, la empresa ocupaba el séptimo lugar en el mercado estadounidense cervecero. Philip Morris creía que al aplicar a Miller su habilidad distintiva de mercadeo podría revitalizar sus productos y obtener una significativa participación de mercado. Esta convicción era razonable, dada la carencia de fuertes compañías de marketing en la industria cervecera de ese entonces. Después de la adquisición, el primer paso de Philip Morris fue transferir a Miller muchos miembros de su personal de alto marketing. El nuevo equipo de gerencia rápidamente reposicionó la línea de productos de Miller y también comenzó a desarrollar nuevos productos; el más exitoso fue Miller Lite, una cerveza baja en calorías introducida en 1975. Respaldada por una agresiva campaña de marketing, la participación en el mercado de Miller se incrementó de alrededor del 5% en 1970 al 21% en 1979, mientras el ingreso operativo se incrementó 16 veces durante el mismo periodo.

Fortalecido por este ejemplo sorprendente de cómo crear valor mediante una adquisición diversificada, Philip Morris intentó adoptar la misma estrategia en la industria de bebidas refrescantes. Adquirió la tercera compañía Seven-Up, e inició la transferencia de personal de marketing a dicha empresa. Como en Miller, el personal de Philip Morris trató de reposicionar la línea de productos de Seven-Up, pero con resultados singularmente no relevantes. Después de invertir ocho años de

esfuerzo y cientos de millones de dólares, todo lo que Philip Morris tuvo para mostrar fue una declinación de dos puntos en la participación de mercado de Seven-Up, del 9% al 7%. Finalmente, la tuvo que vender a otra empresa.

¿Cuál fue el error? ¿Por qué una estrategia que había funcionado tan bien en Miller falló de manera infortunada en Seven-Up? La respuesta consistió en que la industria de bebidas refrescantes y la cervecera eran muy diferentes. Mientras que la industria cervecera de 1971 no tenía sólidas compañías de marketing, el ámbito de bebidas refrescantes de 1979 estaba dominado por dos de las más eficientes compañías de marketing en el mundo, Coca-Cola y Pepsico. Seven-Up había sobrevivido y prosperado en este ámbito al concentrarse en el nicho de bebidas refrescantes lima-limón, y no al desafiar a aquellos dos gigantes. Aún más, a diferencia de Miller, Seven-Up se consideraba ampliamente como una empresa de marketing con su propio carácter. Bajo Philip Morris, Seven-Up desafió directamente a Coca-Cola y Pepsico, introduciendo una cola sin cafeína. Aquellas empresas respondieron del mismo modo al introducir sus primeras bebidas refrescantes lima-limón, y Seven-Up se halló involucrada en una ruda e intrincada guerra de precios y mercadeo con dos gigantes muy efectivos. Como resultado, la compañía perdió participación en el mercado.

Philip Morris cometió un error al no examinar adecuadamente la industria de bebidas refrescantes. Supuso que la industria sería fácil de dominar, al igual que el ámbito cervecero, aunque incluso la comparación más elemental de hechos le hubieran revelado que las dos industrias eran muy diferentes, como en efecto en el caso de Miller y Seven-Up. Si Philip Morris hubiese proyectado en forma adecuada tanto a Seven-Up como a la industria de bebidas refrescantes, hubiese descubierto que ya era una compañía de marketing muy eficiente y que la industria de bebidas refrescantes se encontraba poblada por óptimas empresas de marketing. En tal situación, había muy poco valor que agregar por parte de Philip Morris a Seven-Up y poco potencial por incrementar en la participación a través del marketing[15].

La compañía debe entonces reducir la lista de candidatos a los más favorecidos y evaluarlos más adelante. En esta etapa, debe sondear terceras partes, como entidades bancarias de inversión, cuyas opiniones pueden ser importantes que además pueden suministrar importantes criterios sobre la eficiencia de las compañías objetivo. La empresa que lidere la lista después de este proceso debe ser el objetivo de adquisición.

Estrategia de cotización   El objetivo de la estrategia de cotización consiste en reducir el precio que una compañía debe pagar por una adquisición candidatizada. El elemento esencial de una buena estrategia de cotización es la oportunidad. Por ejemplo, Hanson PLC una de las maquinarias de adquisiciones más exitosas de la década de 1980, siempre busca negocios esencialmente sólidos que estén pasando por dificultades a corto plazo debidas a factores cíclicos de la industria o a problemas localizados en una división. Tales compañías usualmente están subvaloradas en el mercado de acciones y así pueden ser tomadas sin tener que hacer ningún pago de prima estándar del 40% o el 50% superior a los precios vigentes de acciones. Con una buena oportunidad, una compañía puede lograr una compra de ganga. (Si se desea consultar mayor información sobre la estrategia de cotización, *véase* estrategia en acción 10.2).

Integración   A pesar de una buena proyección y cotización, una adquisición fallará a no ser que se adopten medidas positivas para integrar la compañía adquirida dentro de la estructura organizacional de la empresa adquiriente. La integración debe concentrarse en la fuente de las ventajas potenciales estratégicas de la adquisición; por ejemplo, sinergias de marketing, fabricación, abastecimiento, I&D, financieras o administrativas. La integración también se debe acompañar de medidas que eliminen cualquier duplicación de instalaciones o funciones. Además, debe venderse cualquier actividad no deseable de la compañía adquirida. Finalmente, si las diferentes actividades del negocio se encuentran estrechamente relacionadas, exigirán un alto grado de integración. En el caso de una compañía como Hanson PLC, el nivel de integración puede ser mínimo, puesto que su estrategia es de diversificación no relacionada. Sin embargo, una compañía como Philips Morris exige mayor integración debido a que su estrategia es de diversificación relacionada.

10.5   NUEVAS OPERACIONES INTERNAS: PELIGROS Y PARÁMETROS PARA LOGRAR EL ÉXITO

Las compañías fundamentadas en trabajos científicos, que utilizan su tecnología para crear oportunidades de mercado en áreas relacionadas, tienden a favorecer las nuevas operaciones internas como estrategia para el ingreso. Por ejemplo, Du Pont creó nuevos mercados completos con productos como celofán, nailon, freón y teflón; y todas estas innovaciones se generaron a nivel interno. Otra compañía, 3M, tiene una destreza casi legendaria de estructurar nuevos mercados a partir de ideas internamente generadas. Sin embargo, la nueva operación interna no necesariamente se basa en

Anatomía de una fracasada oferta pública de adquisición

Así como una adquisición que fracasa posteriormente, una fallida oferta pública de adquisición puede ser costosa y perjudicial para la compañía que la inicia. El intento de adquisición del fabricante alemán de llantas Continental, por parte de la compañía italiana de llantas Pirelli, suministra un ejemplo. Pirelli decidió iniciar la oferta pública de adquisición a finales de 1990. El propósito establecido tras la adquisición consistió en consolidar las operaciones de Continental y Pirelli en un gran fabricante "pan-europeo" de llantas, capaz de ir al mismo nivel de compañías mundiales como Goodyear y Michelin. La razón fundamental implícita consistía en la convicción de que un mayor tamaño generaría economías de escala y transformaría la combinación Pirelli-Continental en un formidable competidor global.

Al prepararse para la oferta, Pirelli alineó varios accionistas de Continental en su campo. Estos "aliados" poseían aproximadamente el 30% de las acciones en circulación. Pirelli prometió compensarles cualquier caída en el valor de sus acciones que pudiera presentarse posterior a la oferta. También les prometió que si la adquisición no se finiquitaba en noviembre 30 de 1991, se descartaría la oferta. Luego Pirelli emprendió la oferta pública de adquisición, comprando el 5% de las acciones de Continental e informando a su gerencia que Pirelli estaba interesada en adquirir el control mayoritario. Al mismo tiempo Pirelli reveló su interés al mostrar detalles de sus planes para compensar a sus aliados en caso de que cayera el precio de las acciones de Continental y no se llevara a cabo la oferta en la fecha proyectada.

La gerencia de Continental respondió en forma parca a la oferta. Estuvo de acuerdo en entrar en proceso de negociaciones con Pirelli, ya que de no hacerlo generaría una adquisición hostil. Al mismo tiempo, señaló que lo grande no siempre es bello, en particular en la industria de llantas, donde los gigantes como Michelin y Goodyear estaban perdiendo dinero. Aún más, ahora consciente de la fecha límite para el 30 de noviembre, la gerencia de Continental decidió dilatar las negociaciones, concluyendo que si Pirelli no avanzaba comenzaría a perder aliados.

Esto fue lo que ocurrió exactamente. Para agravar un poco más la situación, Pirelli había tenido poco en cuenta el criterio de Continental acerca de que lo grande no siempre es lo mejor, lo cual indicaba a muchos observadores que Pirelli no consideraba adecuada y completamente la razón de la oferta. Cuando continuaron las negociaciones en verano de 1991, varios altos gerentes de Pirelli, quienes sospechaban que Continental dilataba a propósito el proceso, presionaron al CEO, Leopoldo Pirelli, para que se retirara de las negociaciones y realizara una adquisición hostil de Continental. Sin embargo, él se negó y por el contrario firmó un acuerdo con Continental, en el que estableció la intención de Pirelli de no adquirir más de sus acciones. Varios altos gerentes de Pirelli luego se retiraron en señal de protesta.

No hubo ningún acuerdo para la fecha proyectada. Continental había tenido éxito en demorar las negociaciones, y en diciembre 1 Pirelli se retiró formalmente del proceso de oferta. Sin embargo, a los 13 meses de haberse iniciado la oferta, la industria había caído en una seria guerra de precios y el precio de las acciones de Continental se precipitó en una tercera parte. Bajo los términos de su acuerdo con los aliados en el abortado intento de oferta pública, Pirelli ahora tenía que compensarlos por su pérdida como resultado de la caída en el precio de las acciones durante este periodo, el cual alcanzó la cifra de 350,000 millones de liras (US$287 millones). En realidad, la fallida adquisición le salió extremadamente costosa a Pirelli.

Este ejemplo ofrece tres importantes lecciones para realizar con éxito una oferta pública de adquisiciones. En primer lugar, la compañía oferente debe tener una razón estratégica muy clara para el intento de adquisición y debe ser capaz de articular la manera como va a crear valor a partir de la adquisición. Pirelli falló en estos dos aspec-

tos. En segunda instancia, la compañía oferente no debe revelar su estrategia de adquisición a la empresa objetivo. Al revelar el trato que había concertado con sus aliados en el intento de adquisición, Pirelli dio a Continental un incentivo para dilatar las negociaciones respectivas. En tercer lugar, la compañía oferente debe establecer un cronograma claro para completar el proceso. Puesto que Pirelli no lo hizo de esta manera, permitió que las negociaciones se demoraran trece meses, ocasionándole un gran costo a la compañía[17].

innovaciones radicales. Aunque IBM era imitador en vez de ser innovador, ingresó exitosamente en el mercado de computadores personales en 1981 mediante una estrategia basada en una operación en vez de hacerlo mediante adquisición. En forma similar, Gillette Co. se diversificó con éxito en la manufactura de lapiceros de punta de fieltro, y John Deere se diversificó en la fabricación de automóviles para la nieve, ambas mediante procesos de nuevas operaciones internas.

No obstante, a pesar de la popularidad de la estrategia de nueva operación interna, la tasa de fracasos al adoptar este tipo de estrategia se registró tan alta como la de adquisiciones. Aunque existe menor evidencia investigativa con relación a la tasa de fracasos de nuevas operaciones internas, la evidencia en cuanto a la tasa de fracasos de nuevos productos señala la magnitud del problema, puesto que la mayoría de éstas se asocian a ofertas de nuevos productos. De acuerdo con esta evidencia, aproximadamente entre el 33% y el 60% de todos los productos que llegan al mercado fracasan en generar un rendimiento económico adecuado[18]. Estas estadísticas sugieren que la tasa de fracaso para los nuevas operaciones internas en realidad es considerable.

Por qué fracasan las nuevas operaciones internas

A menudo se dan tres razones que explican la tasa relativamente alta de fracasos en cuanto a las nuevas operaciones internas: (1) las operaciones fracasan puesto que las compañías entran a un nuevo mercado en una escala demasiado pequeña, (2) las operaciones fracasan debido a deficiente comercialización del producto de la nueva operación, y (3) las operaciones fracasan debido a la deficiente administración corporativa del proceso de operación.

Escala de ingreso Investigación sugiere que el ingreso en gran escala en un nuevo negocio es la mejor forma para que una operación interna tenga éxito. Aunque el ingreso a corto plazo y en gran escala representa significativos costos de desarrollo y pérdidas considerables, a largo plazo (es decir, después de ocho a doce años) genera mayores rendimientos que el ingreso en pequeña escala[19]. La figura 10.1 esboza las relaciones entre la escala de ingreso, la rentabilidad y el flujo de caja con el paso del tiempo para las operaciones exitosas en pequeña y gran escala. La figura muestra que el ingreso exitoso en pequeña escala involucra pérdidas menores, pero en el caso del ingreso a largo plazo y en gran escala genera mayores rendimientos. Sin embargo, quizá debido a los costos de ingreso en gran escala y a las pérdidas potenciales, en caso de que fracase la operación, muchas compañías prefieren una estrategia de ingreso en pequeña escala. Actuar con base en esta preferencia se puede constituir en un error grande, pues la compañía no consolida la participación de mercado necesaria para tener éxito a largo plazo.

Comercialización Muchas nuevas operaciones internas corresponden a operaciones de alta tecnología. Para ser exitosas en términos comerciales, las innovaciones basadas en la actividad científica deben desarrollarse teniendo en cuenta los requerimientos del mercado. Muchas nuevas operaciones internas fracasan cuando una compañía ignora las necesidades básicas del mercado. Una empresa puede enceguecerse por las posibilidades tecnológicas de un nuevo producto y no analizar apropiadamente las oportunidades del mercado. En consecuencia, una operación de este tipo puede fallar debido a la carencia de comercialización o porque comercializa una tecnología para la cual no existe demanda. Por ejemplo, considérese el caso del computador *desktop* comercializado por NeXT, la compañía iniciada por el fundador de Apple, Steven Jobs. El sistema de NeXT no obtuvo participación en el mercado debido a que el computador incorporó una disposición de tecnologías costosas que los consumidores simplemente no deseaban, como *drives* de disco óptico y sonido de alta fidelidad. Estos *drives*, en particular, eran muy incómodos para los clientes pues era difícil cambiarse de un PC en el que se trabajaba con disquetes a una máquina NeXT que poseía *drive* óptico. En otras palabras, NeXT falló debido a que su fundador estaba demasiado deslumbrado por la tecnología de avanzada que ignoraba las necesidades de los clientes.

Implementación deficiente Administrar el proceso de nuevas operaciones genera difíciles problemas organizacionales[20]. Aunque en capítulos posteriores se abordarán los aspectos específicos

Figura 10.1 El impacto en la rentabilidad y en el flujo de caja de un ingreso en gran escala versus un ingreso en pequeña escala *versus* un ingreso en pequeña escala

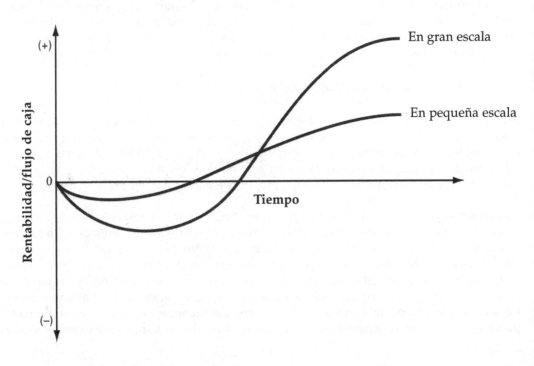

de la implementación, en esta parte se observarán algunos de los errores más comunes. Un enfoque ambiguo de apoyar muchos y diversos proyectos de nuevas operaciones internas se puede constituir en un gran error, puesto que establece mayores demandas de flujo de caja para la compañía, hecho que puede ocasionar que las mejores oportunidades sean privadas del efectivo necesario para lograr el éxito.

Otro error implica un fracaso por parte de la gerencia corporativa al establecer el contexto estratégico dentro del cual deben desarrollarse los proyectos de nuevas operaciones. Simplemente tomar un equipo de investigadores científicos y permitirles que desarrollen sus tareas en su campo favorito puede producir resultados novedosos, pero estos resultados pueden tener poco valor estratégico o comercial.

El hecho de no anticipar el tiempo y los costos involucrados en el proceso de operaciones constituye otro error. Muchas compañías tienen expectativas no realistas con respecto al periodo implicado. Se afirma que algunas compañías funcionan con la filosofía de aniquilar los nuevos negocios si éstos no suministran una utilidad al final del tercer año; evidentemente un punto de vista no realista, dada la evidencia que puede tomar de ocho a doce años antes de que una operación genere utilidades considerables.

Parámetros para el logro exitoso de una nueva operación interna

Con el fin de evitar los peligros analizados, una compañía debe adoptar un enfoque estructurado que administre las nuevas operaciones internas. Una operación de este tipo por lo general comienza con I&D. Para hacer uso efectivo de su capacidad de I&D, una compañía en primera instancia debe explicar detalladamente sus objetivos estratégicos y luego comunicarlos a sus científicos e ingenieros. La investigación, después de todo, tiene sentido sólo cuando se emprende en áreas importantes para las metas estratégicas[21].

Para incrementar la posibilidad de éxito comercial, una compañía debe estimular vínculos estrechos entre el personal de I&D y el de marketing, pues es la mejor manera de asegurar que los proyectos de investigación se dirijan a las necesidades del mercado. La compañía igualmente debe estimular vínculos estrechos entre el personal de I&D y el de fabricación, con el fin de asegurar que ésta tenga la capacidad de fabricar cualquier producto nuevo que se proponga.

Muchas compañías integran exitosamente diferentes funciones al establecer equipos de proyectos. Tales equipos están constituidos por representantes de las diversas áreas funcionales. La tarea de estos equipos consiste en supervisar el desarrollo de nuevos productos. Por ejemplo, el éxito de Compaq al introducir nuevos productos en la industria de computadores personales se ha vinculado a su utilización de equipos de proyectos, los cuales supervigilan el desarrollo de un nuevo producto desde su comienzo hasta su lanzamiento al mercado.

Otra ventaja de estos equipos es que pueden reducir en forma significativa el tiempo empleado para desarrollar un nuevo producto. En consecuencia, mientras que el personal de I&D trabaja en el diseño, el de fabricación puede estar ocupado en el proceso de montaje de instalaciones, y el de marketing puede estar desarrollando sus planes. Debido a esta integración, Compaq necesitó sólo seis meses para llevar el primer computador personal portátil de una idea expuesta en una mesa de diseño a un producto comercializable.

Con el propósito de utilizar los recursos para obtener el mejor efecto, una compañía también debe diseñar un proceso de selección con el fin de escoger sólo las operaciones que demuestren la mayor probabilidad de éxito comercial. Sin embargo, adoptar futuros ganadores es un asunto engañoso, puesto que por definición las nuevas operaciones tienen un futuro incierto. En un estudio realizado por G. Beardsley y Edwin Mansfield se halló que la incertidumbre alrededor de las nuevas operaciones es tan grande que usualmente una compañía emplea de cuatro a cinco años después de emprender la operación, para estimar razonablemente su futura rentabilidad[22]. No obstante, es necesario cierto tipo de proceso de selección si una compañía desea evitar esparcir sus recursos en forma muy superficial sobre demasiados proyectos.

Una vez seleccionado el proyecto, la gerencia necesita realizar estrechamente monitoreo al progreso de la operación. La evidencia sugiere que el criterio más importante para evaluar una operación durante sus primeros cuatro a cinco años corresponde al crecimiento de la participación de mercado en vez de tomar el flujo de caja o la rentabilidad. A largo plazo, las operaciones más exitosas son aquellas que incrementan su participación en el mercado. Una empresa debe tener claramente definidos los objetivos de participación en el mercado para una nueva operación interna, y decidir si la mantiene o la acaba en sus primeros años con base en su capacidad de lograr metas de participación en el mercado. Sólo a término medio la rentabilidad y el flujo de efectivo deben comenzar a tener mayor importancia.

Finalmente, la asociación de ingreso en gran escala con una mayor rentabilidad a largo plazo sugiere que una compañía puede incrementar la probabilidad de éxito para una nueva operación interna al proyectarla en grande. Pensar en grande significa la construcción de suficientes instalaciones de fabricación frente a la demanda, grandes gastos de marketing y un compromiso por parte de la gerencia corporativa de aceptar inicialmente pérdidas grandes, a medida que se amplía la participación en el mercado.

10.6 *JOINT VENTURES* COMO ESTRATEGIA DE INGRESO

En algunas situaciones, una compañía prefiere nuevas operaciones internas frente a las adquisiciones, como estrategia de ingreso en las nuevas áreas de negocios aunque dude comprometerse con una nueva operación interna debido a los riesgos y costos de crear una nueva operación desde el mismo comienzo. Es muy probable que se presente esta situación cuando una empresa vea la posibilidad de establecer un nuevo negocio en una industria en etapa embrionaria o en crecimiento, pero los riesgos y costos asociados al proyecto son mayores de lo que está dispuesta a asumir bajo su propia responsabilidad. En estas circunstancias, la compañía puede preferir ingresar en una *joint venture* con otra compañía y utilizarla como vehículo para entrar en la nueva área de negocios. Tal disposición permite que la compañía comparta los riesgos y costos sustanciales implicados en un nuevo proyecto.

Con el fin de ilustrar esta situación, en 1990 IBM y Motorola establecieron una *joint venture* cuyo propósito consiste en suministrar un servicio a los usuarios de computadores que les permita comunicarse entre sí mediante ondas de radio. Los clientes que compran el servicio utilizarán computadores portátiles, hechos por Motorola, con el fin de comunicarse por medio de una red privada de torres de radio construida por IBM en todo el territorio de EE.UU. La operación se proyecta al enorme mercado potencial de personas que podrían beneficiarse de utilizar computadores en el campo; por ejemplo, personas que reparan equipos en oficinas y ajustadores de seguros. Los analistas estiman que el mercado para tal servicio en realidad es de decenas de millones de dólares pero podría alcanzar los miles de millones durante la próxima década[23].

Debido a la naturaleza embrionaria de la industria, la operación enfrenta riesgos considerables. Varias tecnologías competentes se encuentran en perspectiva. Por ejemplo, los computadores *laptop* se están adecuando a *modems* que pueden comunicarse con computadores centrales mediante redes telefónicas celulares. Aunque las redes celulares se encuentran más atiborradas y son menos confiables que las redes radiales, estas condiciones podrían cambiar. En consecuencia, no existe garantía que la comunicación entre los computadores mediante ondas radiales sea la tecnología del futuro. Dada esta incertidumbre, es razonable que IBM y Motorola se fusionen en una *joint venture* y compartan los riesgos asociados al constituir este negocio.

Además, una *joint venture* tiene sentido cuando una compañía puede incrementar la probabilidad de establecer con éxito un nuevo negocio al sumar fuerzas con otra empresa. Para una compañía que tiene algunas de las habilidades y activos necesarios para establecer una nueva operación exitosa, hacer equipo con otra firma que tenga habilidades y activos complementarios puede incrementar la probabilidad de éxito.

De nuevo, la *joint venture* entre IBM y Motorola suministra un ejemplo. Motorola domina el mercado de radios móviles y ya fabrica computadores portátiles, pero carece de una red radial a nivel nacional mediante la cual los usuarios de computadores puedan comunicarse entre sí. IBM carece de tecnología radial, pero sí posee una red privada de torres radiales (inicialmente construidas para comunicarse con 20,000 o más usuarios del servicio de IBM en el campo), el cual cubre más del 90% en el país. La fusión de las habilidades de Motorola en tecnología radial con la red de radio de IBM en una sola *joint venture* incrementa de manera significativa la probabilidad de establecer un nuevo negocio potencialmente exitoso.

Sin embargo, existen tres importantes desventajas con esta disposición. Primero, una *joint venture* permite que una compañía comparta los riesgos y costos de desarrollar un nuevo negocio, pero también requiere que se compartan las utilidades si el nuevo negocio tiene éxito. En segundo lugar, una firma que ingresa en una *joint venture* siempre corre el riesgo de revelar *know-how* crítico a su socio, quien podría utilizarlo para competir en forma directa con la compañía en el futuro. No obstante, como se señaló en el análisis de las alianzas estratégicas globales en el capítulo 8, las *joint ventures* se pueden estructurar para minimizar este riesgo. En tercera instancia, los socios de la operación deben compartir el control. Si los socios tienen diferentes filosofías de negocios, perspectivas de tiempo o preferencias de inversión se pueden generar problemas considerables. Los conflictos con respecto a la manera de desarrollar la *joint venture* pueden resquebrajar el negocio y ocasionar su fracaso.

En resumen, aunque las *joint ventures* a menudo tienen una ventaja distintiva sobre las nuevas operaciones internas como medio de establecer una nueva operación de negocios, también presentan ciertas desventajas. Cuando se decide si ir en forma individual o en asocio con otra compañía en una *joint venture*, los gerentes estratégicos necesitan evaluar con sumo cuidado los pros y los contras de las alternativas.

10.7 REESTRUCTURACIÓN

Hasta el momento este material se ha concentrado en las estrategias que amplían el alcance de una compañía en nuevas áreas de negocios. Ahora se abordará la parte opuesta: estrategias para reducir el alcance de la compañía al *salir* de las áreas de negocios. Durante los últimos años la reducción del alcance de una compañía mediante la reestructuración cada vez más se ha convertido en una estrategia popular, en particular entre las organizaciones que diversificaron sus actividades durante las décadas de 1960, 1970 y 1980. En la mayoría de los casos, las compañías comprometidas en reestructuración desisten por sí mismas de las actividades diversificadas con el fin de concentrarse en sus negocios principales. El caso inicial, recuérdese, describe la manera como Xerox se reestructuró (liquidando la mayoría de las actividades diversificadas de servicios financieros que había adquirido a comienzos de la década de 1980) con el fin de concentrar la atención de la alta gerencia en su negocio principal de fotocopiadoras. Otras grandes compañías diversificadas y muy conocidas han seguido estrategias similares. Éstas incluyen a General Electric, que comenzó a reestructurarse en 1981, cuando Jack Welch se convirtió en su CEO, y Sears, que recientemente liquidó su negocio

Allstate Insurance, el negocio de bienes raíces Coldwell Banker y la actividad de corretaje Dean Witter Reynolds, con el fin de concentrarse más en sus principales operaciones minoristas. (Para consultar detalles acerca de la reestructuración en Sears, *véase* la estrategia en acción 10.3).

La primera pregunta que debe plantearse es ¿por qué muchas compañías se reestructuran en este momento en particular? Después de responderla, se examinarán las diferentes estrategias que adoptan las empresas para salir de las áreas de negocios. Luego, se analizarán las diversas estrategias de rotación de retorno completo que emplean para revitalizar su principal área de negocios.

¿Para qué reestructurar?

Una razón para que se haya presentado tanta reestructuración durante los últimos años ha sido una sobrediversificación previa. Hay bastante evidencia que durante el apogeo del movimiento de diversificación corporativa, que comenzó en la década de 1960 y duró hasta comienzos de la década de 1980, muchas compañías se diversificaron en exceso[24]. De manera más precisa, las ineficiencias burocráticas generadas al ampliar el alcance de la organización excedieron el valor adicional que podría haberse creado mediante este movimiento, y declinó el desempeño de la compañía. A medida que declinó el desempeño, cayó el precio de las acciones de muchas compañías diversificadas, y éstas fueron vulnerables a las ofertas públicas de adquisición hostil. En verdad, varias compañías diversificadas fueron adquiridas en la década de 1980 y posteriormente quebraron. Esto fue lo que sucedió con US Industries y SCM Corporation, dos conglomerados diversificados que fueron adquiridos por Hanson Industries y luego quebraron. En forma similar, después de que el negocio diversificado de productos de consumo de RJR Nabisco fue adquirido por Kohlberg, Kravis & Roberts en 1988 mediante una compra apalancada, RJR vendió muchos de sus negocios diversificados a inversionistas independientes o a otras compañías.

Un segundo factor que impulsa la actual tendencia de reestructuración es que en la década de 1980 muchas compañías diversificadas hallaron sus principales áreas de negocios bajo el ataque de nueva competencia. El negocio de copiadoras de Xerox fue atacado por Canon y Ricoh. Además Sears todavía enfrenta profundos desafíos competitivos en la industria minorista, donde la demanda se está desplazando de los almacenes por departamento, como Sears, hacia los negocios de descuento de bajo costo, como Costco, o a almacenes como The Gap. (De nuevo, *véase* la estrategia en acción 10.3 si se desea consultar detalles). La alta gerencia de estas compañías halló que con el fin de dedicar la atención necesaria a sus intrincados negocios principales, tuvo que proteger sus actividades diversificadas, que se habían convertido en una distracción no bienvenida.

Un factor final de cierta importancia es que las innovaciones en los procesos administrativos y la estrategia han disminuido las ventajas de la integración vertical o de diversificación. En respuesta, las compañías han reducido el alcance de sus actividades mediante la reestructuración y los desestimientos. Por ejemplo, hace diez años había poca comprensión con respecto a cómo las relaciones cooperativas a largo plazo entre una compañía y sus proveedores podrían ser una alternativa viable para la integración vertical. La mayoría de las compañías consideraban sólo dos alternativas para administrar la cadena de proveedores: la integración vertical o la cotización competitiva. Sin embargo, como se anotó en el capítulo 9, si las condiciones son apropiadas, una tercera alternativa para manejar la cadena de proveedores, la *contratación a largo plazo*, puede ser una estrategia superior tanto para la integración vertical como para la cotización competitiva. Al igual que la integración vertical, la contratación a largo plazo facilita las inversiones en especialización. Pero a diferencia de la integración vertical, esto no implica altos costos burocráticos, ni prescinde de la disciplina de mercado. A medida que esta innovación estratégica se ha difundido en todo el mundo de los negocios, han declinado las ventajas de la integración vertical.

Estrategias de salida

Las compañías pueden escoger entre tres importantes estrategias para salir de las áreas de negocios: desestimiento, cosecha y liquidación (*véase* figura 10.2). Éstas ya se habían trabajado en el capítulo 7, en el cual se analizaron las estrategias para competir en industrias en decadencia. De manera muy breve se repasarán.

Desestimiento   De las tres principales estrategias el desestimiento usualmente es la favorita. Ésta representa la mejor manera para que una compañía en lo posible recupere por lo menos su inversión inicial en una unidad de negocios.   La idea consiste en vender la unidad de negocios al mayor cotizador.   Es posible encontrar tres tipos de compradores: inversionistas independientes, otras compañías y la gerencia de la unidad que se va a desistir.   La venta de una unidad de negocios a inversionistas independientes, normalmente, se denomina **transferencia de activos**.   Una transferencia de activos tiene sentido cuando la unidad por vender es rentable y cuando el mercado de acciones tiene voracidad de nuevas emisiones de acciones (lo cual es normal durante las alzas de mercado, pero *no* durante las bajas). Así, por ejemplo, en 1992 la compañía de productos madereros Weyerhaeuser transfirió los activos en forma exitosa de su Paragon Trade Brands a inversionistas independientes. Los inversionistas compraron con avidez las acciones de la nueva emisión, firma que fabrica pañales desechables con "su propia marca" para las cadenas de supermercados y es bastante lucrativa. Sin embargo, las transferencias de activos no funcionan si la unidad por transferir no es rentable ni atractiva para los inversionistas independientes o si el mercado de acciones se derrumba y no responde a las nuevas emisiones.

Figura 10.2
Estrategias de salida

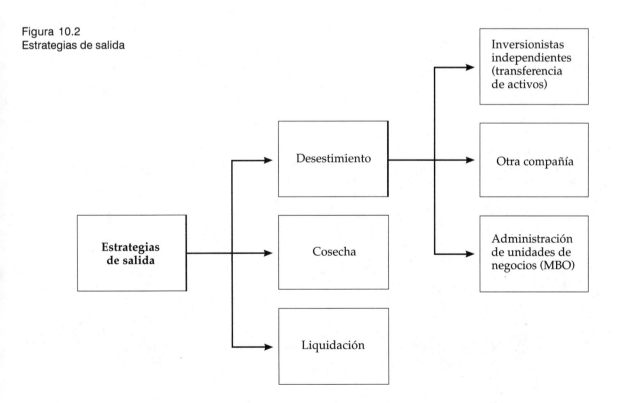

ESTRATEGIA EN ACCIÓN 10.3

Reestructuración en Sears

En el año de 1981, en el momento en que Sears era el mayor minorista en EE.UU., en una sola semana anunció que adquiriría a Dean Witter Reynolds Inc., el quinto mayor corredor de bolsa, y Coldwell, Banker & Co., el mayor corredor de bienes raíces de esa nación, por un total de US$800 millones. La idea consistía en crear un equipo con estos dos negocios de operaciones de servicios financieros junto con Allstate Insurance, firma que había adquirido Sears en el año de 1934, que en ese entonces era el segundo mayor asegurador de propiedades y siniestros en todo el mundo. En el corazón de la estrategia de Sears se encontraba el deseo de apalancar su famoso "bono de confianza" con el consumidor en la rápida y creciente industria de los servicios financieros. Su CEO, Edward Brennan, con frecuencia se refería a esta estrategia como "calcetines para las acciones". Sears percibió que sus clientes minoristas serían atraídos fuertemente por los proveedores de servicios financieros bajo su propiedad. En efecto, la compañía proyectaba localizar oficinas para sus operaciones de servicios financieros en las tiendas de Sears, y utilizar su catálogo de ventas por correo como canal para la venta de estos servicios.

Sin embargo, desde 1981 los años no han sido buenos para Sears. Aunque las operaciones de servicios financieros de la empresa funcionaron bien, su principal operación de venta minorista tuvo serios problemas. Durante la mayor parte de la década de 1980, las ganancias del grupo minorista de Sears cayeron en una tasa anual del 7% al 8%, y se desplomó su participación en el mercado. La participación de mercancías en los almacenes por departamento por la que respondía Sears cayó del 9% en 1982 al 6% en 1992. Lo más significativo fue que Sears hizo muy poco para mantener el crecimiento de los minoristas de las tiendas de descuento y de nichos como Wal-Mart, Costco, The Home Depot y Toys Я Us, los cuales se apropiaron de la clientela de Sears conformada por trabajadores. Los críticos señalaron que los ejecutivos senior en Sears parecían más interesados en las nuevas operaciones y en el potencial para generar sinergia que en el negocio básico de impulsar sus almacenes. Como resultado, la compañía respondió en forma lenta a la nueva competencia y sus ventas se estancaron.

Los problemas generados en sus operaciones minoristas dieron como resultado el menosprecio de Wall Street y por lo menos un frustrado intento de adquisición a comienzos de 1988, cuando hubo rumores acerca de una oferta pública de adquisición por un monto de US$50,200 millones por parte del presidente del Revlon Group, Ronald O. Perelman, rumores que corrieron en Wall Street. Sears respondió a la amenaza de adquisición en 1988 al anunciar una decisión de vender su centro de operaciones de Chicago e introducir una estrategia "diaria de precios bajos" en sus almacenes. Los dos movimientos fallaron. Después de un año abandonó sus esfuerzos de vender la torre Sears, y nunca llegó a convencer a los clientes de que tenía los precios más bajos en la región, probablemente porque no fue así.

Mientras tanto, las acciones continuaron derrumbándose. Para hacer la situación un poco más desfavorable, en 1992 el legendario bono de confianza de Sears con los clientes desapareció cuando se reveló que la operación de servicios automotrices de Sears estaba siendo sistemáticamente sobrecargada a los consumidores para los servicios de reparación. En ese entonces Moody's Investors Service, advirtiendo la creciente deuda de Sears, disminuyó la cotización para la compañía. Las acciones se derrumbaron posteriormente y los inversionistas presionaron a la firma para emprender una acción drástica. Su respuesta llegó en septiembre de 1992, cuando Sears anunció planes de vender Dean Witter Reynolds y Coldwell, Banker & Co., y de realizar una transferencia de activos del 20% de Allstate Insurance a inversionistas independientes. En efecto, Sears renunciaba a 30 años de diversificación y a una inversión de miles de millones de dólares de tal manera que la alta gerencia podría dedicar más tiempo a

revitalizar su brazo minorista que se encontraba en problemas. El cambio de estrategia fue una admisión vergonzosa de los altos gerentes de la compañía, y en particular por el CEO Brennan, que habían manejado en forma deficiente la dirección estratégica de la compañía. La ironía del movimiento es que Sears está saliendo de sus actividades más rentables con el fin de concentrarse en sus operaciones menos lucrativas, pero principales: la venta minorista[25].

La venta de una unidad a otra compañía con frecuencia es una estrategia utilizada cuando ésta puede venderse a una empresa que se encuentra en la misma línea de negocios de la unidad. En tales casos, el comprador a menudo está preparado para pagar una considerable cantidad de dinero por la oportunidad de incrementar sustancialmente el volumen de sus negocios casi de modo repentino. Por ejemplo, en 1987 Hanson Industries vendió su subsidiaria de pinturas Glidden, la cual adquirió seis meses antes en el proceso de compra de SCM Corporation, a Imperial Chemicals Industry (ICI). Glidden era la mayor compañía de pinturas en EE.UU., e ICI era el mayor fabricante de pinturas en el exterior, así que el equipo parecía tener sentido de acuerdo con la perspectiva de ICI, mientras que Hanson pudo obtener un precio considerable por la venta.

La venta de una unidad a su gerencia normalmente se denomina **compra de la empresa por parte de la gerencia (MBO)**. Éstas son muy similares a las compras apalancadas (LBO), analizadas en el capítulo 2. En una MBO la unidad se vende a su gerencia, la cual a menudo financia la compra mediante la venta de bonos de alto rendimiento a los inversionistas. La emisión de bonos normalmente la determina un especialista en negociaciones de empresas, como Kohlberg, Kravis & Roberts, que, junto con la gerencia, típicamente mantendrá una proporción considerable de las acciones en la MBO. A menudo las MBO se presentan cuando las unidades que se encuentran en problemas financieros tienen sólo dos opciones: una estrategia de cosecha o la liquidación. Una MBO puede ser muy riesgosa para el equipo administrativo involucrado, puesto que sus miembros pueden tener que firmar garantías personales para respaldar la emisión de bonos y pueden perder todo si fracasa finalmente la MBO. De otra parte, si el equipo de gerencia tiene éxito al darle un vuelco a la unidad en conflicto, su compensación puede ser un incremento significativo en el bienestar personal. Así, una estrategia de MBO puede caracterizarse como una estrategia de *alto riesgo-alto rendimiento* para el equipo de gerencia involucrado. Frente a la posible liquidación de su unidad de negocios, muchos equipos de gerencia están dispuestos a asumir el riesgo. Sin embargo, la viabilidad de esta opción depende no sólo de la disponibilidad de un equipo administrativo, sino también que haya suficientes compradores de bonos de alto rendimiento-alto riesgo (los denominados *bonos basura*) para poder financiar la MBO. Durante los últimos años, la caída general en el mercado de bonos basura ha hecho más difícil la estrategia de MBO para las compañías que pretenden seguirla.

Cosecha y liquidación Puesto que en el capítulo 6 se analizaron en detalle los pros y contras de las estrategias de cosecha y liquidación, en esta parte se harán algunas observaciones al respecto. En primera instancia, una estrategia de cosecha o liquidación generalmente se considera inferior a una estrategia de desestimiento ya que la compañía con probabilidad puede recuperar mejor su inversión en una unidad de negocios mediante el desestimiento. Segundo, una estrategia de cosecha involucra detener la inversión en una unidad con el fin de maximizar el flujo de caja de corto a mediano plazo de esa unidad antes de liquidarla. Aunque esta estrategia parece óptima en teoría, a menudo es inadecuado aplicarla en la práctica. Una vez evidente que la unidad sigue una estrategia de cosecha, puede declinar muy rápidamente la motivación de los empleados de la unidad, al igual que la confianza de los clientes y proveedores de esa unidad en su continua operación. Si ocurre esto, y con frecuencia es así, entonces la rápida declinación en los ingresos de la unidad pueden hacer insostenible la estrategia. Finalmente, una estrategia de liquidación es la menos atractiva de todas éstas para seguir, pues exige que la firma dé por perdida su inversión en una unidad de negocios, a menudo a un costo sustancial. No obstante, para una unidad de negocios con un desempeño deficiente en el cual no exista la probabilidad de que se presente una venta o una transferencia de activos, y donde no se pueda establecer una MBO, ésta puede ser la única alternativa viable.

10.8 ESTRATEGIA DE RETORNO COMPLETO

Muchas compañías reestructuran sus operaciones, desistiendo por sí mismas de sus actividades diversificadas, debido a que desean concentrarse más en su área principal de negocios. Como en el caso de Sears y Xerox, esto ocurre a menudo cuando el área principal de actividades se encuentra en problemas y necesita atención de la alta gerencia. Por consiguiente, una parte integral de la reestructuración es el desarrollo de una estrategia para retornar al núcleo de la compañía o permanecer en las áreas de negocios. En esta sección, se revisarán en detalle diversas medidas que las compañías adoptan para darle un vuelco total a las áreas de negocios que se encuentran en problemas. En primera instancia, se observarán las causas de decadencia corporativa y luego se analizarán los principales elementos de las exitosas estrategias de retorno completo.

Las causas de la decadencia corporativa

En la mayoría de los casos de decadencia corporativa se destacan siete causas importantes: administración deficiente, exceso de expansión, controles financieros inadecuados, altos costos, el surgimiento de una poderosa competencia nueva, cambios no previstos en la demanda e inercia organizacional[26]. Por lo general, muchos factores (si no todos) se encuentran presentes en una situación de decadencia. Por ejemplo, la decadencia de IBM a comienzos de la década de 1990 se generó por una estructura de costos altos, una poderosa competencia nueva de bajo costo por parte de los fabricantes de computadores personales, un desplazamiento en la demanda de los computadores tipo *mainframe* (el principal negocio de IBM), y su lenta respuesta a estos factores debido a la inercia organizacional.

Administración deficiente Este tipo de administración cubre una multitud de pecados, que se clasifican desde incompetencia absoluta, negligencia en el desarrollo de las actividades principales hasta cantidad insuficiente de buenos gerentes. Aunque no necesariamente representa un aspecto negativo, la dirección por parte de una sola persona a menudo parece ser la raíz de una administración deficiente. En un estudio se halló que la presencia de un CEO dominante y autocrático cuya pasión por implementar estrategias formadoras de imperios a menudo caracterizan muchas de las compañías que fracasan[27]. En otro estudio de 81 situaciones de retorno completo, se halló que en 36 casos las compañías que se encontraban en problemas padecían el sometimiento de un gerente autocrático que intentaba hacer todo y, frente a la complejidad y al cambio no lograba hacer nada[28]. Ejemplos de CEO autocráticos incluyen a Bill Bricker, el anterior CEO de Diamond Shamrock; Harold Gennen, el anterior CEO de ITT; y Roy Mason, el antiguo CEO de la Charter Company, empresa que alguna vez apareció en la revista *Fortune 500* y que posteriormente cayó en quiebra. En un análisis de los estudios empíricos acerca de situaciones de retorno completo, Richard Hoffman identificó otros defectos administrativos comúnmente hallados en las compañías en decadencia[29]. Éstos incluían una carencia de experiencia equilibrada en la alta gerencia (por ejemplo, demasiados ingenieros), una falta de una fuerte administración de los mandos medios, un fracaso para suministrar un orden en la sucesión administrativa ante la salida de un CEO (que puede generar una batalla interna por su cargo vacante), y un fracaso por parte de la junta directiva de hacer monitoreo en forma adecuada a las decisiones estratégicas de la gerencia.

Exceso de expansión   Las estrategias de formación de imperios por parte de los CEO autocráticos como Bricker, Geneen y Mason a menudo involucran una expansión rápida y una diversificación extensiva. La mayor parte de esta diversificación tiende a concebirse en forma deficiente y agrega poco valor a una compañía. Como se señaló anteriormente en este capítulo y en el 9, las consecuencias de una excesiva diversificación incluyen pérdida de control y una incapacidad de afrontar las condiciones de recesión. Más aún, las firmas que se expanden rápidamente tienden a hacerlo mediante un endeudamiento financiero en grandes cantidades. Las condiciones económicas adversas pueden limitar la capacidad de una empresa para cumplir con sus requerimientos de deuda y, en consecuencia, pueden precipitar una crisis financiera.

Controles financieros inadecuados   El aspecto más común de los controles financieros inadecuados consiste en una falla al asignar la responsabilidad de utilidades a quienes toman las decisiones claves dentro de la organización. Una carencia de responsabilidad por las consecuencias financieras de sus acciones puede estimular a los gerentes de mandos medios para que empleen *staff* excesivo e inviertan recursos más allá de lo necesario con el fin de obtener una eficiencia máxima. En tales casos, la burocracia puede aumentar rápidamente y los costos pueden salirse del control en forma de espiral. Precisamente esto le sucedió a Chrysler durante la década de 1970. Como lo anotó posteriormente Lee Iacocca, Jerry Greenwald a quien dejó al frente de la función financiera en 1980: "En realidad tenía muy poco tiempo para encontrar a quien pudiera identificar como responsable específico de algo. Ellos le dirían, `Bien, todos somos responsables de controlar los costos'. Jerry sabía muy bien lo que eso significaba, al final nadie lo era"[30].

Altos costos   Los controles financieros inadecuados pueden generar altos costos. Más allá de esta razón, la causa más común de una estructura de costos altos es una menor productividad de la mano de obra. Puede provenir de las prácticas laborales restrictivas e impuestas por los sindicatos (como en el caso de las industrias automotrices y de acero), la falla de administración en invertir en nuevas tecnologías que ahorren mano de obra o, con mayor frecuencia, una combinación de estos dos factores. Otras causas comunes incluyen altas tasas salariales (un factor particularmente importante para las compañías competentes en costos en el mercado global) y un fracaso para obtener economías de escala debido a la baja participación en el mercado.

Nueva competencia   La competencia en las economías capitalistas es un proceso caracterizado por el surgimiento continuo de nuevas compañías que lideran nuevas formas de hacer los negocios. Durante los últimos años, pocas industrias y pocas compañías establecidas se han preocupado por el desafío competitivo de la poderosa y nueva rivalidad. En efecto, muchos negocios establecidos han fracasado o han tenido serios problemas debido a que no responden rápida y suficientemente a tales amenazas. La nueva y poderosa competencia es causa importante de la decadencia corporativa. IBM ha sido golpeada por la nueva y poderosa rivalidad de los fabricantes de computadores personales, igual situación ha vivido Sears con los almacenes de descuento y tiendas especializadas (*véase* estrategia en acción 10.3), y el negocio de fotocopiadoras de Xerox que enfrentó a la nueva y poderosa competencia del Japón, en particular Canon y Ricoh (*véase* caso inicial). En todos estos casos, la compañía establecida no advirtió la fortaleza de los nuevos competidores hasta que se encontró en serios problemas.

Cambios no previstos en la demanda   Los cambios no previstos y a menudo imprevisibles en la demanda se pueden generar por transformaciones importantes en la condiciones tecnológicas, económicas o políticas, y por las normas sociales y culturales. Aunque tales cambios pueden abrir oportunidades de mercado para nuevos productos, también representan amenazas para la existencia de muchas empresas establecidas, que necesitan reestructuración. El ejemplo clásico lo constituye con claridad el incremento del precio del petróleo por parte de la OPEP en 1974 que, entre otras cosas, afectó la demanda de automóviles, las unidades centrales de generación de calor mediante la combustión de petróleo y muchos productos derivados, como los discos fonográficos de vinilo. En forma similar, el colapso del precio del petróleo de 1983-1986 devastó muchas compañías que trabajaban en las perforaciones de campos petrolíferos y las forzó a adoptar una drástica reestructuración.

Inercia organizacional   En forma independiente, el surgimiento de la nueva y poderosa competencia y los cambios no previstos en la demanda pueden ser insuficientes para ocasionar la decadencia corporativa. También se requiere una organización lenta para responder a tales cambios ambientales. Como se observó en el capítulo 4, donde en primera instancia se abordó el tema de la decadencia corporativa, la inercia organizacional se destaca como una razón importante del porqué las compañías responden con tanta lentitud a las nuevas condiciones competitivas. Si se desea consultar mayores detalles al respecto, *véase* capítulo 4.

Los pasos principales del retorno completo

No existe un modelo estándar en el cual se especifique cómo debe responder una compañía a la decadencia. En efecto, no puede haber tal modelo puesto que cada situación es única. Sin embargo, en la mayor parte de las situaciones exitosas de retorno completo, se encuentran presentes varias características comunes. Éstas incluyen cambiar el liderazgo, redefinir el punto central estratégico de la compañía, desistir o clausurar los activos no deseados, emprender medidas para mejorar la rentabilidad de las operaciones remanentes y, ocasionalmente, hacer adquisiciones para reconstruir las operaciones centrales.

Cambiar el liderazgo   Puesto que el viejo liderazgo acarrea con el estigma del fracaso, el nuevo liderazgo es un elemento esencial en la mayor parte de situaciones de atrincheramiento y de retorno completo. Por ejemplo, como primera medida al implementar una estrategia de retorno completo, IBM reemplazó al CEO John Akers por un funcionario externo, Lou Gerstner. Para resolver una crisis, el nuevo líder debe ser alguien capaz de tomar decisiones difíciles, motivar a los gerentes de bajos niveles, escuchar los puntos de vista de los demás y delegar poder cuando sea apropiado.

Redefinir el centro estratégico   Para una compañía especializada, redefinir la concentración estratégica involucra una reevaluación de su estrategia a nivel de negocios. Por ejemplo, un líder en costos fracasado puede reorientarse hacia una estrategia más concentrada o diferenciada. Para una organización diversificada, redefinir el punto central estratégico significa identificar los negocios en el portafolio que tienen la mejor utilidad a largo plazo y las mejores proyecciones de crecimiento, y concentrarse en su inversión.

Ventas de activos y clausuras   Después de redefinir su estrategia central, una compañía debe desistir de muchos activos no deseados en la medida en que pueda hallar compradores y liquidar los remanentes. Es importante no confundir los activos no deseados con los activos no rentables. Los activos que ya no se ajustan a la concentración estratégica redefinida de la compañía pueden ser muy rentables. Su venta le puede generar dinero en efectivo más del necesario, que puede invertir en el mejoramiento de las operaciones remanentes.

Mejorar la rentabilidad   Mejorar la rentabilidad de las operaciones que quedan después de las ventas de activos y clausuras involucran varios pasos para mejorar la eficiencia, la calidad, la innovación y la capacidad de satisfacer al cliente. En el capítulo 5 se analizaron muchas de las estrategias a nivel funcional que las firmas pueden seguir para lograr estos fines, de tal manera que se puede consultar de nuevo si se desean observar detalles al respecto. Obsérvese, sin embargo, que mejorar la rentabilidad en forma típica involucra adoptar una o más de las siguientes medidas: (1) despidos de empleados y obreros; (2) inversiones en maquinarias que ahorren mano de obra; (3) asignación de la responsabilidad de utilidades a los individuos y subunidades dentro de la compañía, si es necesario mediante un cambio de estructura organizacional; (4) estrictos controles financieros; (5) reducción de productos marginales; (6) aplicación de reingeniería a los procesos de negocios para reducir costos y aumentar en forma considerable la productividad; y (7) introducir procesos de administración de la calidad total.

Adquisiciones   Una estrategia de retorno completo, un poco sorprendente pero bastante común, involucra hacer adquisiciones, fundamentalmente para fortalecer la posición competitiva de sus operaciones centrales remanentes. Por ejemplo, Champion International Corporation era una compañía muy diversificada que fabricaba una amplia variedad de productos de madera y papel. Después de varios años de decadente desempeño, a mediados de la década de 1980 decidió concentrarse en su rentable actividad de papel periódico y para revistas. La compañía desistió de muchos otros negocios de productos madereros y de papel, pero al mismo tiempo pagó US$1,800 millones por St. Regis Corp., uno de los mayores fabricantes de papel para periódico y revistas en el país.

10.9 PLANEACIÓN DEL PORTAFOLIO: HERRAMIENTA ADMINISTRATIVA RESQUEBRAJADA

Durante las décadas de 1960 y 1970 varias compañías consultoras gerenciales desarrollaron una serie de técnicas conceptuales, cuyo propósito establecido consistía en auxiliar a los altos funcionarios de corporaciones diversificadas para que mejoraran la administración de su portafolio de negocios. Estas técnicas, en forma colectiva se referían a las técnicas de planeación de portafolio, las cuales se promovían activamente por parte de los consultores gerenciales y se aplicaban ansiosamente en varias compañías diversificadas. Los resultados a menudo se clasificaban desde indiferentes hasta desastrosos. En esta sección se examinará una de las más famosas de esas técnicas, la matriz de planeación de portafolio del Grupo Consultor de Boston. Luego se considerará por qué estas técnicas para manejar un portafolio de negocios a menudo no funcionan en la práctica.

La matriz de negocios del Grupo Consultor de Boston

El principal objetivo de la técnica del Grupo Consultor de Boston (BCG) consiste en ayudar a los gerentes senior a identificar los requerimientos del flujo de caja de los diferentes negocios en su portafolio. El enfoque del BCG implica tres pasos importantes: (1) dividir una compañía en sus unidades estratégicas de negocios (UEN) y evaluar las perspectivas a largo plazo de cada una; (2) comparar las UEN entre sí mediante una matriz que indique las perspectivas relativas de cada una; y (3) desarrollar objetivos estratégicos con respecto a cada UEN.

Definir y evaluar las unidades estratégicas de negocios   De acuerdo con el BCG, una compañía debe crear una UEN para cada área de negocios económicamente distinta donde compita. Cuando los altos gerentes identifiquen las UEN, su objetivo debe ser dividir una compañía en entidades estratégicas que sean relevantes para los propósitos de planeación. Por lo general, una compañía define sus UEN en términos de los mercados de productos donde esté compitiendo. Después de definir las UEN, los altos gerentes evalúan cada una de acuerdo con estos criterios: (1) la participación relativa de las UEN en el mercado, y (2) la tasa de crecimiento industrial de las UEN.

El objetivo cuando se identifica una participación relativa de las UEN en el mercado debe ser establecer que su posición en el mercado se pueda clasificar como una fortaleza o una debilidad. La **participación relativa en el mercado** se define como la proporción de la participación de una UEN en el mercado con relación a la participación en el mercado que mantiene la mayor compañía rival en su industria. Si una UEN X tiene una participación en el mercado de un 10% y su mayor rival tiene una participación en el mercado del 30%, entonces la participación relativa de la UEN X en el mercado es de 10/30, o sea 0.3. Sólo si una UEN es líder en el mercado en su industria tendrá una participación relativa en el mercado mayor que 1.0. Por ejemplo, si una UEN Y tiene una participación en el mercado del 40% y su mayor rival tiene una participación en el mercado del 10%, entonces la participación relativa de la UEN Y en el mercado es de 40/10 = 4.0.

De acuerdo con el Grupo Consultor de Boston, la participación en el mercado suministra ventajas en costos a una firma a partir de las economías de escala y de los efectos del aprendizaje. Se supone que una UEN con una participación relativa en el mercado mayor que 1.0 registra la mayor disminución en la curva de experiencia y, por consiguiente, tendrá una ventaja significativa en costos sobre sus rivales. Por lógica similar, una UEN con una participación relativa en el mercado menor que 1.0 se supone que se encuentra en desventaja competitiva debido a que carece de las economías de escala y baja posición en costos de acuerdo con el líder de mercado. El Grupo Consultor de Boston caracteriza las UEN, cuya participación relativa en el mercado es mayor que 1.0, como aquellas que tienen una alta participación relativa en el mercado, y una UEN, con una participación relativa en el mercado menor que 1.0, como aquella que tiene una baja participación relativa en el mercado.

El objetivo cuando se evalúan las tasas de crecimiento industrial consiste en determinar si las condiciones industriales ofrecen oportunidades para la expansión o si éstas amenazan a las UEN (como en una industria en decadencia). La tasa de crecimiento industrial de una UEN se evalúa de acuerdo con su condición de si es más rápida o más lenta que la tasa de crecimiento de toda la economía. Las industrias con tasas de crecimiento mayores que el promedio se caracterizan por tener alto crecimiento. Las industrias con tasas de crecimiento menores que el promedio se caracterizan por registrar un crecimiento menor. La posición de BCG es que las industrias de alto crecimiento suministran un ambiente competitivo más favorable y mejores perspectivas a largo plazo que las industrias de lento crecimiento.

Comparar las unidades estratégicas de negocios   El próximo paso del enfoque del BCG consiste en comparar las UEN entre sí mediante una matriz fundamentada en dos dimensiones: la participación relativa en el mercado y el alto crecimiento. La figura 10.3 proporciona un ejemplo de esta matriz. La dimensión horizontal mide la participación relativa en el mercado; la dimensión vertical mide la tasa de crecimiento industrial. Cada círculo representa una UEN. El centro de cada círculo corresponde a la posición de la UEN en las dos dimensiones de la matriz. El tamaño de cada círculo es proporcional al ingreso por concepto de ventas obtenido por cada negocio en el portafolio de la empresa. Cuanto mayor sea el círculo, mayor es el volumen de una UEN relativa al total de los ingresos corporativos.

La matriz se divide en cuatro células. Las UEN en la célula 1 se definen como **estrellas**, en la célula 2 se definen como **signos de interrogación***, en la célula 3 como **vacas lecheras** y en la célula 4 como **perros***. El BCG argumenta que estos tipos diferentes de UEN tienen diferentes proyecciones a largo plazo y diversas implicaciones para los flujos de caja.

- **Estrellas.** Las UEN líderes en el portafolio de una firma son las estrellas. Éstas tienen una alta participación relativa en el mercado y se fundamentan en las industrias de alto crecimiento. Tienen tanto fortalezas competitivas como oportunidades para la expansión. En consecuencia, suministran rendimiento a largo plazo y oportunidades de crecimiento.
- **Signos de Interrogación.** Las UEN relativamente débiles en términos competitivos (es decir, que tienen baja participación relativa en el mercado) son los signos de interrogación. Sin embargo, están ubicadas en las industrias de alto crecimiento y así pueden ofrecer oportunidades de suministrar utilidades y crecimiento a largo plazo. Si un signo de interrogación se fomenta en forma apropiada, se puede convertir en una estrella. Para convertirse en un líder de mercado, un signo de interrogación exige considerables inyecciones netas de caja; es decir, precisa de efectivo. La oficina principal de la corporación debe decidir si un signo de interrogación en

Figura 10.3
La matriz del Grupo
Consultor de Boston

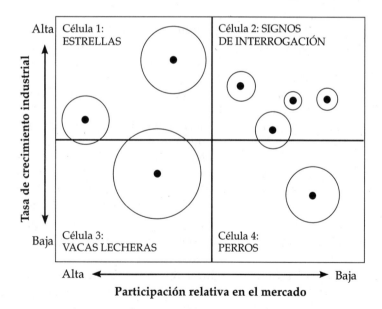

Participación relativa en el mercado

Fuente: Perspectives, No. 66, "The Product Portafolio". Adaptado con autorización del Grupo Consultor de Boston Inc., 1970.

---

* N. de R. T. Los *signos de interrogación* también se conocen como *niños problema*; en el caso de los *perros*, también se les conoce con los términos de *perros muertos* o *calaveras*.

particular tiene el potencial para convertirse en **estrella** y, por consiguiente, si posee el valor de la inversión de capital necesario para llegar al estrellato.

- **Vacas lecheras.** Las UEN que tienen una alta participación en el mercado en industrias de bajo crecimiento y una fuerte posición competitiva en industrias maduras son las vacas lecheras. Su fortaleza competitiva proviene de generar la mayor disminución en la curva de experiencia. Éstas son líderes de costos en sus industrias. El BCG argumenta que esta posición permite que una UEN siga siendo muy rentable. Sin embargo, el bajo crecimiento implica carecer de oportunidades para la futura expansión. Como consecuencia, el BCG plantea que los requerimientos de inversión de capital de vacas lecheras no son sustanciales y, en consecuencia, se representan como generadoras de un fuerte flujo positivo de caja.
- **Perros.** Las UEN que se encuentran en industrias de bajo crecimiento pero que poseen una participación baja en el mercado son perros. Éstas poseen una posición competitiva débil en industrias no atractivas y, por consiguiente, se considera que ofrecen pocos beneficios a una empresa. El BCG sugiere que no es probable que tales UEN generen mucho en forma de flujo positivo de caja, y en efecto, pueden convertirse en cerdos. Aunque ofrecen pocas proyecciones para el futuro crecimiento en cuanto a rendimientos, los perros pueden exigir considerables inversiones de capital sólo para mantener su baja participación en el mercado.

Implicaciones estratégicas El objetivo de la matriz de portafolio del Grupo Consultor de Boston consiste en identificar la mejor manera de utilizar los recursos corporativos de caja para maximizar el crecimiento futuro y la rentabilidad de una compañía. Las recomendaciones de este grupo incluyen las siguientes:

- El superávit de caja de cualquier vaca lechera puede utilizarse para apoyar el desarrollo de signos de interrogación seleccionados y para fomentar a las estrellas. El objetivo a largo plazo consiste en consolidar la posición de las estrellas y convertir los signos de interrogación favorecidos en estrellas, haciendo en consecuencia más atractivo el portafolio de la compañía.
- Los signos de interrogación con las proyecciones a largo plazo más débiles o más inciertas deben desistirse para reducir las demandas en cuanto a los recursos de caja de una empresa.
- La compañía debe salir de cualquier industria donde las UEN sean perros.
- Si una compañía carece de las suficientes vacas lecheras, estrellas o signos de interrogación, debe considerar las adquisiciones y los desestimientos para construir un portafolio más equilibrado. Un portafolio debe contener suficientes estrellas y signos de interrogación para asegurar una perspectiva saludable de crecimiento y utilidades para la compañía y suficientes vacas lecheras que apoyen los requerimientos de inversión de las estrellas y signos de interrogación.

El problema con la planeación del portafolio

Aunque las técnicas de planeación de portafolio pueden parecer razonables, si se toma la matriz del BCG como ejemplo, existen por lo menos cuatro importantes deficiencias. Primera, el modelo es simplista. Hay certeza de que es engañosa la evaluación de una UEN en términos de sólo dos dimensiones, es decir, la participación en el mercado y el crecimiento industrial, ya que se debe tener en cuenta un sinnúmero de otros factores relevantes. Aunque la participación en el mercado similar, el crecimiento industrial no es el único factor que determina lo atractivo de la industria. Muchos factores además del crecimiento determinan la intensidad competitiva en una industria y, por consiguiente, su atractivo.

ESTRATEGIA EN ACCIÓN 10.4

Por qué las técnicas de planeación de portafolio casi destruyen a Cabot Corporation

En la década de 1970 Cabot Corporation era uno de los entusiastas adoptantes de la matriz de planeación de portafolio del Grupo Consultor de Boston (BCG). En todos los aspectos, el hecho de aplicar esas técnicas casi destruye a la compañía. Cabot es una de las organizaciones industriales líderes en el mundo, con ingresos registrados en 1992 por US$1,500 millones. Sus productos rara vez son percibidos por el público pero se encuentran alrededor de todo el mundo. Éstos incluyen el papel carbón, que se utiliza fundamentalmente en productos de borradores y tintas, polvos de tantalio utilizados por la industria electrónica y concentrados plásticos.

Después de un análisis emprendido con la ayuda del BCG, a finales de la década de 1970, la compañía determinó que sus negocios tradicionales de químicos eran vacas lecheras. El plan consistía en sacar el mayor provecho de estas divisiones en efectivo que pudiera reinvertirse en las divisiones estrellas, lo cual incluía esfuerzos de diversificación en manufactura metálica, cerámicas, semiconductores y un negocio de suministro de gasolina. Sin embargo, el resultado fue que tuvo que arrojar buenas ganancias de los químicos a los negocios en los cuales Cabot no tenía experiencia y a los que podría agregar poco valor. Mientras tanto, sus operaciones químicas fueron despojadas del capital que necesitaba para mantenerse funcionando en forma eficiente. Aún más, la motivación en las operaciones quí-

micas comenzó a caer a medida que los gerentes se dieron cuenta de que los fondos se estaban diluyendo para apoyar otras operaciones. En consecuencia, durante la mayor parte de la década de 1980 declinó el rendimiento en los activos de Cabot.

Finalmente, la familia Cabot, que posee el 30% de las acciones, se conscientizó de lo que estaba sucediendo y contrató a un nuevo CEO, Sam Bodman, para dirigir el negocio. Él invirtió sus primeros años reestructurando la empresa, vendiendo muchos de aquellos negocios que el BCG había designado como estrellas y redirigiendo fondos hacia las principales operaciones químicas de la organización. Invirtió más de US$500 millones renovando y expandiendo las plantas químicas, por mucho tiempo ignoradas, y construyendo cinco nuevas. Al mismo tiempo, los esfuerzos de investigación fueron redirigidos hacia las áreas tradicionales de experiencia de la firma, químicos orgánicos, en las cuales se hizo énfasis al agregar valor a los productos populares de Cabot. Como resultado, los costos operativos de la empresa cayeron en forma considerable, en tanto que una nueva generación de químicos especializados le permitió obtener amplios márgenes. Después de varios años de malestar financiero, las ganancias de Cabot en 1992 superaron el 55% por encima de las cifras de 1991 a pesar de la ausencia de crecimiento por concepto de ingresos debido al efecto de los desestimientos[31].

con seguridad es un determinante importante de la posición competitiva de una UEN, las compañías pueden de igual manera establecer una fuerte posición competitiva mediante la diferenciación de sus productos para atender las necesidades de un segmento particular del mercado. Así, un negocio que tiene una baja participación en el mercado puede ser muy rentable y tener una fuerte posición competitiva en ciertos segmentos del mismo. El fabricante de automóviles BMW se encuentra en esta posición, aunque la matriz del BCG lo clasifique como un perro debido a que éste tiene un negocio de baja participación en el mercado en una industria de bajo crecimiento. En forma

Segunda, la conexión entre la relativa participación en el mercado y los ahorros en costos no es tan directa como sugiere el BCG. En el capítulo 5 se aclaró que una alta participación en el mercado no siempre suministra a una firma una ventaja en costos. En algunas industrias (por ejemplo, la industria estadounidense del acero) las empresas de baja participación en el mercado que utilizan una tecnología de baja participación (miniplantas) pueden tener menores costos de producción que las compañías de alta participación en el mercado que utilizan tecnologías de alta participación (plantas integradas). La matriz del BCG clasificaría las operaciones de miniplantas como perros de la industria norteamericana del acero, en tanto que en efecto su desempeño durante las últimas décadas las ha caracterizado como negocios estrellas.

Tercera, una alta participación en el mercado en una industria de bajo crecimiento no necesariamente genera gran flujo de caja positivo, característico de los negocios de vacas lecheras. La matriz del BCG clasificaría las operaciones automotrices de General Motors como vacas lecheras. Sin embargo, las inversiones de capital necesarias para permanecer competitivas son tan considerables en esta industria que muy probablemente dé como resultado lo contrario. Las industrias de bajo crecimiento pueden ser muy competitivas, y permanecer a la vanguardia en tal ambiente puede exigir considerables inversiones de caja.

Cuarta, en general *ninguna* de las técnicas de planeación de portafolio prestan atención a la fuente de creación de valor a partir de la diversificación. Éstas tratan a las unidades de negocios como independientes, mientras que en efecto se pueden vincular a la necesidad de transferir capacidades y habilidades o realizar economías de alcance. Aún más importante, éstas trivializan el proceso de manejar una gran compañía diversificada. Éstas sugieren que el éxito es simplemente un asunto de determinar en conjunto el portafolio correcto de negocios, en tanto que en realidad proviene de manejar un portafolio diversificado que *cree valor*, bien sea mediante el apalancamiento de habilidades distintivas a través de las unidades, al compartir los recursos para realizar economías de alcance o al lograr una gobernabilidad excelente. Al desviar la atención de la alta gerencia de estas tareas vitales y al legitimar la subinversión en áreas centrales de negocios designadas como vacas lecheras, las técnicas de administración de portafolio se han constituido en un gran perjuicio para las corporaciones adoptantes. Por ejemplo, como aparece en la estrategia en acción 10.4, la aplicación activa de las técnicas de planeación de portafolio casi destruyen a Cabot Corporation.

10.10 RESUMEN DEL CAPÍTULO

En este capítulo se analizaron las estrategias que siguen las corporaciones diversificadas con el fin de construir y reestructurar su portafolio de negocios. Se consideraron los pros y los contras de ingresar en una nueva área de negocios mediante adquisiciones, nuevas operaciones internas y *joint ventures*. También se evaluó la razón fundamental y los métodos que las compañías utilizan para salir de las áreas de negocios y los medios que emplean para darle un vuelco total a las unidades de negocios que se encuentran en problemas. De manera más específica, se abordaron los siguientes puntos:

1. La selección de una estrategia apropiada de ingreso está influenciada por factores como barreras para el ingreso, afinidad, velocidad y costos de desarrollo por concepto de ingreso, riesgos de ingreso y ciclo de vida industrial.

2. Las nuevas operaciones internas parecen tener mayor sentido cuando la industria donde se ingresa se encuentra en etapa embrionaria o en crecimiento; cuando las barreras de entrada son bajas; cuando la industria se encuentra estrechamente relacionada con las operaciones existentes de la firma (la estrategia de la compañía es de diversificación relacionada); y cuando la organización está dispuesta a aceptar el periodo, los costos de desarrollo y los riesgos concomitantes.

3. La adquisición tiene mayor significado cuando la industria a la cual se va a ingresar es madura; cuando las barreras para el ingreso son altas; cuando la industria no se encuentra estrechamente relacionada con las operaciones existentes de la compañía (su estrategia es de diversificación no relacionada); y cuando la compañía no está dispuesta a aceptar el tiempo, los costos de desarrollo y los riesgos de iniciar nuevas operaciones internas.

4. Muchas adquisiciones fallan debido a la integración deficiente posterior a la adquisición, a la sobrestimación del valor que se puede generar a partir de la adquisición, los altos costos de adquisición y a la deficiente proyección previa a la misma.

5. La protección contra la falla de adquisición involucra una proyección estructurada, buenas estrategias de cotización e intentos positivos de integrar la compañía adquirida con la organización de la empresa adquiriente.

6. Muchas de las nuevas operaciones internas fracasan debido a que ingresan en escala demasiado pequeña, a deficiente comercialización y a deficiente administración corporativa del proceso de operación interna.

7. Protegerse del fracaso involucra un enfoque estructurado hacia la selección y administración del proyecto, integración de I&D y marketing para mejorar la comercialización de una idea de operación y el ingreso en escala significativa.

8. Las *joint ventures* pueden constituirse en la estrategia de ingreso preferida cuando: (a) los riesgos y los costos asociados al establecimiento de una nueva unidad de negocios son mayores de lo que la compañía está dispuesta a asumir bajo su propia responsabilidad, y (b) la compañía puede incrementar la probabilidad de establecer con éxito un nuevo negocio al hacer equipo con otra organización cuyas habilidades y activos sean complementarios a los suyos.

9. La actual popularidad de la reestructuración se debe a: (a) exceso de diversificación por parte de muchas compañías a finales de las décadas de 1970 y 1980, (b) el ascenso de los desafíos competitivos para las unidades centrales de negocios de muchas empresas diversificadas, y (c) innovaciones en el proceso administrativo que han reducido las ventajas de integración vertical y diversificación.

10. Las estrategias de salida incluyen desestimiento, cosecha y liquidación. La opción de estrategia de salida está regida por las características de la unidad relevante de negocios.

11. Las causas de declinación corporativa incluyen administración deficiente, expansión excesiva, controles financieros inadecuados, altos costos, el surgimiento de una nueva y poderosa competencia, cambios no previstos en la demanda e inercia organizacional.

12. Las respuestas a la declinación corporativa incluyen cambiar el liderazgo, redefinir el enfoque estratégico de la compañía, el desestimiento o la clausura de activos no deseados, emprender medidas para mejorar la rentabilidad de las operaciones remanentes y, ocasionalmente, hacer adquisiciones para reconstruir las operaciones centrales.

13. Las técnicas de planeación de portafolio son un conjunto de herramientas conceptuales cuyo propósito establecido consiste en ayudar a los altos funcionarios de compañías diversificadas a manejar mejor el portafolio de los negocios que posee la empresa. La más conocida de estas técnicas es la matriz del Grupo Consultor de Boston.

14. Las debilidades de la matriz del BCG incluyen: (a) la categorización simplista de los negocios, (b) hipótesis insostenibles sobre las relaciones entre la participación en el mercado, el crecimiento y la rentabilidad, y (c) el no concentrarse en la fuente de creación de valor.

Preguntas y temas de análisis

1. ¿Bajo cuáles circunstancias podría ser mejor ingresar en una nueva área de negocios mediante la adquisición, y bajo cuáles condiciones podría preferirse como modo de ingreso las nuevas operaciones internas?

2. Dadas las obvias dificultades de tener éxito con las adquisiciones, ¿por qué muchas compañías continúan siguiendo este proceso?

3. IBM ha decidido diversificarse en el negocio de telecomunicaciones celulares. ¿Cuál estrategia de ingreso sería aconsejable para la compañía y por qué?

4. Obsérvese de nuevo el cambio registrado en la composición del portafolio de negocios de GE bajo el liderazgo de Jack Welch (1981 hasta el presente). ¿Cómo se ha reorganizado el portafolio de esta firma? Desde la perspectiva de creación de valor, ¿cuál es la lógica que subyace en esta reorganización?

Aplicación 10

Encuéntrese un ejemplo de una compañía que haya realizado una adquisición en la que aparentemente no creó ningún valor. Identificar y evaluar de manera crítica la razón fundamental utilizada por la alta gerencia para justificar la adquisición en el momento de llevarla a cabo. Explíquese por qué falló posteriormente la adquisición.

Proyecto sobre administración estratégica: Módulo 10

En este módulo se exige que el estudiante evalúe la utilización de adquisiciones, nuevas operaciones internas y *joint ventures* por parte de la compañía como estrategias para ingresar en una nueva área de negocios y/o como intentos para reestructurar su portafolio de negocios.

A. Si la compañía ha ingresado en una nueva área de negocios durante la última década:

1. Escójase una nueva área de negocios a la que haya ingresado la empresa durante los últimos 10 años.
2. Identifíquese la razón fundamental para ingresar en esta área de negocios.
3. Identifíquese la estrategia utilizada para ingresar en esta área de negocios.
4. Evalúese la razón fundamental para utilizar en particular esta estrategia de ingreso. ¿Es la mejor estrategia de ingreso? Justificar la respuesta.
5. ¿La adición de esta área de negocios a la compañía ha sumado o disipado valor? De nuevo, justifíquese su respuesta.

B. Si la compañía ha reestructurado su negocio durante la última década:

1. Identifíquese la razón fundamental para seguir una estrategia de reestructuración.
2. Escójase una nueva área de negocios de la cual la compañía haya salido durante los últimos 10 años.
3. Identifíquese la estrategia utilizada para salir de un área de negocios en particular. ¿Es la mejor estrategia de salida empleada? Justifíquese su respuesta.
4. En general, ¿el hecho de haber salido de esta área de negocios ha favorecido los intereses de la compañía?

Notas

1. *Fuentes*: L. Hooper, "Xerox Plans to Withdraw Completely from the Financial Services Industry", *Wall Street Journal*, January 19, 1993, p. A3. T. Smart, "So Much for Diversification", *Business Week*, February 1, 1993, p. 31. T. Smart, "A Cloud Over Xerox", *Business Week*, November 9, 1992, p. 48.

2. Para consultar detalles adicionales, *véase* H. L. Ansoff, *Corporate Strategy* (New York: McGraw-Hill, 1965); E. R. Biggadike, *Corporate Diversification: Entry, Strategy and Performance* (Cambridge, Mass.: Division of Research, Harvard Business School, 1983); M. S. Salter and W. A. Weinhold, *Diversification Through Acquisition: Strategies for Creating Economic Value* (New York: Free Press, 1979); G. s. Yip, "Diversification Entry: Internal Development Versus Acquisition", *Strategic Management Journal*, 3 (1982), 331-345; y P. Haspeslagh and D. Jemison, *Managing Acquisitions* (New York: Free Press, 1991).

3. Biggadike, *Corporate Diversification*.

4. E. Mansfield, "How Economist See R&D", *Harvard Business Review* (November-December 1981) 98-106.

5. P. Petre, "AT&T's Epic Push into Computers", *Fortune*, May 25, 1987, pp. 42-50.

6. "Do Mergers Really Work? *Business Week*, June 3, 1985, pp. 88-100.

7. D. J. Ravenscraft and F. M. Scherer, *Mergers, Sellofs, and Economic Efficiency* (Washington, D.C.: Brookings Institution, 1987).

8. *Ibíd.* Para consultar una evidencia adicional sobre las adquisiciones y el desempeño, *véase* R. E. Caves, "Mergers, Takeovers, and Economic Efficiency", *International Journal of Industrial Organization*, 7 (1989), 151-174; M. C. Jensen and R. S. Ruback, The Market for Corporate Control: "The Scientific Evidence," *Journal of Financial Economics*, 11 (1983), 5-50; R. Roll, "Empirical Evidence on Takeover Activity and Shareholder Wealth", *in Knights, Raiders and Targets*, ed. J. C. Coffee, L. Lowenstein, and S. Rose (Oxford: Oxford University Press, 1989); y A. Schleifer and R. W. Vishny, "Takeovers in the 60s and 80s: Evidence and Implications", *Strategic Magament Journal*, 12 (Winter 1991) Special Issue, 51-60.

9. *Véase* J. P. Walsh, "Top Management Turnover Following Mergers and Acquisitions", *Strategic Management Journal*, 9 (1988), 173-183.

10. *Véase* A. A. Cannella and D. C. Hambrick, "Executive Departure and Acquisition Performance", *Strategic Management Journal*, 14 (1993), 137-152.

11. "Fluor: Compounding Fractures from Leaping Before Looking", *Business Week*, June 3, 1985, pp. 92-93.

12. R. Roll, "The Hubris Hypothesis of Corporate Takeovers", *Journal of Business*, 59 (1986), 197-216.

13. "Coca-Cola: A Sobering Lesson from Its Journey into Wine", *Business Week*, June 3, 1985, pp. 96-98.

14. Haspeslagh and Jemison, *Managing Acquisitions*.

15. "The Seven-Up Co., Division of Philip Morris Incorporated. *Harvard Business School* Case 385-321.

16. Para consultar criterios sobre este tema, *véase* L. L. Fray, D. H. Gaylin, and J. W. Down, "Succesful Acquisition Planning", Journal of Business Strategy, 5 (1984), 46-55; C. W. L. Hill, "Profile of a Conglomerate Takeover: BTR and Thomas Tilling", *Journal of General Management*, 10 (1984), 34-50; D. R. Willenksy, "Making It Happen: How to Execute an Acquisition", *Business Horizons* (March-April 1985), 38-45; y Haspeslagh and Jemison, *Managing Acquisitions*.

17. "Pre-Merger Management", *Economist*, December, 7, 1991, p. 81.

18. *Véase* Booz, Allen, & Hamilton, *New Products Management for the 1980's* informe de investigación publicado privadamente, 1982; A. L. Page, PDMA's *New Product Development Practices Survey: Performance and Best Practices*, PDMA 15th Annual International Conference, Boston, October 16, 1991; y E. Mansfield, "How Economist See R&D", *Harvard Business Review*, (November-December 1981) 98-106.

19. Biggadike, "The Risky Business of Diversification", *Harvard Business Review*, (May-June 1979).

20. R.A. Burgelman, "A Process Model of Internal Corporate Venturing in the Diversified Major Firm", *Administrative Science Quarterly*, 28 (1983), 223-244.

21. I.C. MacMillan and R. George, "Corporate Venturing: Challenges for Senior Managers", *Journal of Business Strategy*, 5 (1985), 34-43.

22. G. Beardsley and E. Mansfield, "A Note on the Accuracy of Industrial Forecasts of the Profitability of New Products and Processes", *Journal of Business*, 23 (1978) 127-130.

23. P. B. Carroll, "IBM, Motorola Plan Radio Link for Computers", *Wall Street Journal*, January 29, 1990, pp. B1, B5.

24. Por ejemplo, *véase* Shleifer and Vishny, "Takeovers in the 60s and 80s", pp. 51-60.

25. *Véase* G. A. Patterson and F. Schwadel, "Back in Time", *Wall Street Journal*, September 30, 1992, p. 1; J. Flynn, "Smaller but Wiser", Business Week, October 12, 1992, pp. 28-29; and B. Bremner, "The Big Store's Trauma", Business Week, July 10, 1989, pp. 50-55.

26. *Véase* J. Argenti *Corporate Collapse: Causes and Symptoms*, (New York: McGraw-Hill, 1976); R. C. Hoffman, "Strategies for Corporate Turnarounds: What Do We Know About Them?" *Journal of General Management*, 14 (1984), 46-66; D. Schendel, G. R. Patton, and J. Riggs, "Corporate Turn-around Strategies: A Study of Profit Decline and Recovery", *Journal of General Management*, 2 (1976), 1-22; y S. Siafter, *Corporate Recovery: Successful Turnaround Strategies and Their Implementation*, (Hammondsworth, England: Penguin Books, 1984), pp. 25-60.

27. D. B. Bibeault, Corporate Turnaround, (New York: McGraw-Hill, 1982).

28. *Véase* Siafter, *Corporate Recovery*, pp. 25-60.

29. Hoffman, "Strategies for Corporate Turnarounds", pp. 46-66.

30. Lee Iacocca, *Iacocca: An Autobiography* (New York: Bantam Books, 1984), p. 254.

31. N. Chakravarty, "White Slacks and Carbon Black", *Forbes*, October 26, 1992, pp. 122-124.

IV IMPLEMENTACIÓN DE LA ESTRATEGIA

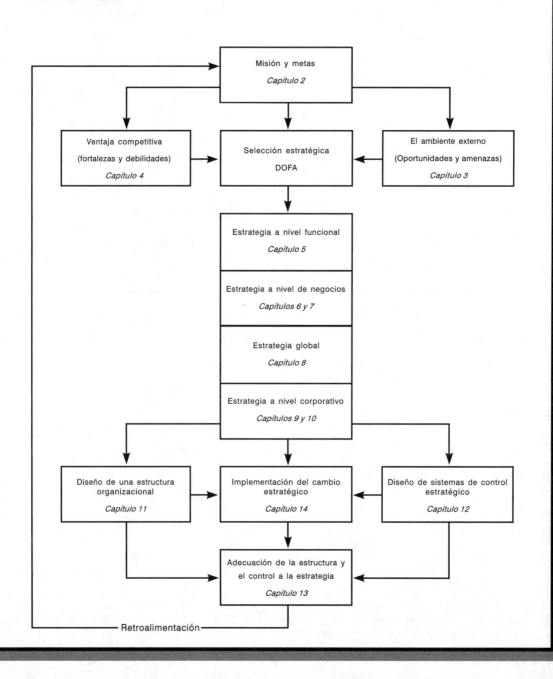

11 Diseño de la estructura organizacional

11.1 CASO INICIAL: EQUIPOS INTERDISCIPLINARIOS DE PRODUCCIÓN EN CHRYSLER

Después de muchos años de deficiente desempeño y crecientes pérdidas, Chrysler Corp., el tercer fabricante automotriz de EE.UU. ha experimentado un vuelco total en la década de 1990. Sus nuevos modelos de automóviles como el Dodge Viper, los de cabina tipo LH y el económico Neon han atraído de nuevo muchos clientes hacia la compañía y los han alejado de las importaciones japonesas. Como resultado, las utilidades de la empresa y el precio de las acciones se han incrementado. ¿Cómo ha logrado Chrysler esta transformación? La alta gerencia de la compañía atribuye el éxito a su nueva estructura de grupo por productos que utiliza equipos interdisciplinarios de producción.

Al igual que otras compañías automotrices estadounidenses, Chrysler solía tener un enfoque funcional para el diseño y producción de sus automóviles. En un enfoque funcional, la responsabilidad del diseño de un nuevo modelo se asignaba a diversos departamentos de diseño, cada uno de los cuales era responsable del diseño de una pieza, como el motor o el chasis. Los gerentes pertenecientes al nivel superior de la jerarquía tenían la responsabilidad de coordinar las actividades de los diversos departamentos de diseño con el fin de asegurar que las piezas fueran compatibles entre sí. De igual manera, respondían por la coordinación de ac-

tividades de apoyo a las funciones, como compras, marketing y contabilidad, con el proceso de diseño a medida que necesitaban sus contribuciones. Cuando el proceso de diseño terminaba, el nuevo automóvil pasaba al departamento de fabricación, el cual decidía cómo producirlo mejor.

El enfoque funcional de Chrysler dilataba el proceso de desarrollo de producto y hacía difícil y lenta la comunicación interdisciplinaria. Cada función seguía sus actividades en forma separada con relación a las demás, y se delegaba a la alta gerencia proveer la integración necesaria para coordinar las actividades de las funciones. Como resultado, la empresa empleaba un promedio de cinco años para lanzar un nuevo automóvil al mercado, cifra muy inferior a la de los japoneses, quienes necesitaban de dos a tres años. La estructura de Chrysler aumentaba sus costos, retrasaba la innovación y hacía que la compañía respondiera menos a las necesidades de sus clientes. Los altos gerentes comenzaron a buscar una nueva forma de organización para sus actividades de creación de valor con el fin de darle un vuelco a la compañía. A fin de comenzar este proceso, la alta gerencia observó la forma como estaban organizadas las compañías japonesas, y particularmente la manera como Honda Motor Co. estructuró sus actividades de creación de valor. Chrysler envió 14 de sus gerentes a estudiar el sistema de Honda y presentar un informe sobre su operación[1].

Honda fue pionera del concepto "Estilo Honda" para organizar sus actividades. Creó pequeños equipos, que incluían miembros de diversas funciones, y les dio la responsabilidad y autoridad para manejar un proyecto desde su fase de concepción, pasando por todas las actividades de diseño, hasta la fabricación final y venta. Honda halló que cuando utilizaba estos equipos interdisciplinarios, el tiempo de desarrollo del producto se reducía en forma considerable debido a que la comunicación y coordinación funcionales eran mucho más fáciles mediante equipos. Además, los costos de diseño eran mucho menores cuando las diferentes funciones trabajaban unidas para resolver los problemas a medida que se presentaban puesto que la necesidad de cambiar un diseño posteriormente (por ejemplo, adicionar un segundo freno de aire) podría costar millones de dólares. De igual manera, halló que su política de descentralizar la autoridad hacia el equipo mantenía a la organización flexible, innovadora y capaz de sacar ventajas de las emergentes oportunidades técnicas.

Chrysler decidió imitar la estructura de Honda y aprovechó la oportunidad de hacerlo cuando optó por construir un costoso automóvil de lujo llamado Viper. Con el propósito de manejar el desarrollo de su nuevo modelo, la firma creó un equipo interdisciplinario de producción conformado por 85 personas[2]. Ubicó el equipo en el inmenso y nuevo Centro de investigación y desarrollo que había construido en Auburn Hills, Michigan, y le proporcionó la autoridad y responsabilidad de lanzar el automóvil al mercado. El resultado fue sorprendente. En un año la alta gerencia pudo ver que el equipo había logrado lo que antes le tomaba tres años bajo el viejo sistema de Chrysler. En efecto, el equipo lanzó este vehículo al mercado en sólo 36 meses a un costo de desarrollo de US$75 millones, resultados favorablemente comparados con los obtenidos por las compañías japonesas.

Con este éxito de su parte, la alta gerencia se dedicó a reestructurar toda la compañía con base en el concepto de grupo por productos. La alta gerencia dividió el personal de las funciones y les asignó el trabajo en equipos por productos encargados del desarrollo de nuevos automóviles, como los diseños de cabina. La cantidad de niveles en la jerarquía de Chrysler disminuyó debido a que la autoridad se descentralizó hacia los gerentes de los equipos por producto, quienes eran responsables de todos los aspectos del desarrollo de los nuevos vehículos. En lugar de integrar las actividades de las distintas funciones, los altos gerentes podrían concentrarse en distribuir recursos entre los proyectos, decidir el desarrollo de productos futuros y motivar a los equipos a mejorar sus esfuerzos continuamente. Como se anotó antes, los esfuerzos de Chrysler proporcionaron la retribución de una caída sustancial en costos y un incremento en la calidad y capacidad de satisfacer al cliente. El precio de sus acciones se duplicó en 1993 a medida que los clientes se apresuraban a comprar sus automóviles.

Preguntas y temas de análisis

1. ¿Por qué estaba en problemas el enfoque funcional de Chrysler para el desarrollo de nuevos automóviles?
2. ¿Cuáles son las ventajas de la nueva estructura de equipos por productos de Chrysler?

11.2   VISIÓN GENERAL

Como lo sugiere la historia del vuelco total de Chrysler, en este capítulo se estudiará cómo una compañía debe organizar sus actividades para crear el mayor valor. En el capítulo 1, se definió la implementación de la estrategia como la manera mediante la cual una compañía crea las disposiciones organizacionales que le permiten seguir su estrategia en forma más efectiva. La estrategia se implementa a través del diseño organizacional. El **diseño organizacional** involucra seleccionar la combinación de estructura organizacional y sistemas de control que permiten que una firma siga su estrategia en forma más efectiva (esto le permite *crear y sostener una ventaja competitiva*).

El rol principal de la estructura y el control organizacionales es doble: (1) *coordinar* las actividades de los empleados de manera que trabajen juntos para implementar en forma más efectiva una estrategia que incremente la ventaja competitiva, y (2) *motivar* a los empleados y proporcionarles los incentivos para lograr estratos superiores en eficiencia, calidad, innovación o capacidad de satisfacer al cliente. Por ejemplo, la estrategia de Chrysler consistió en incrementar la eficiencia y calidad al implementar un proceso de desarrollo de nuevos productos. Esta estrategia exigió a los gerentes adoptar una estructura que permitiera incrementar la coordinación interdisciplinaria, de tal modo que las personas en diferentes funciones como fabricación, administración de materiales e investigación y desarrollo pudieran aprender nuevas formas de cooperación con el fin de reducir los costos o mejorar la calidad. Por ejemplo, la función de fabricación tuvo que adaptarse a un sistema de inventario *justo a tiempo* para reducir los costos de inventario, y la de I&D tuvo que aprender a trabajar con fabricación para diseñar nuevos productos que se pudieran generar en forma confiable y económica. Sin embargo, la alta gerencia debió proporcionar los incentivos para que los empleados aprendieran nuevos métodos de trabajo. Los empleados de fabricación recibieron bonos por aprender a laborar bajo las incrementadas presiones que el sistema de inventario *justo a tiempo* impone al proceso de producción; y los ingenieros fueron retribuidos con promociones y bonos por lograr diseños de productos innovadores.

La estructura y el control organizacionales configuran la forma como las personas se comportan y determina cómo actuarán en el escenario organizacional. Si un nuevo CEO desea saber por qué emplean tanto tiempo las personas para tomar decisiones en una compañía, o la razón por la cual no hay cooperación entre el departamento de ventas y de fabricación, o por qué son escasas las innovaciones de productos, necesita observar el diseño del sistema de estructura y control organizacionales y analizar cómo coordina y motiva el comportamiento de los empleados. Un estudio de la manera como funcionan la estructura y el control posibilita cambiarlos con el fin de mejorar la coordinación y motivación. El buen diseño organizacional permite que una empresa mejore su habilidad para crear valor y obtener ventaja competitiva.

En este capítulo se examinarán las estructuras organizacionales disponibles para que los gerentes estratégicos coordinen y motiven a los empleados. En el capítulo 12 se analizarán los sistemas de control estratégico que utilizan los gerentes junto con sus estructuras organizacionales para aplicar monitoreo y retribuir el desempeño a nivel corporativo, divisional y funcional. Luego, el capítulo 13 establecerá las formas mediante las cuales las diferentes opciones estratégicas llevan al uso de diversos tipos de estructura y sistemas de control. Después de leer esta parte, el lector podrá escoger el diseño organizacional apropiado para implementar la estrategia de una compañía. Comprenderá los principios que fundamentan el rediseño del sistema de estructura y control organizacionales en Chrysler.

11.3 EL ROL DE LA ESTRUCTURA ORGANIZACIONAL

Después de formular la estrategia de una compañía, la gerencia debe hacer de la estructura de diseño organizacional su siguiente prioridad, ya que la estrategia se implementa a través de la estructura organizacional. Las actividades de creación de valor del personal de la organización son poco significativas a menos que se utilice cierto tipo de estructura para asignar los empleados a las tareas y vincular las actividades de distintas personas o funciones[3]. Como se analizó en el capítulo 4, cada función organizacional requiere desarrollar una habilidad distintiva en una actividad de creación de valor con el fin de incrementar la eficiencia, calidad, innovación o capacidad de satisfacer al cliente. Por tanto, cada función necesita una estructura diseñada para permitirle desarrollar sus capacidades y ser más especializada y productiva. Sin embargo, como las funciones se especializan cada vez más, a menudo comienzan a seguir sus propias metas en forma exclusiva y se olvidan de la necesidad de comunicarse y coordinarse con otras funciones. Por ejemplo, las metas de I&D se concentran en la innovación y diseño de productos, en tanto que los propósitos de fabricación con frecuencia giran en torno al incremento de la eficiencia. Al aislarlas, las funciones tienen poco para comunicarse, y las oportunidades de creación de valor se pierden.

El rol de la estructura organizacional consiste en suministrar el medio por el cual los gerentes puedan coordinar las actividades de las diversas funciones o divisiones para explotar en forma completa sus capacidades y habilidades. Por ejemplo, para seguir una estrategia de liderazgo en costos, una compañía debe diseñar una estructura que facilite estrecha coordinación entre las actividades de fabricación e I&D para asegurar que los productos innovadores puedan fabricarse en forma confiable y efectiva en costos. Con el propósito de lograr beneficios a partir de la sinergia entre las divisiones, los gerentes deben diseñar mecanismos que les permitan comunicarse y compartir sus habilidades y conocimiento. Al utilizar una estrategia global o multidoméstica, deben crear el correcto tipo de estructura organizacional para manejar el flujo de recursos y capacidades entre las divisiones domésticas y extranjeras. En el capítulo 13 se examinará en detalle cómo los gerentes adecúan sus estrategias a los diversos tipos y sistemas de estructura y control. Ahora la meta consiste en estudiar los bloques básicos de formación de la estructura organizacional con el fin de entender cómo configura el comportamiento de las personas y de las funciones.

Formación de bloques de estructura organizacional

Los bloques básicos de formación de la estructura organizacional son la diferenciación y la integración. La **diferenciación** es la forma como una compañía asigna el personal y los recursos a las tareas organizacionales con el fin de crear valor[4]. Generalmente, cuanto mayor sea la cantidad de funciones o divisiones distintas en una organización y cuanto más capacitadas y especializadas sean estas áreas, mayor será el nivel de diferenciación. Por ejemplo, una compañía como General Motors, con más de 300 divisiones distintas y un sinnúmero de diversos departamentos de ventas, investigación y desarrollo y diseño tiene un nivel de diferenciación mayor que el de una empresa manufacturera o un restaurante local. Al decidir cómo diferenciar la organización con el fin de crear valor, la gerencia enfrenta dos alternativas.

En primer lugar, debe escoger cómo distribuir la *autoridad para la toma de decisiones* en la organización para controlar mejor las actividades de creación de valor; éstas constituyen alternativas de **diferenciación vertical**[5]. Por ejemplo, la alta gerencia debe decidir cuánta autoridad delega a los gerentes a nivel de división o de función. En segundo lugar, debe escoger cómo distribuir las personas y tareas a las funciones y divisiones para incrementar su habilidad de crear valor; éstas constituyen alternativas de **diferenciación horizontal**. Por ejemplo, ¿deben existir departamentos de ventas y de marketing por separado o deben combinarse? o ¿cuál es la mejor forma de distribuir el personal de ventas para maximizar su capacidad de atender las necesidades de los clientes, por tipo de cliente o por región donde estén localizados?

La **integración** es el medio por el cual una compañía busca coordinar las personas y las funciones con el fin de cumplir las tareas organizacionales[6]. Como ya se anotó, cuando se originan distintas funciones de creación de valor por separado, tienden a seguir sus propias metas y objetivos. Una empresa debe crear una estructura organizacional que posibilite a las diferentes funciones y divisiones coordinar sus actividades para seguir una estrategia en forma efectiva. De igual manera, una organización utiliza mecanismos integradores, al igual que los diversos tipos de sistemas de control analizados en el próximo capítulo, para promover la coordinación entre las funciones y divisiones. Por ejemplo, en el caso de Chrysler, con el propósito de acelerar la innovación y el desarrollo de productos, la compañía estableció equipos interdisciplinarios de tal manera que los empleados de las diversas funciones pueden trabajar unidos para intercambiar información e ideas. En forma similar, al establecer normas, valores y una cultura común organizacional que apoye la innovación se promueve la integración.

En resumen, la diferenciación se refiere a la forma como una compañía se divide en partes - funciones y divisiones- y la integración se refiere a la manera como se combinan las partes. Unidos, los dos procesos determinan cómo operará una estructura organizacional y en qué medida podrán los gerentes exitosamente crear valor a través de sus estrategias seleccionadas.

Diferenciación, integración y costos burocráticos

Implementar una estructura para coordinar y motivar las actividades de trabajo es muy costoso. Los costos de operar un sistema de estructura y control organizacionales se llaman **costos burocráticos**. Cuanto más compleja sea la estructura (es decir, cuanto mayor sea el nivel de diferenciación e integración), mayores serán los costos burocráticos de manejarla. Por ejemplo, cuanto más diferenciada sea la compañía, habrá gerentes desempeñando funciones especializadas y mayores serán los recursos que cada uno necesite para desempeñar su labor en forma efectiva. Los gerentes son costosos y cuantos más emplee una compañía mayores serán sus costos burocráticos. En forma similar, cuanto más integrada sea la compañía, mayor tiempo administrativo se empleará en reuniones directas para coordinar las actividades de trabajo. El tiempo administrativo también cuesta dinero y, por tanto, cuanto mayor sea el nivel de integración, más costoso será manejar la estructura. Una gran compañía, como IBM o GM, gasta miles de millones de dólares cada año para operar sus estructuras: pago para sus gerentes y empleados y suministro de recursos (oficinas, computadores, equipos, laboratorios y otros) necesarios para crear valor.

Los altos costos burocráticos asociados a la implementación de la estrategia reducen las utilidades de una compañía, tanto o más rápido que la formulación de una estrategia deficiente y, por consiguiente, causan impacto directo en el desempeño organizacional de la línea inferior. Por esta razón es tan importante un buen diseño organizacional. Del capítulo 4 recuérdese que la utilidad es la diferencia entre los ingresos y los costos. Los costos burocráticos constituyen un gran componente del lado de costos de la ecuación. Así, un diseño organizacional deficiente (por ejemplo, uno con demasiados niveles jerárquicos o un modelo de relaciones laborales mal concebido) genera altos costos y puede reducir en forma directa las utilidades. En contraste, un buen diseño organizacional, que ahorra costos burocráticos, puede proporcionar a una compañía una ventaja de bajo costo que incrementa las utilidades.

El diseño organizacional también afecta el lado de ingresos de la ecuación. Si los gerentes estratégicos escogen la estructura correcta para coordinar las actividades de creación de valor, incrementan la habilidad de la compañía para crear valor, determinar un precio superior y así incrementar los ingresos. La nueva estructura de Chrysler incrementó su habilidad para crear valor, al igual que redujo sus costos. Por consiguiente, el buen diseño afecta los dos lados de ingresos y costos, en la ecuación de utilidades, como se ilustra en la figura 11.1. Por esta razón la implementación de la estrategia representa un tema esencial. En el actual ambiente competitivo, cada vez más compañías

Figura 11.1
Cómo incrementa la
rentabilidad el diseño
organizacional

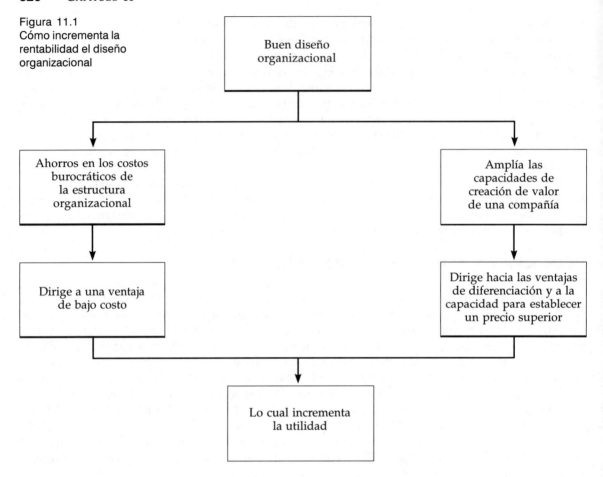

reestructuran o aplican reingeniería a sus organizaciones con el fin de mejorar el desempeño de la línea inferior mediante un buen diseño organizacional. En consecuencia, es necesario entender los principios que fundamentan el diseño organizacional. Se comenzará por analizar la diferenciación.

11.4 DIFERENCIACIÓN VERTICAL

El propósito de la diferenciación vertical consiste en especificar las relaciones de reporte que vinculan a las personas, actividades y funciones en todos los niveles de una compañía. Fundamentalmente, esto significa que la gerencia escoge la cantidad apropiada de niveles jerárquicos y la correcta área de control para implementar en forma más efectiva la estrategia de una empresa. La jerarquía organizacional establece la estructura de autoridad de arriba hacia abajo en la organización. El **área de control** se define como la cantidad de subordinados que maneja directamente un gerente[7]. La selección básica consiste en tender hacia una **estructura plana**, con pocos niveles jerárquicos y por tanto un área de control relativamente amplia, o una **estructura alta**, con muchos niveles y por consiguiente un área de control relativamente estrecha (figura 11.2). Las estructuras altas tienen varios niveles jerárquicos con relación al tamaño; las estructuras planas tienen pocos niveles con rela-

Figura 11.2
Estructuras alta y plana

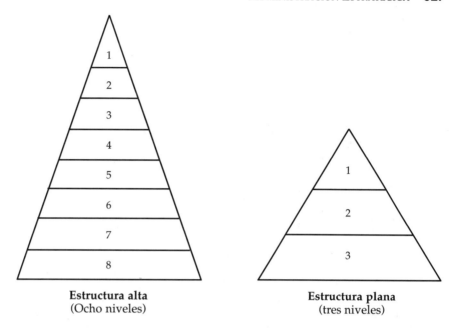

Estructura alta
(Ocho niveles)

Estructura plana
(tres niveles)

ción al tamaño[8]. Por ejemplo, investigación sugiere que la cantidad promedio de niveles jerárquicos para una compañía con 3,000 empleados es de siete. Por consiguiente, una organización que posee nueve niveles se llamaría alta, en tanto que una con cuatro estratos se llamaría plana. Por ejemplo, Liz Claiborne con 4,000 empleados y cuatro niveles jerárquicos tiene una estructura relativamente plana. Por otro lado, antes de la reorganización, Westinghouse, con sus diez niveles jerárquicos tenía una estructura relativamente alta. Ahora cuenta con siete niveles, el promedio para una organización grande.

Las compañías escogen la cantidad de niveles que necesitan con base en su estrategia y las actividades funcionales necesarias para lograrla[9]. Por ejemplo, las empresas de alta tecnología a menudo siguen una estrategia de diferenciación fundamentada en el servicio y la calidad. En consecuencia, estas compañías usualmente son planas, pues proporcionan a los empleados amplio arbitrio para satisfacer las exigencias de los clientes sin tener que dirigirse constantemente a los supervisores[10]. (Este tema se analizará en profundidad en el capítulo 12). El punto crucial es que la asignación de autoridad y responsabilidad en la organización debe ajustarse a las necesidades de la estrategia a nivel corporativo, de negocios y funcional.

Problemas con las jerarquías altas

A medida que crece y se diversifica una compañía, se incrementa la cantidad de niveles en su jerarquía de autoridad que le permiten aplicar monitoreo y coordinar las actividades de los empleados en forma eficiente. La investigación muestra que la cantidad de niveles jerárquicos relacionada con el tamaño de la compañía es pronosticable a medida que se incrementa la magnitud[11] (figura 11.3).

Las compañías con aproximadamente 1,000 empleados por lo general poseen cuatro niveles en la jerarquía: CEO, vicepresidentes departamentales, supervisores de primera línea y empleados de planta. Con 3,000 empleados incrementan su nivel de diferenciación vertical al aumentar la cantidad de niveles a ocho. Sin embargo, con más de 3,000 empleados sucede algo interesante. Aunque

Figura 11.3
Relación entre el tamaño de
la compañía y la cantidad de
niveles jerárquicos

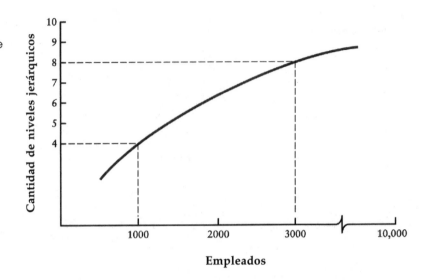

las compañías incrementan el número de empleados a 10,000 o más, la cantidad de niveles jerárquicos rara vez es superior a nueve o diez. A medida que crece una organización, los gerentes aparentemente tratan de limitar la cantidad de niveles jerárquicos.

Los gerentes tratan de mantener la organización tan plana como sea posible y siguen lo que se conoce como el **principio de la cadena mínima de mando**, el cual establece que una organización debe escoger una jerarquía con la mínima cantidad de niveles de autoridad necesarios para lograr su estrategia. Los gerentes tratan de mantener la jerarquía tan plana como sea posible debido a que cuando las compañías se hacen muy altas surgen problemas, y esto dificulta más la implementación de la estrategia e incrementa el nivel de costos burocráticos[12]. En la figura 11.4 se ilustran varios factores que incrementan los costos burocráticos, los cuales se analizarán más adelante.

Problemas de coordinación La existencia de excesivos niveles jerárquicos impide la comunicación y coordinación entre los empleados y las funciones e incrementa los costos burocráticos. La comunicación entre las partes superior e inferior de la jerarquía es más demorada a medida que se prolonga la cadena de mando. Esto genera inflexibilidad y se pierde tiempo valioso en el lanzamiento de un nuevo producto al mercado o en ir al ritmo de los desarrollos tecnológicos[13]. Para Federal Express, la comunicación y la coordinación son fundamentales en su negocio; por consiguiente, con el fin de evitar problemas de comunicación, la compañía permite máximo cinco estratos administrativos entre el empleado y el CEO[14]. Por otro lado, Procter & Gamble tenía una jerarquía alta. La compañía necesitaba por lo menos dos veces el tiempo que empleaban sus competidores para introducir nuevos productos, hasta que comenzó a modernizar su estructura y a reducir su cantidad de niveles jerárquicos para mejorar la coordinación y disminuir los costos[15]. Otras firmas también han tomado medidas para hacer más planas sus estructuras con el fin de acelerar la comunicación y la toma de decisiones. La estrategia en acción 11.1 describe los cambios realizados en General Electric y Alcoa.

Distorsión de la información Más sutiles pero igualmente importantes son los problemas de distorsión de la información que acompañan su transmisión en los niveles superiores e inferiores de la jerarquía. Descendiendo en la jerarquía, los gerentes de los diferentes niveles (por ejemplo, geren-

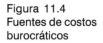

Figura 11.4
Fuentes de costos
burocráticos

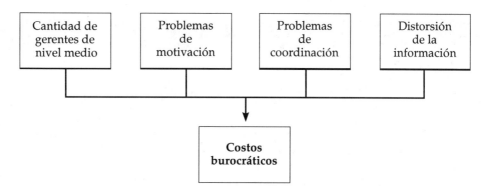

tes de división o corporativos) pueden malinterpretar la información, bien sea por la mutilación accidental de mensajes o en forma intencional, para ajustarlos a sus propios intereses. En cada caso, la información de la alta gerencia puede no llegar intacta a su destino. Por ejemplo, una solicitud de compartir el conocimiento entre las divisiones con el fin de obtener beneficios de la sinergia puede pasarse por alto o ignorarse por parte de los gerentes de división quienes lo perciben como una amenaza para su autonomía y poder. Esta actitud entre los gerentes fue uno de los problemas que llevaron a Lee Iacocca a reorganizar a Chrysler de tal manera que las disposiciones para la reducción de costos se pudieran coordinar a través de las divisiones.

La información transmitida hacia arriba en la jerarquía también se puede distorsionar. Los subordinados pueden transmitir a sus superiores sólo la información que mejora su propia permanencia en la organización. Cuanto mayor sea la cantidad de niveles jerárquicos, mayor alcance tendrán los subordinados para distorsionar los hechos, de tal modo que aumentarán los costos burocráticos de manejar la jerarquía. En forma similar, los costos burocráticos se incrementarán si los gerentes comienzan a competir entre sí. Además, cuando estén libres de la estrecha supervisión corporativa, pueden guardar información para promover sus propios intereses a expensas de los de la organización. Esta situación también reduce la coordinación.

Problemas de motivación   Una proliferación de niveles reduce el alcance de la autoridad administrativa. A medida que aumenta el número de niveles en la jerarquía, disminuye la autoridad de los gerentes en cada nivel jerárquico. Por ejemplo, considérese la situación de dos organizaciones de igual tamaño, una de las cuales posee tres niveles en la jerarquía y la otra siete. Los gerentes en la estructura plana tienen mucha más autoridad, y la mayor autoridad incrementa su motivación para desempeñarse en forma efectiva y asumir la responsabilidad del rendimiento de la organización. Además, cuando existen pocos gerentes, su desempeño es más visible y, por tanto, pueden esperar mayores compensaciones cuando el negocio funciona bien. En contraste, en las organizaciones altas, la habilidad de los gerentes para ejercer autoridad se encuentra limitada, y sus decisiones constantemente son sopesadas por sus superiores. Como resultado, los gerentes tienden a delegar la responsabilidad a otros y se niegan a asumir los riesgos, a menudo necesarios, cuando siguen nuevas estrategias. Esto incrementa los costos burocráticos de manejar la organización debido a que se emplea más tiempo administrativo coordinando las actividades de trabajo. Por consiguiente, la forma de la estructura de la organización afecta fuertemente la motivación de su personal y la manera como implementa la estrategia[16].

Cantidad de gerentes de nivel medio   Otra desventaja de las estructuras altas consiste en que muchos niveles jerárquicos implican la participación de muchos gerentes de nivel medio, y emplear-

Cómo hacer más plana una estructura

Las jerarquías altas causan problemas tan severos de coordinación y comunicaciones que muchas compañías se han esforzado por reducir sus jerarquías. En General Electric, el CEO Jack Welch ha hecho más plana la jerarquía, de nueve niveles a cuatro, con el fin de acercarse más a sus gerentes de división y reducir el tiempo empleado para tomar decisiones. En forma similar, en Alcoa, la planeación y toma de decisiones a nivel de división era examinada cuidadosamente por cinco niveles de la administración corporativa antes de que a los gerentes de división se les permitiera seguir con sus planes. El presidente de la junta directiva de Alcoa, Paul O'Neill, eliminó estos estratos de tal manera que los gerentes de división pudieran rendirle informe directamente a él. En ambas compañías, estos cambios han acercado la alta gerencia a los clientes y han suministrado a los gerentes de división la autonomía para innovar y atender las necesidades de los clientes. Además, al hacer más plana la jerarquía, estas firmas han ahorrado miles de millones de dólares en salarios administrativos y han reducido en forma significativa los costos burocráticos. Hacer más planas sus estructuras evidentemente les ha dado resultado.

los es costoso. Como se anotó anteriormente, los salarios, prestaciones, oficinas y secretarias administrativas constituyen un gran gasto para una organización e involucran altos costos burocráticos. Si el promedio de gerentes de nivel medio cuesta a una compañía un total de US$200,000 anuales, entonces emplear un superávit de 100 gerentes costará US$20 millones al año. Las compañías petroleras estadounidenses reconocieron este hecho cuando los precios del petróleo cayeron en 1986, y recientemente muchas firmas como IBM, Compaq y Procter & Gamble han comenzado a reducir sus jerarquías, eliminando miles de gerentes. Cuando estas empresas obtenían miles de millones de dólares en utilidades, tenían pocos incentivos para controlar el número de niveles en la jerarquía y la cantidad de gerentes. Sin embargo, una vez conscientizadas de los costos de emplear estos gerentes, las compañías se deshicieron sin miramientos de la jerarquía, reduciendo la cantidad de niveles y, por consiguiente, de gerentes, para disminuir los costos burocráticos y restaurar la rentabilidad.

En otro ejemplo, cuando las compañías crecen y obtienen éxito, a menudo contratan personal y crean nuevos cargos sin tener en cuenta el efecto de estas medidas en la jerarquía organizacional. Más tarde, cuando los gerentes revisan la estructura, es muy común ver la cantidad de niveles reducidos debido a las desventajas analizadas. La desregulación, también, incentiva una reducción en los niveles y de personal. En un ambiente desregulado, las compañías deben responder a la incrementada competencia. Después de la desregulación, AT&T, al igual que varias compañías de transporte aéreo, redujeron los costos y simplificaron sus estructuras, de tal manera que pudieron responder en forma más rápida a las oportunidades y amenazas generadas por la incrementada rivalidad. Por ejemplo, Delta Air Lines anunció en 1993 que despediría más de 600 pilotos, o sea el 7% de su fuerza laboral, y retiraría 15 jets para obtener un ahorro anual superior a los US$100 millones.

En resumen, surgen muchos problemas cuando las compañías se hacen muy altas y la cadena de mando se prolonga demasiado. Los gerentes estratégicos tienden a perder control sobre la jerarquía, lo cual significa perder control sobre sus estrategias. El desastre muchas veces sigue en una disminución de alta estructura organizacional, en vez de promover, hace que la motivación y la coordinación entre los empleados y sus funciones se convierta en un costo burocrático ascendente. Sin embargo, una forma de superar parcialmente tales problemas, y disminuir los costos burocráticos, consiste en descentralizar la autoridad; es decir, conferir autoridad a los niveles inferiores de la jerarquía, tanto como a los superiores. Debido a que es una de las más importantes decisiones en la implementación para una compañía, más adelante se analizará en detalle.

¿Centralización o descentralización?

La autoridad se considera centralizada cuando los gerentes en los niveles superiores de la jerarquía organizacional la retienen para tomar las decisiones más importantes. Cuando la autoridad es descentralizada, se delega a las divisiones, departamentos funcionales y gerentes en los niveles inferiores de la organización. Al delegarla en esta forma, la gerencia puede ahorrar costos burocráticos y evitar problemas de comunicación y coordinación debido a que la información no tiene que enviarse en forma constante al nivel superior de la organización para que se tomen las decisiones.

En primer lugar, cuando los gerentes estratégicos delegan la responsabilidad de toma de decisiones operativas a los gerentes de nivel medio, esto reduce la sobrecarga de información y los gerentes estratégicos pueden emplear más tiempo en la toma de decisiones estratégicas. En consecuencia, pueden tomar decisiones más efectivas y ahorrar en su tiempo, lo cual reduce los costos burocráticos. En segunda instancia, cuando los gerentes en los estratos inferiores de la organización se responsabilizan de adaptar la organización para que se ajuste a las condiciones locales, aumenta su motivación y responsabilidad. El resultado consiste en que la descentralización promueve la flexibilidad organizacional y reduce los costos burocráticos debido a que los gerentes de nivel inferior están autorizados para tomar decisiones sobre la marcha. Como lo ha demostrado AT&T, esto puede constituir una enorme ventaja para la estrategia de negocios. AT&T posee una estructura alta, pero es bien conocida por el grado de autoridad que delega a los niveles inferiores. El personal operativo puede responder en forma rápida a las necesidades del cliente y así asegurar un nivel superior de servicio, importante fuente de ventaja competitiva de la compañía. De igual manera, con el fin de revitalizar su estrategia de productos, Westinghouse ha descentralizado en forma masiva sus operaciones para dar a las divisiones mayor autonomía y motivarlas a asumir riesgos y responder rápidamente a las necesidades de los clientes[17]. La tercera ventaja de la descentralización consiste en que cuando los empleados de nivel inferior asumen el derecho de tomar decisiones importantes, necesitan pocos gerentes que supervigilen sus actividades y les den instrucciones. La existencia de pocos gerentes significa menores costos burocráticos.

Si la descentralización es tan efectiva, ¿por qué no todas las compañías descentralizan la toma de decisiones y evitan los problemas de las jerarquías altas? La respuesta es que la centralización también tiene sus ventajas. La toma de decisiones centralizada facilita más la coordinación de las actividades organizacionales necesarias para seguir la estrategia de una compañía. Si los gerentes en todos los niveles pueden tomar sus propias decisiones, la planeación se hace extremadamente difícil, y la empresa puede perder el control de su toma de decisiones. La centralización también significa que las decisiones se ajusten a los grandes objetivos de la organización. Por ejemplo, cuando Merrill Lynch & Co. percibió que las operaciones de sus sucursales se salían de sus manos, incrementó la centralización al instalar más sistemas de información que proporcionaran a los gerentes corporativos mayor control sobre las actividades de las sucursales. En forma similar, Hewlett-Packard centralizó la responsabilidad de investigación y desarrollo a nivel corporativo con el fin de proveer una estrategia corporativa más direccionada. Además, en épocas de crisis, la centralización de la autoridad permite un fuerte liderazgo ya que ésta se concentra en una persona o grupo. Este enfoque permite una veloz toma de decisiones y una respuesta concertada de toda la organización.

Quizá Iacocca personifica el significado de la centralización en épocas de crisis. Él proporcionó el control centralizado y la visión necesaria para que los gerentes de Chrysler respondieran en forma creativa a los problemas de su compañía y se desplazaran hacia la estructura de equipo por productos, la cual les ha ayudado a restaurar su rentabilidad. Por otro lado, la experiencia de Honda con la recentralización de la autoridad, analizada en la estrategia en acción 11.2, hace la advertencia acerca de ir demasiado lejos con esta estrategia.

Resumen: diferenciación vertical

Manejar la relación estrategia-estructura cuando la cantidad de niveles jerárquicos se hace bastante grande es difícil y costoso. Dependiendo de la situación de una compañía, los costos burocráticos de las jerarquías altas se pueden reducir mediante la descentralización. Sin embargo, a medida que se incrementa el tamaño de la compañía, la descentralización puede hacerse menos efectiva. Entonces, ¿cómo, a medida que las firmas crecen y se diversifican, pueden ahorrar en costos burocráticos sin convertirse en organizaciones demasiado altas o descentralizadas? ¿Cómo puede una firma como Exxon controlar 300,000 empleados sin ser demasiado burocrática e inflexible? Deben existir formas alternativas de establecer disposiciones organizacionales para lograr los objetivos corporativos. La primera de estas formas consiste en escoger la manera apropiada de diferenciación horizontal: decidir cómo agrupar mejor las actividades y tareas organizacionales con el fin de crear valor.

11.5   DIFERENCIACIÓN HORIZONTAL

Mientras la diferenciación vertical se ocupa de la división de autoridad, la diferenciación horizontal se concentra en la división y agrupación de tareas para lograr los objetivos de los negocios[18]. Debido a que en un alto grado, las tareas de una organización están en función de su estrategia, la perspectiva predominante es que las compañías escogen una forma de diferenciación estructural u horizontal para ajustar su estrategia organizacional. Quizá la primera persona en plantear este problema formalmente fue el historiador de negocios de Harvard Alfred D. Chandler[19]. Después de estudiar los problemas organizacionales experimentados en grandes corporaciones estadounidenses como Du Pont y General Motors a medida que crecieron y se diversificaron en las primeras décadas de este siglo, Chandler llegó a dos conclusiones: (1) que en principio la estructura organizacional sigue a la estrategia de crecimiento de una compañía, o, en otras palabras, el rango y variedad de tareas que escoge seguir; y (2) que las empresas norteamericanas pasan por etapas de cambios estratégicos y estructurales a medida que crecen y se diversifican. En otras palabras, la estructura de una compañía cambia a medida que su estrategia se transforma en una forma pronosticable[21]. En esta sección se analizarán los tipos de estructura que adoptan las compañías.

Estructura simple

La estructura simple normalmente la utiliza la compañía pequeña y empresarial, involucrada en generar uno o pocos productos relacionados para un segmento específico del mercado. Con frecuencia, en esta situación una persona, el empresario, asume la mayor parte de las tareas administrativas. No existen disposiciones formales de la organización, y la diferenciación horizontal es baja debido a que los empleados desempeñan múltiples deberes. Un ejemplo clásico de esta estructura lo constituye Apple Computer en su primera etapa, como un negocio entre dos personas. Steven Jobs y Steven Wozniak trabajaron juntos en un garaje para desarrollar todas las tareas necesarias con el propósito

El cambio de estructura de Honda

En 1992, Honda Motor Co., como muchas otras empresas japonesas, se halló frente a una incrementada competencia en un mercado global en depresión. Advirtió que su estrategia de depender de la innovación de productos para incrementar su crecimiento en las ventas le había conducido a despreciar el lado de costo y eficiencia de la ecuación. Como resultado, sus márgenes de utilidad se erosionaban. Bajo su fundador, Shoichiro Honda, la compañía había sido pionera del concepto "Estilo Honda", fundamentado en un enfoque de consenso, descentralizado y participativo hacia la gerencia (*véase* caso inicial). En Honda, los equipos dirigían el proceso de toma de decisiones, y la autoridad estaba descentralizada a través de la organización.

Sin embargo, el nuevo presidente de la compañía, Nobuhiko Kawamoto, concluyó que este proceso había ido demasiado lejos. Decidió recentralizar la autoridad con el fin de proveer el control y la dirección necesarios que redujeran radicalmente los costos e incrementaran la eficiencia. Comenzó a proporcionar a los altos gerentes cada vez mayor autoridad para manejar la estrategia de toda la corporación, y los responsabilizó de supervigilar la estrategia global y doméstica de la compañía. El efecto de este movimiento fue inesperado. Muchos de sus altos ejecutivos hallaron físicamente imposible asumir la responsabilidad extra que requería esta nueva política de centralización. Un ejecutivo clave, Shoichiro Irimajiri, a quien se le asignó la responsabilidad de supervigilar las operaciones globales de I&D y fabricación, fue forzado a renunciar en forma abrupta después de que sus médicos le dijeron que esta carga de trabajo extra le generaría el riesgo de un ataque al corazón. Como comentó Kawamoto, posiblemente le había asignado al señor Irimajiri demasiada responsabilidad[20].

Debido a que la nueva política de centralización no funcionaba, Kawamoto tuvo que hallar una nueva solución para el problema de centralización-descentralización. Decidió delegar de nuevo mayor autoridad a los estratos inferiores de la jerarquía sobre una base global. Los gerentes de las divisiones norteamericana, europea y japonesa de Honda asumirían la responsabilidad de manejar la estrategia de sus divisiones. El rol de los ejecutivos corporativos sería suministrar coordinación entre las divisiones y facilitar el compartir habilidades y recursos para reducir costos. En esta forma, Honda espera encontrar un nuevo equilibrio entre la centralización y descentralización, de tal modo que pueda seguir siendo innovativa y responder a las necesidades de los clientes con el fin de estimular el crecimiento en las ventas, y al mismo tiempo ser más eficiente en la reducción de costos. La compañía ha vuelto al "Estilo Honda" del cual fue pionera.

de comercializar su computador personal: compraron las piezas, ensamblaron las primeras máquinas y las distribuyeron a los clientes. Sin embargo, el éxito de su producto hizo obsoleta esta simple estructura casi tan pronto como se adoptó. Para crecer y desempeñar todas las tareas requeridas por una compañía en proceso rápido de expansión, Apple necesitó una forma más compleja de diferenciación horizontal. Necesitó invertir recursos en la creación de una infraestructura que desarrollara y ampliara sus habilidades distintivas. Aunque desarrollar una estructura más compleja genera costos burocráticos, se acepta siempre y cuando la estructura incremente la cantidad de valor que pueda crear la compañía.

Estructura funcional

A medida que crecen las compañías, suceden dos cosas. En primer lugar, se amplía la variedad de tareas por desempeñar. Por ejemplo, de repente evidencia la necesidad de contratar los servicios de un contador profesional, un gerente de producción o un experto en marketing con el fin de controlar las tareas especializadas. En segundo lugar, ninguna persona puede desempeñar en forma exitosa más de una tarea organizacional sin sobrecargarse. Por ejemplo, el empresario ya no puede fabricar y vender el producto en forma simultánea. Entonces, surge el problema de qué grupos de actividades, o cuál forma de diferenciación horizontal, pueden manejar de manera más eficiente las necesidades de la compañía en proceso de expansión a un menor costo. La respuesta para la mayoría de las empresas es una **estructura funcional**. Las estructuras funcionales agrupan a las personas con base en su pericia y experiencia comunes o debido a que utilizan los mismos recursos[22]. Por ejemplo, los ingenieros están agrupados en una función ya que desempeñan las mismas tareas y utilizan las mismas habilidades o maquinarias. La figura 11.5 muestra una estructura funcional típica. En ésta, cada rectángulo representa una especialización funcional diferente (investigación y desarrollo, ventas y marketing, fabricación y otras) y cada función se concentra en su propia tarea especializada.

Ventajas de una estructura funcional

Las estructuras funcionales poseen varias ventajas. En primer lugar, si las personas que desempeñan tareas similares están agrupadas, pueden aprender entre sí y hacerse mejores (más especializadas y productivas) en lo que realizan. En segunda instancia, pueden hacer monitoreo entre sí y asegurarse de que todos se encuentran desempeñando sus tareas en forma efectiva y no están evadiendo sus responsabilidades. Como resultado, el proceso de trabajo se hace más eficiente, reduciendo los costos de fabricación e incrementando la flexibilidad operacional.

Una segunda ventaja importante de las estructuras funcionales consiste en que éstas proporcionan a los gerentes mayor control a las actividades organizacionales. Como ya se anotó, surgen muchas dificultades cuando aumenta la cantidad de niveles en la jerarquía. No obstante, si se agrupan personas en diferentes funciones, cada una con sus propios gerentes, entonces se crean diversas jerarquías, y la compañía puede evitar hacerse demasiado alta. Por ejemplo, habrá una jerarquía en la fabricación y otra en contabilidad y finanzas. Manejar los negocios es más fácil cuando los distintos grupos se especializan en diferentes tareas organizacionales y son manejados por separado.

Figura 11.5
Estructura funcional

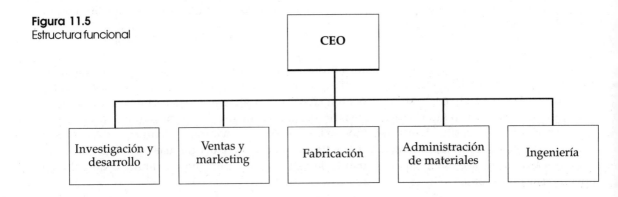

Problemas con una estructura funcional

Al adoptar una estructura funcional, una compañía aumenta su nivel de diferenciación horizontal para manejar los requerimientos de tareas más complejas. A medida que crece la estructura permite mantener el control de sus actividades. Ésta sirve a la organización muy bien hasta que comienza a crecer y diversificarse. Si la compañía se diversifica geográficamente y comienza a operar en muchos sitios o si comienza a generar una amplia variedad de productos, surgen problemas de control y coordinación. El control se hace más disperso, disminuyendo la capacidad de la empresa para coordinar sus actividades e incrementando los costos burocráticos[23].

Problemas de comunicación A medida que evolucionan las jerarquías funcionales separadas, las funciones crecen más distantes entre sí. Como resultado, se hace cada vez más difícil comunicarse a través de las funciones y coordinar sus actividades. Este problema de comunicación proviene de **orientaciones funcionales**[24]. Con una mayor diferenciación, las diversas funciones desarrollan distintas orientaciones hacia los problemas y dificultades que enfrente la organización. Las diferentes funciones tienen distintos tiempos u orientaciones hacia las metas. Algunas funciones, como fabricación, consideran los proyectos a periodos limitados y se concentran en el logro de metas a corto plazo, como la reducción de los costos de fabricación. Otras, como investigación y desarrollo, observan las cosas desde un punto de vista a largo plazo, y sus metas (es decir, innovación y desarrollo de productos) pueden tener un horizonte de tiempo de varios años. Estos factores pueden causar que cada función desarrolle una visión diferente de los aspectos estratégicos que enfrenta la compañía. Por ejemplo, fabricación puede considerar un problema como la necesidad de reducir los costos, para ventas puede ser la necesidad de incrementar la capacidad de satisfacer al cliente, e investigación y desarrollo puede definirlo como la necesidad de crear nuevos productos. En tales casos, las funciones tienen problemas de comunicación y coordinación entre sí y los costos burocráticos se incrementan.

Problemas de medición A medida que prolifera la cantidad de sus productos, una compañía puede hallar difícil medir la contribución de un producto o un grupo de productos a su rentabilidad general. En consecuencia, la empresa puede estar fabricando algunos productos no rentables sin darse cuenta de esta situación e igualmente tomar decisiones deficientes sobre la distribución de recursos. Esto significa que los sistemas de medición de la organización no son suficientemente complejos para atender sus necesidades. Por ejemplo, el repentino crecimiento de Dell Computer causó que perdiera el control de sus sistemas de administración de inventarios; por esta razón, no pudo proyectar en forma exacta la oferta y demanda de las piezas para sus computadores personales. Los problemas con su estructura organizacional han atiborrado a la compañía, reduciendo la eficiencia y la calidad. Como comentó un gerente, diseñar su estructura para que vaya al mismo ritmo de su crecimiento ha sido como "construir un automóvil de carreras de alto desempeño mientras va corriendo en la pista"[25].

Problemas de ubicación Los factores de ubicación también pueden entorpecer la coordinación y el control. Si una compañía produce o vende en diversas áreas regionales, entonces el sistema centralizado de control suministrado por la estructura funcional ya no se ajusta a ésta debido a que los gerentes en las diversas regiones deben ser suficientemente flexibles para responder a sus necesidades. Por consiguiente, la estructura funcional no es suficientemente compleja para manejar la diversidad regional.

Problemas estratégicos Algunas veces, el efecto combinado de todos estos factores consiste en que las consideraciones estratégicas a largo plazo se ignoran debido a que la gerencia se preocupa por resolver los problemas de comunicación y coordinación. Como resultado, una compañía puede perder dirección y no sacar ventaja de las nuevas oportunidades en tanto que aumentan los costos burocráticos.

Experimentar estos problemas constituye una señal de que la compañía no posee un apropiado nivel de diferenciación para lograr sus objetivos. Debe cambiar su combinación de diferenciación vertical y horizontal con el fin de que le permita desempeñar las tareas organizacionales que incrementen su ventaja competitiva. Esencialmente, estos problemas significan que la compañía ha hecho crecer en forma excesiva su estructura. Necesita invertir más recursos en el desarrollo de una estructura más compleja, que puede satisfacer las necesidades de su estrategia competitiva. De nuevo, esto es costoso, pero a la postre a medida que sea mayor el valor que la compañía pueda crear comparado con los costos burocráticos de operar la estructura, tiene sentido adoptar una estructura más compleja. Muchas compañías escogen una estructura multidivisional.

Estructura multidivisional

La estructura multidivisional posee dos importantes innovaciones sobre una estructura funcional, lo cual permite que una compañía crezca y se diversifique mientras supera los problemas de pérdida de control. En primer lugar, cada línea de productos o unidad de negocios distinta se establece en su propia unidad o división autosuficiente, con todas las funciones de apoyo. Por ejemplo, Pepsico tiene tres importantes divisiones: bebidas refrescantes, comidas ligeras y restaurantes, y cada división cuenta con sus propias funciones como marketing e investigación y desarrollo. El resultado es un mayor nivel de diferenciación horizontal. En segunda instancia, la sede del *staff* de la dirección general corporativa es creada para monitorear las actividades de las divisiones y ejercer el control

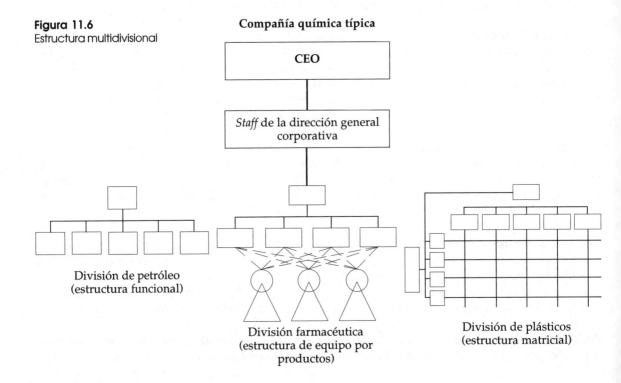

Figura 11.6
Estructura multidivisional

Compañía química típica

CEO

Staff de la dirección general corporativa

División de petróleo
(estructura funcional)

División farmacéutica
(estructura de equipo por
productos)

División de plásticos
(estructura matricial)

financiero sobre cada una de las divisiones[26]. Este *staff* está conformado por los gerentes corporativos quienes supervigilan todas las actividades de las divisiones y funciones, y esto constituye un nivel adicional en la jerarquía organizacional. Por tanto, existe un mayor nivel de diferenciación vertical en una estructura multidivisional que en una estructura funcional. La figura 11.6 presenta una estructura divisional típica hallada en una gran compañía química como Du Pont. Aunque esta firma fácilmente podría tener 70 divisiones operativas, aquí sólo se presentan tres: las divisiones de petróleo, drogas y plásticos.

Como unidad de negocios autónoma, cada división posee un completo conjunto de servicios de apoyo. Por ejemplo, cada una tiene departamentos autónomos de contabilidad, ventas y personal. Cada división funciona como un centro de utilidades, facilitando mucho más al *staff* de la dirección general corporativa aplicar monitoreo y evaluar las actividades de cada división[27].

Los costos burocráticos de operar una estructura multidivisional son bastante altos comparados con los de una estructura funcional. El tamaño del *staff* corporativo constituye un gran gasto, y compañías como GM e IBM tienen miles de gerentes en sus *staffs* corporativos incluso después de la reducción. En forma similar, el uso de divisiones de productos, cada una con sus propias funciones especializadas de apoyo, constituye un gran gasto. Sin embargo, de nuevo, si mayores costos burocráticos se compensan mediante un nivel mayor de creación de valor, tiene sentido desplazarse a una estructura más compleja.

Cada división también puede adoptar la estructura que se ajuste mejor a sus necesidades. La figura 11.6 muestra que la división de petróleo posee una estructura funcional debido a que sus actividades son normalizadas; la división de drogas tiene una estructura de grupos por productos; y la división de plásticos cuenta con una estructura matricial (estas estructuras se analizarán en detalle más adelante en este capítulo). De igual manera, General Motors maneja toda la corporación a través de una estructura multidivisional, pero cada división automotriz se organiza en diferentes grupos por productos, con base en el tipo de automóvil que fabrican.

En la estructura multidivisional, las operaciones diarias de una división constituyen la responsabilidad de la gerencia de división; es decir, el gerente divisional tiene la **responsabilidad operativa**. Sin embargo, el *staff* de la dirección general corporativa, que incluye los miembros de la junta directiva, así como altos ejecutivos, es responsable de supervigilar los planes a largo plazo y suministrar orientación a los proyectos entre las divisiones. Este *staff* posee **responsabilidad estratégica**. Esta combinación de divisiones autónomas con una gerencia corporativa centralizada representa un mayor nivel de diferenciación vertical y horizontal, como se anotó anteriormente. Estas dos innovaciones suministran el control extra necesario para coordinar el crecimiento y la diversificación. Puesto que esta estructura, a pesar de sus altos costos burocráticos, actualmente ha sido adoptada por más del 90% de todas las grandes corporaciones estadounidenses, es necesario considerar sus ventajas y desventajas con mayor detalle.

Ventajas de una estructura multidivisional

Cuando se manejan en forma efectiva los niveles corporativos y divisionales, una estructura multidivisional ofrece varias ventajas. En conjunto pueden incrementar la rentabilidad corporativa a un nuevo punto máximo, pues permiten que la organización opere tipos más complejos de estrategia a nivel corporativo.

Control financiero corporativo ampliado
La rentabilidad de las diferentes divisiones de negocios es claramente visible en la estructura multidivisional[28]. Puesto que cada división constituye su propio centro de utilidades, se pueden aplicar controles financieros a cada negocio con base en los

criterios de utilidades. Por lo general, estos controles involucran establecer objetivos, aplicar regularmente monitoreo al desempeño e intervenir en forma selectiva cuando surjan problemas. La dirección general corporativa también se encuentra en mejor posición de distribuir recursos financieros corporativos entre divisiones competentes. La visibilidad del desempeño de las divisiones significa que la dirección general corporativa puede identificar las divisiones donde la inversión de fondos proporcione los mayores rendimientos a largo plazo. De cierta manera, la oficina corporativa está en disposición de actuar como inversionista o banquero en un mercado interno de capital, canalizando fondos para usos altamente rentables.

Control estratégico ampliado   La estructura multidivisional libera al *staff* corporativo de las responsabilidades operativas. Por tanto, gana tiempo para reflexionar sobre los mayores problemas estratégicos y generar respuestas a los cambios ambientales. La estructura multidivisional también posibilita que la dirección general obtenga la apropiada información para ejecutar funciones de planeación estratégica. Por ejemplo, separar negocios individuales constituye un prerrequisito necesario para la aplicación de las técnicas de planeación de portafolio.

Crecimiento   La estructura multidivisional permite que la compañía supere un límite organizacional para su crecimiento. Al reducir la sobrecarga de información en el centro, el personal de la dirección general puede manejar gran cantidad de negocios. Pueden considerar las oportunidades para un futuro crecimiento y diversificación. Los problemas de comunicación se reducen al aplicar técnicas de control contable y financiero, como también al implementar políticas de "administración por excepción", esto significa que la dirección general corporativa interviene sólo cuando surgen problemas.

Búsqueda vigorosa de eficiencia interna   Dentro de una estructura funcional, la interdependencia de departamentos funcionales significa que el desempeño de las funciones dentro de la compañía no se puede medir mediante criterios objetivos. Por ejemplo, la rentabilidad de las funciones financiera, de marketing o de fabricación no puede evaluarse en forma individual, ya que sólo son parte de una totalidad. A menudo esto significa que dentro de la estructura funcional pueden no detectarse grados considerables de laxitud organizacional. Los recursos podrían ser absorbidos en usos improductivos. Por ejemplo, la jefatura de la función de finanzas podría emplear mayor *staff* del requerido para lograr eficiencia con el fin de reducir las presiones laborales dentro del departamento. Generalmente, un mayor *staff* también proporciona un mayor *estatus* al gerente. No obstante, puesto que la estructura divisional prescribe la autonomía operativa divisional, la eficiencia de las divisiones puede observarse directamente y medirse en términos de utilidades. La autonomía hace responsables a los gerentes de división de su propio desempeño; no tienen excusa. La oficina general, por tanto, se encuentra en una mejor posición para identificar las ineficiencias.

Por estas razones, una estructura multidivisional tiene varias ventajas poderosas. De ahí que, sin duda, actualmente parece ser la alternativa preferida en la mayoría de grandes empresas diversificadas. En efecto, la investigación sugiere que las grandes compañías de negocios que adoptan esta estructura sobrepasan el desempeño de aquellas que mantienen la estructura funcional[29].

Desventajas de una estructura multidivisional

Una estructura multidivisional también tiene sus desventajas. Una buena administración puede eliminar algunas de ellas, pero otras son inherentes a la forma como opera la estructura y requieren constante atención. En seguida se analizarán estos obstáculos.

Establecimiento de la relación de autoridad corporativa-divisional La relación de autoridad entre la dirección general corporativa y las divisiones debe establecerse en forma correcta. La estructura multidivisional introduce un nuevo nivel en la jerarquía: el nivel corporativo. El problema radica en decidir cuánta autoridad y control asignar a las divisiones operativas y qué tanto nivel de autoridad mantener en la dirección general corporativa. Este problema fue observado en primera instancia por Alfred Sloan, el fundador de General Motors. Él introdujo la estructura multidivisional en General Motors, que la convirtió en la primera compañía en adoptarla[30]. Creó las cinco divisiones automotrices ya familiares de General Motors: Oldsmobile, Buick, Pontiac, Chevrolet y Cadillac. Sin embargo, halló que cuando la dirección general retenía demasiado poder y autoridad, las divisiones operativas carecían de suficiente autonomía para desarrollar la estrategia de negocios que pudiera satisfacer mejor las necesidades de la división. Por otro lado, cuando se delegaba demasiado poder a las divisiones, éstas seguían los objetivos divisionales, prestando poca atención a las necesidades de toda la corporación. Por ejemplo, no se lograban todos los beneficios potenciales de la sinergia analizados previamente. Por consiguiente, el problema central en el manejo de la estructura multidivisional radica en cuánta autoridad debe centralizarse en la dirección general corporativa y qué tanto nivel debe descentralizarse hacia las divisiones. Este problema debe resolverlo cada compañía con referencia a la naturaleza de sus negocios y sus estrategias, a nivel corporativo. No existen respuestas fáciles, y con el tiempo, a medida que cambia el ambiente o la compañía altera sus estrategias, igualmente se transformará el equilibrio entre el control corporativo y divisional. La estrategia en acción 11.3 ilustra este problema. Ésta destaca los cambios que Digital Equipment Corp. ha hecho en su estructura multidivisional de tal manera que pueda responder al ambiente.

Distorsión de la información   Si la dirección general corporativa hace demasiado énfasis en el rendimiento sobre la inversión a nivel de divisiones (por ejemplo, al establecer metas de rendimiento sobre la inversión muy elevadas y rigurosas), los gerentes de división pueden optar por distorsionar la información que ofrecen a la alta gerencia y presentar un panorama "de color rosa" sobre la actual situación a expensas de las utilidades futuras. Es decir, las divisiones pueden maximizar las utilidades a corto plazo, quizá reduciendo el desarrollo de productos, nuevas inversiones o gastos de marketing. En el futuro esto puede ser oneroso para la compañía. El problema proviene de un control financiero demasiado riguroso. General Motors ha sufrido este problema en años recientes, ya que el desempeño decadente ha motivado a los gerentes a tratar de hacer que sus divisiones luzcan bien ante la dirección general corporativa. Por otro lado, si el nivel divisional ejerce demasiado control, los poderosos gerentes de división pueden resistir los intentos de utilizar sus utilidades para fortalecer otras divisiones y por tanto disfrazar su desempeño. Por consiguiente, manejar la interfaz divisional-corporativa implica afrontar sutiles problemas de poder.

Competencia por los recursos   El tercer problema de manejar la estructura de divisiones consiste en que éstas pueden competir por recursos, y esta rivalidad evitará que se generen beneficios a partir de la sinergia. Por ejemplo, la cantidad de dinero que el personal corporativo debe distribuir a las divisiones es fija. Generalmente, las divisiones que puedan demostrar el mayor rendimiento sobre la inversión obtendrán la mayor participación de dinero. Además, esa gran participación les fortalece para el próximo periodo y, así, las fuertes divisiones crecen en forma más vigorosa. En consecuencia, éstas pueden competir en forma activa por los recursos, y al hacerlo de esta manera, reducen la coordinación entre divisiones.

Transferencia de precios   La competencia divisional también puede generar batallas sobre la **transferencia de precios**. Como se analizó en el capítulo 9, uno de los problemas con la integración

Media vuelta en DEC

Digital Equipment Corp. (DEC), el fabricante de computadores, ha tenido problemas en hallar una estructura que le permita manejar sus negocios en forma efectiva en el ambiente competitivo actual. En 1992, la compañía sufrió una pérdida de US$2,900 millones, atribuida ampliamente a problemas ocasionados por su estructura organizacional. Bajo su expresidente de junta directiva y fundador, Kenneth Olsen, quien fue suplantado en 1992, la empresa había desarrollado una estructura alta y centralizada, en la cual todas las importantes decisiones de negocios se tomaban en el nivel superior de la organización, es decir, por parte de Olsen y su equipo de alta gerencia. Los gerentes de las divisiones tenían poca libertad para tomar decisiones sobre precios o productos en sus mercados individuales, y las actividades de I&D también se centralizaban en el estrato superior de la organización. Como resultado, no podía responder a las cambiantes necesidades de los clientes quienes rápidamente se cambiaban a los productos de otros fabricantes como Adobe, Dell y Sun Microsystems. Además, bajo el liderazgo de Olsen, la jerarquía se había hecho muy alta a medida que el *staff* corporativo y sus funciones crecían en magnitud para manejar los negocios de las divisiones. En consecuencia, era muy difícil desenmarañar las contribuciones individuales en utilidades por parte de las distintas divisiones. DEC funcionaba como una gran organización monolítica, y las ventajas de la estructura multidivisional se perdían.

El nuevo CEO, Robert Palmer, quien asumió en 1992, reconoció estos problemas y comenzó a cambiar rápidamente la forma como operaba la estructura. En 1993 anunció que DEC se reestructuraría en nueve divisiones independientes, cada una concentrada en un producto particular, como minicomputadores, o en un sector industrial, como el de consumo o negocios. Además, cada división se establecería como un centro de utilidades separado, y a los gerentes de división se les otorgó toda la responsabilidad de transformar por completo sus operaciones. Su responsabilidad era incrementar la rentabilidad al reducir además los costos burocráticos o al hallar nuevas formas de incrementar sus capacidades de creación de valor. De igual manera, Palmer redujo en forma masiva la magnitud del *staff* corporativo, pues despidió miles de gerentes o les asignó a otras divisiones que acercara más los negocios a los clientes.

Con el fin de transformar la compañía, Palmer se concentró en la descentralización de la autoridad hacia las divisiones y en hacer más plana la organización para mejorar su habilidad de responder a los clientes. Él espera que la nueva estructura operativa incremente la velocidad en el desarrollo de productos y permita que cada unidad de negocios compita mejor con los rivales. El rol del centro corporativo será facilitar las transferencias de recursos entre las unidades de negocios y especialmente transferir los resultados de I&D en toda la compañía de tal manera que se pueda acelerar el desarrollo de nuevos productos. Si la nueva estructura no funciona y DEC no puede generar rápidamente nuevos productos para atraer de nuevo a sus clientes, la compañía probablemente se vea frente a la bancarrota.

vertical o diversificación relacionada consiste en establecer transferencia de precios entre las divisiones. La rivalidad entre éstas incrementa el problema de establecer precios razonables. Cada división proveedora trata de determinar el mayor precio para sus producciones con el fin de maximizar su propio rendimiento sobre la inversión. Tal competencia puede socavar por completo la cultura corporativa y hacer que la corporación se convierta en un campo de batalla. Muchas compañías tienen un historial de competencia entre las divisiones. Por supuesto, algunas pueden motivar la competencia, si los gerentes consideran que genera el máximo desempeño.

Concentración a corto plazo en investigación y desarrollo Si la dirección general corporativa establece metas de rendimiento sobre la inversión extremadamente elevadas, existe el peligro de que las divisiones reduzcan los gastos en investigación y desarrollo con el fin de mejorar el desempeño financiero de la división. Aunque esta decisión inflará el desempeño divisional a corto plazo, reducirá la capacidad de las divisiones para innovar productos y generará una caída en la corriente de utilidades a largo plazo. Por consiguiente, el personal de la dirección general corporativa debe controlar cuidadosamente sus interacciones con las divisiones con el fin de asegurar que se logren las metas a corto y a largo plazo de los negocios.

Costos burocráticos Como se anotó anteriormente, debido a que cada división posee sus propias funciones especializadas, como finanzas o investigación y desarrollo, las estructuras multidivisionales son costosas de funcionar y administrar. El área de investigación y desarrollo es especialmente costosa, por esta razón algunas compañías centralizan tales funciones en el nivel corporativo para atender todas las divisiones. Sin embargo, la duplicación de los servicios especializados no es un problema si los beneficios de tener funciones especializadas separadas superan los costos. De nuevo, la gerencia debe decidir si justifica financieramente la duplicación. Las actividades a menudo se centralizan en épocas de depresión o recesión; en particular las funciones de servicios de asesoría y de planeación. No obstante, las divisiones se mantienen como centros de utilidades.

Las ventajas de las estructuras divisionales pueden equilibrarse frente a sus desventajas, pero, como se anotó, las desventajas pueden ser manejadas por un observador, el equipo de gerencia profesional consciente de los problemas involucrados. La estructura multidivisional es la predominante en la actualidad, lo cual evidentemente sugiere su utilidad como instrumento para manejar la corporación diversificada.

Estructura matricial

Una estructura matricial difiere de las estructuras analizadas hasta ahora en que la matriz se fundamenta en dos formas de diferenciación horizontal en vez de una, como se presenta en la estructura funcional[31]. En el diseño de matriz de productos, las actividades en el eje vertical se agrupan por *funciones*, de tal manera que existe una diferenciación familiar de tareas en las funciones como producción, investigación y desarrollo e ingeniería. Además, superimpuesto a este modelo vertical se encuentra un modelo horizontal basado en la diferenciación por *productos o proyectos*. El resultado es una red compleja de relaciones de dependencia entre los proyectos y las funciones, como se ilustra en la figura 11.7.

Esta estructura también emplea un tipo particular de diferenciación vertical. Aunque las estructuras matriciales son planas, con pocos niveles jerárquicos, los empleados dentro de la matriz poseen dos jefes: un **jefe de funciones**, quien es la cabeza de la función y un **jefe de proyectos**, responsable de manejar los proyectos individuales. Los empleados trabajan en un equipo de proyectos con especialistas de otras funciones e informan al jefe de proyectos sobre los asuntos pertinentes a éste y al jefe de funciones sobre los asuntos relacionados con aspectos funcionales. Todos los empleados que trabajan en un equipo de proyectos se llaman **gerentes de subproyectos** y son responsables de manejar la coordinación y comunicación entre las funciones y proyectos.

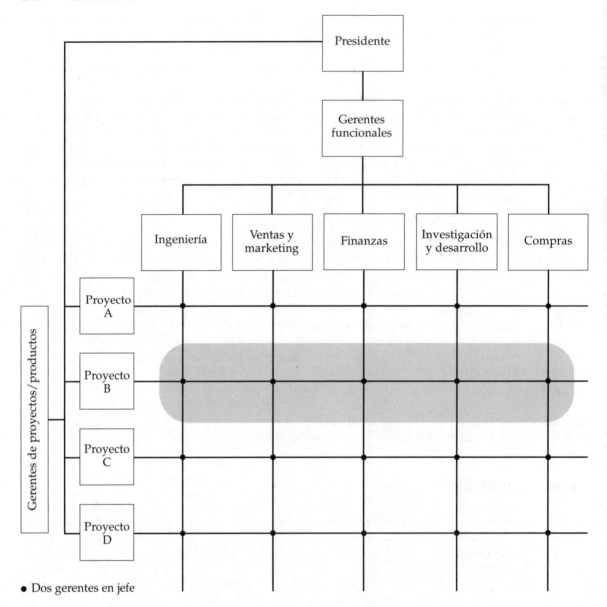

Figura 11.7
Estructura matricial

Las estructuras matriciales fueron desarrolladas en primer lugar por compañías en industrias de alta tecnología como la aeronáutica y electrónica, firmas como TRW Inc. y Hughes Aircraft. Estas compañías desarrollaban productos radicalmente nuevos en ambientes competitivos, inciertos, y la velocidad del desarrollo de productos constituía la consideración crucial. Necesitaban una estructura que respondiera a esta estrategia, pero la estructura funcional era demasiado inflexible para permitir las complejas interacciones de tareas y roles necesarios para satisfacer los requerimientos del desarrollo de nuevos productos. Además, los empleados de estas compañías tienden a ser altamente calificados y profesionales, y se desempeñan mejor en condiciones de trabajo autónomas y flexibles. La estructura matricial suministra estas condiciones. Por ejemplo, ésta requiere un mínimo de control jerárquico directo por parte de los supervisores. Los miembros de equipo controlan su propio comportamiento, y la participación en equipos de proyectos les permite monitorear a otros miembros de equipos y aprender entre sí. De otra parte, a medida que el proyecto pasa por sus diferentes fases, se necesitan diferentes especialistas de diversas funciones. Así, por ejemplo, en la primera etapa se pueden solicitar los servicios de especialistas en investigación y desarrollo y, en la siguiente, pueden ser necesarios ingenieros y especialistas en marketing que realicen proyecciones en costos y mercadeo. A medida que cambia la demanda por el tipo de especialista, los miembros del equipo se pueden desplazar a otros proyectos que requieran sus servicios. Por consiguiente, la estructura matricial puede hacer un máximo uso de las capacidades del empleado a medida que se terminan los proyectos existentes y aparecen otros nuevos. Finalmente, la libertad que otorga la matriz no sólo suministra autonomía para motivar a los empleados, también libera a la alta gerencia de concentrarse en aspectos estratégicos, pues no tienen que involucrarse en los asuntos operativos. Por estas razones, la matriz constituye una excelente herramienta que crea la flexibilidad necesaria para reaccionar en forma rápida a las condiciones competitivas.

No obstante, existen desventajas en la estructura matricial[32]. En primer lugar, los costos burocráticos de operar esta estructura son bastante altos comparados con aquéllos ocasionados al manejar una estructura funcional. Los empleados tienden a ser altamente capacitados y, por consiguiente, los salarios y los gastos generales son elevados. En segunda instancia, el constante desplazamiento de empleados alrededor de la matriz significa gastar tiempo y dinero en el establecimiento de nuevas relaciones de equipo y en el despegue del proyecto. En tercera instancia, es difícil manejar el rol del gerente de subproyectos, a medida que equilibra los intereses del proyecto con la función, y es necesario tener cuidado para evitar conflictos entre las funciones y proyectos con respecto a los recursos. Con el tiempo, es posible que los gerentes de proyectos asuman el rol líder en la planeación y establecimiento de metas, en cuyo caso la estructura funcionaría más como una estructura de productos o divisional. Si las relaciones de funciones y proyectos se dejan sin control, pueden generar luchas por el poder entre los gerentes, ocasionando estancamiento y declinación en vez de activar un incremento en la flexibilidad. Finalmente, cuanto mayor sea la organización, más difícil será manejar una estructura matricial, debido a que las relaciones de tareas y de roles se vuelven más complejas. En tales situaciones, la única opción puede ser cambiar a una estructura multidivisional.

Dadas estas ventajas y desventajas, la matriz generalmente se usa sólo cuando la estrategia de una compañía la garantiza. No existe motivo para utilizar una estructura más compleja de lo necesario pues su manejo sólo costará más. En ambientes dinámicos de producto/mercado, los beneficios de la matriz en términos de flexibilidad e innovación probablemente excedan los altos costos burocráticos de utilizarla y, por tanto, se convierte en una selección apropiada de estructura. Sin embargo, las compañías en etapa madura del ciclo de vida de la industria o aquellas que siguen una estrategia de bajo costo raramente escogerían esta estructura puesto que es costosa de manejar. En el capítulo 13 se analizará esta modalidad en profundidad.

Estructura de equipos por productos

Una importante innovación estructural en años recientes ha sido la **estructura de equipos por productos**. Ésta posee ventajas similares a la estructura matricial pero es mucho más fácil y tanto menos costosa de manejar debido a la forma como las personas están organizadas en permanentes equipos interdisciplinarios, como se ilustra en la figura 11.8.

Figura 11.8
Estructura de equipos por
productos

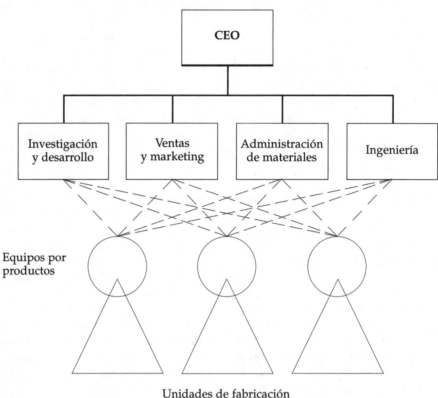

Unidades de fabricación

En la estructura de equipos por productos, como en la estructura matricial, las actividades de tareas se dividen a lo largo de las líneas de productos o proyectos con el fin de reducir los costos burocráticos e incrementar la capacidad de la gerencia para aplicar monitoreo y controlar el proceso de fabricación. Sin embargo, en lugar de asignarse a proyectos diferentes sólo *temporalmente*, como sucede en la estructura matricial, los especialistas de funciones son ubicados en equipos interdisciplinarios *permanentes*. Como resultado, los costos asociados a la coordinación de sus actividades son mucho menores que en la estructura matricial, donde las relaciones de tareas y reportes cambian rápidamente. Los equipos interdisciplinarios se forman justo al comienzo del proceso de desarrollo del producto de tal manera que cualquier posible dificultad se subsane a tiempo, antes de que genere mayores problemas de rediseño. Cuando todas las funciones cuentan con *input* directo desde el comienzo, los costos de diseño y los posteriores costos de fabricación se pueden mantener bajos. Además, el uso de equipos interdisciplinarios acelera la innovación y la capacidad de satisfacer al cliente debido a que cuando la autoridad se descentraliza hacia el equipo, las decisiones se pueden tomar en forma más rápida. En el caso inicial se vio cómo Chrysler se desplazó a una estructura de equipo por productos. La estrategia en acción 11.4 ofrece otro ejemplo: el cambio de Lexmark Corp. hacia una estructura de equipo por productos con el fin de reducir costos y acelerar el desarrollo de productos.

Reestructuración en Lexmark

Lexmark Corp., un fabricante de impresoras y máquinas de escribir, era una división de IBM hasta que fue liquidada por ésta en 1992 a una firma inversionista de Nueva York. Como división de IBM, se había desempeñado en forma deficiente, y fue vendida después de años de pérdidas generadas por elevados costos operativos y una incapacidad de fabricar nuevos productos competentes con Hewlett-Packard y fabricantes japoneses de impresoras como Epson. Su nuevo equipo de alta gerencia, dirigido por Marvin Mann, un exejecutivo de IBM, tenía la tarea de aplicar reingeniería a su estructura para darle un vuelco total a la compañía.

En primer lugar, destruyó la estructura organizacional que la compañía había desarrollado bajo la anterior administración de IBM. Como el resto de la organización, la división tenía una estructura alta y centralizada, donde los altos gerentes tomaban todas las decisiones importantes. Esto retardaba la toma de decisiones y hacía muy difícil comunicarse a través de todas las funciones debido a que muchos gerentes en diferentes niveles y diversas funciones tenían que aprobar formalmente los nuevos planes.

Al desplazarse en forma rápida para cambiar este sistema, Mann simplificó la jerarquía de la compañía, lo que significó suspender el 60% de sus gerentes y eliminar todos los gerentes de *staff*; es decir, aquellos que no tenían responsabilidad en línea directa. Esta acción redujo tres niveles en la jerarquía. Luego, descentralizó la autoridad hacia los gerentes de producto de los cuatro grupos por producto de la compañía y les solicitó desarrollar sus propios planes y metas. Además, para continuar el proceso de descentralización, los gerentes de producto recibieron instrucciones de armar equipos interdisciplinarios con empleados de todas las funciones con la meta de hallar nuevas y mejores formas de organizar las actividades de tareas para reducir costos. Los equipos utilizarían *benchmarking* competitivo y evaluarían los productos de sus competidores con el fin de establecer nuevos estándares de desempeño para guiar sus actividades. Finalmente, como incentivo para que los empleados trabajen en forma ardua en incrementar de la eficiencia, innovación y calidad, Mann estableció un plan salarial basado en la adquisición de acciones en la compañía con el fin de compensar a los trabajadores por sus esfuerzos.

El proceso de reingeniería de la estructura organizacional hacia una estructura de grupos por productos ha sido muy exitosa para Lexmark. La compañía obtuvo una utilidad superior a los US$100 millones sobre ventas de US$2,000 millones en 1993, y su tasa de desarrollo de productos se ha incrementado considerablemente. La nueva estructura de la compañía es considerada por muchos como un punto de referencia que IBM debería adoptar en sus continuos esfuerzos de reestructuración.

Estructura geográfica

Cuando una compañía funciona como estructura geográfica, las regiones geográficas se convierten en la base para la agrupación de las actividades organizacionales. Por ejemplo, una empresa puede dividir sus operaciones de fabricación y establecer plantas de manufactura en diferentes regiones del país. Esto le permite responder a las necesidades de los clientes regionales y reduce los costos de transporte. En forma similar, las organizaciones de servicios como cadenas de almacenes o bancos pueden organizar sus actividades de ventas y mercadeo a nivel regional, en vez de nacional, con el fin de estar más cerca de sus clientes. Una estructura geográfica suministra más control que una estructura funcional porque existen varias jerarquías regionales que asumen el trabajo desempeñado previamente por una sola jerarquía centralizada. Una compañía como Federal Express claramente necesita operar una estructura geográfica para llevar a cabo su meta corporativa: entrega al día siguiente. Las grandes organizaciones de mercadeo, como Neiman Marcus, Dillard y Wal-Mart, también se desplazaron hacía una estructura geográfica tan pronto comenzaron a construir almacenes en todo el país. Con este tipo de estructura, las diversas necesidades de confecciones a nivel regional –ropa ligera al occidente, gabardinas al oriente– se pueden manejar a medida que se requieran. Al mismo tiempo, puesto que la función de compras permanece centralizada, una organización central puede comprar para todas las regiones. Así, una compañía logra economías de escala en compras y distribución y reduce los problemas de coordinación y comunicación. Por ejemplo, Neiman Marcus desarrolló una estructura geográfica similar a la que se muestra en la figura 11.9 con el fin de manejar su cadena de almacenes en toda la nación.

En cada región estableció un equipo de compradores regionales para responder a las necesidades de los clientes en cada área geográfica, por ejemplo, las regiones occidental, central, oriental y sur. Luego los compradores regionales proporcionan su información a los compradores centrales en la dirección general corporativa, quienes coordinan sus exigencias para obtener economías en compras y asegurar que los estándares de alta calidad de Neiman Marcus, sobre los cuales depende su ventaja de diferenciación, se mantengan a nivel nacional.

Sin embargo, la utilidad de la estructura matricial, de equipo por productos o geográfica depende de la magnitud de la compañía y su variedad de productos y regiones. Si una organización comienza a diversificarse en productos no relacionados o a integrarse verticalmente en nuevas

Figura 11.9
Estructura geográfica

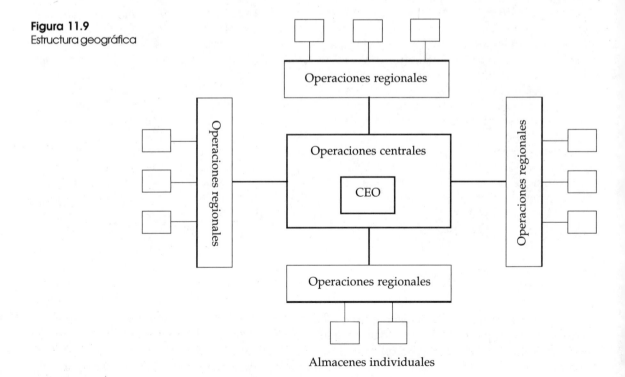

Almacenes individuales

industrias, estas estructuras no pueden manejar la incrementada diversidad y la empresa debe desplazarse a una estructura multidivisional. Sólo la estructura multidivisional es suficientemente compleja para abordar las necesidades de la gran compañía diversificada.

11.6 INTEGRACIÓN Y MECANISMOS INTEGRADORES

Como se analizó, una organización debe escoger la forma apropiada de diferenciación ajustable a su estrategia. Por ejemplo, mayor diversificación requiere que una compañía se desplace de una estructura por funciones a una estructura por divisiones. No obstante, la diferenciación es sólo la primera decisión de diseño organizacional que se toma. La segunda se refiere al nivel de integración necesario para hacer que una estructura organizacional funcione en forma efectiva. Como se anotó antes, la integración se refiere al grado hasta el cual una organización busca coordinar sus actividades de creación de valor y generar una interdependencia. El aspecto de diseño puede resumirse en términos sencillos así: cuanto mayor sea el nivel de diferenciación de la compañía, mayor será el nivel de integración necesaria para hacer que la estructura organizacional funcione en forma efectiva[33]. Por consiguiente, si una empresa adopta una forma más compleja de diferenciación, requiere un medio más elaborado de integración para lograr sus metas. Por ejemplo, Federal Express necesita una gran integración y coordinación que le posibilite llevar a cabo su promesa de entregar pedidos al día siguiente. Es famoso por su innovativo uso de mecanismos integradores, como personal en contacto directo con los clientes, para manejar sus transacciones en forma rápida y eficiente. Sin embargo, como en el caso de incrementar el nivel de diferenciación, aumentar el nivel de integración es costoso. Existen elevados costos burocráticos asociados a la utilización de gerentes para coordinar las actividades de creación de valor. Por esta razón, una compañía sólo integra sus actividades de tareas al nivel necesario que implemente su estrategia en forma efectiva.

Formas de los mecanismos integradores

Existe una serie de mecanismos integradores que una compañía puede utilizar con el fin de incrementar su nivel de integración a medida que aumenta su nivel de diferenciación[34]. Estos mecanismos (en un espectro que va de lo más simple a lo más complejo) aparecen en la tabla 11.1, junto con los ejemplos de individuos o grupos que podrían desarrollar estos roles integradores. Nótese que los costos burocráticos también se incrementan a medida que la compañía adopta mecanismos integradores más complejos.

Contacto directo El objetivo implícito de establecer contacto directo entre los gerentes consiste en determinar un contexto dentro del cual los gerentes de diferentes divisiones o departamentos funcionales puedan trabajar juntos para resolver problemas mutuos. Sin embargo, los gerentes de diferentes departamentos funcionales poseen distintas orientaciones de subunidades pero igual autoridad y por tanto, pueden tener la tendencia a competir en lugar de cooperar cuando surjan los conflictos. Por ejemplo, en una típica estructura funcional, las cabezas de cada una de las funciones poseen igual autoridad; el punto común más cercano de autoridad es el CEO. En consecuencia, si surgen discrepancias, no existen mecanismos que resuelvan los conflictos fuera de la autoridad del jefe. En efecto, una señal de conflicto en las organizaciones lo constituye la cantidad de problemas enviados a través de la jerarquía para que los gerentes de nivel superior los resuelvan. Esta situación desperdicia el tiempo y esfuerzo de la gerencia, retrasa la toma de decisiones estratégicas y dificulta crear una cultura cooperativa en la compañía. Por esta razón, las compañías escogen mecanismos integradores más complejos para coordinar las actividades interfuncionales y divisionales.

Tabla 11.1

Tipos y ejemplos de mecanismos integradores	
Contacto directo	Gerentes de ventas y producción
Roles de vinculación	Gerentes de ventas y de planta
Comités de trabajo	Representantes de ventas, producción e investigación y desarrollo
Equipos	Comité ejecutivo organizacional
Roles integradores	Vicepresidente asistente para la planeación estratégica o vicepresidente sin portafolio
Departamentos integradores	*Staff* de la dirección general corporativa
Matriz	Todos los roles son integradores

Roles de vinculación interdepartamental   Una compañía puede mejorar su coordinación interfuncional a través del rol de vinculación interdepartamental. Cuando se incrementa el volumen de contacto entre dos departamentos o funciones, una de las formas de mejorar la coordinación consiste en dar a una persona en *cada* división o función la responsabilidad de coordinar con la otra. Estas personas pueden reunirse diaria, semanal, mensualmente o cuando sea necesario. La figura 11.10a ilustra la naturaleza del rol de vinculación, el círculo pequeño representa al individuo en el interior del departamento funcional quien tiene la responsabilidad de coordinarse con la otra función. La responsabilidad de la coordinación es parte del empleo de tiempo completo de un individuo, pero a través de estos roles, se forma una permanente relación entre las personas involucradas, circunstancia que modera enormemente las tensiones generadas entre departamentos. Además, los roles de vinculación ofrecen una forma de transferir información a través de la empresa, lo cual es importante en grandes organizaciones anónimas cuyos empleados pueden no conocer a nadie excepto en su departamento.

Comités de trabajo temporales   Cuando más de dos funciones o divisiones comparten problemas comunes, entonces, el contacto directo y los roles de vinculación poseen valor limitado debido a que no proporcionan suficiente coordinación. La solución consiste en adoptar una forma más compleja de mecanismo integrador llamada comité de trabajo. Su naturaleza está representada en el diagrama de la figura 11.10b. Un miembro de cada función o división es asignado a un comité de trabajo creado para resolver un problema específico. Esencialmente, éstos son *comités ad hoc*, y los miembros son responsables de reportar a sus departamentos los problemas dirigidos y las soluciones recomendadas. Estos grupos de trabajo son temporales puesto que, una vez resuelto el problema, los miembros vuelven a sus roles normales en sus departamentos o son asignados a otros comités de trabajo. Estos miembros también desempeñan muchos de sus deberes normales mientras trabajan en dichos comités.

Equipos permanentes   En muchos casos, los asuntos dirigidos por un comité de trabajo son problemas recurrentes. Para resolverlos en forma efectiva, una organización debe establecer un mecanismo integrador permanente, como un equipo continuo. Un ejemplo lo constituye un comité

Figura 11.10
Formas de mecanismos
integradores

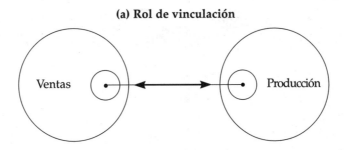

(a) Rol de vinculación

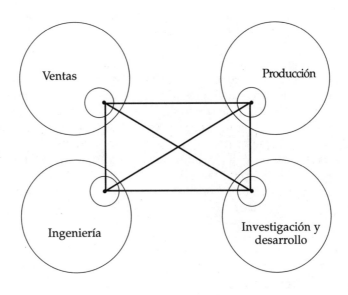

(b) Comité o equipo de trabajo

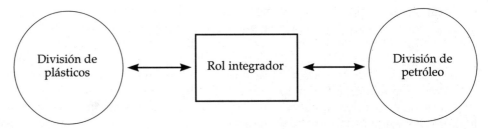

(c) Rol integrador

• Señala al gerente con la responsabilidad de integración

de desarrollo de nuevos productos, responsabilizado de la elección, diseño y mercadeo de nuevos productos. Tal actividad obviamente requiere una gran cantidad integración entre las funciones si se desea lanzar nuevos productos en forma exitosa, y esto se logra al establecer un mecanismo integrador permanente. Por ejemplo, Intel hace énfasis en el trabajo de equipo. Formó un sistema de consejo basado aproximadamente en 90 grupos interdisciplinarios, que se reúnen regularmente

---

ESTRATEGIA EN ACCIÓN 11.5

El trabajo de equipo en AT&T

Al igual que otras grandes compañías, AT&T ha desarrollado una estructura muy alta y centralizada para manejar sus actividades. Mientras la industria de teléfonos estaba regulada, prestaba poca atención a la forma como su masiva burocracia retrasaba la toma de decisiones. Sin embargo, después de la desregulación, el mayor problema que enfrentaba la compañía consistía en cómo acelerar el desarrollo de nuevos teléfonos y contestadores que pudieran competir con los de las compañías japonesas como Panasonic y Sony. Estas empresas dirigían el mercado en términos de características y bajo precio de sus productos, y AT&T ocupaba un pobre tercer lugar en el competitivo mercado.

Su respuesta consistió en evitar la burocracia al crear equipos interdisciplinarios. Previamente, había empleado el usual enfoque funcional para manejar el desarrollo de productos: el producto comenzaba en ingeniería y luego pasaba a fabricación, que a su vez lo entregaba a marketing. Era un proceso lento y que consumía tiempo. En el nuevo enfoque, John Hanley, el vicepresidente de desarrollo de productos, decidió formar equipos de seis a doce personas de todas estas funciones para manejar todos los aspectos del proceso de desarrollo. A cada equipo se le dio una fecha límite para las diversas fases del proyecto y luego se les dejó seguir adelante con el trabajo. Los resultados fueron sorprendentes. El tiempo de desarrollo de productos se redujo en un 50%; por ejemplo, su nuevo aparato 4200 se fabricó en un año, no durante los usuales dos, se redujeron los costos y aumentó la calidad. Actualmente, sus contestadores y teléfonos inalámbricos son los líderes del mercado, y AT&T ha ampliado la utilización de los equipos interdisciplinarios a través de sus operaciones.

---

para establecer la estrategia funcional en áreas como ingeniería y marketing y para desarrollar la estrategia a nivel de negocios.

No se puede enfatizar excesivamente en la importancia de los equipos en la administración de la estructura organizacional. Esencialmente, los equipos permanentes constituyen los *comités permanentes* de la organización, y en estas reuniones se plantea gran parte de la dirección estratégica de la organización. Henry Mintzberg, en un estudio sobre cómo invierten su tiempo los gerentes de las corporaciones, descubrió que emplean casi el 60% de su tiempo en estos comités[35]. La razón no es burocracia sino más bien que la integración es posible sólo en sesiones intensivas, directas, en las que los gerentes pueden entender los puntos de vista de los demás y desarrollar una estrategia organizacional cohesiva. Cuanto más compleja sea la compañía, más importantes se harán estos equipos. Por ejemplo, Westinghouse ha establecido un nuevo sistema completo de comités de trabajo y de equipos para promover la integración entre las divisiones y mejorar el desempeño corporativo.

Como se analizó previamente, la estructura de equipos por productos está fundamentada en el uso de equipos interdisciplinarios que aceleran el lanzamiento de los productos al mercado. Estos equipos asumen la responsabilidad en todos los aspectos del desarrollo de productos. La forma como AT&T utilizó los equipos interdisciplinarios para acelerar el desarrollo de productos en su carrera con el objetivo de competir con los fabricantes japoneses (descrita en la estrategia en acción 11.5), ilustra cómo estos equipos pueden incrementar la coordinación e integración entre las funciones.

Roles integradores   Su única función consiste en estimular la integración entre las divisiones o departamentos; es un empleo de tiempo completo. Como se ilustra en la figura 11.10c, el rol es independiente de las subunidades o divisiones que se integran. Manejado en la relación de *staff* por un experto independiente, quien normalmente es un gerente senior con gran experiencia en las necesidades comunes de los dos departamentos.   El trabajo consiste en coordinar el proceso de decisiones entre los departamentos o divisiones de tal manera que se puedan obtener beneficios en sinergia a partir de la cooperación. En un estudio se halló que Du Pont había creado 160 roles integradores para proporcionar coordinación entre las diferentes divisiones de la compañía y mejorar el desempeño corporativo[36].   De nuevo, cuanto más diferenciada sea la compañía, más comunes serán estos roles. Con frecuencia, las personas en estos roles asumen la responsabilidad de presidir los equipos y comités de trabajo, y esta condición proporciona integración adicional.

Departamentos integradores   Algunas veces la cantidad de roles de integradores se hace tan alta que se establece un departamento integrador permanente en la dirección general corporativa. Normalmente, esto sólo ocurre en grandes y diversificadas corporaciones, las cuales ven la necesidad de integración entre las divisiones. Este departamento está constituido principalmente de planeadores estratégicos y, en efecto, puede llamarse el departamento de planeación estratégica. El *staff* de la dirección general corporativa en una estructura divisional también puede considerarse un departamento integrador desde la perspectiva de las divisiones.

Estructura matricial   Finalmente, cuando la diferenciación es bastante alta y la compañía debe responder en forma rápida al ambiente, una estructura matricial se convierte en el dispositivo apropiado de integración. La matriz contiene muchos de los mecanismos integradores analizados. Los gerentes de subproyectos se integran entre las funciones y proyectos, y la matriz se construye sobre la base de comités de trabajo temporales.

Integración y control

Evidentemente, las firmas tienen gran cantidad de opciones abiertas cuando incrementan su nivel de diferenciación como resultado del aumento en el crecimiento o en la diversificación. El problema de la implementación es que los gerentes ajusten la diferenciación al nivel de integración de tal modo que satisfaga los objetivos organizacionales. Nótese que aunque mucha diferenciación e insuficiente integración generarán el fracaso de la implementación, también puede ocurrir lo contrario. Es decir, la combinación de baja diferenciación y alta integración llevará a una organización demasiado controlada y burocratizada, donde la flexibilidad y velocidad de respuesta se reducen en vez de incrementarse por el nivel de integración. Además, demasiada integración es costosa para la compañía debido a que incrementa los costos burocráticos. Por estas razones, la meta consiste en decidir la óptima cantidad de integración necesaria para satisfacer las metas y objetivos organizacionales. Una empresa necesita manejar la estructura más simple consistente con la implementación efectiva de su estrategia.

En la práctica, los mecanismos integradores son sólo los primeros medios a través de los cuales una firma busca incrementar su habilidad para controlar y coordinar sus actividades. Para facilitar el uso de los mecanismos integradores y hacer que funcione la estructura organizacional, una firma debe crear la estructura de control e incentivos a través de la cual se motive al personal para que desarrollen tareas de grupo en el escenario organizacional. En el próximo capítulo se analizarán los diversos tipos de sistemas de control que pueden utilizar las organizaciones para hacer que sus estructuras organizacionales funcionen en forma efectiva.

11.7 RESUMEN DEL CAPÍTULO

En este capítulo se analizaron los aspectos que implica diseñar una estructura para satisfacer las necesidades de la estrategia de una compañía. Las empresas pueden adoptar muchas estructuras para ajustar los cambios en su tamaño y estrategia con el paso del tiempo. La estructura que una compañía selecciona será una cuya lógica de actividades de grupo (es decir, su forma de diferenciación horizontal) satisfaga mejor las necesidades de su negocio o actividades. Debe ajustar su forma de diferenciación horizontal a la diferenciación vertical. Es decir, debe escoger una estructura y luego hacer las selecciones acerca de los niveles en la jerarquía y grado de centralización o descentralización. Ésta es la combinación de los dos tipos de diferenciación que produce disposiciones organizacionales internas. Sin embargo, una vez que la organización se divide en dos partes, debe integrarse. Una empresa debe escoger el nivel apropiado de integración para adaptar su nivel de diferenciación si desea coordinar en forma exitosa sus actividades de creación de valor. Debido a que la diferenciación e integración son costosas, la meta de una compañía consiste en ahorrar costos burocráticos al adoptar la estructura más simple coherente con el logro de su estrategia. Se hizo énfasis en los siguientes puntos:

1. Implementar una estrategia en forma exitosa depende de la selección del sistema correcto de estructura y control ajustable a la estrategia de una compañía.
2. La herramienta básica de implementación de estrategia es el diseño organizacional. El buen diseño organizacional incrementa las utilidades en dos formas. Primero, el buen diseño ahorra costos burocráticos y disminuye los costos generados por las actividades de creación de valor. En segunda instancia, el buen diseño amplía la capacidad de las funciones de creación de valor de una compañía para lograr niveles superiores de eficiencia, calidad, innovación y capacidad de satisfacer al cliente y así obtener una ventaja de diferenciación.
3. La diferenciación e integración constituyen los dos conceptos de diseño que deciden cómo funcionará una estructura. Cuanto más alto sea el nivel de diferenciación e integración, mayores serán los costos burocráticos.
4. La diferenciación posee dos aspectos: (a) diferenciación vertical, que se refiere a la forma como una compañía escoge asignar su autoridad para la toma de decisiones; y (b) diferenciación horizontal, la cual se refiere a la manera como una compañía agrupa las actividades organizacionales en funciones, departamentos o divisiones.
5. La selección básica en la diferenciación vertical consiste en tener una estructura plana o alta. Las altas jerarquías tienen varias desventajas, como problemas de comunicación y transferencia de información, de motivación y costos. Sin embargo, la descentralización o delegación de autoridad puede resolver algunos de estos problemas.
6. A medida que una compañía crece y se diversifica, adopta una estructura multidivisional. Aunque una estructura de este tipo tiene costos burocráticos más altos que una estructura funcional, ésta supera los problemas de control asociados a una estructura funcional, y proporciona a la compañía la capacidad de manejar sus actividades de creación de valor en forma efectiva.
7. Otros tipos especializados de estructuras incluyen la matricial, de equipos por productos y las geográficas. Cada una tiene un uso especializado y, para su selección, deben ajustarse a las necesidades de la organización.
8. Cuanto más compleja sea la firma y mayor su nivel de diferenciación, mayor será el nivel de integración necesario para manejar su estructura.

9. Los tipos de mecanismos integradores disponibles para una compañía van desde el contacto directo hasta la estructura matricial. Cuanto más complejo sea el mecanismo, mayores serán los costos de utilizarlo. Una compañía debe tener cuidado al ajustar estos mecanismos a sus necesidades estratégicas.

Preguntas y temas de análisis

1. ¿Cuál es la diferencia entre la diferenciación vertical y horizontal? Clasifíquense las diversas estructuras analizadas en este capítulo a través de estas dos dimensiones.
2. ¿Qué tipo de estructura describe mejor la forma como operan (a) una escuela de negocios y (b) una universidad? ¿Por qué es apropiada la estructura? ¿Se ajustaría mejor otra estructura?
3. ¿Cuándo debería una compañía decidir cambiarse de una estructura funcional a una multidivisional?
4. ¿Cuándo debería una empresa escoger una estructura matricial? ¿Cuáles son los problemas asociados al manejo de esta estructura y por qué podría preferirse una estructura por grupos de productos?

Aplicación 11

Hallar el ejemplo(s) de una compañía que recientemente haya cambiado su estructura organizacional. ¿Qué cambios hizo? ¿Por qué? ¿Qué efecto tuvieron estas transformaciones en el comportamiento de las personas y de las subunidades?

Proyecto sobre administración estratégica: Módulo 11

Este modelo requiere identificar el tipo de estructura organizacional utilizada por la organización seleccionada y explicar por qué esta compañía ha adoptado esta forma de diferenciación e integración. Si se estudia una compañía en el área del interesado, probablemente habrá mayor información acerca de su estructura que si estudia una firma utilizando publicaciones. Sin embargo, se pueden hacer muchas deducciones sobre la estructura de las compañías a partir de la naturaleza de sus actividades, y si se escribe a la empresa, ésta puede suministrar un organigrama e información adicional.

1. ¿Qué tan grande es la compañía según la cantidad de empleados? ¿Cuántos niveles en la jerarquía posee desde el nivel superior hasta el inferior?
2. Con base en estas dos medidas y otro tipo de información disponible, ¿la compañía opera con una estructura relativamente alta o plana? ¿Qué efectos tiene este factor en el comportamiento de las personas?
3. ¿La empresa posee un enfoque centralizado o descentralizado hacia la toma de decisiones? ¿Cómo es?
4. ¿En qué formas las opciones de diferenciación vertical de la compañía afectan el comportamiento del personal y de las subunidades? ¿La selección de diferenciación vertical es apropiada para sus actividades? ¿Por qué?
5. ¿Qué cambios (si hay) debería hacer la compañía que opera en dirección vertical?
6. Elabórese un organigrama en el que aparezca la forma principal como la compañía agrupa sus actividades. Con base en éste, ¿con qué tipo de estructura (por ejemplo, funcional o divisional) opera esta organización?

7. ¿Por qué la compañía escogió esta estructura? ¿En qué formas es apropiada para sus negocios? ¿En cuáles no es adecuada?

8. ¿Qué cambios (si hay) debería hacer la firma que opera en dirección horizontal?

9. Dado este análisis, ¿la compañía posee un nivel de diferenciación alto o bajo?

10. ¿Qué tipo de integración o mecanismos integradores utiliza? ¿Por qué? ¿Su nivel de integración se ajusta a su nivel de diferenciación?

11. Con base en el análisis del nivel de diferenciación e integración de la compañía, ¿coordina y motiva a su personal y subunidades en forma efectiva? ¿Por qué?

12. ¿Qué cambios en la estructura de la compañía serían recomendables para que funcione en forma más efectiva? ¿Qué cambios debe hacer la compañía para mejorar la efectividad? ¿Por qué?

Notas

1. D. Woodruff and E. Lesly, "Surge at Chrysler", *Fortune*, November 9, 1992, pp. 88-96.

2. "Chrysler Reengineers Product Development Process", *Information Week*, September 7, 1992, p. 20.

3. J. R. Galbraith, *Designing Complex Organizations* (Reading, Mass.: Addison-Wesley, 1973).

4. J. Child, *Organization: A Guide for Managers and Administrators* (New York: Harper & Row, 1977), pp. 50-72.

5. R. H. Miles, *Macro Organizational Behavior* (Santa Monica, Calif.: Goodyear, 1980), pp. 19-20.

6. Galbraith, *Designing Complex Organizations*.

7. V. A. Graicunas, "Relationship in Organization", *in Papers on the Science of Administration*, ed. L. Gulick and L. Urwick, (New York: Institute of Public Administration, 1937), pp. 181-185. J. C. Worthy, "Organizational Structure and Company Morale", *American Sociological Review*, 15 (1950), 169-179.

8. Child, *Organization*, pp. 50-52.

9. G. R. Jones, "Organization-Client Transactions and Organizational Governance Structures", *Academy of Management Journal*, 30 (1987), 197-218.

10. H. Mintzberg, *The Structuring of Organizations* (Englewood Cliff, N. J.: Prentice-Hall, 1979), p. 435.

11. Child, *Organization*, p. 51.

12. R. Carzo, Jr., and J. N. Yanousas, "Effects of Flat and Tall Organization-Structure", *Administrative Science Quarterly*, 14 (1969), 178-191.

13. A Gupta and V. Govindardan, "Business Unit Strategy, Managerial Characteristics, and Business Unit Effectiveness at Strategy Implementation", *Academy of Management Journal*, 27 (1984), 25-41. R. T. Lenz, "Determinants of Organizational Performance: An Interdisciplinary Review", *Strategic Management Journal*, 2 (1981), 131-154.

14. W. H. Wagel, "Keeping the Organization Lean at Federal Express", *Personnel* (March 1984), 4.

15. J. Koter, "For P&G Rivals, the New Game Is to Beat the Leader, Not Copy It", *Wall Street Journal*, May 6, 1985, p. 35.

16. G. R. Jones, "Task Visibility, Free Riding and Shirking: Explaining the Effect of Organization Structure on Employee Behavior", *Academy of Management Review*, 4 (1984), 684-695.

17. "Operation Turnaround-How Westinhouse's New Chairmans Plans to Fire Up an Old Line Company", *Business Week*, December 14, 1983, pp. 124-133.

18. R. L. Daft, *Organizational Theory and Design*, 3rd ed. (St. Paul, Minn.: West, 1986), p. 215.

19. Alfred D. Chandler, *Strategy and Structure* (Cambridge, Mass: MIT Press, 1962).

20. C. Chandler and J. B. White, "Honda's Middle Managers Will Regain Authority in New Overhaul of Company", Wall Street Journal, May 16, 1992, p. A2.

21. El análisis se fundamenta ampliamente en Chandler, *Strategy and Structure*: y B. R. Scott, *"Stages of Corporate Development"* (Cambridge, Mass.: Intercollegiate Clearing House, Harvard Business School, 1971).

22. J. R. Galbraith and R. K. Kazanjian, *Strategy Implementation: Structure System and Process*, 2nd ed. (St. Paul, Minn.: West, 1986); Child, *Organization* R. Duncan; "What is the Right Organization Structure?" *Organizational Dynamics* (Winter 1979), 59-80.

23. O. E. Williamson, *Markets and Hierarchies: Analysis and Antitrus Implications* (New York: Free Press, 1975).

24. P. R. Lawrence and J. Lorsch, *Organization and Environment* (Boston: Division of Research, Harvard Business School, 1967).

25. K. Pope, "Dell Refocuses on Grounwork to Cope with Rocketing Sales", *Wall Street Journal*, June 18, 1993, p. B5.

26. Chandler, *Strategy and Structure;* Williamson, *Markets and Hierarchies;* L. Wrigley, "Divisional Autonomy and Diversification" (Ph. D. diss., Harvard Business School, 1970).

27. R. P. Rumelt, *Strategy, Structure, and Economic Performance* (Boston: Division of Research, Harvard Business School, 1974); Scott, "Stages of Corporate Development"; Williamson, *Markets and Hierarchies*.

28. El análisis se fundamenta en cada una de las fuentes citadas en las notas finales 20-27, y también en G. R. Jones and C. W. L. Hill, "Transaction Cost Analysis of Stratety-Structure Choice", *Strategic Management Journal*, 9 (1988), 159-172.

29. H. O. Armout and D. J. Teece, "Organizational Structure and Economic Performance: A Test of the Multi-divisional Hyphotesis", *Bell Journal of Economics*, 9 (1978), pp. 106-122.

30. Alfred Sloan, *My Years at General Motors* (New York: Doubleday, 1983), Ch. 3.

31. S. M. Davis and R. R. Lawrence, *Matrix* (Reading, Mass.: Addison-Wesley, 1977); J. R. Galbraith, "Matrix Organization Designs: How to Combine Functional and Project Forms", *Business Horizons*, 14 (1971), 29-40.

32. Duncan, "What Is the Right Organizational Structure?" Davis and Lawrence, *Matrix.*

33. P. R. Lawrence and J. Lorsch, *Organization and Environment* pp. 50-55.

34. J. R. Galbraith, *Designing Complex Organizations*, Ch. 1; Galbraith and Kazanjian, *Strategy Implementation*, Ch. 7.

35. Henry Mintzberg, *The Nature of Managerial Work* (Englewood Cliffs, N. J.: Prentice-Hall, 1973), Ch. 10.

36. Lawrence and Lorsh, *Organization and Environment*, p. 55.

12 Diseño de sistemas de control estratégico

12.1 CASO INICIAL: McDONALD'S LO HACE BIEN

En el negocio de restaurantes, mantener la calidad del producto constituye un gran problema debido a que la calidad de los alimentos, el servicio y los establecimientos de los restaurantes varían con los *chefs* y meseros a medida que llegan y se van. Si a un cliente le sirven alimentos de mala calidad, le suministran un servicio deficiente o la loza se encuentra sucia, no sólo se puede perder éste, también otros clientes potenciales, ya que los comentarios negativos pasan de boca en boca. Ahora, considérese el problema que Ray Kroc, pionero del crecimiento de McDonald's, enfrentó cuando las franquicias de la compañía comenzaron a abrirse por millares en EE.UU. ¿Cómo pudo mantener la calidad de los productos con el fin de proteger la reputación de la compañía a medida que ésta crecía? Es más, ¿cómo pudo tratar de incrementar la eficiencia y hacer que la organización respondiera a las necesidades de los clientes con el fin de promover su ventaja competitiva? La respuesta de Kroc consistió en desarrollar un sofisticado sistema de control, el cual precisaba todos los detalles sobre la forma como operaría y manejaría cada restaurante McDonald's.

El sistema de control de Kroc estaba fundamentado en varios componentes. En primer lugar, desarrolló un amplio sistema de reglas y procedimientos que debían seguir los concesionarios y empleados de las franquicias al hacer funcionar cada restaurante. La forma más efectiva de desempeñar tareas como preparar hamburguesas, freír, recibir a los clientes o limpiar las mesas, se diseñó por adelantado, se estableció en libros de reglamentos y luego se enseñó a cada gerente y empleado de McDonald's a través de un proceso de capacitación formal. Por ejemplo, los potenciales concesionarios debían ir a la "Hamburger University", el centro de entrenamiento de la compañía ubicado en Chicago, donde mediante un programa intensivo y de un mes de duración aprendían todos los aspectos de operación de un McDonald's. A su vez, se esperaba que ellos entrenaran a su fuerza laboral y se aseguraran de que los empleados entendieran todos los procedimientos operativos. La meta de Kroc al establecer este sistema de reglas y procedimientos consistió en estandarizar las actividades de McDonald's de tal manera que cualquier cliente que entre en una franquicia siempre encuentre el mismo nivel de calidad en los alimentos y en el servicio. Si los clientes siempre obtienen lo que esperan de un restaurante, el establecimiento ha desarrollado un nivel superior de capacidad de satisfacer al cliente.

Sin embargo, el intento de Kroc para controlar la calidad superó los reglamentos y procedimientos que estipulaban las tareas. También desarrolló el sistema de franquicias de McDonald's para ayudar a la compañía a controlar su estructura, a medida que crecía. Kroc consideraba que un gerente quien también es titular de la franquicia (y recibe una gran participación de las utilidades) está más motivado para mantener una mayor eficiencia y calidad que un gerente remunerado con un salario fijo. Así, el sistema de retribución e incentivos de McDonald's le permitió mantener el control sobre su estructura operativa a medida que se expandía. Además, la compañía era muy selectiva en la venta de sus franquicias; los concesionarios debían ser personas con las habilidades y capacidades para manejar los negocios, y una franquicia podía ser revocada si el titular no mantenía los estándares de calidad.

Los gerentes de la compañía con frecuencia visitaban los restaurantes para monitorear a los concesionarios, y a éstos se les permitía manejar los establecimientos sólo con base en los reglamentos de McDonald's. Por ejemplo, no podían colocar un televisor u otro elemento que modificara el ambiente del restaurante. McDonald's también podía aplicar monitoreo y controlar el desempeño de sus concesionarios a través del control del rendimiento. Cada titular suministraba información a la compañía sobre cómo se vendían muchos platos, acerca de los costos operativos y otros datos. De esta manera, mediante esta combinación de supervisión personal y control del rendimiento, los gerentes sabrían si las ventas en un concesionario declinaban de repente, y así podían aplicar la medida correctiva.

Dentro de cada restaurante, los concesionarios también prestaban particular atención al entrenamiento de sus empleados y a infundirles las normas y valores de calidad en el servicio. Después de aprender los principales valores culturales de McDonald's en sus sesiones de capacitación se esperaba que los concesionarios transmitieran a sus empleados los conceptos de la empresa sobre eficiencia, calidad y servicio al cliente. El desarrollo de normas, valores y una cultura organizacional compartida, también le ayudó a estandarizar el comportamiento del empleado de tal modo que los clientes supieran cómo serían tratados en un establecimiento McDonald's. De igual manera, la empresa trató de incluir a los clientes en su cultura. Hizo que ellos atendieran sus propias mesas, pero también demostró interés por sus necesidades, al construir zonas de recreación, ofrecer comidas para eventos especiales y organizar fiestas de cumpleaños para los hijos de los clientes. Al generar una cultura orientada a la familia, McDonald's aseguró la futura lealtad del cliente ya que niños satisfechos probablemente sigan siendo clientes leales cuando sean adultos.

A través de estos medios, la compañía desarrolló un sistema de control que le permitió expandir su organización en forma exitosa y crear una estructura organizacional que la ha llevado a los niveles superiores de eficiencia, calidad y capacidad de satisfacer al cliente. Su sistema de control ha desempeñado un rol importante al convertirla en la más grande y exitosa compañía de comidas rápidas en el mundo, condición que muchas otras similares han imitado.

Preguntas y temas de análisis

1. ¿Cuáles fueron los principales elementos del sistema de control creado por Ray Kroc?
2. ¿En qué forma este sistema de control facilita la estrategia de expansión global de la compañía?

12.2 VISIÓN GENERAL

En el capítulo 11 se analizaron los diversos tipos de estructuras organizacionales disponibles para las compañías cuando implementan sus estrategias. En este capítulo se estudiarán las diferentes clases de sistemas de control estratégico que utilizan las empresas para hacer que estas estructuras funcionen de manera eficiente. Los sistemas de control estratégico permiten que los altos gerentes apliquen monitoreo y evalúen el desempeño de las divisiones, funciones y empleados, y tomen medidas correctivas para mejorarlo. Estos sistemas proporcionan información acerca de la forma como funcionan la estrategia y la estructura de la organización. El **control estratégico** es el proceso de establecer los tipos apropiados de sistemas de control en los niveles corporativo, de negocios y funcional en una empresa, lo cual posibilita que los gerentes estratégicos evalúen si está *logrando niveles superiores de eficiencia, calidad, innovación y capacidad de satisfacer al cliente, e implementando su estrategia en forma exitosa.*

En primer lugar, se esboza el proceso y la función del control estratégico. Luego, se analiza la relación entre los tipos de sistemas de control y los costos burocráticos utilizando una perspectiva de la teoría de agencia. Después, se examinarán los principales tipos de control que pueden utilizar las compañías: control del rendimiento, control burocrático y cultura organizacional. Finalmente, se analizará cómo el diseño de los sistemas de retribución constituye una parte importante del proceso de control estratégico. En el capítulo 13 se estudiará en detalle cómo ajustar la estructura organizacional y el control a la estrategia de nivel corporativo, de negocios y funcional.

12.3 SISTEMAS DE CONTROL ESTRATÉGICO

Como se observó en el capítulo 11, la implementación implica seleccionar la combinación apropiada de estructura y control para lograr la estrategia de una empresa. La estructura asigna tareas y roles a las personas (diferenciación) y precisa cómo se coordinan (integración). No obstante, por sí misma no suministra el mecanismo mediante el cual se pueda *motivar* al personal para hacer que funcione la estructura. Por consiguiente, surge la necesidad de control. En otras palabras, la gerencia puede desarrollar en el papel una elegante estructura organizacional con la correcta distribución de responsabilidad de tareas y autoridad para la toma de decisiones, pero sólo los sistemas de control estratégico apropiados harán que funcione esta estructura. Para entender por qué el control estratégico constituye un aspecto esencial al implementar una estrategia, es necesario observar la función del control estratégico.

La función del control estratégico

La función básica de los sistemas de control estratégico consiste en suministrar a la gerencia la información que necesita para controlar su estrategia y su estructura. Por ejemplo, si desea lograr un nivel superior de eficiencia, una compañía que sigue una estrategia de bajo costo necesita información acerca del nivel de costos con relación al de sus competidores, sobre lo que éstos hacen, la forma como han cambiado sus costos de producción con el tiempo, el precio de sus insumos y otros datos. Una empresa debe compilar esta información y luego utilizarla para planear futuros movimientos estratégicos; por ejemplo, introducir nueva maquinaria que ahorre mano de obra o expandirse a nivel global. H. J. Heinz, un líder en costos, halló en 1993 que junto con el incremento récord en las ventas sus costos habían ascendido tanto que necesitó reducir su fuerza laboral de 36,000 personas en un 8%. Heinz utilizó la información suministrada por sus sistemas de control para tomar esta decisión estratégica. Una organización debe recoger información que le permita evaluar su desempeño y aplicar el correctivo. De igual manera, debe compilar información para evaluar la manera como funciona su estructura. Supóngase que una empresa que opera con una estructura funcional halla un incremento en sus costos y una disminución en su calidad, además que los gerentes justifican este problema por una falta de cooperación entre las áreas. Con esta información disponible, los gerentes pueden decidir que la compañía debe cambiarse a una estructura de productos y utilizar equipos interdisciplinarios con el fin de incrementar la cooperación y acelerar el desarrollo de productos. De nuevo, la información generada por los sistemas de control de la organización les ha suministrado retroalimentación sobre el funcionamiento de sus estructuras de tal manera que los gerentes pueden aplicar la medida correctiva.

Los **sistemas de control estratégico** constituyen los sistemas formales de formulación de objetivos, monitoreo, evaluación y retroalimentación que proporcionan información a la gerencia sobre si la estrategia y la estructura de la organización satisfacen los objetivos de desempeño estratégico. Un sistema de control efectivo debe tener tres características: debe ser suficientemente *flexible* para permitir que los gerentes respondan cuando sea necesario a sucesos inesperados; debe suministrar *información exacta*, que proporcione la imagen real del desempeño organizacional; y debe suministrar a los gerentes la información en una *forma oportuna* ya que tomar decisiones con base en información desactualizada constituye un ingrediente para el fracaso[1]. Como lo muestra la figura 12.1, diseñar un sistema de control estratégico efectivo requiere cuatro pasos.

1. *Establecer los estándares u objetivos con base en los cuales se evalúe el desempeño.* Los estándares u objetivos que seleccionan los gerentes constituyen las formas mediante las cuales una compañía escoge evaluar su desempeño. Los estándares generales de desempeño a menudo provienen de la meta de lograr niveles superiores de eficiencia, calidad, innovación o capacidad de satisfacer al cliente. Los objetivos específicos de desempeño surgen de la estrategia que sigue la firma. Por ejemplo, si una compañía utiliza una estrategia de bajo costo, entonces "reducir los costos en un 7% anual" podría constituir un objetivo. Si se trata de una organización de servicios como McDonald's, sus estándares podrían incluir objetivos de tiempo para atender a los clientes o parámetros para alcanzar un nivel de calidad en los alimentos.

2. *Crear los sistemas de medición y monitoreo que indiquen si se han logrado los objetivos.* La compañía establece procedimientos para evaluar si se han logrado las metas de trabajo en todos los niveles de la organización. En muchos casos, la medición del desempeño es una tarea difícil cuando la organización está comprometida en muchas actividades complejas. Por ejemplo, los gerentes pueden medir en una forma muy fácil cuántos clientes atienden sus empleados: pueden contabilizar la cantidad de recibos en la caja registradora. Sin embargo, ¿cómo pueden juzgar la manera

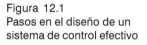

Figura 12.1
Pasos en el diseño de un
sistema de control efectivo

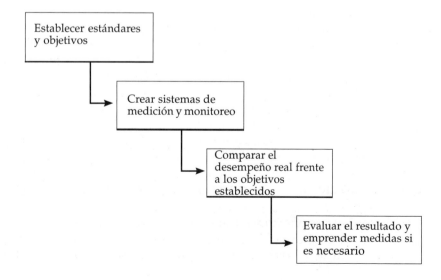

como su departamento de investigación y desarrollo labora cuando puede emplear cinco años para desarrollar los productos? ¿Cómo pueden medir el desempeño de la compañía cuando ésta ingresa en nuevos mercados y atiende nuevos clientes? O ¿cómo pueden evaluar el modo de integración entre las divisiones? La respuesta es que necesitan utilizar diversos tipos de control, los cuales se analizarán posteriormente en este capítulo.

3. *Comparar el desempeño real frente a los objetivos establecidos.* Los gerentes evalúan si (y hasta cierto punto) el desempeño se desvía de los objetivos desarrollados en el paso 1. Si el desempeño es mayor, la gerencia puede decidir que ha establecido estándares demasiado bajos y puede incrementarlos para el siguiente periodo. Los japoneses son célebres por la forma como utilizan los objetivos sobre la línea de producción para controlar los costos. Constantemente tratan de fomentar el desempeño, y de igual manera incrementan los estándares para suministrar una meta con el propósito de que los gerentes trabajen en pro de ésta. Por otro lado, si el desempeño es demasiado bajo, los gerentes deben decidir si toman una medida correctiva. Esta decisión es fácil cuando se pueden identificar las razones del deficiente desempeño (por ejemplo, altos costos de mano de obra). Sin embargo, con mayor frecuencia es difícil de descubrir las razones del desempeño deficiente. Éstas pueden implicar factores externos, como la recesión. O la causa puede ser interna; por ejemplo, el laboratorio de investigación y desarrollo puede subestimar los problemas que encuentre o los costos extra de adelantar investigación no prevista. No obstante, para cualquier forma de acción es necesario seguir el paso 4.

4. *Iniciar la acción correctiva cuando se determine que el objetivo no se está logrando.* La etapa final en el proceso de control consiste en emprender la medida correctiva que permita a la organización lograr sus metas. Tal correctivo puede implicar el cambio de cualquier aspecto de la estrategia o estructura analizada en este libro. Por ejemplo, los gerentes pueden invertir más recursos en el mejoramiento de I&D, decidirse por la diversificación o incluso cambiar su estructura organizacional. La meta consiste en incrementar continuamente la ventaja competitiva de una organización.

Niveles de control

Generalmente, el desempeño se mide en cuatro niveles en la organización: corporativo, divisional, funcional e individual. Los gerentes a nivel corporativo están más interesados en las mediciones generales y abstractas del desempeño organizacional como utilidades, rendimiento sobre la inversión o rotación total de la fuerza laboral. El objetivo consiste en escoger estándares de desempeño que midan el desempeño corporativo general. En forma similar, los gerentes en los otros niveles se encuentran más interesados en el desarrollo de un conjunto de estándares para evaluar el desempeño a nivel de negocios o a nivel funcional. Estas mediciones deben estar vinculadas tanto como sea posible a las tareas necesarias para lograr niveles superiores de eficiencia, calidad, innovación y capacidad de satisfacer al cliente en cada nivel. Sin embargo, se debe tener cuidado para asegurar que los estándares utilizados en cada nivel no causen problemas a los demás; por ejemplo, que los intentos de las divisiones para mejorar su desempeño no entren en conflicto con el rendimiento corporativo. Además, los controles en cada nivel deben suministrar la base sobre la cual los gerentes en los niveles inferiores puedan seleccionar sus sistemas de control. La figura 12.2 ilustra estos vínculos.

Una perspectiva de la teoría de agencia acerca del control organizacional

La teoría de agencia ofrece una forma útil de entender los complejos problemas de control que surgen cuando una organización asigna la responsabilidad de tareas y autoridad a las personas y a las subunidades en los diferentes niveles de la organización. Una relación de agencia surge siempre que

Figura 12.2
Niveles de control
organizacional

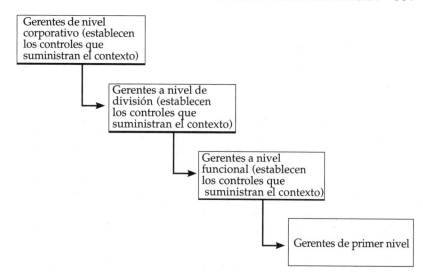

una parte delega autoridad para la toma de decisiones o control sobre los recursos a otra parte. Por ejemplo, en el nivel superior de la compañía, los accionistas delegan autoridad a la alta gerencia de utilizar en forma efectiva recursos organizacionales para el beneficio del accionista; así, los gerentes se convierten en los agentes de los accionistas. En forma similar, en el interior de la organización, siempre que los gerentes delegan autoridad a otros gerentes de nivel inferior en la jerarquía y les proporcionan el derecho a controlar los recursos, se establece la relación de agencia.

Los gerentes que controlan los recursos tienen la responsabilidad de utilizarlos para sacar la mayor ventaja con el fin de beneficiar la organización. Por ejemplo, el centro corporativo espera que las divisiones operativas utilicen sus recursos para incrementar la ventaja competitiva de las divisiones, así como los accionistas esperan que los altos gerentes trabajen para incrementar el valor de sus inversiones. Sin embargo, delegar autoridad a los gerentes genera el problema de determinar la responsabilidad por el uso de los recursos. A menudo, un gerente halla muy difícil evaluar cómo se ha desempeñado un subordinado debido a que este último posee una *ventaja de información*; es decir, un gerente de nivel superior en la organización tiene problemas al obtener la información necesaria para evaluar la calidad del desempeño de un gerente de nivel inferior en la jerarquía de la organización.

Como se vio en el capítulo 2, algunas veces los gerentes tienen el incentivo de seguir sus propias metas a expensas de las del accionista. Por ejemplo, los altos gerentes podrían optar por hacer crecer la compañía a expensas de la rentabilidad debido a que los salarios están estrechamente relacionados con el tamaño de la compañía. Los gerentes en los niveles inferiores también podrían seguir sus propias metas, como conformar amplios *staffs*, expandir sus cuentas de gastos o construir sus propios imperios en vez de hacer el trabajo duro necesario para generar una ventaja competitiva. Como se anotó en el capítulo 11, una de las funciones de los gerentes corporativos consiste en impartir disciplina a los gerentes de división con el fin de incrementar la eficiencia.

Cuando es difícil aplicar monitoreo y evaluar el desempeño de un subordinado *y* éste tiene el incentivo de seguir metas y objetivos diferentes de los del superior, existe un **problema de agencia**. Un ejemplo de tal problema es una situación en la que los gerentes divisionales deliberadamente disfrazan el desempeño deficiente de la división ante los gerentes corporativos para favorecer sus propios intereses. Por consiguiente, el reto de los accionistas y gerentes en todos los niveles dentro de la organización consiste en: (1) superar su desventaja de información, y (2) configurar el comportamiento de aquellos que se encuentran en los niveles inferiores de la organización de tal modo que sigan las metas establecidas por los superiores.

En la teoría de agencia, el asunto principal consiste en superar el problema de agencia al *desarrollar sistemas de control que alineen los intereses de los accionistas y gerentes en los diversos niveles* de tal manera que la estructura de las relaciones de tareas en una organización funcione en forma efectiva. El propósito de los sistemas de control consiste en proporcionar a los accionistas y gerentes la información que puedan utilizar para revisar el desempeño, identificar problemas y distribuir los recursos con el fin de mejorar la ventaja competitiva de la organización. Por ejemplo, en el nivel superior, el rol de la junta directiva es desarrollar estándares de desempeño que puedan utilizar al evaluar las actividades de los altos gerentes y crear una estructura de incentivos que los motive y alinee sus intereses con aquéllos de los accionistas[2]. Así mismo, el rol de la dirección general corporativa consiste en desarrollar sistemas de control que permitan a los altos gerentes aplicar monitoreo y evaluar el desempeño de los gerentes de división y estimularlos para que trabajen hacia el logro de los objetivos corporativos. Este modelo se repite a lo largo de la organización.

Costos burocráticos y sistemas de control organizacional

Los gerentes necesitan desarrollar sistemas de control que les suministre la información requerida con el fin de aplicar monitoreo y evaluar el desempeño de los subordinados. Sin embargo, compilar esta información es gravoso y aumenta los *costos burocráticos*. Por ejemplo, cada hora que emplea un gerente aplicando monitoreo a un subordinado para asegurarse de que se desempeña en forma efectiva cuesta dinero. Debido a que el control organizacional, como la estructura organizacional, son costosos, una compañía debe diseñar sus sistemas de control de tal forma que pueda recoger la información necesaria para controlar sus actividades de creación de valor al menor costo posible.

Los tipos de sistemas de control que pueden utilizar las organizaciones para superar el problema de agencia van desde aquellos que miden el rendimiento o resultado organizacional hasta los que miden y controlan el comportamiento organizacional[3]. En general, el rendimiento es mucho más fácil y económico de medir que el comportamiento debido a que el primero es relativamente tangible u objetivo. Por consiguiente, para compilar información sobre el desempeño, las compañías en primer lugar recurren a *controles del rendimiento*. Luego, para motivar a los gerentes, es común hacer que sus compensaciones dependan del rendimiento o resultado de sus acciones, es decir, del nivel de desempeño. Así, los accionistas pueden controlar el desempeño de un CEO al proporcionarle alternativas accionarias que estén relacionadas con el RSI de la compañía, una forma de medir el resultado. Los gerentes corporativos, a su vez, pueden retribuir a los gerentes de división con base en el desempeño de ésta.

Sin embargo, en muchas situaciones el rendimiento organizacional no se puede medir o evaluar fácilmente. Por ejemplo, medir la innovación organizacional o la capacidad de satisfacer al cliente es mucho más difícil que medir la eficiencia. Además, cuanto más complejas sean las actividades de creación de valor, más difícil será utilizar el control de rendimiento debido a que evaluar el trabajo de personas como científicos de investigación y desarrollo o de planeadores estratégicos es difícil y costoso. En forma similar, cuanto mayor sea la interdependencia entre funciones o divisiones (por ejemplo, cuando una compañía busca obtener beneficios a partir de la sinergia), más difícil será para la empresa señalar las contribuciones *individuales* de las divisiones hacia el desempeño.

En estas situaciones, los accionistas y gerentes usualmente desarrollan sistemas de *control burocrático*, los cuales configuran el comportamiento necesario para lograr metas de producción[4]. Los controles burocráticos como reglamentos y procedimientos constituyen la forma principal de configurar o estandarizar el comportamiento. Otra manera de configurarlo y alinear los intereses entre las par-

Tabla 12.1
Tipos de sistemas de control

Control de mercado	Control de rendimiento	Control burocrático	Cultura organizacional
Precio de las acciones	Metas divisionales	Reglas y procedimientos	Normas
RSI	Metas funcionales		Valores
Transferencia de precios	Metas individuales	Estandarización	Socialización

tes para estimular un desempeño alto es mediante el desarrollo de una *cultura corporativa* que vincule a los gerentes y empleados a una organización al hacer valiosa su pertenencia a ésta. Por ejemplo, una cultura podría ofrecer beneficios a largo plazo como hacer carrera dentro de la empresa que retribuya a los empleados que se especializan en una organización de tal manera que desarrollen capacidades para incrementar sus habilidades distintivas.

La tabla 12.1 muestra los diversos tipos de sistemas de control que puede utilizar una organización para aplicar monitoreo y coordinar sus actividades. Se analizará cada uno y también se considerará el uso de diferentes clases de mecanismos de control en los diversos niveles organizacionales (corporativo, divisional, funcional e individual). Los problemas de agencia no se superarán y la estructura organizacional no funcionará en forma efectiva a menos que los gerentes de nivel corporativo utilicen estos controles para aplicar monitoreo, evaluar y retribuir a las divisiones, funciones y empleados. En el resto del capítulo se analizarán las diversas opciones abiertas para las compañías en el diseño de este sistema de control.

12.4 CONTROL DE MERCADO

Una de las principales formas con las que los accionistas tratan de influir a los gerentes es mediante el control de mercado para aplicar monitoreo y evaluar el desempeño de la compañía. El **control de mercado** es el tipo más objetivo de control del rendimiento, ya que se basa en mediciones financieras objetivas del desempeño. El desempeño de una compañía se compara con el de otra en términos del precio del mercado de acciones o del rendimiento sobre la inversión.

Precio del mercado de acciones

El precio de las acciones constituye una medición útil del desempeño de la compañía básicamente porque se encuentra determinado en forma competitiva por la cantidad de compradores y vendedores en el mercado. Los movimientos en el precio de una acción suministran a los accionistas la retroalimentación sobre el desempeño de la compañía. El precio del mercado accionario actúa como un poderoso medio de control pues la retribución de los altos gerentes a menudo se encuentra ligada al precio de las acciones; en consecuencia, tienden a ser sensibles a las caídas en los precios de los mercados accionarios. Cuando su precio cae también puede provocar intranquilidad por parte del accionista e intentos de adquisición, y esto también sirve para controlar la acción administrativa. Finalmente, debido a que el precio accionario refleja el futuro rendimiento a largo plazo de la acción, puede considerarse un indicador del potencial a largo plazo de la compañía.

Existe un buen número de grandes compañías bien conocidas cuyos accionistas se quejan amargamente acerca del desempeño del equipo de alta gerencia, no obstante, han sido incapaces de influir en aquella. Por ejemplo, en Eastman Kodak el CEO Kay R. Whitmore, quien asumió su cargo en 1990, no ha podido dar un vuelco total al desempeño de la compañía. Muchas de las adquisiciones en las que Kodak se ha lanzado para mejorar el desempeño corporativo resultaron ser un funesto fracaso y una pérdida del dinero de los accionistas. Kodak se ha retardado en disminuir sus operaciones y responder a las realidades de un nuevo mercado competitivo. Otros ejemplos de compañías donde la junta directiva atada ha sido incapaz de influir por prolongados periodos en la alta gerencia a pesar del decadente desempeño incluyen a Sears, American Express, Westinghouse y Digital Equipment Corp. En la actualidad, se proyectan movimientos para cambiar las leyes que gobiernan las corporaciones de tal modo que los accionistas y los inversionistas institucionales puedan tener más poder e intervenir rápidamente cuando el desempeño corporativo esté en decadencia y controlen en forma efectiva la alta gerencia.

Rendimiento sobre la inversión

El rendimiento sobre la inversión (RSI), determinado al dividir el ingreso neto por el capital invertido, constituye otra forma de control de mercado. A nivel corporativo, el desempeño de toda la compañía puede ser evaluado *frente* a otras compañías, y en este sentido es que el RSI puede utilizarse como control de mercado por parte de los accionistas y la alta gerencia. Por ejemplo, los altos gerentes pueden evaluar la forma como sus estrategias han funcionado al comparar su desempeño frente al de empresas similares. En la industria del computador personal, compañías como Dell Computer, Compaq y Apple Computer utilizan el RSI para medir su desempeño con relación al de sus competidores. Un RSI en decadencia señala un problema potencial con la estrategia o estructura de la organización. Por ejemplo, el RSI de Apple ha venido decayendo con relación a los de Dell y Compaq. La razón, según los analistas, es que Apple se ha demorado más en la innovación de productos y en reaccionar a los movimientos de reducción de precios de sus rivales.

El RSI también puede utilizarse dentro de la compañía a nivel divisional para juzgar el desempeño de una división operativa al compararla con un negocio similar independiente u otras divisiones internas. En verdad, una razón para seleccionar una estructura multidivisional consiste en que cada división pueda ser evaluada como un centro de utilidades autónomo. En consecuencia, la gerencia puede medir en forma directa el desempeño de una división frente a otra, así como a nivel corporativo el desempeño de una compañía puede medirse frente al de otras firmas. General Motors se desplazó hacia una estructura divisional en parte porque podría entonces utilizar este estándar. Le proporcionó información a sus gerentes corporativos acerca de los costos relativos de las diversas divisiones, permitiéndoles fundamentar las distribuciones de capital en el desempeño relativo. En forma similar, las compañías manufactureras a menudo establecen instalaciones de producción en diferentes sitios, doméstica y globalmente, de tal manera que pueden medir el desempeño relativo de una con respecto a la otra. Por ejemplo, Xerox pudo identificar la ineficiencia relativa de su división estadounidense al comparar su rentabilidad con la de su contraparte japonesa. El RSI es una forma poderosa de control de mercado a nivel divisional, especialmente si los gerentes divisionales son retribuidos con base en su desempeño frente a otras divisiones. Los gerentes divisionales de mayor éxito serán la próxima generación de ejecutivos corporativos.

Análisis de los resultados a través del control de mercado

Como se indicó, el control de mercado es posible sólo cuando existe una forma de sistema de comparación. En la confrontación con otras compañías, los controles de mercado como el RSI o precio del mercado de acciones funcionan bien. No obstante, que el control de mercado funcione a nivel divisional depende de las capacidades de los gerentes y su disponibilidad para lograr soluciones equitativas sobre la transferencia de precios para los productos. Finalmente, fracasar en el logro de objetivos de precios de acciones o RSI también indica que es necesario tomar una medida correctiva. Señala la necesidad de adelantar una reorganización corporativa con el fin de alcanzar los objetivos correspondientes, la cual podría implicar un cambio en la estructura o liquidación y desestimiento de los negocios. También puede ser una señal de la necesidad de nuevo liderazgo estratégico. En años recientes, los CEO de American Express, Digital Equipment, Westinghouse y General Motors han sido despedidos por las inconformes juntas directivas, consternadas por el desempeño decadente de sus compañías con relación a la competencia.

12.5 CONTROL DEL RENDIMIENTO

Cuando ningún sistema de mercado puede diseñarse para asignar y valorar los recursos organizacionales debido a que no existe ningún sistema de comparación (entre compañías o divisiones), los gerentes deben acudir a métodos alternativos de control para configurar el comportamiento de las divisiones, las funciones y el personal. El tipo más fácil y económico de control disponible es el control del rendimiento. Para aplicarlo, una compañía estima o pronostica objetivos apropiados para sus diversas divisiones, departamentos o personal, y luego monitorea su desempeño con relación a aquellos objetivos. A menudo, el sistema de retribución de la organización se vincula al desempeño sobre esos objetivos de tal manera que el control del rendimiento también suministra una estructura de incentivos para motivar a los gerentes en todos los niveles de la organización.

Metas divisionales

Al crear metas divisionales, la gerencia corporativa establece los estándares para juzgar el desempeño divisional. Tales estándares incluyen metas de ventas, productividad, crecimiento y participación en el mercado. Los gerentes divisionales utilizan los estándares como base para el diseño de la estructura organizacional con el fin de lograr los objetivos. Generalmente, los gerentes corporativos tratan de incrementar estos estándares con el paso del tiempo para forzar a las divisiones a adoptar estrategias y estructuras más efectivas. Por ejemplo, en General Electric el CEO Jack Welch ha establecido unas metas claras de desempeño para la compañía sobre 300 divisiones. Él espera que cada división sea la número uno o dos en su industria en términos de participación en el mercado. A los gerentes divisionales se les da considerable autonomía para formular una estrategia que cumpla esta meta y las divisiones que no lo logren entrarán en proceso de desestimiento. Por ejemplo, en el momento General Electric trata de hallar un comprador para NVC, la tercera red nacional.

Metas funcionales

El control del rendimiento a nivel funcional se logra al establecer metas para cada función. Como se analizó anteriormente, los cuatro bloques de formación de la ventaja competitiva son eficiencia, calidad, capacidad de satisfacer al cliente e innovación. Estos cuatro criterios pueden servir como metas frente a las cuales se puede evaluar el desempeño funcional de tal modo que se pueda aplicar directamente el control del rendimiento para incrementar la ventaja competitiva de una compañía. En el capítulo 4 se analizó cómo el *benchmarking* competitivo puede utilizarse para crear un sistema

ESTRATEGIA EN ACCIÓN 12.1

Control del rendimiento y adquisiciones

Informix Corp., con sede en Menlo Park, California, se especializa en la producción de software que vincula las redes de los PC y estaciones de trabajo basadas en UNIX. En 1988, con el fin de ampliar su variedad de productos y proporcionar un sistema de distribución completamente desarrollado, que la convertiría en el competidor líder en su nicho de mercado, Informix decidió comprar Innovative Software de Kansas. La adquisición fue un desastre. En vez de representar un mejoramiento para sus capacidades de creación de valor, la empresa registró un incremento considerable en sus costos operativos: su fuerza laboral había aumentado de 350 a 1,200 personas, y tenía que manejar dos conjuntos de fuerzas de ventas, operaciones de fabricación y las demás funciones de creación de valor. En 1990, la compañía registró una pérdida de US$46.3 millones y su futuro se encontraba en peligro.

El CEO de la empresa, Philip White, se dio cuenta de que tenía que recuperar el control de la estructura de la compañía si quería retomar el control en costos. Estableció una serie de controles estrictos de rendimiento para las diversas funciones y las forzó a monitorear y evaluar cuidadosamente sus actividades con el fin de hallar nuevas formas de organización para reducir los costos. Por ejemplo, estableció un objetivo para reducir los costos en el proceso de fabricación, lo cual forzó a los gerentes a simplificar y fusionar las dos operaciones de fabricación. En cuatro años, estos costos descendieron del 13% de los ingresos al 5%. En el desarrollo de productos, estableció rigurosas metas para los objetivos de utilidades de nuevos productos, lo cual forzó a los gerentes a proyectar cuidadosamente los nuevos productos potenciales. El resultado fue la avalancha de un gran número de productos altamente exitosos que incrementaron en forma considerable los ingresos. En efecto, el programa de White sobre control del rendimiento fue tan exitoso que las acciones de la compañía, que se comercializaban a US$1.31 en enero de 1992, estuvieron por encima de los US$35 en 1993, y la organización posee ahora un liderazgo predominante sobre sus competidores.

de controles del rendimiento que moldeen el comportamiento de las funciones y motiven al personal funcional. Como a nivel divisional, las metas funcionales se establecen para motivar el desarrollo de habilidades funcionales que proporcionen a la organización una ventaja competitiva a nivel de negocios.

Por ejemplo, en la función de ventas, las metas relacionadas con la eficiencia (como costo de ventas), calidad (como cantidad de devoluciones) y capacidad de satisfacer al cliente (como el tiempo necesario para atender las necesidades del cliente) pueden establecerse para toda el área. Entonces, al personal de ventas se le pueden asignar metas específicas, relacionadas con las metas funcionales, que a su vez se les exige lograr. Las funciones y los individuos se evalúan luego con base en el logro o no de sus metas, y en el caso de ventas la retribución se vincula al logro. El cumplimiento de estas metas es una señal de que la estrategia de la compañía funciona y satisface los objetivos organizacionales. La forma como Informix Corp. utilizó los controles del rendimiento para hacer que su estructura funcionara después de una adquisición ilustra muchas de las ventajas del control del rendimiento. El enfoque de esta compañía se destaca en la estrategia en acción 12.1.

Metas individuales

El control del rendimiento a nivel individual también es común. Ya se ha visto cómo la remuneración por ventas normalmente se basa en el desempeño individual. En general, siempre que el desempeño del empleado pueda monitorearse y evaluarse en forma fácil, los controles del rendimiento usualmente son apropiados. Así, los sistemas de salario a destajo, en los que los individuos son remunerados según la cantidad exacta que produzcan, son peculiares sistemas de control del rendimiento. En muchos empleos, el control del rendimiento es más difícil debido a que el desempeño de los individuos es más difícil de evaluar. Por ejemplo, si trabajan en equipos, es imposible o muy costoso medir su rendimiento individual; por tanto, a menudo se utilizan los sistemas de remuneración basados en el desempeño del equipo. Si la labor es extremadamente compleja, como en el caso de los científicos de investigación y desarrollo o los altos gerentes, entonces el sistema de incentivos debe ligarse a medidas más generales, como el RSI o el precio de las acciones. Por estas razones, a los programadores principales de Microsoft se les proporciona alternativas de participación accionaria ligadas al precio de las acciones de la compañía las cuales han hecho millonarios a muchos de ellos. Estas alternativas accionarias también forman parte importante del paquete de retribución para la mayoría de los altos gerentes.

Resultados con el control del rendimiento

La aplicación inapropiada del control del rendimiento en cualquier nivel de la organización puede llevar a consecuencias inesperadas e infortunadas. Por ejemplo, pueden utilizarse metas erradas para evaluar las divisiones, funciones o individuos. Si las mediciones del desempeño a corto plazo son confiables, como cantidad producida, pueden entrar en conflicto con las metas de calidad. En un ejemplo clásico de consecuencia inesperada del control de rendimiento, una agencia de empleo remuneró a sus trabajadores con base en la cantidad de personas que ubicaban semanalmente en nuevos empleos. El resultado fue que ubicaron a potenciales candidatos en cargos a los cuales no se ajustaban por completo; por ejemplo, enviaron contadores a empleos de línea de producción. Al darse cuenta de este error, la agencia cambió el sistema de remuneración para enfatizar en el tiempo de permanencia de los nuevos empleados en sus cargos después del ingreso. La moraleja de la historia es clara: aplicar monitoreo, evaluar y retribuir el comportamiento del empleado requiere el conjunto apropiado de controles. El problema de escoger el conjunto correcto de controles del rendimiento para motivar a los gerentes también se presenta como ejemplo en la estrategia en acción 12.2; en ésta se describe la forma como el antiguo CEO de Giddings and Lewis, William J. Fife, utilizó este tipo de control. Como se sugiere en este episodio, el erróneo sistema de control puede tener un efecto inesperado de generar conflictos entre los gerentes y los departamentos.

El uso inapropiado del control de rendimiento también puede generar conflicto entre las divisiones. Como se anotó anteriormente, a nivel divisional pueden ocurrir choques sobre la transferencia de precios. En general, establecer objetivos de rendimiento en el escritorio, como metas de RSI, para las divisiones puede llevar a resultados destructivos si éstas tercamente tratan de maximizar las utilidades divisionales a expensas de los objetivos corporativos. Además, para lograr objetivos de rendimiento, las divisiones pueden comenzar a distorsionar las cantidades e involucrarse en una manipulación estratégica de las cifras para hacer que sus divisiones parezcan bien[5]. La forma como Sears utilizó el control del rendimiento, que le causó problemas con sus clientes, constituye otro ejemplo de cómo no se debe utilizar este tipo de control.

En 1992, enfrentada con el deteriorado desempeño de la compañía, Sears decidió cambiarse a un sistema de incentivos que retribuyera a los empleados de los almacenes según la cantidad que ven-

Cómo no utilizar el control del rendimiento para prosperar

William J. Fife dirigió magistralmente la transformación total de Giddins and Lewis Inc., productor de maquinarias automatizadas de fabricación para compañías como GM, Boeing, AMR y Ford. En 1988, la compañía perdía dinero y tenía una base de clientes en decadencia. En 1993, Fife la convirtió en la más grande compañía de la industria, con ventas que cada trimestre superaban los resultados obtenidos del año anterior y el precio accionario se había cuadruplicado desde que Fife vendió las acciones en el mercado abierto en 1989. No obstante, en abril de 1993 la junta directiva decidió pedir la renuncia de Fife pues ya no era un líder conveniente debido a que, de acuerdo con el criterio de la junta directiva, su uso de los controles del rendimiento estaba causando daños al futuro de la empresa.

Su estrategia de retorno completo se fundamentaba en ampliar la base de productos de la compañía al innovar en elementos que se ajustaran a los nuevos tipos de clientes, por ejemplo, empresas de transporte aéreo y compañías manufactureras de consumo. Entonces, su meta consistía en incrementar las ventas al promover la capacidad de satisfacer al cliente. Como un ejemplo para sus gerentes y empleados, Fife volaba a cualquier parte de EE.UU. para resolver personalmente los problemas de los clientes. Con el propósito de promover su estrategia de incrementar las ventas a través de la innovación y capacidad de satisfacer al cliente, hizo amplio uso de los controles de rendimiento como forma principal de evaluar el desempeño de los gerentes de producto y financieros. Periódicamente, se sentaba con sus ejecutivos y revisaba las cifras financieras, de ventas y de costos de un producto o variedad de éstos.

Sin embargo, cuando las cifras no le complacían, agredía e insultaba verbalmente a los ejecutivos involucrados frente a sus camaradas, quienes permanecían abochornados en silencio durante la vergonzosa agresión. Cualquier intento de defenderse solamente prolongaría la ofensa, y los altos gerentes comenzaron a quejarse ante los miembros de la junta directiva que Fife estaba destruyendo las relaciones laborales. Además, afirmaron que la preocupación de Fife con respecto a la línea inferior a corto plazo estaba causando problemas a la organización, pues su enfoque en objetivos de ventas y costos les forzaba a reducir el proceso de investigación y desarrollo o el servicio al cliente para satisfacer las estrictas metas que había impuesto. Finalmente, señalaron que esta práctica causaría daño a las relaciones con la clientela. Así, los gerentes de Fife declararon que su enfoque exclusivo sobre el propósito de controlar el rendimiento estaba reduciendo la flexibilidad e integración que, además, amenazaba el desempeño futuro de la compañía.

Cualquiera que fuera la verdad en estos reclamos, la junta directiva (que Fife había nombrado) escuchó a los disgustados gerentes y decidió que por el bien de la organización debían pedir la renuncia de Fife. Como afirmó Clyde Folley, el presidente interino, la junta directiva quería "Un nivel de liderazgo tranquilo y agradable" y el restablecimiento de buenas relaciones laborales entre los gerentes en todos los niveles[6]. Sin embargo, el mercado de acciones reaccionó en forma diferente ante la noticia de la partida de Fife, y el precio de las acciones de la compañía se precipitó en más del 20% después del anuncio. Es claro que los accionistas gustaban del efecto producido por los controles en el rendimiento sobre el desempeño de la compañía -el trabajo de Fife-, aunque a sus gerentes no les gustara.

dieran. Por ejemplo, en los talleres automotrices de la compañía, la comisión por ventas de un empleado se vinculaba directamente al precio de las piezas automotrices específicas que éste vendiera. La consecuencia de este enfoque, como lo descubrirían los funcionarios encargados de los problemas del consumidor en California, fue que los empleados vendían a los clientes millones de dólares en repuestos innecesarios, como nuevos amortiguadores o llantas. En un estudio confidencial realizado por el Consumer Affairs Department del estado se reveló que en 32 de 38 operaciones clandestinas, Sears cobró un promedio de US$235 extras por repuestos innecesarios[7]. Cuando la alta gerencia de la compañía investigó el efecto inesperado de los controles de rendimiento, suprimió el sistema y eliminó el incentivo para que los empleados vendieran en exceso. Sin embargo, estas imputaciones han deteriorado las relaciones con los clientes, y la compañía ha tenido que afrontar el problema de restablecer la confianza de éstos.

Como se sugiere en el ejemplo de Sears, los gerentes estratégicos necesitan diseñar controles de rendimiento que estimulen a los gerentes a seguir las metas de rentabilidad a largo plazo pero no a expensas de otros grupos de interés dentro de la organización. En la práctica, los controles de rendimiento o mercado deben utilizarse junto con el control burocrático y la cultura si se desea lograr correctos comportamientos estratégicos.

12.6 CONTROL BUROCRÁTICO

Los controles de mercado y de rendimiento requieren estándares relativamente objetivos y medibles para monitorear y evaluar el desempeño. A menudo, los estándares medibles son difíciles o costosos de desarrollar, y cuando no son suficientes para cumplir los objetivos corporativos, los gerentes deben volver al control burocrático. El **control burocrático** se ejerce a través del establecimiento de un amplio sistema de reglas y procedimientos para dirigir las acciones o comportamiento de las divisiones, funciones e individuos[8]. Las reglas estandarizan el comportamiento y hacen pronosticables los rendimientos. Si los empleados siguen las reglas, entonces las acciones se ejecutan y las decisiones se manejan en la misma forma cada vez. El resultado es la pronosticabilidad y exactitud, las cuales son las metas de todos los sistemas de control. Al utilizar el control burocrático, la intención no es especificar las metas, sino estandarizar la forma de lograrlas.

Estandarización*

La **estandarización** se refiere al nivel que una compañía especifica los procesos de toma de decisiones y coordinación de tal manera que el comportamiento del empleado sea pronosticable[9]. Ésta reduce el problema de agencia debido a que especifica los comportamientos requeridos de las divisiones, funciones o individuos. En la práctica, existen tres aspectos que una organización puede estandarizar: *insumos, actividades de conversión y productos.*

1. *Estandarización de insumos.* Una forma mediante la cual una organización puede controlar el comportamiento de las personas y los recursos es mediante la normalización de los insumos en su interior. Esto significa que la compañía proyecta insumos y permite que ingresen sólo aquellos que satisfagan estándares específicos. Por ejemplo, si los empleados constituyen el insumo en cuestión, entonces una forma de estandarizarlos consiste en reclutar y seleccionar sólo aque-

---

N. del R. T. Estandarización: Normalización. Para el presente texto se utilizarán indiferentemente los dos términos.

llas personas que posean las cualidades o capacidades determinadas por la organización. Arthur Andersen & Company, la firma contable, constituye un reclutador bastante selectivo, como la mayoría de las organizaciones prestigiosas. Si los insumos en cuestión son materias primas o piezas, entonces se aplican las mismas consideraciones. Los japoneses son famosos por la alta calidad y niveles de precisión en tolerancia que exigen de las piezas para minimizar los problemas con el producto en la etapa de fabricación. Los sistemas de inventario *justo a tiempo* también ayudan a estandarizar el flujo de insumos.

2. *Estandarización de las actividades de conversión.* El objetivo consiste en programar las actividades de trabajo de tal modo que se realicen en la misma forma cada vez. La meta es pronosticable. Los controles burocráticos, como reglas y procedimientos, se encuentran entre los principales medios con los cuales las compañías pueden estandarizar sus actividades, tal como lo ha hecho McDonald's. Otra forma consiste en organizar las tareas de producción de tal manera que los productos semiterminados se desplacen de una etapa de producción a la siguiente en forma pronosticable con el fin de reducir el tiempo y los recursos necesarios para generar los productos. La meta consiste en maximizar la eficiencia con la cual se producen los bienes y hallar mejores formas para controlar y estandarizar la producción. Los controles de rendimiento expuestos aquí los puede utilizar la gerencia para aplicar monitoreo y evaluar el éxito de sus esfuerzos de estandarización.

3. *Estandarización del producto.* Su meta consiste en precisar qué características de desempeño del producto o servicio final deben existir; por ejemplo, a qué dimensiones o tolerancias del producto debe amoldarse. Con el fin de asegurar que sus productos sean estándares, las compañías aplican el control de calidad y utilizan diversos criterios para medir esta estandarización. Un criterio podría ser la cantidad de devoluciones por parte de los clientes o el número de quejas. En líneas de producción, la muestra periódica de productos puede indicar si están satisfaciendo las características de desempeño. Dada la intensidad de la competencia extranjera, las empresas están dedicando recursos extras para estandarizar productos, no sólo para reducir costos sino para conservar a los clientes. Si el desempeño del producto satisface a los clientes, continuarán comprándole a la compañía. Por ejemplo, si alguien compra un automóvil japonés y no presenta problemas con su desempeño, ¿qué auto posiblemente comprará la próxima vez? Por esta razón los fabricantes de automóviles estadounidenses han hecho énfasis en la dimensión de la calidad de sus productos. Saben la importancia de la estandarización del producto en un mercado competitivo.

Como se vio anteriormente, McDonald's utiliza el control burocrático para estandarizar todas sus actividades. En primer lugar, la calidad de sus insumos está estandarizada a través del control de los proveedores de alimentos y concesionarios. Luego, en la fase de producción, sus operaciones de alimentos están totalmente estandarizadas mediante la mecanización y la capacitación de los empleados en los restaurantes. En consecuencia, en la fase de entrega, las hamburguesas se preparan en forma uniforme y eficiente, con una rápida capacidad de satisfacer al cliente. En general, los restaurantes de comidas rápidas y todos los tipos de cadenas de almacenes orientados al servicio utilizan la estandarización como medio principal de control.

Resultados con el control burocrático

Como sucede con otros tipos de controles, el uso del control burocrático está acompañado de problemas que deben ser manejados si la organización desea evitar problemas estratégicos. En primera instancia, la alta gerencia debe ser cuidadosa al monitorear y evaluar la eficacia de los controles burocráticos con el paso del tiempo. Los reglamentos restringen a las personas y generan un comportamiento estandarizado y pronosticable. No obstante, a menudo es más fácil establecerlos que evitarlos, y con el tiempo tiende a incrementarse la cantidad de reglas que utiliza una organización. Así como los nuevos desarrollos llevan a reglas adicionales, con frecuencia las antiguas reglas no se desechan, y la compañía se burocratiza demasiado. En consecuencia, la organización y las personas en ella se vuelven inflexibles y lentas para reaccionar a las cambiantes o no usuales circunstancias. Esta inflexibilidad puede reducir la ventaja competitiva de una compañía al disminuir el ritmo de innovación y al reducir la capacidad de satisfacer al cliente. De igual manera, dentro de la organización, la integración y coordinación pueden caerse a pedazos cuando las reglas impidan la comunicación entre las funciones. Por consiguiente, los gerentes deben estar permanentemente alerta a las oportunidades con el fin de reducir la cantidad de reglas y procedimientos necesarios para manejar los negocios y siempre es preferible que descarten una regla en vez de utilizar una nueva.

El segundo gran problema es el costo de utilizar controles burocráticos. Así como una estructura es costosa, de igual manera sucede con el control burocrático. Para proporcionar un ejemplo dramático, según un estimado reciente, el 20% del costo invertido en el cuidado de la salud se gasta en diligenciar el papeleo necesario para cumplir con las reglas y procedimientos organizacionales y del gobierno acerca del cuidado de la salud. Esta cantidad se acerca a los miles de millones de dólares anuales. Por consiguiente, es importante reducir al mínimo esencial la cantidad de reglas y procedimientos. Sin embargo, la gerencia constantemente descuida esta tarea y, a menudo, sólo un cambio en el liderazgo estratégico lleva a la compañía de nuevo a su curso.

El control del rendimiento y el control burocrático funcionan unidos y, por lo general, se utilizan en conjunto. Por ejemplo, en una estructura multidivisional, los primeros controles de mercado y los controles de rendimiento son establecidos por la dirección general corporativa con el fin de monitorear y evaluar el desempeño divisional. Luego, dentro de cada división los controles burocráticos se utilizan para estandarizar los comportamientos de tal manera que los empleados de las divisiones trabajen proyectados a las metas divisionales. Además, con el propósito de evitar comportamientos de búsqueda de utilidades a corto plazo, debido al énfasis exclusivo en el control del rendimiento, es necesario aplicar los controles burocráticos para evaluar otros aspectos del desempeño de una división o de una función. Por ejemplo, para prevenir a los gerentes de las divisiones de reducir gastos en investigación y desarrollo que mejoren el desempeño de la línea inferior, el centro corporativo puede establecer reglas que especifiquen cuántos gerentes divisionales son necesarios en I&D. De igual manera, es peligroso utilizar sólo el control del rendimiento al evaluar el personal de ventas, debido a que esto puede motivar la venta forzada a expensas de la lealtad del cliente a largo plazo, como ocurrió en Sears. Por tanto, muchas compañías utilizan el control burocrático e igualmente tratan de desarrollar normas y valores comunes y formar una cultura organizacional que promueva la capacidad de satisfacer al cliente.

12.7   CULTURA ORGANIZACIONAL

La **cultura organizacional** puede definirse como la agrupación específica de normas, estándares y valores compartidos por los miembros de una organización que afectan la forma como desarrolla los negocios[10]. Los empleados no están controlados por un sistema externo de restricción, como supervisión directa, rendimientos o reglas y procedimientos. Más bien, se dice que interiorizan las normas y valores de la organización y las hacen parte de su propio sistema de valores[11]. Así, el valor de la cultura para una organización es su capacidad para especificar normas y valores que rijan el comportamiento del empleado y resuelvan el problema de agencia[12].

La **socialización** es el término utilizado para describir cómo las personas aprenden la cultura organizacional. A través de la socialización, los individuos interiorizan las normas y valores de la cultura y aprenden a actuar como el personal existente[13]. El control a través de la cultura es muy poderoso debido a que, una vez interiorizados los valores, se convierten en parte de aquéllos en el individuo, y él sigue los valores organizacionales sin pensar en ellos. Con mucha frecuencia, la cultura de una organización es transmitida a sus miembros a través de historias, mitos y el lenguaje que utilizan las personas en la organización, como también por otros medios. (La figura 12.3 resume las diversas formas de transmitir la cultura).

Por ejemplo, algunas organizaciones como Apple Computer y Microsoft se caracterizan por tener relaciones laborales muy informales; las personas entran y salen del trabajo cuando les complace, lucen ropa informal y su trato mutuo también es informal. En otras organizaciones exigen estrictos códigos de vestuario y rígidas formas de dirigirse entre gerentes y subordinados, y la comunicación sólo se permite a través de canales formales. La manera como se desarrolló la cultura en una *joint venture* entre IBM y Apple, descrita en la estrategia en acción 12.3, ilustra cómo la cultura organizacional afecta el comportamiento de sus miembros.

Debido a que la estructura de la organización –el diseño de sus relaciones de tareas y de reportes– y su cultura forman el comportamiento del empleado, es crucial ajustar la estructura y cultura organizacional con el fin de implementar la estrategia. Las maneras como la organización diseña y crea su estructura se analizan en el capítulo 11. La pregunta que permanece es ¿cómo diseñan y crean sus culturas? En general, la cultura organizacional es el producto del liderazgo estratégico.

Cultura y liderazgo estratégico

En primer lugar, la cultura organizacional es creada por el liderazgo estratégico que proporcionan el fundador y los altos gerentes de una organización. El fundador es particularmente importante en determinar la cultura puesto que "imprime" sus valores y estilo administrativo a la organización. Por ejemplo, la influencia conservadora de Walt Disney en su compañía continuó mucho después de su muerte. Los gerentes tenían miedo de experimentar nuevas formas de entretenimiento pues temían que "a Walt Disney no le gustaría". Se necesitó la instalación de un nuevo equipo de gerencia bajo el liderazgo de Michael Eisner para darle un vuelco total a los destinos de la compañía y permitirle enfrentar la realidad de la nueva industria de entretenimiento. En forma similar, Bill Gates ha ejercido gran influencia al crear en Microsoft una cultura empresarial de "ruedas sueltas" y caracterizada por una fuerte adicción al trabajo; y en Hewlett-Packard, los fundadores establecieron su norma que espera que los empleados sean innovativos y seguros de sí mismos. Por ejemplo, en dicha empresa existe una norma informal que los empleados deben experimentar y utilizar los

Figura 12.3
Formas de transmitir
la cultura

recursos de la compañía para seguir proyectos independientes siempre y cuando favorezcan los intereses de la compañía.

Con el paso del tiempo, el estilo del liderazgo establecido por el fundador es transmitido a los gerentes y a medida que crece la compañía, por lo general, atrae nuevos gerentes y empleados que comparten los mismos valores. De otra parte, los miembros de la organización básicamente reclutan y seleccionan sólo a quienes comparten sus valores. Así, con el paso del tiempo la cultura de una compañía se hace cada vez más distinta a medida que sus miembros se hacen más semejantes. La virtud de estos valores compartidos y una cultura común consiste en que ésta *incrementa la integración y mejora la coordinación entre los miembros de la organización*. Por ejemplo, el lenguaje común que surge típicamente en una organización, debido a que las personas comparten las mismas creencias y valores, facilita la cooperación entre los gerentes. De igual manera, las reglas y procedimientos junto con la supervisión directa son menos importantes cuando las normas y valores compartidos controlan el comportamiento y motivan a los empleados. Cuando los miembros de la organización compenetran con las normas y valores culturales, este factor los ata a la organización y reduce el problema de agencia analizado anteriormente. Es decir, existe mayor probabilidad de comprometerse con las metas organizacionales y trabajar en forma activa hacia su realización.

El liderazgo estratégico también afecta la cultura organizacional a través de la forma como los gerentes diseñan la estructura organizacional (la manera como delegan autoridad y distribuyen las relaciones de tareas). Por ejemplo, el presidente de junta directiva de Microsoft, Bill Gates, siempre ha tratado de mantener su compañía lo más plana posible, y ha descentralizado la autoridad hacia pequeños equipos que poseen el control de todos los recursos necesarios para terminar un proyecto. Como resultado, ha creado una cultura empresarial en Microsoft en la que los gerentes experimentan y asumen riesgos. Por el contrario, Henry Ford I diseñó su compañía de tal manera que le proporcionaba control absoluto sobre la toma de decisiones. Incluso vigilaba las acciones del equipo de alta gerencia, y su sucesor, Henry Ford II continuó manejando la compañía en una forma bastante centralizada. El resultado para Ford Motor Car Co. fue una cultura organizacional caracterizada por formar gerentes conservadores y temerosos de asumir riesgos, y la compañía se reconocía por su lento ritmo para cambiar e innovar. Así, la forma como una organización diseñe su estructura afecta las normas y valores culturales que desarrolla dentro de la organización. Los gerentes necesitan conscientizarse de este hecho cuando implementen sus estrategias.

Con el paso del tiempo, la cultura que surge en una organización puede causar problemas estratégicos. Por ejemplo, si todos los altos gerentes aceptan el mismo conjunto de normas y valores, se genera el peligro que sean incapaces de guiar la organización en una nueva dirección estratégica si el ambiente se transforma y los nuevos competidores o la tecnología exigen tal cambio. Además, al diseñar sus estructuras, los gerentes se habitúan a la forma como funcionan, y rara vez reconocen el efecto importante que tiene la estructura en las normas y valores culturales. Así, la cultura organizacional puede promover la *inercia*. Por ejemplo, en IBM los gerentes no fueron capaces de percibir -hasta que fue demasiado tarde- que el desarrollo de poderosos computadores personales y de *software* interactivo en red tendría implicaciones a largo plazo para los *mainframes* que constituían su fuente de ingresos. Su ceguera fue resultado del dogma de la cultura de IBM que los *mainframes* siempre serían el producto dominante y que los computadores personales sólo serían su apéndice. Además, la estructura alta y centralizada de IBM retrasaba la toma de decisiones y motivaba el desarrollo de normas y valores conservadores, haciendo gerentes reticentes al riesgo que rechazaran el reto del *statu quo*. Digital Equipment Corp. (DEC) experimentó problemas similares a los de IBM debido a que su fundador, Ken Olsen, dijo a sus gerentes durante muchos años que "los computadores personales son sólo juguetes". Como Henry Ford, desarrolló una estructura alta y centraliza-

ESTRATEGIA EN ACCIÓN 12.3

La nueva cultura de Taligent

Taligent es una compañía nueva creada a través de una *joint venture* entre IBM y Apple para explorar las formas de desarrollar un nuevo sistema operativo que compitiera con Windows de Microsoft. El CEO, Joe Guglielmi, se encargó de la misión de crear una cultura corporativa para Taligent que le permitiera combinar los recursos humanos y tecnológicos de IBM con los de Apple con el fin de generar productos innovativos. Puesto que las culturas de IBM y Apple son bastante diferentes, Guglielmi enfrentaba el gran reto de crear una cultura para la nueva compañía.

Apple cuenta con una cultura autónoma que motiva a sus científicos y programadores a experimentar y crear comités de tareas y equipos de trabajo informales para resolver problemas. Para estimular la creatividad y una rápida toma de decisiones, las normas y valores hacen énfasis en el *empowerment* hacia los empleados y su libertad para hallar soluciones propias a los problemas. El rol de un gerente no consiste en aplicar monitoreo o supervigilar las actividades del empleado, sino en actuar como facilitador y suministrar a los empleados los recursos que necesitan con el fin de solucionar dificultades. El uso de procedimientos formales de toma de decisiones se mantiene en un nivel mínimo y la norma es el contacto directo. Por el contrario, IBM posee una cultura muy conservadora y jerárquica, y la toma de decisiones se desarrolla en un proceso formal y centralizado. Este proceso y el enfoque para resolver problemas están altamente estructurados; los gerentes en todos los niveles de la jerarquía tienen que seguir un conjunto de procedimientos para aprobar un proyecto. Las normas y valores enfatizan en la importancia del consenso, y la compañía ha determinado procedimientos para aplicar monitoreo y evaluar el desempeño permanentemente. Como resultado, la toma de decisiones en IBM es bastante lenta, debido a que los empleados suelen seguir las reglas en forma estricta.

Guglielmi, formado en la cultura de IBM, ha debido enfrentar el problema de manejar personal que, habituado a la cultura de mayor laxitud de Apple, se siente ofendido al tener que presentar informes a los gerentes de IBM, quienes constantemente desean saber lo que sucede. Por su parte, a Guglielmi le disgusta no saber lo que sus empleados de Apple hacen y extraña la seguridad que proporciona la cultura jerárquica de IBM. Para hallarle una cultura a Taligent, en la que el personal de Apple e IBM pudieran convivir, aceptó el estilo informal de Apple, que comprende incluso la manera informal de vestir, con el fin de acelerar la toma de decisiones e incrementar la creatividad. Sin embargo, también creó un sistema de control del rendimiento para medir el desempeño del equipo periódicamente pues considera que no controlar significa ir sin dirección y menos creatividad.

da, que le dio control total sobre la organización, por lo menos hasta que la junta directiva finalmente lo remplazó en un golpe y puso en su cargo a Robert Palmer. (*Véase* estrategia en acción 11.3).

Como se señaló en el capítulo 1, las predisposiciones del conocimiento pueden distorsionar el proceso de toma de decisiones. Con el tiempo las normas y valores de la cultura organizacional pueden sesgar la toma de decisiones y hacer que los gerentes perciban una realidad incorrecta de la situación que enfrenta su compañía. Para prevenir estos problemas de liderazgo estratégico, es necesario tener mucho cuidado al formar el equipo de alta gerencia.

La formación del equipo de alta gerencia

La constitución del equipo de alta gerencia ayuda a determinar la dirección estratégica de la compañía, y las personalidades y visión de los miembros del equipo establecen las normas y valores que seguirán los gerentes de nivel inferior. Los investigadores han hallado que cuando una empresa posee un equipo de alta gerencia diverso, con gerentes que provienen de diferentes medios funcionales o distintas organizaciones o culturas nacionales, se reduce la amenaza de inercia o de una toma de decisiones errónea. Una de las razones por el fracaso de IBM en cambiar fue que casi todos los altos gerentes venían del interior de la compañía, y de la división de *mainframes*. Todos habían asimilado el mismo conjunto de experiencias de aprendizaje y habían desarrollado normas y valores similares. Cuando Coca-Cola concluyó que su equipo de alta gerencia se estaba haciendo demasiado endogámico y homogéneo, deliberadamente reclutó un nuevo equipo de alta gerencia, entre ellos el CEO, compuesto por varios extranjeros que manejaran su estrategia global. Como Coca-Cola, muchas organizaciones prestan mayor atención a la planeación para la sucesión ejecutiva en el equipo de alta gerencia de tal manera que puedan manejar su cultura con el paso del tiempo.

Características de las culturas corporativas sólidas

Varios estudiosos en este campo han intentado de descubrir los rasgos comunes que comparten las culturas corporativas sólidas e investigar si existe un conjunto particular de valores que predomine en las culturas fuertes pero pasan por alto las débiles. Quizá, el intento más conocido es la descripción de T. J. Peters y R. H. Waterman sobre las normas y valores característicos de las organizaciones exitosas y sus culturas[14]. Ellos plantean que estas organizaciones presentan tres conjuntos de valores comunes. En primera instancia, las compañías exitosas tienen valores que promueven un *margen para la acción*. El énfasis se activa en la autonomía y espíritu empresarial, y los empleados son motivados a asumir riesgos; por ejemplo, crear nuevos productos, aunque no haya seguridad de que sean los primeros. Los gerentes están estrechamente involucrados con las operaciones cotidianas de la compañía y simplemente no toman decisiones estratégicas aislados en una torre de marfil, y los empleados poseen un "enfoque de intervención directa impulsado por los valores".

El segundo conjunto de valores proviene de la *naturaleza en la misión de la organización*. La compañía debe adherirse a lo que hace mejor y mantener el control sobre sus principales actividades. Una firma fácilmente puede desviarse y buscar actividades independientes de su área de experiencia sólo porque parecen prometer un rápido rendimiento. La gerencia debe cultivar los valores de tal modo que una compañía sea fiel a la esencia de su negocio"; esto significa permanecer en la actividad que conozca mejor. También debe establecer estrechas relaciones con el cliente como una forma de mejorar su posición competitiva. Después de todo, ¿quién conoce más el desempeño de la compañía que quienes utilizan sus productos o hacen uso de sus servicios? Al hacer énfasis en los valores orientados al cliente, las organizaciones pueden conocer sus necesidades y mejorar su capacidad para desarrollar productos y servicios que desean los clientes. Todos estos valores de gerencia están fuertemente representados en IBM, Hewlett-Packard y Toyota, empresas que están seguras de su misión y realizan constantes gestiones para mantenerla.

El tercer conjunto de valores se refiere a *cómo manejar la organización*. Una compañía debe tratar de establecer un diseño organizacional que motive a los empleados para que hagan lo mejor. Inherente a este conjunto de valores se encuentra la convicción que la productividad se obtiene a través de las personas, y que el respeto por el individuo es el medio básico por el cual una compañía puede crear la atmósfera ideal de comportamiento productivo. Como observa William Ouchi, una filosofía similar penetra en la cultura de las compañías japonesas[15]. Un buen número de empresas estado-unidenses prestan este tipo de atención a sus empleados; por ejemplo, Eastman Kodak Procter & Gamble y Levi Strauss. Un énfasis en el espíritu empresarial y en el respeto hacia el empleado genera el establecimiento de una estructura que le proporciona a los empleados la libertad de tomar decisiones y motivarlos a lograr el éxito. Puesto que una estructura simple y un *staff* reduci-do se ajustan mejor a esta situación, la organización debe estar diseñada con sólo la cantidad nece-saria de gerentes y niveles jerárquicos que lleven a cabo el trabajo. La organización también debe ser suficientemente descentralizada para permitir la participación del empleado y suficientemente centralizada de tal modo que la gerencia se asegure de seguir su misión estratégica y que se apli-quen sus valores culturales.

Estos tres importantes grupos de valores son la esencia de la cultura organizacional, y la geren-cia los transmite y los mantiene a través del liderazgo estratégico. Sin embargo, seguir estos valores no es suficiente para asegurar el éxito organizacional; con el tiempo los valores culturales deben cambiar para ajustarse al ambiente donde opere la compañía. Una empresa necesita establecer los valores que sean positivos para ésta y basar en ellos su estructura y sistema de control organizacional. Cuando esto se logre, sólo se incorporan a las organizaciones aquellas personas que se ajusten a los valores, y, a través del entrenamiento, se vuelven parte de su cultura. Así, los tipos de sistemas de control seleccionados deben reforzarse y fundamentarse entre sí en forma cohesiva. La cultura organizacional no puede por sí misma hacer que funcione la estructura. Debe estar respaldada por los controles de rendimiento y burocráticos, además debe ajustarse a un sistema de remuneración de tal manera que los empleados de hecho cultiven las normas y valores organizacionales y modi-fiquen su comportamiento frente a los objetivos de la empresa.

Resumen: tipos de sistemas de control

Escoger un sistema de control que se ajuste a la estrategia y estructura de la firma plantea a la geren-cia varios retos importantes. La gerencia debe seleccionar controles que suministren un marco de referencia para monitorear, medir y evaluar con precisión si está logrando o no sus metas y objetivos estratégicos. Los controles de mercado y de rendimiento deben estar respaldados con el control burocrático y la cultura organizacional con el fin de asegurar que la firma alcance sus metas en la forma más eficiente posible. En general, estos controles deben reforzarse entre sí, y se debe tener cuidado para asegurar que no generen consecuencias imprevistas, como rivalidad entre las funcio-nes, divisiones e individuos. Ésta es la dificultad de cambiar la cultura organizacional que señalan muchos altos gerentes cuando se refieren a la aplicación de procesos de reingeniería a su empresa de tal manera que ésta pueda seguir nuevas metas estratégicas. Esto se debe a que la cultura es el producto de la compleja interacción de muchos factores como la alta gerencia, la estructura organizacional y los sistemas de remuneración e incentivos de la organización.

12.8   SISTEMAS ESTRATÉGICOS DE REMUNERACIÓN

Las organizaciones también procuran controlar el comportamiento del empleado al vincular siste-mas de remuneración a sus sistemas de control[16]. Una organización debe decidir cuáles comporta-mientos desea retribuir, adoptar un sistema de control para medir estos comportamientos y luego articularlos con la estructura de compensación. Cómo unir la remuneración con el desempeño es una decisión estratégica importante ya que determina la estructura de incentivos que afecta la forma como proceden los gerentes y empleados en todos los niveles de la organización. Ya se analizó cómo la estructura y el control configuran el comportamiento del empleado. El diseño del sistema de incentivos de la organización constituye un elemento esencial en el proceso de control puesto que motiva y refuerza los comportamientos deseados, es decir, los comportamientos que desean los accionistas y gerentes. El sistema de incentivos puede utilizarse para superar el problema de agencia y alinear los intereses de los accionistas y gerentes, o de los gerentes en los diferentes niveles.

Como se estableció en el capítulo 2, los altos gerentes pueden estar motivados para trabajar por los intereses de los accionistas al ser remunerados con alternativas accionarias vinculadas al desempeño a largo plazo de la compañía. Además, como ya se anotó, firmas como Kodak y GM requieren que los gerentes compren acciones de la compañía. Cuando los gerentes se convierten en accionistas, el problema de agencia disminuye en gran proporción, y éstos se sienten motivados a seguir metas a largo plazo en vez de proyectarse a corto plazo. En forma similar, en el diseño de un sistema de pagos para el personal de ventas, la opción sería motivarlo a través de un salario fijo o un salario más un bono con base en lo que venda. Neiman Marcus, minorista de objetos de lujo, paga a sus empleados un salario fijo porque desea estimular el servicio de alta calidad pero desestimula la venta forzada. Así, no existen incentivos fundamentados en la cantidad vendida. Por otro lado, el sistema de pago para retribuir a los vendedores de automóviles estimula una alta presión en las ventas; básicamente contiene un gran bono por la cantidad y precio de carros vendidos.

Debido a que el diseño del sistema de remuneración de una compañía afecta los tipos de comportamientos hallados en un medio organizacional, claramente influye en los *tipos de normas, valores y cultura que se desarrollan en una organización*. Por esta razón, los equipos de alta gerencia retribuidos únicamente con salario y aquéllos compensados mediante alternativas accionarias vinculadas al desempeño probablemente tengan diferentes normas y valores. Específicamente, los equipos de alta gerencia remunerados con alternativas accionarias pueden tener más espíritu empresarial y estar más interesados en incrementar la eficiencia, calidad e innovación que quienes carecen de esta retribución. Compañías como Sears, GM, Kodak y Westinghouse, que previamente hicieron un pequeño intento de vincular el desempeño a las compensaciones, tenían culturas burocráticas lentas. Todas actualmente exigen que los gerentes posean acciones.

Ahora se examinarán en detalle los tipos de sistemas de remuneración disponibles para los gerentes estratégicos[17]. Por lo general, estos sistemas se hallan en niveles individual y de grupo o total dentro de la organización. A menudo, estos sistemas se utilizan en combinación; por ejemplo, el mérito que surge a nivel individual puede estar acompañado de un bono con base en el desempeño divisional o corporativo. Dentro de cada tipo, hay disponibles varias formas de sistemas de retribución.

Sistemas de remuneración individual

Planes a destajo   Éstos se utilizan cuando el rendimiento se puede medir en forma objetiva. Esencialmente, a los empleados se les paga con base en una cantidad determinada por cada unidad de producción terminada. Comúnmente se utilizan para empleados que trabajan en líneas de producción, donde los individuos laboran en forma aislada y su desempeño se puede medir en forma directa. Ya que este sistema motiva la cantidad en vez de la calidad, la compañía normalmente aplica estrictos controles de calidad para asegurarse de que sea aceptable.

Comisiones   Se asemejan a los sistemas de trabajo a destajo, excepto porque comúnmente se vinculan no a lo que se produce, sino a la cantidad vendida. Así, es más frecuente encontrarlos en situaciones de ventas. A menudo, los salarios del personal de ventas se fundamentan principalmente en comisiones para motivar un nivel superior de desempeño. En consecuencia, el personal de ventas de primera línea puede obtener ingresos superiores a US$1 millón por año.

Bonos   Los bonos individuales generalmente retribuyen el desempeño de los individuos claves de una compañía, como el CEO o los vicepresidentes senior. El desempeño de estas personas es visible para toda la organización y para los grupos de interés como los accionistas. En consecuencia, existe una fuerte razón para remunerar estos individuos según cierta medición del desempeño funcional o divisional. Sin embargo, una compañía debe proceder con cuidado si desea evitar problemas como el énfasis en objetivos a corto plazo en lugar de proyectarse a largo plazo. Por ejemplo, pagar bonos fundamentados en el RSI trimestral o anual en vez de tomar como punto de referencia el crecimiento a cinco años puede tener un efecto notablemente diferente en la forma como se comportan los gerentes estratégicos. Como se anotó, en la actualidad muchas compañías insisten en que los miembros de su equipo de alta gerencia posean acciones en su empresa. El objetivo consiste en motivarlos y vincular sus intereses a aquéllos de los accionistas. Como se detalla en la estrategia en acción 12.4, Campbell Soup Co. fue una de las primeras compañías en adoptar este enfoque.

Sistemas de remuneración grupales y organizacionales

Éstos suministran formas adicionales mediante las cuales las compañías pueden relacionar el pago con el desempeño. En general, el problema con estos sistemas es que la relación es menos directa y más difícil de medir que en el caso de los sistemas basados individualmente. En consecuencia, se consideran menos motivadores. Los sistemas de retribución más comunes en estos niveles implican bonos, participación en utilidades y sistemas accionarios para empleados en grupo y bonos organizacionales.

Bonos a nivel de grupo   Algunas veces una compañía puede establecer equipos de proyectos o grupos de trabajo, que desempeñen todas las operaciones necesarias para fabricar un producto o suministrar un servicio. Esta disposición posibilita medir el desempeño del grupo y ofrecer retribuciones con base en su productividad. El sistema puede ser altamente motivador pues a los empleados se les permite desarrollar los mejores procedimientos de trabajo para realizar la labor y responsabilizarse por el mejoramiento de su propia productividad. Por ejemplo, Wal-Mart apoya un plan de bonos para grupos fundamentado en el control de filtraciones (es decir, hurtos de los empleados).

Sistemas de participación de utilidades   Los planes de participación de utilidades están diseñados para retribuir a los empleados con base en las utilidades que gana una compañía en determinado periodo. Tales planes motivan a los empleados a tener una amplia visión de sus actividades y sentirse unidos a toda la compañía. Wal-Mart utiliza este método como vehículo para desarrollar su cultura organizacional.

Sistemas de alternativas accionarias para empleados   En lugar de retribuir a los empleados con base en utilidades a corto plazo, algunas veces una compañía establece un Sistema de Alternativas en acciones Para el Empleado (SAPE) que les permite comprar acciones a precios inferiores a los del mercado, fortaleciendo así la motivación del empleado. Como accionistas, los empleados se concentran no sólo en las utilidades a corto plazo, sino en la apreciación de capital a largo plazo, ya que en el momento son los dueños de la compañía. Con el tiempo, si se involucran suficientes empleados, pueden controlar una considerable participación accionaria como lo hacen los empleados de United Air Lines, y de esta manera se interesan más en el desempeño de la compañía. Los SAPE pueden ser bastante importantes en el desarrollo de la cultura corporativa, como lo sugiere otra *joint venture* IBM-Apple, descrita en la estrategia en acción 12.5.

ESTRATEGIA EN ACCIÓN 12.4

Cómo motivar a un alto gerente

Durante años, Campbell Soup Co., con sede en Camden, Nueva Jersey, ha experimentado el deterioro del desempeño. Sus costos operativos están muy por encima de los de su archirrival, Heinz Soup Co., la cual bajo el liderazgo de su CEO, Anthony J. F. O'Reilly, ha logrado ventas y utilidades récord. O'Reilly recibe un salario y un bono bastante altos; de hecho, en 1992 ganó casi US$37 millones en salario y acciones. Los demás altos gerentes también reciben acciones. Por consiguiente, no fue una sorpresa cuando en 1993 la junta directiva de Campbell Soup, atribuyendo el desempeño superior de Heinz a su plan accionario para los altos gerentes, anunció que también establecería un plan similar para su CEO, David Johnson, y más de 70 gerentes.

Bajo los términos del plan, se solicitó al CEO que mantuviera el valor de las acciones de Campbell tres veces por encima de su salario en 1992 de US$757,000 hasta finales de 1994. Se espera que los vicepresidentes senior mantengan duplicado el valor de las acciones con respecto a sus salarios; que las de los vicepresidentes correspondan a un año de su salario; y que los ejecutivos senior mantengan este valor equivalente a la mitad de sus salarios. Los altos gerentes conservarían estas acciones siempre y cuando trabajen para la empresa. Claramente, la meta de Campbell consiste en atar los destinos de los gerentes a los de la compañía. Si ésta reduce sus costos al aplicar exitosamente procesos de reingeniería a su estructura, los altos gerentes harán millones de dólares en apreciación de capital sobre sus acciones. No obstante, si sus esfuerzos no mejoran el desempeño de la firma, perderán millones.

Bonos para la organización La utilidad no es el único factor con base en el cual una compañía puede remunerar el desempeño de toda la organización. Las retribuciones también se fundamentan comúnmente en los ahorros en costo, incrementos en la calidad o aumentos en la producción obtenidos en el último periodo. Debido a que estos sistemas usualmente requieren que los rendimientos se midan en forma exacta, son los más comunes en las organizaciones con líneas de producción o en las compañías de servicio, donde es posible costear el precio de los servicios de personal. Los sistemas constituyen principalmente el soporte para otras formas de sistemas de pago. Sin embargo, en pocas situaciones se convierten en el principal medio de control. Éste es el caso en Lincoln Electric Co., una compañía reconocida por el éxito de su plan grupal de ahorros en costos.

El control a través de los sistemas de remuneración organizacional complementa todas las demás formas de control analizadas en este capítulo. La retribución actúa como el combustible que hace funcionar en forma efectiva un sistema de control. Para asegurar que se compensen los comportamientos estratégicos correctos, los sistemas de remuneración deben estar estrechamente vinculados a la estrategia de una organización. Además, deben diseñarse muy bien de tal manera que no generen conflictos entre las divisiones, funciones o individuos. Puesto que la estructura y el control organizacionales y los sistemas de retribución *no* son dimensiones independientes del diseño organizacional, sino que están altamente interrelacionados, deben ser compatibles si una organización desea implementar su estrategia en forma exitosa. Ajustar la estructura y el control a la estrategia es el aspecto que se analizará en el capítulo 13.

ESTRATEGIA EN ACCIÓN 12.5

¿Kaleida debería tener un SAPE?

IBM y Apple Computer acordaron una *joint venture*, llamada Kaleida Labs, Inc., para desarrollar *software* de multimedia operativo, es decir, un sistema donde el sonido, el texto, la visión, la música, y otros elementos se interconectan simultáneamente en programas para computadores o televisión. Con el fin de dirigir la nueva operación, las compañías contrataron un empresario, Nathaniel Goldhaber, a quien se le dio libertad de crear una estructura y una cultura que acelerara el desarrollo de productos. Sin embargo, en 1993 Goldhaber fue relevado de sus deberes como CEO; se sentía que no había suministrado el liderazgo estratégico que sacara adelante a la nueva compañía, ni había organizado los 105

ingenieros de las empresas en exitosos equipos por productos. Según Goldhaber, crear una estructura de control e incentivos para motivar a estos profesionales había sido la tarea más difícil, y él había propuesto a IBM y Apple que le permitieran vender las acciones de la compañía al público. Si ellos hubieran accedido, él hubiera creado un SAPE y retribuido a los ingenieros con sus alternativas accionarias para motivarlos. Sin embargo, IBM y Apple rechazaron su estrategia, decidieron remplazarlo y traer a un veterano de IBM para manejar el proceso de desarrollo de productos. Está por verse lo que pueda hacer este nuevo gerente.

12.9 RESUMEN DEL CAPÍTULO

En este capítulo se examinaron los tipos de control y sistemas de remuneración disponibles para que los gerentes estratégicos moldeen y motiven el comportamiento con el fin de incrementar el desempeño organizacional. Las compañías deben seleccionar la combinación de controles que harán funcionar en forma efectiva la estructura organizacional y satisfarán los objetivos estratégicos de la compañía. Las empresas utilizan el control de mercado, de rendimiento y burocrático así como la cultura, en forma simultánea ya que los diferentes tipos de control se ajustan a diferentes situaciones y diversos grupos de interés.

La tarea esencial para las compañías consiste en seleccionar controles que sean consistentes entre sí y se ajusten igualmente a la estructura organizacional. Las firmas con un alto nivel de diferenciación e integración requieren un conjunto de controles más complejo que aquéllas con un bajo grado de diferenciación e integración. En este capítulo se trabajaron los siguientes aspectos:

1. La estructura organizacional no opera en forma efectiva a menos que se establezcan sistemas de control e incentivos apropiados para configurar y mejorar el comportamiento del empleado.
2. Un problema de agencia existe cuando difieren los intereses de los accionistas y gerentes, o de los gerentes en los diversos niveles de la organización, y un grupo de interés halla difícil aplicar monitoreo y controlar el comportamiento de la otra parte. Para resolver el problema de monitoreo, las compañías desarrollan sistemas de control e incentivos.
3. El control estratégico es el proceso de establecer objetivos, monitoreo, evaluación y remuneración para el desempeño organizacional.

4. El control tiene lugar en todos los niveles de la organización: corporativo, divisional, funcional e individual.

5. Los sistemas de control efectivo son flexibles, exactos y capaces de suministrar rápida retroalimentación a los planeadores estratégicos.

6. Hay disponibles diversos tipos de estándares de desempeño para implementar la estrategia de una compañía. Los tipos de medidas que los gerentes escogen afectan la forma como opera una compañía.

7. Los sistemas de control van desde aquéllos dirigidos a medir los rendimientos o productividad hasta aquéllos que miden los comportamientos o acciones.

8. Las dos formas principales de control de mercado son el precio de mercado accionario y el rendimiento sobre la inversión (RSI).

9. El control de rendimiento establece las metas de las divisiones, funciones e individuos. Puede utilizarse sólo cuando los rendimientos pueden medirse en forma objetiva.

10. El control burocrático a través de reglas y procedimientos operativos estándares se utiliza para controlar y estandarizar el comportamiento cuando es muy difícil o costoso medir los rendimientos.

11. La cultura organizacional es la agrupación de normas y valores que dirigen la forma como las personas actúan y se comportan dentro de una organización. La cultura es el control a través de un sistema de normas y valores que los individuos interiorizan a medida que se socializan dentro de una organización.

12. La cultura de una organización es el producto de los valores y actitudes de un fundador o equipo de alta gerencia, de la forma como los gerentes deciden diseñar la estructura de la organización, y de los sistemas de retribución estratégica que utilizan los gerentes para moldear y motivar el comportamiento de los empleados.

13. Los sistemas de remuneración de una organización constituyen la forma final de control. Una compañía diseña sus sistemas para proporcionar a los empleados los incentivos para hacer que su estructura funcione en forma efectiva y alinear sus intereses con las metas y objetivos de la organización.

14. Las organizaciones utilizan todas estas formas de control de manera simultánea. La gerencia debe seleccionar y fusionar aquellas que sean consistentes entre sí y a su vez con la estrategia y estructura de la organización.

Preguntas y temas de análisis

1. ¿Qué relaciones existen entre diferenciación, integración y sistemas de control estratégico? ¿Por qué son importantes?

2. Resumir los sistemas de control más apropiados para manejar cada una de las estructuras analizadas en el capítulo 11.

3. ¿Qué tipo de sistemas de control y de remuneración se hallaría probablemente en (a) una pequeña compañía manufacturera, (b) una cadena de almacenes, (c) una empresa de alta tecnología y (d) una firma contable?

Aplicación 12

Hállese el ejemplo de una compañía que recientemente haya cambiado uno o más de sus sistemas de control de incentivos. ¿Cuáles cambió (por ejemplo, el control de rendimiento o cultura)? ¿Por qué? ¿Qué espera lograr con esta modificación? ¿Cómo afectará el cambio de sistema de control la forma como opera su estructura?

Proyecto sobre administración estratégica: Módulo 12

Para esta parte del proyecto es necesario tener información sobre los sistemas de control e incentivos de la compañía escogida. Esta información puede ser difícil de obtener a menos que se realice el proyecto con base en una compañía real y se pueda entrevistar a los gerentes en forma directa. Sin embargo, hay disponible cierto tipo de información, como la remuneración de la alta gerencia, en los informes anuales de la compañía o en una revista especializada. Si la compañía es bien conocida, revistas como *Fortune* o *Business Week* frecuentemente presentan artículos acerca de la cultura corporativa o aspectos de control. No obstante, el lector se podrá ver forzado a suponer algunas conjeturas para completar esta parte del proyecto.

1. ¿Cuáles son los principales tipos de problemas de control que enfrenta la compañía? ¿Cómo se relacionan estos problemas de control con la estructura de la organización, identificada en el capítulo anterior?
2. Con la información disponible, elabórese una lista de los principales tipos de sistemas de control utilizados por la organización con el fin de resolver estos problemas. Específicamente, ¿qué uso hace la compañía del (a) control de mercado, (b) control del rendimiento, (c) control burocrático, y (d) cultura organizacional?
3. ¿Qué tipos de comportamientos trata la organización de (a) configurar, y (b) motivar a través de estos sistemas de control?
4. ¿Dónde existe mayor probabilidad de que surja un problema de agencia en la compañía? ¿Cómo utiliza la firma sus sistemas de control para resolver o manejar los problemas de agencia?
5. ¿Qué rol desempeña el equipo de alta gerencia en la creación de la cultura organizacional? ¿Se pueden identificar normas y valores característicos que describan la forma como las personas se comportan en la organización? ¿Cómo afecta su cultura el diseño de la estructura organizacional?
6. Buscar información sobre salarios y remuneraciones para la alta gerencia de la compañía de acuerdo con sus informes anuales. ¿Cómo utiliza la organización las retribuciones para moldear y motivar a sus empleados? Por ejemplo, ¿cuánta de la remuneración total de los altos gerentes se basa en bonos y alternativas accionarias y qué tanta en un salario fijo?
7. ¿La organización ofrece a los demás empleados incentivos con base en el desempeño? ¿Qué tipos? Por ejemplo, ¿opera un plan de adquisición de acciones para los empleados?
8. Con base en este análisis, ¿se considera que el sistema de control de la organización funciona en forma efectiva? Por ejemplo, ¿la organización compila el tipo correcto de información? ¿Mide los tipos correctos de comportamiento? ¿Cómo se podría mejorar el sistema de control?
9. ¿Hasta qué punto existe un ajuste entre la estructura de la compañía y sus sistemas de control e incentivos? Es decir, ¿sus sistemas de control le permiten manejar la estructura en forma efectiva? ¿Cómo podría mejorarlos?

Notas

1. W. G. Ouchi, "The Transmission of Control Through Organizational Hierarchy", *Academy of Management Journal*, 21 (1978), 173-192; W. H. Newman, *Constructive Control* (Englewood Cliffs, N. J.: Prentice-Hall, 1975).

2. H. L. Tosi, Jr., and L. R. Gómez-Mejía, "The Decoupling of CEO Pay and Performance: An Agency Theory Perspective", *Administrative Science Quarterly*, 34, (1989), 169-189. H. Milton and A. Raviv, "Optimal Incentive

Contracts with Imperfect Information", *Journal of Economic Theory*, 20, (1979), 231-259.

3. W. G. Ouchi, "The Relationship Between Organizational Structure and Organizational Control", *Administrative Science Quarterly*, 22 (1977), 95-113.

4. J. D. Thompson, *Organizations in Action* (New York: McGraw-Hill, 1967), Ch. 10; W. G. Ouchi, "A Conceptual Framework for the Design of Organizational Control Systems", *Management Science*, 25 (1979), 833-848.

5. E. Flamholtz, "Organizational Control Systems as a Managerial Tool", *California Management Review* (Winter 1979), 50-58.

6. R. L. Rose, "After Turning Around Giddings and Lewis, Fife Is Turned Out Himself", *Wall Street Journal*, June 22, 1993, A1.

7. J. Flynn and C. Del Valle, "Did Sears Take Its Customers for a Ride?" *Business Week*, August 3, 1992, pp. 24-25.

8. O. E. Williamson, *Markets and Hierarchies* (New York: Free Press, 1975); W. G. Ouchi, "Markets, Bureaucracies, and Clans", *Administrative Science Quarterly*, 25 (1980), 129-141.

9. H. Mintzberg, *The Structuring of Organizations* (Englewood Cliffs, N. J.: Prentice-Hall, 1979), pp. 5-9.

10. L. Smircich, "Concepts of Culture and Organizational Analysis", *Administrative Science Quarterly*, 28 (1983), 339-358.

11. G. R. Jones, "Socialization Tactis, Self-Efficacy, and Newcomers' Adjustments to Organizations", *Academy of Management Journal*, 29 (1986), 262-279.

12. Ouchi, "Markets, Bureaucracies, and Clans", p. 130.

13. J. Van Maanen and E. H. Schein, "Towards a Theory of Organizational Socialization", en *Research in Organizational Behavior*, ed. B. M. Staw (Greenwich, Conn.: JAI Press, 1979), pp. 1, 209-264.

14. T. J. Peters and R. H. Waterman, *In Search of Excellence: Lessons from America's Best-Run Companies* (New York: Harper & Row, 1982).

15. W. G. Ouchi, *Theory Z. How American Business Can Mett the Japanese Challenge* (Reading, Mass.: Addison-Wesley, 1981).

16. E. E. Lawler III, *Motivation in Work Organizations* (Monterrey, Calif.: Brooks/Cole, 1973); Galbraith and Kazanjian, *Strategy Implementation*, Ch. 6 (St. Paul, Minn.: West, 1992).

17. E. E. Lawler III, "The Design of Effective Reward Systems", *in Handbook of Organizational Behavior*, ed. J. W. Lorsch (Englewood Cliffs, N. J.: Prentice-Hall, 1987), 386-422; R. Mathis and J. Jackson, *Personnel*, 2nd ed. (St. Paul, Minn.: West, 1979), p. 456.

13 Adecuación de la estructura y el control a la estrategia

13.1 CASO INICIAL: HUGHES AIRCRAFT APLICA REINGENIERÍA A SU ESTRUCTURA

Hughes Aircraft Company, propiedad de General Motors, es una de las más grandes compañías estadounidenses de productos para la defensa que ha sido golpeada por el final de la Guerra Fría y la disminución en el presupuesto para la seguridad nacional. Hughes se había acostumbrado a un ambiente protegido donde los cuantiosos ingresos gubernamentales le permitían desarrollar tecnología avanzada para usos militares, como misiles, satélites y sistemas de radar. No obstante, en 1990, la compañía enfrentaba un gran problema estratégico: cómo competir en un nuevo ambiente, donde los ingresos del gobierno eran escasos y las habilidades y capacidades se dirigían a manejos militares. Con el fin de sobrevivir, Hughes tenía que hallar una nueva estrategia, fundamentada en el desarrollo de nueva tecnología para usos no militares, y hacerlo rápido.

Como primer paso para cambiar la dirección de la empresa, General Motors designó a C. Michael Armstrong, un antiguo alto gerente de IBM, como CEO de Hughes en 1991. En la división europea de IBM, Armstrong había logrado la reputación de ser quien podía darle un vuelco total a la compañía y redistribuir sus recursos en forma rápida y efectiva. General Motors esperaba que él hiciera lo mismo en Hughes. Armstrong comenzó su tarea al analizar la es-

trategia y estructura de la compañía. Él halló una firma que seguía una estrategia diferenciada basada en el desarrollo de productos tecnológicos avanzados. Con el fin de seguir su estrategia diferenciada, Hughes había generado una estructura divisional para dirigir sus esfuerzos de desarrollo. Había creado siete divisiones tecnológicas separadas, cada una responsable de tipos diferentes de productos (misiles, radares y otros). Con el tiempo, la organización se había hecho bastante alta y centralizada, puesto que cada división tecnológica desarrolló su propio imperio para apoyar sus esfuerzos. La coordinación básica entre las divisiones se llevó a cabo en la cúpula de la organización donde los altos gerentes divisionales se reunían regularmente con los gerentes corporativos con el propósito de presentar informes y planear los desarrollos de productos futuros.

Armstrong reconoció que este ajuste entre la estrategia y la estructura podría ser apropiado para una compañía que operaba en un ambiente protegido, donde el dinero no constituía un problema. Sin embargo, no era adecuado para una empresa que enfrentaba intensa presión para reducir costos y desarrollar productos para aplicaciones no militares, como electrodomésticos y satélites privados. La estructura divisional duplicó las costosas actividades de I&D, y no había ningún mecanismo que estimulara el hecho de compartir el conocimiento y la pericia entre las diversas divisiones. Además, existían pocos estímulos para que los gerentes redujeran los costos puesto que los escasos recursos no constituían un problema, y los gerentes recibían remuneraciones principalmente por el éxito en sus esfuerzos para desarrollar productos. Armstrong se dio cuenta de que para hacer más competitiva la compañía y mejorar la forma como utilizaba sus capacidades y recursos debía hallar una nueva estrategia y estructura operativas.

El CEO comenzó el proceso de cambio al concentrar la estrategia de la compañía en los clientes y los mercados, no en la tecnología y los productos. En lo sucesivo las necesidades de los clientes, no las de tecnología, constituirían la lógica que daba respaldo a la organización en las actividades de la compañía. Cambió la estructura de una divisional fundamentada en la tecnología a una estructura basada en las necesidades de los clientes. Aplicó reingeniería a las siete divisiones en cinco grupos de mercado según los tipos de consumidor que estaban satisfaciendo. Así, los electrodomésticos se convirtieron en un grupo de mercado, en tanto que las aplicaciones industriales y comerciales se convirtieron en otro. Luego, reorganizó los conocimientos tecnológicos para atender las necesidades de cada tipo de cliente. Al seguir con su programa de reingeniería, Armstrong redujo considerablemente la cantidad de niveles en la jerarquía administrativa, eliminando dos niveles con el fin de que los gerentes se acercaran más a los clientes. Continuó este proceso de reingeniería mediante la descentralización de la autoridad y el impulso para que las decisiones se tomaran en la base de las divisiones, de manera que los gerentes de niveles inferiores pudieran responder mejor a las necesidades de los clientes. Además, reorganizó las operaciones internacionales de la compañía al transferir los gerentes de Hughes en EE.UU. a otros países de tal modo que estuviesen más cerca de sus clientes.

Para hacer que esta nueva estructura orientada al cliente funcionara en forma efectiva, Armstrong también cambió los sistemas de control de la organización. Creó un sistema de controles del rendimiento fundamentado en una comparación constructiva (*benchmarking*) con los costos de los competidores que proporcionaran estándares a los gerentes frente a los cuales pudiera evaluar su desempeño, y obligarlos a prestar atención a los costos y a la calidad. Luego, estableció nuevos programas de incentivos para los gerentes y trabajadores en todos los niveles, vinculándolos al logro de nuevos objetivos de eficiencia, calidad y capacidad de satisfacer al cliente. En síntesis, trabajó arduamente con su equipo de alta gerencia para establecer y estimular las normas y valores de una cultura organizacional orientada al cliente en las nuevas divisiones de mercado. En lo sucesivo, su tecnología se desarrollaría con el propósito de ajustarse al cliente y no al contrario.

Los esfuerzos del CEO para generar un nuevo ajuste entre la estrategia y la estructura en Hughes han sido espectacularmente exitosos. Su equipo de alta gerencia se ha entregado completamente a la nueva cultura corporativa, y los gerentes divisionales adoptan nuevos valores empresariales fundamentados en satisfacer las necesidades del cliente. Los costos de la compañía han caído en un 30%, sus utilidades se han incrementado en más del 50%, y el valor de sus acciones se ha disparado en más de un 40% desde que Armstrong asumió la dirección[1]. Hughes se encuentra organizada actualmente para utilizar una estrategia simultánea de diferenciación/bajo costo, mediante su tecnología vanguardia con el fin de proporcionar a los clientes productos de alta calidad a precios competitivos. Parece que Hughes es una compañía de productos para la defensa que funcionará bien en el nuevo ambiente competitivo.

Preguntas y temas de análisis

1. ¿Qué problemas descubrió Armstrong en la estrategia y estructura de Hughes Aircraft Company?
2. ¿Qué medidas tomó para aplicar reingeniería a la compañía?

13.2 VISIÓN GENERAL

En Hughes, Michael Armstrong y su equipo de alta gerencia comenzaron a implementar la combinación apropiada de estructura y sistemas de control de tal manera que la compañía pudiera seguir una nueva estrategia que manejara el ambiente competitivo. En este capítulo se analizará cómo la selección estratégica en los niveles corporativo, de negocios y funcional afecta la selección de la estructura y los sistemas de control; en otras palabras, cómo ajustar las diversas formas de estructura y control a la estrategia. Como se enfatizó en el capítulo 1, el problema que enfrentan los gerentes estratégicos consiste en ajustar la formulación de una estrategia a su implementación. En los capítulos anteriores se estudiaron las herramientas de formulación e implementación de la estrategia. Ahora, se unen los dos lados de la ecuación y se examinarán en detalle los aspectos involucrados.

En primer lugar, se analizará cómo la estrategia a nivel funcional y el intento para lograr grados superiores de eficiencia, calidad, innovación y capacidad de satisfacer al cliente afectan la estructura y el control. En segunda instancia, se estudiará cómo la selección de estrategia genérica a nivel de negocios por parte de una compañía influye en la selección de la estructura y el control para implementar la estrategia. En tercer lugar, se abordará la implementación de una estrategia global y se estudiará cómo ajustar las diferentes estrategias globales a las distintas estructuras globales. En cuarto lugar, se tratarán los problemas especiales que presentan los distintos tipos de estrategia a nivel corporativo a los gerentes estratégicos en el diseño de una estructura, y se observarán cómo los cambios en la estrategia a nivel corporativo con el tiempo afectan la forma de los sistemas de control y la estructura adoptados por la compañía. Finalmente, se examinarán los problemas relacionados con las dos estrategias de ingreso analizadas en el capítulo 10: manejar las fusiones y adquisiciones y suministrar el escenario organizacional que estimule las operaciones internas.

13.3 ESTRUCTURA Y CONTROL A NIVEL FUNCIONAL

En el capítulo 5, al abordar las estrategias a nivel funcional, se analizó cómo las funciones de una compañía pueden ayudar a lograr niveles superiores de eficiencia, calidad, innovación y capacidad de satisfacer al cliente (los cuatro bloques de formación de la ventaja competitiva). También se estudió cómo las habilidades distintivas pueden desarrollarse en cada función. Luego, en el capítulo 6, se mostró que a nivel de negocios las distintas estrategias competitivas genéricas requieren el desarrollo de diversos tipos de habilidades distintivas. En esta parte se estudiará cómo una compañía puede crear una estructura y sistema de control que le posibiliten desarrollar diversas habilidades o capacidades funcionales distintivas.

Las decisiones a nivel funcional se ubican en dos categorías: selecciones acerca del nivel de diferenciación vertical y opciones sobre sistemas de monitoreo y evaluación. (Las selecciones sobre diferenciación horizontal no son relevantes en este caso puesto que cada función se considera en forma individual). Las selecciones dependen de la habilidad distintiva que siga una compañía.

Fabricación

En fabricación, la estrategia funcional usualmente se concentra en el mejoramiento de la eficiencia, calidad y capacidad de satisfacer al cliente. Una compañía debe crear un escenario organizacional donde los gerentes puedan aprender a economizar en costos a partir de los efectos de la curva de experiencia. Tradicionalmente, con el fin de desplazarse en forma descendente y rápida en la curva de experiencia, las compañías han ejercido un estricto control sobre las actividades laborales y los empleados, y han desarrollado jerarquías altas y centralizadas para reducir costos en la medida de sus posibilidades. Como parte de su intento para incrementar la eficiencia, las empresas también han hecho gran uso de los controles burocráticos y de rendimiento con el fin de disminuir costos. Las actividades se encuentran estandarizadas; por ejemplo, los insumos humanos se estandarizan a través del reclutamiento y entrenamiento de personal, el proceso laboral se estandariza o programa para reducir costos, y el control de calidad se utiliza para asegurarse que las producciones se generen en forma correcta. Además, a los gerentes se les monitorea estrechamente y se regulan a través del control del rendimiento.

Sin embargo, recientemente, siguiendo el liderazgo de compañías japonesas como Toyota y Sony, que manejan la administración de la calidad total (ACT) y sistemas de fabricación flexible, muchas empresas estadounidenses han comenzado a cambiar la forma como diseñan el medio de fabricación. Como se analizó en el capítulo 5, la ACT exitosa requiere un enfoque diferente para el diseño organizacional. Con la ACT, son necesarios los aportes y el compromiso de todos los empleados en el proceso de toma de decisiones para mejorar la eficiencia y calidad en la producción. Así, se hace necesario descentralizar la autoridad con el fin de motivar a los trabajadores a mejorar el proceso de producción. En la ACT, se crean equipos de trabajo y a los miembros se les da la responsabilidad y autoridad para descubrir e implementar procedimientos mejorados de trabajo. Se crean círculos de control de calidad para intercambiar información y sugerencias sobre los problemas y procedimientos de trabajo. Con frecuencia se establece un sistema de bonos o SAPE con el fin de estimular a los trabajadores y permitirles participar en el creciente valor que a menudo produce la ACT. Ya no existen gerentes empleados solamente para supervisar a los trabajadores y asegurarse de que hagan su labor. Cada quipo asume la obligación de supervisión y esto genera mayores ahorros en costos burocráticos. Los equipos de trabajo con frecuencia tienen la responsabilidad de controlar y disciplinar sus propios miembros e incluso el derecho a decidir quién debe trabajar en cuál equipo. A menudo, las normas y valores se convierten en un medio importante de control en estos ambientes, y este tipo de control se ajusta al nuevo enfoque de equipo descentralizado.

No obstante, aunque a los trabajadores se les da más libertad para controlar sus actividades, el uso extensivo del control del rendimiento y la continua medición de los estándares de eficiencia y calidad aseguran que las actividades de equipo de trabajo satisfagan las metas establecidas para la función por parte de la gerencia. La estandarización aún es la principal forma de control, y la eficiencia y la calidad se incrementan a medida que se desarrollan nuevas y mejoradas reglas y procedimientos de trabajo para aumentar el nivel de estandarización. El objetivo consiste en hallar el ajuste entre la estructura y el control y un enfoque ACT de tal manera que fabricación desarrolle la habilidad distintiva que la lleve a un grado superior de eficiencia y calidad.

Investigación y desarrollo

La estrategia funcional para un departamento de investigación y desarrollo consiste en generar una habilidad distintiva en innovación y, como en Hughes Aircraft, activar tecnología generadora de productos que se ajusten a las necesidades de los clientes. En consecuencia, la estructura y los sistemas de control del departamento deben diseñarse de tal modo que suministren la coordinación necesaria para que los científicos e ingenieros lancen productos al mercado en forma rápida. Además, estos sistemas también deben motivar a los científicos de I&D a desarrollar productos o procesos innovadores. En la práctica, los departamentos de I&D básicamente tienen estructuras planas y descentralizadas que forman equipos de científicos. Las estructuras más planas proporcionan al personal de investigación y desarrollo la libertad y autonomía para ser innovadores. Además, puesto

El departamento de I&D de Intel

Intel Corp. es el líder mundial en el desarrollo de chips, o los microprocesadores que constituyen el corazón de todos los computadores. Es muy rentable, y en 1992 obtuvo un récord de utilidades debido a su monopolio sobre la producción del chip 486, que en ese momento era el estándar de la industria. En la competitividad por fabricar chips nuevos y mejorados, Intel se encuentra constantemente bajo el ataque de compañías como Motorola, Digital Equipment y NEC del Japón, además debe proteger su ventaja competitiva. En consecuencia, la necesidad de desarrollar nuevos chips o versiones mejoradas de las existentes constituye la base de su estrategia de diferenciación.

Con el fin de acelerar el desarrollo de productos, Intel ha implementado una estructura de equipos en su departamento de I&D. Para tratar de asegurar que siempre tenga la tecnología de avanzada, la compañía posee seis equipos distintos que trabajan sobre la siguiente generación de chips de tal manera que las innovaciones de cada uno se pueden unir para elaborar un producto final; por ejemplo, el chip Pentium que descubrió en 1993. No obstante, también cuenta con seis equipos que trabajan simultáneamente en la siguiente generación de chips y seis equipos ocupados de la generación de chips que le seguirá a esa. En otras palabras, con el propósito de sostener su tecnología de vanguardia y mantener el monopolio, la compañía ha creado una estructura de equipos en la que sus científicos e ingenieros trabajan en las fronteras de la investigación de chips de tal modo que puedan controlar la tecnología del mañana. Este enfoque ciertamente le ha dado resultados. El precio de sus acciones se duplicó en 1992 y de nuevo en 1993. En efecto, se espera que supere el desempeño del mercado siempre y cuando sus equipos tengan éxito en que sea líder en la innovación dentro de su industria.

que es difícil evaluar a los científicos de investigación y desarrollo, y dado que la importancia de sus resultados sólo puede ser juzgada a largo plazo, adicionar estratos jerárquicos sencillamente incrementaría los costos burocráticos y desperdiciaría los recursos[2]. Al utilizar equipos, una compañía puede explotar la capacidad de los científicos para trabajar unidos en la solución de problemas e incrementar el desempeño entre sí. Igualmente, en equipos pequeños las normas y valores comunes que traen consigo empleados altamente capacitados promueven la coordinación. Una cultura para la innovación a menudo surge para controlar el comportamiento del empleado, como ha ocurrido en Motorola e Intel, donde la carrera por ser el primero estimula a los equipos de I&D. La estrategia en acción 13.1 describe el uso de equipos de I&D por parte de Intel para innovar y mejorar los chips de computadores.

Con el fin de estimular a los equipos para que trabajen en forma efectiva, el sistema de remuneración debe estar vinculado a su desempeño. Si los científicos, individualmente o en equipo, no participan en las utilidades que obtiene la compañía por sus nuevos productos o procesos, pueden tener poca motivación para contribuir en gran forma al equipo. Además, pueden abandonar una compañía para establecer la propia y competir con su exempleador. Para prevenir la partida de sus empleados claves y estimular alta motivación, compañías como Merck, Intel y Microsoft proporcionan a sus investigadores alternativas accionarias y remuneraciones ligadas a su desempeño individual, al igual que al rendimiento de su equipo y al de la compañía.

Ventas

Como investigación y desarrollo, la función de ventas usualmente posee una estructura plana. Más comúnmente, tres niveles jerárquicos (director de ventas, gerentes de ventas regionales o de productos y personal de ventas individual) pueden ajustar incluso amplias fuerzas de ventas. Las estructuras planas son posibles porque la organización no depende de la supervisión directa de control. Las actividades del personal de ventas a menudo son complejas; además, puesto que están dispersas en el campo, estos empleados son difíciles de monitorear. En vez de depender de la jerarquía, la función de ventas usualmente emplea controles de rendimiento y burocráticos. El control del rendimiento, como metas de ventas específicas u objetivos para incrementar la capacidad de satisfacer cliente, pueden establecerse y monitorearse en forma fácil por parte de los supervisores. Entonces, los controles del rendimiento se pueden vincular al sistema de remuneración mediante bonos para motivar al personal de ventas. Los controles burocráticos (por ejemplo, informes detallados que realiza el personal de ventas en los que describe sus interacciones con los clientes) también se pueden utilizar para estandarizar su comportamiento y facilitar a los supervisores examinar su desempeño[3].

Consideraciones similares de diseño se aplican a otras funciones, como la contable, la financiera, la de ingeniería o la de administración de los recursos humanos. Los gerentes deben seleccionar la combinación correcta de estructura y mecanismos de control para permitir que cada función contribuya al logro de niveles superiores de eficiencia, calidad, innovación y capacidad de satisfacer al cliente. En el actual ambiente competitivo, donde a menudo se requiere reducir los costos para sobrevivir, cada vez más las compañías hacen más planas sus jerarquías funcionales y descentralizan el control para reducir los costos burocráticos.

Sin embargo, con el fin de reducir el problema de agencia, las compañías deben desarrollar sistemas de control e incentivos que motiven a los empleados y alineen sus intereses con los de la organización.

13.4 ESTRUCTURA Y CONTROL A NIVEL DE NEGOCIOS

Generar una ventaja competitiva a través del diseño organizacional comienza a nivel funcional. Pero la clave para la exitosa implementación de estrategias es una estructura que vincule y fusione las capacidades y habilidades de las funciones de creación de valor de una compañía, permitiéndole seguir una estrategia a nivel de negocios. En esta sección se analizarán los problemas de diseño organizacional para una compañía que busca implementar una de las estrategias genéricas competitivas a nivel de negocios con el fin de mantener su ventaja competitiva.

Estrategias genéricas a nivel de negocios

Diseñar la combinación correcta de estructura y control al nivel de negocios es la continuación del diseño en los departamentos funcionales de una compañía. Al implementar la estructura y sistema de control apropiados para cada función, la compañía debe luego implementar las disposiciones organizacionales de tal manera que todas las funciones se puedan manejar juntas para lograr los objetivos de la estrategia a nivel de negocios. Puesto que la concentración se proyecta al manejo de relaciones interdisciplinarias, la selección de *diferenciación horizontal* (agrupación de actividades organizacionales) e *integración* para el logro de las estrategias a nivel de negocios se hace muy importante[4]. Los sistemas de control también deben seleccionarse teniendo en cuenta el monitoreo y evaluación de actividades interdisciplinarias. La tabla 13.1 resume la estructura organizacional y los sistemas de control apropiados que pueden utilizar las compañías cuando siguen una estrategia de bajo costo, de diferenciación o de concentración.

Estrategia de liderazgo en costos y estructura

El objetivo de la estrategia de liderazgo en costos consiste en hacer que la compañía que la sigue se convierta en el productor de menor costo en el mercado[5]. A nivel de negocios, esto significa reducir costos no sólo en producción, sino a través de todas las funciones en la organización que incluyen investigación y desarrollo, ventas y marketing.

Si una compañía sigue una estrategia de liderazgo en costos, sus esfuerzos de investigación y desarrollo probablemente se concentren en el avance de productos y procesos en vez de proyectarse en la innovación de productos más costosos, lo que no garantiza el éxito. En otras palabras, la empresa hace énfasis en la investigación que mejora las características de productos o disminuye el costo de generar productos existentes. En forma similar, una firma intenta disminuir el costo de ventas y marketing al ofrecer un producto estándar a un mercado masivo en vez de proporcionar distintos productos dirigidos a diferentes segmentos de mercado, lo cual también es más costoso[6].

Con el fin de implementar tal estrategia, el líder en costos escoge una estructura y sistema de control que tenga un bajo nivel de costos burocráticos. Como se analizó en los capítulos anteriores, los costos burocráticos son los de manejar la estrategia de una compañía a través de la estructura y el control. La estructura y el control son costosos, y cuanto más compleja sea ésta (cuanto mayor sea su nivel de diferenciación e integración), mayores serán los costos burocráticos. Para economizar en costos burocráticos, un líder en costos adoptará la estructura más sencilla o económica compatible con las necesidades de la estrategia de bajo costo.

Tabla 13.1
Estrategia genérica, estructura y control

	Estrategia		
	Liderazgo en costos	**Diferenciación**	**Concentración**
Estructura apropiada	Funcional	Equipo por productos o matriz	Funcional
Mecanismos integradores	Concentración en la fabricación	Concentración en I&D o marketing	Concentración en el producto o en el cliente
Control del rendimiento	Mayor uso (por ejemplo, control de costos)	Cierto uso (por ejemplo, metas de calidad)	Cierto uso (por ejemplo, costo y calidad)
Control burocrático	Cierto uso (por ejemplo, presupuestos, estandarización)	Mayor uso (por ejemplo, reglas, presupuestos)	Cierto uso (por ejemplo, presupuestos)
Cultura organizacional	Poco uso (por ejemplo, círculos de control de calidad)	Mayor uso (por ejemplo, normas y valores)	Mayor uso (por ejemplo, normas y valores)

En la práctica, la estructura escogida normalmente es de carácter funcional. Ésta es relativamente económica de operar ya que se basa en un nivel bajo de diferenciación e integración. Incluso en una estructura funcional, los equipos interdisciplinarios pueden organizarse alrededor de la función de fabricación. Por ejemplo, un programa ACT implementado a través de los comités de tareas y equipos de trabajo puede desarrollarse para integrar las actividades de fabricación y las demás áreas. Esto permite continuos mejoramientos en las reglas y procedimientos para estandarizar las actividades, lo cual constituye una gran fuente de ahorro en costos[7].

Una compañía líder en costos también trata de mantener su estructura tan plana como sea posible con el fin de reducir los costos burocráticos, y las estructuras funcionales poseen estructuras relativamente planas. El líder en costos continuamente evalúa si necesita ese nivel extra en la jerarquía y si puede descentralizar la autoridad (quizá hacia el trabajo en grupo) con el fin de mantener costos bajos. Seagate Technology, el fabricante de discos duros, constituye un ejemplo de líder en costos que continuamente simplifica su estructura con el propósito de mantener una ventaja competitiva. Periódicamente reduce los niveles en la jerarquía e instituye estrictos controles de producción para minimizar los costos. Este proceso ha hecho que se mantenga por encima de los competidores japoneses. De igual manera, John Reed, el presidente de Citicorp recientemente hizo más plana la estructura de su organización, eliminando dos niveles administrativos y suprimiendo docenas de ejecutivos con el fin de reducir los costos. Sus esfuerzos de reducción le ayudaron a cambiar una pérdida de US$457 millones en 1991 por una utilidad de US$722 millones en 1992, y el precio de sus acciones se incrementó de US$9 a US$29[8].

Con el fin de reducir más los costos, las compañías líderes en costos tratan de utilizar las formas más fáciles y económicas de control disponible: los controles del rendimiento. Para cada función, una compañía adopta controles del rendimiento que le posibilitan aplicar monitoreo y evaluar en forma estrecha el desempeño funcional. Por ejemplo, en el área de fabricación, la compañía impone estrictos controles y hace énfasis en las reuniones de presupuesto con base en objetivos de producción, costos o calidad[9]. De igual manera, en investigación y desarrollo el énfasis recae en la línea inferior. El personal de I&D deseoso de demostrar su contribución al ahorro de costos puede concentrar sus esfuerzos en el mejoramiento de la tecnología de los procesos, en la que son calculables ahorros reales. H.J. Heinz, ilustra claramente estos esfuerzos. Al seguir una estrategia de liderazgo en costos, hace gran énfasis en los mejoramientos de producción que puedan reducir los costos de una lata de fríjoles. Al igual que con las funciones de fabricación e investigación y desarrollo, al área de ventas se le aplica monitoreo en forma estricta, y los objetivos de ventas usualmente representan un desafío. No obstante, las compañías líderes en costos probablemente remuneren a los empleados mediante generosos planes de incentivos y bonos con el fin de estimular el alto desempeño. A menudo, su cultura se basa en valores que hacen énfasis en la línea inferior. H.J. Heinz, Lincoln Electric y Pepsico constituyen ejemplos de estas organizaciones.

En resumen, utilizar una estrategia exitosa de liderazgo en costos requiere una firme atención en el diseño de la estructura y el control con el fin de limitar los costos burocráticos. Los gerentes, las reglas y los mecanismos de control organizacional cuestan dinero, y las empresas de bajo costo deben tratar de economizar cuando implementen sus estructuras. Cuando la ventaja competitiva de una compañía depende del logro y sostenimiento de una ventaja de bajo costo, es esencial adoptar apropiadas disposiciones organizacionales.

Estrategia de diferenciación y estructura

Con el fin de seguir una estrategia de diferenciación, una compañía debe desarrollar una habilidad distintiva en una función como investigación y desarrollo o marketing y ventas. Como se estudió anteriormente, hacerlo a menudo significa que una firma genera una amplia variedad de productos, atiende más nichos de mercado y generalmente debe ajustar sus productos a las necesidades de diversos clientes. Estos factores dificultan estandarizar las actividades; también incrementan las exigencias hechas al personal funcional. Por consiguiente, la organización diferenciada usualmente emplea una estructura más compleja (es decir, una estructura con un mayor nivel de diferenciación e integración) que el líder en costos. En consecuencia, los costos burocráticos de un diferenciador son mayores que los de un líder en costos, no obstante, éstos se recuperan a través de un valor mayor agregado a sus productos diferenciados.

Por ejemplo, para hacer que sus productos sean exclusivos para los clientes, una compañía diferenciada debe diseñar su estructura y sistema de control alrededor de la *fuente particular* de su ventaja competitiva[10]. Supóngase que la fortaleza del diferenciador se basa en la habilidad tecnológica; la compañía posee una tecnología superior. En este caso, su estructura y sistemas de control deben diseñarse alrededor de la función de investigación y desarrollo. Implementar una *estructura matricial* como lo han hecho Texas Instruments y TRW Systems, estimula la innovación y acelera el desarrollo de productos, puesto que este tipo de estructura permite la realización de una intensiva integración interdisciplinaria. Los mecanismos integradores, como los comités de tareas y equipos de trabajo, ayudan a transferir el conocimiento entre funciones y están diseñados alrededor de la función de investigación y desarrollo. Por ejemplo, los objetivos de ventas, marketing y producción encajan con las metas de investigación y desarrollo; marketing planea programas de publicidad que se concentran en las posibilidades tecnológicas, y el personal de ventas se evalúa con base en su comprensión de las características del nuevo producto y su habilidad para informarlas a los clientes potenciales. Las metas rigurosas de ventas probablemente no se plantean en este caso debido a que la meta consiste en generar calidad en el servicio.

No obstante, como se estudió en el capítulo 11, existen muchos problemas asociados a una estructura matricial. La cambiante formación de los equipos por productos, la ambigüedad que surge al tener dos jefes, el uso de mecanismos integradores más complejos y la mayor dificultad de aplicar monitoreo y evaluar el trabajo de los equipos incrementa considerablemente los costos burocráticos necesarios para coordinar y controlar las actividades. Sin embargo, las compañías están dispuestas a incurrir en mayores costos burocráticos de una estructura matricial cuando les permita crear más valor a partir de su estrategia de diferenciación.

Algunas veces, las ventajas de una estrategia de diferenciación se pueden obtener a partir de una estructura menos costosa. Por ejemplo, cuando la fuente de ventaja competitiva del diferenciador se fundamenta en altos niveles de calidad o capacidad de satisfacer al cliente, las compañías que diseñan una estructura alrededor de sus productos, y una estructura de *equipos por productos* o *geográfica* se puede ajustar mejor. En una estructura de equipos por productos, cada grupo por productos puede concentrarse en las necesidades de un mercado particular de productos. Las áreas de apoyo como investigación y desarrollo o ventas se encuentran organizadas por productos, y los comités de tareas y equipos de trabajo tienen una orientación hacia los productos, no hacia la investigación. Si la estrategia de diferenciación de una compañía se fundamenta en atender las necesidades de distintos segmentos del mercado, es apropiada una estructura geográfica. Así, si ésta se concentra en tipos de clientes, una compañía diferenciada puede utilizar una estructura geográfica diseñada según una lógica regional, o incluso de acuerdo con diversos tipos de clientes, como negocios, consumidores individuales o el gobierno. Compaq y Rockwell recientemente reorganizaron sus estructuras para concentrarse en las necesidades de clientes o regiones específicas. La nueva estructura geográfica les permite atender más las necesidades de grupos específicos de clientes y satisfacerlas mejor. Por ejemplo, información acerca de las cambiantes preferencias de los clientes puede reportarse en forma rápida a I&D y al diseño de productos de tal manera que la compañía pueda proteger su ventaja competitiva.

Los sistemas de control utilizados para encajar la estructura también pueden ajustarse a la habilidad distintiva de la compañía. Para el diferenciador, es importante que las diversas áreas no tiren en distintas direcciones; en efecto, la cooperación entre éstas es esencial para lograr la integración interdisciplinaria. Pero, cuando las funciones laboran juntas, los controles del rendimiento se hacen mucho más difíciles de utilizar. En general, es mucho más difícil medir el desempeño de las personas en distintas funciones cuando están involucradas en esfuerzos cooperativos. En consecuencia, una compañía debe depender más de los controles de comportamiento y normas y valores compartidos cuando sigue una estrategia de diferenciación. Por esta razón, las empresas que siguen una estrategia de diferenciación a menudo tienen un tipo de cultura marcadamente diferente que aquellas que utilizan una estrategia de bajo costo. Puesto que la calidad de los recursos humanos (buenos científicos, diseñadores o personal de marketing) a menudo es la fuente de diferenciación, estas organizaciones poseen una cultura fundamentada en el profesionalismo o academicismo, una cultura que hace énfasis en la distinción de los recursos humanos en vez de reforzar la alta presión de la línea inferior[11]. Hewlett-Packard, Motorola y Coca-Cola, las cuales destacan cierto tipo de habilidad distintiva, son ejemplos de firmas con culturas profesionales.

Los costos burocráticos de manejar la estructura y sistema de control del diferenciador son mayores que los del líder en costos, pero los beneficios también son mayores si las compañías pueden obtener la retribución de un precio superior. Las firmas están dispuestas a aceptar un mayor nivel de costos burocráticos debido a que sus estructuras y sistemas de control generan niveles superiores de eficiencia, calidad, innovación o capacidad de satisfacer al cliente.

Implementación de una estrategia combinada de diferenciación y de liderazgo en costos

Como se estudió en el capítulo 6, seguir una estrategia combinada de diferenciación y bajo costo constituye el reto más difícil que enfrenta una compañía a nivel de negocios. Por una parte, la empresa debe coordinar sus actividades alrededor de fabricación y administración de materiales con el fin de implementar una estrategia de reducción en costos. Por otra parte, también debe coordinar sus actividades alrededor de la fuente de su ventaja de diferenciación, como I&D o marketing, para proteger su habilidad en innovación o capacidad de satisfacer al cliente. Para muchas compañías que se encuentran en esta situación, la respuesta ha sido la estructura de equipos por productos, analizada en el capítulo 11. Es mucho más económica de manejar que una estructura matricial y suministra un mayor nivel de integración interdisciplinaria que la estructura funcional.

Como se recordará del capítulo 11, una estructura de equipos por productos agrupa actividades por productos, y cada línea de productos la maneja un equipo interdisciplinario que proporciona todos los servicios de apoyo necesarios para lanzar el producto al mercado. El rol del equipo por productos consiste en proteger e incrementar la ventaja de diferenciación de una compañía mientras coordina con fabricación con el fin de reducir los costos. Chrysler, Hallmark y Xerox se encuentran entre las compañías que recientemente se han reorganizado de una estructura funcional a una de equipos por productos de tal manera que en forma simultánea pueden acelerar el desarrollo de productos y controlar sus costos operativos.

Además, las compañías también se están cambiando de una estructura matricial a una de equipos por productos porque sus costos de utilizar la matriz superan ampliamente los beneficios. Por ejemplo, en Digital Equipment Corp., los costos burocráticos ascendían vertiginosamente debido a que los diversos equipos de proyectos duplicaban el trabajo de los demás, pero la compañía carecía del control centralizado necesario para utilizar los recursos en la debida forma. Después de cambiarse a la estructura de equipos por productos, pudo controlar la asignación de recursos entre los proyectos y las líneas de productos de manera más efectiva. También pudo crear controles de rendimiento para motivar a la gerencia de proyectos a reducir los costos y acelerar el desarrollo de productos. John Fluke Mfg., líder en herramientas electrónicas de prueba, constituye otro ejemplo de una firma que ha utilizado los equipos por productos para acelerar el desarrollo de éstos. La compañía conforma «equipos Phoenix", grupos interdisciplinarios a los que se les da 100 días y US$100 mil para que identifiquen una necesidad del mercado y un nuevo producto que la satisfaga[12]. Hasta el momento, estos equipos han llevado al desarrollo de dos nuevos productos exitosos. La estrategia en acción 13.2 describe cómo 3M utiliza equipos interdisciplinarios para estimular una cultura de innovación.

Estrategia de concentración y estructura

En el capítulo 6 se definió la estrategia de concentración como aquella dirigida a un mercado o segmento particular de clientes. Una compañía se concentra en un producto o variedad de éstos proyectado a un tipo de cliente o región. Esta estrategia tiende a tener mayores costos de producción que las otras dos debido a que los niveles de rendimiento son menores, haciendo más difícil obtener economías de escala considerables. Como resultado, una compañía concentrada debe ejercer el control de costos. Por otro lado, debido a que cierto atributo de sus productos a menudo proporciona a la compañía concentrada su única ventaja (posiblemente su capacidad para suministrar a los clientes servicio personalizado de alta calidad) una organización concentrada debe desarrollar una habilidad exclusiva. Por estas razones, la estructura y el sistema de control adoptado por la compañía concentrada deben ser económicos de operar pero suficientemente flexibles para permitir que surja una habilidad distintiva.

La firma concentrada normalmente adopta una estructura funcional para satisfacer estas necesidades. Esta estructura es apropiada debido a que es suficientemente compleja para manejar las actividades requeridas con el fin de atender las necesidades del segmento de mercado o generar una reducida variedad de productos. Al mismo tiempo, los costos burocráticos de manejar una estructura funcional son relativamente bajos, y existe menor necesidad de tener mecanismos integradores complejos y costosos. Esta estructura posibilita más control personal y flexibilidad que las otras dos y, por tanto, reduce los costos burocráticos en tanto que estimula el desarrollo de una habilidad distintiva[13]. Dada su pequeña magnitud, una compañía concentrada puede depender menos del control burocrático y más de la cultura, la cual es fundamental para el desarrollo de una habilidad de servicio. Aunque los controles del rendimiento necesitan utilizarse en producción y ventas, esta forma de control es económica en una empresa pequeña.

La combinación de la estructura funcional y el bajo costo de control ayuda a reducir los mayores costos de producción mientras continúa permitiendo que la firma desarrolle fortalezas únicas. Por esta razón, no es sorprendente que haya tantas compañías concentradas. Además, debido a que la ventaja competitiva de una empresa concentrada a menudo se fundamenta en el servicio personalizado, la flexibilidad de este tipo de estructura posibilita que la compañía responda en forma rápida a las necesidades de los clientes y cambie sus productos en respuesta a sus sugerencias. Entonces, la estructura respalda la estrategia y ayuda a la firma a desarrollar y mantener su habilidad distintiva.

Au Bon Pain Company Inc., una cadena de comidas rápidas especializada en la venta de café selecto y productos horneados como *croissants*, constituye un buen ejemplo de una compañía que reconoció la necesidad de diseñar una estructura y sistema de control para ajustar una estrategia concentrada dirigida a un grupo de clientes de estrato alto. Con el fin de motivar a las franquicias para que se desempeñaran mejor y atendieran las necesidades de los clientes, descentralizó el control a cada concesionario, generando unidades funcionales autónomas. Luego, a través de un plan de participación en las utilidades que remunerara la reducción en costos y la calidad proporcionó a cada gerente de franquicia el incentivo para crear un conjunto de disposiciones de control que disminuyera los costos pero que maximizara la calidad del servicio. El resultado fue un ajuste estructura-estrategia que lo llevó a un gran incremento en las utilidades de las franquicias.

Resumen

Las compañías que siguen una estrategia genérica a nivel de negocios deben adoptar la forma apropiada de estructura y control si desean utilizar sus recursos en forma efectiva para desarrollar niveles superiores de eficiencia, calidad, innovación y capacidad de satisfacer al cliente. Las empresas están dispuestas a afrontar los costos burocráticos de manejar la estructura organizacional y los sistemas de control si éstos incrementan su capacidad de crear valor a partir de la disminución de costos o del establecimiento de un precio superior para sus productos. Por consiguiente, con el paso del tiempo, las compañías deben manejar y cambiar sus estructuras que les permitan crear valor. Sin embargo, muchas firmas *no* utilizan las formas correctas de estructura con el tiempo y fracasan en el manejo de sus estrategias. Estas compañías no son tan exitosas y no sobreviven tanto como aquellas que ajustan su estrategia, estructura y sistemas de control[14].

13.5   DISEÑO DE UNA ESTRUCTURA GLOBAL

En el capítulo 8 se observó que la mayor parte de grandes compañías poseen una dimensión global para su estrategia debido a que fabrican y venden sus productos en mercados internacionales. Por ejemplo, Procter & Gamble y empresas de alimentos como Heinz, Kellogg Co. y Nestlé Enterprises Inc., poseen operaciones de producción en el mundo, de la misma manera que las grandes firmas automotrices y de computadores. En esta parte se examinará cómo las cuatro estrategias globales principales que puede adoptar una compañía afectan su selección de estructura y control.

Se puede recordar del capítulo 8 que (1) una *estrategia multidoméstica* está orientada a la capacidad de aceptación local, y una compañía establece unidades nacionales semiautónomas en cada país donde operan con el fin de generar y ajustar productos a mercados locales; (2) una *estrategia internacional* se basa en las áreas de I&D y marketing centralizadas a nivel doméstico y demás funciones de creación de valor que se descentralizan a unidades nacionales; (3) una *estrategia global* se orienta hacia la reducción de costos, con todas las principales funciones de creación de valor centralizadas en la localización global óptima; y (4) una *estrategia transnacional* intenta lograr capacidad de aceptación local e integración global de tal modo que algunas funciones estén centralizadas en la ubicación global óptima mientras otras se descentralizan, para alcanzar mayor capacidad de aceptación local y facilitar el aprendizaje global.

Si una compañía desea operar cada estrategia en forma exitosa, se incrementa la necesidad de coordinar e integrar las actividades globales a medida que se desplaza de una estrategia multidoméstica a una internacional, luego a una global y finalmente a una transnacional. Por ejemplo, los costos burocráticos de manejar una estrategia transnacional son mucho mayores que aquellos para una multidoméstica. Con el fin de lograr una estrategia transnacional, una compañía transfiere sus habilidades distintivas a la ubicación global donde pueda crear el mayor valor; luego, establece una red global para coordinar las divisiones extranjeras y domésticas. Esta coordinación implica manejar transferencias globales de recursos para facilitar el aprendizaje global. Comparada con las otras estrategias, se debe emplear más tiempo administrativo coordinando los recursos y capacidades organizacionales para lograr las sinergias globales que justifiquen utilizar una estrategia transnacional. Por el contrario, seguir una estrategia multidoméstica no requiere coordinación de

Cómo utiliza 3M equipos para generar cultura

Una compañía bien conocida por la innovación de productos, 3M busca lograr por lo menos el 25% de su crecimiento anual a través de nuevos productos desarrollados en los últimos 5 años. Con el fin de estimular la generación de productos, 3M siempre ha sido cuidadosa de diseñar su estructura y cultura de tal manera que le proporcionen a los empleados la libertad y motivación para experimentar y asumir riesgos. Por ejemplo, 3M posee una norma informal en la que los investigadores deben utilizar un 15% de su tiempo para desarrollar proyectos de su propio interés. Esta norma fue la que generó nuevos productos como las notas Post-it. Además, la compañía ha prestado cuidado al establecer carreras para sus científicos con el fin de obtener su compromiso a largo plazo, y retribuye a los exitosos innovadores de productos con considerables bonos. Todas estas prácticas han ganado la lealtad y apoyo de sus científicos y le han ayudado a crear una cultura de innovación.

La compañía también ha reconocido la creciente importancia de vincular y coordinar los esfuerzos de las personas en distintas funciones para acelerar el esfuerzo del desarrollo de productos. Como se ha anotado, el personal en las distintas áreas tiende a desarrollar diferentes orientaciones de subunidades y a concentrar los esfuerzos en sus propias tareas excluyendo las necesidades de otras funciones. El peligro de tales tendencias es que cada función desarrollará normas y valores que se ajusten a sus propias necesidades pero harán poco para estimular la coordinación e integración organizacional.

Con el propósito de evitar este problema, la empresa ha establecido un sistema de equipos interdisciplinarios conformados por miembros de las áreas de desarrollo de productos, generación de procesos, marketing, fabricación, empacado y otras funciones para crear normas y valores de innovación en toda la organización. De esta forma, todos los grupos tienen un enfoque común, los equipos trabajan en forma estrecha con los clientes; sus necesidades se convierten en la plataforma sobre la cual las diversas funciones pueden aplicar sus habilidades y capacidades. Por ejemplo, uno de los equipos interdisciplinarios trabajó en forma estrecha con los fabricantes de pañales desechables a fin de desarrollar el tipo correcto de cinta adhesiva para sus necesidades[15].

Con el fin de estimular la integración en el equipo, y motivar las normas y valores de cooperación, cada uno está dirigido por un «campeón de productos", quien asume la responsabilidad de generar relaciones estrechas en el equipo y desarrollar una cultura de grupo. Además, uno de los altos gerentes se convierte en «promotor administrativo", cuyo trabajo consiste en ayudar a que el equipo obtenga recursos y proporcionarle apoyo cuando se dificulte su marcha. Después de todo, el desarrollo de productos es un proceso bastante riesgoso y muchos proyectos no dan resultados. Finalmente, la compañía estableció el Golden Step Program para reconocer y premiar a los equipos interdisciplinarios que lanzan nuevos productos exitosos. A través de estos medios, 3M ha utilizado sus equipos interdisciplinarios para crear una cultura en la que la innovación es una actividad reconocida, además desarrolla normas y valores que apoyen y retribuyan el hecho de compartir información entre científicos y entre el personal en las diversas funciones. Es claro que toda esta atención a la creación de una cultura de innovación le ha dado resultados a 3M.

actividades a nivel global debido a que las actividades de creación de valor se manejan a nivel local, por parte de un país o región del mundo. Las estrategias internacionales y globales encajan entre las otras dos estrategias: aunque los productos deben venderse y comercializarse a nivel global y, por tanto, se deben manejar transferencias globales de productos, existe menor necesidad de coordinar las transferencias de recursos que en una estrategia transnacional.

Entonces, la implicación consiste en que a medida que las compañías cambian de una estrategia multidoméstica a una internacional, global o transnacional, requieren una estructura y sistemas de control más complejos para coordinar las actividades de creación de valor asociadas a esta estrategia. Por consiguiente, los costos burocráticos se incrementan en cada etapa: para una estrategia multidoméstica, son bajos; para una internacional son medios; para una global son altos; y para una estrategia transnacional son muy altos (*veáse* tabla 13.2). En general, la selección de la estructura y los sistemas de control para manejar un negocio global está en función de tres factores:

1. La decisión acerca de cómo distribuir y asignar la responsabilidad y autoridad entre los gerentes domésticos y extranjeros de tal manera que se mantenga control efectivo sobre las operaciones extranjeras de una compañía.
2. La selección de un nivel de diferenciación horizontal que agrupe las tareas extranjeras con las operaciones domésticas de tal modo que permita el mejor uso de los recursos y atienda las necesidades de los clientes extranjeros en forma más efectiva.
3. La selección de los tipos correctos de mecanismo de integración y cultura organizacional para hacer que la estructura funcione en forma efectiva.

La tabla 13.2 resume las elecciones apropiadas sobre diseño para compañías que siguen cada una de estas estrategias.

Tabla 13.2
Relaciones entre la estrategia global y la estructura

	Estrategia multidoméstica	Estrategia internacional	Estrategia global	Estrategia transnacional
	Baja ←———————— Necesidad de coordinación ————————→ Alta			
	Baja ←———————— Costos burocráticos ————————→ Alta			
Centralización de la autoridad	Descentralizada hacia la unidad nacional	Habilidades principales centralizadas diferentes de las descentralizadas hacia unidades nacionales	Centralizada en una localización global óptima	Centralizada y descentralizada en forma simultánea
Diferenciación horizontal	Estructura de área global	Estructura internacional de divisiones	Estructura global de grupos por productos	Estructura matricial global "matriz en la mente"
Necesidad de mecanismos integradores complejos	Baja	Media	Alta	Muy alta
Cultura organizacional	No es importante	Bastante importante	Importante	Muy importante

Estrategia multidoméstica y estructura

Cuando una compañía sigue una estrategia multidoméstica, generalmente funciona con una estructura de área global (figura 13.1). Cuando utiliza esta estructura, duplica todas las actividades de creación de valor y establece una división extranjera en cada país o área mundial donde opere. La autoridad luego se descentraliza hacia los gerentes en cada división extranjera, y ellos diseñan la estrategia apropiada para responder a las necesidades del ambiente local. Puesto que los gerentes de la dirección nacional corporativa se encuentran bastante alejados de la escena de operaciones, tiene sentido descentralizar el control y transferir autoridad para la toma de decisiones a los gerentes en las operaciones extranjeras. Los gerentes en la dirección general global utilizan controles de mercado y del rendimiento, como tasa de rendimiento, crecimiento de la participación en el mercado o costos operativos para evaluar el desempeño de las divisiones extranjeras. Con base en tales comparaciones globales, pueden tomar decisiones sobre la asignación de capital global e implementar la transferencia global de conocimiento nuevo entre las divisiones.

Una compañía que fabrica y vende los mismos productos en mercados muy distintos a menudo agrupa sus subsidiarias extranjeras en regiones mundiales para simplificar la coordinación de productos en los países. Europa podría ser una región, los países del Pacífico otra y el Medio Oriente una tercera. Tal agrupación permite aplicar el mismo conjunto de controles de mercado y burocráticos en todas las divisiones dentro de una región. Así, las compañías pueden obtener sinergias al tratar culturas ampliamente similares puesto que la información se puede transmitir más fácil. Por ejemplo, las preferencias de los consumidores relacionadas con el diseño y el mercado de productos probablemente sean más parecidas entre los países en una región del mundo que entre países con diversas regiones mundiales.

Puesto que las divisiones extranjeras tienen poco o ningún contacto entre sí, no se necesitan mecanismos integradores. Tampoco es necesario desarrollar una cultura organizacional global debido a que no existen transferencias de personal o contactos informales entre los gerentes de las diversas regiones. Compañías automotrices como Chrysler, General Motors y Ford solían emplear estructuras de área global para manejar sus operaciones extranjeras. Por ejemplo, Ford de Europa tenía poco o ningún contacto con su matriz estadounidense, y el capital constituía el principal recurso intercambiado.

Un problema con una estructura de área global y una estrategia multidoméstica consiste en que la duplicación de actividades especializadas genera costos. Además, la compañía no capitaliza oportunidades para intercambiar información y conocimiento sobre una base global o para sacar ventajas de las oportunidades de fabricación a bajo costo. Las compañías multidomésticas han optado por mantener bajos los costos burocráticos; sin embargo, pierden muchos beneficios de operar a nivel global.

Figura 13.1
Estructura de área global

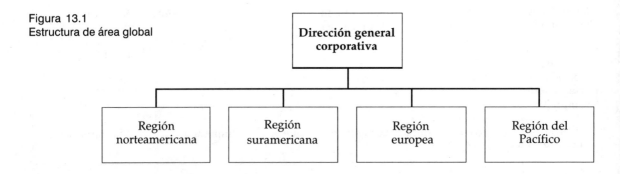

Estrategia internacional y estructura

Una compañía que utiliza una estrategia internacional sigue una ruta distinta hacia la expansión global. Normalmente, se cambia a esta estrategia cuando comienza a vender sus productos hechos a nivel doméstico en mercados extranjeros. Hasta hace poco, empresas como Mercedez-Benz o Jaguar no intentaban producir en un mercado extranjero; más bien, distribuían y vendían internacionalmente sus automóviles fabricados a nivel doméstico. Estas firmas usualmente sólo agregan un **departamento de operaciones extranjeras** a su estructura existente y continúan utilizando el mismo sistema de control. Si una organización utiliza una estructura funcional, este departamento debe coordinar las actividades de fabricación, ventas e investigación y desarrollo de acuerdo con las necesidades del mercado extranjero. No obstante, los esfuerzos en adaptación son mínimos.

En otro país, la compañía usualmente establece una subsidiaria para manejar ventas y distribución. Por ejemplo, las subsidiarias extranjeras de Mercedez-Benz ubican distribuidores, organizan proveedores de piezas y, por supuesto, venden automóviles. Entonces, se establece un sistema de controles burocráticos para mantener informada a la casa matriz de los cambios registrados en ventas, requerimientos de piezas y otros.

Una compañía con muchos negocios o productos distintos que operan desde una estructura multidivisional tiene el desafiante problema de coordinar el flujo de diversos productos a través de diferentes países. Con el fin de manejar estas transferencias, muchas compañías crean una división internacional, la cual agregan a su estructura divisional existente[16] (*véase* figura 13.2).

Las operaciones internacionales se manejan como un negocio divisional separado, cuyos gerentes tienen la autoridad y responsabilidad de coordinar las divisiones de productos domésticos y los mercados extranjeros. La división internacional también controla las subsidiarias extranjeras que comercializan los productos y decide cuánta autoridad delegar a la gerencia extranjera. Esta disposición permite que la compañía se involucre en operaciones extranjeras más complejas a un costo

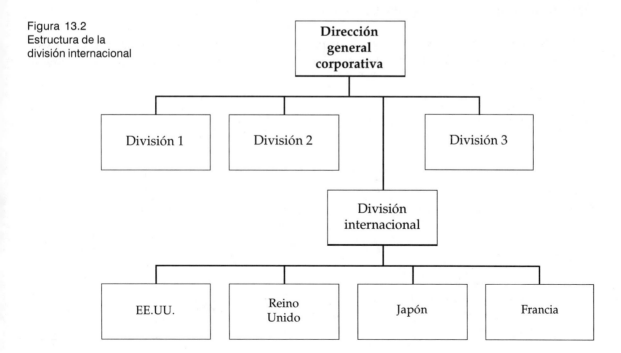

Figura 13.2
Estructura de la
división internacional

burocrático relativamente bajo. Sin embargo, los gerentes en otros países esencialmente se encuentran bajo el control de los gerentes de la división internacional, y si los gerentes domésticos y extranjeros compiten por el control de las operaciones en otro país pueden generarse conflictos y falta de cooperación.

Estrategia global y estructura

Una compañía se lanza a una estrategia global cuando comienza a ubicar las actividades de fabricación y demás tareas de creación de valor en el sitio global de menor costo para incrementar la eficiencia, calidad e innovación. En la búsqueda por obtener los beneficios del aprendizaje global, una empresa debe enfrentar mayores problemas de coordinación e integración. Debe hallar una estructura que pueda coordinar las transferencias de recursos entre la dirección general corporativa y las divisiones extranjeras mientras proporciona el control centralizado que requiere una estrategia global. La respuesta para muchas compañías consiste en una **estructura global de grupos por productos** (figura 13.3).

En esta estructura, la dirección general de un grupo por productos (similar a la dirección general de las UEN) se crea para coordinar las actividades de las divisiones domésticas y extranjeras dentro de un grupo por productos. Los gerentes de un grupo por productos en el país sede son los responsables de organizar todos los aspectos de creación de valor sobre una base global. La estructura de grupos por productos permite que los gerentes decidan cómo seguir mejor una estrategia global; por ejemplo, decidir qué actividades de creación de valor, como fabricación o diseño de productos, deben desarrollarse en cuál país con el fin de incrementar la eficiencia. Cada vez más las compañías estadounidenses y japonesas desplazan la fabricación a países de bajo costo como China pero establecen centros de diseño de productos en Europa o EE.UU. para sacar ventaja de las habilidades y capacidades extranjeras.

Estrategia transnacional y estructura

La falla principal de la estructura global de grupos por productos consiste en que mientras que ésta permite que una compañía logre niveles superiores de eficiencia y calidad, es débil cuando aborda

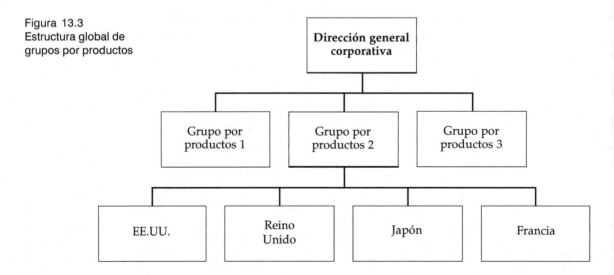

Figura 13.3
Estructura global de
grupos por productos

la capacidad de satisfacer al cliente, puesto que el enfoque continúa siendo el control centralizado para reducir costos. Además, esta estructura dificulta a los distintos grupos por productos intercambiar información y conocimiento, y obtener los beneficios de la cooperación. Algunas veces, las potenciales ganancias del hecho de compartir conocimientos sobre productos, marketing o investigación y desarrollo entre los grupos por productos son bastante altas, pero debido a que la compañía carece de una estructura que pueda coordinar las actividades de los grupos, estas ganancias no se pueden lograr.

Cada vez más, las compañías adoptan **estructuras matriciales globales**, que les posibilitan en forma simultánea reducir los costos al incrementar la eficiencia *y* diferenciar sus actividades a través de una innovación superior y de una mayor capacidad de satisfacer al cliente. La figura 13.4 muestra esta estructura, adoptada por una gran compañía química como Du Pont.

Sobre el eje vertical, en lugar de las funciones, se encuentran los *grupos por productos* de la compañía, que suministran servicios especializados como información sobre I&D, diseño de productos y marketing para las divisiones extranjeras, o las UEN. Por ejemplo, pueden ser los grupos por productos de petróleo, plásticos, drogas o fertilizantes. Sobre el eje horizontal se encuentran las *divisiones extranjeras* o las UEN de la compañía, en los diversos países o regiones donde opera. Los gerentes en la subsidiaria extranjera controlan las operaciones foráneas y mediante un sistema de controles burocráticos presentan informes al personal divisional en EE.UU. También son los responsables, junto con el personal divisional estadounidense, de desarrollar sistemas de control y remuneración que estimulen compartir información de marketing o de investigación y desarrollo con el fin de obtener beneficios a partir de las sinergias.

Esta estructura proporciona bastante flexibilidad local y da al personal divisional en EE.UU. amplio acceso a información acerca de los problemas locales. Adicionalmente, la forma de la matriz permite que se transfiera el conocimiento y la experiencia entre las regiones geográficas y entre las divisiones y regiones. Puesto que esto ofrece muchas oportunidades de contacto directo entre los

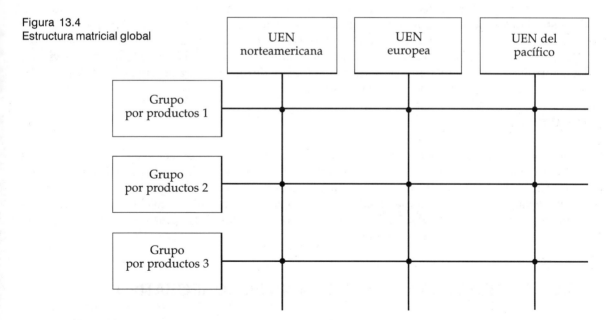

Figura 13.4
Estructura matricial global

• Compañías individuales en operación

gerentes a nivel doméstico y extranjero, la estructura matricial facilita la transmisión de normas y valores de la compañía y, por consiguiente, el desarrollo de una cultura corporativa global. Esto es especialmente importante para una compañía internacional, donde las líneas de comunicación son más prolongadas y la información está sujeta a la distorsión. Por ejemplo, Club Med, Inc. explota en su totalidad estas sinergias en la forma como maneja sus lugares para el esparcimiento. La matriz también permite que cada división local equilibre la producción de tal modo que, por ejemplo, una falta de demanda en una región puede compensarse con el incremento de la demanda en otra. Philip Morris equilibra la producción de cigarrillos: una baja considerable en la demanda en EE.UU. se contrarresta al dar suministro a regiones donde las ventas por cigarrillos se amplían. En forma similar, los fabricantes de automóviles japoneses planean su estrategia internacional para compensar las restricciones a las importaciones o a los cambios de monedas en el mercado mundial.

Con el fin de hacer que funcionen estas estructuras matriciales, muchas compañías luchan para desarrollar una cultura organizacional sólida a nivel internacional para facilitar la comunicación y coordinación entre los gerentes. Por ejemplo, las firmas cada vez más hacen transferencias de gerentes entre operaciones extranjeras y domésticas para proporcionales la experiencia en el exterior, de tal manera que puedan desarrollar una visión global. Además, con el propósito de mejorar la integración, las empresas tratan de crear redes globales de gerentes de tal modo que puedan ayudarse entre sí sobre una base global. La idea consiste en crear una **matriz en la mente:** desarrollar las redes de información que permitan a la compañía capitalizar sobre las habilidades y capacidades de su personal globalmente[17]. Con el objetivo de estimular el desarrollo del concepto de matriz en la mente y promover la cooperación, las compañías también utilizan dispositivos electrónicos de integración como la teleconferencia en línea y la correspondencia inmediata, entre las distintas partes de sus operaciones, a nivel global y doméstico. Por ejemplo, Hitachi coordina sus 19 laboratorios japoneses por medio de un sistema de teleconferencia en línea, y Microsoft y Hewlett-Packard utilizan ampliamente los sistemas electrónicos de computador para integrar sus actividades.

Estos mecanismos integradores suministran coordinación extra que ayuda a la estructura matricial global funcionar en forma efectiva. Es una estructura muy compleja de operar y genera un alto nivel de costos burocráticos. Sin embargo, las ganancias potenciales para una compañía en términos de niveles superiores de eficiencia, calidad, innovación y capacidad de satisfacer al cliente hacen que estos costos valgan la pena. Cada vez más, en el complicado juego de la competencia internacional, las compañías deben adoptar muchos de estos elementos de una matriz global para sobrevivir. Nestlé se halló en esta situación, como lo muestra la estrategia en acción 13.3.

Resumen

La mayoría de las grandes compañías poseen un componente internacional en sus estructuras organizacionales. El problema para las organizaciones internacionales, como para las demás, consiste en adoptar el sistema de estructura y control que se ajuste mejor a su estrategia. La necesidad de implementar la estrategia internacional en forma exitosa ha presentado crecientes presiones a los gerentes corporativos para diseñar la estructura y los controles de la firma de manera que pueda responder a los retos del mercado mundial.

13.6   ESTRUCTURA Y CONTROL A NIVEL CORPORATIVO

A nivel corporativo, una compañía necesita escoger la estructura organizacional que le permita operar en forma eficiente varios negocios. La meta consiste en utilizar siempre el sistema de estruc-

ESTRATEGIA EN ACCIÓN 13.3

Aplicación de reingeniería a la estructura global de Nestlé

Nestlé, con sede en Vevey, Suiza, es la compañía de alimentos más grande del mundo. En 1992, sus ventas globales pasaron los US$40,000 millones anuales, cifra que deseaba duplicar en el año 2000. Con el fin de lograr esta meta, la empresa ha seguido un ambicioso programa de expansión global al adquirir muchas firmas famosas; por ejemplo, Perrier, el fabricante francés de agua mineral, y Rowntree Mackintosh, el fabricante británico de confites. En EE.UU. compró la gigante Carnation Company en 1985, e igualmente a Stouffer Foods Corp. y Contadina, entre otras grandes compañías de alimentos.

Tradicionalmente, Nestlé seguía una estrategia multidoméstica y manejaba sus compañías en operación a través de una estructura de área global. En cada país, cada compañía individual -como Carnation- era responsable de manejar todos los aspectos de su estrategia a nivel de negocios. Cada compañía de Nestlé en el mundo era libre de controlar su propio desarrollo y mercadeo de productos, y manejar todas las operaciones locales. Las decisiones corporativas sobre recursos, como inversión de capital y adquisiciones o expansión, se tomaban en la dirección general de Vevey por parte de sus ejecutivos corporativos. Debido a que todas las decisiones corporativas importantes se tomaban centralmente en la dirección general, el tamaño del *staff* corporativo necesario para planear la estrategia corporativa se incrementó en forma considerable. En 1990, el presidente de la junta directiva, Helmut Maucher, se dio cuenta que la empresa presentaba graves problemas.

Los gerentes corporativos se habían alejado de las dificultades experimentadas por las compañías en operación, y la estructura operativa centralizada dilataba la toma de decisiones. Nestlé tenía problemas al responder en forma rápida al cambiante ambiente.

Además, la firma perdía todos los beneficios derivados del aprendizaje global y de posibles sinergias de compartir recursos entre las compañías operativas y las regiones debido a que cada una se manejaba por separado y los ejecutivos corporativos no hacían ningún intento para integrarlas alrededor del mundo. Maucher percibió que la compañía no podría incrementar sus ventas y utilidades mediante su existente estructura operativa. Si deseaba crear mayor valor, debía hallar una forma nueva de organizar sus actividades.

Maucher comenzó a aplicar reingeniería a la estructura de Nestlé desde la parte superior hacia abajo. Redujo considerablemente el poder de la gerencia corporativa al descentralizar la autoridad hacia los gerentes de siete grupos por productos, que creó para supervigilar a nivel global sus principales líneas de productos; por ejemplo, café, leche y confites. El rol de cada grupo por productos consistía en integrar las actividades de las compañías en operación en su área con el fin de obtener sinergias y las ganancias de un aprendizaje global. Por ejemplo, después del cambio los gerentes del grupo de confites comenzaron a implementar la comercialización y venta de los productos de Rowntree, como After Eight Mints y Smarties, en toda Europa, y las ventas se incrementaron en un 60%.

Luego, centró su atención en la forma como las compañías en operación trabajaban en cada país o región. Por ejemplo, en EE.UU. cada compañía operativa de Nestlé, como Carnation, actuaba independiente y separadamente. No se trataba de compartir las habilidades y recursos ni siquiera entre los negocios de un mismo país. Maucher cambió esta situación. Agrupó todas las compañías en operación dentro de un país o región en una UEN y luego creó un equipo de gerentes de UEN para vincular y coordinar las actividades de las diversas compañías en ese país. Cuando las distintas empresas o divisiones comenzaron a compartir actividades conjuntas de compras, marketing y ventas, se generaron mayores ahorros en costos. En EE.UU., el equipo de gerencia de la UEN, dirigido por Timm Krull, redujo la cantidad de funcionarios de ventas en toda la nación de 115 a 22, y disminuyó la cantidad de proveedores de empacado de 43 a tres[18].

Finalmente, Maucher decidió utilizar una estructura matricial para integrar las actividades de siete grupos por productos globales con las operaciones de las UEN de Nestlé originadas con el país o región. La meta de esta estructura matricial consiste en hacer que la compañía siga una estrategia transnacional, permitiéndole obtener las ganancias del aprendizaje global y de las reducciones en costos. Por ejemplo, Timm Krull ahora emplea una semana cada mes en Vevey con ejecutivos de grupos por productos, analizando formas de explotar y compartir sus recursos sobre una base global. Hasta el momento, esta nueva estructura matricial descentralizada ha acelerado la toma de decisiones y el desarrollo de productos y ha permitido que la compañía integre las actividades de sus muchas nuevas adquisiciones. Maucher espera que esta estructura ayude a Nestlé a lograr su ambiciosa meta de ventas para el año 2000.

tura y control asociado al nivel más bajo de costos burocráticos. La estructura normalmente escogida a nivel corporativo es la multidivisional. Cuanto más amplios y diversos sean los negocios en el portafolio corporativo, habrá mayor probabilidad de que la compañía tenga una estructura multidivisional. La razón es que cada división requiere los servicios de funciones de apoyo especializado a gran escala y que es necesario un *staff* corporativo de dirección general para supervigilar y evaluar las operaciones divisionales. Una vez que la empresa selecciona una estructura divisional, debe hacer dos selecciones más: la combinación correcta de mecanismos integradores que ajusten la estructura divisional particular y los sistemas de control apropiados para hacer que ésta funcione. Más adelante, se analizará cómo las estrategias a nivel corporativo de integración vertical, diversificación relacionada y no relacionada afectan la selección de la estructura y los sistemas de control.

Como se analizó en el capítulo 9, la principal razón por la cual una compañía sigue la integración vertical consiste en lograr *economías de integración* entre las divisiones[19]. Por ejemplo, la empresa puede coordinar decisiones sobre recursos y programación entre las divisiones para reducir los costos. Por ejemplo, ubicar un taller de laminación en seguida del horno de acero ahorra los costos de recalentar las barras de acero. En forma similar, el jefe gana a partir de la diversificación relacionada al obtener *economías de alcance* entre las divisiones. Las divisiones se benefician de la transferencia de habilidades principales como I&D o al compartir redes de distribución y ventas. Con ambas estrategias, los beneficios para la compañía provienen de cierta transferencia de recursos entre las divisiones. Con el fin de asegurar estos beneficios, la organización debe coordinar actividades entre las divisiones. En consecuencia, la estructura y el control deben diseñarse para manejar la transferencia de recursos entre las divisiones.

No obstante, en el caso de la diversificación no relacionada los beneficios para la compañía provienen de la reestructuración y el establecimiento de un *mercado interno de capital*, que permite al personal corporativo hacer mejores apropiaciones de capital que en el mercado externo de capital. Con esta estrategia, no existen transacciones o intercambios entre las divisiones; cada una opera en forma separada. En consecuencia, la estructura y el control deben diseñarse para posibilitar que cada división opere de manera independiente.

La selección de la estructura y los mecanismos de control por parte de una compañía depende del grado al cual desee controlar las interacciones entre las divisiones. Cuanto más interdependientes sean las divisiones (es decir, cuanto más dependan entre sí por los recursos), más complejos serán los mecanismos de control e integración necesarios para integrar sus actividades y hacer que la estrategia funcione[20]. En consecuencia, a medida que se incrementa la necesidad de integración, también aumenta el nivel de costos burocráticos. Sin embargo, de nuevo, una compañía está dispuesta a asumir los incrementados costos burocráticos asociados a la operación de una estrategia más compleja si ésta genera más valor. Esto se ilustra en la tabla 13.3, la cual indica también las formas de estructura y control que deben adoptar las compañías para manejar las tres estrategias corporativas. Éstas se examinarán en detalle en las siguientes secciones.

Diversificación no relacionada

Debido a que *no* hay *conexiones* entre las divisiones, la diversificación no relacionada se constituye en la estrategia más fácil y económica de manejar; está asociada al nivel más bajo de costos burocráticos. La principal exigencia de la estructura y sistema de control es que permite al personal corporativo evaluar con facilidad y precisión el desempeño divisional. Así, las compañías utilizan una estructura multidivisional, y cada división se evalúa a través de estrictos criterios de rendimiento sobre la inversión. Una firma también aplica sofisticados controles contables para obtener información rápidamente de las divisiones de tal manera que los gerentes corporativos puedan comparar prontamente las divisiones con base en varias dimensiones. Textron y Dover constituyen buenos ejemplos de organizaciones que utilizan sofisticadas redes de computación y controles contables para manejar sus estructuras, lo cual les permite acceso casi diario al desempeño divisional.

Tabla 13.3
Estrategia corporativa y estructura y control

Estrategia corporativa	Estructura apropiada	Necesidad de integración	Tipo de control		
			Control de mercado	Control burocrático	Cultura organizacional
Diversificación no relacionada	Multidivisional	Baja (no hay intercambios entre las divisiones)	Gran uso (por ejemplo, RSI)	Cierto uso (por ejemplo, presupuestos)	Poco uso
Integración vertical	Multidivisional	Media (programación de la transferencia de recursos)	Gran uso (por ejemplo, RSI, transferencia de precios)	Gran uso (por ejemplo, estandarización, presupuestos)	Cierto uso (por ejemplo, normas y valores compartidos)
Diversificación relacionada	Multidivisional	Alta (lograr sinergias entre las divisiones mediante roles de integración)	Poco uso	Gran uso (por ejemplo, reglas, presupuestos)	Gran uso (por ejemplo, normas, valores idioma común)

Las divisiones a menudo tienen considerable autonomía, a menos que no logren sus objetivos de rendimiento sobre la inversión. Por lo regular, la dirección general corporativa no está interesada en los tipos de estrategia a nivel de negocios que sigue cada división a menos que existan problemas. Si surgen inconvenientes, la dirección general corporativa puede tomar medidas correctivas, quizá remplazando a los gerentes o suministrando recursos financieros adicionales, según el problema. Sin embargo, si no ve la posibilidad de dar un vuelco total, el personal corporativo puede fácilmente decidirse por desistir de la división. La estructura multidivisional permite que la compañía no relacionada maneje sus negocios como un portafolio de inversiones, el cual se puede comprar y vender a medida que cambian las condiciones de los negocios. Usualmente, los gerentes de las distintas divisiones no se conocen entre sí, y pueden no saber cuáles compañías se encuentran en el portafolio corporativo.

El uso de controles de mercado para manejar una firma significa que no es necesaria la integración entre las divisiones. Por esta razón, los costos burocráticos de manejar una compañía no relacionada son bajos. El mayor problema que enfrenta el personal corporativo es decidir las apropiaciones de capital a las distintas divisiones de tal manera que se maximice la rentabilidad total del portafolio. También deben supervigilar la gerencia divisional y asegurarse de que las divisiones logren los objetivos de rendimiento sobre la inversión. La forma como Alco Standard maneja sus negocios, descrita en la estrategia en acción 13.4, demuestra cómo operar una estrategia de diversificación no relacionada.

Integración vertical

La integración vertical es una estrategia más costosa de manejar debido a que se deben coordinar los flujos secuenciales de recursos de una división a la siguiente. La estructura multidivisional realiza tal coordinación. Ésta proporciona el control centralizado necesario para que la compañía integrada verticalmente logre beneficios a partir del control de las transferencias de recursos. El personal corporativo asume la responsabilidad de planear los controles de mercado y burocráticos para estimular la transferencia eficiente de recursos entre las divisiones. Se establecen reglas y procedimientos complejos para manejar las relaciones interdivisionales y precisar cómo se hacen los intercambios; en consecuencia, los costos burocráticos aumentan. Además, un sistema interno de transferencia de precios se crea para permitir que una división venda sus productos a la siguiente. Como se anotó previamente, estos vínculos complejos pueden generar discrepancias entre las divisiones, y por tanto, el personal corporativo debe tratar de minimizar los conflictos divisionales.

Centralizar la autoridad en la dirección general corporativa debe hacerse con cuidado en las compañías relacionadas verticalmente. Se corre el riesgo de implicar a personal corporativo en problemas operativos a nivel de negocios hasta el punto donde las divisiones pierdan su autonomía y motivación. Como se señaló en el capítulo 11, la empresa debe hallar el correcto balance de control centralizado en la dirección general corporativa y control descentralizado a nivel divisional si desea implementar su estrategia en forma exitosa.

Puesto que sus intereses se encuentran en riesgo, las divisiones necesitan tener *información* dentro de las decisiones de programación y transferencias de recursos. Por ejemplo, la división de plásticos en una compañía química tiene un interés vital en las actividades de la división de petróleos, ya que la calidad de los productos que obtiene de esa división determina la calidad de sus propios productos. Los mecanismos integradores divisionales pueden proporcionar coordinación directa y transferencias de información entre las divisiones[22]. Para manejar la comunicación entre las divisiones, una compañía establece comités de tareas o equipos de trabajo para este propósito; también puede establecer roles de vinculación. Por ejemplo, en las compañías de alta tecnología y químicas son

Alco Standard lo hace bien

Alco Standard, con sede en Valley Forge, Pennsylvania, es una de las más grandes compañías proveedoras de artículos de oficina en EE.UU., que distribuye implementos y papelería para oficina, y materiales a través de una red nacional de empresas propias. La firma sigue una estrategia altamente exitosa de diversificación no relacionada. Desde 1965 ha comprado y vendido más de 300 compañías distintas. Solía estar involucrada en más de 50 industrias distintas, pero ahora maneja 50 negocios en sólo dos áreas principales: distribución de productos y papelería para oficina. Sin embargo, la oficina corporativa no intenta intervenir en las actividades de las distintas divisiones.

La política de la alta gerencia de la compañía consiste en que la autoridad y el control deben ser completamente descentralizados hacia los gerentes en cada uno de sus negocios. Cada negocio toma sus propias decisiones de fabricación o compra aunque se pierdan algunas sinergias potenciales en forma de compras o mercadeo en toda la corporación. La alta gerencia sigue esta política de no intervención pues considera que los beneficios de permitir que sus gerentes actúen como empresarios independientes ex-

ceden cualquier economía de alcance potencial que podría generarse de la coordinación de las actividades interdivisionales. Considera que un sistema operativo descentralizado posibilita a una gran compañía actuar como una pequeña empresa, evitando el problema de crecimiento burocrático e inercia organizacional.

En Alco, la alta gerencia interpreta su rol como aliviar a sus divisiones de las tareas rutinarias como teneduría de libros y contabilidad, y recoger información de mercado sobre los precios y productos competitivos, que permite a los gerentes divisionales mejorar su estrategia a nivel de negocios. Centralizar estas actividades de información reduce los costos burocráticos de cada división y proporciona la estandarización que permite a la alta gerencia tomar mejores decisiones sobre la asignación de recursos. Los jefes de división de Alco se consideran socios en la empresa corporativa y son remunerados mediante acciones vinculadas al desempeño de sus divisiones. Hasta el momento, la firma ha tenido bastante éxito con su estructura operativa descentralizada y ha logrado una tasa compuesta de crecimiento del 19% anual[21].

comunes los roles integradores entre las divisiones. Estos mecanismos integradores también incrementan los costos burocráticos.

Así, una estrategia de integración vertical se maneja a través de la combinación de controles corporativo y divisional. Aunque la estructura organizacional y sistemas de control utilizados para manejar esta estrategia tienen mayores costos burocráticos que aquellos utilizados para operar la diversificación no relacionada, los beneficios derivados de la integración vertical a menudo superan sus costos extras.

Diversificación relacionada

En el caso de la diversificación relacionada, las divisiones comparten conocimientos, información, bases de clientes y *goodwill* sobre investigación y desarrollo para obtener beneficios a partir de las economías de alcance. El proceso es difícil de manejar y, por tanto, se utiliza una estructura multidivisional para facilitar la transferencia de recursos con el fin de obtener sinergias. Sin embargo, incluso con esta estructura los altos niveles de recursos compartidos y la producción conjunta por parte de las divisiones dificultan que los gerentes corporativos midan el desempeño de cada división individual. Además, las divisiones mismas pueden no desear intercambiar productos o conocimiento debido a que los precios de transferencia -inherentemente difíciles de establecer- se perciben como desfavorables. Si una compañía relacionada obtiene beneficios de la sinergía, debe adoptar formas complicadas de integración y control a nivel divisional para hacer que la estructura funcione en forma efectiva.

En primer lugar, es imposible el control de mercado puesto que los recursos son compartidos. En consecuencia, la compañía necesita desarrollar una cultura corporativa que enfatice la cooperación entre las divisiones y establezca metas corporativas, en vez de divisionales. En segunda instancia, los gerentes corporativos deben establecer sofisticados dispositivos de integración para asegurar la coordinación entre las divisiones. Los roles y equipos integradores son cruciales debido a que suministran el contexto en el cual los gerentes de las distintas divisiones pueden hallar y desarrollar una visión común de las metas corporativas. Por ejemplo, Hewlett-Packard creó tres nuevos equipos integradores de alto nivel para asegurarse de que los nuevos productos desarrollados por su grupo tecnológico abrieran paso rápidamente a sus divisiones de productos. Sin embargo, toda esta integración extra es bastante costosa, y debe manejarse en forma cuidadosa.

Una organización con una estructura multidivisional debe tener la combinación apropiada de incentivos y remuneraciones para la cooperación si desea lograr ganancias de compartir capacidades y recursos entre las divisiones. Con la diversificación no relacionada, las divisiones operan en forma autónoma, y la compañía puede muy fácilmente retribuir a los gerentes con base en el desempeño individual de sus divisiones. No obstante, con la diversificación relacionada remunerar a las divisiones es más difícil debido a que están comprometidas en producción conjunta, y los gerentes estratégicos deben ser sensibles y estar alerta para lograr la equidad en las retribuciones entre las divisiones. El objetivo siempre consiste en diseñar la estructura de manera que pueda maximizar los beneficios de la estrategia al menor costo burocrático.

Manejar una estrategia de diversificación relacionada también incrementa el problema de cuánta autoridad centralizar y qué tanta descentralizar. Los gerentes corporativos necesitan tener una visión cercana sobre la forma como sus controles afectan el desempeño y la autonomía divisional. Si los gerentes corporativos se involucran demasiado en las operaciones cotidianas de las divisiones, pueden arriesgar la autonomía divisional y socavar la toma de decisiones de los gerentes divisionales. Después de todo, los gerentes corporativos ven todo desde la perspectiva corporativa, no divisional. Por ejemplo, en el caso de Heinz mencionado anteriormente, la gerencia trató de desarrollar una forma de ventaja competitiva, una ventaja de bajo costo, en cada división[23]. Aunque este enfoque puede funcionar bien para Heinz, puede ser notablemente inapropiado para una compañía que opera un conjunto de negocios totalmente diversos, cada uno de los cuales necesita desarrollar su propia habilidad única. El excesivo control corporativo puede poner a los gerentes divisionales en una camisa de fuerza. Cuando se involucran demasiados gerentes en el manejo de los negocios, el desempeño sufre y los costos burocráticos se incrementan. Las compañías como IBM y General Motors experimentaron este problema; sus *staffs* corporativos se hicieron muy pesados, dilatando la toma de decisiones y drenando las utilidades de la compañía.

Los gerentes deben ser sensibles a la necesidad de reajustar sus controles y la forma de la estructura divisional para lograr sus objetivos. Las formas estructurales combinadas, como la estructura de la unidad estratégica de negocios (UEN), son útiles para este propósito debido a que esta estructura debe diseñarse de tal modo que las compañías puedan seguir distintas estrategias en conjunto. Por ejemplo, una estructura UEN posibilita que las empresas manejen las estrategias de integración vertical, diversificación relacionada y diversificación no relacionada en forma simultánea puesto que las divisiones pueden agruparse en unidades de negocios basadas en las similitudes o diferencias entre sus negocios. Cuando las firmas están agrupadas según los tipos de beneficios esperados de la estrategia, se reducen los costos de manejarlos y se evitan muchos de los problemas destacados. En las próximas secciones se analizarán los problemas de implementación de estrategias que surgen cuando las organizaciones adquieren nuevos negocios, desarrollan nuevos negocios a través de las operaciones corporativas internas o cuando efectúan ambas.

13.7 FUSIONES, ADQUISICIONES Y ESTRUCTURA

En el capítulo 10 se observó que las fusiones y adquisiciones constituyen los principales medios con los cuales las compañías ingresan en nuevos mercados de productos y amplían la magnitud de sus operaciones[24]. Previamente se analizaron las ventajas y desventajas estratégicas de las fusiones. Ahora se analizará cómo diseñar la estructura y sistemas de control para manejar las nuevas adquisiciones. Este problema es importante debido a que, como se observó en otra parte, muchas adquisiciones no tienen éxito, y una de las principales razones es que muchas compañías realizan una muy deficiente labor para integrar las nuevas divisiones a su estructura corporativa[25].

El primer factor que dificulta el manejo de las nuevas adquisiciones es la naturaleza de los negocios que adquiere una compañía. Si compra negocios relacionados con los suyos existentes, debe hallar absolutamente fácil integrarlos a su estructura corporativa. Los controles ya utilizados por parte de la compañía relacionada se pueden adaptar a las nuevas divisiones. Con el fin de obtener beneficios de las sinergias, la empresa puede expandir sus comités de tareas o incrementar la cantidad de roles integradores, de manera que las nuevas divisiones se involucren en la estructura divisional existente.

Si los gerentes no entienden cómo desarrollar conexiones entre las divisiones para posibilitar ganancias de las economías de alcance, los nuevos negocios se desempeñarán en forma deficiente. Algunos autores plantean que por esta razón la calidad de la administración es tan importante. Una compañía debe emplear gerentes que tengan la habilidad de reconocer sinergias entre negocios aparentemente diferentes y así derivar beneficios de las adquisiciones y fusiones[26]. Por ejemplo, Porter cita el caso de Philip Morris, el fabricante de tabaco, que adquirió a Miller Brewing Company[27]. Superficialmente parecen negocios muy diferentes, pero cuando sus productos se consideran de consumo, pues a menudo se compran y consumen juntos, existe mayor probabilidad de obtener sinergias en ventas, distribución y marketing; por esta razón, la fusión constituyó un gran éxito.

Sin embargo, si las compañías adquieren negocios solamente con el fin de obtener los beneficios del mercado, la implementación de la estrategia es más fácil. Si las empresas obtienen negocios no relacionados y buscan manejarlos sólo como un portafolio de inversiones, no deben tener dificultades al manejar las adquisiciones. Por ejemplo, considérese la estrategia de adquisición de American Business Products (ABP), destacada en la estrategia en acción 13.5.

Los problemas de implementación probablemente surjan sólo cuando los gerentes corporativos tratan de interferir en negocios que conocen poco o cuando utilizan la estructura y controles inapropiados para manejar los nuevos negocios e intentan lograr el erróneo tipo de beneficios a partir de la adquisición. Por ejemplo, si los gerentes tratan de integrar compañías no relacionadas con aquellas relacionadas, aplican tipos erróneos de controles a nivel divisional, o interfieren en la estrategia a nivel de negocios, el desempeño corporativo se afecta cuando los costos burocráticos se elevan súbitamente. Estos errores explican por qué las adquisiciones relacionadas algunas veces son más exitosas que las no relacionadas[29].

Sin problemas en ABP

Uno de los mayores fabricantes de formas de papelería para negocios en EE.UU., American Business Productos (ABP) desarrolló una estructura multidivisional para manejar su estrategia de diversificación relacionada. La compañía con sede en Atlanta creó tres divisiones separadas para elaborar facturas, personalizar sobres y formas continuas para impresoras. No obstante, en 1990, con el mercado de productos para negocios en declive y reducidos márgenes de utilidad, ABP decidió romper con el pasado y buscar nuevas oportunidades de negocios. Se lanzó a una estrategia de diversificación no relacionada y compró Jen-Coat, fabricante de estuches plásticos para alimentos y productos para el cuidado de la salud, como también Bookcrafters, compañía especializada en impresión[28]. Debido a que la alta gerencia estableció roles distintos para la dirección general corporativa y para las divisiones operativas, no experimentó problema en el manejo de los nuevos negocios a través de su estructura multidivisional. El rol del centro corporativo consistía en controlar las finanzas, establecer los presupuestos y manejar la remuneración ejecutiva para las cinco divisiones; es decir, concentrarse en la estrategia a nivel corporativo. El rol de los jefes de división fue manejar ventas, marketing y fabricación, o sea, administrar la estrategia a nivel de negocios. Esta clara asignación de responsabilidades ha sido positiva para la compañía, que no ha encontrado dificultades en manejar simultáneamente ambas estrategias y que corrientemente está a la expectativa de concretar más adquisiciones.

Por consiguiente, los gerentes estratégicos necesitan ser muy sensibles a los problemas implicados en la adquisición de nuevos negocios a través de fusiones y adquisiciones. Como otros gerentes, rara vez aprecian los problemas reales inherentes al manejo de nuevos negocios y el nivel de costos burocráticos involucrados en el manejo de una estrategia hasta que tiene que tratar con estos problemas en forma personal. Incluso en el caso de adquirir negocios estrechamente relacionados, los nuevos gerentes deben darse cuenta de que cada uno posee una cultura, o forma, exclusiva de hacer las cosas. Tales idiosincrasias deben entenderse con el fin de manejar la nueva organización en forma apropiada. Con el tiempo, la nueva gerencia puede cambiar la cultura y alterar los funcionamientos internos de la compañía, pero es una tarea difícil de implementación. Además, los costos burocráticos de cambiar la cultura a menudo son enormes debido a que el equipo de alta gerencia y la estructura organizacional deben modificarse con el fin de transformar la forma como se comportan las personas. Esto se analizará en detalle en el capítulo 14, cuando se aborden las políticas y el cambio estratégico.

13.8 NUEVAS OPERACIONES INTERNAS Y ESTRUCTURA

La principal alternativa para crecer a través de una adquisición y fusión es que una compañía desarrolle nuevos negocios en forma interna. En el capítulo 10 esta estrategia se denominó el *proceso de nuevas operaciones* y se estudiaron sus ventajas de crecimiento y diversificación. Ahora, se analizará el diseño de las disposiciones internas apropiadas para estimular el desarrollo de nuevas operaciones. En el núcleo de este proceso de diseños debe estar la conscientización por parte de gerentes corporativos que la nueva operación interna es una forma de espíritu empresarial. El diseño debe estimular la oportunidad y recursos para desarrollar nuevos productos o mercados. Por ejemplo, Hewlett-Packard suministra a los gerentes gran laxitud en este respecto. Con el fin de motivar la innovación, les permite trabajar en proyectos informales mientras llevan a cabo sus tareas asignadas[30]. En forma más general, la gerencia debe escoger la estructura y controles apropiados para manejar las nuevas operaciones[31].

Una de las principales selecciones de diseño es la creación de **divisiones de nuevas operaciones**. Con el propósito de suministrar a los gerentes de nuevas operaciones la autonomía para experimentar y asumir riesgos, la compañía establece una división de una nueva operación separada de las demás y la convierte en un centro para el desarrollo de nuevos productos o proyectos. Lejos del examen crítico cotidiano por parte de la alta gerencia, el personal divisional sigue la creación de nuevos negocios como si fueran empresarios externos. La división se opera mediante controles que refuerzan el espíritu empresarial. Así, los controles de mercado y del rendimiento se consideran inapropiados debido a que pueden inhibir el hecho de asumir riesgos. Por el contrario, la compañía desarrolla una cultura para el espíritu empresarial en esta división con el fin de suministrar un clima para la innovación. No obstante, debe tenerse cuidado al instituir controles burocráticos que limiten la libertad de acción. De otra manera, se pueden cometer costosos errores y desperdiciarse los recursos en ideas frívolas.

Al manejar la división de una nueva operación, es importante utilizar mecanismos integradores como comités de tareas y equipos de trabajo que proyecten nuevas ideas. Los gerentes de investigación y desarrollo, de ventas y marketing y de desarrollo de productos están profundamente involucrados en este proceso de proyección. Generalmente, los campeones de nuevos productos deben sustentar sus proyectos ante un comité formal de evaluación, conformado por probados empresarios y experimentados gerentes de las demás divisiones, con el fin de asegurar los recursos de desarrollarlos. Compañías como 3M, IBM y Texas Instruments constituyen ejemplos de exitosas compañías que utilizan este método para crear oportunidades a nivel interno.

Se debe tener cuidado de preservar la autonomía de la división de una nueva operación. Como se mencionó anteriormente, los costos de investigación y desarrollo son altos y las retribuciones inciertas. Después de gastar millones de dólares, los gerentes corporativos a menudo se preocupan por el desempeño de las divisiones e introducen estrictos controles del rendimiento o fuertes presupuestos para incrementar la responsabilidad. Estas mediciones causan daño a la cultura empresarial.

No obstante, algunas veces, después de desarrollar una nueva invención, la división de la nueva operación desea cosechar beneficios de producirlo y comercializarlo. Si esto sucede, entonces la división se convierte en una división operativa común y decae el espíritu empresarial[32]. Los gerentes estratégicos deben tomar medidas para proporcionar una estructura que pueda sostener el espíritu empresarial[33]. Hewlett-Packard tiene una forma novedosa de tratar las nuevas operaciones. En las divisiones operativas, tan pronto se desarrolla el nuevo producto autosoportado, se forma una nueva división para fabricarlo y comercializarlo. Al generar el producto en esta forma, la compañía mantiene todas sus divisiones pequeñas y con espíritu empresarial. La disposición también proporciona un buen ambiente para la innovación. Sin embargo, en los últimos años Hewlett-Packard halló que al tener muchas divisiones de nuevas operaciones era muy costoso y, por esta razón, fusionó algunas de ellas. La compañía parece que se desplaza hacia la creación de una sola división de nuevas operaciones.

La nueva operación interna es un medio importante con el cual grandes y establecidas compañías pueden mantener su ímpetu y crecer desde el interior[34]. La alternativa consiste en adquirir pequeños negocios que ya hayan desarrollado una habilidad tecnológica y verter recursos en ellos. Este enfoque también puede tener éxito, y obviamente disminuye la carga de la gerencia si la empresa maneja el nuevo negocio como una entidad independiente. En años recientes, Eastman Kodak ha tomado este camino hacia la diversificación, comprando acciones en muchas compañías pequeñas. De manera general, las compañías probablemente operen en ambas formas, adquiriendo algunos negocios nuevos y desarrollando otros de manera interna. Como la creciente competencia exterior ha amenazado su dominio en los negocios existentes, las compañías se han visto forzadas a evaluar las oportunidades de maximizar el crecimiento a largo plazo en nuevas operaciones, y muchas de ellas han realizado adquisiciones.

13.9 RESUMEN DEL CAPÍTULO

En este capítulo se abordó en conjunto la formulación de una estrategia y su implementación, e igualmente se examinó cómo la selección de la estrategia por parte de una compañía afecta la forma de su estructura y sistemas de control. La razón por la cual muchas compañías como Hughes Aircraft, IBM y General Motors experimentan problemas con su estructura debe aclararse ahora: han perdido el control sobre sus estructuras, y sus costos burocráticos se incrementan. El problema para una organización consiste en manejar su estructura y sistema de control de manera que pueda economizar costos burocráticos y asegurar que se ajusten a las potenciales ganancias de su estrategia. Éstos son los principales puntos analizados en el capítulo:

1. Implementar la estrategia a través de la estructura y el control organizacional es costoso, además las compañías necesitan aplicar monitoreo y supervigilar en forma constante sus estructuras con el fin de economizar costos burocráticos.
2. A nivel funcional, cada área requiere un tipo diferente de estructura y sistema de control para lograr sus objetivos funcionales.
3. A nivel de negocios, la estructura y sistemas de control deben diseñarse para lograr objetivos a nivel de negocios, los cuales implican manejar las relaciones entre todas las funciones para permitir que la compañía desarrolle una habilidad distintiva.
4. Las estrategias de liderazgo en costo y de diferenciación requieren una estructura y sistema de control que se ajusten a la fuente de su ventaja competitiva. Implementar en forma simultánea estas estrategias es el problema que enfrentan muchas empresas actualmente.
5. A medida que una compañía se desplaza de una estrategia multidoméstica a una internacional, global y transnacional, necesita cambiarse a una estructura más compleja que le permita coordinar las transferencias de recursos cada vez más complejas. En forma similar, necesita adoptar sistemas de integración y control más complejos que faciliten el aprendizaje global. Cuando hay beneficios derivados de la sinergia, las organizaciones a menudo adoptan una forma de matriz internacional para intercambiar conocimiento y experiencia.
6. A nivel corporativo, una compañía debe escoger la estructura y sistema de control que le permitan operar un grupo de negocios.
7. La integración vertical, la diversificación relacionada y la diversificación no relacionada requieren diferentes formas de estructura y control si se desean obtener los beneficios de seguir la estrategia.
8. A medida que las compañías cambian sus estrategias corporativas con el tiempo, deben cambiar sus estructuras porque las estrategias diferentes se manejan de otra forma.
9. La rentabilidad de las fusiones y adquisiciones depende de la estructura y sistemas de control que adoptan las compañías para manejarlas y la forma como una empresa las integra a sus negocios existentes.

10. Con el fin de estimular las nuevas operaciones internas, las compañías deben diseñar una estructura que proporcione a la división de nuevas operaciones la autonomía necesaria para desarrollar nuevos productos y protegerla de la excesiva interferencia de los nuevos gerentes corporativos.

Preguntas y temas de análisis

1. ¿Cómo deberían (a) una compañía de alta tecnología, (b) una franquicia de comidas rápidas, y (c) una pequeña compañía manufacturera, diseñar sus estructuras funcionales y sistemas de control con el propósito de implementar una estrategia genérica?
2. Si una compañía relacionada comienza a comprar negocios no relacionados, ¿en qué formas debe cambiar su estructura o mecanismos de control para manejar sus adquisiciones?
3. ¿Cómo se diseñaría una estructura y sistemas de control para estimular el espíritu empresarial en una gran corporación establecida?

Aplicación 13

Hallar un ejemplo (o varios) de una compañía que haya cambiado su estructura y sistemas de control para manejar mejor su estrategia. ¿Qué problemas se presentaban con su antigua estructura? ¿Qué cambios hizo a su estructura y sistemas de control? ¿Qué efectos espera tener con estos cambios en el desempeño?

Proyecto sobre administración estratégica: Módulo 13

Esta parte del proyecto sobre administración estratégica implica que el lector tome la información disponible en los dos últimos capítulos sobre estructura y control organizacional y lo relacione con la estrategia seguida por la compañía, que identificó en los capítulos anteriores:

1. ¿Cuáles son las fuentes de las habilidades distintivas de la compañía? ¿Cuáles son sus funciones más importantes? ¿Cómo diseña la empresa su estructura en el *nivel funcional* con el fin de incrementar su (a) eficiencia, (b) calidad, (c) innovación y (d) capacidad de satisfacer al cliente?
2. ¿Cuál es la estrategia a nivel de negocios de la compañía? ¿Cómo diseña su estructura y sistema de control para incrementar y apoyar la estrategia a nivel de negocios? Por ejemplo, ¿qué medidas toma para apoyar la subsiguiente integración interdisciplinaria? ¿Posee una estructura funcional, de productos o matricial?
3. ¿Cómo apoya la cultura de la organización su estrategia? ¿Se puede determinar una forma con la cual el equipo de alta gerencia influya en su cultura?
4. ¿Qué tipo de estrategia internacional sigue la compañía? ¿Cómo controla sus actividades globales? ¿Qué tipo de estructura utiliza? ¿Por qué?
5. A nivel corporativo, ¿la firma utiliza una estructura multidivisional? ¿Por qué? ¿Cuáles son los problemas fundamentales de implementación que debe manejar la compañía para implementar su estrategia en forma efectiva? Por ejemplo, ¿qué tipo de mecanismos integradores emplea?
6. Con base en este análisis, ¿la compañía tiene costos burocráticos altos o bajos? ¿Este nivel de costos burocráticos está justificado por el valor que la empresa puede crear a través de su estrategia?
7. ¿Se pueden sugerir formas de alterar la estructura de la organización con el fin de reducir el nivel de costos burocráticos?

8. ¿Se pueden sugerir formas de alterar su estructura o sistemas de control con el propósito de permitirle crear más valor? ¿Este cambio incrementaría o disminuiría los costos burocráticos?

9. En resumen, ¿se considera que la compañía ha logrado un buen ajuste entre su estrategia y su estructura?

Notas

1. J. Cole, «New CEO at Hughes Studied Its Managers, Got Them on His Side", *Wall Street Journal*, March 30, 1993, pp. A1, A8.

2. W. G. Ouchi, «The Relationship Between Organizational Structure and Organizational Control", *Administrative Science Quarterly*, 22 (1977), 95-113.

3. K. M. Eisenhardt, Control: Organizational and Economic Approaches", *Management Science*, 16 (1985), 134-148.

4. J. R. Galbraith, *Designing Complex Organizations* (Reading Mass.: Addison-Wesley, 1973); P. R. Lawrence and J. W. Lorsch, *Organization and Environment* (Cambridge, Mass.: Harvard University Press, 1967); D. Miller, «Strategy Making and Structure: Analysis and Implications for Performance", *Academy of Management Journal*, 30 (1987), 7-32.

5. Michael E. Porter, *Competitive Strategy: Techniques for Analyzing Industries and Competitors* (New York: Free Press, 1980); D. Miller, «Configurations of Strategy and Structure", *Strategic Management Journal*, 7 (1986), 233-249.

6. D. Miller and P. H. Freisen, *Organizations: A Quantum View* (Englewood Cliffs, N. J.: Prentice-Hall, 1984).

7. J. Woodward, *Industrial Organizations: Theory and Practice* (London: Oxford University Press, 1965); Lawrence and Lorsch, *Organization and Environment*.

8. C. J. Loomis, «The Reed That Citicorp Leans On", *Fortune* July 12, 1993, 90-93.

9. R. E. White, «Generic Business Strategies, Organizational Context and Performance: An Empirical Investigation", *Strategic Management Journal*, 7 (1986), 217-231.

10. Porter, *Competitive Strategy*; Miller, «Configurations of Strategy and Structure".

11. E. Deal and A. A. Kennedy, *Corporate Cultures* (Reading, Mass: Addison-Wesley, 1985); «Corporate Culture", *Business Week*, October 27, 1980, pp. 148-160.

12. B. Saporito, «How to Revive a Fading Firm", *Fortune* March 22, 1993, 80.

13. Miller, «Configurations of Strategy and Structure", R. E. Miles and C. C. Snow, *Organizational Strategy, Structure, and Process* (New York: McGraw-Hill, 1978).

14. Lawrence and Lorsch, *Organization and Environment*.

15. R. A. Mitsch, «Three Roads to Innovation", *Journal of Business Strategy*, 1990, September/October, pp. 18-21.

16. J. Stopford and L. Wells, *Managing the Multinational Enterprise* (London: Longman, 1972).

17. C. A. Bartlett and S. Ghoshal, *Managing Across Borders: The Transnational Solution* (Cambridge, Mass.: Harvard Business School, 1991).

18. A. Barrett and Z. Schiller, «At Carnation, Nestlé Makes the Very Best... Cutbacks", *Business Week*, March 22, 1993, 54.

19. G. R. Jones and C. W. L. Hill, «Transaction Cost Analysis of Strategy-Structure Choice", *Strategic Management Journal*, 9 (1988), 159-172.

20. Jones and Hill, «Transaction Cost Analysis".

21. S. Lubove, «How to Grow Big Yet Stay Small", *Forbes*, December 7, 1992, 64-66.

22. Lawrence and Lorsch, *Organization and Environment*: Galbraith, *Designing Complex Organizations*; Michael Porter, *Competitive Advantage: Creating and Sustaining Superior Performance* (New York: Free Press, 1985).

23. Porter, *Competitive Strategy*.

24. M. S. Salter and W. A. Weinhold, *Diversification Through Acquisition* (New York: Free Press, 1979).

25. F. T. Paine and D. J. Power, «Merger Strategy: An Examination of Drucker's Five Rules for Successful Acquisitions", *Strategic Management Journal*, 5 (1984), 99-110.

26. C. K. Prahalad and R. A. Bettis, «The Dominant Logic: A New Linkage Between Diversity and Performance", *Strategic Management Journal*, 7 (1986) 485-501; Porter, *Competitive Strategy*.

27. Porter, *Competitive Strategy*.

28. «ABP: Pushing the Envelope", *Financial World*, April 6, 1993, p. 20.

29. H. Singh and C. A. Montgomery «Corporate Acquisitions and Economic Performance", manuscrito no publicado, 1984.

30. T. J. Peters and R. H. Waterman, Jr. *In Search of Excellence* (New York: Harper & Row, 1982).

31. R. A. Burgelman, «Managing the New Venture Division: Research Findings and the Implications for Strategic Management", *Strategic Management Journal*, 6 (1985), 39-54.

32. N. D. Fast, «The Future of Industrial New Venture Departments", *Industrial Marketing Management*, 8 (1979), 264-279.

33. Burgelman, «Managing the New Venture Division".

34. R. A. Burgelman, «Corporate Entrepreneurship and Strategic Management: Insights from a Process Study", *Management Science*, 29 (1983), 1349-1364.

Implementación del cambio estratégico: política, poder y conflicto

14.1 CASO INICIAL: ¿CUÁL OPCIÓN PARA MERCK?

Merck & Co., Inc., la gigante compañía farmacéutica con sede en Whitehouse Station, Nueva Jersey, es considerada una de las firmas mejor administradas en EE.UU. Con el paso de los años, su innovador departamento de investigación y desarrollo ha creado muchas drogas de gran efecto como Mevacor, una nueva medicina para bajar el nivel de colesterol, con la cual obtiene ingresos por miles de millones de dólares. Desde 1986 la organización ha estado dirigida por el Dr. P. Roy Vagelos, famoso investigador pionero del desarrollo de muchos de sus nuevos medicamentos, que así ha tenido un éxito considerable bajo su liderazgo. No obstante, como ha sucedido con todas las importantes compañías farmacéuticas, Merck ha venido experimentando grandes problemas en los últimos tiempos. El incremento de los costos de I&D para desarrollar nuevas drogas, combinado con las presiones por parte de los consumidores y organizaciones para el mantenimiento de servicios de salud (HMO) con el fin de reducir el precio de las medicinas, han disminuido las utilidades de estas grandes empresas; por esta razón, Merck busca una nueva estrategia para prosperar en este nuevo ambiente competitivo[1].

Como parte de su estrategia, Vagelos, que planeaba retirarse a los 65 años en noviembre de 1994, decidió nombrar a Richard J. Markham como sucesor en su cargo de CEO, quien fue nombrado presidente de Merck en 1992. Vagelos considero que el mercadeo era clave en la rentabilidad futura de la industria. Por consiguiente, promovió a Markham por encima de otros cuatro altos gerentes, quienes en su condición de senior frente a Markham en la empresa eran candidatos importantes para suceder a Vagelos después de su retiro. Vagelos consideró que Markham, brillante experto en mercadeo, no científico de I&D, era el más apto para ajustar la estrategia de la compañía a su nuevo ambiente competitivo. Markham había saltado vertiginosamente los rangos en la compañía basado en su éxito al promover sus productos y convencer a poderosos clientes, como las HMO, que continuaran formulando sus costosos medicamentos. Al describirlo como "agente de cambio", Vagelos consideraba que podría transformar el enfoque de la empresa y proporcionarle una nueva forma de competir en la década de 1990 y posteriormente[2]. Cuál sería la sorpresa cuando en julio de 1993 sin ninguna explicación, Merck de repente anunció la renuncia de Markham. ¿Por qué?

La nueva estrategia de Markham, con su énfasis en mercadeo en vez de concentrarse en la investigación, había causado un alto nivel de conflictos en el equipo de alta gerencia de Merck. En primer lugar, el éxito de la compañía había sido consolidado sobre las habilidades de I&D, y sus científicos se habían reconocido como los héroes de la corporación. Los científicos de

Merck, y particularmente los altos gerentes encargados de investigación y desarrollo, se resintieron por la nueva estrategia de Markham fundamentada en el mercadeo, la cual eliminó los recursos y el prestigio de sus actividades. Por ejemplo, Markham decidió que Merck produjera su propia línea de drogas genéricas, las cuales vendería a la par con sus drogas de marca. En esta forma, Merck podría ofrecer precios menores a las HMO mientras sostendría su participación en el mercado de drogas de marca más costosas. Sin embargo, muchos altos gerentes consideraron que fabricar drogas genéricas opacaría la imagen de la compañía y no iría con el sostenimiento de su imagen diferenciada de alto precio. Consideraron que esta medida contrarrestaría y causaría daño a su reputación de I&D. En segundo lugar, Markham había entrado en conflicto con los altos gerentes de Merck sobre su propuesta de compra de Medco por US$5,000 millones, empresa especializada en suministro de drogas genéricas mediante orden por correo a los clientes de las HMO. Al comprar Medco, Merck controlaría una parte significativa de la distribución de drogas genéricas y tendría canales de venta de sus propias drogas genéricas. La nueva estrategia de mercadeo de Markham se basaba en asumir el control de Merck sobre la producción y distribución de drogas genéricas. En el futuro, la compañía sería diferenciador, aún involucrado en el descubrimiento de nuevos medicamentos, y líder en costos en la producción y distribución de drogas genéricas. Markham consideraba que esta estrategia dual le daría enormes retribuciones.

Sin embargo, este cambio radical en la estrategia aparentemente fue demasiado para que lo asumiera el equipo de alta gerencia de Merck, e incluso para su mentor, Vagelos. Ésta exigía una nueva visión de la compañía, una actitud que requeriría nuevo liderazgo por parte de gerentes conscientes de los costos y orientados al mercadeo y a la producción, quienes directamente amenazarían el poder y el estatus del equipo de alta gerencia concentrado en su área de I&D.

Los altos gerentes se sintieron perdidos cuando Vagelos nombró su sucesor a Markham, y se ofendieron por su rápido ascenso hacia el poder dentro de la compañía. Posteriormente también perderían si comenzaba a contratar más gerentes orientados a la producción y el mercadeo, quienes manejarían la transición de la compañía hacia su condición de productor de drogas genéricas. Los altos gerentes comenzaron a resistirse a los cambios que introducía y a intrigar en contra de su nueva estrategia. Formaron una coalición para convencer a Vagelos de que Merck solamente sufriría por los cambios que proponía Markham y que la compañía debería mantener su enfoque en I&D. Al utilizar su poder como líderes de la función que proporcionó a Merck su principal habilidad distintiva, I&D, los gerentes comenzaron a intrigar por un cambio en el liderazgo estratégico. Con el desacuerdo de su equipo de alta gerencia y frente a las críticas de la junta directiva, la compañía decidió terminar su experimento. Markham renunció, y se presenta una lucha para saber quién sucederá a Vagelos como máxima autoridad de la compañía.

Dado el afianzado poder del equipo de alta gerencia, es probable que el sucesor sea uno de sus otros miembros y posiblemente uno que pertenezca a I&D. Ahora, la pregunta es: ¿Merck seguirá concentrándose solamente en I&D o asumirá gradualmente la estrategia que comenzó Markham, pero seguirá a su propio ritmo y con uno de los gerentes de I&D en la dirección? En julio de 1993, la empresa anunció que compraría Medco por US$6,000 millones, pero aún no se tiene idea quién dirigirá la compañía después del retiro de Vagelos.

Preguntas y temas de análisis

1. ¿Cuál fue la fuente del conflicto en Merck?
2. ¿Por qué es probable que el nuevo CEO de Merck llegue de investigación y desarrollo?

14.2   VISIÓN GENERAL

Como se analizó en el capítulo 4, una de las principales razones del fracaso de las compañías es su incapacidad de cambiar y adaptarse al nuevo ambiente competitivo debido a la *inercia organizacional*. Después de que se crea una organización y se definen las relaciones de tareas y roles, se activa un conjunto de fuerzas que hace a la organización resistirse al cambio y que genera inercia organizacional. Por ejemplo, al considerar la Paradoja de Ícaro en el capítulo 4, se señaló la tendencia de las organizaciones a continuar dependiendo de la habilidades y capacidades que las hicieron exitosas aunque estas capacidades no se ajustaban al nuevo ambiente competitivo. También se observó que existe otra causa de inercia organizacional: las luchas por el poder y las contiendas políticas que tienen lugar en la cúpula de una organización a medida que los gerentes luchan por influir en la toma de decisiones con el fin de proteger y mejorar sus posiciones.

En este capítulo se observará la forma como la política y los conflictos organizacionales afectan la capacidad de una organización para superar la inercia, influencian la toma de decisiones y cambian su estrategia y estructura. Hasta el momento, en este estudio de administración estratégica se ha tratado la formulación e implementación de la estrategia desde una perspectiva impersonal y racional, en la que las decisiones se toman en forma fría y lógica. En realidad, esta imagen de la manera como las compañías toman las decisiones es incompleta puesto que la política y el conflicto influyen en el proceso de toma de decisiones y en la selección de los objetivos organizacionales. La lucha por el poder en Merck para controlar la corporación indica la importancia de las políticas en la toma de decisiones en una compañía. El fracaso de Markham para mantener el apoyo de Vagelos y del equipo de alta gerencia de Merck y su posterior salida de la compañía constituyen un ejemplo del uso del poder en las organizaciones para cambiar los objetivos organizacionales. Los problemas entre los gerentes orientados hacia I&D y quienes se concentran en el mercadeo acentúan no sólo el problema de poder, sino también el de conflicto entre diversos intereses, entre aquellos que desean el crecimiento de las ventas a través de un mayor volumen de productos a menor costo y quienes desean que el crecimiento provenga del desarrollo de nuevos productos. La dificultad que tuvo Markham al tratar de cambiar las actitudes de Merck y la resistencia de los otros gerentes a su innovación es un ejemplo de los problemas de superar la inercia e implementar el cambio estratégico.

Este capítulo analizará cada uno de estos problemas. Se examinarán las fuentes de políticas organizacionales y se estudiará cómo los individuos, departamentos y divisiones buscan incrementar su poder de manera que puedan influir en la toma de decisiones organizacionales. Luego, se abordará la naturaleza del conflicto organizacional y se observará cómo los gerentes deben abordar los conflictos para adoptar las mejores alternativas de estrategia-estructura. Finalmente, se analizará por qué es difícil cambiar las organizaciones, y se esbozarán formas mediante las cuales los gerentes pueden dirigir el cambio organizacional de tal modo que la estrategia y estructura de sus compañías se ajusten a los nuevos ambientes competitivos.

14.3   POLÍTICA Y PODER ORGANIZACIONAL

Hasta el momento, se supone que al formular la misión corporativa y establecer las políticas y metas los gerentes estratégicos luchan para maximizar el bienestar de la corporación. Esta imagen de toma de decisiones estratégicas se conoce como **perspectiva racional**. Ésta sugiere que los gerentes logran metas corporativas al seguir un plan calculado y racional en el que sólo se consideran los intereses de los accionistas. En realidad, la toma de decisiones estratégica es bastante diferente. A menudo, las decisiones de los gerentes estratégicos sobrepasa sus intereses personales, funcionales o divisionales. En esta **perspectiva política** de la toma de decisiones, las metas y objetivos se establecen a través del compromiso, regateo y concesión[3]. Los gerentes de alto nivel constantemente discuten acerca de cuáles deben ser las correctas decisiones políticas y, como en Merck, las luchas por el poder y la creación de coaliciones constituyen una parte importante de la administración estratégica. Como en la esfera pública, la política se refiere a las actividades mediante las cuales los diversos individuos o grupos en la organización tratan de influir en el proceso de administración estratégica para favorecer sus propios intereses.

En esta sección se examinará la naturaleza de la política organizacional y el proceso de toma de decisiones políticas. La **política organizacional** se define como la táctica mediante la cual los individuos y grupos interesados pero interdependientes buscan obtener y utilizar el poder para influir en las metas y objetivos de la organización con el fin de apoyar sus propios intereses[4]. En primer lugar, se considerarán las fuentes políticas y por qué éstas se constituyen en una parte necesaria del proceso de administración estratégica. En segundo lugar se observará cómo los gerentes o divisiones pueden incrementar su poder de tal manera que puedan influir en la dirección estratégica de la compañía. En tercera instancia, se explorarán las formas como la organización puede manejar las políticas para superar la inercia y generar el cambio estratégico.

Fuentes de política organizacional

Según la visión política de la toma de decisiones organizacionales, muchos factores estimulan las políticas en la vida corporativa. La figura 14.1 contrasta estos factores con aquellos que resaltan la perspectiva racional de la toma de decisiones organizacional.

Figura 14.1
Perspectivas racionales y políticas de la toma de decisiones

La visión racional supone que hay disponible información completa y que no hay incertidumbre sobre los resultados, pero la visión política sugiere que los gerentes estratégicos nunca pueden estar seguros de que estén tomando las mejores decisiones[5]. Desde una perspectiva política, la toma de decisiones siempre tiene lugar en medio de la incertidumbre, donde los resultados de la acciones son difíciles de predecir. Además, de acuerdo con la perspectiva racional, los gerentes siempre están de acuerdo acerca de las *metas* organizacionales apropiadas y los *medios*, o estrategias, adecuados para su logro. Por otro lado, desde la perspectiva política, la selección de metas y medios se vincula a la búsqueda de los propios intereses del individuo, función o división. El desacuerdo sobre el mejor curso de acción es inevitable en la perspectiva política puesto que las decisiones estratégicas que toma la organización necesariamente ayudan más a algunos individuos o divisiones que a otros. Por ejemplo, si los gerentes deciden invertir en recursos para promover y desarrollar un producto, no se fabricarán otros. Algunos gerentes ganan y otros pierden.

Dado este punto de vista, la selección de estrategia nunca es correcta o errónea; sencillamente es mejor o peor. Como resultado, los gerentes deben promover sus ideas e intrigar para lograr el apoyo de otros gerentes de tal modo que puedan generar respaldo para un curso de acción. Por consiguiente, la formación de coaliciones es vital en la toma de decisiones estratégicas[6]. Los gerentes hacen coaliciones para luchar por sus intereses, pues al hacerlo incrementan su fuerza política con relación a sus oponentes organizacionales.

Los gerentes también se involucran en política por razones personales. Puesto que las organizaciones tienen forma de pirámides, los gerentes individuales se dan cuenta de que cuanto más alto escalen, más difícil será ascender a la siguiente posición[7]. Sin embargo, si sus perspectivas prevalecen y la organización sigue su liderazgo y si sus decisiones generan resultados, obtienen retribuciones y promociones. Así, al tener éxito en la política, incrementan su visibilidad en la organización y se convierten ellos mismos en contendores para tratar de alcanzar altos rangos organizacionales.

El supuesto de que los intereses personales, en vez de los del accionista o la organización, manejan las acciones corporativas es lo que proporciona a la palabra *política* malas connotaciones para las personas. Pero, debido a que nadie sabe con certeza qué decisión es realmente la mejor, dejar que las personas sigan sus propios intereses puede significar a largo plazo que se busca favorecer los intereses de la organización. La competencia entre los gerentes que proviene del interés individual puede mejorar la toma de decisiones estratégicas, con gerentes exitosos que se desplazan a la cúpula de la organización con el tiempo. Si una compañía puede mantener las pruebas y evaluaciones en sus círculos de alta gerencia, la política puede ser una influencia saludable, pues puede evitar que los gerentes se vuelvan conformistas con el *statu quo* y así prevenir la decadencia organizacional.

Sin embargo, si la política crece en forma desenfrenada y si los gerentes poderosos obtienen tanto dominio que puedan suprimir la visión de los gerentes opuestos a sus intereses, pueden surgir mayores problemas. Las pruebas y las evaluaciones decaen, el debate se restringe y el desempeño se ve afectado. Por ejemplo, en Gulf & Western, tan pronto murió su fundador, la compañía liquidó 50 negocios que la alta gerencia nueva consideró proyectos caprichosos (y, por tanto, sus preferencias políticas) y no se ajustaban al portafolio de la compañía. Finalmente, las organizaciones que permiten que la política se salga de las manos de manera que se afecten los intereses de los accionistas son tomadas por agresivos y nuevos equipos de gerencia.

Si se maneja con moderación, la política puede constituir una herramienta administrativa útil para superar la inercia y generar el cambio estratégico. Los mejores funcionarios CEO reconocen este hecho y crean un contexto estratégico donde los gerentes pueden luchar por sus ideas y cosechar las retribuciones de promover exitosamente el cambio en la estrategia y la estructura organizacional. Por ejemplo, 3M es reconocida por su estructura de comités de alta gerencia, en la que los gerentes divisionales que solicitan nuevos fondos y los gerentes de nuevas operaciones que defienden nuevos productos deben presentar sus proyectos a todo el equipo de alta gerencia e intrigar por el apoyo para sus ideas. Todos los altos gerentes en 3M experimentaron este proceso de aprendizaje, y presumiblemente aquellos que se encuentran en el equipo de alta gerencia son los que obtuvieron mayor éxito en lograr apoyo y compromiso para sus conceptos.

Para jugar a la política, los gerentes deben tener poder. El **poder** puede definirse como la habilidad de un individuo, función o división para hacer que otro individuo, función o división realice algo que de otra manera no se lleva a cabo[8]. Éste difiere de la autoridad, que proviene de sostener una posición formal en la jerarquía. El poder surge de la habilidad para influir informalmente en la manera como se comportan otras partes. Quizá el modo más simple de comprender el poder es observar sus fuentes.

Fuentes de poder

En un alto grado, el poder relativo de las funciones y divisiones organizacionales proviene de las estrategias a nivel corporativo y de negocios de una empresa. Las distintas estrategias hacen que algunas funciones o divisiones sean más importantes que otras en el logro de la misión corporativa. En esta parte se examinarán las fuentes de poder a *nivel funcional o divisional* no individual, pues básicamente se interesa en los vínculos existentes entre la política, el poder y la estrategia a nivel de negocios y corporativo. La figura 14.2 enumera las fuentes de poder que se analizarán en seguida.

Figura 14.2
Fuentes de poder

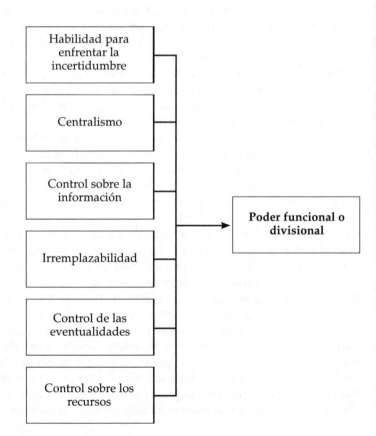

Habilidad para enfrentar la incertidumbre   Una función o división gana poder cuando puede reducir la incertidumbre de otra función o división[9]. Supóngase que una compañía sigue una estrategia de integración vertical. Una división que controla el aprovisionamiento y calidad de insumos para otra división tiene poder sobre ésta puesto que controla la incertidumbre que enfrenta la segunda división. A nivel de negocios, en una firma que utiliza una estrategia de bajo costo, ventas tiene poder sobre producción ya que ésta suministra información sobre las necesidades de los clientes requeridas para minimizar los costos de producción. En una compañía que sigue una estrategia de diferenciación, investigación y desarrollo tiene poder sobre marketing en las primeras etapas en el ciclo de vida del producto puesto que controla las innovaciones de productos. Pero, una vez resueltos los problemas de innovación, marketing probablemente sea la función más poderosa ya que le proporciona el área de investigación y desarrollo información sobre las necesidades de los clientes. Así, el poder de una función está en relación directa con el grado de dependencia de las otras áreas.

Centralismo   El poder también surge del **centralismo** en una división o función[10]. El centralismo se refiere al grado al cual una división o función se encuentre en el centro de las transferencias de recursos entre las divisiones. Por ejemplo, en una compañía química, la división que suministra químicos especializados probablemente sea la división central puesto que sus actividades son decisivas para la división de petróleos, que suministra sus insumos, y para las divisiones de productos terminados como plásticos o productos farmacéuticos, las cuales dependen de su producción. Sus actividades son centrales para el proceso de producción de todos los negocios de la compañía. En consecuencia, puede ejercer presión sobre la dirección general corporativa para seguir políticas de su propio interés.

A nivel funcional, la función que tiene mayor centralismo y, en consecuencia, poder es aquella que suministra la habilidad distintiva sobre la cual se basa la estrategia a nivel de negocios de la empresa. Así, en Apple Computer el área con mayor centralismo es investigación y desarrollo puesto que la ventaja competitiva de la compañía se fundamenta en una habilidad técnica. Por otro lado, en Wal-Mart la función de compras y distribución es la más central puesto que su ventaja competitiva depende de la habilidad para proporcionar un producto de bajo costo.

Control sobre la información   Las funciones y divisiones también son centrales si se encuentran en el centro del flujo de información; es decir, si pueden controlar el flujo de información a otras funciones o divisiones (o ambas)[11]. La información es un recurso de poder, puesto que al dar o retener información, una función o división puede hacer que otras se comporten de determinada forma. Por ejemplo, ventas puede controlar la manera como opera la producción. Si ventas manipula la información para satisfacer sus propias metas, dígase, capacidad de satisfacer al cliente, los costos de producción se incrementarán, pero producción puede no ser consciente de que pueden disminuir los costos con una estrategia de ventas diferente. En forma similar, investigación y desarrollo puede moldear las actitudes de los gerentes ante las perspectivas competitivas de diferentes tipos de productos suministrando información favorable sobre los atributos de los productos que prefiere y restando importancia a otros.

En un sentido muy real, los gerentes en la organización se involucran en un sutil juego de información cuando diseñan políticas y establecen objetivos. En el capítulo 11 se analizó cómo las divisiones pueden disfrazar su desempeño al suministrar sólo la información positiva a los gerentes corporativos. Cuanto más poderosa sea una división, más fácil lo hará. En la formulación e implementación de estrategias, al utilizar información para desarrollar una base de poder, las divisiones y funciones pueden influir profundamente en la política según sus propios intereses.

Irremplazabilidad   Una función o división puede acumular poder en proporción con el grado al cual **no sean remplazables** sus actividades, es decir, no se puedan duplicar[12]. Por ejemplo, si una compañía está verticalmente integrada, las divisiones que aprovisionan no son sustituibles ya que la compañía no puede comprar en el mercado lo que producen. Así, la división de productos del petróleo no es muy poderosa si hay disponibles grandes cantidades de petróleo de otros proveedores. En una crisis petrolera, sucederá lo contrario. Por otro lado, las actividades de una división de nuevas operaciones (en la que se desarrollan nuevos productos), no son remplazables al punto que una compañía no puede comprar otra organización que posea conocimiento o experiencia similares. Si el conocimiento o información se puede comprar, la división es sustituible.

Sucede lo mismo a nivel funcional. Un área y sus gerentes son poderosos hasta el punto que ninguna otra pueda desempeñar su tarea. Como en el caso del centralismo que una función no sea sustituible depende de la naturaleza de la estrategia a nivel de negocios de una compañía. Si ésta sigue una estrategia de bajo costo, entonces la producción probablemente sea la función clave, e investigación y desarrollo o marketing tengan menos poder. Pero si la firma utiliza una estrategia de diferenciación, entonces probablemente se presente lo contrario.

Así, el poder que una función o división gana por virtud de su centralismo o irremplazabilidad se debe a la estrategia de la compañía. Eventualmente, a medida que cambia la estrategia de la compañía, se transforma el poder relativo de las funciones y las divisiones. Ésta es la siguiente fuente de poder que se analiza.

Control de las eventualidades   Con el tiempo, la naturaleza de las eventualidades (es decir, las oportunidades y amenazas) que enfrenta una compañía del ambiente competitivo cambiarán a medida que éste se transforme. Las funciones o divisiones que pueden abordar los problemas de la compañía y le permitan lograr sus objetivos, ganan poder. Por el contrario, las funciones que ya no pueden manejar las eventualidades, pierden poder. Por ejemplo, si se observa qué ejecutivos funcionales ascendieron a las posiciones de alta gerencia durante los últimos 50 años, se encontrará que generalmente quienes alcanzaron las mayores posiciones provienen de funciones o divisiones que abordaron las oportunidades y amenazas enfrentadas por la compañía[14].

Por ejemplo, en la década de 1950 el principal problema que debió afrontar una compañía consistió en producir bienes y servicios. La contracción de la demanda ocurrida durante los años de la Segunda Guerra Mundial generó después un enorme incremento en el consumo de automóviles, vivienda y bienes durables. Era necesario fabricar bienes en forma rápida y económica para satisfacer la demanda, y durante este periodo los gerentes que ascendieron a la cúpula eran de la función de *fabricación* o de las divisiones de *productos de consumo*. En la década de 1960 el problema cambió. La mayoría de las organizaciones habían incrementado su capacidad productiva, y el mercado estaba saturado. Fabricar bienes no era tan difícil como venderlos. Por tanto, las funciones de *marketing* y *ventas* llegaron a destacarse. El incremento de ejecutivos en las compañías reflejó esta contingencia, puesto que gran cantidad de éstos surgió de la función de ventas y de las divisiones orientadas al marketing que de otros grupos. En la década de 1970 las compañías comenzaron a darse cuenta de que las condiciones competitivas eran permanentes. Tuvieron que simplificar sus estrategias y estructuras para sobrevivir en un ambiente cada vez más hostil. Como resultado *contabilidad y finanzas* se convirtió en el área que proporcionó la mayoría de contribuciones al equipo de alta gerencia. Actualmente, la estrategia a nivel corporativo y de negocios de una compañía determina qué grupo se destaca.

Control sobre los recursos   La fuente de poder final por examinar es la habilidad para controlar y ubicar los escasos recursos[15]. Esta fuente proporciona a los gerentes de nivel corporativo su poder.

Obviamente, el poder de los gerentes corporativos depende en gran medida de su habilidad para apropiar el capital a las divisiones operativas y asignar el efectivo o tomarlo de una división con base en sus expectativas de éxito futuro.

No obstante, el poder que proviene de esta fuente no depende sólo de la habilidad para distribuir recursos en forma inmediata; también proviene de la capacidad para *generar recursos en el futuro*. Así, las divisiones individuales que puedan generar recursos tendrán poder en la corporación. Por ejemplo, las divisiones que pueden generar altos ingresos a partir de las ventas a los consumidores tienen gran poder. A nivel funcional, se aplica el mismo tipo de consideraciones. La habilidad de ventas y marketing para incrementar la demanda de los clientes y generar ingresos explica su poder en la organización. En general, la función que puede generar los mayores recursos tiene el mayor poder.

Resumen   La función o división más poderosa en la organización es, entonces, la única que pueda reducir la incertidumbre frente a los demás, la más central e irremplazable, tiene control sobre sus recursos y puede generarlos, y de igual manera asume las eventualidades estratégicas, externas y críticas que enfrenta la compañía. En la práctica, cada función o división dentro de la corporación tiene poder a partir de una o más de estas fuentes y, en consecuencia, se da una distribución de poder entre las funciones y divisiones. Esta condición da origen a la política organizacional, ya que los gerentes forman coaliciones para tratar de aliar otros individuos poderosos y, de esta manera, ganar control sobre el equilibrio de poder en la organización.

Efectos del poder y de la política en el cambio estratégico

El poder y la política influyen fuertemente en la selección de estrategia y estructura por parte de una compañía, puesto que ésta debe mantener un contexto organizacional que responda a las aspiraciones de las distintas divisiones, funciones y gerentes, y a los cambios en el ambiente externo. El problema que enfrentan las compañías consiste en que la estructura interna de poder siempre se atrasa ante los cambios registrados en el ambiente puesto que, en general, los cambios ambientales ocurren más rápido de lo que las compañías pueden responder. Quienes se encuentran en el poder nunca se rinden voluntariamente, pero el excesivo politiqueo y las luchas por el poder reducen la flexibilidad de una compañía, causan inercia y erosionan la ventaja competitiva.

Por ejemplo, si las luchas por el poder se mantienen incontroladas, el cambio se hace imposible puesto que las divisiones comienzan a competir y acumular información o conocimiento para maximizar sus propios rendimientos. Como se observó en el capítulo 13, esta condición prevaleció en TRW. También ocurrió en Digital Equipment Corp. cuando sus grupos por productos se convirtieron en unidades autosuficientes que se preocupaban más de proteger sus intereses que cambiar la estrategia corporativa para sobrevivir en un ambiente cada vez más hostil. En tales situaciones, el intercambio de recursos entre las divisiones se hace costoso, y es difícil obtener beneficios a partir de la sinergia. Estos factores a su vez disminuyen la rentabilidad de una compañía y reducen el crecimiento organizacional. A nivel funcional surgen problemas similares. Si una función comienza a ejercer su fuerza política, las demás probablemente tomarán represalias al reducir su cooperación con esa área y no responder a sus exigencias. Considérese una compañía que sigue una estrategia de bajo costo donde la función de fabricación comienza a explotar su posición e ignora la necesidad de ventas de satisfacer a los clientes. A la postre, ventas puede causar daño a fabricación al aceptar grandes pedidos pero a precios menores o incluso al buscar muchas cuentas de clientes pequeños para elevar deliberadamente los costos de producción y así reducir las utilidades del área de fabricación.

Manejo de las políticas organizacionales

Con el fin de manejar sus políticas, una compañía debe diseñar disposiciones organizacionales que creen un **equilibrio de poder** entre las distintas divisiones o funciones de manera que una sola no domine a toda la empresa. En la estructura divisional, el *staff* de la división general corporativa desempeña el rol de equilibrar puesto que puede ejercer poder incluso sobre las divisiones fuertes y forzarlas a compartir recursos por el bien de toda la corporación. En una compañía no diversificada, es importante contar con la presencia de un CEO firme puesto que debe remplazar el centro corporativo y equilibrar el poder de las funciones fuertes frente a las débiles. El enérgico CEO asume la responsabilidad de proporcionar a las funciones débiles la oportunidad de ventilar sus preocupaciones e intereses y tratar de evitar que sean encarriladas dentro de las decisiones del área poderosa que sigue sus propios intereses. La reestructuración de la división de noticias de CBS por parte de Laurence Tisch, analizada en detalle en la estrategia en acción 14.1, ilustra muchos de los problemas involucrados en el manejo de la política organizacional.

Como ilustra la manera como Tisch manejó a CBS, el CEO de una gran corporación tiene gran potencial de ejercer poder para generar cambio. Sin embargo, el CEO también desempeña otro rol importante, el de arbitrar toma de decisiones políticas aceptables. La política invade todas las compañías, pero el CEO y los gerentes de alto nivel pueden configurar su carácter. En algunas organizaciones, el juego de poder es la norma debido a que el CEO lo acumula en esa forma. Sin embargo, otras compañías -especialmente aquéllas fundadas por empresarios que creyeron en la democracia o en la toma de decisiones descentralizada- pueden no tolerar las luchas por el poder, y se acepta un tipo diferente de comportamiento político. Éste se fundamenta en la habilidad o pericia del gerente de una función o división en vez de basarse en su habilidad para formar coaliciones poderosas. En Pepsico, la política es la parte implacable del juego de poder, y existe una rápida rotación de gerentes que no satisfacen las aspiraciones organizacionales. Sin embargo, en Coca-Cola las ideas y experiencias son mucho más importantes en la política que el juego de poder dirigido a la maximización de intereses funcionales o divisionales. En forma similar, Intel Corp. no tolera el politiqueo ni la intriga para beneficio personal; por el contrario, estimula el hecho de asumir riesgos y efectúa ascensos con base en el desempeño y no en la antigüedad.

Con el fin de diseñar una estructura organizacional que cree un equilibrio de poder, los gerentes estratégicos pueden utilizar las herramientas de implementación analizadas en los capítulos 11 y 12. En primer lugar, deben crear la correcta combinación de mecanismos integradores de manera que las funciones o divisiones puedan compartir información e ideas. Una estructura multidivisional ofrece un medio de equilibrar poder entre las divisiones, y la estructura matricial entre las funciones. Entonces, una compañía puede desarrollar normas, valores y una cultura común que enfaticen los intereses corporativos, no los divisionales, y que fortalezca la misión de la compañía. Por ejemplo, en empresas como Microsoft o 3M la cultura sirve para armonizar los intereses divisionales con el logro de las metas corporativas.

Finalmente, como se anotó antes, el estricto control jerárquico por parte de un CEO talentoso también puede crear el contexto organizacional donde la política pueda facilitar el proceso de cambio. Cuando los funcionarios CEO utilizan su experto conocimiento como poder, suministran el fuerte liderazgo que permite a una compañía superar la inercia y cambiar su estrategia y estructura. En efecto, debe ser parte de la labor estratégica del gerente para aprender cómo manejar la política y el poder para favorecer los intereses corporativos puesto que la política es una parte esencial del proceso de cambio estratégico.

Luchas por el poder en CBS

CBS, Inc. es una compañía diversificada de entretenimiento e información involucrada principalmente en las actividades de radio y televisión, música grabada y publicaciones. Como una de las más prestigiosas organizaciones de Norteamérica, CBS experimentó mucha agitación en años recientes. Sus problemas comenzaron cuando los inversionistas externos, quienes determinaron que la rentabilidad y rendimientos sobre los activos de la compañía se encontraban en un bajo nivel, emprendieron varios intentos para adquirirla. En sucesivos ataques, Jesse Helms, un senador de Carolina del Norte, Ivan Boesky, un árbitro, y finalmente Ted Turner, el fundador de Turner Broadcasting System, Inc., anunciaron intentos de adquisición[16]. CBS se dio cuenta de que debía tomarlos en serio si deseaba permanecer independiente.

En primer lugar, Thomas Wyman, el presidente de junta directiva de CBS en ese momento, autorizó la recompra de las acciones de CBS por US$150 cada una (el ofrecimiento de Turner era de sólo US$130). Esto aumentó la deuda de CBS de US$510 millones a US$1,400 millones. En seguida, la compañía buscó un testaferro que pudiera comprar una mayor porción de sus acciones en caso de que tuviese éxito una adquisición hostil. Laurence Tisch de Loews Companies Inc. acordó desempeñar este papel. Sin embargo, en 1986 Tisch había comprado el 25% de las acciones, convirtiéndolo en el mayor accionista, y los miembros de la junta directiva, que incluye a Wyman, comenzaron a temer que se apoderara de CBS. Tisch no hizo nada para evitar esos rumores[17].

Tisch comenzó a asumir un rol más activo en CBS y a cuestionar o a estar en desacuerdo con las políticas de Wyman. Wyman se encontraba entre la espada y la pared. Aunque había sido traído por el legendario fundador de CBS, William Paley, éste cada vez más se sentía perturbado porque Wyman no le consultaba sobre las políticas de CBS, particularmente debido a que la compañía estaba pasando por un mal momento. Las tensiones se incrementaron, y en una asamblea de la junta directiva a finales de 1986, Wyman reveló que había estado negociando en secreto con Coca-Cola la venta de CBS a la compañía de bebidas refrescantes. Los miembros de la junta directiva se disgustaron y retiraron su apoyo. Wyman renunció, Paley se convirtió en el presidente interino y Tisch en el CEO interino.

Después de esta lucha por el poder, el problema apremiante que enfrentaba la compañía fue el cambio de su estrategia y estructura para incrementnar sus *ratings*. La división de noticias de CBS tenía un problema. Había sido la operación más prestigiosa de la compañía desde la época dorada de Edward Murrow y Walter Cronkite, pero el reclutamiento de un nuevo presidente para la división, Van Gordon Sauter, había generado un conflicto entre la gerencia y el *staff*. Sauter consideraba que para lograr mayores *ratings* las noticias debían ser entretenidas en tanto que el *staff* de noticias consideraba que éstas deberían continuar siendo independientes del valor de entretenimiento, como en el pasado. En el consecuente conflicto, Dan Rather, Bill Moyers y Don Hewitt, productor ejecutivo de *60 Minutes*, ofrecieron comprar la división de noticias y sacarla de CBS. La oferta fue rechazada, pero Tisch decidió destituir a Sauter para restaurar la estabilidad de la división[18].

El siguiente problema era cambiar la estructura y sistema de control de la compañía. La tendencia en las tres principales redes consistía en incrementar la eficiencia al reducir y simplificar el *staff* y los costos. Tisch, como CEO de CBS, comenzó este proceso de cambio al despedir personal. Suspendió más de 1,500 empleados, cerca del 9% de la fuerza laboral de CBS; esta cantidad incluyó 150 personas de la división de noticias. También redujo en forma severa las cuentas de gastos y redujo la laxitud que disfrutaba el personal de CBS. La meta de Tisch consistía en reestructurar a CBS para lograr un rendimiento sobre su inversión del 12%[19].

14.4 CONFLICTO ORGANIZACIONAL

La política implica un intento por una de las partes para influir en las metas y en la toma de decisiones dentro de la organización con el fin de favorecer sus propios intereses. Sin embargo, algunas veces, el intento por parte de un grupo para apoyar sus intereses frustra la habilidad de otro para lograr sus metas. El resultado es el conflicto dentro de la organización. El **conflicto** puede definirse como una situación que se presenta cuando el comportamiento dirigido hacia las metas por parte de un grupo organizacional bloquea el comportamiento dirigido hacia las metas de otro[20]. En el siguiente análisis se examinará: (1) el efecto del conflicto sobre el desempeño organizacional, (2) sus fuentes, (3) las formas en las cuales opera el proceso de conflicto en la organización, y (4) la manera como los gerentes estratégicos pueden regular el proceso de conflicto utilizando prácticas efectivas de solución al conflicto de tal modo que, sólo en el caso de la política, genere beneficios en vez de costos.

Conflicto: ¿positivo o negativo?

El efecto del conflicto sobre el desempeño organizacional se debate continuamente. En el pasado, el conflicto siempre se consideraba negativo, o disfuncional, puesto que genera disminución en el desempeño organizacional[21]. Según esta perspectiva, el conflicto ocurre cuando los gerentes no han implementado la estrategia en forma correcta y no han diseñado la estructura apropiada que haga que las funciones o divisiones cooperen para lograr los objetivos corporativos. Sin duda, la mala implementación puede causar conflictos y el buen diseño puede prevenirlo. Sin embargo, si se maneja con cuidado, el conflicto puede incrementar el desempeño organizacional[22]. La gráfica en la figura 14.3 indica el efecto del conflicto organizacional sobre el desempeño.

La gráfica muestra que hasta cierto punto el conflicto incrementa el desempeño organizacional. La razón es que éste lleva a un *cambio organizacional necesario* pues expone las fuentes de inercia en la empresa. Luego, los gerentes pueden tratar de superar la inercia al cambiar la estructura y los sistemas de control, realineando en consecuencia la estructura de poder de la organización y cambiando el equilibrio de poder en favor del grupo que proporcione los mejores cambios requeridos por la organización para prosperar. El conflicto señala la necesidad de cambio. Sin embargo, después de un punto óptimo, un incremento en el conflicto genera decadencia en el desempeño, puesto que el conflicto se sale de control y la organización se fragmenta en grupos de interés competitivos. Los gerentes astutos previenen el conflicto de pasar al punto máximo y en consecuencia pueden utilizarlo para promover el cambio estratégico. Entonces, manejar el conflicto, como administrar la política, constituye un medio para mejorar la toma de decisiones organizacionales y para asignar los recursos y las responsabilidades. No obstante, la política no necesariamente causa conflicto, y el manejo efectivo del proceso político constituye una forma de evitar discrepancias destructivas entre los grupos. El conflicto en las organizaciones necesitan ser conscientes de ellas, de tal manera que cuando éste ocurra puedan controlarlo o resolverlo en forma rápida.

Figura 14.3
Efecto del conflicto
en el desempeño

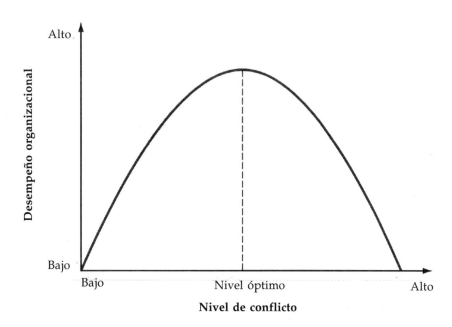

Nivel de conflicto

Fuentes de conflicto

Como se anotó anteriormente, el conflicto surge cuando las metas de un grupo organizacional frustran las de otro. Muchos factores inherentes a la forma como operan las organizaciones pueden producir discrepancias entre las funciones, divisiones o individuos[23]. Esta parte del texto se concentrará en las tres fuentes principales de conflicto organizacional, las cuales se resumen en la figura 14.4.

Diferenciación   En el capítulo 11 se definió la diferenciación como la forma mediante la cual una compañía divide la autoridad y las responsabilidades de tareas. El proceso de división de la organización en niveles jerárquicos y funciones o divisiones puede generar conflictos puesto que esto revela diferencias en las metas e intereses de los grupos dentro de la organización. Este tipo de conflicto presenta dos causas importantes.

Diferencias en las orientaciones de las subunidades   Puesto que la diferenciación lleva al surgimiento de diversas funciones o subunidades en una compañía, cada grupo desarrolla una orientación exclusiva hacia las mayores prioridades de la organización, como también su propia visión de lo que necesita llevar a cabo para incrementar el desempeño organizacional. Por supuesto, las metas de las distintas funciones difieren. Por ejemplo, producción posee generalmente una orientación de eficiencia a corto plazo y dirigida a los costos. Investigación y desarrollo se encuentra orientada hacia metas técnicas y a largo plazo, y ventas se proyecta a satisfacer las necesidades del cliente. Así, producción puede considerar la reducción de costos, ventas el incremento en la demanda e investigación y desarrollo la innovación de productos como solución a determinado problema. Las diferencias en la orientación de las subunidades dificultan formular e implementar la estrategia puesto que retrasa la respuesta de la compañía a los cambios en el ambiente competitivo y reducen su nivel de integración.

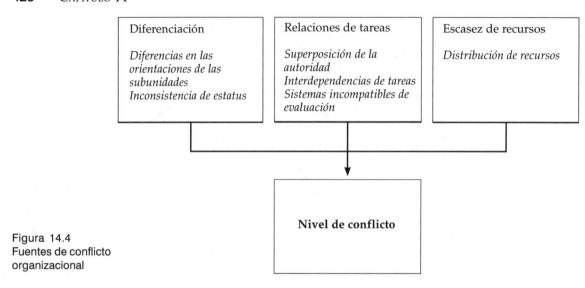

Diferenciación	Relaciones de tareas	Escasez de recursos
Diferencias en las orientaciones de las subunidades *Inconsistencia de estatus*	*Superposición de la autoridad* *Interdependencias de tareas* *Sistemas incompatibles de evaluación*	*Distribución de recursos*

Nivel de conflicto

Figura 14.4
Fuentes de conflicto
organizacional

Las diferencias en la orientación también constituyen un problema importante a nivel divisional. Por ejemplo, las divisiones llamadas vacas lecheras hacen énfasis en las metas de mercadeo, en tanto que las denominadas estrellas promueven las posibilidades tecnológicas. En consecuencia, es extremadamente difícil para estas divisiones hallar una forma común de visualizar el problema. En grandes corporaciones, tales desacuerdos pueden causar considerable daño puesto que reducen el nivel de cohesión e integración entre las divisiones, entorpecen la cooperación y sinergia, y así disminuyen el desempeño corporativo. Muchas compañías grandes, como Digital Equipment, Westinghouse y Procter & Gamble, han tenido que afrontar este obstáculo; respondieron al reorganizar su estructura y mejorar la integración. La lucha entre los gerentes de I&D y marketing en Merck constituye otro ejemplo de la forma como las diferencias en las orientaciones de las subunidades pueden causar conflicto organizacional.

Inconsistencias en el estatus   En una compañía diferenciada, con el tiempo algunas funciones o divisiones llegan a considerarse más vitales para sus operaciones que otras. Como resultado, hacen poco por adaptar sus comportamientos a las necesidades de otras funciones, bloqueando así las metas de estas últimas. Por ejemplo, a nivel funcional, la producción usualmente se ve como la pieza clave en la organización y las otras áreas son sólo servicios de apoyo. Esto genera conflictos de línea y *staff*, donde el personal de producción, o de línea, frustra las metas del *staff* o del personal de apoyo[24]. El tipo de estrategia a nivel de negocios que adopta una compañía puede intensificar el conflicto de línea y *staff* puesto que incrementa el estatus de algunas funciones con relación a otras. En compañías de bajo costo, producción es particularmente importante, y para los diferenciadores, marketing o investigación y desarrollo es lo más importante.

A nivel divisional, aquellas divisiones que se encuentran en el centro de las operaciones de la compañía, por ejemplo, las que proporcionan recursos a las divisiones de uso final, pueden considerarse así mismas como las piezas claves del sistema. También pueden prestar poca atención a las necesidades del usuario final, como desarrollo de nuevos productos. Los usuarios finales pueden tomar represalias al comprar en el mercado o, en forma más común, al luchar por transferencias de precios, que, como se estableció anteriormente constituyen una importante señal de conflicto entre las divisiones. Así, las relaciones entre las divisiones deben manejarse con cuidado por parte de la dirección general corporativa con el fin de prevenir el surgimiento de conflictos y el deterioro de las relaciones interdivisionales.

Relaciones de tareas   Como se analizó en el capítulo 11, varias características de las relaciones de tareas pueden generar conflictos entre las funciones y divisiones.

Superposición de la autoridad   Si dos funciones o divisiones diferentes exigen autoridad y responsabilidad para la misma tarea, entonces pueden producirse conflictos en una organización. Esto sucede a menudo cuando una empresa está creciendo, y por consiguiente, aún no ha diseñado por completo las relaciones funcionales o divisionales. Así mismo, cuando ocurren cambios en las relaciones de tareas -por ejemplo, cuando las divisiones comienzan a compartir instalaciones de ventas y distribución para reducir costos- surgen las disputas sobre quién controla qué. Como resultado, las divisiones pueden luchar por el control de los recursos y así surgen las discrepancias. La estrategia en acción 14.2 describe la manera como un comprador causó problemas de superposición de autoridad entre dos compañías cuando BankAmerica adquirió Security Pacific.

Interdependencias de tareas   Con el fin de desarrollar o producir bienes y servicios, el trabajo de una función fluye en forma horizontal hacia la siguiente de tal manera que cada área puede basarse en las contribuciones de las demás[26]. Si una función no realiza bien su trabajo, entonces la siguiente de la línea tendrá serias dificultades en su labor, y esto también generará conflictos. Por ejemplo, la habilidad de fabricación para reducir costos en la línea de producción depende de la forma como investigación y desarrollo haya diseñado el producto para lograr una fabricación barata y el modo como ventas obtenga grandes y estables cuentas con los clientes. A nivel divisional, cuando las divisiones intercambian recursos, la calidad de los productos proporcionada por una división a la próxima afecta la calidad de los productos de la división inmediata.

El potencial para el conflicto es grande cuando las funciones o divisiones son notablemente interdependientes. En efecto, cuanto mayor sea el nivel de interdependencia, mayor será el potencial de discrepancias entre las áreas o divisiones[27]. La interdependencia entre las funciones, junto con la necesidad consecuente de evitar que surjan conflictos, es la razón para que sea tan costoso manejar una estructura matricial. En forma similar, administrar una estrategia de diversificación relacionada es costoso puesto que es necesario tratar continuamente conflictos sobre las transferencias de recursos. Por el contrario, con la diversificación no relacionada, el potencial de divergencias interdivisionales es mínimo ya que las divisiones no intercambian recursos.

La fusión entre Burroughs Corporation y Sperry Corporation para constituir Unisys Corporation creó los tipos de problemas que deben manejarse para prevenir el conflicto, resultado de la interdependencia de tareas. El CEO de Burroughs, W. M. Blumenthal, ha tenido enormes contratiempos para manejar la nueva interdependencia de tareas de tal manera que se puedan evitar los principales conflictos entre las divisiones, y ha utilizado una variedad de mecanismos integradores para mantener juntas las dos firmas. El problema es muy delicado debido a que cada compañía posee el mismo conjunto de funciones, las cuales deberán fusionarse a largo plazo.

Sistemas incompatibles de evaluación   En el capítulo 12 se mencionó que una compañía debe diseñar sus sistemas de evaluación y remuneración de tal manera que no interfieran con las relaciones de tareas entre las funciones y divisiones. Los sistemas de evaluación del desempeño no equitativos generan conflictos[29]. Los problemas típicos incluyen hallar una forma de retribuir en conjunto las ventas y la producción de tal modo que se armonice la programación con el establecimiento de

ESTRATEGIA EN ACCIÓN 14.2

¿Quién controla qué en una fusión?

Cuando BankAmerica Corp. se fusionó con Security Pacific en 1991, se suponía que la fusión estaría equilibrada para ambas partes, con los altos gerentes de las dos entidades bancarias trabajando mancomunadamente para activar la nueva compañía. Por ejemplo, Richard Rosemberg, presidente de junta directiva de BankAmerica, acordó crear una oficina para la presidencia compartida con Robert Smith, presidente de la junta directiva de Security Pacific; también se convino que Smith le sucedería en su cargo del nuevo banco cuando se retirara. En forma similar, se supuso que habría una junta directiva conformada por miembros de ambas compañías en una proporción 50-50, y BankAmerica acordó designar cuatro altos gerentes de Security Pacific para el nuevo equipo de alta gerencia.

Sin embargo, después de la fusión las cosas no funcionaron como se esperaba. BankAmerica había planeado la fusión en forma precipitada, sin investigar los detalles acerca de la condición financiera general de Security Pacific. Después de la fusión, los gerentes de BankAmerica comenzaron a descubrir grandes deficiencias en la forma como los gerentes de Security Pacific hacían préstamos y realizaban negocios, y por esta razón la compañía había generado una pérdida superior a los US$300 millones, con posteriores sumas igualmente considerables. El equipo de alta gerencia de BankAmerica menospreció y ridiculizó su forma de desarrollar operaciones. Responsabilizaron a la cultura de Security Pacific por una gran parte del problema, puesto que era descentralizada y de "rueda libre", donde los altos gerentes prestaban grandes sumas de dinero a clientes por sus vínculos personales. Por el contrario, BankAmerica había desarrollado un estilo de toma de decisiones conservador y centralizado y restringía la autonomía de los gerentes de nivel inferior; los préstamos se realizaban con base en los criterios de toda la compañía examinados por la alta gerencia.

Al considerar que su cultura era la que debía desarrollarse en la nueva organización, los gerentes de BankAmerica comenzaron a utilizar su poder como la parte predominante en la fusión para despojar de la autoridad a los gerentes de Security Pacific y asumir el control de las riendas de la nueva organización. En menos de dos semanas después de la fusión, Smith se halló sin autoridad para la toma de todas las decisiones importantes, la cual se le transfirió a Rosemberg y su equipo de alta gerencia[28]. En forma similar, siempre que los altos gerentes de BankAmerica negociaban con los de Security Pacific sobre las futuras relaciones de tareas y autoridad, utilizaban su poder para reducir la autoridad de los gerentes de Security Pacific y manejarlos desde la organización. Después de pocos meses, casi todos los altos gerentes de Security Pacific habían abandonado la nueva organización, seguidos por miles de gerentes de nivel medio, quienes eran considerados por los gerentes de BankAmerica personas no confiables para mantener los estándares de la nueva cultura de la compañía y la forma de realizar negocios. Claramente, los altos gerentes de BankAmerica utilizaron su poder para resolver el problema de superposición de las relaciones de autoridad y destruir la cultura descentralizada de Security Pacific.

presupuestos y transferencias de precios para no generar competencia entre las divisiones. De nuevo, cuanto más complejas sean las relaciones de tareas, más difícil será evaluar la contribución al ingreso por parte de cada área o división, y habrá mayor probabilidad de que surjan discrepancias.

Escasez de recursos   La competencia sobre la escasez de recursos también genera conflictos[30]. Este tipo de divergencia con mucha frecuencia ocurre entre las divisiones y entre éstas y la gerencia corporativa sobre la asignación de capital; sin embargo, las luchas por el presupuesto entre las funciones también pueden ser fieras cuando los recursos son escasos. Como se analizó en otros capítulos, las divisiones se resisten a los intentos de transferir sus utilidades a otras y pueden distorsionar la información con el fin de retener sus recursos. Otros grupos de interés organizacionales también se preocupan por la forma como la compañía apropia los escasos recursos. Por ejemplo, los accionistas prestan atención a la magnitud de los dividendos, y los sindicatos y empleados desean maximizar sus salarios y prestaciones laborales.

Dadas las numerosas fuentes potenciales de conflicto en la organización, la discrepancia de uno u otro tipo siempre está presente en la toma de decisiones estratégicas. Es necesario analizar cómo funciona un proceso típico de conflicto en la organización y si existen parámetros que los gerentes corporativos puedan utilizar para tratar de dirigir la divergencia y convertir su potencial de destrucción en un buen uso estratégico. Un modelo desarrollado por Lou R. Pondy ayuda a mostrar cómo opera el proceso de conflicto en las organizaciones[31]. En la próxima sección se analizará este tema.

El proceso de conflicto organizacional

El conflicto es bastante difícil de manejar en forma estratégica puesto que usualmente es inesperado. Las fuentes de discrepancias analizadas a menudo son inherentes al modo de operación de una compañía. La primera etapa en el proceso de conflicto, entonces, es el *conflicto latente*: conflicto potencial que puede estallar cuando surgen las condiciones apropiadas. (Las etapas en el proceso de conflicto aparecen en la figura 14.5).

Los conflictos latentes con frecuencia se activan por cambios en la estrategia o estructura de una organización que afectan las relaciones entre las funciones o divisiones. Por ejemplo, si una compañía ha seguido una estrategia dominante de productos, utilizando una estructura funcional para su

Figura 14.5
Etapas en
el proceso
de conflicto

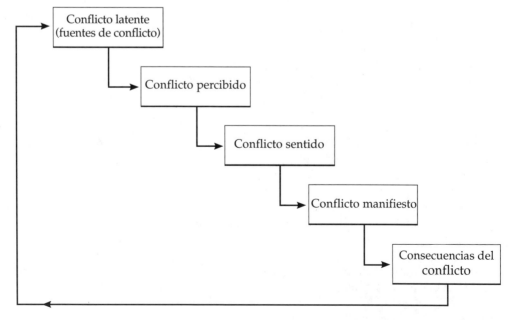

implementación, podría ampliar su variedad de productos. Con el fin de superar problemas de coordinar una variedad de servicios especializados sobre muchos productos, la empresa puede adoptar una estructura por productos. La nueva estructura cambia las relaciones de tareas entre los gerentes de productos, y esta circunstancia a su vez cambia el estatus relativo y las áreas de autoridad de los diferentes gerentes funcionales y de productos. Es probable que surjan conflictos entre gerentes funcionales y de producto o entre los mismos gerentes de producto.

Puesto que cada cambio en la estrategia y estructura de una compañía altera el contexto organizacional, el conflicto fácilmente puede darse a menos que la situación se maneje con prudencia para evitarlo. No obstante, eludir no siempre es posible, y en consecuencia la etapa latente del proceso del conflicto rápidamente lleva a la siguiente: *conflicto percibido.*

El conflicto percibido significa que los gerentes se conscientizan de las discrepancias. Después de un cambio en la estrategia y estructura, los gerentes descubren que las acciones de otra función o grupo están obstruyendo las operaciones de su grupo. Ellos reaccionan a la situación, y de la etapa percibida, pasan rápidamente a la etapa del *conflicto sentido.* En esta parte, los gerentes comienzan a personalizar el conflicto. Las opiniones se polarizan, cuando una función o división comienza a culpar a las demás por causar divergencias. Producción podrían culpar de ineficiente a ventas por el descenso en los pedidos, en tanto que ventas podría culpar a producción por un descenso en la calidad de los productos. Por lo general, existe una notable falta de cooperación en esta etapa, y la integración entre las funciones o divisiones se resquebraja a medida que los grupos comienzan a polarizarse y desarrollar una mentalidad "nosotros *versus* ellos". Si no se maneja, esta etapa en el proceso del conflicto puede llevar rápidamente a la siguiente: *conflicto manifiesto.*

En este punto se revela el conflicto entre las funciones o divisiones, y cada grupo lucha por impedir el logro de metas de la otra parte. Los grupos rivalizan para proteger sus propios intereses y bloquear los de los demás. El conflicto manifiesto puede tomar muchas formas. La más obvia es una agresión abierta entre altos gerentes puesto que comienzan a culpar a las demás áreas o divisiones de ocasionar el problema. Otras formas de conflicto manifiesto consisten en batallas de transferencia de precios y acumulación de conocimiento. La información difamatoria sobre otras divisiones probablemente también circule en esta etapa del proceso de conflicto. Estas acciones son mucho más perjudiciales que la manipulación política ya que las divisiones no sólo tratan de promover sus intereses, sino también intentan perjudicar el desempeño de otras. Como resultado, la firma no puede lograr ningún beneficio por la programación de transferencia de recursos o por el desarrollo de sinergias entre divisiones.

A nivel funcional, los efectos del conflicto pueden ser igualmente devastadores. Una compañía no puede seguir una estrategia de bajo costo si sus funciones están compitiendo. Si ventas no hace intentos por mantener informada a fabricación sobre las exigencias del cliente, fabricación no puede maximizar la extensión de los tiempos de producción. Igualmente, una empresa no puede diferenciar en forma exitosa si marketing no le informa a investigación y desarrollo sobre los cambios registrados en las preferencias del consumidor, o si la ingeniería de productos e investigación y desarrollo compiten sobre las especificaciones de productos. Las firmas han experimentado cada uno de estos conflictos en una época u otra y han sufrido una pérdida en el desempeño y la ventaja competitiva debido a estas discrepancias.

El conflicto manifiesto también es común en los equipos de alta gerencia, donde los gerentes luchan por la promoción a altos cargos o por recursos para incrementar su estatus y prestigio en la organización. En el caso inicial se vio cómo los altos gerentes de Merck, quienes buscaban proteger sus propios intereses, conspiraron para relevar a Richard Markham de su función de presidente. El conflicto manifiesto también es común cuando una familia controla una corporación, como la lucha en el Dart Group, descrita en la estrategia en acción 14.3.

Padre e hijo trabajan de igual a igual

Dart Group, con US$1,300 millones, que posee grandes cantidades de acciones en Crown, la tercera compañía comercializadora de libros más grande de la nación, y Track Auto, cadena de descuento de autopartes, se encuentra bajo la dirección del heptagenario Herbert Haft. Como presidente de junta directiva, Haft, que ganó reputación de comprador corporativo desde sus intentos por adquirir Safeway and Eckerd Corp., mantiene estricto control sobre su compañía y se conoce por su estilo administrativo centralizado[32]. En 1977, su hijo Robert Haft se le unió como gerente en el Dart Group después de egresar del Harvard Business School; llegó a ser presidente de junta directiva de Crown Books, una división de Dart, y heredero aparente del cargo de su padre en el Dart Group.

Sin embargo, en 1993, cansado de esperar que su padre se retirara y le diera las riendas del poder, Robert Haft intentó un golpe para sacarlo de la dirección. Con el apoyo de su madre y hermana, tramó un plan para suceder a su padre. Cuando éste lo descubrió, inmediatamente tomó medidas para tratar de reducir el poder que había ganado su hijo en la corporación y consolidar su propia posición. Comenzó por relevar a Robert Haft de sus deberes en Crown Books, y luego lo despidió después de que se hicieron manifiestos los detalles de su complot y el grado de involucramiento de otros miembros de la familia.

Aparentemente, Robert Haft recibiría con beneplácito una reconciliación, pues manifestaba que su "corazón siempre está abierto para mi padre"[33]. Sin embargo, parece que Herbert Haft no desea perder su poder y entregar el control de la corporación que fundó. Cuando un rey muere, su poder se transfiere; parece que Herbert Haft desea morir en la silla de mando y siente que el lugar de su obediente hijo debe ser a sus pies.

Los efectos a largo plazo del conflicto manifiesto surgen en la última etapa del proceso de conflicto: las *consecuencias del conflicto*. Supóngase que en una compañía un cambio en la estrategia genera discrepancias sobre la transferencia de precios. Luego, los gerentes divisionales, con ayuda del personal corporativo, solucionan el problema para satisfacción de todos y restablecen las buenas relaciones laborales. Sin embargo, en otra empresa las discrepancias entre las divisiones sobre la transferencia de precios se resuelve sólo mediante la intervención de los gerentes corporativos, quienes *imponen* una solución a los gerentes divisionales. Un año después, un cambio en el ambiente hace que el sistema de transferencia de fijación de precios ya no sea equitativo para ambas compañías, y deban renegociarse los precios. ¿Cómo reaccionan frente a esta situación las dos compañías? Los gerentes en la organización donde el conflicto se resuelve en forma amigable dirigirán esta nueva ronda de negociaciones con una actitud cooperativa y no hostil. No obstante, en la empresa donde las divisiones nunca establecen un acuerdo real, es probable que surja una nueva ronda de divergencias intensas, con una inevitable decadencia en el desempeño organizacional.

La consecuencia del conflicto en cada compañía fue diferente puesto que en una se resolvió en forma exitosa pero en la otra no fue así. La repercusión de la discrepancia establece el escenario para su siguiente ronda que evidentemente ocurrirá, hecho inherente a las formas como operan las compañías y debido a que el ambiente se encuentra en constante cambio. La razón para que algunas empresas posean un largo historial de malas relaciones entre las funciones o divisiones consiste en que sus conflictos nunca se han manejado en forma exitosa. En compañías donde los gerentes estratégicos resuelven las discrepancias, se obtiene una cultura organizacional cohesiva. En estas organizaciones, los gerentes adoptan una actitud cooperativa, no competitiva, cuando se presentan las divergencias. La pregunta que necesita plantearse, entonces, es cómo manejar mejor el proceso de conflicto en forma estratégica para evitar sus efectos nocivos y realizar cambios en la estrategia y estructura suave como sea posible.

Manejo del conflicto en forma estratégica

Dada la forma como opera el proceso de conflicto, la meta de los gerentes estratégicos debe ser intervenir tan pronto como sea posible de tal modo que la discrepancia no alcance la etapa sentida y particularmente la etapa manifiesta. En la etapa manifiesta, el conflicto es difícil de resolver en forma exitosa y hay más probabilidad de que genere una etapa de consecuencias negativas. Entonces, ¿en qué punto deben intervenir los gerentes?

Lo ideal es que los gerentes intervengan en la etapa latente y actúen sobre las fuentes del conflicto[34]. La óptima planeación estratégica realizada previamente puede prevenir muchos de los problemas posteriores, y puede facilitar el proceso de cambio. Por ejemplo, cuando los gerentes cambian la estrategia de una compañía, deben considerar sus efectos en las futuras relaciones de grupo. En forma similar, cuando cambian la estructura organizacional, los gerentes estratégicos deben anticiparse a sus efectos en las relaciones funcionales y divisionales. Muchas grandes organizaciones sí actúan en esta forma y requieren que las consecuencias potenciales de las modificaciones en la estrategia y estructura de la organización se incluyan en el proceso de planeación estratégica con el fin de prevenir el conflicto posterior.

No obstante, a menudo es imposible prever la propagación de los cambios en la estrategia. Las organizaciones son complejas, y pueden suceder muchos acontecimientos inesperados cuando los gerentes implementan un cambio. En consecuencia, los gerentes no siempre pueden intervenir en la etapa latente para anticiparse al conflicto. Así, los cambios en la estrategia o estructura pueden llevar al fracaso, como ocurrió con Apple Computer cuando se proyectó a una estructura divisional o cuando la cámara instantánea de Eastman Kodak demostró ser un desastre financiero.

Con frecuencia, la intervención es posible sólo entre la etapa sentida y la manifiesta. En el punto medio es donde los gerentes pueden tener la mejor oportunidad de solucionar el problema. Los gerentes pueden adoptar varias soluciones o estrategias para la solución del conflicto; éstas se analizarán posteriormente.

Estrategias de solución de conflictos

Uso de la autoridad   Como se analizó en el capítulo 11, la integración entre las funciones y divisiones constituye un importante problema puesto que tienen igual autoridad y por tanto no pueden controlarse entre sí. Cuando las áreas no pueden resolver sus dificultades, a menudo las transfieren a los gerentes corporativos o al CEO, quienes tienen la autoridad de imponer una solución entre las partes. En general, existen dos formas de utilizar la autoridad para manejar conflictos. En primer lugar, el CEO o los gerentes corporativos pueden desempeñar el papel de árbitros e imponer una solución a las partes en disputa. En segunda instancia, pueden actuar como mediadores y tratar de enfrentar la situación de tal modo que las partes en conflicto puedan hallar sus propias soluciones. La investigación muestra que el último enfoque funciona mejor puesto que conduce a un buen resultado del conflicto.

Cambio de las relaciones de tareas   En este enfoque, el objetivo consiste en cambiar la interdependencia entre las funciones o divisiones de tal manera que se elimine la fuente de la discrepancia. Las relaciones de tareas se pueden alterar en dos formas: en primer lugar, los gerentes estratégicos pueden *reducir* el grado de dependencia entre las partes. Por ejemplo, pueden desarrollar una estructura en la cual sea más fácil lograr la integración entre grupos. Así, un cambio de estructura funcional o divisional puede reducir el potencial de discrepancias.

En forma alternativa, el conflicto puede surgir debido a que no se adoptan correctos mecanismos integradores para manejar la interdependencia de tareas. En este caso, manejar las discrepancias significa *incrementar* la integración entre las divisiones y funciones. En compañías de alta tecnología, donde las áreas son muy interdependientes en cuanto a las tareas, los gerentes pueden utilizar una estructura matricial para proporcionar la integración necesaria que resuelva el conflicto. En una estructura divisional, los gerentes pueden utilizar papeles integradores y establecer departamentos de integración para posibilitar que las divisiones determinen precios y transfieran recursos. En Hewlett-Packard, el *staff* corporativo creó tres comités integradores para posibilitar que las divisiones compartan recursos y así reduzcan el conflicto sobre el desarrollo de productos. La integración incrementada previene discrepancias. Los gerentes también utilizan la estructura a través del proceso de implementación de estrategias para resolver estas situaciones.

Cambio de los controles   El conflicto también puede manejarse al modificar los sistemas de control y de evaluación en la organización. Por ejemplo, en algunas organizaciones se pueden desarrollar metas conjuntas entre las funciones y divisiones y crear sistemas de remuneración basados en el logro de estas metas; por ejemplo, cuando ventas y producción son retribuidas en conjunto con base en la cantidad de ingreso generado. En forma similar, los sistemas de evaluación corporativa pueden crearse para medir el grado hasta el cual las divisiones cooperan entre sí. En el capítulo 13 se analizó cómo TRW intentó desarrollar tales sistemas de evaluación de tal modo que las divisiones pudieran compartir información y conocimiento mientras se remuneraban apropiadamente por sus resultados. Finalmente, hasta cierto grado, el conflicto es el resultado de que los gerentes en una función no valoren la posición de quienes se encuentran en otra. Con el fin de proporcionar a los gerentes una amplia perspectiva y superar las diferencias en las orientaciones de subunidades, ellos se pueden rotar entre las divisiones y asumir tareas a nivel corporativo para conocer los problemas que enfrentan los gerentes en cualquier parte de la compañía.

Resumen: conflicto organizacional

El conflicto es un fenómeno organizacional siempre presente, que se debe manejar si la firma desea lograr sus objetivos. El proceso total de selección de estructura-estrategia crea el potencial para la discrepancia, y en un ambiente de rápido cambio este tipo de situaciones cada vez es más probable. Parte del trabajo del gerente estratégico es desarrollar las capacidades personales necesarias para resolver los problemas de conflictos. Estas capacidades implican la habilidad de analizar el contexto organizacional, establecer la fuente del problema y manejar a los gerentes que se encuentran en discrepancia de tal manera que el cambio organizacional pueda implementarse en forma exitosa.

14.5   IMPLEMENTAR EL CAMBIO ESTRATÉGICO: PASOS EN EL PROCESO DE CAMBIO

En la corporación moderna, el cambio, no la estabilidad, es el factor predominante de la actualidad. Los rápidos cambios registrados en la tecnología, el ambiente competitivo y las exigencias del cliente han incrementado la tasa a la cual las compañías deben alterar sus estrategias para sobrevivir en el mercado[35]. En consecuencia, las empresas deben pasar por rápidas reorganizaciones estructurales a medida que crecen sus estructuras. Por ejemplo, E. F. Hutton estima que más de la mitad de las principales 800 corporaciones han sido sometidas a importantes reestructuraciones en los últimos años[36]. En esta sección se analizarán los problemas asociados al manejo de tales cambios en la estrategia y estructura.

La gerencia del cambio estratégico implica una serie de pasos distintos que los gerentes deben seguir si se desea que el proceso de cambio tenga éxito. Estos pasos aparecen en la figura 14.6.

Determinación de la necesidad del cambio

El primer paso en el proceso de cambio implica que los gerentes estratégicos determinen su necesidad. Algunas veces éste es obvio, por ejemplo cuando las divisiones luchan o los competidores introducen un producto que claramente es superior a cualquier otro que la compañía tenga en el mercado. Sin embargo, muy a menudo, los gerentes tienen problemas al determinar que algo no está bien en la organización. Los problemas se pueden desarrollar gradualmente, y el desempeño organizacional puede reducirse durante varios años antes de que la situación se manifieste. Por ejemplo, en CBS la rentabilidad cayó, pero debido a que las acciones en la bolsa eran respetables, la caída causó poca conmoción. No obstante, después de un tiempo los inversionistas se dieron cuenta de que las acciones habían sido subestimadas y que CBS podría llegar a desempeñarse mejor. En otras palabras, los inversionistas externos se dieron cuenta antes que la gerencia de la necesidad de implementar un cambio.

Así, el primer paso en el proceso de cambio ocurre cuando los gerentes estratégicos de una compañía, u otros que se encuentren en posición de emprender una acción, reconocen que existe una brecha entre el desempeño deseado y el desempeño real de la empresa[37]. Al utilizar mediciones como la baja en el precio de las acciones o la participación en el mercado como indicadores de que es necesario el cambio, los gerentes pueden comenzar a buscar la fuente del problema. Para descubrirla, realizan un análisis DOFA. En primer lugar, examinan las fortalezas y debilidades de la firma. Por ejemplo, la gerencia realiza una auditoría estratégica de las funciones y divisiones y observa su contribución a la rentabilidad con el paso del tiempo. Quizá algunas divisiones ya no son rentables relativamente puesto que el ritmo de innovación se ha aletargado sin que la gerencia se conscientice de esta situación. La gerencia también analiza el nivel de diferenciación e integración de la organización para asegurarse qué es apropiado para su estrategia. Quizá una compañía no tiene los mecanismos integradores establecidos para lograr beneficios a partir de la sinergia. Entonces, la gerencia examina las oportunidades y amenazas ambientales que podrían explicar el problema. Por ejemplo, la compañía puede pasar por una intensa competencia de productos sustitutos, puede experimentar cambios en los gustos del consumidor o en la tecnología sin conscientizarse de la existencia de este tipo de circunstancias.

Una vez identificada la fuente del problema, la gerencia debe determinar el estado futuro ideal de la compañía; es decir, cómo debe cambiar su estrategia y estructura. Una empresa puede decidir, como CBS, disminuir sus costos al simplificar su operación; o en el caso de Merck o General Motors, puede incrementar su presupuesto de investigación y desarrollo o diversificar en nuevos productos con el fin de incrementar su futura rentabilidad. Esencialmente, los gerentes estratégicos

Figura 14.6
Etapas en el proceso de cambio

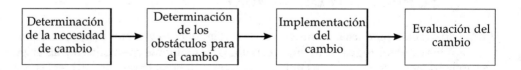

Determinación de la necesidad de cambio → Determinación de los obstáculos para el cambio → Implementación del cambio → Evaluación del cambio

Figura 14.7
Modelo de
cambio

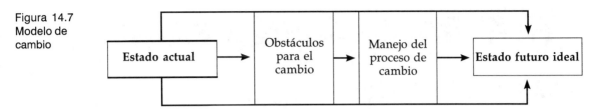

aplican las herramientas conceptuales descritas en este texto con el propósito de diseñar la mejor estrategia y estructura para maximizar la rentabilidad. Las selecciones que realizan son específicas para cada firma y, como se observó anteriormente, no existe forma que los gerentes puedan determinar su capacidad de ser corregidas por adelantado. La estrategia en acción 14.4 describe las alternativas que estudió Paul Kazarian para darle un vuelco total a Sunbeam-Oster y determinar su curso futuro.

Como lo sugiere la planeación de la estrategia de retorno completo en Sunbeam, el primer paso en ese proceso implica determinar su necesidad, analizar la posición actual de la organización y determinar el estado futuro ideal que los gerentes estratégicos desearían lograr. Este proceso se representa en la figura 14.7.

Determinación de los obstáculos para el cambio

El segundo paso en el proceso de cambio consiste en determinar sus obstáculos[39]. Los gerentes estratégicos deben analizar los factores que causan inercia organizacional y evitan que la compañía logre su futuro estado ideal. Los obstáculos para el cambio pueden hallarse en cuatro niveles de la organización: corporativo, divisional, funcional e individual.

A nivel corporativo, se deben analizar varios obstáculos potenciales. En primera instancia, cambiar la estrategia o estructura incluso en formas aparentemente triviales puede afectar de manera significativa el comportamiento de la empresa. Por ejemplo, supóngase que para reducir costos la firma decide centralizar todas las actividades divisionales de compras y ventas a nivel corporativo. Tal consolidación podría perjudicar en forma severa la habilidad de cada división para desarrollar una estrategia exclusiva de sus propios mercados individuales. O supóngase que en respuesta a la competencia extranjera de bajo costo, la empresa decide seguir una política de diferenciación. Esta acción cambiaría el equilibrio de poder entre las funciones y generaría politiqueo e incluso conflictos puesto que estas áreas comenzarían a luchar para retener su estatus en la organización. La *estructura y estrategia actuales de la compañía* son poderosos obstáculos para el cambio. Generan gran inercia, que debe superarse antes de implementar el cambio. Por esta razón, el cambio usualmente es un proceso lento.

El *tipo de estructura* qu utiliza una compañía también puede impedir el cambio. Por ejemplo, es mucho más fácil modificar la estrategia si una empresa utiliza una matriz en vez de una estructura funcional, o si está descentralizada en lugar de centralizada, o si posee un mayor nivel de integración en vez de registrar uno bajo. Las estructuras matriciales descentralizadas son más flexibles que las estructuras funcionales muy controladas. Es más fácil cambiar las orientaciones de subunidades, y así existe menor potencial para el conflicto.

Algunas *culturas corporativas* son más fáciles de transformar que otras. Por ejemplo, el cambio es notoriamente difícil en la cultura militar puesto que todo está consagrado a la obediencia y al seguimiento de órdenes. No obstante, algunas culturas, como en Hewlett-Packard, se basan en valores que enfatizan la flexibilidad o el cambio mismo; son más fáciles de modificar cuando es necesario

Vuelco total en Sunbeam-Oster

En 1990, Sunbeam-Oster Company, Inc., reconocido fabricante de pequeños electrodomésticos, tuvo una pérdida de US$40 millones; en 1991 obtuvo una utilidad de US$47 millones. Este vuelco total en los destinos de la compañía se logró a través de las acciones de un hombre, Paul Kazarian, antiguo banquero inversionista que identificó la causa de los problemas y supo qué hacer para resolverlos.

En 1990, Kazarian condujo a un grupo de inversionistas a la adquisición hostil de Sunbeam y pagó US$660 millones por ésta. Les convenció de que el deficiente desempeño reciente de la organización se debía a una mala administración de sus recursos y capacidades, y expuso un plan para cambiar la compañía si tenían éxito en la adquisición. Identificó tres problemas importantes: que la firma se encontraba involucrada en demasiadas actividades y segmentos de negocios distintos, muchos de los cuales perdían dinero; que su estructura era ineficiente y generaba altos costos; y que no estaba invirtiendo su dinero en los negocios de mayor utilidad.

En una exposición ante los inversionistas, Kazarian esbozó la forma de transformar a la organización y presentó su visión de Sumbeam para el futuro. Su primera propuesta de transformación consistió en liquidar los negocios que registraban pérdidas e invertir la utilidad en sus principales actividades para generar ventaja competitiva. Por ejemplo, esbozó un plan para invertir capital con el fin de desarrollar nuevos productos en su negocio principal, de pequeños electrodomésticos. En segundo lugar, propuso simplificar los negocios remanentes de la empresa y racionalizar sus estructuras operativas, reduciendo los niveles jerárquicos y de *staff* corporativo para disminuir costos.

Después de la adquisición, implementó esta nueva estrategia y transformó la compañía. En 1992, Sunbeam-Oster tenía un valor superior a los US$1,500 millones; así, Kazarian había logrado generar un valor superior a los US$1,000 millones. Sin embargo, su éxito en identificar los problemas de la empresa y diseñar una nueva estrategia no se ajustaba a sus capacidades en el manejo de la organización reestructurada. A pesar de los sorprendentes resultados operativos, en enero de 1993 recibió la noticia que la junta directiva no le respaldaba con votos suficientes para permanecer en el cargo. Aunque nadie dudaba de sus habilidades analíticas, aparentemente Kazarian carecía de habilidades interpersonales, y se afirmó que había salido de la compañía por agredir y humillar a gerentes, empleados y proveedores[38]. Su conflictivo estilo administrativo obstaculizaba la habilidad del equipo de alta gerencia para reestructurar la firma y prepararla para un crecimiento futuro. Sin embargo, a pesar de su despido Kazarian no perdió todo. Bajo los términos de su contrato, logró mantener su salario de US$1,750,000 durante los siguientes cuatro años. Además, mantiene las acciones producto de la adquisición.

el cambio. Factores similares operan a nivel divisional. El cambio es difícil en este nivel si las divisiones se encuentran *muy interrelacionadas e intercambian recursos*, puesto que una transformación en las operaciones de una división afectará a las demás. En consecuencia, es más difícil manejar el cambio si una compañía sigue una estrategia de diversificación relacionada, no una no relacionada. Además, las modificaciones en la estrategia afectan las divisiones en diversas formas, ya que el cambio generalmente favorece los intereses de algunas divisiones con relación a otras. Así, las divisiones pueden adoptar diferentes actitudes hacia el cambio, y algunas no apoyarán las transformaciones en la estrategia que realice la compañía. Las divisiones existentes pueden resistirse al establecimiento de nuevas divisiones de productos pues perderán recursos y disminuirán su estatus en la organización.

Los mismos obstáculos para el cambio existen a nivel funcional. Como las divisiones, las distintas funciones poseen diferentes orientaciones estratégicas y reaccionan en forma distinta a los cambios propuestos por la gerencia. Por ejemplo, en una situación de decadencia, ventas se resistirá a los intentos de reducir sus gastos con el fin de disminuir costos si considera que el problema proviene de la ineficiencia en fabricación. De igual manera, a nivel individual las personas notoriamente se resisten al cambio ya que éste implica incertidumbre, lo cual genera inseguridad y temor a lo desconocido[40]. Puesto que los gerentes son personas, esta resistencia individual refuerza la tendencia de cada área y división a oponerse a las modificaciones que pueden tener efectos inciertos en ellos.

Todos estos obstáculos dificultan el cambio rápido de estrategia o estructura organizacional. Por esta razón, los fabricantes de automóviles norteamericanos emplearon bastante tiempo para responder al reto japonés. Estaban acostumbrados a una situación de predominio completo y habían desarrollado estructuras inflexibles y centralizadas, que inhibieron el hecho de asumir riesgos y reaccionar en forma rápida. Paradójicamente, compañías que experimentan la mayor incertidumbre se convierten en las más capaces para responder a ésta. Cuando estas empresas con frecuencia se han visto forzadas a cambiar, desarrollan la habilidad de manejar la transformación fácilmente[41]. Los gerentes estratégicos deben entender estos obstáculos potenciales para el cambio cuando diseñan la nueva estrategia y estructura de una firma. Todos estos factores pueden generar conflictos, que podrían afectar considerablemente la habilidad de una organización para desplazarse a explotar en forma rápida las nuevas oportunidades estratégicas. Los obstáculos al cambio deben reconocerse, y el plan estratégico debe tenerlos en cuenta. Cuanto más amplia y compleja sea la organización, más difícil será implementar el cambio puesto que la inercia probablemente sea más penetrante. La estrategia en acción 14.5, que narra cómo Michael Walsh superó la inercia en Tenneco, ilustra una forma de superar obstáculos para el cambio en una organización grande y compleja.

Implementación del cambio

Como sugieren las experiencias de Walsh en Tenneco, implementar el cambio (es decir, su introducción y manejo) plantea varias preguntas. Por ejemplo, ¿quiénes deben en realidad llevar a cabo el cambio: los gerentes internos o los consultores externos? Aunque los gerentes internos pueden tener la mayor experiencia o conocimiento sobre las operaciones de la empresa, pueden carecer de perspectiva puesto que en gran medida forman parte de la cultura de la organización. También corren el riesgo de aparecer políticamente motivados y de tener un interés personal en los cambios que recomiendan. Por esta razón, las compañías a menudo acuden a consultores externos, quienes pueden visualizar la situación en forma más objetiva. Sin embargo, los consultores externos deben emplear mucho tiempo aprendiendo sobre la empresa y sus problemas antes de proponer un plan de acción. Por esta razón, muchas firmas como Tenneco e IBM han traído nuevos funcionarios CEO externos como punta de lanza para sus esfuerzos de cambio. En esta forma, las compañías pueden lograr los beneficios tanto de la información interna como del punto de vista externo.

En general, una organización puede adoptar dos enfoques importantes para la transformación: el cambio en línea descendente y el cambio en línea ascendente[42]. Con el **cambio en línea**

descendente, un CEO enérgico como Walsh o un equipo de alta gerencia analiza la manera de transformar la estrategia y la estructura, recomienda un curso de acción y luego comienza rápidamente a implementar el cambio en la organización. El énfasis se hace en la velocidad de respuestas y manejo de los problemas a medida que ocurren. El **cambio en línea ascendente** es mucho más gradual. La alta gerencia consulta con los gerentes de todos los niveles en la organización. Luego, con el tiempo, desarrolla un plan detallado para la transformación, con una programación de eventos y etapas por las cuales pasará la compañía. El énfasis en el cambio en línea ascendente se encuentra en participar y mantener a las personas informadas sobre la situación, de manera que se reduzca la incertidumbre.

La ventaja del cambio en línea ascendente consiste en que evita algunos de los obstáculos para el cambio al incluirlos en el plan estratégico. Además, el propósito de la consultoría con los gerentes en todos los niveles consiste en revelar problemas potenciales. La desventaja del cambio en línea ascendente es su lentitud. Por otro lado, en el caso del cambio en línea descendente que es mucho más rápido, los problemas surgirán más adelante y puede ser difícil resolverlos. Los pesados gigantes como Tenneco e IBM a menudo necesitan un cambio en línea descendente pues los gerentes están tan desacostumbrados y amenazados por el cambio que sólo un esfuerzo de reestructuración radical proporciona la oportunidad para superar la inercia organizacional. Las organizaciones que cambian la mayoría de las veces, hallan que transformar es más fácil puesto que la inercia aún no ha surgido.

Evaluación del cambio

El último paso en el proceso de cambio consiste en evaluar los efectos de los cambios en la estrategia y estructura registrados en el desempeño organizacional. Una compañía debe comparar la forma como opera después de implementar el cambio con su previa manera de funcionamiento. Los gerentes utilizan índices como cambios en precios de mercado de las acciones o la participación en el mercado para evaluar los efectos de la transformación en la estrategia. No obstante, es mucho más difícil evaluar los efectos de los cambios en estructura sobre el desempeño de la compañía puesto que son mucho más difíciles de medir. Aunque las empresas pueden medir fácilmente el ingreso aumentado a partir de la incrementada diferenciación de productos, no poseen un medio seguro de evaluar cómo afecta el desempeño un cambio de estructura por productos a una divisional. Sin embargo, los gerentes pueden ser evaluados y con el tiempo puede ser obvio que hayan incrementado la flexibilidad organizacional y la habilidad de la firma para manejar su estrategia. Los gerentes también pueden evaluar si la transformación ha reducido el nivel de politiqueo y conflicto y ha fortalecido la cooperación entre las divisiones y funciones.

El cambio organizacional es un proceso complejo y difícil de manejar en forma exitosa por parte de las compañías. La primera dificultad consiste en hacer que los gerentes se den cuenta de su necesidad y admitir que existe un problema. Una vez reconocida la necesidad de la transformación, los gerentes pueden empezar el proceso de recomendar un curso de acción y analizar los obstáculos potenciales para el cambio. Dependiendo de la organización y el alcance del problema que enfrente la firma, es apropiado un cambio en línea ascendente o uno en línea descendente. Sin embargo, en ambos casos es mejor utilizar una combinación de gerentes internos y consultores externos para implementarlo. Después de su implementación, los gerentes evalúan sus efectos en el desempeño organizacional y luego se repite el proceso completo a medida que la compañía luche por incrementar su nivel de desempeño. Por esta razón, las organizaciones donde el cambio es un acontecimiento regular, hallan más fácil manejarlo que aquellas donde los gerentes conformistas comienzan un esfuerzo de cambio sólo cuando la compañía ya se encuentra en problemas.

La recesión en Tenneco

Un gran conglomerado, Tenneco, Inc., opera en negocios como gas natural, construcción de buques, piezas automotrices, químicos y maquinaria agrícola. En 1991, la compañía, con sede en Houston, Texas, ocupó el puesto número 27 en la revista *Fortune 500*, con ventas superiores a los US$14,000 millones. Sin embargo, cuando Michael H. Walsh se hizo presidente de Tenneco en 1991, ingresó a una empresa que había experimentado una caída en las ganancias durante años y que anunciaba una pérdida neta de US$732 millones para ese año. Su misión consistía en darle un vuelco total a Tenneco y reestructurar sus activos.

Walsh estaba acostumbrado al reto de transformar grandes compañías. Exitosamente había transformado totalmente a Union Pacific Corp., gran organización ferroviaria, y ésta se constituyó en la base de su reputación como agente de cambio por la cual la junta directiva de Tenneco lo contrató. Al asumir el intento de reestructuración, su primer paso consistió en analizar los problemas de la empresa para buscar sus fuentes. Halló serias deficiencias en su estructura y cultura, que le llevaron a un pobre desempeño en las distintas divisiones operativas. Por ejemplo, Case, fabricante de maquinaria agrícola de la empresa, se encontraba en circunstancias financieras bastante deplorables y era uno de los principales contribuyentes del deficiente desempeño corporativo. Con el fin de mantener a flote a Case, la alta gerencia continuamente había desperdiciado las utilidades de químicos y piezas automotrices, divisiones que funcionaban bien. Como resultado, los gerentes en estas divisiones tenían poca motivación para mejorar el desempeño divisional o cooperar entre sí y compartir recursos y capacidades. Además, con el paso de los años, la alta gerencia no instituyó un riguroso sistema de controles de mercado y de rendimiento con el fin de aplicar monitoreo y controlar el desempeño divisional. A los gerentes de división se les permitía manejar sus operaciones con poca supervigilancia corporativa; en consecuencia, hicieron inversiones que apoyaban sus intereses pero no los de la corporación. Con el tiempo, con la mínima revisión de sus actividades, las divisiones se hicieron muy parcas e incompetentes. Como se mencionó, también carecían de incentivos para cooperar y mejorar unidas el desempeño corporativo.

Walsh reconoció que la forma como funcionaba la estructura y la cultura de Tenneco se había convertido en un poderoso obstáculo para el cambio. Se dio cuenta de que para transformar el comportamiento de los gerentes divisionales y superar la inercia, generadora de continuas pérdidas para la compañía, tendría que cambiar las relaciones divisionales corporativas. Comenzó de arriba hacia abajo en la organización al cambiar actitudes y comportamiento de los gerentes. En primer lugar, instituyó un conjunto de controles de rendimiento y aclaró que a estas metas se les aplicaría monitoreo y serían de carácter obligatorio. Luego, creó un sistema de equipos en los que los gerentes de las distintas divisiones se reunirían para criticar el desempeño mutuo. Además, hizo más plana la jerarquía corporativa, eliminando tres niveles de gerentes corporativos con el fin de acercarse más a las divisiones y permitir que los jefes de las divisiones funcionaran como el equipo de alta gerencia de la compañía. Previamente, los gerentes divisionales tendrían que reunirse uno por uno con el CEO. Ahora funcionan como equipo corporativo.

Con este cambio en la estructura, Walsh descentralizó más el control hacia los gerentes divisionales. Sin embargo, al mismo tiempo los hizo más responsables de sus acciones, debido a que el desempeño de cada gerente es más visible para el CEO y para los demás altos gerentes. Como resultado, los altos gerentes tienen más incentivos para mejorar el desempeño corporativo. Estos cambios destruyeron en forma efectiva la inercia que penetraba en la antigua estructura organizacional de la empresa y generaron la evolución de una nueva cultura, donde las metas corporativas, no las divisionales, y los valores guiaron el comportamiento divisional. Walsh ha continuado estos esfuerzos de cambio en todos los niveles de la compañía. Con el propósito de cambiar las actitudes y comportamiento a nivel funcional, ha establecido un sistema de equipos de calidad en cada división de la empresa. En estos equipos interdisciplinarios, se espera que los empleados busquen soluciones para mejorar la calidad y reducir costos, además Walsh con regularidad envía masajes por medio de videos a los empleados exhortándolos a que busquen nuevas formas de maximizar el desempeño. También dio ejemplo desde la cúpula de la organización al eliminar adornos innecesarios para la alta gerencia como comedores, lujosos yates, jets y automóviles privados.

En toda la compañía, Walsh ha tratado de destruir la antigua cultura de apatía, en la que los gerentes y empleados se contentaban con mantener el *statu quo* y evitar asumir los problemas de la organización. Hasta el momento, sus esfuerzos para cambiar la empresa han sido espectacularmente exitosos. Tenneco tuvo una utilidad neta superior a los US$500 millones en 1993, y los analistas pronostican firmes incrementos en las utilidades para los próximos años por sus esfuerzos de reestructuración. Superar los obstáculos para el cambio en una firma puede constituirse en un proceso bastante difícil, pero como lo sugiere la experiencia en Tenneco, los gerentes, empleados y accionistas pueden obtener grandes utilidades a partir de éste.

14.6   RESUMEN DEL CAPÍTULO

En este capítulo se examinó la parte política de la formulación e implementación de estrategias y se analizaron los problemas que pueden surgir en el manejo de los cambios en la estrategia y la estructura. Ahora debe manifestarse que las organizaciones no son sólo sistemas racionales de toma de decisiones donde los gerentes fríamente calculan los rendimientos potenciales de sus inversiones. Las organizaciones son áreas de poder, donde los individuos y grupos luchan por el prestigio y la posesión de escasos recursos. En la búsqueda de intereses, los gerentes compiten y entran en conflicto. La propia naturaleza de la organización hace inevitable esta situación. Los gerentes deben afrontar la política y el conflicto en forma creativa con el fin de lograr beneficios organizacionales a partir de ellos. También tienen que manejar el proceso de cambio organizacional de tal manera que la compañía pueda maximizar su habilidad para explotar el ambiente. Las empresas más exitosas son aquellas donde el cambio se considera una norma y los gerentes buscan constantemente mejorar las fortalezas organizacionales y eliminar las debilidades de tal modo que puedan maximizar la rentabilidad futura. En este capítulo se abordaron los siguientes puntos:

1. La toma de decisiones organizacionales es una combinación de procesos racionales y políticos. La formación de coaliciones, compromisos y negociaciones son partes integrales del proceso de administración estratégica.

2. La política organizacional ocurre debido a que los diversos grupos poseen distintos intereses y diferentes percepciones del medio apropiado para beneficiar sus intereses.

3. Para participar en la política, los gerentes deben tener poder. El poder es la habilidad de una parte para hacer que otra parte actúe en pro de los intereses de la primera.

4. Las fuentes de poder disponibles para los gerentes estratégicos incluyen afrontar la incertidumbre, el centralismo, el control sobre la información, la irremplazabilidad y el control sobre las eventualidades y recursos.

5. La política debe manejarse si la compañía desea obtener beneficios del proceso, y una de las mejores formas de hacerlo consiste en crear un equilibrio de poder en la organización. Un funcionario CEO fuerte o una estructura bien diseñada puede crear equilibrio de poder.

6. El conflicto organizacional existe cuando las divisiones, funciones o individuos van más allá de la competencia y luchan por obstaculizar las metas de los demás. El conflicto puede definirse como una situación que ocurre cuando el comportamiento dirigido hacia las metas de un grupo bloquea el comportamiento proyectado a las metas de otro.

7. Que el conflicto sea positivo o negativo para la organización depende de la forma como se maneja. En general, las discrepancias son útiles para exponer las debilidades organizacionales, pero debe manejarse en forma rápida antes de que se salga de las manos.

8. El conflicto es inherente a la naturaleza del diseño de una organización. Las fuentes de conflicto incluyen diferenciación, relaciones de tareas y escasez de recursos.

9. El conflicto puede considerarse un proceso con una serie de etapas. Estas etapas son conflicto latente, conflicto percibido, conflicto sentido, conflicto manifiesto y consecuencias del conflicto.

10. El cambio organizacional es el proceso por el cual las compañías alteran su estrategia y estructura para mejorar el desempeño.

11. El cambio organizacional se maneja a través de una serie de etapas. En primer lugar, debe reconocerse la necesidad del cambio, y la compañía debe decidir su futuro estado ideal. Luego, los obstáculos para la transformación deben analizarse e incluirse en un plan para dicho cambio e implementarse. Finalmente, el proceso de cambio debe evaluarse para valorar sus efectos en el desempeño organizacional.

12. Las organizaciones que funcionan bien constantemente son conscientes de la necesidad de aplicar monitoreo a su desempeño, e institucionalizan las modificaciones de tal modo que pueden realinear sus estructuras para ajustarse al ambiente competitivo.

Preguntas y temas de análisis

1. ¿Cómo puede el manejo de la (a) política y (b) conflicto en las organizaciones generar una óptima toma de decisiones organizacionales? ¿Cómo podría una compañía crear un sistema de revisión y equilibrio en la organización mediante el diseño de su estructura y sistemas de control?

2. ¿Cómo podrían el conflicto y la política afectar la formulación e implementación de (a) estrategias genéricas competitivas y (b) estrategias a nivel de negocios?

3. ¿Cuáles son algunos de los problemas políticos que podría encontrar una empresa si adquiere un negocio relacionado y trata de integrarlo a su estructura organizacional? (Sugerencia: utilícense las fuentes de poder para estructurar la respuesta).

4. Analícese cómo se establecería un plan de cambio para una compañía no relacionada que comienza a seguir una estrategia de diversificación relacionada. ¿Qué problemas encontraría? ¿Cómo debe afrontarlos?

Aplicación 14

Tómese el ejemplo de una compañía que haya experimentado conflictos o luchas políticas internas entre los gerentes o subunidades. ¿Cuál es la fuente del problema? ¿Qué efectos ha tenido en el desempeño organizacional? ¿Qué pasos emplea la organización para controlar o manejar el problema?

Proyecto sobre administración estratégica: Módulo 14

Para la parte final sobre el proyecto de administración estratégica, la tarea consiste en examinar cómo la organización escogida ha manejado el proceso de conflicto, política y cambio estratégico.

1. ¿Hasta qué grado son comunes en la organización las contiendas políticas entre altos gerentes o entre divisiones o funciones? ¿Se pueden hallar ejemplos de luchas por el poder o contiendas políticas en esa organización?
2. Mediante las fuentes de poder analizadas en el capítulo (por ejemplo, centralismo, control sobre los recursos), elabórese un esquema de las relaciones de poder entre los diversos gerentes, divisiones o funciones en la organización. Con base en este análisis, ¿qué gerentes o subunidades tienen mayor poder? ¿Por qué? ¿Cómo utilizan su poder los gerentes en las subunidades fuertes para influir en la toma de decisiones?
3. Dada la naturaleza de la estrategia y estructura de la organización, ¿cuáles son sus probables fuentes de conflicto? ¿Se pueden hallar ejemplos de conflictos que hayan ocurrido allí?
4. ¿El CEO o la alta gerencia cómo tratan de manejar el conflicto o la política? ¿Esa organización es bastante política o conflictiva? ¿Por qué?
5. Hállense ejemplos de cambios recientes en la estrategia o estructura de la compañía. ¿Por qué realizó esos cambios? ¿Hasta qué grado se ha manejado bien el proceso de cambio por parte de la alta gerencia?
6. ¿Cuáles son los mayores obstáculos para el cambio en esa organización?
7. ¿Qué otros cambios debería hacer la compañía en su estrategia o estructura?

Notas

1. P. Annin and A. Underwood, "A Week of Woes Raises More Questions About Saint Merck", *Newsweek*, August 2, 1993, p. 35.
2. E. Tanouye, M. Waldholz, and G. Anders, "Stunning Departure of Merck Chief Signals Turmoil Inside and Out", *Wall Street Journal*, July 16, 1993, pp. A1, A4.
3. A. M. Pettigrew, *The Politics of Organizational Decision Making* (London: Tavistock, 1973).
4. R. H. Miles, *Macro Organizational Behavior* (Santa Mónica, Calif.: Goodyear, 1980).
5. J. G. March and H. A. Simon, *Organizations* (New York: Wiley, 1958).
6. J. G. March, "The Business Firm as a Coalition" *The Journal of Politics*, 24 (1962), 662-678; D. J. Vredenburgh and J. G. Maurer, "A Process Framework of Organi-zational Politics", *Human Relations*, 37 (1984), 47-66.
7. T. Burns, "Micropolitics: Mechanism of Institutional Change", *Administrative Science Quarterly*, 6 (1961),

257-281.
8. R. A. Dahl, "The Concept of Power", *Behavioral Science*, 2 (1957), 201-215; G. A. Astley and P. S. Sachdeva, "Structural Sources of Intraorganizational Power", *Academy of Management Review*, 9 (1984), 104-113.
9. Esta sección se fundamenta básicamente en D. J. Hickson, C. R. Hinings, C. A. Lee, R. E. Schneck, and D. J. Pennings, "A Strategic Contingencies Theory of Intraorganizational Power", *Administrative Science Quarterly*, 16 (1971), 216-227; y C. R. Hinings, D. J. Hickson, J. M. Pennings, and R. E. Schneck, "Structural Conditions of Interorganizational Power", *Administrative Science Quarterly*, 19 (1974), 22-44.
10. Hickson *et al.*, "A Strategic Contingencies Theory".
11. Pettigrew, *The Politics of Organizational Decision Making*.
12. Hickson *et al.*, "A Strategic Contingencies Theory"; Pettigrew, *The Politics of Organizational Decision Making*.
13. Hickson *et al.*, "A Strategic Contingencies Theory".
14. H. A. Landsberger, "The Horizontal Dimension in

Bureaucracy", *Administrative Science Quarterly*, 6 (1961), 299-232.

15. G. R. Salancik and J. Pfeffer, "The Bases and Use of Power in Organizational Decision Making: The Case of a University", *Administrative Science Quarterly*, 19 (1974), 453-473.

16. "Corporate Shoot-Out at Black Rock", *Time*, September 22, 1986, 68-72.

17. "Civil War at CBS", *Newsweek*, September 15, 1986, 46-54.

18. P. W. Barnes, "Tisch Wins Praise for Fast Action at CBS", *Wall Street Journal*, October 28, 1986, p. A5.

19. P. J. Boyers, "Three New Bosses are Slashing Operations and Putting Nearly Everyone's Job on the Line", *New York Times*, November 2, 1986, p. 26.

20. J. A. Litterer, "Conflict in Organizations: A Reexamination", *Academy of Management Journal*, 9 (1966), 178-186; S. M. Schmidt and T. A. Kochan, "Conflict: Towards Conceptual Clarity", *Administrative Science Quarterly*, 13 (1972), 359-370; Miles, *Macro Organizational Behavior*.

21. Miles, *Macro Organizational Behavior*.

22. S. P. Robbins, *Managing Organizational Conflict: A Nontraditional Approach* (Englewood Cliffs, N. J.: Prentice-Hall, 1974); L. Coser, *The Functions of Social Conflict* (New York: Free Press, 1956).

23. Este análisis debe mucho al trabajo original de los siguientes autores: Lou R. Pondy, "Organizational Conflict: Concepts and Models", *Administrative Science Quarterly*, 2 (1967), 296-320; y R. E. Walton and J. M. Dutton, "The Management of Interdepartamental Conflict: A Model and Review", *Administrative Science Quarterly*, 14 (1969), 62-73.

24. M. Dalton, *Men Who Manage* (New York: Wiley, 1959); Walton and Dutton, "The Management of Interdepartmental Conflict".

25. R. T. King, Jr., "A Bad Buy? Bank America Finds It Got a Lot of Woe with Security Pacific", *Wall Street Journal*, July 22, 1993, A1, A4.

26. J. D. Thompson, *Organizations in Action* (New York: McGraw-Hill, 1967).

27. Walton and Dutton, "The Management of Interdepartmental Conflict", p. 65.

28. Walton and Dutton, "The Management of Interdepartmental Conflict"; J. McCann and J. R. Galbraith, "Interdepartamental Relationships", en *Handbook of Organizational Design*, ed. P.C. Nystrom and W. H. Starburck (New York: Oxford University Press, 1981).

29. Ibíd., p. 68.

30. Pondy, "Organizational Conflict", p. 300.

31. Ibíd., p. 310.

32. M. Lewyn, "Behind the Bloody Battle of Dart's Boardroom", *Business Week*, June 28, 1993, pp. 96-97.

33. A Miller, F. Chadeya, and B. Shenitz, "Dysfunctional Discounters", *Newsweek*, July 12, 1993, p. 47.

34. Ibíd., p. 316.

35. T. J. Peters and R. H. Waterman, Jr., *In Search of Excellence* (New York: Harper & Row, 1982).

36. J. Thackray, "Restructuring Is the Name of the Hurricane", *Euromoney* (February 1987), 106-108.

37. R. Beckhard, *Organizational Development* (Reading, Mass.: Addison-Wesley, 1969). W. L. French and C. H. Bell, Jr., *Organization Development*, 2nd ed. (Englewood Cliffs, N.J.: Prentice-Hall, 1978).

38. G. Smith, M. Schroeder, and L. Therrien, "How to Lose Friends and Influence No One", *Business Week*, January 25, 1993, pp. 42-43.

39. L. C. Coch and R. P. French Jr., "Overcoming Resistance to Change", *Human Relations* (August 1948), 512-532; P. R. Lawrence, "How to Deal with Resistance to Change", *Harvard Business Review* (January-February 1969), 4-12.

40. P. Kotter and L. A. Schlesinger, Choosing Strategies for Change", *Harvard Business Review* (March-April 1979), 106-114.

41. J. R. Galbraith, "Designing the Innovative Organization", *Organization Dynamics* (Winter 1982), 5-25.

42. M. Beer, *Organizational Change and Development* (Santa Monica, Calif.: Goodyear, 1980); L. E. Greiner, "Patterns of Organizational Change", *Harvard Business Review* (May-June 1967), 3-5.

V

Casos en administración estratégica

Introducción:
Análisis y redacción de
un estudio de caso

¿QUÉ ES UN ANÁLISIS DE ESTUDIO DE CASO?

Un análisis de estudio de caso es parte integral de un curso de administración estratégica. Su propósito consiste en proporcionar a los estudiantes experiencia sobre los problemas de este tipo que enfrentan organizaciones reales. Un estudio de caso presenta un informe de lo sucedido en un negocio o industria durante varios años. Éste registra una crónica de los acontecimientos que debieron enfrentar los gerentes, como cambios en el ambiente competitivo, y muestra su respuesta, que a menudo implica cambiar la estrategia a nivel de negocios o corporativo. Los casos que aparecen en esta parte del libro cubren una amplia variedad de aspectos y problemas para los gerentes involucrados. Algunos casos se refieren al hecho de hallar la correcta estrategia a nivel de negocios para competir en condiciones cambiantes. Algunos abordan situaciones de compañías que crecieron mediante adquisición, sin importar mucho la razón de su crecimiento, y cómo este tipo de crecimiento afectó su rentabilidad futura. Cada caso es diferente puesto que cada organización es distinta. Sin embargo, la conexión implícita en todos los casos es el uso de técnicas de administración estratégica para resolver los problemas de negocios.

Los casos son valiosos para un curso de administración estratégica por varias razones. En primer lugar, proporcionan el conocimiento de los problemas organizacionales para quienes probablemente no hayan tenido la oportunidad de experimentarlos en forma directa. En un periodo relativamente corto, el lector tendrá la oportunidad de apreciar y analizar los problemas que enfrentaron distintas compañías y de entender cómo trataron de afrontarlos los gerentes.

En segunda instancia, los casos ilustran la teoría y contenido de la administración estratégica, es decir, toda la información presentada en los primeros capítulos del libro. Esta información ha sido compilada, revelada y extraída a partir de las observaciones, investigación y experiencia de gerentes y académicos. El significado e implicación de esta información son más evidentes cuando se aplican a los estudios de caso. La teoría y los conceptos ayudan a revelar lo que está sucediendo en las compañías estudiadas, factores que, además, permiten evaluar las soluciones adoptadas por las empresas específicas para asumir sus problemas. En consecuencia, cuando se analicen los casos, será como una labor detectivesca para quien, con un conjunto de herramientas conceptuales, pruebe lo sucedido, quién o cuál fue la responsabilidad, y luego introduzca la evidencia que suministra la solución. Los altos gerentes disfrutan el desafío de evaluar sus habilidades para la solución de problemas en el mundo real. Es importante recordar, después de todo, que nadie tiene la última respuesta. Lo que los gerentes pueden hacer es el mejor pronóstico. De hecho, en repetidas ocasiones manifiestan que serían felices si aciertan sólo la mitad en la solución de problemas estratégicos. La administración estratégica constituye un juego incierto, y utilizar casos para ver cómo se puede poner en práctica la teoría es una forma de mejorar las habilidades de investigación diagnóstica.

En tercer lugar, los estudios de caso brindan la oportunidad de participar y ganar experiencia al exponer ideas a los demás. Algunas veces, los profesores solicitarán a los estudiantes* que identifiquen en grupo lo que sucede en un caso, y a través de la discusión en clase se revelarán por sí mismos aspectos y soluciones para dicho caso. En tal situación, la parte interesada tendrá que organizar sus perspectivas y conclusiones de manera que las pueda presentar. Sus colegas pueden analizar los problemas en forma diferente y desearán una sustentación de sus puntos antes de aceptar conclusiones; por tal razón, es mejor prepararse para un debate. Esta forma de discusión constituye un ejemplo del enfoque dialéctico para la toma de decisiones, como se recordará del capítulo 1. Así se toman las decisiones en el mundo real de los negocios.

Los profesores también pueden asignar a un individuo, o más comúnmente a un grupo, el análisis de un caso ante el resto de estudiantes. El individuo o el grupo probablemente será responsable de una exposición del caso durante 30 a 40 minutos. Ésta debe cubrir los aspectos implicados, los problemas que enfrenta la compañía y una serie de recomendaciones para resolverlos. Luego se abrirá la discusión, y el expositor deberá defender sus ideas. A través de tales análisis y exposiciones, se tendrá la oportunidad de presentar las ideas propias en forma efectiva ante los demás. Recuérdese que una gran cantidad del tiempo de los gerentes se emplea en este tipo de situaciones, presentando sus ideas y comprometiéndose en el análisis con otros gerentes, quienes tienen sus propios puntos de vista sobre lo que está sucediendo. Así, se experimentará en el salón de clase el proceso real de la administración estratégica, y experiencia que le servirá al interesado en su futura carrera.

Si se trabaja en un grupo para analizar estudios de caso, también habrá aprendizaje acerca del proceso de grupo implicado en el trabajo conjunto. Cuando las personas se desempeñan en grupo, a menudo es difícil programar el tiempo y asignar la responsabilidad para el análisis de caso. Siempre habrá miembros que eludan sus responsabilidades o tan seguros de sus propias ideas que tratarán de predominar en el análisis del grupo. Sin embargo, la mayor parte de la administración estratégica tiene lugar en grupos, y es mejor si el interesado aprende ahora acerca de estos problemas.

ANÁLISIS DE UN ESTUDIO DE CASO

Como se mencionó, el propósito del estudio de caso consiste en permitir aplicar los conceptos de la administración estratégica cuando se analizan los problemas que enfrenta una compañía específica. Por tanto, con el fin de analizar un estudio de caso es imprescindible examinar minuciosamente los obstáculos para la organización. Con mucha frecuencia, será necesario leer el caso varias veces: la primera para tener una idea general de lo que sucede en la empresa y luego varias veces para descubrir y entender los problemas específicos.

Generalmente, el análisis detallado de un estudio de caso debe incluir ocho áreas:

1. La historia, desarrollo y crecimiento de la compañía con el paso del tiempo

---

* *N. de R. T.* Dada la objetividad y la manera de abordar el tema, se considera que esta obra se puede utilizar no sólo como guía de un curso específico sino también como material de consulta para todos aquellos involucrados profesionalmente en la administración de las empresas.

2. La identificación de las fortalezas y debilidades internas de la organización
3. La naturaleza del ambiente externo que rodea la compañía
4. Un análisis DOFA
5. El tipo de estrategia a nivel corporativo seguido por la empresa
6. La naturaleza de su estrategia a nivel de negocios
7. La estructura y sistemas de control de la firma y cómo ajustan su estrategia
8. Recomendaciones

Con el fin de analizar un caso, es necesario aplicar los conceptos del curso para cada una de estas áreas. La utilización de los conceptos se hace obvia a partir de los títulos de los capítulos. Por ejemplo, para analizar el ambiente de la compañía se debe utilizar el capítulo 3, sobre análisis ambiental.

Con el propósito de auxiliar mejor este proceso, en seguida se ofrece una breve guía de algunos de los principales conceptos de administración estratégica, elementos que se pueden utilizar para estudiar el material en cada uno de los puntos anotados.

1. *Análisis de la historia, el desarrollo y el crecimiento de la compañía*   Una manera conveniente de investigar cómo la antigua estrategia y estructura afectan la empresa en el presente consiste en mostrar los incidentes críticos en su historia; es decir, los sucesos más importantes o los más esenciales para transformarse en la compañía actual. Algunos de estos hechos tienen que ver con su fundación, productos iniciales, decisiones sobre mercado de nuevos productos, y desarrollo y selección de habilidades funcionales por seguir. Su ingreso en los nuevos negocios y los cambios en sus principales líneas de negocios también constituyen importantes acontecimientos para analizar.

2. *Identificar las fortalezas y debilidades internas de la compañía*   Una vez completo el perfil histórico, es posible comenzar a realizar el análisis DOFA. Es necesario tener en cuenta todos los incidentes expuestos y utilizarlos para realizar un informe de las fortalezas y debilidades de la empresa a medida que han surgido históricamente. Examinar cada una de las funciones de creación de valor de la empresa, e identificar las funciones en las cuales corrientemente es fuerte y débil. Algunas firmas pueden ser débiles en marketing; otras pueden ser fuertes en investigación y desarrollo. Es necesario elaborar listas de estas fortalezas y debilidades. La tabla de la página C6 proporciona ejemplos de lo que podría aparecer en estas listas.

3. *Analizar el ambiente externo*   El siguiente paso consiste en identificar las oportunidades y amenazas ambientales. En esta parte se deben aplicar todos los conceptos del capítulo 3, sobre la industria y los macroambientes, con el fin de analizar el ambiente que afronta la organización. A nivel industrial es de particular importancia el modelo de cinco fuerzas de Porter y las etapas del modelo del ciclo de vida. Los factores sobresalientes en el macroambiente dependerán de la compañía específica analizada. No obstante, se debe utilizar cada concepto a su turno, por ejemplo, los factores demográficos, para ver si es relevante para la compañía estudiada.

Con esta parte, se habrá generado un análisis del ambiente de la empresa y una lista de oportunidades y amenazas. La tabla también muestra algunas oportunidades y amenazas ambientales comunes que se podrían buscar, pero la lista que se realice deberá ser específica para la compañía.

4. *Evaluar el análisis DOFA*   Después de identificar las oportunidades y amenazas externas de la empresa, al igual que sus fortalezas y debilidades internas, es necesario analizar lo que éstas significan. Es decir, hacer un balance de las fortalezas y las debilidades frente a las oportunidades y las

Tabla 1
Una lista de verificación DOFA

Potenciales fortalezas internas
¿Existen muchas líneas de productos?
¿Presenta amplia cobertura de mercado?
¿Existen habilidades de fabricación?
¿Posee buenas habilidades de marketing?
¿Existen buenos sistemas de administración de materiales?
¿Presenta habilidades de I&D y liderazgo?
¿Posee habilidades en sistemas de información?
¿Existen habilidades en cuanto a recursos humanos?
¿Posee reputación de marca?
¿Presenta habilidades en la administración del portafolio?
¿Posee una ventaja en costos de diferenciación?
¿Posee experiencia en la administración de nuevas operaciones?
¿Presenta un apropiado estilo administrativo?
¿Existe una apropiada estructura organizacional?
¿Existen apropiados sistemas de control?
¿Posee una capacidad para manejar el cambio estratégico?
¿Existe una estrategia corporativa bien desarrollada?
¿Presenta una buena administración financiera?
¿Existen otras potenciales fortalezas internas?

Potenciales oportunidades ambientales.
¿Se puede ampliar el(los) negocios(s) principal(es)?
¿Es posible explotar nuevos segmentos de mercado?
¿Se puede ampliar la variedad de productos?
¿Es posible ampliar la ventaja en costos o la diferenciación?
¿Se puede diversificar en el crecimiento de nuevos negocios?
¿Es posible ampliarse a mercados extranjeros?
¿Se puede aplicar habilidades de I&D en nuevas áreas?
¿Es posible ingresar en nuevos negocios relacionados?
¿Pueden integrarse verticalmente hacia adelante?
¿Es posible integrarse verticalmente hacia atrás?
¿Se puede ampliar el portafolio corporativo?
¿Es posible superar las barreras para el ingreso?
¿Se puede reducir la rivalidad entre los competidores?
¿Es posible hacer rentables las nuevas adquisiciones?
¿Se puede aplicar el capital de marca en nuevas áreas?
¿Es posible tratar de acelerar el crecimiento del mercado?
¿Se cuenta con otras potenciales oportunidades ambientales?

Potenciales debilidades internas
¿Existen líneas de productos obsoletas y reducidas?
¿Presenta crecientes costos de fabricación?
¿Existe una decadencia en las innovaciones de I&D?
¿Existe una deficiente planeación de marketing?
¿Posee sistemas deficientes de administración de materiales?
¿Presenta una pérdida de *good will* frente al cliente?
¿Posee sistemas de información inadecuados?
¿Existen recursos humanos inadecuados?
¿Presenta una pérdida del valor de la marca?
¿Presenta un crecimiento sin dirección?
¿Existe una mala administración de portafolio?
¿Presenta una pérdida de dirección corporativa?
¿Existen luchas internas entre las divisiones?
¿Presenta una pérdida del control corporativo?
¿Presenta una estructura y sistemas de control organizacional inapropiados?
¿Presenta un alto nivel de conflicto y política?
¿Existe una deficiente administración financiera?
¿Existen otras potenciales debilidades internas?

Potenciales amenazas ambientales
¿Se presentan ataques al(los) negocio(s) principal(es)?
¿Existen incrementos en la competencia doméstica?
¿Existe un incremento en la competencia extranjera?
¿Se presentan cambios en los gustos del consumidor?
¿Se genera una caída de las barreras para el ingreso?
¿Se presenta un ascenso en los productos nuevos o sustitutos?
¿Existe un incremento en la rivalidad industrial?
¿Se presentan nuevas formas de competencia industrial?
¿Existe un potencial para la adquisición?
¿Se presenta la existencia de compradores corporativos?
¿Se presenta un incremento en la competencia regional?
¿Existen cambios en los factores demográficos?
¿Existen cambios en los factores económicos?
¿Se presenta una depresión en la economía?
¿Se presentan crecientes costos de mano de obra?
¿Se presenta un retraso en el crecimiento del mercado?
¿Existen otras potenciales amenazas ambientales?

amenazas. ¿La compañía se encuentra en una fuerte posición competitiva general? ¿Puede continuar siguiendo en forma rentable su actual estrategia a nivel de negocios o a nivel corporativo? ¿Qué puede hacer la empresa para transformar las debilidades en fortalezas y las amenazas en oportunidades? ¿Puede desarrollar nuevas estrategias a nivel funcional, de negocios o corporativo con el fin de lograr este cambio? *El análisis DOFA nunca se debe realizar sólo y luego aislarlo.* Puesto que éste suministra un resumen breve de la condición de la compañía, un buen análisis DOFA es la clave para todos los estudios que siguen.

5. *Analizar la estrategia a nivel corporativo*   Para analizar la estrategia a nivel corporativo de la compañía, en primer lugar es necesario definir su misión y metas. Algunas veces, la misión y metas están explícitas en el caso; en otras ocasiones habrá que deducirlas a partir de la información disponible. La información por compilar para hallar la estrategia corporativa de la empresa incluye factores como su(s) línea(s) de actividades y la naturaleza de sus subsidiarias y adquisiciones. Es importante analizar la relación existente entre los negocios de la compañía. ¿Intercambian o comercian recursos? ¿Existen beneficios a partir de la sinergia? O, ¿la compañía sólo maneja un portafolio de inversiones? Este análisis permite definir la estrategia corporativa de la organización (por ejemplo, diversificación relacionada o no relacionada, o una combinación de las dos) y concluir si la firma opera en sólo un negocio principal. Luego, se debe tomar el análisis DOFA y discutir los méritos de esta estrategia. ¿Es apropiada, dado el ambiente donde se encuentra la compañía? ¿Un cambio en la estrategia corporativa podría proporcionarle nuevas oportunidades o transformar una debilidad en una fortaleza? Por ejemplo, ¿debe diversificar a partir de su negocio principal a nuevas actividades?

De igual manera, se deben analizar otros aspectos. ¿Cómo y por qué razón la estrategia de la empresa ha cambiado con el tiempo? ¿Cuál es la razón que justifica esos cambios? A menudo, es aconsejable analizar los negocios o productos de la firma con el fin de evaluar su situación e identificar qué divisiones contribuyen más o reducen su ventaja competitiva. También es útil explorar cómo la organización ha creado su portafolio con el tiempo. ¿Adquirió nuevos negocios o realizó una operación interna por sí misma? Todos estos factores proporcionan claves sobre la compañía e indican formas de mejorar su futuro desempeño.

6. *Analizar la estrategia a nivel de negocios*   Una vez conocida la estrategia a nivel corporativo de la empresa y realizado el análisis DOFA, el siguiente paso consiste en identificar su estrategia a nivel de negocios. Si la firma no es diversificada, entonces su estrategia a nivel de negocios es idéntica a su estrategia a nivel corporativo. Si se encuentra en varias actividades, entonces cada una tendrá su propia estrategia a nivel de negocios. Se debe identificar la estrategia genérica competitiva de la firma (diferenciación, bajo costo o concentración) y su estrategia de inversión, dada su relativa posición competitiva y la etapa del ciclo de vida. Ésta también puede comercializar diferentes productos utilizando distintas estrategias a nivel de negocios. Por ejemplo, puede ofrecer una variedad de productos de bajo costo y una línea de productos diferenciados. Se debe estar seguro de proporcionar un completo informe sobre la estrategia a nivel de negocios de la empresa con el fin de mostrar cómo compite.

Es muy importante identificar las estrategias funcionales que sigue una empresa tanto para generar ventaja competitiva a través de niveles superiores de eficiencia, calidad, capacidad de satisfacer al cliente e innovación como para lograr su estrategia a nivel de negocios. El análisis DOFA proporcionará información sobre las habilidades funcionales de la empresa. Adicionalmente se debe investigar la estrategia de producción, marketing o investigación y desarrollo para obtener una descripción de la dirección que sigue la compañía. Por ejemplo, seguir en forma exitosa una estrategia de bajo costo o de diferenciación requiere un conjunto muy distinto de habilidades. ¿La compañía ha desarrollado las habilidades apropiadas? Si es así, ¿cómo puede explotarlas posteriormente?¿Puede seguir en forma simultánea una estrategia de bajo costo y una de diferenciación?

El análisis DOFA es especialmente importante en este punto si el análisis industrial, en particular el modelo de Porter, revela las amenazas del ambiente para la compañía. ¿La firma puede contrarrestarlas? ¿Cómo debe cambiar su estrategia a nivel de negocios para enfrentarlas? Con el fin de evaluar el potencial de la estrategia a nivel de negocios de una empresa, en primer lugar se debe desarrollar un análisis DOFA completo que recoja la esencia de sus problemas.

Una vez terminado este análisis, se tendrá una completa ilustración de la forma como la compañía opera y se estará en capacidad de evaluar el potencial de su estrategia. Así, se podrán realizar las recomendaciones concernientes al modelo de sus futuras acciones. Pero, en primer lugar es imprescindible estudiar la implementación de la estrategia, o la manera como la firma trata de lograrla.

7. *Análisis de la estructura y los sistemas de control*   El objetivo del análisis en este punto consiste en identificar la estructura y sistemas de control que utiliza la compañía para implementar su estrategia y evaluar si es apropiada la estructura. Como se analizó en el capítulo 13, las distintas estrategias corporativas y de negocios requieren estructuras diferentes. Ese capítulo proporciona herramientas conceptuales para determinar *el grado de ajuste entre la estrategia y la estructura de la compañía*. Por ejemplo, ¿la firma posee el correcto nivel de diferenciación vertical (dígase, ¿tiene la cantidad apropiada de niveles en la jerarquía o control descentralizado?) o de diferenciación horizontal (¿utiliza una estructura funcional cuando debería hacer uso de una estructura por productos?)? En forma similar, ¿la compañía utiliza la integración o sistemas de control apropiados para manejar sus operaciones? ¿Los gerentes son pagados en forma apropiada? ¿Existen correctos sistemas de remuneración para motivar la cooperación entre las divisiones? Éstos son los aspectos por analizar.

En algunos casos, existirá bastante información sobre estos aspectos, en tanto que en otros no. Obviamente, al escribir cada caso, el análisis se debe dirigir hacia sus aspectos más sobresalientes. Por ejemplo, el conflicto, el poder y la política organizacional serán aspectos fundamentales para algunas compañías. Es importante tratar de analizar por qué ocurren estos problemas en esas áreas. ¿Se presentan debido a la mala formulación de estrategias o a su mala implementación?

El cambio organizacional constituye un aspecto en la mayoría de los casos puesto que las compañías intentan modificar sus estrategias o estructuras para resolver problemas estratégicos. Así, como parte del análisis, se podría sugerir un plan de acción que la compañía analizada puede utilizar para lograr sus metas. Por ejemplo, hacer una lista en secuencia lógica de las medidas necesarias para modificar su estrategia a nivel de negocios, de la diferenciación a la concentración.

8. *Hacer recomendaciones*   La última parte en el proceso del estudio de caso implica hacer recomendaciones fundamentadas en este análisis. Obviamente, la calidad de las recomendaciones es un resultado directo de la minuciosidad con la cual se prepara el análisis. La tarea se hará evidente a partir de la naturaleza de las recomendaciones. Éstas van dirigidas a resolver cualquier problema estratégico que enfrente la compañía y a incrementar su rentabilidad futura. Las sugerencias deben ser coherentes con el análisis, es decir, deben seguir en forma lógica el análisis previo. Por ejemplo, generalmente deben concentrarse en las formas específicas de cambiar la estrategia funcional, de negocios y corporativa, y la estructura y control organizacionales para mejorar el desempeño del negocio. El conjunto de recomendaciones será específico para cada caso, por esta razón es difícil analizarlas aquí. Éstas podrían incluir un incremento en los gastos sobre proyectos específicos de investigación y desarrollo, el desestimiento de ciertos negocios, un cambio de la estrategia de diversificación no relacionada a una de diversificación relacionada, un incremento en el nivel de integración entre las divisiones utilizando comités de tareas y equipos de trabajo, o un desplazamiento hacia un tipo diferente de estructura para implementar la nueva estrategia a nivel de negocios. De nuevo, es importante asegurarse que las recomendaciones sean mutuamente coherentes y redactadas en forma de un plan de acción. El plan podría contener un programa que presente en serie las acciones para cambiar la estrategia de la compañía y una descripción de cómo los cambios a nivel corporativo necesitarán modificaciones a nivel de negocios y posteriormente a nivel funcional.

Después de seguir todas estas etapas se habrá desarrollado un completo análisis del caso y se estará en capacidad de participar en una discusión o exponer sus propias ideas al grupo, dependiendo del formato utilizado por el director del programa. Recuérdese que es importante adaptar el análisis para que se ajuste al aspecto específico discutido en cada caso. En algunas situaciones, se podría omitir completamente una de las etapas del estudio por no ser pertinente para la situación considerada en el momento. Es necesario estar abierto a las necesidades del caso y no aplicar a ciegas la estructura analizada en esta sección. Este marco de trabajo sólo es una guía y no un parámetro rígido para tener éxito en determinado análisis.

REDACCIÓN DE UN ESTUDIO DE CASO

A menudo, como parte de los requerimientos del curso, el estudiante necesitará redactar uno o varios casos y presentar por escrito un análisis de este tipo. Éste puede ser un informe individual o de grupo. En cualquiera instancia, existen ciertos parámetros en la redacción de un caso que mejorarán la evaluación del análisis por parte del profesor. Antes de abordar estos parámetros, y de utilizarlos, es necesario asegurarse de que se ajusten a las reglas establecidas por el profesor.

La estructura del informe es decisiva. Generalmente, si se siguen las etapas del análisis estudiadas en la sección anterior, *se podrá contar con una buena estructura para el análisis escrito*. Todos los informes comienzan con una *introducción* al caso. En ésta, el estudiante esboza brevemente la actividad de la compañía, cómo se desarrolló históricamente, qué problemas está experimentando y cómo se van a enfocar los aspectos en la redacción del caso. Es importante elaborar el texto en forma secuencial, así: «En primera instancia, se analizará el ambiente de la compañía X... En tercer lugar, se analiza su estrategia a nivel de negocios... Finalmente, se suministrarán las recomendaciones para darle un vuelco total a los negocios de la compañía X».

En la segunda parte de la redacción del caso, la sección de análisis estratégico, se realiza el análisis DOFA, se estudian y abordan la naturaleza y problemas de la estrategia a nivel de negocios y a nivel corporativo de la empresa, y luego se analizan su estructura y sistemas de control. Es importante asegurarse de utilizar títulos y subtítulos suficientes y apropiados para estructurar el análisis. Por ejemplo, tener secciones separadas para cualquier herramienta conceptual importante que se utilice. Por ejemplo, se podría tener una sección sobre el modelo de cinco fuerzas de Porter como parte del análisis acerca del ambiente. O podría ofrecerse una sección separada sobre las técnicas de portafolio cuando se analice la estrategia corporativa de la empresa. Es necesario adaptar las secciones y subsecciones al aspecto específico de importancia en el caso.

En la tercera parte de la redacción del caso, deben presentarse las soluciones y recomendaciones. Es necesario ser comprensivo, hacerlo con base en el análisis previo de tal manera que las sugerencias se ajusten, y desplazarse lógicamente de una recomendación a la siguiente. Esta sección debe ser bastante clara puesto que, como se mencionó, así el profesor tendrá una buena idea de la labor realizada en el caso partiendo de la calidad de las mismas.

Con esta estructura se proporcionará una buena guía para la mayoría de los informes escritos, aunque obviamente debe configurarse para que se ajuste al caso individual considerado. Algunos casos son acerca de compañías excelentes que no experimentan problemas. En tales circunstancias, es difícil escribir recomendaciones. En ese caso, el análisis puede concentrarse en por qué la compañía está funcionando bien y utilizarlo para estructurar los temas de discusión. Hay otros puntos menores que también pueden afectar la evaluación del informe:

1. No se deben repetir en forma de resumen grandes fragmentos de información del caso y presentarlos en el reporte. Más bien, es importante utilizar la información para ilustrar las propias afirmaciones, defender planteamientos o resaltar aspectos. Además de realizar una breve presentación de la compañía, se debe evitar la *descripción*; por el contrario, el informe debe ser *analítico*.

2. Debe asegurarse que las secciones y subsecciones del análisis fluyan lógica y fácilmente de una parte a la siguiente. Es decir, es necesario tratar de basarse en lo sucedido, de tal manera que el estudio del caso genere interés constante. Esto es particularmente importante para los casos de trabajo en grupo. Con estos casos en grupo existe la tendencia a que las personas dividan el trabajo y digan: «Yo hago el comienzo, usted trabaja la mitad y fulanito la parte final». El resultado es negativo puesto que las partes del análisis no fluyen de una a otra, y para el evaluador es evidente que en realidad no constituye un trabajo de grupo.

3. Se deben evitar los errores gramaticales y de ortografía. Éstos empobrecen el documento.

4. Algunos casos que abordan compañías reconocidas a finales de 1993 ó 1994 puesto que no había información disponible de último momento cuando se redactó el caso. Si es posible, hacer consultas en la biblioteca para obtener más información sobre lo que le ha sucedido a la compañía desde entonces. Las siguientes podrían ser fuentes de información para realizar esta investigación:

- *Fuentes en disco compacto (CD) como Lotus One Source e Info Trac* suministran bastante y buena información que incluye resúmenes de recientes artículos sobre compañías específicas a las que se puede tener acceso en las bibliotecas.

- *F&S Predicast* suministra una lista anual de todos los artículos escritos sobre una compañía en particular. Sencillamente con los títulos se tiene una idea de lo que sucede en la compañía.

- *Los informes anuales del 10K* a menudo proporcionan un organigrama.

- *Escribir a la compañía para solicitar información.*

- *Fortune, Business Week* y *Forbes* tienen bastantes artículos sobre organizaciones caracterizadas en los casos de este libro.

- Los informes industriales del *Standard & Poor* proporcionan información detallada acerca de las condiciones competitivas que enfrenta la industria de la compañía. Sería aconsejable consultar esta publicación*.

---

* *N de R. T.* Se sugiere consultar material local en cada uno de los países para aquellas personas interesadas en elaborar análisis de administración estratégica.

5. Algunas veces el profesor asignará preguntas para cada caso con el fin de ayudar a la elaboración del análisis. Deben utilizarse como guía para el análisis y redacción del caso puesto que a menudo iluminan los aspectos importantes por abordar en los temas de discusión.

Si se siguen los parámetros en esta sección, se estará en capacidad para realizar una completa y efectiva evaluación.

PARÁMETROS PARA EL PROYECTO SOBRE ADMINISTRACIÓN ESTRATÉGICA

Los parámetros propuestos para la realización del estudio de caso tambien se pueden seguir para investigar y redactar el análisis en los módulos del proyecto sobre administración estratégica que se encuentran al final de cada capítulo del libro. Con el fin de responder las preguntas de cada módulo, por ejemplo, será necesario localizar y tener acceso a artículos sobre la compañía escogida para estudiar en la misma forma como se actualizará la información de las organizaciones en los casos. Obviamente, la persona interesada necesitará compilar más información sobre la firma escogida puesto que ese es *su caso*.

Estas reglas también pueden utilizarse para redactar el proyecto sobre administración estratégica. La experiencia de analizar una o más de las organizaciones presentadas en los casos, y redactar el análisis, permitirá mejorar las capacidades analíticas y ayudar a mejorar el proyecto sobre administración estratégica. Esencialmente, en el proyecto al mismo tiempo se escribe y analiza una compañía para mostrar cómo crea valor a través de su estrategia y estructura.

EL ROL DEL ANÁLISIS FINANCIERO EN UN ESTUDIO DE CASO

Otro aspecto importante del análisis y redacción de un estudio de caso lo constituye el rol y utilización de la información financiera. Un cuidadoso análisis de la condición financiera de la empresa mejora considerablemente la elaboración del caso. Después de todo, los datos financieros representan los resultados concretos de la estrategia y estructura de la compañía. Aunque analizar los estados financieros puede ser bastante complejo, la idea general de la posición financiera de la compañía puede determinarse a través del análisis de índices. Los índices de desempeño financieros pueden calcularse a partir del balance general y del estado de ingresos y gastos. Estos índices pueden clasificarse en cinco subgrupos diferentes: índices de utilidad, índices de liquidez, índices de actividad, índices de apalancamiento e índices de retorno para el accionista. Éstos deben compararse con el promedio de la industria o los primeros años de desempeño de la empresa. Sin embargo, debe anotarse que la desviación del promedio no necesariamente es negativa; simplemente justifica la investigación posterior. Por ejemplo, las compañías más recientes compran activos a un precio diferente y probablemente tendrán una estructura de capital distinta de la de las empresas antiguas. Además del análisis de índices, la posición del flujo de caja de una compañía es de considerable importancia y debe evaluarse. El flujo de caja muestra cuánto efectivo real posee la empresa.

Índices de beneficios

Los índices de beneficios miden la eficiencia con la cual la compañía utiliza sus recursos. Cuanto más eficiente sea la organización mayor será su rentabilidad. Es útil comparar la rentabilidad de una firma frente a la de los principales competidores en su industria. Tal comparación mostrará si la compañía está funcionando en forma más o menos eficiente que sus rivales. Además, el cambio en los índices de utilidad de una empresa con el tiempo mostrará si el desempeño está mejorando o declinando.

Se pueden utilizar distintos índices de utilidad, y cada uno mide un aspecto diferente del desempeño de una firma. Los índices de utilidad utilizados más comúnmente son los siguientes:

1. *Margen de utilidad bruta*   Este margen sencillamente proporciona la relación de ventas disponible para cubrir los gastos generales y administrativos y otros costos operativos. Se define de la siguiente forma:

$$\text{Margen de utilidad bruta} = \frac{\text{Ingresos por ventas - Costo de bienes vendidos}}{\text{Ingresos por ventas}}$$

2. *Margen de utilidad neta*   Éste corresponde a la relación de utilidad obtenida sobre las ventas. Este índice es importante puesto que los negocios necesitan obtener una utilidad para sobrevivir a largo plazo. Se define de la siguiente manera:

$$\text{Margen de utilidad neta} = \frac{\text{Ingreso neto}}{\text{Ingreso por ventas}}$$

3. *Rendimiento sobre activos totales*   Este índice mide la utilidad obtenida sobre el empleo de activos. Se define así:

$$\text{Rendimiento sobre activos totales} = \frac{\text{Ingreso neto disponible para los accionistas comunes}}{\text{Activos totales}}$$

El ingreso neto corresponde a la utilidad obtenida después que se han pagado dividendos sobre acciones preferenciales. Estos dividendos se establecen mediante contrato. Los activos totales incluyen los activos corrientes y no corrientes.

4. *Retorno del capital accionario*   Este índice mide la relación de utilidad obtenida sobre la inversión de los accionistas comunes en la empresa. En teoría, una compañía que trata de maximizar la riqueza de sus accionistas debe tratar de maximizar este índice. Se define de la siguiente forma:

$$\text{Retorno del capital accionario} = \frac{\text{Ingreso neto disponible para los accionistas}}{\text{Capital del accionista}}$$

Índices de liquidez

La liquidez de una compañía constituye una medida de su capacidad para asumir obligaciones a corto plazo. Un activo se considera líquido si puede convertirse rápidamente en efectivo. Los activos líquidos son activos corrientes como el efectivo, los títulos negociables, las cuentas por cobrar y otros. Comúnmente se utilizan dos índices de liquidez:

1. *Relación corriente*   Ésta mide el grado al cual se cubren las exigencias de los acreedores a corto plazo mediante los activos que rápidamente pueden convertirse en efectivo. La mayoría de las compañías deben tener una relación de por lo menos 1 puesto que al no cumplir con estos compromisos puede llevar a la bancarrota. La relación se define así:

$$\text{Relación corriente} = \frac{\text{Activos corrientes}}{\text{Pasivos corrientes}}$$

2. *Índice de activo disponible a pasivo corriente*   Este índice mide la capacidad de una compañía para pagar las obligaciones con los acreedores a corto plazo sin depender de la venta de sus inventarios. Es una medida valiosa puesto que en la práctica a menudo es difícil la venta de inventarios. Se define así:

$$\text{Índice de activo disponible a pasivo corriente} = \frac{\text{Activos corrientes - Inventario}}{\text{Pasivos corrientes}}$$

Índices de actividad

Los índices de actividad indican hasta qué punto es efectivo el manejo de los activos por parte de la empresa. Existen dos índices particularmente útiles.

1. *Rotación de inventarios*   Ésta proporciona la medición de la cantidad de veces que se rota el inventario. Es útil para determinar si una firma posee exceso de existencias en el inventario. Se define de la siguiente forma:

$$\text{Rotación de inventario} = \frac{\text{Costo de bienes vendidos}}{\text{Inventario}}$$

El costo de los bienes vendidos constituye una medición de la rotación mejor que las ventas, puesto que es el costo de los ítemes de inventario. Los datos del inventario se toman del balance general. Algunas compañías optan por calcular un inventario promedio.

$$\left(\frac{\text{Inventario inicial más Inventario final}}{2} \right)$$

pero, con el fin de hacerlo más sencillo, utilizan el inventario en la fecha del balance general.

2. *Ventas pendientes en días (VPD) o periodo promedio de cartera*   Este índice constituye el tiempo promedio que una compañía debe esperar para recibir su efectivo después de realizar una venta. Éste mide qué tan efectivos son los procedimientos de crédito, facturación y cobro de la empresa. Se define de la siguiente forma:

$$VPD = \frac{\text{Cuentas por cobrar}}{\text{Ventas totales}/360}$$

Cuentas por cobrar se divide por el promedio diario de ventas. 360 es la cantidad estándar de días utilizados para los análisis financieros.

Índices de apalancamiento

Se dice que una compañía se encuentra altamente apalancada si utiliza más débitos que patrimonio, incluyendo acciones y ganancias retenidas. El equilibrio entre los débitos y el patrimonio se llama *estructura de capital*. La estructura óptima de capital está determinada por la compañía individual. El débito posee un costo menor puesto que los acreedores asumen menos riesgos; saben que obtendrán su interés y pagos principales. Sin embargo, la deuda puede ser riesgosa para la firma pues si no se obtiene suficiente utilidad para cubrir el interés y los pagos principales puede ocurrir una bancarrota.

Los siguientes son tres índices de apalancamiento comúnmente utilizados:

1. *Índice de deuda con relación a los activos* Este índice es la medición más directa del grado al cual los fondos prestados han sido utilizados para financiar las inversiones de una empresa. Se define así:

$$\text{Deuda con relación a los activos} = \frac{\text{Deudas totales}}{\text{Activos totales}}$$

La deuda total es la suma de los pasivos corrientes de una compañía y sus deudas a largo plazo, y los activos totales constituyen la suma de los activos fijos y los activos corrientes.

2. *Índice de endeudamiento* Este índice señala el equilibrio entre las deudas y el patrimonio en la estructura de capital de una compañía. Quizá es la medición más ampliamente utilizada para registrar el nivel de endeudamiento de una empresa. Se define de la siguiente manera:

$$\text{Endeudamiento} = \frac{\text{Deudas totales}}{\text{Patrimonio total}}$$

3. *Índice de cobertura* Este índice mide el grado al cual la utilidad bruta de la firma cubre sus pagos anuales de intereses. Si este índice declina a menos de 1, entonces la compañía no puede satisfacer sus costos de interés y técnicamente no es solvente. El índice se define de la siguiente forma:

$$\text{Índice de cobertura} = \frac{\text{Utilidad antes de intereses e impuestos}}{\text{Cargos totales por concepto de intereses}}$$

Índices de retorno para el accionista

Éstos miden el rendimiento obtenido por el accionista por el hecho de tener acciones en la compañía. Dada la meta de maximización de la utilidad del accionista, proporcionar a los accionistas una adecuada tasa de rendimiento es un objetivo importante en la mayoría de las compañías. Como con los índices de utilidad, puede ser de gran ayuda comparar los retornos de los accionistas de una empresa frente a los de quienes pertenecen a compañías similares. Esto proporcionará una medida para determinar la forma como la compañía está satisfaciendo las demandas de este grupo particularmente importante de los constituyentes organizacionales. En seguida se presentan cuatro índices comúnmente utilizados.

1. *Retornos totales para el accionista* Éstos miden los retornos obtenidos con el tiempo $t + 1$ sobre una inversión en las acciones de una compañía realizados en un tiempo t. (El *tiempo t* es el periodo al cual se realiza la inversión inicial). Los retornos totales del accionista incluyen pagos por dividendos y apreciación en el valor de la acción (ajustado de acuerdo con la participación de los dividendos) y se definen así:

$$\text{Retornos totales para el accionista} = \frac{\text{Precio accionario } (t + 1) - \text{Precio accionario } (t) + \text{Suma de los diviendos anuales por acción}}{\text{Precio accionario } (t)}$$

Así, si un accionista invierte US\$2 a un tiempo t, y a un tiempo $t + 1$ la acción vale US\$3, mientras que la suma de los dividendos anuales durante el periodo t a $t + 1$ ha ascendido a US\$0.2, los retornos totales del accionista son iguales a $(3 - 2 + 0.2)/2 = 0.6$, es decir, un rendimiento del 60% sobre una inversión inicial de US\$2 realizada a un tiempo t.

2. *Índice de precio-beneficios* Este índice mide la cantidad de inversionistas que están dispuestos a pagar por unidad monetaria de utilidad. Se define de la siguiente forma:

$$\text{Índice de precio-beneficios} = \frac{\text{Precio del mercado por acción}}{\text{Beneficios por acción}}$$

3. *Valor de mercado-valor en libros* Éste es otro índice útil que mide los prospectos del futuro crecimiento de la compañía. Se define así:

$$\text{Valor de mercado-valor en libros} = \frac{\text{Precio del mercado por acción}}{\text{Beneficios por acción}}$$

4. *Rendimiento de los dividendos* Éste mide el retorno para los accionistas recibido en forma de dividendos. Se define así:

$$\text{Rendimiento de dividendos} = \frac{\text{Dividendo por acción}}{\text{Precio de mercado por acción}}$$

El precio de mercado por acción puede calcularse a comienzos de año, en cuyo caso el rendimiento de dividendos se refiere al retorno sobre una inversión realizada al comienzo del año. En forma alternativa, puede utilizarse el precio accionario promedio por año. Una compañía debe decidir cuánto pagar de sus utilidades a los accionistas y cuánto reinvertir en la empresa. Compañías con altas perspectivas de crecimiento deben tener un índice de pago de dividendos menor que el de las compañías maduras. La razón consiste en que los accionistas pueden invertir el dinero en cualquier parte si la compañía no está creciendo. El índice óptimo depende de la firma individual, pero el factor clave para decidir es si la compañía puede producir mejores retornos de lo que el inversionista puede obtener en otra parte.

Flujo de caja

La condición de flujo de caja corresponde simplemente al efectivo recibido menos el efectivo distribuido. El flujo de caja neto puede tomarse del Estado de flujos de caja de una compañía. Es importante puesto que muestra las necesidades financieras de la compañía. Un flujo de caja positivo permite que una compañía realice futuras inversiones sin tener que prestar dinero a los banqueros e inversionistas. Es el más aconsejable debido a que la compañía evita la necesidad de pagar intereses o dividendos. Un flujo de caja débil o negativo significa que una compañía debe acudir a fuentes externas para realizar futuras inversiones. Generalmente, compañías en industrias de alto crecimiento a menudo se hallan en una deficiente condición de flujo de caja (puesto que sus necesidades de inversión son considerables), en tanto que las compañías exitosas ubicadas en industrias maduras por lo general se hallan en una fuerte condición de flujo de caja.

El flujo de caja de una compañía generado en forma interna se calcula al sumarle su provisión de depreciación a las utilidades después de descontar pagos de intereses, impuestos y dividendos. Si esta cifra no es suficiente para cubrir los gastos de nuevas inversiones propuestas, la compañía tiene poca opción pero puede prestar fondos para compensar la deficiencia, o reducir inversiones. Si esta cifra excede las nuevas inversiones propuestas, la empresa puede utilizar el excedente para generar su liquidez (es decir, a través de las inversiones en activos financieros) o recancelar por adelantado los préstamos existentes.

CONCLUSIÓN

Cuando se evalúa un caso, es importante ser *sistemático*. Analizar el caso en una forma lógica, comenzar con la identificación de las fortalezas y debilidades operativas y financieras junto con las oportunidades y amenazas ambientales. Comenzar a evaluar el valor de las estrategias corrientes de una empresa sólo cuando se esté completamente familizarizado con su DOFA. Es importante plantear si estas estrategias tienen sentido, dado su DOFA. Si no es así, ¿qué cambios necesita realizar? ¿Cuáles son las recomendaciones? Sobre todo, se debe vincular cualquier recomendación estratégica propuesta al análisis DOFA. Establecer en forma explícita cómo las estrategias identificadas toman ventaja de las fortalezas de la compañía para explotar oportunidades ambientales, cómo rectifican las debilidades de la compañía y cómo contrarrestan las amenazas ambientales. Tampoco se debe olvidar esquematizar lo necesario para implementar las recomendaciones.

La industria
cervecera japonesa*

INTRODUCCIÓN

En 1980, después de dos décadas de crecimiento fenomenal durante los años del "milagro econó-mico" japonés, su industria cervecera pareció haberse transformado de un ámbito en crecimiento a uno en proceso de madurez. El consumo de cerveza se había estabilizado; después de quintuplicarse de 1955 a 1965, y luego duplicarse entre 1965 y 1975, creció sólo en un 15% de 1975 a 1980. Y con el crecimiento de la población japonesa a una tasa de sólo el 0.4% anual, no se esperaba que la deman-da se incrementara en forma significativa en el futuro pronosticable.

Casi toda la cerveza que consumían los bebedores japoneses era producida por sus cuatro cerve-cerías: Kirin, Asahi, Sapporo y Suntory. Estas compañías conformaban un oligopolio rentable pro-tegido por altas barreras de ingreso en distribución, costos de publicidad y regulaciones guberna-mentales. En 1980, Kirin dominaba la industria con una participación en el mercado superior al 60%. La compañía también actuaba como líder en precios, estableciéndolos a un nivel suficiente-mente alto apenas para permitir que sobrevivieran los dos competidores más débiles, Asahi y Suntory. Esta disposición fue apoyada en forma tácita por el gobierno japonés debido a los enor-mes ingresos por concepto de impuestos que generaban las rentables compañías cerveceras.

Las fábricas japonesas competían entre sí principalmente a través del desarrollo y control de canales de distribución y publicidad. Aunque había cierta innovación de productos, Asahi, Sapporo y Suntory habían aprendido a través de la experiencia que cuando una de ellas salía con un nuevo producto que amenazaba despojar a Kirin de la participación en el mercado, el líder de la industria imitaría la innovación y utilizaría su ventaja en reputación, distribución y poder financiero para aplastar al iniciador. Así se mantenía cierto equilibrio; las tres cervecerías más pequeñas evitaban atacar directamente a Kirin por temor a las represalias, en tanto que ésta, temerosa de que las ganancias adicionales en participación le hicieran violar la ley japonesa antimonopolio, se restrin-gía de adelantar cualquier acción que posteriormente debilitara a sus rivales.

Sin embargo, 10 años después la industria presentaba una situación bastante diferente. A media-dos de la década de 1980, el consumo de cerveza se disparó de nuevo incrementándose en un 37% de 1985 a 1990. Se esperaba que la demanda continuara creciendo a una tasa del 5% anual durante

---

* Este caso fue preparado por Tim Craig, University of Victoria, como material para discusión en clase; su propósito no era ilustrar lo efectivo o inefectivo en el manejo de situaciones administrativas.

la primera mitad de la década de 1990. No obstante, el crecimiento de las ventas no generó mayores utilidades, ya que a mediados de la década de 1980 comenzó y se arraigó una costosa guerra de nuevos productos. Ésta atrajo gran interés del público y ayudó a estimular la demanda. También cambió en forma considerable los destinos de Asahi y produjo la más grande reorganización de la participación en el mercado en la historia industrial. No obstante, en 1991 la carrera en el lanzamiento de nuevos productos pareció convertirse en un terreno de resultados negativos, y los altos costos de desarrollo y publicidad para las nuevas cervezas fueron elevados en una industria que deseaba volver a tener acuerdos competitivos más estables y rentables previos a la década de 1980.

HISTORIA DE LA INDUSTRIA

Por la época en que Samuel Taylor Coleridge (1772-1834) escribía el verso: "Agua, agua por doquier, ni una gota para beber", los buques mercantiles británicos y holandeses descargaban barriles de cerveza en el Japón. En 1870, la primera cervecería japonesa, Spring Valley Brewery, fue establecida por un norteamericano en Yokohama, y a comienzos del siglo XX la popularidad de la cerveza había crecido hasta el punto que se encontraron operando por lo menos 100 fábricas independientes.

La Primera Guerra Mundial se convirtió en un periodo de auge para las cervecerías japonesas. Las fábricas locales, estimuladas por un mercado de consumo al suroriente de Asia que no podían atender los productores europeos debido a la guerra, comenzaron a exportar y a expandirse. La construcción de nuevas plantas se facilitó por la disponibilidad de maquinaria para cervecería y embotellamiento a precios negociables de América, donde la prohibición había restringido la participación de las compañías. Marcas como Sakura, Kabuto, Fuji, Union y Cascade Beer florecieron, junto con las ahora familiares Kirin, Sapporo y Asahi.

Sin embargo, no todo era perfecto. Con la caída del mercado accionario y la depresión mundial de finales de la década de 1920 y comienzos de la de 1930, la demanda cayó vertiginosamente, generando un periodo de fracasos y consolidaciones en el ámbito cervecero. Debido a que el Japón se encontraba en guerra a finales de la década de 1930 y comienzos de la de 1940, era difícil obtener la cebada y el lúpulo, había racionamientos de electricidad y carbón necesarios, y los impuestos a la cerveza se incrementaban continuamente con el objetivo de suministrar fondos para la guerra. A finales de ésta sólo tres cervecerías permanecieron en el Japón, y una se retiró en 1948. Las dos que permanecieron fueron Kirin Beer, un descendiente de Spring Valley, y Dai Nippon Breweries, que evolucionó durante un periodo de más de 40 años a través de la fusión de numerosas fábricas independientes, entre ellas las iniciales Sapporo y Asahi.

En 1949, Dai Nippon Breweries, que controlaba casi las tres cuartas partes del mercado cervecero, estaba violando la ley antimonopolio del Japón impuesta por EE.UU. en su ocupación de postguerra a este país con el propósito de disolver los poderosos **carteles** (grupos financieros) del Japón. Dai Nippon fue dividida en dos partes a lo largo de las líneas geográficas: sus cervecerías y red de distribución en el occidente del territorio se convirtieron en lo que actualmente es Asahi Beer, en tanto que sus cervecerías y red de distribución al oriente del país (incluyendo Tokio) se convirtieron en Sapporo.

En el momento de la disolución, Sapporo tenía el 38.6% del mercado, Asahi el 36.1% y Kirin el 25.3%. Los siguientes 30 años constituyeron una exitosa historia para Kirin, puesto que incrementó firmemente su participación en el mercado a expensas de sus rivales y llegó a dominar la industria (*véase* tabla 1). Su éxito se atribuye a varios factores:

1. El desglose de Dai Nippon en Sapporo y Asahi dejó a Kirin con la única marca reconocida a nivel nacional y una red de ventas en todo el país, proporcionándole una gran ventaja en publicidad y, hasta que las demás lograron expandir sus redes de distribución, un mayor mercado objetivo.
2. Kirin se anticipó al crecimiento de la demanda y, con el fin de satisfacerla, generó agresivamente nueva capacidad de producción a una tasa de 1 planta cervecera cada dos años.
3. Se concentró en el mercado de consumo doméstico, que crecía rápidamente a medida que se expandía el uso del refrigerador durante las décadas de 1950 y 1960; en contraste, Asahi y Sapporo se concentraron en el reducido mercado comercial, donde tradicionalmente habían sido fuertes.
4. El fuerte y amargo sabor de la cerveza añeja de Kirin era apropiado para la época. El régimen alimenticio durante el periodo de postguerra del Japón era pobre e insípido, y las personas gustaban de los sabores fuertes. Mediante una publicidad ingeniosa, Kirin logró enseñar al público que la cerveza fuerte y amarga equivalía a una cerveza deliciosa.

Sólo dos firmas adicionales ingresaron en la industria cervecera del Japón en el periodo de postguerra. Una es Takara, destilería que ingresó en el mercado cervecero en 1957 y lo abandonó 11 años más tarde después de no alcanzar una posición aceptable. La otra es el fabricante de whisky Suntory, que ingresó en 1963 y ha sobrevivido, a pesar de obtener utilidades en cerveza sólo durante un año, 1984. (También existe Orion, una cervecería ubicada en Okinawa cuyo producto se vendió sólo en ese sitio hasta 1990, cuando comenzó a aparecer en pequeñas cantidades sobre los exhibidores del "territorio").

DEMANDA

Durante los primeros diez años de postguerra, la cerveza era un producto de lujo en el Japón; en 1950, una botella de 633 mililitros costaba 132 yenes, o aproximadamente 2% del promedio de salario mensual para un recién egresado de la universidad. Sin embargo, con la recuperación económica y crecientes ingresos, la cerveza gradualmente llegó a ser asequible para el japonés promedio. En la década de 1960 la bebían regularmente una gran variedad de personas de todos los niveles de ingreso.

La demanda general de cerveza en el país creció firmemente durante los primeros 30 años del periodo de postguerra. Desde la década de 1970 hacia mediados de la de 1980, la demanda se estabilizó y muchas personas consideraron que la industria era madura, con un potencial limitado para un crecimiento posterior. No obstante, un auge en los nuevos productos combinado con otros cambios ambientales (*véase* figura 1) reanimó el crecimiento, y la perspectiva para la década de 1990 era un continuo crecimiento del mercado. Ese año, Nikko Research Center esperaba que el consumo de cerveza se incrementara en un 5% anual durante los siguientes años. La tabla 2 y la figura 1 muestran los embarques de cerveza japonesa despachados durante el periodo de postguerra. La tabla 3 muestra el consumo de cerveza per cápita en el Japón y otros países.

La demanda varió según la estación, con mayor consumo de cerveza en verano que en invierno (*véase* tabla 4). Sin embargo, en años recientes la demanda por estaciones se ha debilitado. La cerveza se considera cada vez más una bebida para todo el año, gracias a los esfuerzos promocionales por parte de las cervecerías y el desarrollo de algunas cervezas "especialmente creadas para beber en clima frío".

Tabla 1
Participación en el mercado comparativa por año, 1949-1990

Año	Kirin	Asahi	Sapporo	Suntory	Takara
1949	25.3%	36.1%	38.6%	-	-
1950	29.5	33.5	37.0	-	-
1951	29.5	34.5	36.0	-	-
1952	33.0	32.5	34.5	-	-
1953	33.2	33.3	33.4	-	-
1954	37.1	31.5	31.4	-	-
1955	36.9	31.7	31.4	-	-
1956	41.7	31.1	27.2	-	-
1957	42.1	30.7	26.2	-	1.0%
1958	39.9	30.9	27.5	-	1.7
1959	42.4	29.3	26.5	-	1.8
1960	44.7	27.2	26.0	-	2.1
1961	41.6	28.0	27.8	-	2.6
1962	45.0	26.4	26.4	-	2.2
1963	46.5	24.3	26.2	1.0%	2.0
1964	46.2	25.5	25.2	1.2	1.9
1965	47.7	23.2	25.3	1.9	1.9
1966	50.9	22.1	23.8	1.7	1.5
1967	49.4	22.0	25.0	3.2	0.4
1968	51.3	20.1	24.4	4.2	-
1969	53.3	18.9	23.3	4.5	-
1970	55.4	17.2	23.0	4.4	-
1971	58.9	14.9	22.1	4.1	-
1972	60.1	14.1	21.3	4.5	-
1973	61.3	13.6	20.3	4.8	-
1974	62.5	13.1	19.6	4.8	-
1975	60.8	13.5	20.2	5.5	-
1976	63.8	11.8	18.4	6.0	-
1977	61.9	12.0	19.6	6.5	-
1978	62.1	11.6	19.6	6.7	-
1979	63.0	11.0	19.2	6.8	-
1980	62.3	11.0	19.6	7.1	-
1981	62.8	10.3	20.0	6.9	-
1982	62.3	9.9	19.9	7.9	-
1983	61.3	10.2	19.9	8.6	-
1984	61.6	9.8	19.6	9.0	-
1985	61.4	9.5	19.8	9.3	-
1986	59.6	10.3	20.8	9.3	-
1987	56.9	12.9	20.7	9.5	-
1988	50.7	20.7	19.8	8.8	-
1989	48.4	24.8	18.4	8.4	-
1990	49.2	24.7	18.0	8.1	-

Tabla 2
Embarques de cerveza japonesa, 1946-1990 (en kilolitros)

Año	Doméstico	Exportaciones	Total
1947	91,270	-	91,270
1948	91,372	-	91,372
1949	140,495	731	141,226
1950	165,434	4,298	169,732
1951	261,007	9,699	270,706
1952	275,479	16,705	292,184
1953	372,054	15,757	387,811
1954	390,280	10,278	400,558
1955	403,413	7,371	410,784
1956	452,163	6,120	458,283
1957	551,536	6,815	558,351
1958	615,552	6,970	622,522
1959	744,947	6,843	751,790
1960	919,313	6,104	925,417
1961	1,232,663	7,064	1,239,727
1962	1,478,102	7,069	1,485,171
1963	1,685,916	6,596	1,692,512
1964	1,991,648	5,630	1,997,278
1965	1,989,147	6,013	1,995,160
1966	2,116,910	6,368	2,123,278
1967	2,410,602	11,547	2,422,149
1968	2,525,975	13,809	2,539,784
1969	2,730,637	12,569	2,743,206
1970	2,972,253	15,481	2,987,734
1971	3,052,746	15,380	3,068,126
1972	3,433,426	13,674	3,447,100
1973	3,811,156	13,930	3,825,086
1974	3,612,043	14,056	3,626,099
1975	3,955,519	13,978	3,969,497
1976	3,665,370	14,182	3,679,552
1977	4,131,678	15,728	4,147,406
1978	4,431,141	18,592	4,449,733
1979	4,499,156	18,408	4,517,564
1980	4,539,799	18,084	4,557,883
1981	4,638,889	18,796	4,657,685
1982	4,763,444	18,507	4,781,951
1983	4,942,317	23,670	4,965,987
1984	4,680,770	26,251	4,707,021
1985	4,785,328	27,435	4,812,763
1986	4,970,028	27,972	4,998,000
1987	5,340,047	29,330	5,369,377
1988	5,749,828	30,267	5,780,095
1989	6,054,120	Datos no disponibles	Datos no disponibles
1990	6,550,914	Datos no disponibles	Datos no disponibles

Figura 1
Crecimiento de las
ventas de cerveza,
1950-1990

Tabla 3
Consumo de cerveza per cápita para países seleccionados, 1987 (en litros por año)

País	Consumo per cápita
Alemania Occidental	144.3 litros
Checoslovaquia	130.0
Dinamarca	125.2
Nueva Zelanda	120.8
Austria	116.2
Australia	111.3
EE.UU.	90.1
Países Bajos	84.3
Venezuela	72.4
España	64.5
Suecia	51.5
Japón	43.8

LIQUIDACIÓN DE IMPUESTOS Y REGULACIÓN GUBERNAMENTAL

La cerveza era la fuente más rica de impuestos por concepto de licores en el Japón; en 1989 proporcionaba un 2.5% de los ingresos gubernamentales totales japoneses por concepto de impuestos. El impuesto por volumen era de 208.4 yenes por litro, que ascendía al 44% del precio al por menor. Incluyendo el impuesto a las ventas, un total de 46.9% del precio minorista de una botella de cerveza lo constituían los impuestos; comparado con el 36.6% para Gran Bretaña, el 18.3% para Alemania Occidental, el 16.9% para Francia y el 12.7% para EE.UU.

Tabla 4
Porcentaje de ventas anuales por mes, 1979-1986

Mes	Porcentaje en ventas
Enero	3.7
Febrero	5.0
Marzo	7.5
Abril	9.8
Mayo	8.6
Junio	11.4
Julio	13.4
Agosto	10.6
Septiembre	8.1
Octubre	6.8
Noviembre	5.8
Diciembre	9.3

Los impuestos a la cerveza en forma tradicional se incrementaban aproximadamente una vez cada cuatro años, pero no habían aumentado desde 1984. En 1991, el Japón presentaba una disminución en la actividad económica y en consecuencia una reducción en el recaudo de impuestos para el gobierno; su incremento sería posible a los 2 ó 3 años siguientes.

Debido a la importancia de los impuestos aplicados a la cerveza como fuente de ingreso gubernamental, la industria cervecera japonesa estaba estrictamente regulada por el gobierno a través de los requerimientos de licenciamientos. Éstos se expedían a los productores, mayoristas y minoristas con el objetivo de evitar "competencia excesiva" la cual, se temía, podría sacar del negocio aquellas operaciones débiles.

Los permisos para producir cerveza eran especialmente difíciles de obtener; se expedían sólo para un terreno específico, y para obtener uno, el productor debía generar anualmente por lo menos 2,000 kilolitros de cerveza. El propósito de esta regulación consistía en mantener reducida la cantidad de compañías cerveceras, ya que era más fácil recaudar el impuesto de unas pocas fábricas grandes que de varias pequeñas distribuidas en todo el país. Debido a la exigencia de mínima producción, casi no existían microcervecerías independientes o tabernas en el Japón. En EE.UU., por el contrario, había más de 200 microcervecerías, muchas de las cuales producían sólo 90 kilolitros al año. Un consultor especializado en el mercado cervecero del Japón calculó que reducir la exigencia de producción mínima a 200 kilolitros incrementaría las ventas de cerveza japonesa aproximadamente en un 2%, pero en 1990 no había señales de que el gobierno considerara la posibilidad de cambiar su regulación.

El gobierno también había limitado tradicionalmente la cantidad de licencias de licores para minoristas expedidas, de nuevo con base en la teoría de que esta situación ofrecía la mejor manera de recaudar por completo impuestos sobre licores a mínimos desembolsos. Sin embargo, en junio de 1989 la National Tax Administration Agency anunció que se expedirían 6,000 nuevas licencias regulares y 250 nuevas licencias a grandes minoristas (como supermercados y cadenas de almacenes de artículos de consumo) para potenciales ingresantes entre 1990 y 1994 en un esfuerzo por promover mayor competencia en el mercado de bebidas alcohólicas. La prioridad dada a minoristas en gran escala constituyó en parte una respuesta a la presión extranjera, puesto que los grandes almacenes generalmente tienen una mayor proporción de productos importados.

Muchas personas consideraban estos cambios como el comienzo de una gran reestructuración de venta al por menor de bebidas alcohólicas en el Japón. En 1988, el país tenía 122,000 agencias minoristas de licores de unidades familiares, la mayoría de las cuales eran pequeños almacenes con un rendimiento promedio de 30 millones de yenes y utilidades brutas anuales de 6 millones de yenes. Un analista del Morgan Stanley International estimó que en 1998 la cantidad de almacenes de licores caería a cerca de 60,000, en tanto que la cantidad de grandes minoristas se incrementará de 6,000 (en 1991) a 30,000 aproximadamente.

PRODUCCIÓN Y DISTRIBUCIÓN

La cerveza se definía bajo la ley japonesa como una bebida elaborada mediante la fermentación de malta, lúpulo y agua. También podrían agregarse otros granos como el arroz o el maíz para obtener un sabor más suave. El proceso de fabricación implicaba utilizar levadura para fermentar el azúcar presente en las materias primas. La mayor parte eran importadas de Europa, Norteamérica y Australia.

Aunque todas las cervecerías japonesas utilizaban los mismos ingredientes básicos y el proceso alemán de producción, dentro de estos parámetros se presentan varias complejidades técnicas y variaciones que generaron tangibles diferencias en el sabor de una cerveza a otra. Se decía que el determinante más importante del sabor era la levadura particular utilizada, con distintas características que producen un sabor y aroma ligeramente diferentes. Todas las fábricas tenían bancos de levadura que contenían cientos de especies, y constantemente desarrollaban y probaban otras nuevas. Otras variaciones de cerveza incluían la selección, calidad y combinación de ingredientes, el uso de malta pelada *versus* sin pelar, y temperatura y grados de fermentación. Generalmente se empleaba de uno a cuatro años para desarrollar y lanzar al mercado una nueva cerveza.

Para la cantidad y distribución geográfica de plantas cerveceras se tenían en cuenta las consideraciones de volumen y transporte. Existían considerables economías de escala en la producción de cerveza, gracias a grandes tanques ubicados al aire libre, inventados a finales de la década de 1960. La cerveza es pesada y los costos de transporte son considerables, por esta razón, las compañías han ubicado sus fábricas en todo el país en puntos equidistantes justo cerca de los centros de mayor población. En 1991, Kirin tenía 14 cervecerías; Sapporo, 10; Asahi, 7 y Suntory, 3.

La cerveza se vendía en botellas, latas y barriles de diferentes tamaños (*véase* tabla 5). El envase en botella más común era el retornable de 633 mililitros. 20 botellas de 633 mililitros conforman una caja, la unidad de medida estándar para su venta. Las latas más comunes tenían un tamaño de 350 y 500 mililitros. Los barriles más pequeños eran recipientes para llevar a casa, vendidos directamente a los consumidores, en tanto que los barriles grandes se destinaban a operaciones comerciales como bares y restaurantes.

En 1988, el 67% de la cerveza vendida en el Japón llegaba en botellas, el 26% en latas y el 7% en barriles. Durante algún tiempo se generó una tendencia hacia la cerveza enlatada, y a desechar las botellas. En 1983, la cerveza enlatada respondió sólo por el 13% de las ventas totales.

Existían dos mercados cerveceros básicos en el Japón: el mercado a domicilio y el mercado comercial. El primero incluía las ventas a domicilio (por lo general, un consumidor tenía el servicio de un almacén minorista, el cual le enviaba una caja de cerveza a su casa periódicamente); el mercado de obsequios (serie de paquetes de cerveza elegantemente empacados, vendidos en almacenes por departamentos durante las dos más importantes estaciones de entrega de regalos en el Japón, julio y diciembre); y las ventas en las tiendas de licores, almacenes de alimentos y máquinas

Tabla 5
Principales tipos y tamaños de recipientes para cerveza

Botellas	Latas	Barriles
1,957 ml	1,000 ml	25,000 ml
633 ml	700 ml	15,000 ml
500 ml	500 ml	10,000 ml
334 ml	350 ml	3,000 ml
	250 ml	2,000 ml
	200 ml	1,200 ml
	135 ml	

Tabla 6
Tamaño relativo de los mercados a domicilio y comercial (porcentaje de consumo total)

Año	Mercado a domicilio	Mercado comercial
1950	25%	75%
1962	53%	47%
1978	70%	30%
1987	71.3%	28.7%

dispensadoras. El mercado comercial incluía ventas en restaurantes, bares y hoteles. En 1990, el mercado a domicilio respondió aproximadamente por el 75% de las ventas, el mercado comercial por el 25%. El mercado a domicilio creció de manera firme en tamaño con relación al mercado comercial durante el periodo de postguerra (*véase* tabla 6).

La figura 2 muestra el sistema de distribución de cerveza en el Japón. Había dos tipos de distribuidores, el distribuidor exclusivo, que manejaba sólo una marca o una cantidad limitada, y el distribuidor general, que se encargaba de las cuatro marcas. Los exclusivos eran más comunes. El sistema de distribución funcionaba como una importante barrera para el ingreso. La incapacidad para establecer fuertes canales de distribución a menudo se cita como la principal razón del fracaso de la cerveza de Takara, una destilería que ingresó en el mercado cervecero en 1957 pero lo abandonó diez años más tarde sin obtener más que un 2% en participación. El ingreso de Suntory en 1963 en este mercado fue facilitado por un acuerdo logrado con Asahi, que permitió compartir su red de distribución.

En 1988 existían aproximadamente 173,000 agencias minoristas de cervezas en el Japón, la mayoría de las cuales eran almacenes de licores que vendían a los consumidores y a los establecimientos comerciales. Los minoristas escogían en forma independiente qué marcas vender.

ESTRUCTURA EN COSTOS

Los costos de producción era aproximadamente los mismos para todas las cervecerías, respondiendo por cerca del 58% de la participación de los productores para el costo minorista de una botella de cerveza. Los costos fijos conformaban una parte significativa en el gasto de los fabrican-

Figura 2
Sistema de distribución
de la cerveza

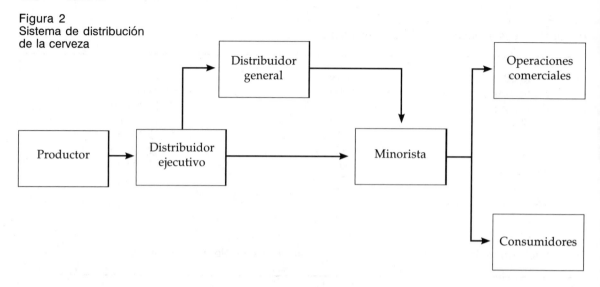

tes, lo que significaba que cuanto más pequeña fuera la firma, los márgenes de utilidad tendían a ser menores. En particular, los costos del equipo de ventas, publicidad y promoción eran en su mayor parte fijos, variando un poco con el volumen. Esto proporcionó al líder de la participación en el mercado Kirin una clara ventaja en escala. Por ejemplo, debido a que Kirin podía expandir sus costos de publicidad sobre un mayor volumen, dicho costo por botella era sólo aproximadamente de 5.5 yenes, comparado con aquél superior al doble para sus competidores. La tabla 7 muestra el costo de la conformación del precio minorista de una botella de cerveza.

Tabla 7
Análisis de costo por botella de cerveza promedio de 633 mililitros para Kirin, Sapporo, y Asahi, 1991

	Kirin	**Sapporo**	**Asahi**
Precio minorista	Y320	Y320	Y320
Impuesto a los licores	131.9	131.9	131.9
Margen del minorista y el mayorista	63.5	63.5	63.5
Costo de ventas			
Costo de materiales	49.3	45.9	47.6
Mano de obra	8.7	7.7	5.7
Otros de fabricación	<u>14.8</u>	<u>18.2</u>	<u>17.1</u>
	72.8	71.8	70.5
Otros costos			
Promoción de ventas	7.6	9.9	9.3
Transporte	7.3	7.6	8.3
Sueldos y salarios	5.7	8.1	7.1
Gastos de publicidad	5.5	13.4	11.9
Otros gastos administrativos	<u>14.7</u>	<u>15.6</u>	<u>15.7</u>
	40.9	54.5	52.4
Ingreso operativo	10.9	(1.8)	1.7

FIJACIÓN DE PRECIOS

El precio minorista de la cerveza lo establecía directamente el gobierno (National Tax Board) hasta 1964, después se introdujo la "libre fijación de precios". Sin embargo, en la práctica había poca competencia en precios. Las cuatro productoras mantenían en forma estricta un precio estándar para el productor, un precio estándar para el mayorista y uno para el minorista, con Kirin, que gracias a su predominante participación en el mercado tenía el liderazgo en precios. Por ejemplo, en abril de 1988 repentinamente anunció una reducción de 10 yenes en el precio de sus latas de 500 mililitros con el argumento de proporcionar beneficios a los consumidores a partir de la apreciación del yen (la cual redujo el costo de la cebada y el lúpulo importados), y las otras tres compañías inmediatamente hicieron lo mismo. En forma similar, en marzo de 1990 las cuatro compañías incrementaron los precios en conjunto, argumentando crecientes costos de materiales y mano de obra y exigencias de mayores márgenes de utilidad por parte del sector de distribución. Esto generó desaprobación de la opinión pública y una investigación realizada por la Fair Trade Commission del Japón. No se encontró evidencia de un cartel de precios, pero la comisión solicitó a las cervecerías tomar medidas para liberar los precios. Las cuatro empresas respondieron con la publicación conjunta de un aviso publicitario en un periódico en octubre de 1990, en el que manifestaban que "se supone que el precio de la cerveza se determina en forma independiente por cada almacén". Un vocero de Sapporo indicó que cada productor se inclinaba a mantener los precios de acuerdo con los de otros productores pues muchos consumidores consideraban que los bienes más económicos eran inferiores en calidad.

La falta de una competencia en precios, además de favorecer a las cervecerías, reflejaba los intereses del gobierno japonés, que para obtener importantes ingresos por concepto de impuestos dependía de una industria cervecera financieramente saludable. Un portavoz de Kirin manifestó: "El gobierno le ha dado preferencia a la estabilidad en el mercado cervecero, eliminando la competencia excesiva, con el fin de evitar un estado de pánico que podría llevar a una disminución en el ingreso por concepto de impuestos".

A finales de 1990 se podía apreciar una pequeña cantidad de descuentos a nivel minorista. Una investigación realizada en Tokio halló que las marcas cerveceras japonesas se vendían a precios uniformes en un 99% de 668 almacenes de productos de consumo, almacenes por departamentos y tiendas de licores, y en un 91% de 111 supermercados. Las marcas extranjeras, incluyendo aquellas producidas en el Japón bajo licenciamiento, se vendían a precios variados en distintos almacenes (de 178 yenes a 240 yenes por una lata de 350 mililitros). Los voceros de Kirin y Suntory indicaron que probablemente comenzaba una tendencia gradual hacia la diferenciación de precios, debido en parte al creciente número de agencias minoristas en gran escala, que hacían más descuentos.

IMPORTACIONES, EXPORTACIONES Y PRODUCCIÓN BAJO LICENCIAMIENTO

Las cervezas extranjeras, que incluyen importaciones y producción bajo licenciamiento de marcas extranjeras en el Japón, respondían por sólo el 2% del consumo en ese país. La distancia geográfica frente a los mercados extranjeros, el gran peso de la cerveza y debido a que ésta tiene una limitada vida en el exhibidor (el sabor de la cerveza enlatada o embotellada comienza a deteriorarse tres o cuatro meses después de su producción), significaron que no era un producto particularmente ajustable a las importaciones y exportaciones en gran escala del Japón. Muchos señalaron también las diferencias en el país en cuanto a clima, régimen alimenticio y gustos como factores que limitaban su comercio internacional. Las barreras que inhibían las exportaciones al Japón incluían pequeños aranceles aduaneros impuestos a la cerveza importada y, lo más importante, el complejo y multiestratificado sistema de distribución que necesitaba remesas relativamente pequeñas y frecuentes debido al limitado espacio de almacenamiento.

En 1988, las cervecerías japonesas exportaron 30,000 kilolitros, o sea 0.5% de los embarques totales. En el mismo año, se importaron aproximadamente 20,000 kilolitros de cerveza extranjera, respondiendo por cerca del 0.35% del consumo doméstico.

Debido a las limitaciones en el comercio de la cerveza, las cerveceras japonesas y extranjeras cada vez más utilizaron licenciamientos para hacer disponibles sus productos en los mercados de cada una. En el Japón, bajo licenciamientos, Kirin fabricó Heineken, Asahi produjo Coors y Lowenbrau, Sapporo se encargó de fabricar Miller, y Suntory produjo Budweiser y Carlsberg. En el extranjero, Molson produjo Kirin en Canadá y San Miguel fabricó Asahi en Indonesia.

NATURALEZA DE LA COMPETENCIA

Comienzos de la década de 1980: antes del "auge de nuevos productos"

Ante la ausencia de una competencia en precios, las cervecerías rivalizaban entre sí en otras formas. Antes de mediados de la década de 1980, la regla era una competencia a través de publicidad, calidad (es decir, mantener cerveza fresca en los exhibidores) y desarrollo y control de los canales de distribución.

De otra parte, los competidores de Kirin probaron dos tipos de diferenciación de productos, pero sin obtener mucho éxito en términos de beneficios de la participación en el mercado. El primero fue la introducción de cerveza "del barril" enlatada y embotellada, que generalmente tiene un sabor más suave que la tradicional añeja. Con el fin de embotellar o enlatar cerveza fresca, se requiere bien sea la pasteurización a altas temperaturas o el filtrado para eliminar los microorganismos que acortan la vida del producto en el exhibidor. En el Japón, la cerveza que se pasteuriza a altas temperaturas se conoce como "añeja", en tanto que aquella filtrada se conoce como "del barril". (Fuera del Japón, "añeja" tiene un significado diferente: es el nombre de la cerveza producida por "fermentación en el fondo", en la que la levadura se hunde hasta el fondo del tanque de cerveza durante el proceso de fermentación; la cerveza producida por "fermentación en lo alto" se llama "espesa y amarga").

Hasta 1964 toda la cerveza enlatada y embotellada producida en el Japón era añeja y pasteurizada a altas temperaturas. Suntory introdujo la primera cerveza del barril embotellada en 1967, utilizando un microfiltro desarrollado por la NASA. Asahi produjo la suya en 1968, seguida por Sapporo en 1977 y, finalmente, Kirin en 1985. Aunque la participación en el mercado de este tipo de cerveza aumentó firmemente durante este periodo, alcanzando un 41% en 1985 y un 62% en 1989, ninguna compañía pudo incrementar su participación en el mercado en forma significativa con la cerveza del barril.

A finales de la década de 1970 y comienzos de la de 1980, con una vida más corta que la "guerra de las cervezas del barril", surgió repentinamente una diferenciación de productos basada en el empaque conocida como la "guerra de los envases". Dirigidas por Asahi y Suntory, las cervecerías comenzaron a empacar la cerveza en envases exclusivos de diversos tamaños, formas y diseños; había minibarriles para llevar a casa en las fiestas, recipientes en forma de cohete llamados proyectiles espaciales, y latas y avisos publicitarios sobre la cerveza en los que se reproducían pingüinos y osos de las tiras cómicas. Sin embargo, como sucedió con la introducción de la cerveza del barril, esta estrategia de diferenciación tuvo poco efecto para la participación en el mercado. A mediados de la década de 1980 había sido abandonada casi en su totalidad.

Mediados de la década de 1980 hasta comienzos de la de 1990: el "auge de nuevos productos"

A mediados de la década de 1980 se desarrollaron en el Japón varias tendencias ambientales que suministraron el escenario para una era de intensificada competencia dominada por una poderosa y nueva arma: el desarrollo de nuevos productos.

Un factor clave fue la tendencia demográfica. La generación de bebedores de cerveza que proporcionó el punto de apoyo para la cerveza añeja de Kirin, la marca predominante de la industria, fue la generación nacida antes de la Segunda Guerra Mundial. Sin embargo, en 1983 sólo el 35% de la población japonesa había nacido antes de la guerra, y la generación de postguerra fue la más consumidora de esta bebida. Una nueva generación de "usuarios importantes", el 10% de los bebedores de cerveza que consumen el 50% en el Japón, ocupaban el lugar, preparados para las nuevas cervezas que se ajustaban a sus gustos modernos. La generación más joven todavía bebía la cerveza añeja de Kirin pero no necesariamente eran aficionados a ésta; muchos la escogían porque sus mayores les habían enseñado que era la cerveza de los verdaderos bebedores.

Otro cambio lo constituyó que más mujeres ingerían la bebida, particularmente las jóvenes trabajadoras que desempeñaban un rol importante como personas que impulsaban esta tendencia. En el Japón se consideraba que las mujeres preferían una cerveza más ligera y de un sabor más suave.

Un resultado de la prosperidad económica y crecientes ingresos fue la llegada al Japón de una "era de opciones para el consumidor" en la década de 1980. "Competir para tener tanto o más que el vecino" se remplazó por la autoexpresión y muchos productos, incluso la cerveza, ya no eran artículos de consumo sino formas de satisfacer y expresar el gusto individual de cada uno. El incremento súbito en los precios de los terrenos, que llevó el sueño de construir la propia vivienda más allá del alcance del trabajador asalariado promedio, sirvió para bloquear una vía de expresión hacia el consumo y canalizó la capacidad de compra de las personas hacia los bienes de consumo no hogareños. Para muchos bebedores de cerveza, esto generó ansiedad de probar nuevos productos y una percepción de que beber el viejo estándar, la cerveza añeja de Kirin, era obsoleto. Esta tendencia hizo que el presidente de Kirin, Hideyo Motoyama, admitiera: "Infortunadamente, los jóvenes en Tokio tienen la impresión de que Kirin no está de moda".

El cambio también se encontraba en marcha en la forma como se compraba y vendía la cerveza. Rápidamente pasaron los días en que el abuelo llamaba a la tienda local de licores y sencillamente decía: "Envíenme una caja de cerveza". Con más solteros y parejas jóvenes viviendo en apartamentos urbanos y menores hogares tradicionales con tres generaciones bajo un techo, a menudo no había espacio para una caja de cerveza. Por el contrario, cada vez más había personas que compraban unas cuantas latas para la ocasión en almacenes de artículos de consumo, supermercados y máquinas dispensadoras. Esto llevó a una selección más activa por parte del consumidor. El comprador, al ubicarse frente a una máquina dispensadora o al acercarse a un exhibidor de almacén, tenía una serie de etiquetas para escoger, las cuales lo estimulaban a probar diferentes marcas.

También había una nueva variedad en el mercado. En 1985, las cervezas extranjeras como Budweiser y Heineken se abrieron paso en los almacenes y máquinas dispensadoras japonesas y, aunque no lograron una significativa participación en el mercado, recibieron amplia publicidad. Fue más revelador el auge del *chu-hai* en 1985. En ese año se inventó el chu-hai, un coctel suave hecho de *shochu* (un vino hecho a base de papa similar al vodka), soda y sabores de frutas, el cual se convirtió en un éxito instantáneo. Era fácil de consumir, característica que lo hizo particularmente popular entre los bebedores inexpertos como los estudiantes y las mujeres. El éxito del chu-hai y el complementario incremento en las ventas del shochu llegaron a expensas directas de las compañías cerveceras que reforzaron la consideración de que existía una demanda de bebidas alcohólicas novedosas y variadas.

Las cuatro cervecerías respondieron en forma similar a estos cambios, interpretándolos como una exigencia para el incrementado desarrollo y mercadeo de productos más novedosos que satisficieran el creciente deseo por parte de los consumidores en cuanto a diferentes cervezas y mayor variedad. El resultado fue un auge de nuevos productos que se inició en la primera etapa y a mediados de la década de 1980 y luego despegó en forma decidida en 1987 con el éxito sin precedentes de la "Super Dry" de Asahi.

El auge de nuevos productos tiene dos fases distintas. La primera fue el periodo anterior a la Super Dry, aproximadamente de 1983 a 1987. Puesto que ningún producto nuevo había tenido antes un considerable efecto para la participación en el mercado de la industria, el objetivo de la mayor parte del desarrollo de nuevos productos en ese momento consistía en crear y llenar un nuevo nicho. El lema era "Muchas variedades, volumen pequeño", y la aceptada definición industrial de un nuevo producto "exitoso" sería para aquel que vendiera un millón de cajas en un año. Kirin, Sapporo y Suntory desarrollaron y comercializaron cervezas "suaves" y de malta, y Asahi reformuló su producto principal, la cerveza del barril. Entre las historias exitosas estaba "Malt's" de Suntory (una cerveza hecha de malta introducida en 1986, que vendió dos millones de cajas en su primer año), y la nueva del barril de Asahi en 1986, que ayudó a la compañía a obtener participación en el mercado por primera vez en muchos años.

Aunque el nivel competitivo del nuevo producto en el periodo previo a la Super Dry fue mayor que en cualquier otra época, aún era relativamente moderado en términos de frecuencia de introducción de nuevos productos, de objetivos de ventas y de acciones percibidas. Esto contrastaba fuertemente con las más ambiciosas metas y mayores acciones percibidas creadas en 1987 por el surgimiento y éxito sin precedentes de la Super Dry en Asahi.

En marzo de 1987, Asahi lanzó al mercado una nueva cerveza, la Super Dry, caracterizada por un alto contenido de alcohol (5% comparado con el acostumbrado 4.5%), menos azúcar y un sabor suave pero picante. Aunque originalmente diseñado no para encabezar la línea de Asahi sino para complementar la nueva cerveza del barril del año anterior, el producto sobrepasó todas las expectativas y se convirtió en el mayor éxito de la historia industrial. El objetivo inicial de ventas de la empresa de un millón de cajas tuvo que revisarse más adelante cinco veces en seis meses, y al final del año, se habían vendido 13.5 millones de cajas de Super Dry. Ésta creó una nueva categoría en la industria, la cerveza "seca" que fue imitada por las cervecerías en todo el mundo.

El efecto de la Super Dry en la posición de Asahi en la industria fue mucho mayor de lo que se hubiese anticipado. La compañía logró más que duplicar su participación en el mercado: de 10.3% en 1986 pasó al 12.9% en 1987, al 20.7% en 1988 y al 24.8% en 1989. Super Dry permitió que Asahi estableciera importantes y nuevos canales de distribución y agencias de ventas, y por primera vez en 28 años, Asahi sobrepasó a Sapporo al lograr el segundo lugar en la participación en el mercado. En 1989, la Super Dry respondió por más del 20% de todo el consumo de cerveza en el Japón.

A medida que se evidenciaba la popularidad de esta bebida, Kirin, Sapporo y Suntory produjeron sus propias versiones de la cerveza "seca". Sin embargo, ninguna de éstas tuvo éxito. Gracias a su ventaja de primer iniciador, promoción creativa y continua y, en opinión de muchos expertos, simplemente por su mejor sabor, la Super Dry se arraigó firmemente en las mentes de los bebedores como *la* cerveza seca.

La escala del éxito de la Super Dry revolucionó el estilo en la industria cervecera japonesa. Por lo menos, confirmó la convicción de que los bebedores japoneses estaban dispuestos a aceptar nuevas y "modernas" cervezas con imágenes y sabores frescos que se ajustaban a las época. Igualmente importante, esta bebida demostró que estaba en juego no sólo la lealtad de cualquier nicho particular, como el de la juventud consciente de la moda, sino un mercado masivo, que incluía a los "principales usuarios" del Japón; la Super Dry había tenido éxito a expensas de la cerveza del bebedor estándar, la añeja de Kirin. Ésta fue denominada un "home run" y posteriormente incrementó el nivel de la competencia de nuevos productos a medida que cada compañía buscaba ser la siguiente en tener éxito. El objetivo del desarrollo de nuevos productos cambió de "muchas variedades, menor volumen" a "muchas variedades, volumen mediano o grande", y la aceptada definición de un producto exitoso saltó de 1 millón a 10 millones de cajas.

El éxito de la Super Dry también cambió las expectativas del consumidor sobre la cerveza. La historia de esta bebida se comentaba ampliamente en los medios de comunicación, lo que generaba gran interés por parte del público en las "guerras cerveceras" (como se denominaba esta rivalidad) y el posterior aumento en las expectativas de los consumidores acerca de nuevos productos.

Después de la Super Dry se incrementó en forma reiterada la cantidad de nuevas cervezas introducidas al año, pues se consideraba que para una cervecería era imposible competir en la industria sin participar en forma agresiva en la carrera de nuevos productos. Cada año, uno o dos nuevos productos demostraron ser extremadamente populares entre los consumidores, y una compañía que no lanzara nuevos productos al mercado seguramente perdería su participación.

Kirin, que generalmente había adoptado un enfoque pasivo en la comercialización de nuevas cervezas por temor a que se canibalizaran las ventas de su producto más vendido, la cerveza añeja, se lanzó decididamente al juego de nuevos productos después de sufrir una pérdida de participación en el mercado superior al 10% ante la Super Dry. En 1989, la compañía anunció una estrategia de "línea completa" y en 1990 no tenía menos de 15 marcas en su línea de producción. El mayor éxito de Kirin fue Ichiban Shibori (literalmente "primer extracto"; el nombre suena mejor en japonés), lanzado en 1990. Al comenzar con un objetivo de ventas de 10 millones de cajas para el primer año, Ichiban Shibori terminó vendiendo 35 millones de cajas en ese año, y a mediados de 1991 se esperaba que el segundo año de ventas tuviera un monto de 70 millones. Combinada con la aún fuerte cerveza añeja de Kirin, Ichiban Shibori proporcionó a esta empresa dos pilares sólidos con los cuales respaldaron su amplia línea, y en 1990 le ayudaron a obtener ganancias por primera vez en seis años.

Sapporo sacó al mercado gran cantidad de nuevas cervezas, antes y después de la Super Dry, pero muchas no se vendieron bien. Una de ellas fue la primera cerveza "estacional" del Japón, Fuyu Monogatari ("Winter Tale"), una cerveza con 5.5% de alcohol para beber con las comidas típicas de invierno, vendida sólo de octubre a febrero cada año, cuya etiqueta presentaba una tormentosa cita de Shakespeare. (El concepto estacional posteriormente sería utilizado por Suntory con su Summer Beer Nouveau y por Kirin con Aki Aji, o la Autumn Taste). Después de un periodo de declinante participación en el mercado e incertidumbre con relación a su línea y posicionamiento del producto, en 1991 se estableció la estrategia de productos de Sapporo con base en cuatro importantes cervezas y unos cuantos nichos. Éstas eran: (1) Black Label, su principal cerveza del barril; (2) Ebisu (una malta de rico sabor con fuertes partidarios entre los "conocedores" de cerveza); (3) Fuyu Monogatari (aún es firme vendedor en su cuarto año); y (4) Ginjikomi de suave sabor (hecha a base de malta pelada), fue la cerveza nueva más exitosa de 1991. A comienzos de ese año el presidente de Sapporo manifestó: "Aunque la economía sea negativa continuaremos desarrollando y comercializando nuevos productos; es lo que exige el mercado".

A excepción de Malt's, que.en 1991 fue la marca más importante en el segmento de mercado de maltas, Suntory no había tenido mucha suerte en la carrera de lanzamiento de nuevos productos. Varias de sus nuevas cervezas registraron un buen volumen de ventas durante el primer año, pero se desplomaron luego. En 1991, la compañía descontinuó cuatro marcas recientes y se concentró en Malt's, en la cerveza del barril Beer Ginjo de 1991 y en la estacional Beer Nouveau, que salió al mercado en las versiones de verano y otoño. A comienzos de 1992 se esperaba una cerveza suave de Suntory, aún no había una bebida suave que se vendiera bien en el Japón. En 1990, el vicepresidente de Suntory manifestó que aún no considera maduro el mercado de nuevos productos y que la compañía continuaría creando y comercializando nuevas cervezas en forma agresiva.

La figura 3 y la tabla 8 muestran la cantidad y nombres de las nuevas cervezas lanzadas al año. La figura 4 señala los cambios registrados en la participación en el mercado ocurridos antes y durante el auge de nuevos productos, que incluyen el cambio dramático ocurrido cuando se introdujo la Super Dry.

En 1991, no todos se sentían satisfechos con el continuo auge de nuevos productos y la dinámica competitiva que se había creado. La dirección de I&D en la división de producción de Sapporo manifestó:

Figura 3
Cantidad de lanzamientos anuales
de nuevos productos en la industria
cervecera japonesa, 1964-1991

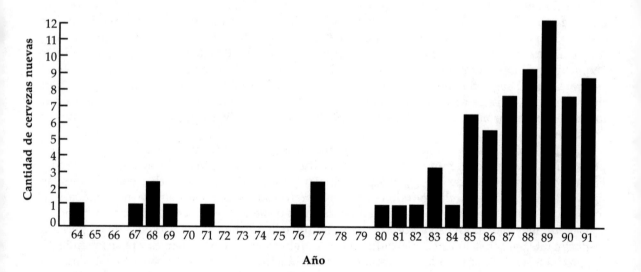

Tabla 8
Lanzamiento de nuevos productos, 1964-1991

Año	Cantidad	Asahi	Kirin	Sapporo	Suntory
1964	1				Bin Nama
1965	0				
1966	0				
1967	1				Jun Nama
1968	2	Hon Nama Black			
1969	1			Sapporo Light	
1970	0				
1971	1			Ebisu	
1972	0				
1973	0				
1974	0				
1975	0				
1976	1		Mainburoi		
1977	2			Bin Nama	Merutsuen
1978	0				
1979	0				
1980	1		Kirin Light Beer		
1981	1		Kirin Nama		
1982	1	Kuro Nama			
1983	3	(Lowenbrau)		Kuro Nama Ebisu Draft	Nama Merutsuen
1984	1		(Heineken)		Penguin's Bar (Budweiser)
1985	6	Rasuta Mild	News Beer Kirin Beer Light	Next One Classic Weizen	
1986	5	Nama Koku-kire	Export	Quality Our's	Malt's (Carlsberg)
1987	7	100% Malt Super Dry (Coors)	Heartland Kirin Classic Heartland Alt	Edelpils (Miller)	New Sun. Nama
1988	9	(Coors Light)	Kirin Dry Fine Malt Half & Half	Extra Dry Malt 100 On The Rocks Fuyu Monogatari	Suntory Dry Dry 5.5
1989	12	Super Yeast (Der Lowenbrau)	Fine Draft Fine Pilsner Malt Dry Cool 1497	Sapporo Draft Hardy Cool Dry Black Label	Sae Malt's S. Prem
1990	7		Ichiban Shibori Mild Lager	Hokkaido Byakuya Monoga	Jun Nama The Earth Beer Nouveau
1991	8	Z Horoniga	Premium Aki Aji	Ginjikomi	Ginjo Beer Nouv, Sum. Sum. Sento

Nota: Un "nuevo producto" se define así: es aquel en el que la cerveza misma es nueva o diferente (en ingredientes y/o método cervecero y, por tanto, en sabor) de los productos previamente ofrecidos por el fabricante. Debe anunciarse y publicitarse al consumidor como una nueva cerveza nueva o mejorada. (En consecuencia, no se consideran nuevos productos los ajustes no divulgados en cuanto al sabor de las bebidas existentes). Una cerveza comercializada previamente, ofrecida en un nuevo tipo o tamaño de envase no se considera un nuevo producto. Los nombres de las bebidas que aparecen en paréntesis corresponden a marcas extranjeras producidas bajo licenciamiento en el Japón; éstos no se consideran lanzamientos de nuevos productos.

Figura 4
Cambios en la participación
en el mercado en la industria
cervecera japonesa,
1970-1990

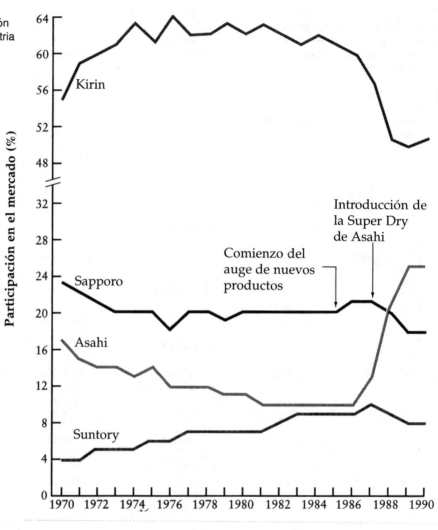

Año

El nivel corriente de desarrollo de nuevos productos es bastante costoso. Se emplea bastante dinero para desarrollar una nueva cerveza original, además muchas de las recientes y nuevas marcas requieren materiales o métodos de producción más costosos que los utilizados para fabricar los antiguos estándares. Adicionalmente, para que un nuevo producto tenga la oportunidad de convertirse en éxito, es necesario hacer bastante publicidad y ésta cuesta dinero. El mundo parece estar atrapado en este ciclo donde si una de las compañías trata de diferenciarse, por ejemplo, al desarrollar cierto tipo de minibarril surtidor, entonces las demás también tendrán que hacerlo. El iniciador obtiene una ventaja temporal, pero rápidamente es copiado, y la industria en su totalidad termina causándose daño al tener que realizar todas estas labores extra que cuestan más y no proporcionan ninguna ventaja sobre la competencia. El resultado es que los consumidores terminan por beber cervezas costosas.

CASO

2

Video Concepts, Inc.

Cuando Chad Rowan, el propietario de Video Concepts, Inc., revisó su estado mensual de ingresos y gastos, sólo atinó a preguntarse por qué tan diferente. Por muchas razones, se consideraba un empresario bastante exitoso, porque iniciaba un negocio y lo hacía crecer rentable. En otras circunstancias, se sentía atrapado en una situación no fructífera a largo plazo. La pregunta entonces era qué debería hacer en el ambiente de negocios que se le presentaba. Básicamente, Chad tenía un negocio rentable pero las utilidades eran relativamente pequeñas y habían detenido su crecimiento desde que un fuerte competidor, Blockbuster Video, incursionaba en ese terreno. Sin embargo, las utilidades no eran suficientes para cancelar sus deudas a largo plazo y apenas le suministraban para subsistir. De otra parte, las oportunidades de vender su negocio por una cantidad suficiente para cancelar las deudas, y luego comenzar otra actividad, no eran buenas.

Al reflexionar sobre las posibilidades, Chad manifestó:

Realmente aspiraba expandir Video Concepts en varias poblaciones de igual tamaño, localizadas a un par de horas de aquí. Las proyecciones financieras, que habían sido absolutamente exactas hasta la llegada de Blockbuster, indicaban que era posible llevar a cabo este propósito. Consideré que crecía rápido y que había invertido en el negocio casi todo el capital del que podía disponer. Incluso esperaba contar con un socio que participara conmigo en el negocio, y había alguien muy interesado. Sin embargo, ahora siento que no estoy obteniendo un muy buen rendimiento de mi tiempo y capital.

Al hablar sobre la situación actual, manifestó:

Creo que estoy tomando de mi propia medicina. Cuando comencé a crecer, diversos negocios locales salieron del medio, pero ahora la buena noticia es que el mercado total ha crecido desde que Blockbuster abrió su almacén. Su liderazgo en mercadeo ha traído más personas al mercado.

Con el fin de competir con Blockbuster, Chad ha tratado de realizar todo lo posible para obtener participación en el mercado. Agregó: La única forma de aumentar los ingresos parece ser incrementar el precio de alquiler, pero mi bajo precio es la mejor estrategia de marketing que poseo. Si lo hago, temo perder una gran participación en el mercado".

Este caso fue preparado por John Dunkelberg y Tom Gobo, Wake Forest University. Los derechos reservados son para los autores y la North American Case Research Association. Este material se preparó para discusión en clase, no para ilustrar lo efectivo o inefectivo ~~ ~l mancio do cituaciones administrativas.

ANTECEDENTES

Chad Rowan se había interesado en tener su propia actividad desde que estableció y manejó un negocio de corte de prado cuando se encontraba en la universidad. En noveno grado comenzó a cuidar el césped de sus vecinos utilizando la segadora de su familia. Al poco tiempo cuando se graduó, su negocio ya había crecido y tenía sus propios equipos de servicio: una segadora móvil, dos segadoras pequeñas, dos sopladoras, un aireador, una segadora con cuchillas y una recortadora. Su negocio creció a tal punto que empleó tres compañeros de estudio. Las utilidades de este negocio fueron suficientes para pagar sus derechos de matrícula en la universidad, y continuó con éste durante los cuatro años universitarios.

Chad se especializó en negocios y tomó los únicos dos cursos disponibles en manejo y administración de pequeñas empresas. Durante su último año de universidad realizó investigaciones sobre el negocio de alquiler de videos, en ese momento una industria relativamente nueva. Su investigación sacó a la luz un documento sobre esta actividad. Ahí incluía un plan de negocios para la puesta en marcha de un pequeño almacén de alquiler de videos con un inventario aproximado de 500 videocintas. A mediados de ese año, se dio cuenta que podía comenzar en el negocio de alquiler de videos, para cuyo propósito ya había escogido el sitio, un almacén minorista desocupado en el centro del distrito de negocios de su ciudad natal.

Comienzo de un negocio

Después de su graduación en 1987, Chad inauguró Video Concepts, un almacén de alquiler de videos con 200 pies cuadrados de espacio para la venta minorista y una videoteca de 500 cintas para alquilar en Lexington, Carolina del Norte, una población con aproximadamente 28,000 habitantes. Video Concepts comenzó en forma lenta pero fue rentable en seis meses. Chad probó varias técnicas innovadoras de mercadeo que incluían entrega a domicilio, el derecho a una película gratis después de diez alquileres y la venta de bebidas refrescantes y palomitas de maíz en el establecimiento donde se entregaban las cintas. Para ayudar a reducir los gastos de apertura del negocio, Chad vivía en casa con sus padres y tomaba sólo US$500 mensuales como pago de su propio salario. Los ingresos para el primer año fueron de US$64,000 con todo el superávit de los flujos de caja utilizados para comprar cintas adicionales. Al terminar las operaciones del primer año, Chad decidió desplazarse a un almacén más amplio.

En un pequeño centro comercial, que atendía una mayor población, había disponible un almacén minorista de 1,000 pies cuadrados. Chad solicitó prestado US$80,000 a su banquero para abrir este establecimiento utilizando el valor de algunas acciones corporativas que poseía como garantía. El préstamo era un pagaré a 7 años con intereses pagaderos sólo durante su término y la deuda principal completa pagadera a 7 años. El nuevo establecimiento tenía 3,000 cintas. Chad compró los nuevos permisos de divulgación a través de Major Video, uno de los tres más importantes distribuidores mayoristas de EE.UU. Con el fin de incrementar la magnitud de su videoteca, compró más de 2,000 cintas usadas a una firma que las adquiría a empresas en bancarrota para la reventa. Durante los siguientes dos años, Video Concepts continuó creciendo en forma rápida y siguió siendo rentable. No obstante, Chad continuó invirtiendo todas las utilidades en la compra de cintas adicionales. Los ingresos durante el segundo año se incrementaron a US$173,000 y a US$278,000 para el tercer año.

El crecimiento continúa

La oportunidad de abrir un tercer almacén se hizo realidad cuando un establecimiento minorista de muebles, ubicado en el distrito comercial más visitado de Lexington, decidió mudarse a sus propias y mayores instalaciones en las afueras de la ciudad. El almacén tenía 3,000 pies cuadrados de espacio, suficiente para mantener más de 12,000 cintas en los exhibidores. Chad obtuvo un contrato de arrendamiento del almacén a tres años y abrió su tercer establecimiento en el otoño de 1990. En ese momento Video Concepts poseía almacenes en tres importantes áreas comerciales de Lexington.

Este nuevo establecimiento utilizaba exhibidores para las videocintas y los clientes podían ubicar rápida y fácilmente el tipo de película que deseaban al ir a la sección (por ejemplo: estrenos, horror, ciencia ficción, acción, clásicos, etc.) y desplazarse por el pasillo. La revisión era rápida y fácil, gracias a un nuevo programa de software que redujo el tiempo de verificación a menos de 30 segundos por cliente. Además, el programa suministraba una capacidad de información administrativa que permitía registrar las ocasiones que se alquilaba cada cinta, cuántas cintas alquilaba cada cliente y quién poseía cintas con fechas límite vencidas. El sistema también le permitió a Chad registrar fácilmente las ventas diarias, semanales o mensuales. El nuevo almacén y la mayor eficiencia en las operaciones le posibilitaron a Video Concepts convertirse en un negocio cada vez más rentable.

Durante el siguiente año, continuó el crecimiento en los tres almacenes y el mayor registro provenía del nuevo local. Chad continuó con la política de proporcionar una película gratis después de diez alquileres, redujo el precio de alquiler a US$1.99 por noche e introdujo publicidad concentrada básicamente en los eventos promocionales escolares de la localidad. Los dos establecimientos iniciales registraron poco crecimiento en las ventas pero siguieron siendo rentables.

A medida que crecía su negocio, disminuía firmemente la cantidad de competidores, y para el verano de 1991, sólo seis rivales de los iniciales 17 seguían operando. Chad consideraba que el carácter agresivo de su estrategia de precios, servicio de alta calidad y buena selección de estrenos fueron factores en la desaparición de algunos de sus pequeños competidores. Sus seis rivales registraban un promedio en inventario inferior a los 1,000 videos y ninguno tenía más de 1,600 cintas. Él estimaba que los ingresos presentes anuales de los alquileres en Lexington eran aproximadamente de US$600,000.

El incremento en las cadenas de almacenes de alquiler de video a nivel nacional no había pasado desapercibido para Chad, entonces visitó varios locales de competidores en ciudades vecinas. Durante sus inspecciones, básicamente trató de observar qué hacía la competencia y aprender qué debería hacer para lograr mayor eficiencia y mantenerse competitivo. Si bien había visitado los almacenes Blockbuster Video en varias ciudades cercanas, estimó que sus establecimientos requerirían ingresos anuales por lo menos de US$600,000 por cada uno para ser rentables. Por esta razón, creía que Lexington era demasiado pequeño para atraer una mayor cadena de almacenes de video. También consideraba que contaba con una operación de locales bien abastecida cuyo funcionamiento era eficiente como cadena.

Con estas inquietudes presentes, comenzó por pagarse un modesto salario anual de US$15,000. Además, estaba listo para comenzar a cancelar un préstamo de US$200,000, segundo que había obtenido para abrir el nuevo establecimiento. Para conseguirlo, había utilizado como garantía todos sus activos puesto que consideraba estos almacenes una excelente inversión. En el verano de 1991, con crecientes ventas cada mes, Chad tenía razón en creer que había consolidado un negocio exitoso.

EL SURGIMIENTO DE UNA SERIA COMPETENCIA

En agosto de 1991, Blockbuster Entertainment anunció que abriría un almacén en Lexington. Blockbuster, aunque era una corporación muy joven, constituía la mayor cadena de almacenes de alquiler de videos en EE.UU. Blockbuster había pasado de 19 establecimientos en 1986 a 2,028

(1,025 propios y 1,003 franquicias) en 1991 con ingresos totales superiores a los US$1,200 millones en 1992. El típico establecimiento Blockbuster contaba con 8,000 a 14,000 cintas, y los almacenes tenían de 4,000 a 10,000 pies cuadrados. En 1991, los 1,248 almacenes de la compañía que habían estado en operación por más de un año presentaban ingresos mensuales promedio de US$74,984.

Aunque parecía haber disminuido el crecimiento en el gasto de los consumidores en alquiler de videos en EE.UU., Blockbuster Video consideraba que tenía la oportunidad de despojar de la participación en el mercado a los pequeños competidores a través de su estrategia de creación de grandes locales con una mayor selección de cintas que la mayoría de sus rivales. Al ser la más grande cadena de alquiler de videos en ese país, Blockbuster también logró ventajas en mercadeo y en la compra de inventarios. El precio estándar de la compañía era de US$3.50 por cinta para dos noches, pero los almacenes locales tenían cierta discreción en la fijación de precios.

En el otoño de 1991, Blockbuster construyó un nuevo almacén casi al frente del principal establecimiento de Video Concepts. Compró un lote desocupado por US$310,000 y luego realizó un contrato de *leasing* para ocupar un edificio de 6,400 pies cuadrados que fue construido con base en sus especificaciones bajo un contrato a largo plazo por US$8.50 el pie cuadrado durante los primeros tres años. El costo de equipar completamente el edificio, incluyendo las videocintas, fue de US$375,000 aproximadamente y Blockbuster gastó más de US$150,000 en las grandes promociones de inauguración. Así, esta compañía gastó alrededor de US$835,000 para abrir su almacén comparado con los escasos US$200,000 que Video Concepts había invertido para abrir su local de similar tamaño. Los costos operativos de Blockbuster fueron muy parecidos a los de Video Concepts debido a que el equipo de computadores de verificación era similar y ambas firmas tenían aproximadamente los mismos costos de personal. Las dos depreciaban sus cintas a los 12 meses.

EL IMPACTO DE BLOCKBUSTER EN VIDEO CONCEPTS

Chad decidió no tratar de enfrentar la grandiosa y arrasadora inauguración de Blockbuster con una propia promoción publicitaria, pero sí comenzó a incluir folletos en cada alquiler sobre Video Concepts. El folleto señalaba sus ventajas: el precio de alquiler en Video Concepts era menor que el de Blockbuster, Video Concepts tenía una nueva sección de juegos donde estaban disponibles los Nintendo, era un almacén de esparcimiento para la familia (por ejemplo: no existían películas X) y Video Concepts era un almacén con sede propia que apoyaba los eventos escolares de la localidad. Chad sentía que su pasada reputación de bajos precios (US$1.99 *versus* US$3.50 en Blockbuster), su propiedad en la región y buen servicio constituían la respuesta apropiada para un competidor bien financiado. Él no creía que debiera incluso tratar de igualar el presupuesto para publicidad de Blockbuster, ni intentar derrotar al rival en su campo. Es decir, debía continuar haciendo lo que conocía mejor y no tratar de equiparar la estrategia de marketing de Blockbuster. No obstante, incrementó la cantidad de cintas compradas para cada estreno.

Con la apertura del nuevo almacén Blockbuster y su correspondiente gran campaña de marketing para la inauguración, los ingresos de Video Concepts cayeron casi en un 25% durante dos meses y luego comenzaron a ascender de nuevo lentamente a los niveles previos a la apertura. Durante estos dos meses, Chad había trabajado arduamente para suministrar un excelente servicio al cliente a través de breves sesiones de entrenamiento para sus empleados. Siempre las había tenido, pero éstas enfatizaban la amenaza competitiva de Blockbuster y la necesidad de suministrar el mejor servicio posible al cliente. Los puntos principales de estas sesiones se dirigían a informar a los clientes, mientras les verificaban, cuántos alquileres les faltaba para obtener uno gratis, su capacidad para reservar películas y la disponibilidad de la organización para suministrarles servicio a domicilio sin un cargo extra. (Éstos eran los servicios que Blockbuster no ofrecía).

Infortunadamente, los ingresos de Video Concepts alcanzaron un nivel inferior a los US$40,000 mensuales y permanecieron ahí con las normales y menores variaciones estacionales, para los siguientes 12 meses. Durante ese periodo, Chad intentó varias promociones de marketing incluyendo el servicio de alquiler de un video para llevar otro gratis en las noches normales de lento movimiento (lunes, martes y miércoles); envió por correo folletos a todos sus clientes, que incluían un resumen en el que se destacaban las ventajas de comprar en Video Concepts frente a Blockbuster (menor precio y servicios adicionales); y un cupón de alquiler gratuito.

Las promociones parecieron ayudar a Video Concepts a mantener el nivel corriente de ingresos, pero también disminuyeron la rentabilidad de la operación. Para tratar de mejorarla, Chad examinó su operación buscando medios de hacerla más eficiente. Al estudiar los patrones de venta hora por hora, pudo programar a sus empleados en forma más eficiente. También utilizó la información suministrada por el programa de software para determinar cuándo llegaban al tope los alquileres de "hits" y/o estrenos. Se dio cuenta que existía un mercado absolutamente óptimo para las cintas usadas durante un periodo corto, pero, si la cinta no se vendía en ese momento, terminaría con una videocinta que tenía muy poca demanda de alquiler y menor valor de reventa.

El problema con los videos "hit" era doble. Primero, la determinación de cuántas cintas comprar. Parecía existir poca correlación entre un éxito de taquilla y uno en los alquileres. Cuando el video se lanzaba en primera instancia para alquiler, Chad compraba 40 ó 50 videocintas a un costo unitario de US$60. Su demanda sería bastante alta de seis semanas a tres meses aproximadamente, después caería en forma significativa. El segundo problema, por consiguiente, era determinar cuándo y cuántas cintas vender antes que cayera la demanda al nivel de videos no exitosos. Chad consideraba que había resuelto el segundo problema al mirar cuidadosamente las cifras de ventas para las cintas. El análisis de esta información le ayudó a minimizar su inversión en el inventario de cintas que marginalmente mejoraron el flujo de caja.

EL DILEMA

Dos años después de que Blockbuster abriera su almacén, Chad cuidadosamente analizó los estados financieros de Video Concepts. La compañía era rentable y había podido mantener su participación en el mercado. (*Véanse* tablas 1 y 2). Se hizo evidente que el surgimiento de Blockbuster había incrementado la demanda de alquileres de video en Lexington para un estimado anual de US$1,300,000. La participación de Blockbuster se estimaba aproximadamente en US$700,000 anuales y los pocos almacenes independientes remanentes tenían alrededor de US$100,000 anuales en ingresos.

Para Chad la situación actual era absolutamente clara. Video Concepts tenía un almacén comparable con el de Blockbuster en cuanto a la selección de cintas, costos de personal y eficiencia operativa. Esta organización contaba con una ventaja al poseer menores costos de *leasing* por establecimiento (US$3.50 por pie cuadrado *versus* US$8.50), pero Blockbuster tenía mayor ventaja al utilizar su poder de compra para adquirir cintas a un precio mucho menor. La principal fortaleza de marketing de Video Concepts era su menor precio de alquiler (US$1.99 *versus* US$3.00), pero Blockbuster utilizaba un presupuesto para publicidad mucho mayor con el propósito de atraer clientes. (Todos los locales Blockbuster en esa región cobraban US$3.50 por alquiler excepto el de Lexington).

Como sucedió en toda la nación, el crecimiento del ingreso por alquiler de videos se estabilizó en el área de Lexington en 1992. (En toda la nación, en 1992, las ventas se incrementaron sólo en un

4.7% para los almacenes Blockbuster que habían operado por más de un año). El crecimiento futuro no parecía prometedor puesto que las señales de los avances en la tecnología de televisión por cable podrían hacer obsoletos los establecimientos de alquiler de videos cuando la fibra óptica posibilitara que los suscriptores de televisión por cable soliciten una amplia variedad de películas en sus hogares mediante servicios pagados previamente. Sin embargo, esta tecnología aún se encuentra en etapas de desarrollo, y su expansión a las pequeñas ciudades es ciertamente remota.

Mirando hacia el futuro, Chad sintió que apesar de todos sus esfuerzos, el ingreso neto de la operación Video Concepts no le suministraría un alto rendimiento para su tiempo y capital como esperaba. Aún pagaba sólo los intereses sobre préstamos a largo plazo, y cancelar la deuda parecía un hecho bastante remoto. Desde su punto de vista, tenía varias opciones. Consideró incrementar el precio del alquiler nocturno a US$2.49 para hacer que el negocio fuera más rentable, pero temía las posibles consecuencias generadas por tal movimiento. También estudió la posibilidad de contratar a alguien que manejara el negocio y encontrar otra labor para él. Antes, tuvo ofertas de empleos en corporaciones y estaba explorando de nuevo esa opción. Otra alternativa era tratar de vender el negocio. Mientras examinaba estas alternativas, trataba de pensar en una solución que pudiera haber pasado por alto. No obstante, estaba seguro de que no deseaba seguir laborando días de 12 horas en un negocio que no parecía tener un futuro prometedor.

Tabla 1
Estado de ingresos y gastos de Video Concepts Inc.,
cierre de año, junio 30, 1993

Ingresos		US$465,958
Costo de bienes*		192,204
Utilidad bruta		US$273,754
Gastos		
Salarios**	US$108,532	
Impuestos sobre nómina	11,544	
Servicios públicos	20,443	
Alquiler	23,028	
Gastos de oficina	26,717	
Mantenimiento	6,205	
Gastos de publicidad	4,290	
Gastos de intereses	27,395	
Gastos totales		228,154
Ingreso antes de impuestos		45,600
Impuestos		10,944
Ingreso neto		US$34,656

* Costo de bienes = precio de compra menos valor de mercado de las cintas. Este método se utiliza debido a que la mayoría de las cintas compradas se deprecian en un periodo de 12 meses.

** Los salarios incluyen el de Chad por US$15,000.

Tabla 2
Balance general de Video Concepts Inc., a junio 30, 1993

Efectivo	US$15,274	Cuentas por pagar	US$15,429
Inventario	4,162	Impuestos de ventas por pagar	2,415
Gastos prepagados	1,390	Obligaciones FICA** por pagar	3,270
Activos corrientes totales	US$20,826	Pasivos corrientes totales	US$21,114
Equipo de oficina	US$48,409	Préstamo bancario	US$247,518
Muebles y enseres	53,400	Acciones ordinarias	20,800
Cintas de videocasete	303,131	Ganancias por repartir	24,153
Mejoras a los bienes raíces arrendados	39,800		
Depreciación acumulada*	(151,981)		
Activos totales	US$313,585	Total de pasivos y valor real	US$313,585

* Incluye la depreciación de las cintas
** Abreviatura de Federal Insurance Contributions Act.

Referencias

"Blockbuster Goes after a Bigger, Tougher Rep." *Variety*, January 25, 1993, p. 151.

"Blockbuster, IBM Plans Set Retailers Spinning" *Variety*, May 17, 1993, p. 117.

"Blockbuster Idea Might Work for Computer Industry", *Mac Week*, May 24, 1993, p. 62.

"Blockbuster Sizes up PPV Potential: Talks Home Delivery with Bell Atlantic" *Billboard*, January 30, 1993, p. 11.

"Changes in Distribution Landscape Have Players Scouting Claims", *Billboard*, May 16, 1993, p. 52.

"Oscar Noms Mean Gold for Video Industry", *Variety*, February 24, 1992, p. 79.

"Play It Again and Again, Sam", *Newsweek*, December 16, 1991, p. 57.

"Recording Industry Hits Blockbuster", *Advertising Age*, May 17, 1993, p. 46.

"Record Store of Near Future: Computers Replace the Racks", *The New York Times*, May 12, 1993, p. A1.

"Stretching the Tape", *The New York Times*, April 22, 1993, p. B5.

"Video and Laser Hot Sheet", *Rolling Stone*, March 4, 1993, p. 72.

"VSDA Regaining Its Sense of Direction", *Variety*, June 8, 1992, p. 19.

Philips NV: Evolución organizacional y estratégica*

INTRODUCCIÓN

Fundada en 1891, la compañía holandesa Philips NV es una de las empresas electrónicas más grandes del mundo. Sus negocios están agrupados en cuatro importantes divisiones: aparatos de iluminación, electrodomésticos, productos profesionales (computadores, equipo de telecomunicaciones y médico), y piezas (entre otros, chips semiconductores). En cada una de estas áreas ocupa un rango paralelo al de sus similares Matsushita, General Electric, Sony y Siemens como competidor global. A comienzos de la década de 1990, la compañía tenía varios cientos de subsidiarias en 60 países. Operaba plantas de fabricación en más de 50 países, fabricaba miles de productos distintos y empleaba 250,000 personas en todo el mundo (menos de los 350,000 empleados en la década anterior). Sin embargo, a pesar de su alcance global, a comienzos de esta década esta firma se encontraba en profundos problemas. Después de una década de decadente desempeño, en 1990 perdió US$2,400 millones de ingresos de US$33,000 millones (*véase* tabla 1 para consultar información financiera). Aunque la empresa volvió a obtener rentabilidad en 1991, en 1992 tuvo una pérdida de US$489 millones en ventas de US$31,800 millones. La compañía atribuyó esta pérdida a mercados débiles en Europa, donde genera sólo la mitad de sus ventas anuales, y a US$652 millones por cargos de reestructuración para cubrir los despidos planeados.

HISTORIAL INICIAL Y ORGANIZACIÓN

Philips fue fundada en 1891 por Gerard Philips. Gerard, un ingeniero electricista, desarrolló un proceso barato para fabricar lámparas incandescentes. Más tarde se unió a su hermano, Anton. Mientras Gerard se concentraba en problemas técnicos, Anton se hizo responsable de la parte comercial de los negocios, particularmente de las ventas. A partir de esta organización nació la administración en forma de *duunvirato* que llegó a caracterizar a Philips durante la mayor parte de su historial. Bajo este criterio de organización, perceptible en toda la compañía, la responsabilidad y la autoridad de la alta gerencia eran compartidas por dos gerentes, uno responsable de los "asuntos comerciales" y otro encargado de las "actividades técnicas". Así, la mayoría de las 60 o más operaciones nacionales de Philips eran dirigidas no por un solo individuo, sino por dos. En efecto, en el caso de muchas organizaciones nacionales los gerentes técnicos y comerciales estaban unidos

---

* Este caso fue preparado por Charles W. L. Hill, University of Washington, como material para discusión en clase, no para ilustrar lo efectivo o inefectivo del manejo de situaciones administrativas.

a un tercer individuo, un gerente financiero, que constituía un comité líder en forma de triunvirato. Una consecuencia de esta disposición fue que en toda la organización había una competencia informal entre los gerentes técnicos y comerciales, quienes intentaban superar entre sí su desempeño. Esto generalmente se consideraba benéfico. Como lo manifestó Anton alguna vez:

> El gerente técnico y el gerente de ventas competían entre sí para superar su desempeño. Producción intentaba generar tanto de tal manera que ventas no pudiera salir de ésta; ventas trataba de vender de tal modo que fabricación no pudiera continuar produciendo al mismo ritmo[1].

Quizá al reflejar la competencia entre la gerencia comercial y técnica, el volumen de ventas, por oposición a la rentabilidad, era la forma de medición tradicional del éxito en Philips: la convicción de que mientras ventas continuara creciendo, automáticamente sucedería lo mismo con las utilidades.

Hasta la Segunda Guerra Mundial las actividades extranjeras de Philips se desarrollaban fuera de la sede principal en Eindhoven. Sin embargo, durante la guerra, los Países Bajos fueron ocupados por Alemania. Al retirarse de su sede matriz, diversas organizaciones nacionales de Philips comenzaron a operar en forma independiente. En esencia, cada organización nacional importante se convirtió en una compañía autónoma con sus propias funciones de fabricación, marketing e I&D.

Después de la guerra, la alta gerencia consideró que la compañía podría reconstruirse en forma más exitosa a través de sus organizaciones nacionales. Hubo varias razones para seguir este propósito. En primer lugar, las altas barreras comerciales hicieron lógico que las organizaciones nacionales autónomas se establecieran en cada mercado nacional importante. En segundo lugar, se percibía que fuertes organizaciones nacionales posibilitaban la receptividad de Philips a las exigencias locales en cada país donde competía. Y en tercer lugar, dada la considerable autonomía que habían obtenido las diversas organizaciones nacionales durante la guerra, la alta gerencia consideró que podría resultar difícil restablecer el control centralizado y esto proporcionaría pocos beneficios.

Al mismo tiempo, la alta gerencia sintió la necesidad de tener cierto control centralizado sobre las políticas de productos e I&D con el fin de lograr coordinación entre las organizaciones nacionales. La respuesta consistió en crear varias divisiones de productos en todo el mundo (de las cuales existían 14 a mediados de la década de 1980). En teoría, las políticas fundamentales de I&D y desarrollo de productos eran responsabilidad de las divisiones de productos, mientras que las organizaciones nacionales se encargaban de las operaciones diarias en un país particular. La estrategia de productos en un país específico estaba determinada en conjunto por la consulta entre la organización nacional responsable y las divisiones de productos. A las organizaciones nacionales les correspondía su implementación.

La cúpula encargada de la toma de decisiones y el diseño de políticas en la compañía era una junta administrativa constituida por 10 personas (distintas de la junta directiva). Aunque los miembros de esa junta compartían la responsabilidad general administrativa, por lo regular mantenían especial interés en una de las áreas funcionales de la empresa (por ejemplo, I&D, fabricación, marketing). Tradicionalmente, la mayoría de sus miembros eran holandeses y habían ascendido a través de la burocracia de Eindhoven. Sin embargo, en gran parte se beneficiaron al asignárseles altos cargos en el exterior, normalmente como altos gerentes en sus organizaciones nacionales. La mayoría de los altos gerentes en Philips también llevaban bastante tiempo con la compañía, cuyo vínculo en su mayor parte se había llevado a cabo a comienzos de la década de 1920.

Uno de los roles claves de la junta administrativa consistía en actuar como árbitro de negociaciones entre las organizaciones nacionales altamente autónomas y las divisiones de productos. Las

---

1. Citado en "The Philips Group: 1987", Harvard Business School Case #388-050. Cambridge, Mass, 1987.

Tabla 1
Datos financieros

Datos sobre ingresos (millones US$)

Cierre de año, diciembre 31	Entradas totales	•Ingresos operacionales	% de ingresos operacionales contra entradas totales	Inversión de capital	Depreciación	Gastos de interés	[3]Ingresos netos antes de deducir impuestos	Tasa efectiva de impuestos	[4]Ingreso neto	% de ingresos netos contra ingresos totales	Flujo de caja
[1,2]1992	32,178	2,976	9.2	1,831	1,891	1,065	d292	D	d495	D	1,396
[1]1991	33,274	3,614	10.9	1,191	1,914	1,217	965	26.4%	573	1.7	2,487
[1]1990	33,018	3,566	10.8	1,941	2,319	1,297	d2,380	D	d2,680	D	d361
[1]1989	29,985	2,869	9.6	2,141	1,802	1,012	763	35.8%	d415	1.4	2,217
1988	28,011	2,663	9.5	1,989	1,680	1,047	466	33.9%	265	0.9	1,945
1987	29,831	2,865	9.6	2,525	1,813	1,041	599	19.7%	458	1.5	2,271
1986	25,334	2,559	10.1	2,101	1,439	814	903	42.1%	d441	1.7	1,880
1985	21,802	2,257	10.4	1,603	1,269	833	658	39.4%	356	1.6	1,625
[2]1984	15,167	1,614	10.6	1,119	775	600	572	36.2%	314	2.1	1,089
1983	15,102	1,541	10.2	809	691	602	469	45.0%	212	1.4	903

Datos tomados del original; traducidos a tasas de cambio de final de periodo; basados en el GAAP de los Países Bajos. 1. Reflejan fusión o adquisición. 2. Reflejan cambio contable. 3. Incluye valor real en ingresos, de subsidiarias no consolidadas. 4. Antes de especificar ítemes. d-déficit. D-Despreciable.

Balance General (millones US$)

Diciembre 31	Efectivo	Activos	Pasivos corrientes	Relación	Activos totales	% de rendimiento sobre activos	Deuda a largo plazo	Valor real	Total de capital invertido	% de deuda a largo plazo sobre capital	% de rendimiento sobre el valor real
1992	912	15,408	10,269	1.5	26,856	D	5,510	4,987	11,843	46.5	D
1991	1,129	15,683	11,484	1.4	29,087	1.9	6,519	6,735	14,240	45.8	8.5
1990	1,488	15,898	11,752	1.4	30,549	D	6,966	6,611	14,792	47.1	D
1989	809	15,415	11,213	1.4	28,809	1.5	5,230	8,849	15,243	34.3	4.7
1988	712	14,168	9,633	1.5	26,398	1.0	4,969	8,262	14,356	34.6	3.1
1987	1,020	15,069	10,522	1.4	28,260	1.7	4,894	8,779	14,974	32.7	5.5
1986	590	12,578	8,494	1.5	23,305	2.1	4,065	7,299	12,505	32.5	6.6
1985	630	11,173	7,151	1.6	19,202	2.0	3,299	5,864	10,045	32.8	6.5
1984	449	9,011	5,576	1.6	15,373	2.0	2,682	4,783	8,220	32.6	6.7
1983	552	9,243	5,756	1.6	15,617	1.3	2,434	4,498	8,269	29.4	4.4

negociaciones abarcaban una amplia variedad de problemas, desde el establecimiento de objetivos de ventas para el año siguiente hasta conseguir que una organización nacional adoptara un nuevo producto desarrollado por una de las divisiones. El hecho de que las divisiones de producto no siempre tuvieran dominio en estas negociaciones se ilustró gráficamente a mediados de la década de 1970 cuando la organización nacional estadounidense de Philips decidió no adoptar el formato para grabadora de videocasete desarrollado por la firma, el V2000. Por el contrario, adoptó el VHS que comercializaba el rival global de Philips, Matsushita. Como resultado, esta decisión fue la correcta, ya que el formato VHS se convirtió en el diseño predominante de esta industria, en tanto que el V2000 de Philips se perdió en la oscuridad.

La junta administrativa recibía respaldo para sus tareas por parte de un gran *staff* corporativo ubicado en la sede de Eindhoven. Este personal, a menudo comparado con un servicio civil gubernamental, desempeñaba una amplia variedad de servicios técnicos, generales y comerciales. Éstos incluían elaboración de diseños y plantas de ingeniería; coordinación industrial; servicios financieros, legales y contables; desarrollo administrativo; planeación estratégica; y publicidad. Al igual que los altos gerentes, la mayor parte del *staff* corporativo era holandés, y la mayoría había hecho carrera en Philips. A finales de la década de 1980, este *staff* aún superaba los 3,000 miembros. Además, las divisiones de productos con sede en Eindhoven tenían su propio personal, que ascendía a 2,500 personas aproximadamente. En lo que respecta a Eindhoven, en muchos aspectos ésta era (y sigue siendo) la arquetípica ciudadela de una compañía con su propio teatro, biblioteca y museo Philips. En efecto, incluso el equipo local de fútbol, el PSV Eindhoven (uno de los mejores clubes europeos) es patrocinado por Philips.

CAMBIO AMBIENTAL

A partir de la década de 1960 se presentaron cambios significativos en el ambiente competitivo de Philips, transformaciones que la afectaron profundamente. En primer lugar, debido a los esfuerzos del Acuerdo General sobre Aranceles Aduaneros y Comercio (GATT), las barreras comerciales cayeron en todo el mundo. Además, en la sede matriz de Philips, Europa, el surgimiento de la Comunidad Económica Europea, de la cual los Países Bajos fueron los primeros miembros, generó una reducción adicional en las barreras comerciales entre los países de Europa occidental.

En segundo lugar, durante las décadas de 1960 y 1970 surgieron nuevos competidores en el Japón. Al sacar ventaja del éxito obtenido por el GATT en la reducción de las barreras comerciales, las compañías japonesas generaron la mayor parte de su producción a nivel doméstico y luego exportaron al resto del mundo. Las resultantes economías de escala les permitieron disminuir los costos unitarios por debajo de los logrados por los competidores occidentales, como Philips, que fabricaban en múltiples sitios. Esta situación incrementó en forma significativa las presiones competitivas en la mayor parte de las áreas de negocios donde Philips competía.

En tercera instancia, debido a cambios tecnológicos, el costo de I&D y fabricación se incrementó rápidamente. La introducción de transistores y luego de circuitos integrados exigió significativos gastos de capital en las instalaciones de producción, que a menudo ascendían a los cientos de millones de dólares. Con el fin de realizar economías de escala fue imprescindible alcanzar considerables niveles de rendimiento. Además, el ritmo del cambio tecnológico estaba declinando y los ciclos de vida de los productos se reducían. Esta situación proporcionó menos tiempo a las compañías en la industria electrónica para recuperar sus inversiones de capital antes de que llegara la nueva generación de productos.

Finalmente, a medida que el mundo se desplazaba de una serie de mercados nacionales fragmentados hacia un solo mercado global, comenzaron a surgir estándares globales uniformes para los equipos electrónicos. Esto se hizo más evidente en el negocio de videograbadoras donde los tres estándares inicialmente lucharon por el predominio: el Betamax de Sony, el VHS de Matsushita y el V2000 de Philips. A la postre, el estándar VHS fue el más ampliamente aceptado por parte de los consumidores; y los demás eventualmente fueron abandonados. Para Philips y Sony, que habían invertido considerables cantidades en su propio estándar, este representó una derrota significativa.

CAMBIO ORGANIZACIONAL Y ESTRATÉGICO

A comienzos de la década de 1980, Philips se dio cuenta de que si deseaba sobrevivir tendría que reestructurar sus negocios en forma radical. Su estructura en costos era alta debido a la gran duplicación en las organizaciones nacionales, particularmente en el área de fabricación. Además, como lo demostró el caso del formato V2000, los intentos de la compañía para competir uniformemente en el mundo se encontraban obstaculizados por la fortaleza y autonomía de sus organizaciones nacionales. A partir de 1982, Philips comenzó a cambiar su organización. Los distintos cambios se asociaron a tres funcionarios CEO consecutivos, Wisse Dekker, Cor van de Klugt y Jan Timmer.

Wisse Dekker, 1982-1986

El primer intento de cambio llegó en 1982 cuando Wisse Dekker fue nombrado CEO. Rápidamente impulsó la racionalización de fabricación, mediante la creación de centros internacionales de producción para atender varias organizaciones nacionales y el cierre de varias plantas pequeñas e ineficientes. También impulsó a Philips para que realizara contratos de cooperación con otras firmas electrónicas con el fin de compartir los costos y riesgos de desarrollar nuevos productos. Además, Dekker aceleró una tendencia en el interior de la compañía que ya había comenzado a desplazar el concepto de liderazgo dual dentro de las organizaciones nacionales (comercial y técnica), remplazándola por un solo gerente general. De otra parte, trató de "suprimir" la matriz de Philips de las organizaciones nacionales al crear un consejo corporativo donde los jefes de las divisiones de productos se unirían a los jefes de las organizaciones nacionales con el propósito de analizar aspectos de importancia para ambas partes. Al mismo tiempo, le dio mayor responsabilidad a las divisiones de productos para determinar las actividades de investigación y fabricación en toda la compañía.

Van de Klugt, 1986-1990

En 1986, Dekker fue sucedido por Cor van de Klugt. Una de sus primeras acciones fue determinar que la rentabilidad sería el criterio central para evaluar el desempeño dentro de Philips. A las divisiones de productos básicamente se les asignó la responsabilidad de lograr utilidades. A finales de 1986 siguió la terminación del fideicomiso estadounidense de Philips, el cual tenía el control de sus operaciones norteamericanas durante la Segunda Guerra Mundial que mantuvo hasta ese año. Al terminarlo, en teoría, Van de Klugt restableció el control de Eindhoven sobre la subsidiaria norteamericana.

En mayo de 1987, Van de Klugt anunció una mayor reestructuración de Philips. Nombró 4 divisiones de productos: aparatos de iluminación, electrodomésticos, piezas electrónicas y telecomunicaciones y sistemas de información como "divisiones principales", lo que implicaba la liquidación de las demás actividades. Aparatos de iluminación se diseñó como una división de productos "independiente", mientras se hizo énfasis en los vínculos técnicos entre las otras tres divisiones. Las divisiones de productos no principales incluyeron bienes para el hogar y sistemas médicos. En 1987, Philips fusionó su negocio de productos para el hogar en una *joint venture* con Whirlpool. En el mismo año logró un contrato para fusionar su negocio de sistemas médicos en una *joint venture* con General Electric Company de Gran Bretaña (que no tiene relación con General Electric Company de EE.UU.). Esta decisión fue bien recibida por parte de la gerencia de la división de sistemas médicos, que cada vez más se sentía frustrada en sus intentos de competir a nivel global debido a la necesidad de tener que "persuadir" a los gerentes generales de las organizaciones nacionales para adoptar ciertos productos. Además, el rápido desarrollo del negocio de sistemas médicos exigía que se tomaran decisiones acerca de grandes inversiones sobre una base mundial. Los gerentes de la división médica de Philips sintieron que su capacidad para tomar tales decisiones estaba comprometida por la necesidad de coordinar inversiones con los gerentes de las organizaciones nacionales, que, no todas, tenían las mismas prioridades de la división médica.

Van de Klugt también redujo el tamaño de la junta administrativa. Su responsabilidad en el diseño de políticas se devolvió a un nuevo grupo de comité administrativo, que incluía los miembros restantes de la junta más los jefes de las principales divisiones de productos. No se nombraron jefes de las organizaciones nacionales.

Bajo el liderazgo de Klugt, Philips cerró o fusionó 75 de sus 346 plantas de fabricación dispersas en 50 países. También despidió aproximadamente 38,000 empleados (17,000 al vender negocios a otras compañías de un total de 344,000 en 1986).

Dos de las cuatro principales divisiones de productos parecieron responder en forma positiva a estos cambios. La historia más exitosa de Philips correspondió a su división de aparatos de iluminación. La número uno en el mercado mundial, con una participación de mercado global del 30%, en 1989 respondió sólo por el 13% de las ventas de la compañía pero registró más del 30% de sus utilidades. La otra división que funcionó bien fue la de productos de consumo. Aunque ésta produce desde discos compactos (tecnología de la que Philips fue pionera) hasta dispositivos eléctricos de estaño, su negocio estrella durante finales de la década de 1980 fue el sello disquero Polygram. Bajo el liderazgo de Jan Timmer, Poligram se expandió rápidamente en la década de 1980 al comprar en forma agresiva pequeños sellos disqueros con talentosas estrellas como U2, Janeth Jackson y Luciano Pavarotti. Posteriormente, Timmer fue designado por Van de Klugt para que dirigiera la división de productos electrodomésticos. Bajo su liderazgo, la división simplificó su estructura, mejoró su mercadeo (que históricamente había sido débil) e invirtió en varias tecnologías de electrodomésticos para la siguiente generación, que incluyen un sistema interactivo de disco compacto, un sistema de grabación digital de casete compacto y televisión de alta definición.

A pesar de estos puntos positivos, la posición competitiva de Philips continuó deteriorándose bajo el liderazgo de Van de Klugt. Las áreas problema eran la división de telecomunicaciones y sistemas de datos y la división de piezas. En la primera, Philips se vio muy afectada al no anticiparse al cambio registrado en los computadores, es decir, salir de los minicomputadores que fabricaba y tender hacia los computadores personales. Como resultado, en 1989 la firma obtuvo sólo el 1% de la participación en el mercado europeo de sistemas. En el negocio de piezas electrónicas cometió un error cuando decidió concentrarse en altos volúmenes del "bien final" de sus negocios, como los chips DRAM, donde se encontraba en desventaja en costos frente a sus rivales japoneses y estadounidenses. Como resultado de estos desaciertos estratégicos, en 1990 Philips dio por perdidos US$718 millones en su inventario de computadores y chips no vendidos, desechando miles de minicomputadores que nunca se vendieron.

Muchos observadores externos atribuyeron estos fracasos estratégicos a la ineficiencia de la enorme burocracia en la dirección en Eindhoven. Argumentaron que aunque Van de Klugt había cambiado el organigrama, gran parte de este cambio fue superficial. El poder real que mantenían, continuaba con la burocracia de Eindhoven y sus aliados en las organizaciones nacionales. En apoyo a esta perspectiva, señalaron que desde 1986 la fuerza laboral de Philips había declinado en menos del 10%, en lugar de registrar la reducción del 30% que solicitaban muchos analistas.

Jan Timmer, 1990-1994

En 1989, alarmada por una pérdida de US$1,060 millones, la junta directiva obligó a Van de Klugt y a la mitad de la junta administrativa a renunciar en mayo de 1990. Van de Klugt fue remplazado por Jan Timmer, quien tenía reputación de firme reducidor de costos mientras dirigía la división de productos electrodomésticos de Philips. Timmer rápidamente anunció que reduciría su fuerza laboral mundial en 10,000 de 283,000 empleados y lanzaría un programa de reestructuración por US$1,400 millones. Los inversionistas no se impresionaron, la mayoría de ellos creía que la compañía necesitaba perder entre 40,000 y 50,000 empleos, y reaccionaron rebajando el precio de las acciones en un 7%.

Afligido por la reacción negativa ante sus primeros anuncios de despido, Timmer volvió a su mesa de trabajo y en septiembre de 1990 apareció con un nuevo plan, el cual tituló "Operación Centurión". Su plan instaba el despido de 55,000 empleados, el desestimiento o cierre de negocios no rentables y la agresiva búsqueda de nuevas oportunidades de productos.

La habilidad de Philips para llevar a cabo en forma rápida los despidos planeados estaba limitada por la ley holandesa, que exigía que una compañía pagara una indemnización de 15 meses a los trabajadores despedidos. En consecuencia, los primeros 10,000 despidos le costaron a la firma US$700 millones y se necesitaron 18 meses para llevarlos a cabo. Dado este costo, se vio forzada a expandir el castigo financiero durante varios años. Aún, en 1993 la compañía había reducido su fuerza laboral a 250,000 y tenía planes para despedir de 10,000 a 15,000 empleados a mediados de 1994.

Timmer fue razonablemente exitoso al clausurar o desistir de varias operaciones que registraban pérdidas monetarias. En septiembre de 1990 canceló la producción de un chip semiconductor clave en el que la compañía había invertido más de US$500 millones desde mediados de la década de 1980. A mediados de 1991 vendió la división de minicomputadores (que en ese momento perdía US$1 millón diarios) a Digital Equipment por US$300 millones aproximadamente. A esto le siguió la venta de sus acciones por US$175 millones a Whirlpool en la *joint venture* de productos para el hogar concertada entre las dos compañías. Luego, en mayo de 1993 Philips vendió el 35% de las acciones a Matsushita por un precio de US$1,600 millones de la *joint venture* concertada con la compañía japonesa para fabricar chips. A pesar de estos desestimientos, a finales de 1993 la compañía aún tenía varias operaciones que perdían bastante dinero. Por ejemplo, el negocio de teléfonos celulares PKI reportaba la pérdida de una pequeña fortuna entre 1991 y 1993. Aunque la firma buscaba un comprador en 1993, se le dificultaba hallarlo.

En cuanto a las nuevas oportunidades de productos, en este caso Philips bajo el liderazgo de Timmer, está apostando bastante sobre una cantidad limitada de operaciones riesgosas, pero potencialmente muy rentables. El principal enfoque de las oportunidades de nuevos productos es la división de electrodomésticos, el antiguo cargo de Timmer que en 1993 seguía respondiendo por una tercera parte de las ventas de Philips. A finales de 1993, ésta tenía dos importantes nuevos productos, los cuales podrían ser potencialmente exitosos, pero también podrían llegar a generar costosos fracasos.

El primero de éstos es la llamada Imagination Machine. Introducida en EE.UU. a finales de 1991, y en Europa a finales de 1992, la Imagination Machine es una tecnología de disco compacto interactivo

(CD-I) que se conecta a un aparato corriente de televisor y utiliza discos compactos para reproducir sonidos e imágenes. Los usuarios pueden interrumpirlo en cualquier momento para explorar un tema en mayor profundidad. Sin embargo, hasta el momento la Imagination Machine no ha proporcionado sino promesas. La capacidad de Philips para comercializar el hardware del CD-I ha sido limitada severamente por la carencia de software disponible.

El segundo importante y nuevo producto de Philips es el casete compacto digital (DDC). Éste reproduce el sonido de un disco compacto en cinta. El gran aspecto sobresaliente del DCC es que el comprador puede hacer funcionar sus antiguos casetes análogos en el nuevo sistema. El principal rival del DDC es un sistema de disco compacto portátil, llamado el *mini disc*, de Sony. Muchos observadores creen que se repetirá la pelea entre los estándares de videograbación VHS y Betamax en la lucha entre el DCC y el *mini disc*. Si el primero gana, podría ser el reestructurador de Philips. No obstante, a finales de 1993, ni el DCC ni el *mini disc* de Sony se habían apoderado del mercado.

En el aparente fracaso de la compañía para explotar la tecnología superior tanto del CD-I como del DCC, los observadores consideran que se repetirá la vieja historia de Philips: gran tecnología pero mercadeo deficiente. Entre otras cosas, la firma desempeñó un importante rol en el desarrollo del disco compacto, la grabadora de videocasete y el disco láser. Sin embargo, a excepción del disco compacto, donde comenzó una exitosa alianza con Sony para comercializar el producto en todo el mundo, Philips en realidad nunca registró utilidades de estas innovaciones.

Referencias

Aguilar, F. J. and M. Y. Yoshino. "The Philips Group: 1987", Harvard Business School Case # 388-050. Cambridge, Mass.

Bartlett, C.A., and R. W. Lightfoot. "Philips and Matsushita: A Portrait of Two Evolving Companies", Harvard Business School Case #9-392-156.1993, Cambridge, Mass.

Bartlett, C. A., and S. Ghoshal. *Managing Across Borders: The Transnational Solution*, Boston, Mass.: Harvard Business School Press, 1989.

"Brighter Spark", *The Economist*, August 21, 1993, p. 51.

Cohen, R. "Two European Giants Fail to Stop Their Slides", *The New York Times*, March 5, 1993, p. C1.

Echikson, W. "How Hard It Is to Change Culture", *Fortune*, October 19, 1992, p. 114.

Kapstein, J., and J. Levine, "A Would-Be World-Beater Takes a Beating", *Business Week*, July 16, 1990, pp. 40-41.

Levine, J. "Philips´ Big Gamble", *Business Week*, August 5, 1991, pp. 34-36.

"Philips Fights the Flab", *The Economist*, April 7, 1992, pp. 73-74.

4

Ito-Yokado Company, Ltd. adquiere 7-Eleven*

A mediados de marzo de 1991, Masanori Takahashi, un analista senior de estrategias de Ito-Yokado Company, Ltd., se preparaba para partir a Dallas, Texas. Una vez allí, dirigiría un equipo de gerentes japoneses y norteamericanos responsables del establecimiento de estrategias de transición y a largo plazo para Southland Corporation. Southland había sido adquirida por Ito-Yokado en marzo 5 de 1991. La adquisición empleó casi un año completo de intensa negociación con Southland y sus acreedores.

Cuando Takahashi abandonó su oficina en Tokio, no podía ayudar pero sí experimentaba intranquilidad y aprehensión. Había ganado confianza cuando se involucró en el exitoso Proyecto de Reforma de Operaciones de Ito-Yokado. Pero esta prueba podría o no demostrar ser útil para Southland.

ANTECEDENTES DE LA COMPAÑÍA

Masatoshi Ito, fundador de Ito-Yokado, nació en 1924 y se graduó en una institución de comercio en Yokohama. Trabajó durante corto tiempo en Mitsubishi Heavy Industries antes de enrolarse en el ejército del Japón en 1944. Después de la Segunda Guerra Mundial trabajó con su madre y hermano mayor en el almacén de confecciones de la familia de 66 pies cuadrados localizado en Tokio[1]. En 1958, el negocio se constituyó legalmente como Kabushiki Kaisha Yokado. En 1960, Ito controlaba solo el negocio de la familia. Durante el mismo año realizó su primera visita a EE.UU.

En 1960 visitó la compañía National Cash Register (NCR) en Dayton, Ohio[2] que estaba interesada en vender registradoras a los minoristas japoneses. En su estada, conoció términos como "supermercados" y "cadena de almacenes". En el Japón, la venta minorista estaba dominada por pequeños almacenes familiares y un puñado de respetables almacenes por departamentos, con unos cuantos tipos de agencias minoristas en medio. Ito comenzó a percibir el posible rol de los comerciantes en masa en una sociedad cada vez más "orientada a la masificación".

---

* Este caso fue escrito por M. Edgar Barrett, distinguido profesor de política y control internacional en la American Graduate School of International Management (Thunderbird Campus), y por Cristopher D. Buehler, asistente de investigación en la misma institución. La información que aparece en los primeros dos párrafos (y en el último) del caso es puramente ficticia. Los datos suministrados en la demás partes se tomaron de fuentes públicas. El caso se preparó como base para material de clase, no con el propósito de ilustrar lo efectivo o no del manejo de una situación administrativa.

1. Andrew Tanzer, "A Form of Flattery", *Forbes*, June 2, 1986.
2. Jim Mitchell, "Southland Suitor Ito Learned from the Best", *The Dallas Morning News*, April 1, 1990.

Ito abrió pronto una pequeña cadena de "superalmacenes" en el área de Tokio. Estos establecimientos tenían una gran selección de bienes domésticos, alimentos y confecciones de calidad generalmente menor y precios rebajados que los de los almacenes familiares o por departamentos[3]. En 1965, Ito abrió ocho superalmacenes. En el mismo año, el nombre de la cadena se cambió a Ito-Yokado.

El crecimiento de Ito-Yokado como superalmacén

El concepto de Ito para los superalmacenes estaba concentrado en tener el equivalente aproximado de varios tipos de establecimientos minoristas contenidos en un solo superalmacén de muchos pisos. Los locales se localizaron inicialmente cerca de los centros de población y estaciones ferroviarias en el área de Tokio[4]. A menudo, se ubicaban varios almacenes en estrecha proximidad para lograr un "dominio regional"[5]. Los resultados fueron un alto reconocimiento para el nombre, considerables reducciones en los costos de distribución y la efectiva presión contra la competencia.

Ito se dio cuenta pronto de que los cambios sociales en el Japón podrían crear nuevas oportunidades para sus ideas minoristas. La juventud y habitantes más móviles parecían estar menos dispuestos a invertir mucho tiempo haciendo sus compras en numerosos almacenes familiares. De igual manera, la sociedad japonesa estaba experimentando una incrementada suburbanización. Ito decidió ubicar almacenes en las prefecturas suburbanas. En el Japón existen 47 prefecturas, o provincias.

Una razón para ubicar estos establecimientos en las áreas suburbanas era el menor costo de los bienes raíces. Esto le permitió a Ito-Yokado abrir grandes almacenes con más espacios para estacionar los automóviles que los competidores localizados en congestionadas áreas suburbanas. Ito continuó utilizando una estrategia de "dominio regional" con estas nuevas aperturas, la mayoría de las cuales se concentraron en Kanto, el mayor distrito conformado por el área metropolitana de Tokio y las ciudades de los alrededores. A comienzos de la década de 1970, los almacenes Ito-Yokado se abrían a una tasa de cuatro o cinco por año. A finales de esa década, anualmente se inauguraban nueve o diez nuevos locales[6]. A comienzos de 1987, 101 de 127 superalmacenes Ito-Yokado se localizaban en el gran distrito Kanto.

Ito también adoptó una estrategia de *leasing* de algunas propiedades para los nuevos establecimientos. Hasta mediados de la década de 1980 se hicieron contratos de *leasing* para el 87% del espacio de ventas agregadas de mostrador de Ito-Yokado, para 10 de los 11 centros de distribución de la compañía y para sus oficinas de la dirección general en Tokio[7]. A menudo, los precios de las propiedades eran astronómicos, o los dueños de los sitios bien ubicados no salían de sus propiedades por ningún precio.

Restricciones sobre el crecimiento

El éxito inicial de Ito-Yokado y de los demás superalmacenes rápidamente generó represalias por parte de un poderoso competidor: los propietarios de almacenes familiares. Se afirmaba que estos pequeños minoristas "utilizaban la influencia de los políticos del Partido Democrático Liberal a nivel local"[8]. La acción emprendida por los pequeños minoristas generó la Large Store Restriction

---

3. Ito no fue el primero en abrir este tipo de agencia minorista. Isao Nakauchi abrió el primer superalmacén Daiei en el área de Osaka pocos años antes de que se inaugurara el primer almacén Ito-Yokado. En 1990, Daiei era el mayor minorista del Japón en términos de ventas brutas.
4. Mitchell, *op. cit.*
5. Hiroshi Uchida, *First Boston/CSFB Report on Ito-Yokado, Ltd.*, April 20, 1988, p. 7.
6. *Ibíd*, p. 6
7. *Ibíd*, p. 7.
8. Tanzer, *op. cit.*

Act (Ley de Restricción sobre los Grandes Almacenes) de 1974, que posteriormente fue fortalecida en 1979. La ley original restringió la apertura de almacenes con áreas de venta superior a los 1,500 metros cuadrados (16,500 pies cuadrados). Esta ley también restringió las horas de operación de los nuevos y existentes "grandes" locales. En 1979, una serie de cambios sumaron restricciones a los almacenes con áreas de venta superiores a los 500 metros cuadrados (5,500 pies cuadrados). Se estableció el Commerce Coordination Committee (Comité Coordinador de Comercio) en cada área para determinar políticas con relación a las aperturas de grandes establecimientos y sus horas de funcionamiento. Los comités eran controlados en forma efectiva por parte de los pequeños minoristas. A comienzos de la década de 1980, Ito-Yokado abría sólo 4 ó 5 nuevos almacenes anualmente[9].

Factores diferentes de esa ley también afectaron en forma adversa Ito-Yokado. El ingreso real disponible de los consumidores japoneses disminuyó en un poco más del 1% durante 1980-1981[10]. Japón experimentó una recesión económica general a comienzos de la década de 1980, como el resto del mundo, atendiendo de nuevo el limitado poder de compra de los consumidores. El ingreso neto para Ito-Yokado, que había crecido en casi un 30% anual entre 1976 y 1981, creció en un 9.7% en 1982 y en 0.9% en 1983[11].

Ito-Yokado como compañía matriz

A comienzos de la década de 1970, Ito comenzó a buscar nuevos intereses minoristas. En 1972 hizo una propuesta a Southland Corporation, con sede en Dallas, en un intento por asegurar un contrato de licenciamiento con el fin de manejar almacenes 7-Eleven en el Japón, pero fue rechazado[12]. En 1973 hizo un intento similar con la ayuda de una compañía comercializadora japonesa, C. Itoh & Co., y obtuvo la licencia. En seguida, Ito buscó otra firma norteamericana, Denny's Restaurants, en un esfuerzo por obtener los derechos para inaugurar estos restaurantes en su país. Ambas subsidiarias, Denny's Japan y 7-Eleven Japan (originalmente llamada York Seven pero rebautizada 7-Eleven Japan en 1978), se establecieron en 1973. En 1974 se dio inicio a la primera 7-Eleven y la inicial Denny's. Las acciones para cada una de las dos subsidiarias de propiedad mayoritaria se comercializaban en forma independiente en la bolsa de Tokio. Ambas subsidiarias se hicieron rentables alrededor de 1977[13].

ITO-YOKADO EN LA DÉCADA DE 1980

El grupo Ito-Yokado está conformado por tres segmentos de negocios: superalmacenes y otras operaciones minoristas, operaciones de restaurantes y operaciones de establecimientos de artículos de consumo. El segmento de estas últimas se encuentra conformado por 7-Eleven Japan. El segmento de operaciones de restaurantes está constituido por Denny's y Famil Restaurants. Los superalmacenes Ito-Yokado, los almacenes de descuento Daikuma, dos cadenas de supermercados (York Mart y York-Benimaru), Robinson's Department Stores y Oshman's Sporting Goods Stores forman los superalmacenes y otro segmento de operaciones minoristas.

Superalmacenes y otras operaciones minoristas

York Mart y York-Benimaru York Mart era una subsidiaria propia en un 100%. Se estableció en 1975. En 1990 operaba 40 supermercados ubicados básicamente en Tokio[14]. Estos locales vendían principalmente alimentos frescos y bienes empacados, y la competencia era alta en esta área minorista y geográfica.

---

9. Uchida, *op. cit.*, pp. 7-8.
10. *Ibíd.*
11. *Ibíd.* p. 8.

12. Mitchell, *op. cit.*
13. Uchida, *op cit.*, p. 8.
14. *Ibíd*, p. 8; y *Moody's Industrial Manual*, 1990, Vol. I, p. 1275.

York-Benimaru, una filial propia en un 29% de Ito-Yokado, era una cadena regional de super-mercados manejada en forma independiente. En 1988 operaba 51 almacenes. Los establecimientos se localizaban en la prefectura de Fukushima de la ciudad de Koriyama al norte del Japón[15]. Al igual que York Mart, York-Benimaru operaba con un mayor margen de utilidad que la industria del supermercado en su totalidad. La participación de Ito-Yokado en las utilidades fue la mayor contri-bución a la parte del "patrimonio en ganancias de las filiales" del estado de ingresos y gastos de Ito-Yokado[16].

Daikuma   Los almacenes de descuento Daikuma se consolidaron en el grupo Ito-Yokado en 1986, cuando su propiedad de Daikuma se incrementó del 47.6% al 79.5%[17]. En 1990, Daikuma era una de las mayores cadenas de almacenes de descuento del Japón con 14 locales. Aunque Daikuma era popular entre los jóvenes consumidores japoneses, los almacenes de descuento atraían la atención crítica de los pequeños minoristas competidores. Debido a que los almacenes de descuento se encon-traban regulados por la Larg Store Regulation Act, se requería intenso esfuerzo para abrir nuevos establecimientos. A pesar de estas circunstancias y el incremento de la competencia, Daikuma abrió dos almacenes de descuento en 1989[18].

Robinson's Department Stores   En 1984 se estableció la Robinson's Japan Company para abrir Robinson's Department Stores en el Japón. El nombre Robinson's se utilizaba bajo los términos de un licenciamiento otorgado por la firma norteamericana del mismo nombre. La compañía japonesa pertenecía en un 100% a Ito-Yokado, y el primer Robinson's Department Store en el Japón se inaugu-ró en noviembre de 1985 en la ciudad de Kasukabe, prefectura de Saitama[19]. Ésta era una comuni-dad residencial al norte de Tokio y un área de rápido crecimiento. Aunque se localizaba cerca un superalmacén Ito-Yokado, la gerencia consideraba que existía un nicho para un local minorista de un nivel ligeramente superior. Ito-Yokado había "quebrantado la prudencia tradicional de abrir un almacén por departamentos en los suburbios, no en el centro de Tokio"[20]. Se esperaba que esta ubicación atendiera un área de población superior a los 600,000 residentes y ofreciera una amplia selección de bienes de consumo a precios mayores que en los superalmacenes aunque menores que los de los almacenes por departamento del centro de Tokio.

Muchas de las estrategias empleadas por Ito-Yokado en la apertura de sus Robinson's Department Stores siguieron pautas similares empleadas en los superalmacenes. El terreno fue cedido bajo *leasing* (en un suburbio). En lugar de comprar bienes con base en consignaciones como otros almacenes por departamento, los gerentes de Robinson's se hicieron responsables de la compra directa de bienes a los proveedores. Esto le permitió a Robinson's adquirir bienes a un precio significativamente redu-cido. Robinson's reportó su primera utilidad en el año fiscal de 1989, aproximadamente 4 años des-pués de la apertura[21]. En contraste, la mayoría de los almacenes japoneses por departamento opera-ban aproximadamente 10 años antes de reportar utilidades[22]. La sola localización de Robinson's sumó en bruto cerca de 28,000 millones de yenes (US$220 millones) en el año fiscal de 1989[23]. El segundo Robinson's Department Store estaba programado para finales de 1990 en Utsunomiya, aproxi-madamente 100 kilómetros (60 millas) al norte de Tokio.

---

15. Uchida, *op. cit.*, p. 8.
16. *Ibíd*
17. *Ibíd*.
18. *Moody's Industrial Manual, op. cit.*, p. 1275
19. Uchida, *op. cit.*, p. 10.
20. *Ibíd*.
21. *Moody's Industrial Manual, op. cit.*, p. 1275.
22. Uchida, *op. cit.*, p. 10.
23. *Moody's Industrial Manual, op. cit.*, p. 1275.

Oshman's Sporting Goods   Ito-Yokado consiguió mediante licenciamiento, el nombre Oshman's Sporting Goods de la compañía matriz de Houston, Texas, en 1985. En ese año se abrieron dos establecimientos. Uno se localizó dentro del inicial Robinson's Department Store.

Operaciones de restaurantes

Famil   La cadena de restaurantes Famil comenzó en 1979 como un negocio interior con el propósito de atender a los clientes en los superalmacenes Ito-Yokado. Sin embargo, en 1988 se expandió a 251 sitios[24]. La cadena Famil no registró sus primeras ganancias positivas hasta 1986. En sus últimos intentos de expandir las operaciones, la compañía hizo énfasis en el negocio de comidas[25]. En 1990, las operaciones dentro del almacén (aquellas ubicadas en los superalmacenes Ito-Yokado) respondieron por el 45% de las ventas de Famil, el negocio de comidas registró un 32% de las ventas y los almacenes independientes atendieron el 23%[26].

Denny's Japan   Ito-Yokado inauguró el primer Denny's Restaurant del Japón en 1974 mediante un licenciamiento de Denny's, Inc., La Mirada, California. Ajustó el restaurante familiar norteamericano al mercado japonés, y Denny's Japan se hizo rentable en 1977. En 1981 se habían establecido 200 de estos restaurantes[27], y en 1990 Ito-Yokado manejaba 320 restaurantes[28]. En 1990, Ito-Yokado controlaba el 51% de las acciones de Denny's Japan. A comienzos de la década de 1980, decidió que debería comprar todos los derechos para el nombre de Denny's en el Japón. La adquisición se realizó en 1984, y en consecuencia se suspendieron los pagos de regalías a la matriz norteamericana[29]. En el año fiscal de 1990 (marzo de 1989 a febrero de 1990), Denny's Japan reportó un incremento en las ventas netas anuales del 10.9%, comparado con el 4.9% del incremento registrado en las ventas de la industria japonesa de restaurantes durante el mismo periodo[30]. En 1988, Denny's Japan comenzó a utilizar un sistema electrónico de ingreso de pedidos que le permitía a los gerentes de los restaurantes individuales hacer pedidos a los proveedores de alimentos en forma rápida basados en las tendencias de su propio restaurante. También posibilitó la actualización periódica de los menúes para reflejar nuevos ítemes de alimentos.

Operaciones en almacenes de artículos de consumo

7-Eleven Japan   Desde la apertura del primer almacén 7-Eleven en 1974, en febrero de 1990 la cadena había crecido a más de 4,300 almacenes ubicados en casi todo el territorio japonés[31]. En ese entonces se abrían al año aproximadamente 300 nuevos almacenes[32]. En 1990, Ito-Yokado poseía aproximadamente el 50.3% de los 7-Eleven Japan.

En principio, los jóvenes trabajadores urbanos representaban la base primaria de clientes. Sin embargo, cuando 7-Eleven penetró en el mercado japonés, casi todos se convirtieron en clientes potenciales. Por ejemplo, en Tokio se podía pagar la cuenta de servicios públicos en los almacenes de la cadena[33].

24. Uchida, *op. cit.*, p. 10.
25. *Ibíd.*
26. *Moody's Industrial Manual, op. cit.*, p. 1275.
27. *Ibíd.*
28. Yumiko Ono, "Japanese Chain Stores Prosper by Milking American Concepts", *The Asian Wall Street Journal*, April 2, 1990.
29. *Ibíd.*
30. *Moody's Industrial Manual, op. cit.*, pp. 1275-1276.
31. James Sterngold, "New Japanese Lesson: Running a 7-11", *The New York Times*, May 9, 1991, p. C1.
32. Ono, *op. cit.*
33. *Ibíd.*

Los establecimientos 7-Eleven eran suficientemente pequeños, con un promedio de sólo 1,000 pies cuadrados, para evitar en forma efectiva las restricciones impuestas por la Large Store Regulation Act. Esto le permitió a 7-Eleven competir con los minoristas de los almacenes familiares con base en mayor cantidad de horas de funcionamiento y menores precios. Enfrentados a esta competencia, muchos de los pequeños minoristas se unieron a la categoría de 7-Eleven. Al convertir las pequeñas tiendas minoristas en locales 7-Eleven, Ito-Yokado pudo expandirse en forma rápida y "cubrir" el país[34].

7-Eleven Japan siguió una estrategia de almacenes concesionarios en lugar de poseerlos. La comisión para los concesionarios de los almacenes 7-Eleven era aproximadamente del 45% de acuerdo con la utilidad bruta del establecimiento (la comisión era del 43% para los almacenes que funcionaban 24 horas). Ito-Yokado suministró la mayoría de las funciones auxiliares para cada local (por ejemplo, administración, contabilidad, publicidad y el 80% de los costos de servicios públicos). En 1987, el 92% de todos los almacenes 7-Eleven en el Japón se dieron a concesionarios[35], y en 1990 sólo el 2% de los 7-Eleven pertenecían a la corporación[36].

En el interior del grupo Ito-Yokado, 7-Eleven contribuyó con el 6.8% de los ingresos en 1990. Sin embargo, con esta porción relativamente pequeña de los ingresos corporativos generales, 7-Eleven Japan contribuyó con más del 35% de la utilidad del grupo. Bajo su acuerdo mediante licenciamiento, 7-Eleven Japan pagó regalías del 0.6% de las ventas brutas a Southland Corporation. En 1989 y 1990, 7-Eleven Japan pagó regalías aproximadas a US$4.1 millones y US$4.7 millones, respectivamente.

Proyecto de Reforma de Operaciones

Ito-Yokado implementó el Proyecto de Reforma de Operaciones a finales de 1981 en un ambiente industrial minorista puntuado por el reducido gasto del consumidor y decrecientes márgenes. Las metas del proyecto consistían en incrementar la eficiencia y acelerar la rentabilidad al aumentar la rotación de inventarios mientras se evitaba tener exhibidores vacíos en los almacenes. El plan se implementó originalmente en los superalmacenes Ito-Yokado y en los establecimientos de artículos de consumo 7-Eleven Japan.

La implementación del proyecto implicó un esfuerzo coordinado para suplir el, a menudo, rápido cambio en las preferencias del consumidor mientras se monitoreaba simultánea y minuciosamente el flujo de mercancías. Esta coordinación se logró al hacer más responsables a los gerentes de almacén individual en cuanto a las decisiones correspondientes a las mercancías que se ubicarían en los exhibidores, permitiendo así que los gerentes ajustaran la selección de mercancías en sus almacenes a las preferencias locales. Los altos gerentes regionales de Ito-Yokado tenían reuniones semanales con los gerentes de almacén para aplicar monitoreo a la implementación del proyecto. A finales de 1988, estas reuniones se llevaban a cabo semanalmente[37].

Con el fin de evitar el agotamiento de existencias en el almacén, Ito-Yokado estableció un sistema de pedido en línea con los vendedores. En 1982, el sistema de pedido alcanzó sólo 400 vendedores. Sin embargo, en 1988 el sistema vinculó a Ito-Yokado con 1,860 vendedores[38].

34. Tanzer, *op. cit.*
35. Uchida, *op. cit.*, p. 13.
36. *Moody´s Industrial Manual, op. cit.*, p. 1276.
37. Hiroaki Komatsu, *Nomura Securities Report on Ito-Yokado Co., Ltd.*, June 7, 1988, p. 4.
38. *Ibíd.*

Sistema de punto de venta[39]   Cuando comenzó la implementación del Proyecto de Reforma de Operaciones, Ito-Yokado prestó gran atención a la importancia de obtener información con relación al flujo de mercancías a través de los almacenes individuales. La herramienta escogida para realizar esta tarea fue el sistema de punto de venta (SPV). Este sistema se utilizaba cada vez más en EE.UU. a comienzos de la década de 1980, pero se usaba básicamente para incrementar la productividad en el registro de caja[40]. En contraste, Ito-Yokado utilizaba sistemas similares como parte del proyecto al monitorear flujos específicos de mercancías. A finales de la década de 1980, muchos minoristas en EE.UU. habían comenzado a utilizar los SPV en capacidades similares, y algunas lo emplearon para hacer seguimiento a las compras de los consumidores individuales[41].

El primer uso de sistemas SPV en el Japón llegó en 1982, cuando 7-Eleven Japan comenzó a instalarlos en sus almacenes. En 1986, cada establecimiento 7-Eleven en ese país estaba equipado con tal sistema[42]. Los sistemas disponibles eran suficientemente sofisticados para monitorear toda la existencia de mercancías en un típico establecimiento de artículos de consumo con aproximadamente 3,000 ítemes[43]. Los sistemas podrían monitorear el flujo de cada ítem de mercancía a través de las etapas de compra, inventario, venta y reposición.

A finales de 1984, Ito-Yokado decidió instalar sistemas SPV en los superalmacenes. No obstante, la sofisticación de estos sistemas instalados en establecimientos de artículos de consumo no era adecuada para manejar el flujo de mercancías de un superalmacén, que podría almacenar desde 400,000 hasta 500,000 ítemes[44]. Los nuevos sistemas SPV se desarrollaron en un esfuerzo coordinado de Ito-Yokado, Nippon Electric y Nomura Computer Services.

La instalación de estos sistemas en los superalmacenes existentes concluyó en noviembre de 1985, con más de 8,000 registradoras SPV instaladas en 121 almacenes[45]. Con 138 almacenes en 1990, Ito-Yokado tenía un estimado de 9,000 registradoras SPV sólo en los superalmacenes. En 1986, después de que se instalaron los sistemas en todos los superalmacenes y los 7-Eleven, Ito-Yokado respondió por cerca del 70% de los sistemas SPV en uso en su país[46]. Hasta 1988, 7-Eleven Japan era la única gran cadena de almacenes de artículos de consumo en el Japón en haber instalado dichos sistemas[47]. En agosto 31 de 1989, el Japón tenía 119,137 registradoras de SPV equipadas con escáneres en 42,880 establecimientos, convirtiendo al país con la mayoría de sistemas SPV en uso[48].

---

39. Los sistemas SPV son sistemas de control de mercancía asistidos por computador. Éstos pueden suministrar una variedad de funciones como monitoreo de inventario, identificación y registro de precios y, en algunas circunstancias, pedidos de mercancía. La implementación de estos sistemas se hizo realidad a comienzos de la década de 1970, cuando IBM anunció la creación de un sistema de mercancías que posteriormente se convertiría en el Universal Product Code (UPC) (Código Universal de Productos). En 1974, Marsh Supermarkets se convirtió en el primer almacén minorista en utilizar los sistemas SPV basados en el UPC. También en 1974, el sistema European Article Number (EAN) (Número de Artículo Europeo), que virtualmente es un superconjunto del UPC, fue introducido en Europa. El sistema EAN fue adoptado por 12 naciones europeas en 1977. En 1978, el Japón se unió a la EAN Association (EANA). En 1989, 40 países en total eran miembros de la EANA.
   El mercado doméstico japonés utiliza el mismo sistema de código de barras de EE.UU. y Europa para marcar los productos que se encuentran bajo los parámetros EAN. El sistema japonés de códigos para los bienes de consumo se llama Japanese Article Numbering (JAN) (Enumeración Japonesa de Artículos). Un sistema similar para la marcación de productos utilizado por los mayoristas y distribuidores en el Japón es la Value Added Network (VAN) (Red de Valor Agregado). El primer producto que utilizó el código (JAN) se introdujo en el Japón en 1978. (Fuentes: "Ryosuke Asano, Networks Raise Efficiency...", *Business Japan*, October, 1989, pp. 45-52; Radack *et al.*, *Automation in the Marketplace*, March, 1978; "Pointing out Differences in Point-of-Sale...", *Chain Store Age Executive*, October, 1990, pp. 16B-17B.
40. Tanzer, *op. cit.*
41. Para consultar un ejemplo de esta aplicación, *véase* Blake Ives *et al.*, *The Tom Thumb Promise Club*, Edwin L. Cox School of Business, Southern Methodist University, 1989.
42. Hiroaki Komatsu, *Nomura Securities Report on Seven-Eleven Japan*, March 15, 1988, p. 4.
43. Uchida, *op. cit.*, p. 13.
44. *Ibíd.*
45. *Moody's Industrial Manual, op. cit.*, p. 1275.
46. Tanzer, *op. cit.*
47. Komatsu, *op. cit.*, p. 4.
48. *Business Japan*, October 1989, p. 51.

Los sistemas SPV utilizados por 7-Eleven y los superalmacenes Ito-Yokado fueron actualizados en 1986 para agregar una nueva dimensión al Proyecto de Reforma de Operaciones de Ito-Yokado[49]. Los sistemas actualizados permitieron la comunicación bidireccional con la dirección general de la compañía. Esta característica esencialmente posibilitó que la información fluyera no sólo de los almacenes individuales a una localización central sino también de ahí a los establecimientos individuales. Al conectar el sistema central a otros de computador, se pudo transmitir más que información sobre ventas de ítemes minoristas. Esta capacidad permitió que Ito-Yokado incrementara la eficiencia de distribución al centralizar algunos pedidos. Al incrementar el tamaño total de los pedidos, Ito-Yokado mejoró su posición de *regateo* con los distribuidores. Un resultado de esta fortaleza en la negociación consistió en la obtención de una mayor frecuencia de entregas de pedidos por pequeños volúmenes. De 1987 a 1988, las distribuciones se incrementaron de una a tres semanales para los almacenes en muchas regiones del país, notoriamente las áreas de Tokio, Hokkaido y Kyushu.

Al utilizar los sistemas SPV, 7-Eleven comenzó a ofrecer a los clientes entregas de paquetes puerta a puerta junto con Nippon Express. Además, se utilizaron algunas terminales SPV para expedir tarjetas de crédito de llamadas telefónicas prepagadas[50]. Desde octubre de 1987, los clientes del área de Tokio podían pagar sus cuentas por concepto de consumo eléctrico en 7-Eleven; desde marzo de 1988 podían pagar sus cuentas por consumo de gas[51]. Debido a que en el Japón las mujeres tradicionalmente manejan las finanzas del hogar, estos servicios se diseñaban para atraer más clientes a los almacenes de artículos de consumo.

Resultados   Para los superalmacenes Ito-Yokado, los días promedio de inventario disminuyeron de 25.8 en 1982 a 17.3 en 1987. En 1990 se estimó que eran de 13 días[52]. El efecto en los márgenes de operación e ingreso neto para toda la corporación Ito-Yokado fue igualmente notable. En 1982, el margen de operación de la compañía se mantuvo en un 5.1%. En 1987 se incrementó a 8.1%. En 1990, el margen de operación ascendió al 10.5%. El ingreso neto para la corporación se incrementó de 14,662 millones de yenes en 1982 a 34,649 millones y 58,465 millones de yenes en 1987 y 1990, respectivamente[53].

7-Eleven Japan registró incrementos similares en los márgenes de operación e ingreso neto durante el mismo periodo. En 1982, el margen de operación de 7-Eleven Japan fue de 20.7%. Éste se incrementó a 34.6% en 1987. El ingreso neto de las operaciones 7-Eleven aumentó de 7,837 millones de yenes en 1982 a 33,000 millones de yenes en 1987[54].

Hasta 1990, la corporación Ito-Yokado era el segundo mayor minorista del Japón, con 1,664,390 millones de yenes de ventas brutas anuales. El minorista líder fue Daiei, con 2,114,909 millones de yenes en ingresos. Sin embargo, Ito-Yokado fue el minorista más rentable en el Japón, con un ingreso neto de 58,465 millones de yenes. En comparación, Daiei registró ingresos netos de sólo 9,457 millones de yenes en 1990.

49. Komatsu, *op. cit.*, p. 5.
50. *Ibíd.*
51. *Ibíd.*
52. Uchida, *op. cit.*, pp. 12, 22; y *Moody's Industrial Manual op. cit.*, p. 1276.
53. *Ibíd.*
54. *Ibíd.*

SOUTHLAND CORPORATION

Southland Corporation[55] comenzó en Dallas, Texas, en 1927, Claude S. Dawley consolidó varias pequeñas compañías de hielo en Texas dentro de Southland Ice Company. Esta nueva organización se encontraba bajo la dirección de Joe C. Thompson, Senior, de 26 años de edad. Bajo su guía, Southland comenzó a utilizar sus agencias minoristas (servicio hasta el automóvil) para vender productos diferentes de hielo, como sandía, leche, pan, huevos y cigarrillos. Con la adición de estos productos nació el concepto de *convenience store** En 1986, la compañía tenía cuatro grupos de operaciones: Stores Group, Dairies Group, Special Operations Group y Gasoline Supply Division.

El Stores Group representaba la mayor parte de los grupos operativos en términos de ventas durante la década de 1980. Éste era responsable de la operación y autorización de franquicias sobre los *convenience stores*. A finales de 1985, había 7,519 almacenes 7-Eleven en la mayor parte de EE.UU. y cinco provincias del Canadá. Este grupo también tenía responsabilidad de 84 establecimientos de comida de Gristede y Charles & Company, 38 agencias Super-7 y almacenes 7-Eleven que operaban bajo áreas concesionarias en EE.UU., Canadá y varios países de la región pacífica, incluyendo Japón.

En 1986, el Dairies Group era uno de los mayores procesadores de productos lácteos de la nación y atendía principalmente al Stores Group, aunque el agresivo mercadeo en la década de 1980 tenía como objetivo atender las necesidades institucionales de lácteos. Este grupo operaba en todo el territorio de EE.UU. y algunas partes de Canadá. El Special Operations Group estaba constituido por Chief Auto Parts (adquirida en 1979), Pate Foods (una empresa de comidas ligeras), Reddy Ice (la compañía de hielo más grande del mundo) y Tidel Systems (un fabricante de unidades distribuidoras automáticas de efectivo y otros equipos minoristas). En 1981 se conformó la Gasoline Supply Division para atender las necesidades de gasolina de más de 2,800 almacenes 7-Eleven. La historia de esta división fue resaltada por la adquisición en 1983 de los negocios Cities Service Refining, Marketing, and Transportation (CITGO) de la Occidental Petroleum.

Actividades recientes de Southland

El notable crecimiento y diversificación de Southland durante la década de 1970 y comienzos de la de 1980, ocasionaron que 7-Eleven tuviera una posición predominante en la industria de los "convenience stores". No obstante, a pesar de esta posición y diversidad, las circunstancias desde mediados de la década de 1980 han erosionado bastante las fortalezas de 7-Eleven y Southland.

El colapso en el precio del petróleo a comienzos de 1986 constituyó la mayor caída de los precios del petróleo crudo en la historia. La inestabilidad del petróleo crudo y los productos refinados al por mayor, junto con los métodos de inventario de CITGO y varias depreciaciones, generaron sólo un modesto ingreso a una compañía anteriormente muy rentable. La volatilidad de la posición financiera de CITGO afectó bastante las ganancias de Southland. El interés del capital de Southland en CITGO contribuyó a una pérdida de US$52 millones para la corporación en 1986. Con el fin de reducir el impacto de un inestable mercado de petróleo crudo y la inherente volatilidad de las ganancias de CITGO, a finales de 1986 Southland concertó una *joint venture* con Petróleos de Venezuela (PDVSA).

---

55. Un historial más detallado de Southland puede hallarse en M. Edgar Barrett, *The Southland Corporation* (A), 1983, y *The Southland Corporation* (B), 1991.

* *N. de R. T.* "convenience store" es un término utilizado para denominar los pequeños supermercados que venden sólo artículos de primera necesidad en horarios extendidos (como 7-Eleven, de 7 a.m. a 11 p.m.)

En abril de 1987 ocurrió un intento de adquisición de Southland. El financista canadiense Samuel Belzberg se presentó ante la junta directiva de Southland con una oferta de US$65 por unidad de acciones ordinarias. Al no estar dispuesta a renunciar al control de Southland, en julio de 1987 la familia Thompson cotizó a US$77 la unidad para las dos terceras partes de las acciones en circulación. La restante tercera parte de las acciones la comprarían a US$61 (más US$16 por cada una de las nuevas acciones preferenciales) de las presuntas privadas de la Southland Corporation.

La financiación para esta adquisición provino de US$2,000 millones en préstamos de un grupo de bancos y US$600 millones como préstamo de empalme por parte de Goldman Sachs and Salomon Brothers. En noviembre de 1987 se generaron US$1,500 millones adicionales mediante la emisión de obligaciones subordinadas ("bonos basura"). Esto ocurrió después de que cayeron los mercados de acciones y de "bonos basura" en octubre de 1987. Los banqueros inversionistas de Southland tuvieron que vender los bonos a una tasa combinada de casi el 17%, en lugar de la tasa anticipada de 14.67%. La familia Thompson salió de la compra con el 71% de Southland a un costo total de US$4,900 millones.

Pago de altos costos de una compra apalancada (LBO)

Después de que se privatizó Southland, ocurrieron cambios significativos en sus operaciones y en las de 7-Eleven. Southland se reestructuró, con la eliminación de dos estratos de gerentes de nivel medio. Durante esta época, Southland comenzó a vender más almacenes 7-Eleven de los que había abierto en EE.UU. y Canadá. No obstante, debido al incrementado número de licenciamientos para abrir locales en el extranjero continuó creciendo la cantidad total de establecimientos en todo el mundo. 7-Eleven Japan fue básicamente responsable por este incremento, con la apertura de 340 y 349 almacenes en 1988 y 1989, respectivamente. Southland también desistió de muchos activos importantes en el periodo de 1988 a 1990 (*véase* tabla 1). Desestimientos significativos en este grupo fueron los del Dairy Group, más de 1,000 almacenes 7-Eleven en el área continental de EE.UU., el interés restante de Southland en CITGO (vendido a PDVSA) y 7-Eleven Hawaii (comprado por 7-Eleven Japan).

Hasta diciembre 31 de 1990, Southland manejaba 6,455 establecimientos de artículos de consumo 7-Eleven en EE.UU. y Canadá, 187 High's Dairy Stores y 63 almacenes Quik Mart and Super-7. Southland poseía 1,802 propiedades sobre las cuales estaban ubicados los establecimientos de 7-Eleven. En EE.UU. y Canadá se hicieron contratos de *leasing* de otros 4,653 almacenes 7-Eleven[56].

Tres de las cuatro instalaciones de procesamiento de alimentos de Southland eran propias (las otras estaban bajo *leasing*). La compañía también poseía seis propiedades en EE.UU. sobre las cuales se localizaban los centros de distribución. Cinco de los seis centros de distribución eran compañías propias. La organización también tenía su dirección general corporativa (llamada "Cityplace") ubicada cerca del centro de Dallas[57].

LA COMPRA DE SOUTHLAND POR PARTE DE ITO-YOKADO

Los desestimientos de 1988, 1989 y 1990 constituyeron intentos de Southland para generar efectivo suficiente con el fin de atender la gran deuda asumida por la LBO de 1987. Sin embargo, a comienzos de 1990 se hizo manifiesto que el efectivo generado por aquellos desestimientos y operaciones

---

56. The Southland Corporation, 1990 *Form 10-K*, pp. 21-23.
57. *Ibíd.*

de Southland no era suficiente para cubrir sus intereses. Algunos expertos estimaban que la escasez de efectivo de la firma alcanzaría los US$89 millones en 1990 y más de US$270 millones en 1991[58]. La deuda a largo plazo aún totaliza aproximadamente US$3,700 millones, y los solos intereses en los primeros tres trimestres de 1989 fueron casi de US$430 millones[59]. En marzo de 1990, Southland anunció que buscaba ser "rescatada" por Ito-Yokado[60].

Tabla 1
Desestimiento de activos de Southland entre 1988 y 1990

Fecha anunciada	Activos	Comprador	Cantidad
Enero 1988	Tidel Systems	D. H. Monnick Corp.	No revelada
Febrero 1988	Chief Auto Parts	Management and Shearson Lehman	US$130 millones
Marzo 1988	Movie Quik	Cevax U.S. Corp.	US$51 millones
Marzo 1988	Reddy Ice	Reddy Ice, Ltd.	US$23 millones
Abril 1988	402 propiedades que incluyen 270 almacenes 7-Eleven en el área de Houston	National Convenience Stores, Inc.	US$67 millones más US$13 millones para inventarios relacionados
Abril 1988	473 almacenes 7-Eleven en 10 estados	Circle K	US$147 millones
		Morningstar Foods	US$242.5 millones
Abril 1988	Southland Dairy Group	No revelado	US$15 millones
Julio 1988	Snack Foods Division	National Convenience Stores, Inc.	No revelada
Noviembre 1988	79 almacenes 7-Eleven en el área de San Antonio	Ashland Oil *et al.*	No revelada
Julio 1989	184 almacenes 7-Eleven en tres estados	Petroleos de Venezuela, S.A. (PDVSA)	US$661.5 millones
Octubre 1989	El 50% de CITGO	7-Eleven Japan	US$75 millones
Noviembre 1989	58 almacenes 7-Eleven en Hawaii, más otras propiedades	No revelado	US$12.9 millones
Abril 1990	56 almacenes 7-Eleven en el área de Memphis	No revelado	US$7.5 millones
Agosto 1990	28 almacenes 7-Eleven en Florida, más otras propiedades	Oak Creek Partners, Ltd.	US$24 millones
Diciembre 1990	Terrenos en Cityplace en Dallas		

Fuentes: *The Dallas Morning News*, November 15, 1989, p. D-1.
The Dallas Morning News, October 10, 1988, p. D-1.
Automotive News, February 8, 1988, p. 108.
The Wall Street Journal, February 19, 1988.
The Wall Street Journal, January 28, 1988.
The Wall Street Journal, March 4, 1988.
The New York Times, March 4, 1988.
The Southland Corporation, 1990 Form 10-K.

58. Linda Sandler, "Southland's Junk Bonds Face Trouble", *The Wall Street Journal*, September 7, 1989.
59. Richard Alm, "Southland Seeks Rescue by Japanese Firm", *The Dallas Morning News*, March 23, 1990.
60. *Ibíd*.

Propuesta de adquisición de Southland por parte de Ito-Yokado

Southland había "considerado la posibilidad de recibir ayuda por parte de otras compañías norte-americanas, pero decidió que [Ito-Yokado representaba el mejor socio potencial]"[61]. La propuesta original ocasionaría que Ito-Yokado recibiera el 75% de la propiedad de Southland por US$400 millones. Esta proporción de Southland se dividiría entre Ito-Yokado y 7-Eleven Japan, este último obtendría dos terceras partes del 75% de las acciones.

El trato dependía de la capacidad de Southland para canjear su obligación pendiente, deuda negociada abiertamente con acciones y bonos con cupón cero (sin intereses). La deuda negociada abiertamente ascendió aproximadamente a US$1,800 millones. Existían cinco clases de deuda pública, según la clasificación y el interés pagado. La tasa de interés de estos bonos variaba del 13.5% al 18%. La oferta de Ito-Yokado también dependía de que el 95% de los tenedores de bonos de cada emisión de deuda pública aceptara el canje. Bajo esta propuesta inicial, la familia Thompson retendría un 15% de las acciones en Southland, y el restante 10% de la compañía seguiría en manos de los tenedores de bonos.

Revisiones a la propuesta de compra

Southland no realizó una programación de pago de intereses con vencimiento para junio 15. Esto significó que, al final de un periodo de 30 días, los tenedores de bonos que no habían recibido el pago intentarían forzar a Southland para ir al tribunal de quiebras[62]. Entre tanto, los tenedores de bonos habían mostrado poco interés por el trato inicial entre Ito-Yokado y Southland.

Entre mediados de junio y julio de 1990 se sometieron tres revisiones más acerca de la propuesta de reestructuración a la deuda y los términos para la compra. En cada revisión se redujeron las acciones de Ito-Yokado o de la familia Thompson y se incrementó la participación accionaria ofrecida a los tenedores de bonos. Con cada revisión se generó un mayor apoyo para los tenedores de bonos, aunque este respaldo era insuficiente para la mayoría de las dos terceras partes (como se requería en los casos de reestructuración bajo la Ley del Capítulo 11) o para la tasa de aceptación del 95% estipulada por Ito-Yokado. Cuando se expusieron las revisiones, se extendieron las fechas de expiración de la reestructuración de la deuda y la compra de acciones por parte de Ito-Yokado.

En julio 16, un tenedor de bonos entabló una demanda contra Southland por no pagar intereses a junio 15[63]. En septiembre 12, la mayoría de tenedores de bonos había ofrecido sus pagarés[64]. No obstante, esta mayoría seguía siendo menor que la exigencia del 95% para el canje estipulada por Ito-Yokado. Las fechas límites se extendieron a septiembre 25 para la oferta de canje de la deuda por parte de Southland y la compra de acciones ofrecida por Ito-Yokado[65]. Como Southland aparentemente se dirigía hacia una bancarrota involuntaria entablada bajo la Ley del Capítulo 11, la propuesta de nuevo parecía ser riesgosa.

---

61. Karen Blumenthal *et al.*, "Japanese Group Agrees to Buy Southland Corp.", *The Wall Street Journal*, March 23, 1990.
62. Karen Blumenthal, "Southland Approaches Two Crucial Daten in Plan To Rearrange $1.8 Billion in Debt", *The Wall Street Journal*, April 1990.
63. *Ibíd.*
64. Kevin Helliker, "Southland May Be Considering Seeking Chapter 11 Status, Thus Risking Bailout", *The Wall Street Journal*, September 14, 1990.
65. *Ibíd.*

Aceptación de la propuesta de compra   La fecha límite para la oferta de cambio de la deuda de Southland se extendió nuevamente. Al final se obtuvo la aprobación del tenedor de bonos en los últimos días de octubre. La oferta de Ito-Yokado para comprar Southland se extendió hasta marzo 15 de 1991, mientras el tribunal aprobaba el preconcebido convenio de bancarrota[66]. La petición del tribunal de quiebras para la aprobación de la preconcebida reestructuración a la deuda se archivó en octubre 24 de 1990[67].

Aunque Southland no tenía suficiente aprobación de los tenedores de bonos como lo exigía Ito-Yokado, se aceleraron los procedimientos del tribunal de quiebras. Los últimos y pocos tenedores de bonos que se resistían fueron conciliados en enero cuando los Thompson renunciaron a las garantías de la mitad de su 5% de las acciones de Southland[68]. En febrero 21 de 1991, el tribunal de bancarrota estadounidense en Dallas aprobó la reorganización de Southland[69]. En ese momento, por lo menos el 93% de los tenedores de cada tipo de deuda emitida por Southland habían aprobado la reorganización[70]. En marzo 5 de 1991, Ito-Yokado compró el 71% de las acciones de Southland por US$430 millones[71]. 7-Eleven Japan compró las dos terceras partes de estas acciones e Ito-Yokado adquirió directamente la parte restante. En la tabla 2 se muestran los términos del acuerdo de reestructuración de la deuda aceptada entre Southland y sus tenedores de bonos.

Tabla 2
Reestructuración de la deuda de Southland Corporation: términos para la deuda principal de US$1,000 de varias clases (aceptados por los tenedores de bonos en febrero 21 de 1991)

	13.5% Senior	15.75% Senior	16.5% Senior	16.75%	18% Junior
Principal retenida	US$450	300	255	200	95
Tasa de interés de la nueva deuda	12%	5	5	4.5	4
Número de acciones ordinarias recibidas	86.5	40.5	35	28	11
Número de garantías recibidas	1	7.5	6.5	6	6

Notas:
- "Principal retenida" se presentaba en forma de nuevos bonos emitidos que, como se muestra, generan interés.

- Los tenedores del 13.5% de los pagarés senior también recibieron US$57 en efectivo por US$1,000 principales de la antigua deuda.

- Los tenedores del 16.75% de los pagarés pueden haber recibido US$250 del 12% de los pagarés sin garantía de acciones en lugar de US$200 de 4.5% de pagarés y 6 garantías de acciones (por US$1,000 principales de la antigua deuda). En cualquier caso el tenedor habría sido titulado con 28 unidades de las acciones ordinarias.
- Las garantías de acciones proporcionaron al tenedor la opción de comprar una unidad de la acción ordinaria por garantía de US$1.75 por unidad de junio 5 de 1991 a febrero 23 de 1996.

Fuente: The Southland Corporation, 1990 *Form 10-K.*

66. Kevin Helliker, "Southland Says Reorganization Clears Hurdle", *The Wall Street Journal*, October 24, 1990.
67. "Southland Chapter 11 Plan Needs Approval from SEC", *The Wall Street Journal*, December 6, 1990.
68. David LaGeese, "Judge Approves Southland's Reorganization", *The Dallas Morning News*, February 22, 1991, p. 1D.
69. *Ibíd.*
70. *Ibíd,*
71. "Southland Sells 70% Stake, Completing Reorganization", *The Wall Street Journal*", March 6, 1991, p. A2.

LA INDUSTRIA DE LOS *CONVENIENCE STORES* EN EE.UU.

Esta industria cambió considerablemente en EE.UU. durante la década de 1980. La cantidad de estos establecimientos en EE.UU., sus ventas brutas y los márgenes brutos se incrementaron durante este periodo. Sin embargo, su ingreso neto disminuyó en forma significativa. Este efecto fue en su mayoría el resultado de la rápida expansión de varias cadenas de este género y el incrementado número de establecimientos de este tipo abiertos por las compañías petroleras.

Medidas agregadas a la industria

La cantidad de "convenience stores" creció de aproximadamente 39,000 en 1982 a más de 71,000 en 1990. De 1985 a 1990 las ventas de la industria se incrementaron de US$51,400 millones a US$74,500 millones, un aumento anual del 7.5%. Los márgenes brutos se incrementaron del 22.8% en 1985 al 26.2% en 1988, pero cayeron en un 20.7% en 1990. A pesar de tal crecimiento, las operaciones de estos almacenes experimentaron una disminución en la utilidad neta a finales de la década de 1980. La utilidad industrial total antes de descontar impuestos llegó en 1986 a US$1,400 millones, cayó a US$271 millones en 1989 y en 1990 la industria experimentó una pérdida antes de impuestos de US$149 millones. En la tabla 3 aparecen algunas tendencias[72].

La expansión de los "convenience stores" en la década de 1980 fue dirigida por grandes cadenas de establecimientos de este tipo y compañías petroleras. Además del crecimiento experimentado por 7-Eleven de Southland Corporation, Circle K y una cadena de minisupermercados con sede en Phoenix, se expandieron de 1,200 establecimientos en 1980 a 4,700 en 1990.

Tabla 3
Desempeño de los "convenience stores" en toda la industria, 1985-1989

Indicador de la industria	1985	1986	1987	1988	1989	1990
Cantidad de almacenes	61,000	64,000	67,500	69,200	70,200	71,200
Ingreso bruto (en US$1,000 millones)	51.4	53.9	59.6	61.2	67.7	74.5
Ingreso neto (en US$1,000 millones)	1.39	1.40	1.31	1.16	0.271	(0.149)
Promedio de utilidad por almacén antes de impuestos (en US$1,000)	22.8	21.9	19.2	16.8	3.9	(2.1)

Fuente: National Association of Convenience Stores (NACS), *State of the Convenience Store Industry*, temas varios.

72.Esta información es tomada en su mayor parte del National Association of Convenience Stores (NACS), *State of the Convenience Store Industry*, temas varios.

El rol de las compañías petroleras

El impacto de las compañías petroleras sobre esta industria ha sido significativo. Casi todas las grandes compañías estadounidenses petroleras comenzaron a combinar operaciones de estos establecimientos con estaciones de gasolina con el propósito de incrementar las utilidades. En 1984, Exxon abrió su primer almacén de este tipo con una estación de gasolina. En 1990 tenía 696. La Atlantic Richfield Company (ARCO) operaba aproximadamente 750 Mini Markets am/pm en ese mismo año. Texaco operaba un total combinado de 1,321 Star Marts y Food Marts. No obstante, existía un total de casi 6,800 de estos establecimientos abastecidos en forma directa y mediante comerciantes con el nombre Texaco en 1990[73]. De 1984 a 1989 se incrementó la cantidad de estos almacenes operados por compañías petroleras de 16,000 a 30,000[74].

Debido a que la gasolina se vendía a un margen menor (aproximadamente un 6% en 1984) que los productos diferentes de los "convenience stores" (32% en el mismo año), la venta de ítemes en estos establecimientos presentó una oportunidad para aquellas estaciones de gasolina con buenas ubicaciones (es decir, esquineras) de incrementar las utilidades. Con el fin de capitalizar el potencial para obtener mayores utilidades en la venta minorista, las principales compañías petroleras incrementaron considerablemente sus gastos de mercadeo. En 1979 la industria petrolera gastó cerca de US$2,200 millones para sus esfuerzos de mercadeo. En 1988 sus gastos fueron de casi US$5,000 millones[75].

Los "convenience stores" manejados por compañías petroleras crecían en cantidad y tamaño. En 1986 sólo cerca del 20% de estos almacenes de las compañías petroleras eran de 1,800 o más pies cuadrados en magnitud (el tamaño de casi el 90% de los establecimientos tradicionales de artículos de consumo). No obstante, en 1990 más del 50% de estos locales de las compañías petroleras tenían entre 1,800 y 3,000 pies cuadrados de tamaño[76].

Tendencias de mercancías para los "convenience stores"

Debido a los intensos esfuerzos de venta minorista por parte de las compañías petroleras y las grandes cadenas de "convenience stores", evolucionaron algunas tendencias (diferentes de las mencionadas). En 1985, la gasolina respondió por el 35.4% de las ventas registradas en aquellos establecimientos. En 1990, respondió por el 46% de las ventas[77]. El margen bruto para las ventas de gasolina había incrementado del 7.3% en 1985 al 11.7% en 1989 y fue del 10.4% en 1990[78]. De 61,000 almacenes de este tipo en EE.UU. en 1985, el 55% vendía gasolina, y en 1990 el 66% de los 71,200 "convenience stores" distribuía gasolina. En 1990, el 85% de estos nuevos almacenes construidos estaban equipados para vender gasolina[79].

Cuando las ventas y márgenes de gasolina contribuyeron cada vez más significativamente a los ingresos de dichos establecimientos, la contribución del ingreso de otras mercancías se estancó. En 1985, las ventas de mercancías (diferentes de la gasolina) para aquella industria ascendió a US$33,200 millones. En 1990, las ventas de mercancía independiente de la gasolina

73. *National Petroleum News*, September, 1991, p. 37.
74. Claudia H. Deutsch, "Rethinking the Convenience Store", *The New York Times*, October 8, 1989.
75. NACS, *Challenges for the Convenience Store Industry in the 1990's A Future Study*, p. 194.
76. *Ibíd*. p. 198.
77. NACS, 1991 *State of the Convenience Store Industry*, p. 5.
78. *Ibíd*, p. 7.
79. *Ibíd*, p. 27.

eran de US$40,400 millones[80]. Sin embargo, este incremento en las ventas de mercancías se compensó por la gran cantidad de apertura de establecimientos. En 1985, el promedio anual de ventas de mercancías por almacén era de US$544,000. Esta cantidad aumentó a sólo US$568,000 en 1990[81].

El establecimiento

Mientras volaba de Japón a EE.UU., Takahashi reflexionaba sobre el éxito que Ito-Yokado y 7-Eleven Japan habían disfrutado durante el curso de muchos años. Estos logros eran el resultado de estrategias a largo plazo que cuidadosamente se ajustaron al mercado japonés. ¿Podrían estas mismas, o similares, estrategias constituir de nuevo el fundamento para obtener un éxito financiero en Southland? Se dio cuenta de que la industria de estos almacenes de productos de consumo de EE.UU. era muy diferente de la del Japón. No obstante, estaba seguro de que mediante la cuidadosa y completa planeación, podría lograrse la meta de hacer de Southland una empresa rentable.

---

80. *Ibíd*, p. 5.
81. *Ibíd*, p. 1.

Grupo Financiero Bancomer (GFB)*

El 10 de noviembre de 1993, en Puerto Vallarta se realizó la primera convención de la recién privatizada banca; en esta ocasión el ingeniero Ricardo Guajardo Touché, director general del Grupo Financiero Bancomer, señaló:

> La convención bancaria marca el primer año de operación privada del sistema bancario... A partir de esto, la mayoría de los grupos financieros hemos definido con más solidez la estrategia que vamos a seguir... Para que un grupo financiero sea sólido y responda a las necesidades del cliente con nuevos productos necesita tener una gran flexibilidad. Aun así, no quiere decir que una institución vaya a dar todos los servicios a todo el mundo. Creemos que debe haber instituciones especializadas, porque la banca tradicional cubre una gran cantidad de segmentos y ofrece muchos productos... Con la reestructuración del grupo nos estamos moviendo hacia un concepto de unidades especializadas por mercado y no por producto, y que comprenden todo el proceso desde el diseño, la promoción, la venta y la distribución... Hemos definido unidades de negocios con base en los segmentos del mercado que se pueden distinguir con razonable claridad, como la banca del consumidor o la institucional. Inclusive, llegamos a pensar en la creación de instituciones especializadas. Creemos que esto es conveniente en algunos mercados como el hipotecario, donde la percepción de riesgo puede ser diferente del conjunto de las operaciones bancarias...[1]

LA NACIONALIZACIÓN DE LA BANCA COMERCIAL

El 1 de septiembre de 1982, el presidente José López Portillo anunció la nacionalización de la banca privada. Su objetivo principal era controlar la especulación financiera que provocó la salida de recursos mexicanos al exterior. Como resultado, el gobierno se vio forzado a devaluar la moneda y a manejar la subsecuente inflación. Otros posibles motivos fueron: (1) Reducir el relativo poder que los bancos tenían frente al gobierno y al resto de la economía. (2) Mejorar el control sobre las operaciones bancarias ya que la regulación bancaria estaba fragmentada y los reguladores no tenían buen control de sus actividades. (3) Realizar un mejor trabajo de intermediación financiera enfocando más recursos hacia la micro y pequeña empresa.

---

* Este caso fue preparado especialmente para la edición en español del libro *Administración estratégica: un enfoque integrado*, de Charles Hill y Gareth Jones, por Carlos Alcérreca del *Instituto Tecnológico Autónomo de México*, Howard Feldman, de la *University of Portland* y Pochara Theerathorn de *Memphis State University*, con la colaboración de Magdalena Rodríguez Valdés.

1. Expansión. "Bancomer: reestructuración en la cumbre". *Expansión*, noviembre 10, 1993. pp. 70-74.

A los anteriores propietarios se les pagó con Bonos de Indemnización Bancaria. Los bancos eran propietarios de acciones de importantes firmas. El presidente De la Madrid vendió la mayoría de las acciones que pertenecían a los bancos, las cuales regresaron al sector privado incluyendo las acciones de las casas de bolsa y aseguradoras afiliadas originalmente a los bancos. Los Bonos de Indemnización Bancaria fueron aceptados como pago de estas acciones.

El sector bancario había atravesado por un proceso de consolidación: en 1975 había 243 instituciones financieras y en 1982 sólo quedaban 60. Tras la nacionalización, este proceso continuó. En 1988 había 18 instituciones de banca nacionalizadas y 2 privadas: Banco Obrero y Citibank.

Durante los años de la banca nacionalizada tuvieron lugar varios desarrollos importantes:

1. El número de sucursales bancarias escasamente se incrementó y el número de empleados se incrementó solamente en un 5%[2].
2. Las ganancias bancarias se incrementaron rápidamente, debido al pequeño aumento en el número de empleados y sucursales, al incremento en las tasas de interés, así como a la escasez de fondos del exterior.
3. Surgió un proceso de desintermediación financiera donde tanto el gobierno como las firmas privadas obtuvieron fondos directamente del mercado y los inversionistas abrieron cuentas en casas de bolsa, lo que incrementó su participación en el mercado. Para competir, en 1986 los bancos desarrollaron cuentas "maestras" de cheques que generan intereses, incrementando el costo de los fondos obtenidos[3].
4. Los préstamos al sector público se incrementaron, para representar casi el 50% de todos los créditos efectuados en la cartera de los bancos, y el encaje legal se elevó considerablemente.
5. El capital de los bancos se incrementó casi en un 10% anualmente debido a la reinversión de utilidades y a la revaluación de otros activos.
6. Los bancos con mejor rendimiento sobre activos invertidos fueron aquellos con operaciones regionales, seguidos por los grandes bancos. Los bancos medianos tuvieron menores ganancias. Los bancos grandes, con cobertura nacional, ganaron participación en el mercado a expensas de los más pequeños.
7. Las empresas detuvieron sus inversiones en activos fijos, debido a los altos costos de capital, y dieron prioridad a la inversión en activos financieros. El gobierno y las empresas paraestatales pidieron préstamos a los bancos y a los mercados para financiar el déficit presupuestal por falta de acceso a capitales extranjeros.

LA REPRIVATIZACIÓN DE LA BANCA

En 1985, el presidente Miguel de la Madrid aprobó la emisión pública de hasta un 34% del capital de los bancos, bajo los nombres de Certificados de Contribución Patrimonial (CAPS). El 2 de mayo de 1990, el presidente Carlos Salinas de Gortari anunció un proyecto de reforma constitucional para reprivatizar la banca. Los principales argumentos fueron que:

a. El gobierno requería los fondos invertidos en los bancos para subsanar necesidades sociales urgentes.

---

2. Banamex. "La banca en 1982-1988: Diagnóstico". *Examen de la Situación Económica de México*. Banamex S.A., Vol. 66, No. 774, mayo 1990, pp 231-243.
3. Banamex. "Economía nacional y sistema financiero", 1982-1988". *Examen de la Situación Económica de México*, vol. 66, No. 774, mayo, 1990.

b. Había necesidad de modernizar las instituciones financieras para volverlas eficientes a nivel internacional.

También se estimó que la privatización de los bancos enviaría poderosas señales de cambio sobre la política económica que se estaba llevando a cabo en México, abriendo las puertas al retorno de capitales mexicanos invertidos en el extranjero, y de igual manera atraía otros capitales al país.

El gobierno conservó los bancos de desarrollo: Nacional Financiera, Banco Nacional de Comercio Exterior, Banco Nacional de Obras Públicas, Banco Nacional de Comercio Interior y el Banco Nacional de Crédito Rural. La mayoría de los compradores de la banca comercial, durante 1991 y 1992, fueron grupos de inversionistas encabezados por casas de bolsa, ya que era difícil reunir los fondos necesarios para comprar un banco grande sin la red de inversionistas desarrollada por estas instituciones.

El proceso de privatización atravesó tres fases: registro y aprobación de los oferentes, valuación de las instituciones a cargo de consultores externos y los oferentes interesados, y desincorporación. El primer banco fue asignado en junio de 1991 y el último en julio de 1992. El precio pagado por los bancos en ocasiones superó 4 veces su valor en libros y 19 veces su ganancia neta (*véase* tabla 1).

Tabla 1   Privatización de la banca comercial

Banco	Fecha de Asignación	Monto Pagado (millones de N$)	% del Capital Social	P/VL*	P/U** Conocido	Grupo Ganador
1 Mercantil	7 Jun 91	611	77.2	2.66	12.73	GF Probursa
2 Banpaís	4 Jun 91	545	100.0	3.02	17.73	GF Mexival
3 Cremi	21 Jun 91	748	66.7	3.40	21.86	G. Dina
4 Confía	2 Ago 91	892	78.7	3.73	11.45	GF Ábaco
5 Banorie	9 Ago 91	223	66.0	4.00	23.46	G.F. Margen
6 Bancreser	16 Ago 91	425	100.0	2.53	50.37	R. Alcántara
7 Banamex	23 Ago 91	9,706	70.7	2.62	11.13	GF Accival
8 Bancomer	25 Oct 91	8,559	56.0	2.99	15.67	G. Visa
9 B.C.H.	08 Nov 91	878	100	2.68	22.31	Carlos Cabal P.
10 Serfín	24 Ene 92	2,828	51.0	2.69	14.77	GF Obsa
11 Comermex	07 Feb 92	2,706	66.5	3.73	20.61	GF Inverlat
12 Somex	28 Feb 92	1,877	81.3	4.15	29.78	GF Inverméxico
13 Atlántico	27 Mar 92	1,469	68.8	5.30	17.85	G.F. Bursátil Mexicano
14 Prómex	3 Abr 92	1,074	66.0	4.23	16.45	GF Finamex
15 Banoro	10 Abr 92	1,138	66.0	3.95	12.96	CB Estrategia
16 Banorte	12 Jun 92	1,776	66.0	4.25	12.62	R. González B. (Maseca)
17 Internal	26 Jun 92	1,487	51.0	2.95	NA	GF Prime
18 Bancentro	3 Jul 92	869	51.0	4.65	10.85	GF Multiva
	Total	**37,811**		**3.53**	**18.98**	

* P/VL: Precio por acción dividido entre el valor en libros por acción.
**P/U: Precio por acción dividido entre la utilidad por acción.
Fuente: CS First Boston, *The Mexican Banking System II*, junio, 1992.

Este proceso representó un ingreso total cercano a los US$12,000 millones, alrededor de 4 veces los precios pagados por ellos en 1983.

EL NUEVO MARCO REGULATORIO

Desde 1988 se han tomado diversas medidas para liberalizar los mercados y las instituciones financieras: la liberalización de las tasas de interés, que implicó eliminar los límites en las tasas de interés pasivas que los bancos podían pagar a los inversionistas, impulsar el desarrollo de nuevos instrumentos financieros como los *warrants*; la eliminación de las políticas de colocación de crédito, que establecían un determinado porcentaje del crédito total por asignar a cada sector de la economía o en cada tipo de crédito; la sustitución de las reservas con el Banco Central por un coeficiente de liquidez del 30%; y, posteriormente, la eliminación del coeficiente de liquidez para depósitos en pesos.

Los depósitos en moneda extranjera (por ejemplo, dólares americanos) requerían, desde abril de 1992, un coeficiente de liquidez del 15% y estaban limitados en tamaño al 10% de las obligaciones totales del banco. Desde junio de 1991 a las corporaciones extranjeras se les había permitido abrir cuentas en dólares en bancos mexicanos.

Adicionalmente, se desarrolló un nuevo paquete legislativo del sector bancario. El nuevo reglamento requería mantener un 8% mínimo de capital relativo a los activos en riesgo en 1993 y reservas de pérdidas por préstamos, basadas en la calidad de los mismos. Se pensaba que era necesaria la correcta capitalización y liquidez de los bancos para prevenir una crisis financiera como la sufrida por Chile a principios de la década de 1980. La Comisión Nacional Bancaria (CNB) tenía la autoridad para aprobar y vetar a los directores de la banca así como a sus principales gerentes.

Los Consejos de Administración estaban integrados por once consejeros o sus múltiplos. Los bancos podía emitir cuatro tipos de acciones: las acciones de la serie "A", que representan el 51% del capital, eligen 6 directores (o sus múltiplos) y pueden poseerlas individuos, el gobierno federal, bancos o banca de desarrollo. Las series "B" podían representar entre el 19% y el 49% del capital; podían elegir hasta 5 directores y ser poseídas por corporaciones mexicanas o extranjeras a través de un fideicomiso en NAFINSA diseñado para este propósito. Las series "C", que podían representar hasta el 30% del capital, podían ser poseídas por extranjeros y se contaba con la posibilidad de elegir hasta tres directores. Las acciones preferenciales "L" podían ser emitidas por compañías tenedoras (*holding*) hasta por el 30% del capital; estas acciones también podían estar en manos de extranjeros.

En 1991 se estableció un nuevo método para clasificar la cartera de préstamos de los bancos en 5 categorías (A, B, C, D, E), que reflejan diferentes niveles de riesgo de pago, con A que implica el menor riesgo y E la de mayor riesgo.

Una nueva ley para regular las agrupaciones financieras fue publicada el 18 de julio de 1990. Se permite la formación de tres tipos de grupos financieros. Aquellos dirigidos por un banco sin una casa de bolsa, los que tienen casa de bolsa pero no banco, y grupos financieros dirigidos por una compañía tenedora que puede incluir tanto un banco como una casa de bolsa (*véase* tabla 2). Se necesitan por lo menos tres intermediarios financieros para formar un grupo financiero. Las compañías tenedoras deben poseer por lo menos el 51% de las acciones de una firma en el grupo y no pueden tener obligaciones propias.

Tabla 2   Grupos financieros mexicanos con bancos*

Grupos financieros	Bancos	Casas de bolsa
I. Cobertura Nacional (primer nivel)		
Grupo Banamex	Banamex	- Casa de Bolsa (CB) Accival (Acciones y Valores de México)
Grupo Financiero Bancomer	Bancomer	- Casa de Bolsa Bancomer (Absa)
II. Cobertura Nacional (segundo nivel)		
Grupo Serfín	Banca Serfín	- Operadora de Bolsa (OBSA)
Grupo Privado Mexicano	Banco Internacional	- CB Prime
Grupo Inverlat	Multibanco Comermex	- CB Inverlat (antes CB Banamex)
Grupo Inverméxico	Banco Mexicano	- CB Inverméxico
Grupo Financiero Inbursa	Inbursa	- CB Inversora Bursátil
III. Cobertura Multirregional		
Grupo Ábaco	Banca Confía	- CB Ábaco
Grupo Cremi	Banca Cremi	---
Grupo BCH	Banco BCH	Unión
G.F. Bancreser	Banco de Crédito y Servicios (Bancreser)	----
Grupo GBM	Banco del Atlántico	- GBM (Grupo Bursátil Mexicano)
Grupo Mexival	Banpaís	- CB Mexival (Mexicana de Inversiones y Valores)
Grupo Probursa	Multibanco Mercantil de México	- CB Probursa
G.F. Interacciones	Interacciones	- CB Interacciones
G.F. Capital	Banco Capital	----
IV. Cobertura regional		
Grupo Finamex	Banca Prómex	- Valores Finamex
Grupo Multiva	Banco del Centro	- CB Multivalores
----	Banco del Noroeste (Banoro)	
Grupo Margen	Banco del Oriente (Banorie)	
G.F. del Sureste	Banco del Sureste	- CB Bursamex
G.F. Banorte	Banorte	- CB Afín

* Al 3 de diciembre de 1993.

Entre las ventajas de formar un grupo financiero se incluye tener una amplia gama de servicios reconocidos bajo un mismo nombre; economías de escala en la distribución de servicios a través de sucursales; y otras sinergias operativas que resultan de la concentración de servicios computacionales, publicitarios y corporativos (*Véanse* tablas 3 y 4).

Tabla 3 Utilidades de los grupos financieros

	1993 Total	1994 Holding	1994 Subsidiarias**	1994 Total	Variación porcentual real 1994/1993
Total	9,742,308	-44,408	4,521,412	4,477,004	-57.1
Abacogf	209,724	-181,000	119,413	119,232	-46.9
Banacci	2,729,685	3,833	826,782	830,615	-71.6
GBMatla	442,180	68,117	182,670	250,787	-47
GFB	2,063,626	-62,902	964,149	901,247	-59.2
GFCrece	465,288	-71,841	434,054	362,213	-27.3
GBInbursa	336,199	75,969	953,784	1,029,753	186.1
GFInlat	422,644	20,889	114,044	134,933	-70.2
GFInterac	-29,317	-6,766	-55,386	-62,152	98
GFInver	578,267	-26,365	62,610	36,245	-94.1
GFMultiva	-22,161	22,508	-36,577	-14,069	-40.7
GFNorte	344,488	-18,491	349,118	330,627	-10.3
GFProbu	353,215	-59,366	-101,505	-160,871	---
GFSerfín	1,153,381	8,282	235,753	244,035	-80.2
Primeln	472,750	2,842	200,546	203,388	-59.8
GFProfín	222,339	-936,000	271,957	271,021	13.9

* Miles de nuevos pesos.
**Resultado del ejercicio de las subsidiarias no distribuidas o aplicadas.
Fuente: Elaborada con datos de la BMV y reportes de los grupos.

Durante 1993 se incrementó el número de grupos financieros. Las sociedades controladoras aumentaron de 22 a 27, aun cuando la mayor parte de ellas se constituyeron con base en entidades ya existentes. A estos 27 grupos pertenecen 23 bancos, 21 casas de bolsas, 26 arrendadoras, 24 empresas de factoraje, 10 aseguradoras, 6 almacenadoras, 7 afianzadoras y 21 casas de cambio.

En 1993 y 1994 se autorizó la operación de nuevos bancos nacionales (*véanse* tablas 5 y 6).

En 1993 se autoriza a bancos extranjeros abrir sucursales en México a partir de 1994. El 17 de octubre de 1994, la Secretaría de Hacienda y Crédito Público dio autorización para que operaran 48 nuevos intermediarios financieros, que incluyen cuatro grupos financieros: Citibank, J.P. Morgan, Santander, Chemical, y Grupo ING; dieciocho bancos múltiples: Citibank, Santander, J.P. Morgan, Republic National, Bank of New York, Bank of America, Chemical Bank, Nations Bank, Societé Generale, ING Capital Holdings, ABM Amro Bank, Fuji Bank, Banque Nationale de París, Chase Manhattan Bank, Bank of Boston, Dresdner Bank, First Chicago, Bank of Tokyo y American Express; además, se autorizaron doce instituciones de seguros, dieciséis casas de bolsa y una arrendadora.

Los intermediarios financieros de objeto limitado incluyen a las uniones de crédito, arrendadoras y empresas de factoraje, las cuales estaban apoyadas por Nacional Financiera (Nafin). En agosto de 1993 se formó el Programa de Fortalecimiento y Consolidación de los Intermediarios Financieros no Bancarios, con el cual se buscaba reducir la dependencia de estas instituciones financieras en cuanto a los recursos de la banca de desarrollo y fortalecer la red de intermediación crediticia de Nafin, con menor riesgo y mejores servicios para sus acreditados. Entre los lineamientos más importantes que se incluyen en dicho programa están los relacionados al apalancamiento máximo, a

Tabla 4 Instituciones bancarias: Información financiera a junio de 1994*

Instituciones Bancarias Información Financiera	Banamex % Jun 94	Bancomer % Jun 94	Serfin % Jun 94	Comermex % Jun 94	Internacional % Jun 94	Atlántico % Jun 94
Razones %						
Utilidad neta a capital contable	22.19	16.83	20.94	22.27	19.67	20.03
Utilidad neta a activos totales	1.67	1.29	1.12	1.00	1.03	1.12
Utilidad neta a ingresos totales	19.38	15.86	16.83	-	13.22	14.48
Cartera vencida neta a créditos	5.34	5.37	6.45	6.16	6.77	4.71
Créditos otorgados a captación total	96.84	107.35	109.47	96.90	108.27	129.41
Castigos a créditos totales	0.74	0.23	0.36	-	0.54	0.25
Provisión total a cartera vencida	45.56	36.24	31.43	33.79	37.63	49.05
Índice de capitalización	11.73	10.24	8.88	7.57	10.52	10.29
Margen financiero	6.32	7.84	6.01	-	8.03	7.97
Incrementos reales %						
Activo total	2.4	1.1	25.3	11.5	19.6	56.0
Captación total	(1.3)	(8.7)	13.7	4.8	(0.2)	(3.0)
Créditos otorgados	(1.6)	(1.7)	21.1	10.0	1.2	28.8
Cartera vencida neta	45.1	30.4	44.7	65.8	52.5	10.8
Capital contable	9.7	3.3	27.9	25.2	16.7	19.9
Ingresos totales netos	(0.2)	(22.8)	(3.1)	-	(6.5)	7.5
Utilidad	(8.9)	(38.9)	(13.3)	25.7	(24.5)	(10.3)
Participación de mercado %						
Activo total	20.81	18.08	12.60	5.85	5.32	5.57
Captación total	21.17	18.26	13.09	6.62	4.36	3.01
Créditos otorgados	18.38	18.39	13.74	6.04	4.84	3.64
Capital contable	26.07	21.43	10.89	3.60	4.93	4.13
Sistema de Ahorro para el Retiro (SAR)	29.75	35.42	11.28	4.64	2.49	2.03
Utilidad neta	28.63	16.40	11.67	5.14	3.58	3.38
Personal	20.72	21.82	11.80	6.61	6.16	3.79

* Todas las instituciones financieras anteriores son de cobertura nacional excepto el Atlántico que es de cobertura multirregional.
Fuente: Grupo financiero BANAMEX-ACCIVAL. *Análisis Financiero y Bursátil,* 1994.

Tabla 5   Nuevos bancos a septiembre de 1994

Banco	Créditos totales (millones de N$)	Captación (millones de N$)	Capital contable (millones de N$)	Utilidad total (millones de N$)
Inbursa	4,318	3,359	1,916	108
Interestatal	1,282	323	141	1
Industrial	1,245	970	120	0
Interacciones	823	1,034	257	1
Capital	352	277	268	15
Pronorte	169	81	131	8
Mifel	76	9	155	5
Invex	20	115	152	2
Sureste	492	1,034	130	9
Total nuevos bancos	8,778	7,201	3,268	149
Total sistema	494,260	383,945	44,257	5,608

Fuente: Grupo Financiero Banamex - Accival, *Bancos* 1994.

la capitalización y a la diversificación de las fuentes de fondeo, entre otros. Las sociedades financieras de objeto limitado (*nonbank banks*) extranjeras, que otorguen crédito de consumo, comercial, hipotecario o a través de tarjetas de crédito, no podrán tener activos superiores al 3% de los bancos y de los *nonbank banks*, excepto para aquellos especializados en créditos automovilísticos que no tendrán esta restricción.

El 23 de noviembre de 1994 se autorizaron 11 sociedades financieras de objeto limitado: cinco arrendadoras, seis empresas de factoraje y una casa de cambio, distribuidas en cinco grupos: General Electric, Capital Associates, Caterpillar, Chrysler y Ford Credit. Estos intermediarios de objeto limitado se dedicarán al mercado minorista, mediante financiamientos a personas físicas, así como a la pequeña y a la mediana empresa.

La captación bancaria por ciudad permanece concentrada en el Distrito Federal, con un 72.0% del total (*Véase* tabla 7). En cuanto a la participación internacional, 16 bancos mexicanos tenían en 30 ciudades de 24 países diferentes: 24 subsidiarias, 22 sucursales, 15 agencias y 29 oficinas de representación.

LOS SERVICIOS FINANCIEROS BAJO EL TRATADO DE LIBRE COMERCIO DE AMÉRICA DEL NORTE

Las negociaciones para el Tratado de Libre Comercio (TLC) de América del Norte concluyeron el 12 de agosto de 1992 y el tratado entró en operación el 1 de enero de 1994. Este documento establece que los ciudadanos de EE.UU., Canadá y México podrán adquirir servicios financieros, y las instituciones financieras podrán establecerse en cualquiera de esos tres países; sin embargo, un periodo de transición que va de 1994 al año 2000 protege a los bancos mexicanos tras su reciente privatización.

La participación extranjera en el mercado mexicano es posible a través de una subsidiaria en México o mediante la adquisición de un banco de nuestro país. Los límites a la penetración de mercados de instituciones extranjeras, medida como un porcentaje de la capitalización, incluyen:

Tabla 6   Bancos autorizados a septiembre de 1994

Banco	Capital Inicial (millones de N$)	Cobertura	Mercado
CAPITAL de Jaime Weiss	250	Zona Metropolitana, sede en D.F.	Construcción, textil, comercio y automotriz
INDUSTRIAL	240	Occidente del país, sede en Guadalajara	Construcción, textil, electrónica, calzado, alimentos, muebles y productos metálicos
INTERESTATAL de José Gaspar Lugo Espinoza	240	Noroeste del país, sede en Culiacán	Agropecuario, forestal, comercio, construcción y turismo
DEL SURESTE	240	Sureste del país y D.F., sede en Mérida	Industrial, comercial y de servicios
INBURSA de Carlos Slim	250	Nacional	Telecomunicaciones, comercio y construcción
PROMOTOR DEL NORTE	150	Norte del país, sede en Torreón	Comercio, servicios y construcción
INTERACCIONES de Carlos Hank Rhon	150	D.F., Guadalajara, Monterrey	Desarrollo de infraestructura
QUADRUM	200	D.F., Guadalajara, Monterrey	Comercial, industrial y telecomunicaciones
MIFEL	150	D.F., Guadalajara, Monterrey	Textil, automotriz, telecomunicaciones y construcción
INVEX		Regional	N.D.
REG. DE MONTERREY		Regional	N.D.
FIMSA	150	Zona Metropolitana, sede D.F.	
ALIANZA	150	Cd. Victoria, D.F., Monterrey y Matamoros	Manufacturero
BAJÍO	120	León, Querétaro, Aguascalientes, San Luis Potosí, Morelia y D.F.	
AFIRME	120	Tamaulipas, Nuevo León y Coahuila	Servicios, transformación y comercio
DEL ATOYAC	120	Puebla, Veracruz, Tamaulipas, Hidalgo, Tlaxcala, D.F., Edo. de México, Oaxaca, Tabasco, Chiapas	Agroindustria y comercio
BANSI	120	Jalisco - se extenderá al Bajío y Occidente	Agropecuario, industrial, turismo y construcción
SOFIMEX	160	D.F., Edo. de México, Chihuahua, Nuevo León y Veracruz	Transformación, comercio exterior, desarrolladores inmobiliarios, ind. maquiladora

Fuente: Grupo Financiero Banamex -Accival, *Bancos* 1994.

Tabla 7   Importancia de la captación bancaria por ciudad en 1994

Monto en millones de nuevos pesos

Entidad	Participación	Monto (N$)	Entidad	Participación	Monto (N$)
Distrito Federal	72.0%	290,373	Toluca	0.4%	1,640
Monterrey*	4.9%	19,618	Cd. Juárez	0.4%	1,548
Guadalajara	3.7%	14,961	Mexicali	0.4%	1,501
San Luis Potosí	1.4%	5,610	Chihuahua	0,4%	1,476
Puebla	1.1%	4,343	Saltillo	0.4%	1,432
Culiacán	1.1%	4,300	Cuernavaca	0.3%	1,281
Tijuana	0.8%	3,027	Morelia	0.3%	1,152
León	0.6%	2,223	Torreón	0.3%	1,096
Mérida	0.4%	1,684	Aguascalientes	0.3%	1,061
Hermosillo	0.4%	1,642	Resto	10.8%	43,478

* Incluye a San Pedro Garza García.
Fuente: Banco de México.

1. Un límite a la participación de las compañías extranjeras en el mercado como un todo que se incrementará gradualmente de un 8% en 1994 a un 15% en el año 2000.
2. Un límite a la participación de cada institución individual del 1.5% del capital neto nacional.
3. Después de cuatro años se permitirá la adquisición de bancos con una participación de mercado menor al 4%, lo que limita las adquisiciones a bancos regionales pequeños. Este requerimiento desaparecerá después del periodo de transición.

Los beneficios del TLC para el consumidor mexicano desde el punto de vista financiero son una disminución en los márgenes de intermediación y una mayor variedad de productos financieros. Se espera que haya niveles de eficiencia más altos, reflejados en menores costos de operación y tasas de interés más bajas. Las instituciones mexicanas tratarán de construir barreras de entrada a sus mercados tradicionales y, así, establecer una posición firme en los mercados internacionales, antes de que la competencia de las instituciones financieras se convierta en un factor principal en sus mercados. Así lo advirtió el presidente de la Asociación Mexicana de Bancos, Roberto Hernández Ramírez, en octubre de 1994:

Yo creo que los banqueros tradicionales que no estén adaptándose a la velocidad del cambio estarán saliendo... Lo que sucede es que se está abriendo un abanico de instituciones de crédito, en lo que habrá de todo: modernización, quebrantos, fusiones y reestructuraciones... Es injusto decir si son todos los que están o son todos los que son, el tiempo dirá qué banqueros industriales, tradicionales o bursátiles encontraron un nicho de mercado y lograron un negocio rentable[4].

4. Rodiles, J. "Entrevista con Roberto Hernández: La banca hoy". *Latinfinance Mexico*, octubre de 1994, pp. 42-43.

FORTALEZAS Y DEBILIDADES COMPETITIVAS DEL SISTEMA BANCARIO MEXICANO

A principios de 1994, las ventajas de los bancos mexicanos incluían:

1. Un mejor marco regulatorio comparado con el del sistema norteamericano que permitía la cobertura nacional de las instituciones financieras.
2. Una banca universal que permitía llevar a cabo servicios de banca comercial, banca de inversión, cambio de divisas, seguros, factoraje, etc. bajo un mismo techo con el esquema de grupos financieros.
3. Las firmas industriales pueden participar en la propiedad de los bancos y cualquiera tiene acceso a tomar parte en la propiedad de las firmas industriales, situación que limita la concentración de los riesgos.
4. Las instituciones mexicanas habían ganado experiencia al competir con las representaciones de bancos extranjeros en el mercado corporativo de préstamos. El número de representantes extranjeros no se había incrementado en los últimos años, esto sugiere que su participación en el mercado se había mantenido estable.
5. Se pensaba que la red de sucursales representaba una importante barrera para el ingreso en el mercado mexicano, lo que se espera limitaría la penetración de instituciones financieras extranjeras en el mercado medio. Además, los bancos mexicanos con operaciones conjuntas internacionales podrían desarrollar ventajas competitivas adicionales.
6. Los depósitos bancarios y el financiamiento eran bajos con relación al PIB. México contaba con un pequeño número de sucursales con respecto al tamaño de la población y con relación a los bajos depósitos por sucursal.

Sin embargo, los bancos mexicanos habían mostrado algunas debilidades importantes:

1. Ofrecían servicios deficientes en sus sucursales y los servicios bancarios por correo no habían prosperado debido a la falta de eficiencia en el servicio postal. Los competidores capaces de distribuir productos fuera de las sucursales podrían encontrar un nicho de alto rendimiento en el mercado.
2. No habían podido diseñar nuevos productos con suficiente velocidad y efectividad: crédito para los consumidores, crédito hipotecario, ingeniería financiera, etc.
3. El no cubrir todos los segmentos del mercado podría abrir las puertas a nuevos intermediarios financieros que pudieran hacer esta tarea.
4. Los bancos no estaban suficientemente cercanos a los consumidores. Los créditos se procesaban de manera lenta y con poca eficiencia. Los préstamos eran más costosos y con plazos cortos de vencimiento.
5. El sistema regulatorio mexicano restringe las operaciones de las instituciones financieras y el número de productos que ofrecen, mientras que los sistemas canadiense y norteamericano solamente enfatizan la disponibilidad de información.
6. La supervisión de los bancos por parte de las autoridades podría mejorarse.
7. Existía la percepción de que los bancos privatizados habían sido adquiridos relativamente costosos y los nuevos propietarios estaban ansiosos de recuperar su inversión antes de que la competencia internacional lo hiciera más difícil. Además, eran necesarios márgenes altos para cubrir la creciente cartera vencida.

PRIVATIZACIÓN DEL GRUPO FINANCIERO BANCOMER (GFB)

Don Eugenio Garza Laguera, accionista mayoritario de Valores Monterrey, S.A. (VAMSA) y otros inversionistas mexicanos lograron adquirir el 56% del capital accionario de Bancomer, S.A. Pagaron 2.99 veces su valor en libros, lo que implicó un monto total pagado de 8,559 billones de pesos. Al crear GFB, los accionistas de VAMSA transfirieron cuatro de sus subsidiarias financieras: Arrendadora Financiera Monterrey, S.A., Almacenadora Monterrey, S.A. de C.V., Factor de Capitales S.A. de C.V. y la Casa de Bolsa Acciones Bursátiles, S.A. de C.V. a la empresa tenedora de acciones (*véase* tabla 8).

VAMSA es un grupo mexicano de servicios financieros que cotiza en bolsa, cuya principal subsidiaria es Seguros Monterrey, una de las compañías del ramo más grandes de México. El grupo de inversionistas que adquirió Bancomer también controla Valores Industriales, S.A. (Grupo Visa), que a su vez controla a Fomento Económico Mexicano, S.A., de C.V., (FEMSA), una de las empresas industriales más grandes de México, con subsidiarias que poseen aproximadamente el 50% del mercado mexicano de cerveza y mantiene una posición dominante en los sectores de refrescos embotellados y aguas minerales.

A partir de su privatización, la nueva administración había estado implementando nuevos sistemas y tecnología para racionalizar las operaciones y reducir costos. El banco estaba enfocado principalmente en el mercado medio, uno de los segmentos de más rápido crecimiento en la economía mexicana.

Bancomer contaba con 50 centros regionales y 4 oficinas de representación en el extranjero con sede en Nueva York, Gran Caimán, Londres y Los Angeles. Tiene la mayor red de sucursales y de cajeros automáticos del país y mantiene posiciones importantes en tarjetas de crédito, crédito hipotecario, crédito automotriz y administración de fondos (*véanse* tablas 9, 10 y 11).

MISIÓN Y OBJETIVOS DE GFB

La misión de GFB fue definida como "Ser la mejor opción para satisfacer las necesidades de nuestra sociedad en servicios financieros, con la máxima seguridad y calidad. Ofrecer a nuestra gente las mejores condiciones para su desarrollo integral, en respuesta a su esfuerzo individual y en equipo. Obtener un rendimiento atractivo para nuestros accionistas y contribuir de manera importante al desarrollo económico y social de nuestra comunidad"[5]. Esto involucra:

- Mayor cuidado y atención a los clientes para defender e incrementar la participación del mercado, mediante la innovación de productos y calidad en el servicio.

- Lograr una productividad a niveles internacionales para competir con éxito en la economía abierta.

- Asegurar la mejor calidad de riesgo en beneficio de sus accionistas.

- Adelantarse a los cambios del entorno y convertir a Bancomer en el banco líder en rentabilidad.

---

5. Bancomer. *¿Hacia dónde va el Grupo Financiero Bancomer?* Publicación de Bancomer, S.A. 1993.

Tabla 8   Capital social de GFB

No. de acciones	Serie	Porcentaje	Posibles adquirientes
1,762,483,713	A	40.3%	mexicanos
656,611,580	B	15.0%	mexicanos
1,036,755,126	C	23.7%	libre suscripción
916,725,954	L	21.0%	libre suscripción

TOTAL = 4,372,576,373

Fuente: Grupo Financiero Inverlat, 1994.

Tabla 9   Bancomer

Concepto	Dic 1989	Dic 1990	Dic 1991	Dic 1992	Dic 1993	Dic 1994
Definición cuantitativa						
Sucursales	761	762	742	765	855	876
Personal	35,492	37,041	36,414	39,051	35,028	30,705
Cuentas de cheques	681,640	876,570	1,214,516	1,449,141	1,740,652	2,164,232
Cuentas de ahorro	5,586,600	4,176,210	3,240,901	3,058,927	2,895,022	2,765,755
Cuentas de inversión a plazo	1,162,380	966,240	752,738	667,206	712,374	860,799
Total de cuentas	7,430,630	6,019,020	5,208,155	5,175,274	5,348,048	5,790,786

Fuente: Comisión Nacional Bancaria. *Boletín Estadístico de Banca Múltiple*

Tabla 10   Banamex

Concepto	Dic 1989	Dic 1990	Dic 1991	Dic 1992	Dic 1993	Dic 1994
Definición cuantitativa						
Sucursales	749	726	720	630	691	710
Personal	29,482	31,315	31,964	36,965	33,385	32,609
Cuentas de cheques	373,370	318,286	394,203	401,584	376,713	379,010
Cuentas de ahorro	8,363,457	8,095,222	8,151,428	91,521	75,307	58,826
Cuentas de inversión a plazo	619,293	506,099	450,816	552,461	566,552	576,729
Total de cuentas	9,356,120	8,919,607	8,996,447	1,045,566	1,018,572	1,014,565

Fuente: Comisión Nacional Bancaria. *Boletín Estadístico de Banca Múltiple.*

Tabla 11   Banca mexicana

	Definición cuantitativa**					
Concepto	Dic 1989	Dic 1990	Dic 1991	Dic 1992	Dic 1993	Dic 1994
Sucursales	4,511	4,482	4,257	4,208	4,473	5,051
Personal	161,667	166,654	156,864	157,733	151,379	145,729
Cuentas de cheques	2,592,740	2,911,300	3,353,118	3,613,986	4,240,954	4,838,943
Cuentas de ahorro	20,009,840	17,093,500	15,363,817	6,801,583	5,853,049	5,471,044
Cuentas de inversión a plazo	4,731,076	3,277,000	2,439,023	2,366,574	2,562,494	2,725,777
Total de cuentas	27,333,656	23,281,800	21,155,958	12,782,143	12,656,497	13,035,764

** A partir de 1990 se incluyen cifras de Citibank. A partir de 1991 no se incluyen cifras de banco Unión y banca Cremi en tanto no se regularice la situación.
Fuente: Comisión Nacional Bancaria. *Boletín Estadístico de Banca Múltiple.*

VALORES DE GFB

Los valores establecidos en dicho grupo financiero se resumen así: "Creemos en el individuo, sin distinción de sexo, raza o religión. En su honestidad, sentido de responsabilidad, respeto y deseo de superación, compartiendo entre todos el éxito de la institución". Este estatuto puede desglosarse en los siguientes valores que forman parte integral de la cultura de GFB: excelencia, honestidad, prudencia, espíritu de servicio, justicia, responsabilidad, lealtad, austeridad y creatividad. GFB busca comprometerse con el cliente, cuidando al cliente actual y atrayendo al cliente potencial[6].

CAMBIO DE ESTRATEGIA

Con el objeto de mejorar la calidad de los servicios y la eficiencia de las operaciones, en 1993 se introdujo un nuevo modelo estratégico. Este programa se consideró clave para el éxito de la compañía en los años venideros[7].

Los principales *objetivos del cambio* fueron: simplificar la gestión, controlar el riesgo, identificar y medir ganadores, adelantarse a los cambios del entorno y apalancar los recursos. El futuro de GFB se basó en *tres estrategias*: nuevo modelo estratégico, reingeniería de procesos y reorientación cultural.

Para alcanzar estos objetivos, GFB se reorganizó en cinco unidades estratégicas de negocio-producto, las cuales son: banca del consumidor, banca de servicios, banca hipotecaria, banca institucional y banca especializada.

Cada una de estas unidades es responsable de un determinado conjunto de productos, con el propósito de mejorar la calidad en los servicios, reducir costos de operación y racionalizar el funcionamiento del Grupo a través de sus diferentes subsidiarias.

6 *Ibíd.*
7. Expansión. "Bancomer: reestructuración en la cumbre". *Expansión*, noviembre 10, 1993, pp. 70-74.

- *Banca del consumidor*: Se encarga del diseño de productos y servicios como tarjetas de crédito y débito, planes de créditos personales y para el consumo, SAR, banca electrónica y fondos de inversión.
- Banca de servicios: Su responsabilidad es administrar la red de sucursales, procurar el mejor servicio a la clientela en productos de captación, canalizar financiamientos a pequeñas empresas y al sector agropecuario; y operar fondos de fomento.
- *Banca hipotecaria*: concentra su atención en el análisis del mercado y creación de servicios hipotecarios e inmobiliarios.
- *Banca institucional:* Su misión es proporcionar servicios financieros a la mediana así como a la gran empresa y al sector gubernamental. Tiene a su cargo los productos internacionales del Grupo.
- *Banca especializada*: Asume la responsabilidad de proporcionar servicios integrales a través de la coordinación de los trabajos de casa de bolsa, tesorería, arrendadora, factoraje, así como de las operaciones fiduciarias del Grupo. También atiende al sector de clientes patrimoniales a través de la unidad de banca patrimonial, agencias y oficinas de representación internacionales.

Además de las unidades del negocio se definieron cinco direcciones generales anexas como áreas funcionales:

- *Contraloría*: Reporta al Consejo de Administración, además de su responsabilidad de los sistemas de control y auditoría de la Institución.
- *Crédito y gestión de riesgos:* Se encarga de coordinar así como supervisar todas las funciones de crédito y gestión del riesgo, recuperación y jurídico contencioso.
- *Finanzas, control de gestión y administración:* Se encarga de la función jurídica, finanzas, desarrollo inmobiliario, seguridad institucional, adquisiciones, servicios internos y las inversiones en hoteles.
- *Sistemas, planeación y operación:* Está a cargo de la planeación estratégica y sistemas de Bancomer.
- *Recursos humanos y comunicación:* Establece y mantiene vigentes las estrategias, lineamientos y políticas de recursos humanos, posicionamiento, publicidad, relaciones públicas y comunicación.

Como resultado de la nueva estructura, se espera que los costos de operación expresados en porcentaje del ingreso neto, bajen del nivel actual del 56% al 49%; sin embargo, los beneficios de estos mejoramientos en la eficiencia no se harían evidentes sino hasta 1995.

ALIANZAS ESTRATÉGICAS

Como resultado de la globalización del sector financiero y la eficiencia obtenida con productos financieros actualizados, la Dirección considera importante para GFB establecer alianzas estratégicas con compañías internacionales, en algunos sectores como el de arrendamiento, administración de pensiones, hipotecas y crédito al consumidor.

El Grupo planea formar una asociación con una compañía extranjera para participar en el negocio de telefonía de larga distancia. Este convenio considera en un primer lugar el desarrollo de la infraestructura en telecomunicaciones del Grupo; y en segundo lugar, su participación en el mercado de larga distancia internacional.

En 1993, Bancomer firmó una alianza con First Data Resources Inc. (FDR) en la división de tarjetas de crédito con el objeto de que FDR maquile los procesos de información de las operaciones efectuadas con este instrumento, así como con las tarjetas de débito del banco. Con este mecanismo se espera generar importantes ahorros operativos junto con una mayor calidad en los servicios prestados. En abril de 1994, GFB anunció la asociación estratégica con Nations Bank Corporation (NBC) a través de sus respectivas subsidiarias de factoraje, para ofrecer sus servicios a los usuarios interesados en realizar negocios en la región del TLC. Por su parte, Nations Bank adquirirá el 10% de la tenencia accionaria de factoraje Bancomer S.A., operación sujeta a aprobación gubernamental.

En septiembre de 1994 se firmó una carta de intención con GTE (Global Telecomunications Enterprises) para la elaboración de negocios y eventual participación en el mercado de telefonía local y de larga distancia. En mayo de 1995 se constituyó la empresa UNICOM en la que participan VISA, GFB y GTE.

OBSTÁCULOS PARA EL DESARROLLO DE GFB

La posición de Bancomer en el mercado minorista y en el mercado intermedio, caracterizada por márgenes más amplios y mayor riesgo, podría hacer que el banco sea más vulnerable al crecimiento de la cartera vencida.

La eficiencia de las operaciones a nivel del banco también era baja comparada con la de sus principales competidores. El banco implementó un programa para reducir los costos y mejorar la eficiencia (*véanse* tablas 12 y 13).

Tabla 12   Bancomer

		Indicadores financieros				
Concepto	**Dic 1989**	**Dic 1990**	**Dic 1991**	**Dic 1992**	**Dic 1993**	**Dic 1994**
(1) Margen de utilidad	6.69	4.65	6.27	7.81	7.05	3.19
(2) Rentabilidad del capital ROE	35.58	31.70	48.68	48.86	42.05	17.58
(3) Rend. sobre activos ROA	1.49	1.22	1.69	2.03	1.68	0.71
(4) Margen de interés neto (MIN)	N.D.	N.D.	7.38	8.21	7.94	6.08
(5) Índice de capitalización*	N.D.	N.D.	7.43	9.85	10.11	9.11
(6) Índice de morosidad	1.04	2.43	3.45	5.23	7.49	7.26
(7) Eficiencia operativa	68.04	62.70	67.77	64.42	60.07	52.29

(1) Utilidad neta/Ingreso total
(2) Utilidad neta anualizada/Promedio del capital contable sin revaluaciones
(3) Utilidad neta anualizada/Promedio del activo total sin revaluaciones
(4) Margen financiero anualizado/Promedio de activos productivos (cartera de valores, cartera de crédito vigente, cartera de crédito vencida y deudores por reporto)
(5) Capital neto / Activos de riesgo. Determinado por el Banco de México
(6) Cartera vencida/Cartera de crédito total. Para 1989 y 1990 se considera la cartera vencida neta después se toma la bruta
(7) Costo de operación / Ingreso total neto (margen financiero + dividendos + ing. neto por serv. + otros ing. netos)

* El índice de capitalización corresponde al trimestre anterior. N. D. = No disponible

Fuente: Comisión Nacional Bancaria, *Boletín Estadístico de Banca Múltiple*

Tabla 13   Banamex

Indicadores financieros

Concepto	Dic 1989	Dic 1990	Dic 1991	Dic 1992	Dic 1993	Dic 1994
(1) Margen de utilidad	4.83	7.90	8.74	10.73	8.79	3.52
(2) Rentabilidad del capital ROE	28.45	42.47	48.73	52.59	36.50	11.55
(3) Rend. sobre activos ROA	0.86	1.58	1.76	2.19	1.84	0.62
(4) Margen de interés neto (MIN)	N.D.	N.D.	5.89	7.66	7.75	6.75
(5) Índice de capitalización*	N.D.	N.D.	8.41	10.18	11.69	10.85
(6) Índice de morosidad	0.91	1.35	5.60	6.11	7.37	8.37
(7) Eficiencia operativa	53.67	65.91	69.34	51.37	46.08	44.06

(1)   Utilidad neta/Ingreso total
(2)   Utilidad neta anualizada/Promedio del capital contable sin revaluaciones
(3)   Utilidad neta anualizada/Promedio del activo total sin revaluaciones
(4)   Margen financiero anualizado/Promedio de activos productivos (cartera de valores, cartera de crédito vigente, cartera de crédito vencida y deudores por reporto)
(5)   Capital neto / Activos de riesgo. Determinado por el Banco de México
(6)   Cartera vencida/Cartera de crédito total. Para 1989 y 1990 se considera la cartera vencida neta después se toma la bruta
(7)   Costo de operación / Ingreso total neto (margen financiero + dividendos + ing. neto por serv. + otros ing. netos)

* El índice de capitalización corresponde al trimestre anterior. N. D. = No disponible

Fuente: Comisión Nacional Bancaria, *Boletín Estadístico de Banca Múltiple*

RESPUESTAS ANTE LA DEVALUACIÓN

A pocos días de su posesión, el nuevo gobierno mexicano realizó un ajuste cambiario el 20 de diciembre de 1994 lo que cambió las expectativas económicas del país (*véase* tabla 14). Los pasivos en moneda extranjera de los 17 bancos más importantes del sistema se elevaron en un 47% en nuevos pesos devaluados. Esto implicó una pérdida cambiaria de N$3,176 millones aproximadamente US$635 millones para tales instituciones. La banca fue uno de los sectores seriamente afectados por la devaluación, la inestabilidad financiera y los costos asociados al nuevo programa de emergencia económica. Como resultado, algunas instituciones financieras extranjeras mostraron interés en adquirir los bancos mexicanos en dificultades.

El ingeniero Ricardo Guajardo, Director General de GFB, explicó en enero de 1995, que aun cuando no se había previsto tener un escenario como el que se presentó, sí se había anticipado la posibilidad de que hubiera un ajuste cambiario acompañado de tasas elevadas en términos nominales[8]. GFB había adoptado medidas preventivas en materia de riesgo cambiario y de mercado de dinero y tasas de interés. Además de haber modernizado su estructura, operación y tecnología.

Ante un posible debilitamiento para 1995, en la calidad de su cartera de crédito, Bancomer creó provisiones preventivas contra riesgos por 1,036 millones de nuevos pesos adicionales; por esta razón, las reservas preventivas hasta diciembre de 1994 sumaron en conjunto N$3,674 millones. Pese a que dichas reservas superaron el requerimiento mínimo de N$533.1 millones, establecido por la CNB sólo alcanzaban a cubrir el 45% de sus saldos incobrables.

---

8. Bancomer. *Mundo Bancomer: un enlace informativo*. Publicación de Bancomer, S.A., año 6, No. 98, febrero 1995.

Tabla 14   La economía mexicana

	1988	1989	1990	1991	1992	1993	1994 (p)	1995 (e)
Variación del PIB (precios constantes) % (1)	1.7	3.2	4.4	3.6	2.8	0.4	3.5	-0.2
Variación en el Índice Nacional de Precios al Consumidor % (2)	51.65	19.69	29.92	18.79	11.93	8.01	7.05	29.9
CETES a 3 meses (%)	68.2	40.2	25.8	17.3	17.5	11.7	19.2	30.3
Tipo de Cambio Libre (3) (N$/USD)	2.297	2.683	2.943	3.075	3.119	3.108	5.3250	5.1
Variación en el Índice de Precios y cotizaciones de la Bolsa Mexicana % (4)	100.17	98.03	50.10	127.65	22.90	47.92	(8.71)	(5.0%)
Superávit/Déficit en Cuenta Corriente (5)	(2.443)	(3.96)	(7.114)	(13.283)	(24.8)	(23.4)	(28.7)	(11.4)

(1) Ajustado por la inflación
(2) El INPC es con base 1978=100. Todos los INPC utilizados para determinar la variación, son los de diciembre de cada año
(3) El tipo de cambio de 1994 corresponde al de diciembre de ese año, todos los demás son los generales
(4) El IPC a diciembre de cada año
(5) Cifras en millones de pesos
     p = preliminar
     e = estimado

Fuente: Banco de México. *Dirección de Operaciones de Banca Central, Subgerencia de Cambios Nacionales,* diciembre de 1994

En cuanto a las medidas por tomar en cada una de las bancas, ante la crisis económica, se encontraba:

- *Banca del consumidor.*   Se adecuarían los pagos en tarjeta de crédito y en automóvil, se harían planes individuales para ajustar las necesidades del cliente a los programas que se ofrecerán. Se rediseñarían algunos planes de crédito, con el fin de ser selectivos en cuanto a otorgamiento de crédito.
- *Banca de servicios.*   Aunque el impacto de la crisis económica en la cartera sería importante, GFB contaba con una estructura de crédito central que permitía reestructurar, aprobar apoyos especiales y procesar en uno o dos días cualquier solicitud de crédito que se presentara. Así se pronunció Ricardo Guajardo: "Estamos seguros que con la estructura que tenemos, la reingeniería que ya se terminó y los niveles de servicios que hemos alcanzado, vamos a poder crecer en el mercado".
- *Banca institucional.*   Se pronosticaba que crecerían poco al dedicar toda su atención a sus clientes actuales, que serían más selectivos en el otorgamiento de créditos y que seguirían apoyando a los clientes exportadores. Buscarían una mayor participación en el segmento de servicios.
- *Banca patrimonial.*   Indicaron que se irían más lento en el crecimiento de la nueva infraestructura que estaban instalando, que seguirían manteniendo sus posiciones de riesgo al mínimo indispensable para operar en el mercado, que manejarían con especial cuidado sus divisas y que mantendrían un estrecho contacto en su relación con el exterior.

El Banco de México anunció algunas medidas para apoyar a aquellos bancos que vieron mermado su nivel de capitalización, a través del Fondo Bancario de Protección al Ahorro (FOBAPROA) y del Programa de Capitalización Temporal (PROCAPTE), el cual apoya instituciones que requieren capital y no lo pueden obtener; no impacta a las finanzas públicas porque no tiene efecto monetario alguno. La asociación al PROCAPTE es voluntaria, y se abrió la posibilidad de asociación con empresas financieras del exterior que puedan aportar recursos a esas instituciones. Además, el Congreso de la Unión aprobó a principios de 1995, la utilización de una unidad de cuenta de valor constante, llamada Unidad de Inversión o UDI, para la denominación de créditos. Miguel Mancera, Gobernador del Banco de México, indicó en marzo de 1995 que "el valor de la UDI reflejará con un inevitable, pero pequeño retraso, la evolución del INPC. En consecuencia, el valor de los créditos que se denominen en UDIS se mantendrá virtualmente constante en términos reales a través del tiempo, tanto en lo concerniente al principal como a los intereses".

En sus resultados para el final de 1994, Bancomer reportó un índice de capitalización superior al 9%, un punto por arriba del mínimo exigido por las autoridades hacendarias y señaladas por el acuerdo de Basilea. Se pronosticaba que 1995 sería un año en el que se reduciría la actividad bancaria, y el nivel de cartera vencida correría el riesgo de incrementarse debido al nivel tan alto de las tasas de interés internas. A su vez, la primera reacción de la banca extranjera, que tenía planes de corto y largo plazo por ingresar en el mercado financiero mexicano fue aplazar hasta el segundo semestre de 1995, la apertura de oficinas. Se creía que esta situación de crisis, no variaba las condiciones de ingreso de las instituciones del exterior, salvo en cuanto a la posibilidad de asociarse con un banco ya establecido. De ingresar en un entorno recesivo, la banca extranjera tendría que adoptar los mismos niveles de tasas de interés de la banca mexicana porque la mayor parte de su fondeo también lo realizarían en pesos. La competencia se daría en mayor grado en el ofrecimiento de una mejor calidad en el servicio. GFB consideraba como su deber transformar la crisis en una oportunidad de consolidación y crecimiento. Así lo afirmó el Director General de GFB, Ricardo Guajardo a principios de 1995: "Todas las crisis se presentan como oportunidades y creo que a nivel de la empresa, como a nivel del país, una crisis representa muchas veces la posibilidad de hacer cosas y de tomar decisiones que en épocas normales o en épocas de prosperidad a veces posponemos, y finalmente por eso se dan las crisis"[9].

Preguntas y temas de análisis

1. ¿Qué opinión merece el proceso de nacionalización y privatización de la banca? ¿Quién salió ganando? ¿Quién salió perdiendo?
2. ¿Qué impacto puede tener la apertura sobre el sistema financiero mexicano?
3. ¿Cuáles son los principales problemas que enfrenta Ricardo Guajardo?
4. ¿Es clara la estrategia de Bancomer? ¿Cuál es la evaluación de la estrategiaa del GFB?
5. ¿Qué impacto puede tener sobre el sistema financiero la creación de nuevos intermediarios financieros en los ramos inmobiliario, especialista en pequeña y mediana industria, consumo popular, transportes, servicios, etc?
6. Evalúese la estrategia de GFB ante la crisis económica mexicana de finales de 1994 y comienzos de este año.

---

9 Bancomer. *Mundo Bancomer: un enlace informativo.* Publicación de Bancomer, S.A., año 6, No. 98, febrero de 1995.

530 Caso 5

Referencias

Banco de México, *La Economía Mexicana*, México, Reporte Anual 1982.

Bancomer, Resumen IV Videoconferencia, *Mundo Bancomer: un enlace informativo*, México, febrero de 1995.

Bolsa Mexicana de Valores, *Anuario Bursátil* de 1991, 1992, 1993, 1994.

Centro de Investigación para el Desarrollo, A.C., *El Sistema Financiero Mexicano: Alternativas para el Futuro*, Editorial Diana, México, 1990.

Comisión Nacional Bancaria, *Banca Múltiple*. Diciembre 1982 - Diciembre 1994 México.

Comisión Nacional Bancaria, *Boletín Estadístico de Banca Múltiple*, México, 1991, 1992, 1993, 1994.

Comisión Nacional Bancaria, *Ley de Instituciones de Crédito*, México, junio de 1992.

Comisión Nacional Bancaria, *Ley para Regular las Agrupaciones Financieras*, México, junio de 1992.

Época, Bancos, Todos privados, México, 28 de diciembre, 1992, pp. 38-39.

First Boston, *The Mexican Banking System II*. New York, June 30, 1992.

Grupo Financiero Banamex-Accival, *Bancos*. México, 1994.

Grupo Financiero Banamex-Accival, *Análisis Financiero y Bursátil*. México, 1994.

Grupo Financiero Inverlat. *Reporte Trimestral*. México, 1994.

Guerrero-Sepúlveda, L. J. y García- González, J. A. The 1993 Privatization in Latin America México, *Latin Finance*, No. 45, April 1993, pp. 83-87.

Instituto Mexicano del Mercado de Capitales, *Anuario Financiero*, 1992.

Inverlat International. Major Mexican Listed Companies. Second Quater Report, México 1993.

Mundo Ejecutivo. Grupos Financieros: Batalla de Estrategias. Mayo de 1993 (pp. 10-14).

Quijano, J:M: (ED.), *La Banca: Pasado y Presente (Problemas Financieros Mexicanos)*, Centro de Investigación y Docencia Económicas, México.

Rodiles, J. El futuro de los bancos mexicanos: Sangre, sudor y lágrimas. *Latin Finance México*, octubre de 1994.

Salomon Brothers, *Emerging Markets Research: Mexican Banks*, New York, 1993, (Seventh Issues).

Seijas-Román, *Políticas y Estrategias de la Banca Múltiple*, El Colegio de México, México, 1991.

Tello Macías, C. *La Nacionalización de la Banca en México*, Siglo XXI Editores, México, 1984.

Varela, R., Monroy, M. y Cabrera, J. Los Grupos Financieros en el Desafío del Mejor Servicio, *Capital: Mercados Financieros*, México, sep-oct. de 1992, pp. 30-45.

Villegas H., E. y Ortega O., R. M. *El Nuevo Sistema Financiero Mexicano*, México: Ed. Pac., 1991.

Índice